1 MONTH OF
FREE
READING

at

www.ForgottenBooks.com

By purchasing this book you are
eligible for one month membership to
ForgottenBooks.com, giving you
unlimited access to our entire
collection of over 1,000,000 titles via
our web site and mobile apps.

To claim your free month visit:

www.forgottenbooks.com/free1238435

ISBN 978-0-332-74817-7
PIBN 11238435

This book is a reproduction of an important historical work. Forgotten Books uses
state-of-the-art technology to digitally reconstruct the work, preserving the original format
whilst repairing imperfections present in the aged copy. In rare cases, an imperfection in
the original, such as a blemish or missing page, may be replicated in our edition. We do,
however, repair the vast majority of imperfections successfully; any imperfections that
remain are intentionally left to preserve the state of such historical works.

Sitzungsberichte

der

philosophisch-philologischen

und der

historischen Classe

der

k. b. Akademie der Wissenschaften

zu München.

Jahrgang 1897.

München

Verlag der k. Akademie

1897.

In Commission des G. Franz'schen Verlags (J. Roth).

175377

Akademische Buchdruckerei von F. Straub in München.

Inhalts - Uebersicht.

Sitzungsberichte

der

königl. bayer. Akademie der Wissenschaften.

———

Sitzung vom 2. Januar 1897.

Philosophisch-philologische Classe.

Herr W. v. Christ hält einen Vortrag:

Beiträge zur Erklärung und Kritik Juvenals

erscheint in den Sitzungsberichten.

Historische Classe.

Herr Fr. v. Reber hält einen Vortrag über:

Phrygische Felsendenkmale

erscheint in den Abhandlungen.

— — — —

Die Sprache der Roḍiyās auf Ceylon.

Von Wilh. Geiger.

(Vorgelegt in philos.-philol. Classe am 5. December 1896.)

Die Roḍiyās sind eine Bevölkerungsclasse auf Ceylon, welche,
rhalb der Kaste stehend, den Singhalesen für unrein und
htlich gilt. Ausgeschlossen vom Verkehre mit der Gesell-
t leben sie in kleinen Dörfern oder Weilern, die abseits
Wege im Dschungel liegen. Roḍiyās gibt es hauptsäch-
im Bezirke Kaḍugannāva unweit Kandy, bei Ratnapura
in der Umgebung von Kurunāgala. Ihre Gesamtzahl ver-
ich nicht zu schätzen, sie ist jedenfalls keine bedeutende.
Ueber die sociale Stellung der Roḍiyās, über ihre Sitten
Bräuche, ihren Charakter und ihre Lebensweise werde ich
nderer Stelle ausführlich sprechen. Hier möchte ich nur
aur Einzelheiten hervorheben.
Die Etymologie des Wortes Roḍiyā ist dunkel, ebenso wie
les Namens Gāḍiyā, welchen sie selber sich beizulegen
en. Nicht unwahrscheinlich ist allerdings, dass *roḍiyā* mit
roḍḍa, pl. *roḍu* zusammenhängt, wofür Clough (Sinhalese-
ish Dictionary, Colombo 1892) die Bedeutungen „saw-
refuse, sediment, rubbish, chaff" angibt. Die Roḍiyās
in der That das „rubbish" der singhalesischen Gesellschaft.
' wir kommen mit dieser Zusammenstellung doch nicht
writer; denn es gilt nun eben, eine Etymologie des Wortes
aufzufinden. Die Roḍiyās selbst halten dasselbe für den
namen des Stammvaters ihrer Kaste.
Bezüglich des Ursprunges der Roḍiyās, über den wir eben-
im Dunkeln sind, verweise ich der Vollständigkeit wegen

1*

auf den natürlich ganz legendären Bericht bei Rob. Knox (Ceylonische Reisebeschreibung, deutsche Uebers. 1680, S. 145 ff.). Derselbe erzählt, es gebe in Ceylon Leute, welche um ihrer Missethaten willen von früheren Königen auf das tiefste erniedrigt worden seien. Dabei seien sie verpflichtet, anderen Leuten in einer Weise Ehre zu bezeugen, wie man sonst nur Königen und Prinzen gegenüber zu thun pflege. Die Vorfahren dieser Leute seien „Dodda-Vaddahs“ gewesen, d. h. Jäger, welche die königliche Tafel mit Wild zu versehen hatten. Einmal hätten sie nun statt des Wildbrets Menschenfleisch in die Küche geliefert, das dem Könige so gut mundete, dass er sie mehr von diesem Wilde zu bringen beauftragte. Allein der Barbier des Königs habe die Sache entdeckt und seinem Herrn hinterbracht. Dieser war so ergrimmt über die ruchlose That, dass ihm sogar die Todesstrafe noch zu gelinde erschien. Er bestimmte, dass von nun an alle Dodda-Vaddahs aus der menschlichen Gesellschaft ausgestossen sein und mit ihren Nachkommen für ewige Zeiten das Leben von heimat- und besitzlosen Bettlern führen sollten.

Dass Knox hier in der That von den Roḍiyās spricht, steht ausser Zweifel; denn er bezeichnet im weiteren Verlaufe seines Berichtes die Leute geradezu mit diesem Namen.

Chitty, in der gleich zu erwähnenden Abhandlung, spricht die Ansicht aus, dass die Roḍiyās eine von der singhalesischen verschiedene Rasse vertreten. Sie seien entweder ein Rest der Urbewohner von Ceylon oder Nachkommen von indischen Wanderhirten, welche vom Festlande auf die Insel herüberkamen.

Wie ich in meinem Reiseberichte (Sitzgsber. 1896, S. 193) bereits bemerkte, vermochte ich äusserlich allerdings zwischen Singhalesen und Roḍiyās keinen wesentlichen Unterschied wahrzunehmen. Wenn die Roḍiyā-Männer im allgemeinen grösser und kräftiger gebaut sind, so lässt sich dies wohl zur Genüge durch die Jahrhunderte hindurch während Trennung beider Bevölkerungsclassen erklären. Die Roḍiyās haben eben nicht an der Degeneration der singhalesischen Rasse in vollem Masse teilgenommen. Nach den photographischen Aufnahmen, die ich von Rodiyās besitze, scheint mir allerdings der Bau der Nase ein anderer zu sein als bei den Singhalesen.

Zur Bekräftigung der Ansicht Chitty's darf man vielleicht auf eine Stelle im Mahāvaṃsa (10. 91—93) verweisen, wornach König Paṇḍukābhaya (5. Jahrh. n. Chr.) zur Verrichtung der niedrigsten Dienste, wie Strassenreinigung und Leeren der Latrinen, Caṇḍālas aus Indien nach Ceylon kommen liess. Die Annahme aber, dass die Rodiyās von solchen indischen „Out-casts" abstammen, ist freilich nicht mehr als höchstens eine Möglichkeit.

Was die Sprache der Rodiyās betrifft, so stelle ich hier meine Ansicht, für die ich später den Nachweis bringen werde, voran: Das Rodiyā ist keine irgendwie selbständige Mundart, sondern deckt sich grammatisch vollständig mit dem Singhalesischen niedrigerer Volksclassen. Dabei ist ihm aber eine Anzahl von Wörtern, namentlich Substantiven und Verben, eigen, welche an die Stelle bestimmter singhalesischer Wörter treten. Den Charakter und Ursprung dieser Wörter werde ich später zu besprechen und meine Folgerungen zu ziehen haben. Meine nächste Aufgabe ist, das von mir gesammelte Wörtermaterial mitzuteilen. Meine Quellen für dasselbe sind die folgenden:

1. Ch = S. C. Chitty, Some Account of the Rodiyas, with a specimen of their language. Journal of the Royal Asiatic Society, Ceylon Branch II, Nro. 8, S. 171 ff. Das hier mitgeteilte Vocabular umfasst 123 Rodiyā-Wörter. Ich bemerke, dass Chitty bereits richtig über den Charakter der Rodiyā-Sprache urteilt, wenn er S. 177 sagt: „The ordinary language of the Rodiyas is Sinhalese, which they, however, speak with a quick accent, intermixed with a number of words peculiar to themselves, in order to render their speech unintelligible to strangers." Leider hat Chitty es versäumt, an Sprachproben dies zu erläutern. Als ich nach Ceylon ging, war meines Wissens überhaupt noch kein einziger Satz in Rodiyā veröffentlicht, keine grammatische Form mitgeteilt und keinerlei Versuch gemacht, die damals bekannten Wörter irgendwie zu erklären oder zu classificieren.

2. G 1 = A. Mendis Gunasekara Mudaliyar, Comprehensive Grammar of the Sinhalese Language (Colombo 1891), wo auf S. 384 eine Liste von 64 Wörtern sich findet.

3. F = „The Rodiyas of Ceylon" im Monthly Literary Register ... for Ceylon, New Series III (1895), Nro. 11, S. 251 ff.; Nro. 12, S. 285 ff.; IV (1896), Nro. 5, S. 103 ff.; Nro. 6, S. 127 ff. Das hier mitgeteilte Vocabular erschien zum Teil während meines Aufenthaltes auf Ceylon, zum Teil erst nach meiner Rückkehr. Der ganze Aufsatz stammt aus früherer Zeit und fand sich unter den nachgelassenen Papieren des verstorbenen A. M. Ferguson vor. Wie mir aber Herr Donald Ferguson schrieb, rührt er nicht von ihm selbst, sondern von einem unbekannten Autor her. Herr D. F. hatte auch die Güte, mir die betreffenden Nummern des Monthly Register zuzusenden.

4. Eigene Sammlungen, an Ort und Stelle angelegt, und zwar:

a) Rw = Ridī-williya. Es ist dies der Name meines ersten Gewährsmannes, eines Roḍiyā aus dem Dorfe Uḍu-gal-piṭiya im Distrikte Kaḍugannāva.[1]) Ich hatte den Mann am 23. und 24. December 1895 in meinem Hause in Colombo. Als Dolmetscher leistete mir der junge Schwager meines Freundes A. Gunasekara Mudaliyar, Valentine de Soysa, dankenswerte Unterstützung.

b) Kur = Kurunägala. Nachdem ich in Ratnapura mich davon überzeugt hatte, dass die dortigen Roḍiyās ihre Sprache mit dem gewöhnlichen Singhalesisch eingetauscht haben, begab ich mich nach Kurunägala, um hier die in Colombo begonnenen Sammlungen zu ergänzen und zu controlieren. Es erschien mir dies um so notwendiger, weil ich den Angaben des Ridī-williya nicht völlig traute. Der Mann machte auf mich den Eindruck, als habe er manches von seinem Slang schon verlernt, und als wolle er das, was er wusste, eher ver-

---

[1]) Bemerkt sei, dass der Mann auch von dem Mudaliyar A. Gunasekara ausgefragt wurde, der mir dann seine Aufzeichnungen überliess. Wörter, die diesen entnommen sind, habe ich durch Beifügung von G 2 markiert.

lichen als mitteilen. Er schien mir seiner Sprache sich
~~schämen~~ und mit seinem singhalesischen Wissen prunken
ollen. Meine Gewährsmänner in Kurunägala hiessen Pûla
Appuva und stammten aus dem 10 km entfernten Dorfe
ravaläni. Es waren zwei ganz aufgeweckte Leute, die
e Absichten merkwürdig schnell begriffen und mit grossem
und viel Verständnis auf meine Fragen Aufschluss gaben.
Auf diesen Materialien beruht das nachfolgende Wörter-
iehnis, das, wie ich glaube, zwar nicht erschöpfend ist,
immerhin auf einen hohen Grad von Vollständigkeit An-
h erheben darf. Ich bemerke schliesslich, dass alle bis-
eröffentlichten Vocabulare (Nro. 1—3) lediglich trockene
erlisten sind. Sämtliche Worterklärungen und etymolo-
en Vergleichungen, welche ich im folgenden gebe, rühren
nir her, und ich bin dafür verantwortlich. Dass viele
lben sehr problematisch sind, liegt in der Natur der Sache.

A. Wörterliste.

I. Gott und die Welt.

Gott —*bakurā*, *bakuru-dumana* „Tempel, Wihāra" eigtl.
Gotteshaus. — Ich trenne *baku* + *rā*; sgh. *bakka* „gross,
gewaltig" und *rā* „Dämon, Geist". — Sgh. *deviyan-*
~~...~~

Dämon, — *mūnusa* (Kur). — Sgh. *yakṣayā*.

Himmel — *luingiri* (Kur). Wtl. Erdberg, der über der
Erde sich erhebende Berg, während die Erde selbst als
„Erdfläche" bezeichnet wird. Rw gab mir für „Himmel"
uhälla „weil er hoch sei". Ch hat *teri-aṅgē* „das grosse,
hohe Ding". Kaum richtig ist *hāpaṅgē* bei F. Ich bemerke hier, dass *aṅgaya*, *aṅgē* „Körper, Glied, Ding,
Gegenstand" sehr häufig in Verbindung mit einem Nomen
zur Bezeichnung von Sachen verwendet wird, ebenso wie
uṅgayā zur Benennung lebender Wesen. — Sgh. *ahasa*,

4 **Sonne** — *ilayat-teri-angē.* Ueber *teri* s. Nro. 182. *ilayat*
scheint den Begriff zu verstärken oder „oben, in der
Höhe" zu bedeuten (? zu sgh. *ihala*). „Die Sonne geht
auf" heisst *ī. pāycnavā* (dieses = *pāvenavā* = *pāmcenavā*
= sgh. *pahanvenavā*); „die Sonne geht unter" *ī. bahi-
navā* (= sgh.). — Sgh. *ira.*

5 **Jahr** — *kōṇa.* — Sgh. *avurudda.*

6 **Tag** — *girāva* (G 2). — Sgh. *davasa.*

7 **Mond** — *hāpa-teri-angē* (FG). Eine seltsame Bildung, da
hāpa (Nro. 183) und *teri* (Nro. 182) Gegensätze sind.
Vermutlich soll der Mond als das Ding bezeichnet werden,
das bald klein, bald gross erscheint. — Sgh. *haṅda.*

8 **Stern** — *dulumu-aṅgaval* (Kur) wtl. Feuerkörper; eine
Pluralbildung nach der im Sgh. geläufigen Art. Die
Sterne scheiden sich in *teri-aṅgaval* und *hāpaṅgaval*
(dieses allein bei Ch, jenes bei F), was möglicher Weise
gute und böse Gestirne, vielleicht aber auch bloss die
grossen und die kleinen bezeichnet. — Sgh. *tārakāva.*

9 **Licht** — *hurugu,* mir ein zweifelhaftes Wort (? zu *hiru,*
ira „Sonne"). F Ch G 2 haben *gigiriya.* Im Sgh. bedeutet *gigiriya* „Gerassel, Donner"! — Sgh. *eliya.*

10 **Dunkel, Finsternis** — *kalu-välla,* *-äli. kalu-väli unā*
„es wurde Nacht". Wohl nur Entstellung aus sgh.
kaluvara. — Sgh. *andhakārakamu.*

11 **Feuer** — *dulumu,* „das Feuer anzünden" *dulumu teri-
karanavā;* „das Feuer auslöschen" *d. hāpa-karanavā.*
Nach F soll *dulumu-hāpa-karanavā* auch „anzünden, verbrennen" bedeuten. — *dulumu* gehört zu skr. √*jval,*
p. *jalati* u. s. w., sgh. *dula, duḷu* „leuchtend, glänzend",
dilihenavā „leuchten". — Sgh. *gini.*

12 **Wasser** — *nilāṭu.* Auch = „Regen"; *nilāṭu teri-venavā*
„es regnet", nach Rw *valākulen nilāṭu tävinnenavā* „aus
der Wolke läuft Wasser". — Sgh. *vatura.*

13 **Wind** — (*hulaṅga* = sgh.) „der Wind weht" gab Rw
durch *hulaṅga allanavā.* Sgh. *allanavā* „fassen, angreifen". Man kann nach A. Gunasekara sgh. sagen

la-ṭa hulaṅ allanavā nä „der Wind greift nicht in Segel". Sonst *h. gaxanavā* oder *hamanavā* „der d weht". — Sgh. *hulaṅga.*

und Donner — Rw gab mir für „es donnert" den sgh. Ausdruck *hena piḍircnavā*; dagegen G 2 *kāva teri-venava* (*p. teri-karanavā* = eine Flinte los-ssen Nro. 172). Für „es blitzt" sagte Rw *viduli navā*, genauer wohl = „der Blitz schlägt ein". Vgl. *koṭanavā* „to cut as with an axe". — Sgh. *vidu-guma.*

— *bintalavuva.* Sgh. *bin, bim* + *talāva, talu.* — poḷova.

— *teri-boraluva.* Wtl. grosser Stein. Vgl. das f. 3gh. *kaṅdu.*

e — *boralu* (plur.). Auch = „Lehm, Sand, Geröll". boraḷu „kleines Gestein, Geröll".

— *aharabulu.* — Sgh. *huṇu.*

— *nilāṭu-aṅgē.* Nach Rw auch „Bach, Quelle, h". — Sgh. *gaṅga, oya, liṅda, taṭākaya.*

, Tank — *nilāṭu-aṅgē*, nach F *nilāṭu-kaṭṭinna.* taṭākaya.

— *teri-nilāṭu-aṅgē* oder (F) *teri-nilāṭu-kaṭṭinna.* — mūda.

, Wildnis, Dschungel — *raluva.* Ich leite das rt von sgh. *raḷu* „rough" ab. Sgh. *kälāva.*

— *paṅgurulla* (F), *paṅgurälla* (Ch). Nach G 2 *atu-*, von *atu* „Reis". — Sgh. *keta.*

II. Der Mensch.

— *yāvā, aṅgayā.* Zu letzterem vgl. Nro. 3. — minikā.

— *gävī, aṅgī.* — Sgh. *gäṇī.*

. weiblich — *pälla.* Vielleicht mit sgh. *palli* su niedriger Kaste" zusammenzustellen. Das mas-ne Seitenstück zu *pälla* scheint mir *pällā* (in Nro. 42) win. — Sgh. *strī.*

27 Knabe, Kind — *biländā*. Sgh. *biliñdā*, das in der gewöhnlichen Verkehrssprache nicht vorkommt, aber auch von den Väddā's gebraucht wird (Gunasekara, S. 383). Es gehört wohl dem Kandy-Dialekte an. — Sgh. *lamayā*, *daruvā*.

28 Mädchen — *biländī*. — Sgh. *gäņu-lamayā*.

29 Vater, Mutter — *hidulu-gāvā*, *hidulu-gāvī*, (Ch F G) d. i. „weisser (= alter) Mann, weisse Frau". Vgl. Nro. 181. — Sgh. *tāttā*, *ammā*.

30 Sohn, Tochter — *gāḍi-biländā*, *gāḍi-biländī* (respektsvoller Ausdruck vgl. Nro. 40) oder (G) *biländu-gāvā*, *biländu-gāvī*, oder (F) *biländu-añgayā*, *biländu-añgī* (auch für Schwiegersohn und Schwiegertochter). — Sgh. *putā*, *duva*.

31 Bruder, Schwester — *ekañgē-gāḍiyā* (nach G für beides) oder (F) *ekañgē-añgayā*, *ekañgē-añgī*. Es bezeichnet die zur gleichen Gruppe oder Familie *(eka + añgaya)* gehörigen Leute. Die Ausdrücke werden auch für Schwager und Schwägerin gebraucht. — Sgh. *sahōdarayā*, *sahōdarī*.

32 Grossvater, Grossmutter — *īlayat-hidulu-gāvā*, *īlayat-hidulu-gāvī* (Ch F). S. Nro. 4. 27. — Sgh. *attā*, *ūttā*.

33 Onkel, Tante — *loku-appā* oder (*māmā* = sgh.), *nända-ammā*. *loku-appā* (= „grosser Vater") bezeichnet den älteren Bruder des Vaters; *nändammā* ist zusammengesetzt aus *nändā* „Tante" + *ammā* „Mutter". *nändu* allein soll nach Rw eine Waschfrau bezeichnen. Nach F sind für „Onkel, Tante" auch *hidulu-gāvā*, *-vī* gebräuchlich. — Sgh. *māmā*, *bāppā; nändā*.

34 König, Königin — *teri-bakurā*, *teri-bakuru-pälla* (G 2). Vgl. skr. *dēvī*. S. Nro. 1 und 26. — Sgh. *raja*, *bisava*.

35 Gouverneur — *īlayat-teri-gāvā* (G 23). S. Nro. 4 und 24. — Sgh. *ulumānanvahansē*.

36 Beamter, Vorgesetzter — *teri-kuḍḍiyā* (G 2). — Sgh. *nilakārayā*.

riester — *nawatā* (entstellt aus sgh. *nuwaṭa*), *ralawucā* (F). — Sgh. *kāmuduruvō.*

uddhistischer Mönch — *gāvā.* — Sgh. *päviddā.*

rzt — *muluhun-aṅgayā* d. i. „Medicin-Mann". S. Nro. 173. — Sgh. *sallavedā.*

odiyā — *gāḍiyā,* fem. *gāḍī.*

amil — *hāpayā* (G 2) d. i. „der Schlechte". — Sgh. *demalā.*

alaye — *mūnissaṅ-pāllā* (G 2). Nro. 2 und 26? Sgh. *jāvā.*

oorman — *hurubuvā* (G 2). Zu Nro. 158? — Sgh. *marakkalayā.*

hmied — *dulumavā* (G 2) d. i. der „Feuermann". Zu Nro. 11. — Sgh. *ācāriyā.*

mmermann — *vaḍukattiyā* (Rw). *vaḍu* ist sgh. „Zimmermannsarbeit". *kattiyā* vielleicht ein altes Wort = p. *kattā,* Elu *katu.* — Sgh. *vaḍuvā.*

äscher — *potiyā, vilibuvā* (G 2). Nach Rw würde ersteres einen Wäscher für Leute niedriger, letzteres für Leute höherer Kaste bezeichnen. Beide Ausdrücke bedeuten „Kleidermann". *poti, potiyā* ist im R. „Kleid, Gewand" schlechthin, zu *vilibuvā* vgl. ich sgh. *viliṁbu* (ornamented border of a garment, Clough), das — *pars pro toto* — im ll. für ein reiches, vornehmes Kleid gebraucht worden sein mag. — Sgh. *apullannā.*

alkbrenner *ahurabuluvā* (G 2). Zu Nro. 18. Sgh. *hunnā.*

m-tom-Schläger — *nallayā* (G 2) Sgh. *beravā.*

ggerer (der die Zuckermolasse aus den Palmen gewinnt) — *gaṁvīri-tōkkū.* Zu Nro. 151. G 2 hat *gaṁmidi-tōkkā.* — Sgh. *hakuru-minihā.*

ute niedriger Kaste, wie sgh. *batyamaduruyā* und *paduvā,* welche die Palankins zu tragen und das Futter für die Elefanten zu beschaffen haben. — *miṅiṭi-tōkkā. miṅiṭi* (Nro. 148) = sgh. *bat.*

51 **Schiffer** — *diyapiṭakukulā* (G 2). Ist wohl eine scherz-
hafte Bezeichnung. *diya* „Wasser“ + *piṭa* „Rücken,
Oberfläche“ + *kukulā* „Hahn“. — Sgh. *orupadinatoṭiyā.*

52 **Schneider** — *gettamkaṭuvā* (G 2). Sgh. *gettam* ist „Naht,
Saum“ erhalten in *gettam-karaṇavā* „nähen“; *kaṭuva* ist
„Nadel“ in sgh. *idikaṭuva.* — Sgh. *mahana-minihā.*

53 **Korbflechter** — *häṇḍayā* (G 2). — Sgh. *kulupottā.*

54 **Feind, Spitzbube, Dieb** — *paṭiliyā, paṭili-gävā* (F).
Vgl. 105. — Sgh. *horā.*

III. Der menschliche Körper und seine Teile.

55 **Körper** — *aṅgē.* Sgh. *aṅgaya.* Vgl. Nro. 3. — Sgh.
sarīraya.

56 **Haut** — *piṭavanna* (G 2), *murutu-gävilla* (F). Vgl. dazu
Nro. 138 und Nro. 139. - Sgh. *hama.*

57 **Fleisch** — *murutayaṅ, aṅgē-murutayaṅ.* — Sgh. *mas.*

58 **Blut** — *laṭu.* Wtl. „rot“. Vgl. Nro. 180. — Sgh. *lē.*

59 **Schweiss** — *nilāṭu,* d. i. „Wasser“. *nilāṭu tävinnenavā*
„schwitzen“. — Sgh. *ḍādiya.*

60 **Speichel** — *gallē-laṭu* (Ch F), d. i. „Mundblut“. vgl.
Nro. 68. Man bedenke, dass der Speichel der Leute
vom fortwährenden Betelkauen blutrot gefärbt ist. —
Sgh. *kela.*

61 **Thräne** — *lācaṭē-nilāṭu* (F), d. i. „Augenwasser“. —
Sgh. *kaṅdula.*

62 **Kopf** — *keraḍiya.* Das gleiche Wort wird auch für
„Stirne“ und „Angesicht“ gebraucht. — Sgh. *isa.*

63 **Haar** — *kaluväli.* Vgl. Nro. 10. — Sgh. *isakes.*

64 **Angesicht** - *iravuva.* So nach F, und es liesse sich
dann für das Wort eine wenigstens einigermassen plau-
sible Erklärung geben. *iravuva* kann doch kaum etwas
anderes sein als sgh. *ira* + *avuva* „Sonnenschein“. Ich
selbst habe für *iravuva* nur die Bedeutung „Ohr“ in
Erfahrung gebracht. — Sgh. *mūṇa.*

ıge — *lāvaṭē (lāoṭe)*. „Blind“ ist *lāvaṭa-hāpayā* „augen-
schlecht“. — Sgh. *äsa*.

ır — *iravuva*. „Taub“: *iravu-hāpaya*. Rw gab mir für
„Ohr“ *dänˋgulu-angē*, und man sagte mir, dass im Sgh.
dänˋgula die künstlichen Ohren bezeichne, welche die
Teufelstänzer rechts und links an die Wangen zu binden
pflegen. Mir scheint *dänˋgula* alle paarweise vorhandenen Glieder zu bezeichnen. — Sgh. *kaṇa*.

ıse — *nilāṭu-angē* d. i. „Wasserglied“. Nach Ch *iravuval* — Sgh. *nāhaya*.

und — *galla*. Im Sgh. heisst *gala* „Hals, Kehle“. Man
beachte, dass auch im sgh. *kaṭa* die Bedeutungen „Mund“
und „Hals“ vereinigt sind. — Sgh. *kaṭa*.

ihne — *gallē-boralu* d. i. „Mundsteine“. — Sgh. *data*.

ınge — *gal-gavunu* (F). — Sgh. *diva*.

ınn — *allē-angē* (F).

ırt — *gallē-kaluväli*; s. Nro. 10, 63. — Sgh. *rävula*.

rust — *pekinitta* (Kur, G 2). Das Wort bezeichnet, wie
mir gesagt wurde, den ganzen Rumpf oberhalb des
Nabels. Vielleicht mit sgh. *pekaniya* „Nabel“ verwandt. Bei G findet sich *pikiritta*, bei F *pekiritta* für
„Bauch“. — Sgh. *papuva*.

'eibliche Brust — *hidulla;* von *hidulu* „Milch“. S.
Nro. 155. — Sgh. *tanaya, piyayura*.

rm — *dänˋgula*, Kur. *dagula*. Ein sehr vieldeutiges Wort.
In den verschiedenen Wörterverzeichnissen finden sich
die Bedeutungen „Arm, Hand, Ellbogen, Bein, Hüfte,
Fuss“ angegeben. Zur Erklärung s. Nro. 66. Ch hat
dangula „Hand“. — Sgh. *bāhuva*.

and — nach Rw heisst „die rechte Hand“ *dakunē
rāmē*, „die linke Hand“ *vāmē-vāmē*. „Hand“ schlechthin wäre *dänˋgulu-vāmē*. — Sgh. *ata*.

ıin — *dänˋgula*. Dass d. sowohl „Arm“ als „Bein“
bedeute, wurde mir in Kur. ausdrücklich versichert.
Sgh. *kakula*.

ıss — *bintalavurē dänˋgula* (Ch). — Sgh. *adiya*.

79 **Cholera** — *iravāna* (F). Ist wohl das gleiche Wort wie *iravanna*, das F für „Fieber" angibt. — Sgh. *visūcikāva, janarōgaya*.

80 **Blattern** — *teri-bakuru-galu* (F). — Sgh. *vasūriya*.

IV. Tierwelt.

81 **Elefant** — *palānuva*. „Weiblicher Elefant" *palānuden* (F); „Elefant ohne Stosszähne" *hāpa-palānuva*, „Elefant mit Stosszähnen" *teri-palānuva*. — Sgh. *āttā, aliyā*.

82 **Hund** — *bussā*, Hündin *bissī* (Kur). Ch F G haben *bussā, bissī*. — Sgh. *ballā*.

83 **Katze** — *buhākavanna* (Ch G). In Kur. hörte ich *damanē bussā* und so hat auch F neben *buhākavanna*. —Sgh. *balalā*.

84 **Ochse, Kuh** — *lūddā, liddī*. — Sgh. *harakā, -kī*.

85 **Kalb** — *lūdu-bilāndā*. Das Wort bedeutet auch „Schaf, Ziege" (Kur). — Sgh. *vassā*.

86 **Zahmes Schwein** — *gal-murutayā* (Kur). Vgl. Nro. 147, 111. — Sgh. *ūrā*.

87 **Wildes Schwein, Eber** — *raluvē gal-murutayā* (Kur F). — Sgh. *ūrā*.

88 **Pferd** — *teri-lūddā* (Kur), F: *teru-lūddā* oder *murutayā*. — Sgh. *aśvayā*.

89 **Büffel** — *migiṭi-lūddā* d. i. „Reisochse"; F: *paṅguru-lūddā* d. i. „Feldochse". Der Aufenthaltsort der Büffel sind die Reisfelder. — Sgh. *mīvā*.

90 **Bär** *muruti-migana-aṅgayā* d. i. das fleischfressende Tier". Vgl. Nro. 57. Ch hat *murutīvīganangayā*, F *mutti-miganangayā*. — Sgh. *valahā*.

91 **Panter** — *raluvē bussā* d. i. „Dschungelhund". Bedeutet auch „Fuchs". — Sgh. *kotiyā, diviyā*.

92 **Schakal** — *paṅgurulla-bussā* (Ch) d. h. „Feldhund". — Sgh. *sivalā*.

93 **Hirsch** — *raluvē lūddā* d. i. „Waldochse". F hat *raluvē murutayā*. — Sgh. *muvā*.

94 **Affe** — a) Wandura: *būlāvā*; b) Rilava: *nālurā*. — Sgh. *vandurā, riḷavā*.

ge — *iḷayā.* Damit oder mit *hāpa-iḷayā* wird sonderen die Cobra bezeichnet. Die Polonga heisst *gayā* „das böse Tier" oder *galla-hāpayā*, d. i. „das e (wtl. bösmaulige) Tier". — Sgh. *sarpayā.*

|il — *nilāṭucē-galla-hāpayā.* S. d. vor. F hat auch *-teri-hāpayā.* — Sgh. *kimbulā.*

— *bimpallā* (F). Der Kabara-goya (Hydro- , salvator) heisst *raluvē-bimpalu-angayā.* Zu *bim* |" und sgh. *palli* „small house lizard"? — Sgh. ᷓᷓᷓᷓ, *taḷagoyā.*

se — *aharubulurā* (Ch). Vgl. weiter unten. ᷓᷓᷓ.

kröte — *pēlāva.* Eine bestimmte Art wird *hiḍulu- i* genannt, im Sgh. ganz entsprechend *kiri-ilbū.*

— *hāpayō, hāpangō* (F). *hāpayō* (der kleine, hässliche) bezeichnet auch den Muskito, sowie ᷓᷓmeise. — Sgh. *makuḷuvā.*

ᷓᷓᷓ — *dulumu-angē.* — Sgh. *kanamädiriyā.*

— *bintalavuvē hāpangē.* — Sgh. *paṭurā.*

- ᷓᷓᷓᷓᷓ *patiliyā* (G 2). Vgl. Nro. 62 und 105. ᷓᷓᷓ.

- ᷓᷓᷓa-angayā (G 2). — Sgh. *balumäkkā.*

— *patiliyā* (F). Vgl. Nro. 108 und 54. Gehört wohl zu skr. *pattrin.* Sgh. *kuruḷḷā.*

ᷓ *patiliyannē-dumana* (F). Vgl. Nro. 128. — ᷓᷓᷓᷓᷓa.

ḷārunna (F). Vgl. Nro. 114. — Sgh. *hijja.*

— *patiliyā* (G F). Auch = Ente, Gans. — Sgh. ā.

— *patili-keṭa* (G F). Vgl. sgh. *keṭa* „kleine Frau. chen". — Sgh. *kikiḷī.*

ᷓin — *patili-bilōndā* (F). — Sgh. *kukul-pätiyā.*

— ᷓᷓᷓᷓayaṅ (G 2), *murtiṅ* (Kur), weil das Fleisch ᷓische mit Vorliebe gegessen wird. Eine andere ᷓrung a. weiter unten. Vgl. Nro. 147. FCh haben ᷓᷓ. Zu Nro. 12. — Sgh. *māluvā, mas.*

V. Pflanzenreich.

112 Baum — *uhälla*. Nach Rw. auch Busch, Gras, kurz alles,
was in die Höhe wächst. Vgl. auch Nro. 3. — Sgh.
uhallā „ein grosser, hochgewachsener Mann" zu *uha*,
usn, p. *ucca* „hoch". — Sgh. *gaha*.

113 Blatt — *rabota*. Auch Blatt eines Buches. F hat *räbot*.
— Sgh. *kola*.

114 Frucht — *lāvunu*. Gehört, wie ich glaube, zu sgh. *lava*
„das Abschneiden, Einernten", vgl. *lavaṇa*, *lū*. — Sgh.
gediya.

115 Blüte, Blume — *uhulil-aṅgē* (Ch F). Zu Nro. 112.
Sgh. *mala*.

116 Ast — *matilla*, auch im Gegens. z. folg. zu genauerer Bestimmung *uhällē matilla*. — Zu sgh. *matu*. — Sgh. *atta*.

117 Wurzel — *bintalavurē matilla*. — Sgh. *mulaya*.

118 Cocosnuss — *maṭabu-lāvuna* (Kur), d. i. „Oelfrucht".
Vgl. Nr. 154. F hat *maṭubu-lāvunu*, Ch *maṭu-lāvunu*.
Die Cocospalme heisst *maṭabu-lāvunu-uhälla*. — Sgh.
pol-gaha, pol-gediya.

119 Brotfrucht — *murutayaṅ-lāvunu* „die essbare, geniess-
bare Frucht". Auch *lāvunu* allein wird für die Brotfrucht und Jackfrucht im besonderen gebraucht (Kur).
S. Nro. 147. — Sgh. *kos-gaha, kos-gediya*.

120 Arecanuss — *poṅgalaṅ* (Kur). — Sgh. *puvak*.

121 Banane — *patbarukaṅ* (F G); die Frucht heisst *patbaru-
kaṅ-aṅgē*. — Sgh. *kesel*.

122 Baniane, indischer Feigenbaum — *matili* oder *matili-
uhälla*. Das Wort ist pl. zu *matilla*; man denke an die
Luftwurzeln der Ficus indica. *matilla* bedeutet aber
nicht bloss „Ast", sondern auch „Stock, Stecken, Stamm".
z. B. *matilla teri-karapan* „lege einen Stamm (als Brücke)
über den Bach". Man sagt auch genauer *matili-uhälla*
für „Baniane". — Sgh. *nuga-gaha*.

123 Bambus — *matili*. S. d. vor. — Sgh. *uṇa-gaha*.

…a) die Pflanze auf dem Felde *(paddy)* — *atu*; b) die
geerntete Frucht (sgh. *hâl*) — *madu*; c) der ge-
tte Reis (sgh. *bat*) — *migiṭi*. — *madu* wird wohl
sgh. *mada, madaya* „Kern einer Frucht" gehören,
ebenso *atu* nur Entstellung des Synonyms *äṭaya*
; *migiṭi* ist zu dem Verb. *miganavâ* „essen", Nro. 227,
stellen. F hat *atumadu* für Reis". — Sgh. *vî, hâl, bat.*
…— *ämbaruḷu* (F); zu sgh. *ämbul* „sauer"?
doḍama.
— *tabala* (Kur); Ch *tobalâ*, F *täbala*. Offenbar
tâmbûla (E. Kuhn). — Sgh. *bulat.*
: — *dum-rabota*, d. i. „Rauchblatt", F *dun-räbot*,
bloss *rebut*. — Sgh. *dum-kola.*

und Hausgeräte, Speisen und Getränke, Kleider und Schmuck.

— *dumana.* Gehört (nach Gunasekara) zu *duma*
…". — Sgh. *gē.*
… — *digguva.* „Oeffne die Thüre" *digguva hûpa-*
pan; „schliesse die Thüre" d. *teri-karapan.* Das
…, Angabe des Rw. ist mir zweifelhaft. F hat
…*matilla.* — Sgh. *dora.*
— *pila, vahalla.* Jenes (= sgh. *paḷaya*) soll nach
…Dach von der Innenseite, dieses (= sgh. *vahala*)
Dach von der Aussenseite bezeichnen.
… *râluvē dumaṅ*, d. i. „Häuser im Dschungel".
…gewöhnliche Bezeichnung für eine Roḍiyä-Nieder-
…ng ist *kuppâyama* (-*yama* = *gama* „Dorf").

— *teri-dumaṅ*, d. i. „viele Häuser". — Sgh. *nuvara.*
gnis — *hâpa-dumana* (G 2). — Sgh. *hira-gē.*
…e — *matilla*, eigtl. „Stamm, Balken", s. Nro. 122.
Sgh. *palama.* …
…*dulunu-aṅgē*, d. i. „Feuerstätte". — Sgh. *lipa.*
…olz — *matili* (s. Nro. 122), *hâpa-matili.* — Sgh. *lî.*

137 **Bett** — *lāvaṭa aṅgē matilla* (F). — Sgh. *aňda.*

138 **Matte** — *piṭavanna.* Verw. mit *piṭa* „Korb“, wie denn
  piṭavanna auch „Korb“ und überhaupt alles, was aus
  Binsen angefertigt wird, bezeichnen kann (F). Dann
  allgemein „Hülle“. Vgl. Nro. 56. — Sgh. *pādura.*

139 **Strick, Seil** — *gävilla* (F). Die Rodiyās fertigen Riemen
  aus den Häuten gefallener Rinder. Vermutlich ist *gävilla*
  (zu sgh. *gava*) ursprünglich „Haut“. Aequivalent zu
  sgh. *hama.* Vgl. Nro. 56. — Sgh. *kaṁbaya.*

140 **Becher** — *nilāṭu-migana-vāmē* oder (F) *nilāṭu-migana-
  aṅgē* „Ding oder Gefäss zum Wassertrinken“. — Sgh.
  köppaya.

141 **Topf** — *vāmē* (Ch). Je nach der Verwendung unterscheidet man dann *nilāṭu-vāmē* „Wassertopf“. *migiṭi-
  vāmē* „Reistopf“ u. s. w. — Sgh. *valaňda, kalaya.*

142 **Teller** — *migiṭi-migana-vāmē.* — Sgh. *piňgāna.*

143 **Flasche** — *atu-aṅgē* (F). — Sgh. *bōtalē.*

144 **Schachtel** — *bildu-aṅgē* (F). — Sgh. *peṭṭiya.*

145 **Mörser und Stössel** — *lukkana-aṅgaval* (Ch F). Zu
  Nro. 222. — Sgh. *vaṅgeḍiya, mōlgaha.*

146 **Musikinstrument** — *uhälla* (F). Das Tom tom heisst *luk-
  kana-uhälla.* Eine bestimmte Art wird *ckäsberē* genannt
  (sgh. *ekasbera* bei Clough = *eka* + *as* „Seite“ + *beraya*
  „Trommel“), weil es nur auf einer Seite mit einem Fell
  bezogen ist. Von einem andern, *bum-mäḍiya,* sagt F.
  es sei „mostly made of clay (?) and a skin tightly drawn
  over it very much like a tamborine“. Die generelle
  Bezeichnung *uhälla* erklärt sich aus der Form der
  Trommeln. — Sgh. *turyabhäṇḍaya.*

147 **Essen, Speise** — *murutayaṅ, murtiṅ* (Kur). Man begreift unter *m.* alles, was gekocht und gegessen wird.
  S. Nro. 57, 111, 119. — Sgh. *käma.*

148 **Reis** — *migiṭi.* S. Nro. 124. — Sgh. *bat.*

149 **Rindfleisch** — *lūddu-murtiṅ* (F). — Sgh. *harak-mas.*

150 **Honig** — *galmīri,* d. h. „Mundsüsses“: *mīri* = sgh. *mihiri.*
  — Sgh. *mī-päni.*

— *uhälla-galmīri.* — Sgh. *hakuru.*

ınvergorener Palmwein — *uhälle-nilāṭu.* —
, *surā.*

rgorener Toddy — *hāpa-nilāṭu* „schlechtes
ʻ. Man hört wohl auch *teri-nilāṭu* „gutes Ge-
Verschiedener Standpunkt!

saṭubu (F G 2). S. Nro. 118. Auch für „Ghee,
ne Butter". — Sgh. *tel.*

hidulu „die weisse". S. Nro. 181. „Melken"
āpa-karanavā (F). — Sgh. *kiri.*

- *lūddannē maṭubu,* d. i. „Oel, Fett vom Rinde".
veṅḍaru.

— *galmīri* (F). S. Nro. 150. — Sgh. *kävuma,*

hurubu. — Sgh. *luṇu.*

ʂ — *potiya.* Hängt wohl mit sgh. *potta* „Rinde,
usammen, weil dies das Material war, aus dem
ṭiyā ursprünglich ihre Kleider herstellten.

- *teri-boralu* (F) „die guten, wertvollen Steinchen".
, *mudu.*

— *däṅgul-vämē* (G 2), *dägulē-aṅgē* (F). —
lalla.

ıuek — *iravuvē-aṅgē* (F). — Sgh. *aruṅgolaya.*

ıalle, Waffen, Werkzeuge und ähnliches.

ber — *teri-dulumu* (Kur). Vgl. Nro. 11. Zwischen
den Metallen macht der Roḍiyā keinen Unter-
Gold kommt für ihn nicht in Betracht! Gold-
bermünzen: *teri-galaṭu* oder (F) *teri-aṅgaval.* —
tran, ridī.

— *hāpa-dulumu* (Kur). Kupfermünzen: *hāpa-*
Nach F könnte *galaṭu* allein für „Kupfer" ge-
worden. — Sgh. *tamba.*

— *hāpa-teri-aṅgaval* (F). — Sgh. *pittalu.*

166 **Messer** — *nāḍuva*. Auch „Dolch“; *nāḍuva teri-kara-navā* „stechen“; *nāḍuven lukkanavā* „erstechen“. — Sgh. *pihiyē*.

167 **Schwert** — *teri-nāḍuva*. — Sgh. *kaḍuva*.

168 **Beil, Axt** — *matili-hāpa-karana-nāḍuva* „Messer zum Kleinmachen von Holz“. — Sgh. *porova*.

169 **Bogen** — *āduma* (F). Rw gab mir nur das geläufige Wort *dunna*.

170 **Bogensehne** — *gävilla*. Vgl. Nro. 139. — Sgh. *lanuva*.

171 **Pfeil** — *pattikāva* (F). Interessant, wenn richtig. Rw nannte mir das sgh. *ītalē*. — Sgh. *īya, īgaha*.

172 **Flinte** — *pattikāva*. In Kurunägala hörte ich die hübsche Umschreibung *galu-karana-matilla* „Lärmstock“. Vgl. Nro. 116, 122, 214. — *pattikāva teri-karanavā* „die Flinte abschiessen“. — Sgh. *tuvakkuva*.

173 **Schiesspulver** — *muluhun* (F). — Auch = Arznei. *hun* = sgh. *huṇu*. S. Nro. 39. — Sgh. *veḍibehet*.

174 **Karren, Wagen** — *lūddanṭa-bandanagahana-aṅgē* (F) „das Ding, an das man die Rinder spannt“. Rw gab mir nur das sgh. *karattē* und *lūddu-karattē* für „Ochsenkarren“.

175 **Joch, Gespann** — *lūddan-de-girāva*. — Sgh. *viyagaha*.

176 **Deichsel** — *bŏmbuliya* = sgh. *bŏmbu* N. eines Baumes, aus dem man vermutlich die Deichseln fertigt, + *līya* „Holz“. Man sagte mir, dass auch im Sgh. der Ausdruck *bŏmlīya* für „Deichsel“ gebraucht werde.

177 **Pflug** — *lūddan-hāpakarana-aṅgē* (F). Vgl. Nro. 174, 179. — Sgh. *nagula*.

178 **Treibstachel** — *lūddanṭa-lukkana-matilla* (F) „Stock zum Schlagen oder Stossen der Rinder“.

179 **Schiff** — *nilāṭuvē-yāpena-aṅgē* „das im Wasser befindliche Ding“. F hat für Boot *nilāṭu-aṅgē-hāpa-karana-matilla* „der in den Teich etc. (s. Nro. 19, 20) verbrachte Balken“. — Sgh. *oruva*.

'III. Adjective, Adverbien, Partikeln.

latu = sgh. *ratu.*

— *hidulu* (F *hidulu-hāpa-kama*); zu sgh. *sudu, hudu.*
Nro. 29. In Kur. wurde mir, wohl missverständlich
ı angegeben (auch G 2) = weisses Kleid (Nro. 159).
ıbrigen Farbenbezeichnungen stimmen mit den sing-
ıschen überein.

lang. gut, schön — *teri.* Die Grundbed. von
era, sgh. *tera* hat sich hier so ziemlich erhalten.
gh. *hoñda, loku, dik.*

kurz, schlecht, hässlich — *hāpa.* Beide Adjec-
teri und *hāpa,* werden im mannigfaltigsten Sinne
ındet und zur Bildung zahlreicher Zusammen-
ngen gebraucht. *hāpa* halte ich für identisch mit
kapa „anything chewed, rubbish, refuse" (Clough).
gh. *naraka, kuḍā, puñci.*

— *galuvē* (F). *galuva* ist sonst „Lärm". Nro. 172,
214. — Sgh. *dura.*

— *bilāñdu-galuvē* (F). — Sgh. *lañga.*

, in die Höhe — *uhälla* (G 2). — Sgh. *ihalaṭa.*

nieder — *pahaḷa* (= sgh.), *bintalavuvē* (G 2) =
ırde. — Sgh. *pahata.*

eri (F) = gut! — Sgh. *ovu.*

— *navati* (G 2), *namati* (F). — Sgh. *nä.*

IX. Verba.

n, thun, verfertigen — *teri-karanavā.* „Der
ıermann verfertigte den Tisch" *vaḍu-kattiyā añgē*
āruvā (Rw), wo *käruvā* offenbar ein grammatischer
tzer meines Gewährsmannes ist (Analogie zu *mara-*
māruvā). — Sgh. *karaṇavā, hadanavā.*

xistieren — *yāpenavā.* Wird ganz wie sgh. *tibe-*
tiyenavā gebraucht. Das Verbum gehört der
Sprache an: *yāpenavā* „leben, existieren" (fehlt bei
gh). *yapīma, yapena* „Existenz, Lebensunterhalt".

192 gehen — *tävinnenavā*, imp. *täviniyan*, prt. *tävununā*.
F hat *tävillenavā* „so walk". Wechsel von *n* und *l*.
Demnach dürfte das Verb. von sgh. *tävilla* abgeleitet
sein und etwa „sich erhitzen, erwärmen" bedeuten.
Für „to go" hat F *dissenavā*. — Sgh. *yanavā*.

193 laufen — *hīssāren tävinnenavā; h. täviniyan* „spute dich"
= sgh. *sären palayan. hīssāren* (so glaube ich gehört
zu haben) ist „pfeilgeschwind" = sgh. *hī* + *s.* — Sgh.
duvanavā.

194 kommen — *tävinnenavā. koyi galuven-da tävinnenavā* „woher
kommst du?" (s. Nro. 184) = sgh. *kotanin umba enavā-da.*

195 sitzen — *yäpenavā.* Nro. 191. — Sgh. *indinavā.*

196 stehen — *yapīla-yäpenavā.* — Sgh. *hitinavā.*

197 schlafen — *lāvata-teri-venavā;* nach G 2 *lāvata pānavā,*
nach F *lāvata nātvenavā. teri-komata lāvata-teri-veyan*
„schlaf wohl" = sgh. *hondata nidāganin. l.-teri-venavā*
heisst „die Augen geschlossen haben", vgl. *teri-karanavā*
„schliessen" in Nro. 129. *pānavā* ist sgh. *pahanavā*
„zusammenfügen" = schliessen. *nāt-* dürfte für *navat-*
stehen, vgl. sgh. *navatenavā* „to stop". — Sgh. *nidā-
gannavā.*

198 fallen — *hāpa-venavā,* d. i. „klein werden". — Sgh.
vätenavā.

199 tanzen — *kūtātu-karanavā,* nach F *kuttadu-pānavā.* —
Sgh. *natanavā.*

200 geben — *yappanavā.* Caus. zu *yapanavā* aus *yapvanavā.*
— Sgh. *denavā.*

201 bringen — *gena-yappanavā;* nach F *anna-tävinnenavā.*
mayē pota mata gena-yappāpan „bringe mir mein Buch"
= sgh. *mata magē pota genen (aragana-varen).*

202 wegnehmen — *yappāgena-tävinnenavā,* d. i. „genommen
habend fortgehen" (= sgh. *gena-yanavā*). Nach F
anna-dissanavā.

203 fangen — *dāgulu-gahanavā;* z. B. „Fische fangen, fischen"
nilātu dāgulu-gahanavā (F). Vgl. Nro. 75 und 111. —
Sgh. *allanavā.*

chen — *yappanavā* oder mit Umschreibung *yuppalā-*
innenavā. — Sgh. *yavanavā.*

u — *yāpenavā* = Nro. 195. — Sgh. *hiṭinavā.*

ben — *likkenavā*, prt. *likkunā.* Intr. zum folg.
h. *māreyavā.*

n — *lukkanavā*, prt. *likkuvā.* Ein vieldeutiges Wort,
L. Nro. 222—224. — Sgh. *maraṇavā.*

aben — *bintalavuvē hāpa-karanavā* (G 2), *tāvanavā* (F).
Sgh. *vaḷa-lanavā.*

n, schauen, erblicken — *pekanavā.* Altes Sprach-
t; skr. *īkṣ + pra*, p. *pekkhati.* — Sgh. *dakinavā,*
anavā.

n lassen, zeigen — *pekavanavā.* — Sgh. *penva-*
vā, *dakvanavā.*

n — *igillanavā.* Vgl. Nro. 216. Weil im Sgh.
navā die Bedeutungen „hören" und „fragen" hat,
d auch das Aequivalent im Rodiyā in diesem doppelten
ne verwendet. *hāpa-galuvak pārē igillanavā* „ich höre
reit (= schlimmen Lärm) auf der Strasse". — *mahāt-*
yā *igillanavā, Gādiyā kiyanī önā* „was du mich fragst,
sa ich beantworten" (= der Herr fragt, der Rodiyā
se antworten). — Vgl. sgh. *illanavā.* — Sgh. *ahanavā.*

hen — *(ümbinavā)* = sgh.; dagegen
en — *hāci-karanavā* mit lautnachahmender Neu-
dung. — Sgh. wie 212.

chen, reden — *galu-karanavā* (= Laut machen). —
h. *katā-karaṇavā.*

eien — *iravuva-lukkanavā* (G 2) = das Ohr zerreissen.
hat *iraval* (besser wohl *iravuval*) *lukkanavā* für „weinen,
gen". — Sgh. *kā-gahanavā, mora-gahanavā.*

en — *igillanavā.* S. unter Nro. 211. Das Wort soll
h G 2 auch „rufen", nach F „erzählen" bedeuten.

giben — *teri-karanavā* (mit einem Obj. wie *rabotaya*
katt, Brief'). — Sgh. *liyanavā.*

K — akara-kiyanavā. — Sgh. *kiyanavā.*

219 verstehen — *teri-venavā. uṁbalā teri-unā-da* „hast du
verstanden?“ — Sgh. *terun-gannavā.*

220 lachen — *galu-pāhinavā* (G 2). — Sgh. *hinahavenavā.*

221 singen — *källäni igillanavā* (F) = schön, lieblich rufen
oder erzählen. Sgh. Flussname *kälaṇiya* „der anmutige“.
Das Roḍiyā hat die ursprüngliche Bed. (= skr. *kalyāṇa*,
p. *kalyāṇa, kallāṇa*) bewahrt, die dem Sgh. verloren
ging. — Sgh. *gītikā-karaṇavā.*

222 schlagen — *lukkanavā. mama būssāṭa likkuvā* „ich schlug
den Hund“ = sgh. *mama ballāṭa gäsuvāya. uhälla luk-
kāpan* „schlage die Trommel!“ = sgh. *bera gasāpan!*

223 brechen — *lukkanavā.* Auch = „einbrechen“. *kaluvillē
dumana lukkan-ṭa ōnā* „zur Nachtzeit muss man in das
Haus einbrechen“ (G 2), ein richtiger Roḍiyā-Satz!
Sonst bedeutet *lukkanavā* noch „kämpfen, streiten,
graben“. — Sgh. *kaḍanavā.*

224 schneiden — *nāḍuvcn lukkanavā* (F). Vgl. Nro. 166. —
Sgh. *kapanavā.*

225 zerreissen — *hāpa-karanavā.* — Sgh. *iraṇavā.*

226 kochen — *murutiñ teri-karanavā, migiṭi teri-karanavā*
die Speise (den Reis) zurecht machen. G gibt *navat-
karanavā*, ebenso F; nach Rw hätte der Ausdruck
obscöne Bedeutung. — Sgh. *uyanavā.*

227 essen — *miganavā; nilāṭu-miganavā* „trinken“. — Sgh.
kanavā.

228 beissen — *miganavā.* — Sgh. *hapākanavā.*

229 kaufen — *galaṭu-vilaṭa-yappayannavā.* Vgl. Nro. 163,
164. — Sgh. *milaṭa gannavā.*

230 verkaufen — *galaṭu-vālaṭa-yappanavā.* — Sgh. *vikuṇanavā.*

B. Sprachliche Bemerkungen.

Der Wortschatz der Roḍiyā-Sprache zerfällt offenbar in verschiedene Gruppen. Die erste Gruppe umfasst das tlich fremde Element in der Sprache, eine Anzahl von nen, deren Etymologisierung zur Zeit noch unmöglich eint. Daran reihen sich in einer zweiten und dritten pe solche Wörter, welche aus einer älteren Sprachperiode ammen oder doch im Roḍiyā eine specifische Bedeutung ommen haben, und solche, welche sich als blosse Corlen und Verballhornungen singhalesischer Wörter charakeren lassen. Die vierte und zahlreichste Gruppe endlich st die Neubildungen durch Zusammensetzung.

1. Zu dem fremden Sprachelement im Roḍiyā zähle or allem die folgenden Wörter: 82 *būssā* „Hund, 94 *būlāva* ", 83 *bukāka* „Katze", 84 *lūddā* „Ochse", 95 *ilayā* „Schlange", läva „Schildkröte", 81 *palānuva* „Elefant"; 57 *murutayaṅ* sch", 113 *rabota* „Blatt", 154 *maṭubu* „Oel", 158 *hurubu* .", 124c *miġiṭi* „Reis"; 5 *kōna* „Jahr", 6 *girāva* „Tag", ivā „Mann, Mensch", 40 *Gāḍiyā* respectvollere Bezeichder Roḍiyās, 163 *galaṭu* „Geld", 166 *nāḍuva* „Messer", *vaḍiya* „Kopf", 222 *lukkanavā* „schlagen" u. a. m. Einige er sind wenigstens teilweise verständlich, so dürfte z. B. ł *nilāṭu* „Wasser" das adj. *nil* „blau" enthalten sein, in barabulu „Kalk" das sgh. *ahara* „Speise", weil natürlich (udat) und Arecanuss zusammen gekaute Kalk . 65 *lāvaṭē* „Auge" scheint *vaṭa* „Kreis" zu ; *murutayaṅ* erinnert lebhaft an sgh. *muḷutäṅ* „Küche"; die Grundbedeutung von diesem ist eben „Platz, wo es d. h. gekochten Reis gibt". Immerhin hoffe ich, dass ler Zeit noch das eine oder das andere Wort in obiger befriedigende Erklärung finden wird.

Die Herkunft der „fremden Elemente“ ist dunkel. Eine Liste von Wörtern habe ich Herrn Dr. G. Oppert mitgeteilt und angefragt, ob dravidische Ableitung möglich sei. Die Anfrage wurde mir verneint. Ebenso wenig gelang es mir selber, Beziehungen zur Väddä-Sprache, zu der ich mir eigene Sammlungen angelegt habe, ausfindig zu machen. Mir ist es das wahrscheinlichste, dass wir künstlich geschaffene Wörter vor uns haben, deren Entstehung und Bildung sich unserem Verständnisse entzieht. Da aber die Möglichkeit der Entlehnung aus einer anderen Sprache offen bleibt, so bezeichne ich diesen Teil des Roḍiyä-Wortschatzes als fremdes Element.

Wie solche Neuschöpfungen im Roḍiyä zu stande kommen, dafür habe ich ein sehr hübsches Beispiel gefunden. Das Wort für „Eidechse“ ist *aharabuluvä* (98). Wie lässt sich dasselbe erklären? Offenbar so: im Sgh. heisst die Eidechse *hūnā*. Darin sah man volksetymologisch eine Ableitung von *huṇu* „Kalk“. Infolgedessen hat man aus dem Roḍiyä-Wort für „Kalk“ *aharabulu* ein *aharabuluvä* geschaffen! In ähnlicher Weise liesse sich auch *murutayaṅ* „Fisch“ (111) erklären. Das Wort bedeutet zunächst „Fleisch“. Da aber im Sgh. *mas* die Wörter für „Fleisch“ (= skr. *māṃsa*) und für „Fisch“ (= skr. *matsya*) zusammengefallen sind, so muss auch *murutayaṅ* beide Bedeutungen übernehmen.

2. Von altem Sprachgut ist vor allem das interessante Verbum *pekanavä* (209) „sehen“ zu nennen, dann *yäpenavä* (191) „sein, existieren“. Aeltere Bedeutung haben *teri* (182) „gross, gut“ und *käläni* (s. unter Nro. 221) „anmutig, lieblich“ bewahrt. In besonderer Bedeutung werden gebraucht *uhällä* (112) „Baum“ = sgh. *uhallä* „hochgewachsener Mann“, *häpa* (183) „klein, gering, schlecht“ = sgh. *hapa* „Abfall, Kehricht“, sowie *atu* und *madu* „Reis“ (124) = sgh. *äṭaya* und *madaya* „Kern“. Auch *tabala* „Betel“ (126) ist altes Gut.

3. Für blosse Verderbnis singhalesischer Wörter halte ich *latu* (180) „rot“ = sgh. *ratu*, *kaluvä̤li* (10) „Dunkel“ = sgh. *kaluvara* mit gleichzeitiger volksetymologischer Anlehnung an *väli* „Sand“, *atu* „Reis“ (s. eben). Vielleicht wird

ɘ durch die Annahme rein willkürlicher Entstellung noch
ɪe Schwierigkeit sich lösen. Es liegt dies schon deshalb
weil Wortspielereien, wie Umsetzung und Einschiebung
ɪauten, bei den Singhalesen sehr beliebt sind. So sind
Silbenzusammenziehungen im Roḍiyā nicht ganz selten:
ū (197) = sgh. *pahanavā*, *mīri* (150) = sgh. *mihiri*
ȷᴀ), *nät-* (197) = sgh. *navat-*; sowie Quantitäts- und
ːät-Veränderungen der Vocale: *hāpa* (183) = sgh. *hapa*,
ɪ (37) = sgh. *nuvaṭa*. Hinweisen möchte ich endlich
ɪuch auf etliche Roḍiyā-Wörter, die, wie es scheint,
ɪutivbildungen oder dergl. sind: *matilla*, *-ili* (116) „Ast,
ɪ° = sgh. *matu*, *hidulu* (155) „Milch“ zu sgh. *hudu*,
ȷā (105) „Vogel“ zu skr. *pattrin*.

ɪch komme schliesslich zu den Neubildungen, vor
ɪ durch Zusammensetzung. Sie sind für uns von
ɪderem Interesse: denn sie lassen, meine ich, das Roḍiyā
ɪch als das erkennen, was es ist, als eine künstlich zurecht
ːhte Sprache, als eine Art Slang oder Gaunersprache.
ɪbsicht, das, was gesprochen wird, dem ausserhalb der
ɪnschaft Stehenden unverständlich zu machen, wird eben
ː durch die Einmengung fremder Ausdrücke dadurch er-
ː, dass man das Ding, das man meint, nicht beim Namen
ː sondern umschreibt. Ich möchte glauben, dass auch
die Gebärde nachgeholfen wurde.

ɔass bei Zusammensetzungen die Adjective *teri* (182) und
(183) mit ihren mannigfaltigen Bedeutungen, sowie die
ɪantiva *aṅgayā* (24) „Person, Wesen“ und *aṅgē* (55)
ɪer, Ding“ eine besondere Rolle spielen, wurde schon
ɪntlich (s. unter Nro. 3) erwähnt. So kann *teri-boraluva*
ɪɔser Stein für „Berg“, *teri-boralu* = gute Steine für
ɪu° gebraucht werden (Nro. 16 und 160); *īlayat-teri-aṅgē*
ɪgrosse Ding droben“ ist die Sonne, *īlayat-teri-gāvā* „der
ː Mann droben“, der Gouverneur (Nro. 4 und 35); *teri-*
ɪ Gold- und Silbermünzen und *hāpa-galaṭu* Kupfermünzen
ɪ63 und 164) sind einfach „Gutgeld“ (sound money!)

Von Interesse sind als derartige Neubildungen die Tier-
bezeichnungen Nro. 87—93 und namentlich 96. Das Gebiet
des Humors wird gestreift, wenn die Flinte (172) als „Lärmstock" bezeichnet wird, sowie in dem Wort für „Schiffer" (51).
In ähnlicher Weise wird in unserer Gaunersprache der Müller
scherzweise „Klapper-Isch" genannt, und der Schmied heisst
hier „Flammert", wie der Roḍiyā ihn als „Feuermann" (44)
bezeichnet. Avé-Lallemant, Das deutsche Gaunerthum 4.
S. 540, 559. Ueberhaupt bietet unsere Gaunersprache in ihren
Neubildungen, wie auch in der Ausprägung besonderer Bedeutungen, manche Analogie zum Roḍiyā.

Ich habe zum Schluss nur noch in Kürze zu zeigen, dass
grammatisch das Roḍiyā sich in nichts vom Singhalesischen
unterscheidet.

Bezüglich der Wortbildung verweise ich namentlich auf
die Bildung von Personennamen durch angefügtes -ā. Das
mehrfach erwähnte *dulumuvā* ist aus *dulumu* genau so abgeleitet, wie sgh. *vaḍuvā* „Zimmermann" aus *vaḍu*. Ebenso deckt
sich die Bildung der Feminina auf -ī aus Masculinen auf -ā
mit der singhalesischen Bildungsweise selbst bei Wörtern, die
dem „fremden Element" angehören. Vgl. *lūddā, līddī* „Ochse,
Kuh" (84), *būssā, bīssī* „Hund, Hündin" (82) mit sgh. *kukulā*
„Hahn", *kikiḷī* „Henne" oder *ukuṇā, ikiṇī* „Laus" männlich
und weiblich.

Beim Substantivum beobachten wir die gleichen Plural-
bildungen wie im Sgh., so *boraluva*, pl. *boralu* (16, 17), wie
sgh. *kaṭuva* „Dorn", pl. *kaṭu; matilla* „Ast, Stock", pl. *matili*
„Baniane, Bambus" (116, 122, 123), wie sgh. *pätta* „Seite",
pl. *päti* (Childers, JRAR. N. S. VII, 1874/75, S. 46):
dumana „Haus", pl. *duman* (128, 131), wie sgh. *kada* „Trag-
stange", pl. *kat, diga* „Gegend", pl. *dik* oder *dig, aṅga* „Horn",
pl. *aṅ*. Wegen der Declination verweise ich auf die am Schlusse
stehenden Sätze, in denen alle wichtigeren Formen vorkommen.

i Zahlwörter stimmen im Roḍiyā überhaupt völlig mit
singhalesischen überein. Hinter das Numerale pflegt man,
ir sowohl bei Personen wie bei Sachen das Wort *girāva*
zu. Dasselbe bedeutet „Tag, Zeit, mal, Stück". Der
Häufig nach entspricht es dem sgh. *denek* bei Personen.
Also, „3 Bäume" heisst im Roḍiyā *uhälla de-girāvayi*,
nicht *girāvayi*. Vor *girāva* erscheint das Numerale in der
i Form; man sagt also *uhälla visi-girāvayi* „20 Bäume",
is-girāvayi „30 Bäume", nicht *vissa, tiha*.

e gleiche Uebereinstimmung zeigt sich im Verbum.
hle dabei solche Verba aus, welche zu dem speciellen
t des Roḍiyā gehören. Das Causativum zu *pekanavā*
(209) lautet *pekavanavā* „zeigen", wie im Sgh. *vasa-*
zu *vasanavā* „wohnen". Zu *lukkanavā* „töten" (207)
Intransitiv *likkenavā* „sterben" (206), wie sgh. *märe-*
maranavā mit gleichen Bedeutungen, *pirenavā* „voll
. . . . „füllen". Das Praeteritum zu *lukkanavā* ist
wie sgh. *issuvā* zu *ussanavā* „emporheben".

s weitere zeigt das Verbalparadigma:

I. Praesens: ich esse heute Reis.

Sgh. Sg. 1. *ada mama bat* ⎫
　　　　　 2. „ *umba* „　　⎪
　　　　　 3. „ *ū* „　　　⎪
　　　　Pl.1. „ *api* „　　⎬ *kanavā*
　　　　　 2. „ *umbalā* „　⎪
　　　　　 3. „ *ovhu (un) bat* ⎭

Rod. Sg. 1. *ada-davasa mama migiṭi* ⎫
　　　　 2. - *umba* „　　　⎪
　　　　　　 ū　　　　　⎪
　　　Pl. 1. *api* ,　　　⎬ *miganavā*
　　　　 2. *umbalū* „　　⎪
　　　　 3. *un* .　　　　⎭

II. Praeteritum: ich ass gestern Reis.

Sgh. Sg. 1. *īyē mama bat* ⎫
       2. „ *um̆ba* „ ⎪
       3. „ *ū* „ ⎬ *kāvā*
     Pl. 1. „ *api* „ ⎪
       2. „ *um̆balā* „ ⎪
       3. „ *ovhu (un) bat* ⎭

Roḍ. Sg. 1. *īyē-davasa mama migiṭi* ⎫
       2. „ *um̆ba* „ ⎪
       3. „ *ū* ⎬ *migiṇā*
     Pl. 1. „ *api* ⎪
       2. „ *um̆balā* „ ⎪
       3. *un* ⎭

III. Futurum: ich werde morgen Reis essen.

Sgh. Sg. 1. *heṭa mama bat kaññā*
       2. „ *um̆ba* „ ⎫ *kāvī* oder
       3. , *ū* „ ⎭ *kanavā-äti*
     Pl. 1. „ *api* „ *kaññamu*
       2. „ *um̆balā* „ ⎫ *kāvī* oder
       3. „ *ovhu (un) bat* ⎭ *kanavā-äti*

Roḍ. Sg. 1. *heṭa-davasa mama migiṭi migaññaṅ*
       2. „ *um̆ba* „ ⎫ *migāyī* oder
       3. *ū* „ ⎭ *migāvī*[1])
     Pl. 1. „ *api* „ *migaññamu*
       2. „ *um̆balā* „ ⎫ *migāyī* oder
       3. *un* „ ⎭ *migāvī*[1])

---

[1]) Die Form *miganavā-äti* dürfte wohl auch vorkommen.

Sätze.

. Eine Frucht fällt (fiel) vom Baume herab.

gāḍayak gahin vāṭenavā (vāṭunā).
lāvunak uhāllen hāpa-venavā (hāpa-unā).

. Der Knabe lief und fiel hin.

lamayā duvanakoṭa[1]*) vāṭunāya.*
bilāndā tāvinnenakoṭa hāpa-unā.

. Dieser Baum hat lange Aeste.

me gaha-ṭa dik atu tibenavā.
me uhālla-ṭa teri matilla yūpenavā.

. Dieser Baum ist höher als jener Baum.

me gaha ara gaha-ṭa vaḍā lokuyi.
me uhālla ara uhālla-ṭa vaḍā teriyi.

. Siehst du auf dem Meere ein Schiff fahren?

umba muhudē nāvak yanavā dakinavā-da?
umba nilāṭuvē aṅgeyak tāvinnenavā peka-gena-yūpe-navā-da?[2]*)*

. Ich habe dir einen Brief geschrieben, hierher zu kommen.

mama umba-ṭa me sthānē-ṭa en-ṭa livumak āriyā.
mama umba-ṭa me dumana-ṭa tāvinnen-ṭa rabotayak yap-palā-tāvunā.

. Schlage den Hund nicht!

ballā-ṭa gahan-ṭa āpā!
būssā-ṭa lukkan-ṭa navati!

_____

A. Gunasekara, Singhalese Grammar S. 189 = engl. whilst (when)
[...

Die Ausdrucksweise ist nicht abweichend, sondern nur umständ-
Sgh. würde genau *dāka-gena-indinavā-da* entsprechen.

8. Wie heisst dein Vater?

Sgh.: *umbē piyā-gē nama mokada?*

Roḍ.: *umbē tāta-gē nama mokada?*

9. Wie viele Kinder hast du? — Ich habe drei Kinder.

Sgh.: *umba-ṭa lamayi kī-denek tibenavā-da? — ma-ṭa lamayi tun-denek tibenavā.*

Roḍ.: *umba-ṭa biläňdō kī-girāva-da? — Gāḍiyā-ṭa biläňdō tun-girāva yāpenavā.*

Die Vorlagen des byzantinischen Alexandergedichtes.

Von Dr. H. Christensen.

(Vorgelegt in philos.-philol. Classe am 5. December 1896.)

Vorbemerkung. Ueber die Ueberlieferung und Ausgaben, sowie die mutmassliche Zeit der Entstehung des Gedichtes habe ich die nötigen Angaben gemacht in einer kleinen Abhandlung über die Sprache des Gedichtes in der Byzantinischen Zeitschrift.[1])

Die von mir angewandten Abkürzungen sind die auch sonst gebräuchlichen: A, B, C für die bekannten 3 Pariser Hds. des Pseudokallisthenes, L für die Leydener, A', B' für die beiden Rezensionen.

J V = Julius Valerius in der Müller'schen Ausgabe; die in Klammern stehenden Zahlen gehen auf die Kuebler'sche Ausgabe (Leipzig 1888).

[1]) Ich gestatte mir daraus Folgendes kurz anzuführen: Die einzig vollständige Ausgabe des Gedichtes ist die aus dem Nachlass W. Wagners von D. Bikelas in Trois poèmes grecs du moyen-âge (Berlin 1881) veranstaltet. Sie beruht auf der einzigen bekannten Papierhds. in der Marcusbibliothek zu Venedig, die, wie eine Notiz am Schlusse des Gedichtes angiebt, im Jahre 1388 angefertigt ist. Die Entstehungszeit des Gedichtes fällt etwa zwischen 1200 und 1350. — Die Sprache zeigt, dass der Verf. zwar versucht hat, auch grammatisch das Griechische zu ersetzen, aber doch unter dem Einfluss der Vulgärsprache; übrigens schreibt der Verf., abgesehen von mancherlei Eigentümlichkeiten und Wunderlichkeiten der Konstruktion, die wohl gerade auf seine Gelehrsamkeit zurückzuführen sind, einfach, klar und gewandt.

Syr. B = Syrische Uebersetzung des Ps.-K., herausgegeben
mit englischer Uebersetzung von E. Budge (Cambridge 1884);
R = Ryssel. Syrische Uebersetzung des Ps -K. in Herrig's
Archiv für Neuere Sprachen, Bd. 90.

Arm. = Armenische Uebersetzung. Ich verdanke, da ich
selbst des Armenischen unkundig bin, die hier angeführten
Uebersetzungen der ausserordentlichen Liebenswürdigkeit des
inzwischen leider allzufrüh verstorbenen Herrn Dr. Vogelreuter,
Sekretärs der Hamburgischen Stadtbibliothek. — Eben nach
Abschluss der Arbeit kommt mir die griechische Uebersetzung
des armenischen Textes von W. Raabe (Ἱστορία Ἀλεξάνδρου,
Leipzig 1896) zu, die ich an einigen Stellen noch eingesehen
habe, ohne zu Aenderungen Veranlassung zu finden.

Hist. L = Vita Alexandri Magni des Archipresbyters Leo.
Nach der Bamberger und ältesten Münchener Hds. herausg.
von G. Landgraf (Erlangen 1885); Z = Die hist. de preliis
im Anhange zu Zingerle, Die Quellen zum Alexander des Rud.
v. Ems (Breslau 1885), S. 129—265.

Sl. = Altslavische Uebersetzung in Istrin, Die Alexandreis
der russischen Chronographen (russisch). Untersuchung und
Text (Moskau 1893). Istrin hat in der Einleitung die verschiedenen 4, bezw. 5 Redaktionen der Sage ausführlich besprochen und die Texte derselben herausgegeben. Für unsere
Untersuchung kommt besonders die erste und zweite Redaktion
in Betracht, da die dritte schon unter der Einwirkung der
inzwischen zu allgemeiner Geltung und Beliebtheit gekommenen
serbischen Alexandersage steht. Die erstere ist in Hdss. des
15. und 16. Jahrhunderts erhalten, geht aber zurück bis in
das 13. oder Ende des 12. Jahrhunderts (Istrin, Einleitung,
135 ff.), die zweite wird ihre endgültige Gestaltung im 14. bis
15. Jahrhundert erhalten haben (ebenda S. 250).

Mit Bi bezeichne ich unser Gedicht, das nach St. Kapp-
(Mitteilungen aus zwei griech. Hdss., Wien 1872), S. 6 allerdings den Titel führt: Ἀλέξανδρος ὁ βασιλεύς, von Wagner
aber in seiner Ausgabe (Berlin 1881) mit Βίος Ἀλεξάνδρου
bezeichnet ist.

I. Der Verfasser.

ı, ist leider völlig unklar; denn die Vermutung Morelli's,[1])
ses Gedicht demselben Verfasser zuschreiben will, wie
derselben Hds. stehende über die Eroberung Konstan-
ı durch die Kreuzfahrer im Jahre 1204, steht doch auf
rachen Füssen, als dass sie ernsthaft in Betracht ge-
werden könnte.

ır einige wenige Andeutungen liefert uns, wie ich glaube,
rk selbst, aus denen wir wenigstens auf die Heimat
n Stand des Verf. schliessen können. Dass er aus Kon-
ppel stammte, glaube ich einmal daraus schliessen zu

n und dort Einrichtungen treffen lässt. Denn offenbar
dort (v. 1179—83) Berichtete eine rein byzantinische
ıge, die unser Verf. zwar im Georgios Monachos ge-
aber doch zuerst in die fortlaufende Darstellung der
dersage hineinverwoben hat.

n zweiter, wichtigerer Punkt ist folgender. Unser Verf. be-
auch von dem Zuge Alexanders nach Jerusalem. Geschöpft
liese Erzählung allerdings nicht unmittelbar aus Josephus,
ı wir sie zuerst finden, sondern, wie unten nachgewiesen
wird, aus der Chronik des Georgios Monachos. Nun
ich hier eine, wie mir scheinen will, sehr charakteristische
:hung: Josephus und Monachos berichten folgendes.

Ios. ant. 11, 8, 5:	Mon. (p. 21 Muralt.)[2]):
Ἀλέξανδρος ἔτι πόρρωθεν	καὶ τὸ μὲν πλῆθος πόρρωθεν
ὁ μὲν πλῆθος ἐν ταῖς	ἰδὼν δ' Ἀλέξανδρος ἐν λευκαῖς
ἐσθῆσι, τοὺς δὲ ἱερεῖς	στολαῖς, τοὺς δὲ ἱερεῖς προεστῶ-

Bibl. manusc. gr. et lat. Bassani, 1802, p. 278. — Dagegen er-
h auch schon Kapp, a. a. O., 8, 4; vgl. Zacher, Pseudokall., S. 28.
Der grossen Liebenswürdigkeit des Herrn Oberbibliothekars Dr.
verdanke ich seinen berichtigten Text des Monachos, den ich
idem immer anführe. Ich gestatte mir, auch hier für die gütige
ınng des Manuskripts meinen verbindlichsten Dank zu sagen.

προεστῶτας ἐν ταῖς βυσσίναις
αὐτῶν, τὸν δὲ ἀρχιερέα ἐν τῇ
ὑακινθίνῳ καὶ διαχρύσῳ στολῇ
καὶ ἐπὶ τῆς κεφαλῆς ἔχοντα
τὴν κίδαριν καὶ τὸ χρυσοῦν ἐπ'
αὐτῆς ἔλασμα, ᾧ τὸ τοῦ θεοῦ
ἐπεγέγραπτο ὄνομα, προςελθὼν
μόνος προςεκύνησε τὸ ὄνομα καὶ
τὸν ἀρχιερέα πρῶτον ἠσπάσατο.

τας ἐν βυσσίναις μετὰ πολλῆς
εὐταξίας καὶ σεμνότητος, τὸν δὲ
ἀρχιερέα ἐν ὑακινθίνῳ καὶ διαχρύσῳ κόσμῳ καὶ ἐπὶ τῆς κεφαλῆς τὴν κίδαριν ἔχοντα καὶ τὸ
χρυσοῦν ἐπ' αὐτῆς ἔλασμα, ᾧ
τὸ τοῦ θεοῦ ὄνομα ἐπεγέγραπτο
καὶ ... προςελθὼν μόνος προςεκύνησε τὸ θεῖον ὄνομα καὶ τὸν
ἀρχιερέα ἠσπάσατο.

Während diese beiden also genau übereinstimmen, bietet Bi eine sehr auffallende Abweichung, v. 1616 ff.:

ὅθεν καὶ στὰς (der Hohepriester) ἐφ' ὑψηλοῦ τόπου προςεπισήμου
σύνάμα κλήρῳ τε παντὶ καὶ πάντων Ἰουδαίων,
ὅπου ναοῦ καὶ πρόςωπον (πρόςοψις?) ἐφαίνετο καλλίστον,
Ἀλέξανδρον ἠσπάζετο προςκύνησιν δοὺς τούτῳ.
ἰδὼν δ' αὐτὸν Ἀλέξανδρος πόρρωθεν καὶ τὸ πλῆθος
ἅπαντας τοὺς ἐν ταῖς στολαῖς λευκαῖς κτλ.

Hier ist also der Hohepriester der erste, der den König begrüsst, und zwar mit der προςκύνησις, ja auch nachher ist von einem ἀσπάζεσθαι des Priesters nicht die Rede; unser Verf. sagt nur (1628):

εὐθέως προςεκύνησε τάχιστα προςπηδήσας
τὸ θεῖον ὄνομα θεοῦ „χαίροις ὦ θύτα" φήσας.

Sollte diese Abweichung wirklich rein zufällig sein oder auf Nachlässigkeit beruhen? Ich kann mich nicht zu dieser Annahme verstehen. In dem Zeremonienbuch von Kaiser Konstantinos Porphyrogennetos ist nämlich verschiedentlich die Rede von den Zeremonien bei der Begrüssung des Kaisers von seiten der höheren und niederen Geistlichkeit. Da heisst es z. B. bei der Darstellung der verschiedenen Zeremonien während der grossen Prozession nach der Sophienkirche καὶ εἰςέρχονται, οἱ μητροπολῖται καὶ ἀρχιεπίσκοποι καὶ τὴν κατὰ τύπον ἀποτελοῦσι προςκύνησιν δηλονότι διὰ τοῦ τῆς καταστάσεως (Oberzeremonien-

τοῦ ῥεφορενδαρίου προςαγομένους (zu beziehen auf
iv) καὶ τοὺς δεσπότας προςκυνοῦντας (p. 29 Bonn.).
isst es an einer andern Stelle bei einem andern
ufzuge: ἐξελθὼν ὁ ὁπιάριος ἀπὸ κελεύσεως εἰς-
κλῆρον τῆς μεγάλης ἐκκλησίας· προςκυνήσαντες δὲ
ἰοίως τῆ προςειρημένη τάξει καὶ ἀσπασάμενοι τὸν
χονται κτλ. (p. 93, 21). Für den Kaiser und den
wird stets eine gegenseitige derartige Begrüssung
vgl. z. B. p. 64, 8: προςκυνήσαντες ἀλλήλους δ τε
ὁ πατριάρχης, ebenso ferner p. 65, 6. 68, 8. 73, 24.
w. Wenn also nach byzantinischer Hofordnung
ie Geistlichkeit stets dem Kaiser zuerst ihre Ehr-
zeigen hatte, und nur bei dem Patriarchen in der
Ausnahme gemacht wurde, dass hier eine gegen-
ssung stattfand, so scheint mir der Schluss nicht
igt, dass hier eben ein Byzantiner spricht, dem
unstatthaft erschien, dass der König (oder Kaiser)
riester, und nun gar dem jüdischen Hohenpriester
ht berührte.[*]

icht habe ich eben auch „Kaiser" gesagt, denn
id nennt unser Verf. Alexander einmal αὐσονάρχης
le, die er dem Wahrsager in den Mund legt, der
rt auf den Tod des Königs deuten will, v. 3866:
ροςαντέφησεν δ᾽ κράτιστ᾽ αὐσονάρχα κτλ. Diese
rd nämlich ganz in derselben Form oder in der
ναξ, αὐσονοκράτωρ auf die byzantinischen Kaiser
achdem die Bezeichnung der Griechen als Αὔσωνες
11. Jahrhundert einigermassen eingebürgert hatte
comment. ad Const. Porphyrogen. 2, 711 Bonn.).
νονάρχης gebraucht z. B. Konstant. Manasses drei-

r Verf. diese Aenderung mit Absicht vorgenommen, scheint
vorzugehen, dass Sl. dasselbe nicht hat, obwohl im übrigen
el aus Georgios Monachos — mit der ausführlichen Be-
hohenpriesterlichen Kleidung — herüber genommen ist.
ist in der ersten (Istrin, Text S. 41 f.) und zweiten (das.

mal; τὸ δημοτικώτερον τοῦ πλήθους ... δείκνυσιν αὐσονάρχην (3212, von dem Usurpator Hypatios gegen Justinian); ἡ σύγκλητος Ἀρτέμιον ἵστησιν αὐσονάρχην (4110, a. 713); τοὺς ἰδίους παῖδας ... κράτορας ἀνεκήρυξεν (Romanus I) ἄνακτας αὐσονάρχας (5589). Den Kaiser Justinian (3189) und Konstantin VIII. (6059) nennt er αὐσονοκράτωρ, und schliesslich den Kaiser Justinus (3294) und den zu seiner Zeit regierenden (1143—80) Manuel Komnenos (2550) αὐσόναναξ. Vielleicht dürfte auch diese Uebertragung des kaiserlichen Titels, der dem Verf. also doch offenbar geläufig war, auf Alexander darauf hindeuten, dass er in Byzanz lebte. Denselben Hinweis finde ich in einer andern Titulatur. Als Alexander zum ersten Male bei dem Stalle des Bukephalos vorbeikommt, hört er das Pferd wiehern und fragt, was das für ein Pferd sei; dann heisst es weiter v. 744:

$$καὶ λέγει Πτολεμαῖος$$
$$φέρων ὁ κόμητος ἀρχήν^1)\ Βουκέφαλος ἦν ἵππος κτλ.$$

Die Worte ὁ φέρων κόμητος ἀ. können doch wohl nicht gut etwas anderes bedeuten als: Ptolemäus, der die Würde eines comes bekleidete. Aller Wahrscheinlichkeit nach würde damit dieser Fürst dann als der Oberstallmeister, κόμης τοῦ στάβλου (Const. Porphyr. de cerim. append. I, p. 459, 64) oder τῶν βασιλικῶν σταύλων (Theoph. chron. p. 246, 14, de Boor) bezeichnet. Nun ist ja allerdings die Titulatur κόμης überhaupt sehr allgemein und gewiss bekannt genug gewesen; dass aber unser Verf. hier das einfache κόμης als Bezeichnung für den Oberstallmeister gebraucht, und ferner diesen Titel auf die Zeit Alexanders übertragen hat, dürfte wohl dafür sprechen, dass ihm die am kaiserlichen Hofe gangbaren Titulaturen geläufig waren, d. h. dass er in Byzanz lebte.

Vielleicht dürfte in diesen Zusammenhang auch der Vergleich des Bukephalos mit einem ungarischen Hunde (ὡς οὐγγαρον τὸν κύνα, 615) gehören; da alle andern Bearbeitungen

---

1) φέρειν mit einem Substantiv liebt der Verf. in vielerlei Wendungen, so: φ. κλῆσιν (158, 189, 814), μορφήν (788, 5608), σχῆμα (188, 848, 2960), χαρακτῆρα (564, 936) u. s. w.

weglassen, ist er ein Zusatz unseres Verf.;
. in Byzanz Gelegenheit, die Wildheit dieser
en.

ilso den Verf. als einen Byzantiner bezeichnen,
rner aus einigen Bemerkungen den Schluss
dass er dem geistlichen Stande auge-
hö dabei ab von den mancherlei Stellen, wo
Abscheu über die Verführungskünste und
labus oder der Niederträchtigkeit der Mörder
uck giebt, da dieselben doch zu allgemeiner
ihren Schluss darauf zu gründen. Wichtiger
i zunächst folgende Aeusserungen. Nachdem
nig in einem Briefe hat erzählen lassen von
der Quelle der Unsterblichkeit und der Ver-
len setzt dieser hinzu, v. 4439 f.:

$$\text{βούλεται θεός, ἄνθρωπος οὐκ ἰσχύει,}$$
$$\text{ἐνοτ' ἐνεργεῖ Προνοίας μὴ θελούσης,}$$

die für Alexander kaum passt — in allen
gen fehlt sie auch — die aber eben dem
e Rücksicht auf den Zusammenhang ent-
ähnlich ist der Zusatz nach der Erzählung
ig der Berge bei der Einschliessung der un-
und Magog, die der König durch sein Gebet
ηδεὶς ἀκούων ἀπιστῇ, δύναται θεός ταῦτα.
ung, dass die Brahmanen das Wasser des
δοξάζοντες τὸν πλαστουργόν (4809) möchte

d einigermassen beweisend scheinen dagegen
istenzen an die Bibel und die Thätigkeit oder
hen Dahin rechne ich den Ausdruck βροτο-
in dem Lemma (nach v. 344): οὐκ εἰ
δ, μᾶλλον τοῦ βροτοκτόνου, wo einmal die
dann aber auch das einzelne Wort, das dem
Ev. Joh. 8, 44 genau entspricht, durchaus
hinweisen. Dahin gehört auch die Wen-

dung (669): καὶ ταῦτ' εἰπὼν παρέδωκε Νεκτεναβὼ τὸ πνεῦμα,
die genau der von dem Evangelisten (Joh. 19, 30) bei dem
Verscheiden Christi gebrauchten entspricht: κλίνας τὴν κεφαλὴν
παρέδωκε τὸ πνεῦμα, dahin auch das Schlusswort des Dandamis bei seiner Unterredung mit Alexander: ἄπελθε πρὸς
εἰρήνην (4905), und das gleichlautende der Kandake (5392);
denn in allen sonstigen Bearbeitungen fehlt es, und stimmt
andrerseits zu den Worten, die Christus bisweilen gebraucht:
„Gehe hin mit Frieden" (nach Luther, Ev. Marc. 5, 34: ὕπαγε
εἰς εἰρήνην, Luc. 8, 48: πορεύου εἰς εἰρήνην), wenn auch der
genaue Wortlaut nicht wiederkehrt. Sehr bezeichnend sind
in dieser Beziehung auch die Worte, die Alexander an seine
Mutter richtet, um eine Versöhnung mit ihrem Gatten herbeizuführen. Alle Bearbeitungen geben nämlich zum Schluss
die Worte: das Weib sei dem Manne unterthan; Bi aber fügt
hinzu: καθὼς φησιν ὁ νόμος (998). Welches Gesetz? Erinnern
wir uns nun der bekannten Worte aus dem N. T. Kol. 3, 18:
αἱ γυναῖκες ὑποτάσσεσθε τοῖς ἀνδράσιν, ὡς ἀνῆκεν ἐν κυρίῳ, die
zurückgehen auf Gen. 3, 16: ὁ ἀνήρ σου κυριεύσει, so scheint
es mir einerseits klar, auf welches Gesetz hier angespielt wird,
und andrerseits, da Alexander sich doch auf gar kein Gesetz
beziehen konnte, dass diese Worte eben den Geistlichen verraten, dem bei jenen überlieferten Worten die Stelle aus der
Schrift einfiel. Nicht unwichtig erscheinen ferner einige Worte
in der Antwort, die Alexander auf die Bitte der Brahmanen,
ihnen die Unsterblichkeit zu verleihen, erteilt. Der König
weist die Erfüllung der Bitte ab mit der Begründung: τούτου
ἐγὼ ἐξουσίαν οὐκ ἔχω κἀγὼ γὰρ θνητὸς ὑπάρχω.[1] Bi hat
nun auch hier einen eigentümlichen Zusatz: βροτὸς τυγχάνω
καὶ θνητός, κόνις, πηλὸς καὶ τέφρα. Unwillkürlich rufen
die drei letzten Wörter den Gedanken an die, wenigstens in
der evangelischen Kirche bei Begräbnissen übliche Formel:
„Erde zu Erde, Staub zu Staub, Asche zu Asche" wach. Eine

---

[1] Ps.-Kall. 3, 6 A, B, C, L; vgl. Syr. p. 93 B = 358 R; hist.
p. 108 L, c. 90 p. 215 Z, J V (c. 12 p. 122) lässt die Begründung aus.

e Zusammenstellung findet sich nun auch in der
agie der griechischen Kirche,[1]) so dass es nach
ung alle Wahrscheinlichkeit für sich hat, dass
serm Verf. selbständig gemachte Zusatz eben eine
des Geistlichen ist, dem diese Zusammenstellung
ung irdischer Ohnmacht und Nichtigkeit geläufig
weise ich auf zwei Lemmata hin, die für meine
sprechen dürften: bei v. 5405, wo von den Wunder-
im der Götterhöhle die Rede ist, heisst es: ὁρᾷς
ἅρματα; ποίει σταυροῦ σημεῖον, wo sowohl die
ἐχϑρός = der böse Feind', der Teufel (vgl. Luc.
auch die Aufforderung, das Zeichen des Kreuzes
auf einen Geistlichen als Verfasser hinzudeuten
ergo weist darauf hin die Bemerkung nach v. 4458:
προφήσειν; ἄγγελος ἦν ὁ λέγων, da ἄγγελος hier
„Engel" übersetzt werden muss.

führe ich zur Bestätigung meiner Ansicht noch
auch die Werke des Gregor v. Nazianz unserm
gewesen sein müssen. In einem längeren Lemma
v. 2420) giebt unser Verf. eine kurze Angabe
genpreise bei den grossen Nationalspielen der
erwähnt dabei auch jenen Bischof. Die Worte
:

ε τοῖς παλαιοῖς ἀγῶνες ἐτελοῦντο·
ε τῷ νικήσαντι τὴν πάλην Ὀλυμπίῳ (-ᾳ?)
ηρος ἔπαϑλον ἐδόϑη τὸ πρὸς χεῖρας,

Rituale Graecorum complectens ritus et ordines divinae
xxta novam oriental. eccl. ... illustr. opera Jac. Goar
die ältesten liturgischen Formeln enthält, heisst es in dem
arum: πάντα κόνις, πάντα τέφρα, πάντα σκιά· ἀλλὰ δεῦτε
εκάστῳ βοαίει u. s. w. (p. 588), ebenso bei dem exsequium
Priestere p. 576. Aehnlich heisst es in dem exsequium
ις δεῦτε ἐν τῷ τάφῳ, ἀδελφοί, βλέπωμεν τὴν τέφραν καὶ
ἴδωμεν. Auch das Wort πηλός kommt in dem exsequium
parem vor: ἀλλὰ δεῦτε μνησϑέντες μου τῆς πρὸς ἐμὲ ἀγάπης·
καὶ τάφῳ παράδοτε τὸν πηλόν μου τοῦτον (p. 575).

ἐλαίου δ' ἦν θαλλὸς αὐτό, ἐν τοῖς Δελφοῖς ἦν μῆλα.[1])
5 ἄλλος δὲ κλάδος πίτυος Ἰσθμῷ τῶν Κορινθίων·
ἐν δὲ Νεμέῃ σέλινα κατεστεφοῦντο νέοι,
ᾗ Θεολόγος παίγνια καλλίστως ὀνομάζει
ἄθλόν τε καταγέλαστον καὶ νηπιῶδες μᾶλλον.
ζωὴν γὰρ κινδυνεύοντες νέοι ζημιωθῆναι
10 ἐλάμβανον ἀντὶ πληγῶν μεγάλων τῶν μαστίγων
ὡς εἴποι τις, καὶ θάνατον, σέλινα, πίτυν, μῆλα.[2])

Unter dem Θεολόγος v. 7 ist zu verstehen Gregor, der Bischof von Nazianz und zeitweilige Patriarch von Konstantinopel[3]) († 389), in dessen 18. Rede zu Ehren des Märtyrers Cyprianus sich in der That die Stelle findet, auf welche hier angespielt wird. Er redet ihn am Schluss mit Emphase an und sagt: αὗταί σοι τῶν ἐμῶν λόγων αἱ ἀπαρχαί, ὦ θεία καὶ ἱερὰ κεφαλή· τοῦτά σοι καὶ τῶν λόγων γέρας καὶ τῆς ἀθλήσεως, οὐ κότινος Ὀλυμπιακὸς οὔτε μῆλα Δελφικὰ παίγνια οὐδὲ

---

[1]) Dass bei den Pythischen Spielen in Delphi in alter Zeit der Preis ein Lorbeerkranz war, ist bekannt; indessen werden für die spätere Zeit auch Aepfel als Preis genannt. Luc., Anach. 9 (Jacobitz): Ὀλυμπίασι μὲν στέφανος (ἄθλόν ἐστι) ἐκ κοτίνου . . . Πυθοῖ δὲ μῆλα τῶν ἱερῶν τοῦ θεοῦ. Vgl. das von Auson. (ecl. 12 ed. Schenkl) übersetzte Epigramm der Anthol. Pal.: ἄθλα δὲ τῶν κότινος, μῆλα, σέλινα, πίτυς, — Serta quibus pinus, malus, oliva, apium.

[2]) In den letzten 3 Versen ist zu konstruieren: νέοι κινδυνεύοντες ζωὴν ζημιωθῆναι ἐλάμβανον . . . θάνατον „die Jünglinge setzten sich der Gefahr aus ihr Leben zu verlieren und erhielten für die (oder statt der) gewaltigen Peitschenhiebe so zu sagen nur — Eppich, Fichtenkranz und Aepfel". Dann aber kann θάνατον nicht richtig sein, das allerdings schon dadurch einigermassen verdächtig wird, dass im folgenden nur drei Siegespreise genannt werden; daher vermute ich, dass zu lesen ist: κότινον, σέλινα, πίτυν, μῆλα. Für ζημιοῦσθαι in der Bedeutung „verlieren", die übrigens auch sonst vorkommt (vgl. z. B. Theophan. chron. p. 498, 29 de Boor), führe ich aus unserm Gedichte an: μήπως — — ζημιωθῆτε τὴν ζωὴν αὐτήν (4306 f.), vgl. 3267, 5143 und 4822 ζημιοῦν. Das drei πληγῶν ist vermutlich als Aeusserung der Indignation aufzufassen, die Jünglinge hätten eigentlich Schläge verdient.

[3]) S. W. Christ, Gesch. d. griech. Literatur (Hdb. d. kl. Altertumswissenschaft VII) S. 648.

ωὅοὸ Νηρείας ϑάλατα, δι᾽ ὧν ἔφηβοι δυστυχεῖς
αν· ἀλλὰ λόγον τῶν πάντων οἰκειότατον τοῖς λόγου
αἷς, εἰ δὲ καὶ τῶν σῶν ἄθλων καὶ λόγων ἄξιον, τοῦ
λόγου (ed. Billius 1 p. 286a).

diesen allerdings nur dürftigen Notizen müssen wir uns
f der Zeit und des Verf. begnügen. Es lässt sich
hr feststellen, als dass das Werk zwischen 1200 und
standen sein muss, und dass der Verf. ein byzanti-
ieistlicher gewesen ist. Wie derselbe seine Aufgabe
t, angefasst und durchgeführt hat, wird die weitere
hung, zeigen müssen.

II. Die Vorlagen.

hältnis von Bi zur Rezension B′ des Pseudo-
Kallisthenes.

Vorlage von Bi im allgemeinen zu bestimmen, ist
wer, denn schon ein flüchtiger Vergleich lehrt, dass die
, unter dem Namen des Pseudo-Kallisthenes gehende
rgeschichte von dem Verf. benutzt ist. Allerdings
selbst im Anfange des Gedichtes einen Onesikritos:[1]
schon Kapp[2] richtig urteilt, ist es erstens möglich —
ch nicht gerade wahrscheinlich —, dass die Verse εἰς
ησίκριτος Ἀσσύριος ἐκεῖνος das Einschiebsel eines Ab-
s sind. Zweitens ist es keineswegs direkt ausgesprochen.
Werk dieses Onesikritos die Vorlage des Verf. gebildet
drittens, möchte ich hinzusetzen, ist es doch auch
gr ausgeschlossen, dass die dem Verf. vorliegende Er-
unter jenem Namen ging, da dieselbe bekanntlich

_____

[1] enn Ἀσσύριος nicht vielleicht ein Schreibfehler ist für Ἀσσυ-
Σαρδαναπαλικός), so liesse sich diese seltsame Bezeichnung viel-
Ueicht aus einer nachlässig und flüchtig gelesenen Stelle bei
Plutarch c. 14: Κῦρος δὲ ὁ Περσῶν βασιλεύς, ὁ παλαιός, ὡς δηλοῦσιν
καὶ Ἀσσυρίων ἔργα, οἷς καὶ Ὀνησίκριτος ὁ τὰ ἐπὶ Ἀλεξάνδρου
, συμφωνεῖν δοκεῖ.

[2] Kapp, Mitteilungen aus zwei griechischen Hdss. Progr. d. k. k. Gym.
1872, S. 27 ff.

nicht allein dem Kallisthenes zugeschrieben wurde.[1]) Wie dem nun aber sein mag, darüber kann kein Zweifel sein, dass eben die Erzählung des Pseudokallisthenes die Quelle der Darstellung in Bi gewesen ist.

Dagegen bedarf die Frage allerdings einer näheren Prüfung, welcher Rezension unser Verf. gefolgt ist. Es handelt sich hierbei allerdings nur um A′ und B′, denn die charakteristischen Stellen der jüngsten Ueberlieferung in C fehlen durchaus in Bi bis auf Einzelheiten, von denen im Laufe der Untersuchung die Rede sein wird. In Bezug auf die beiden ersteren ergiebt sich nun zunächst Folgendes:

1. In den beiden ersten Teilen (Ps.-K. 1, 1—27), welche die Geburt und die Jugend Alexanders bis zu seiner Thronbesteigung behandeln, schliesst sich Bi durchaus an B′ an. Es ergiebt sich dies aus folgenden Thatsachen: Nektanabus benutzt bei seiner ersten Zauberei Quellwasser[2]) statt Regenwasser (Bi

---

[1]) Sie wurde auch angeführt unter dem Namen des Antisthenes (Berger de Xivrey, Notices et Extraits XIII p. 190), des Aesopus (Berger S. 188 ff., Müller, Introductio zu seiner Ausgabe pag. XXVII, P. Meyer, Al. le Grand 2, 16 ff., Jul. Val. rec. B. Kübler, praef. p. VIII); vermutlich ist der Name Eusebius, der in der histori von dem grossen Alexander wie die Eusebius beschrieben hat, des doctor Hartlieb aus München genannt wird (s. Ausfeld, Ueber die Quellen z. Rud. v. Ems' Alex. Pr. Donaueschingen 1883, S. 6, Zingerle, Die Quellen zu Al. des R. v. E. S. 21 A. 1), nur eine Korruption aus Aesopus; endlich des Aristoteles in der armenischen Uebersetzung (Müller a. a. O., Zacher, Pseudokall. S. 87). Nach Müllers Vermutung würde auch der Name des Ptolemäus anzuführen sein. Vgl. im allgemeinen Carraroli, D., La leggenda di Alessandro Magno S. 73 f. — In späterer Zeit wurde auch Arrian als Verf. dieser Wundergeschichten angeführt; so von dem Bearbeiter der zweiten Redaktion der altslavischen Alexandersage an deren Schluss hinzugefügt wird: Die Erzählung von Alexander und seinem Leben hat Arrian verfertigt, ein Schüler des Philosophen Epiktetes in der Zeit des römischen Kaisers Nero (Istrin, Text S. 242), vgl. Istrin, Einleitung S. 248, wo der Verf. die gewiss begründete Ansicht ausspricht, dass diese Bemerkung schon auf den ursprünglichen hellenischen Chronographen zurückgeht.

[2]) Auch Arm. sagt Brunnenwasser und ähnlich Sl.: er goss Wasser aus einer Quelle in die Schale (Istrin, S. 6).

, 4); die Darstellung des astrologischen Apparats ist
rzt (197—205 = 1, 4); der Bericht über die Geburt
s ist bei weitem ausführlicher (512—42 = 1, 12); der
s stammt aus dem königlichen Marstall (596—621
Kleopatra, die zweite Gemahlin Philipps nach Ver-
ler Olympias ist eine Schwester des Lysias (919—21
')

benso stimmt Bi in den letzten Teilen, welche den
ıg Alexanders gegen Darius bis zu dem Tode des letz-
en Zug nach Indien und dem Osten, und schliesslich
behandeln, durchaus zu B'. Charakteristisch für diese
ist bekanntlich der Brief Alexanders an seine Mutter
über die Erlebnisse nach dem Tode des Darius (2,
2. 33. 36—41 Anfg. = Bi 4116—4472); der Bericht
Unterredung des Königs mit dem Brahmanenfürsten
(3, 6 = Bi 4777—4905); der Bericht über die
sdiens in der Form der Erzählung, nicht eines Briefes
Bi 4981—5008); die Erzählung von der Einschliessung
en Völker Gog und Magog (3, 29 = Bi 5710—99);
e Kürzung der Angaben über das Testament Ale-
3, 33 = Bi 6028—36) und die Erzählung von dem
der Perser und Makedonier um den Bestattungsort
t (3, 34 = Bi 6061—91).

In einigen Einzelheiten, die für B' charakteristisch
sind, schliesst Bi an diese Rezension an. So kehrt die
p über die wunderbare Schicksalsfügung, dass Nekta-
Aegypter, in Griechenland, Alexander, der Makedonier.
en begraben ist, sowohl in BCL, wie auch in Bi
Ferner findet sich die Angabe, dass durch das Zurück-

---

b 1, 20. A. 2: τὴν ἀδελφὴν αὐτοῦ Κλεοπάτραν hat Müller wohl
ἀνειλον hergestellt nach J V (c. 18 K.): Cleopatrae — Attali
obilis filiae; auch Syr. hat: the daughter of king Athlis
(f R); im Arm. heisst es: denn er hatte zum Weibe genommen
die Tochter des Atlan; hist. (p. 46 L., c. 18 Z.) sagt nur: ouius-
s filiam. In B, C, L heisst sie Κλεοπάτρα ἀδελφὴ Λυσίου.
2, 14 a. E., L p. 716, Bi 687 ff.

treten des Meeres an der Küste Pamphyliens ein Wunder für Alexander geschehen sei, in ganz gleicher Weise in BCL und in Bi.[1])

Bi 1200 ff.:

Ἐν οἷς καὶ τι παράδοξον γέγονεν Ἀλεξάνδρῳ·
μὴ ἔχων οὗτος νῆας οὖν πέραθεν ὁρμηθῆναι,
μέρος ὑπανεχώρησεν, ὥς φασι, τῆς θαλάσσης
καὶ πᾶσα δύναμις πεζῶν διῆλθεν ἀκωλύτως.

B 1, 20 (C, L p. 725):

ἐν ᾗ (Παμφυλίᾳ), παράδοξον ἐγένετο·
ναῦς γὰρ οὐκ ἔχων Ἀλέξανδρος μεθ᾽ ἑαυτοῦ
μέρος τι τῆς θαλάσσης ὑπεχώρησεν,
ἵνα ἡ πεζικὴ δύναμις διέλθῃ.

Ebenso gehört der Zusatz, dass die verstümmelten Griechen, welche Alexander auf seinem Zuge antrifft, sich ἐπὶ τῷ τάφῳ Ξέρξου befinden, jedenfalls der jüngeren Rezension an. In der älteren halten sich dieselben nämlich bei dem Grabe des Kyros in einem Turme auf.[2]) Wir haben in dieser Angabe.

---

[1]) Dass dies ganze sogenannte Wunder im Grunde nur auf die günstigen Witterungsverhältnisse und das Glück Alexanders zurückzuführen ist, ergiebt die nüchterne Darstellung Strabos XIV, 3, 9, p. 666, die vielleicht auf Ptolemäus zurückgehen mag (Fränkel, Alexander-historiker, S. 92 ff. — Vgl. über die Sache Droysen, Alexander 1, 224). Dem echten Kallisthenes ist dann wohl die weitere Ausschmückung zuzuschreiben (frgm. 25 bei Müller), aus dem die Geschichte durch Vermittlung etwa des Aristobul und Hieronymus v. Kardia in die späteren Darstellungen übergegangen ist (Jos. 2, 6, 15, Plut. Al. c. 17, App. b. c. 2, 149). Interessant ist übrigens und deutet vielleicht auf allgemeinere Vorstellungen des Orients, dass Xenophon von dem jüngeren Kyros etwas ganz Aehnliches bei seinem Uebergang über den Euphrat erzählt und dabei die Meinung der Thapsakener anführt, Anab. 1, 4, 17: καὶ διαβαινόντων τὸν ποταμὸν (Εὐφράτην) οὐδεὶς ἐβρέχθη ἀνωτέρω τῶν μαστῶν ὑπὸ τοῦ ποταμοῦ. Οἱ δὲ Θαψακηνοὶ ἔλεγον ὅτι οὐπώποθ᾽ οὗτος ὁ ποταμὸς διαβατὸς γένοιτο πεζῇ εἰ μὴ τότε, ἀλλὰ πλοίοις ... Ἐδόκει δὲ θεῖον εἶναι καὶ σαφῶς ὑποχωρῆσαι τὸν ποταμὸν Κύρῳ ὡς βασιλεύσοντι.

[2]) A 2, 18 A. 5; J V (α 29 p. 100 Kl, Syr. p. 78 B = p. 280 R; hist. hat gar keinen Namen, d. h. in der älteren Fassung, über die jüngere

ch mich nicht irre, eine Art von Begründung für die
mmelung dieser Menschen, wenn wir uns erinnern, dass
em Berichte des Ps.-K. (2, 23) auch die Wächter am
des Darius der persischen Sitte gemäss verstümmelt
. Denn die Geschichte von dem Zusammentreffen Ale-
· mit verstümmelten Griechen finden wir bekanntlich
ei den eigentlichen Historikern;[1] sie wird aber freilich,
glaubwürdigen Berichte davon schweigen, in's Gebiet
)el zu verweisen sein und vielleicht auf Ktesias zurück-
Der Zusatz von dem Aufenthalt jener Misshandelten am
eines Perserkönigs wird also wohl der weiterbildenden
uzuschreiben sein. Ich sage mit Absicht eines Perser-
denn aus Kyros ist in der interpolierten Fassung der
inus (Zingerle c. 68, p. 191) geworden, dem die Strass-
Drucke ausser dem Titel rex Assyriorum auch noch
rsarum geben, und die jüngere griechische Rezension
wie gesagt. Xerxes. Wie Ninus hierher kommt, ist
· jetzt unklar, dagegen dürfte das Erscheinen des Xerxes
ht darauf zurückzuführen sein, dass nach der von Synkel-
ıgegebenen und auf Panodorus[2] zurückgehenden Meinung
und Nebukadnezar gleichgesetzt wurden. Eben vorher
llich von der Besichtigung des Grabmals Nebukadnezars

— Bemerken möchte ich hier noch, dass in unserm Lamprecht
wird:

er hiz Evilmerodach,
der Kunine in Babilonia was (v. 3566 Kinzel).

derartige Notiz von ihm in seiner Vorlage gefunden, oder ob
ıtie von ihm selbständig gemacht wurde, ist wohl nicht auszu-
; vgl. Kinzel, Anm. S. 483. Gemeint ist der Nachfolger und viel-
phm, Nebukadnezars Amil-Maruduk (s. Hommel, Gesch. Assyriens
Ouchen, A. Gy. 1, 4).
In fast übereinstimmender Weise bei Diod. 17, 69; etwas rheto-
griphulet bei Curt. 5, 5, ganz kurz bei Justin. 11, 14, 11. Vgl.
han d. griech. u. makedon. Reiche 1, 98, A. 1.
W wie edele Ελαίης καὶ Ἀλυαττου ἀποσῶσαι . . . καθυπέταξεν.
μεειν Νακτερ ρόμον ἀνήρ τις τὸν δὶ βίβλοι φερόμενος (p. 449 Bonn.).

durch Al. die Rede gewesen. Ich wage diese Vermutung, weil
jene Anschauung aller Wahrscheinlichkeit nach doch wohl in
den Kreisen der Verfertiger der Alexandergeschichte nicht
unbekannt gewesen ist.

Auch die Erzählung von dem Botengange Alexanders zu
König Porus, sowie der Bericht von den Gaben, die der erstere
dem Brahmanenfürsten Dandamis giebt, findet sich wie in B' so
auch in Bi.[1]) Endlich führe ich noch zwei korrumpierte Stellen
an, in denen Bi sich der jüngeren Rezension anschliesst.

1. In seinen letzten Worten legt der sterbende Darius
seine Angehörigen und speziell seine Mutter und Gattin Alexander ans Herz mit den Worten: τὴν δὲ ἐμὲ τεκοῦσαν παρα-
τίθημί σοι καὶ τὴν γυναῖκα μου ὡς σύνεμον οἰκέτην — so
A 2, 20 A. 18. Nach Syr. (p. 81 B = p. 283 R): consider my
wife as thy sister würde statt der von Müller vorgeschlagenen
La συνήμονα οἰκέτην etwa zu lesen sein ὡς συναίμονα σκόπει.
Dass die Korruptel aber schon früh in den Text gekommen
sein muss, beweist Arm., wo es heisst: Und mit meinem Weibe
habe Mitleid wie mit dem Blute, wonach die verderbte und
teilweise schon des Besserungsversuches gewürdigte Vorlage
etwa gelautet haben müsste: καὶ τὴν γυναῖκά μου ὡς σὺν
αἵματι οἴκτειρον. Das οἰκτείρειν gehört nun aber offenbar der
jüngeren Rezension an, wie B (ὡς σὺν ἐμοὶ οἴκτειρον) und LC
(ὡς ἐμὲ οἴκτειρον) beweisen, und damit stimmt auch Bi 3907:
γυναῖκα δέ μου — ὡς συμπαθὴς οἰκτείρησον.

2. In dem Briefe, den Alexander nach der Ermordung des
Darius an dessen Mutter und Gattin (A 2, 22 A. 4) und Tochter
(BCL p. 757, Bi 4040) schreibt, heisst es: ἀντιταξάμενον
ἡμῖν Δαρεῖον ἡμυνάμεθα ὡς τὸ θεῖον ἐβουλεύσατο· ὃν ἐγὼ
ἤθελον ζῶντα ὑπὸ rd ἐμὰ σκῆπτρα εἶναι bei A, und ebenso, nur
noch klarer durch den Zusatz: although we sought the vic-
tory over Darius, we did not desire his death bei Syr. (p. 84 B
= 286 R). Dieser durchaus verständige Gedanke ist nun in

---

[1]) BC 3, 3, L p. 771, Bi 4603—15; vgl. Rohde, der griech. Roman
S. 188. — B 3, 6 a. E. L p. 774, Bi 4897 ff.

a Rezension dadurch geradezu auf den Kopf ge-
ror ἡμυνάμεθα ein οὐκ eingeschoben ist, und dem
a auch Bi (4043) an; vielleicht stammt der Fehler
m ursprünglichen verlesenen οὖν.

ieser Auseinandersetzung steht zunächst so viel fest,
len angesogenen Abschnitten im allgemeinen sich
ere Rezension anschliesst. Es erhebt sich aber
e weitere Frage, ob, ev. welche von den beiden
a Rezension angehörenden Hdss. B, L die Vorlage
sen ist. Die Frage lässt sich nun im allgemeinen
cherheit verneinen, denn keine derselben stimmt
Bi überein, dass sie selbst die Vorlage gewesen
Dagegen finden sich allerdings einige sehr be-
Stellen, in denen unser Verf. zu L stimmt, so
raus wohl der Schluss auf Benutzung einer ähn-
r. demselben Typus angehörigen Vorlage für Bi
n lässt.

ler Unterredung des Nektanabus mit Olympias über
in welchem der Gott Ammon sie umarmen will,
}C (1, 4) darin überein, dass auf die Ankündigung
bus Olympias gleich antwortet: ἐὰν ἴδω τὸν ὄνειρον
ὡς μάγον ἀλλ᾽ ὡς θεόν σε προςκυνήσω. L (p. 709)
gen noch ein Zwiegespräch ein: Ὀλυμπιὰς εἶπεν·
τεν· οὐ μακράν, σήμερον· διὸ καὶ προτρέπομαί σε
λίδα γυναῖκα ἤδη περὶ ἑαυτὴν γενέσθαι, περιπλα-
σοι ταύτῃ τῇ νυκτὶ δι᾽ ὀνείρων. Ganz dasselbe
er auch Bi (239 ff.).[1]

der Erzählung von der Täuschung der Olympias
mahus, die für Bi allerdings noch einer näheren
bedarf, heisst es Bi (301 ff.):

Syr. (p. 7 B = 90 R): Olympias answered and said to him:
ctanebus said to her: „It will not be far off, but to-day;
angel thee to prepare thyself magnificently like a queen,
ry night he will unite with thee in thy dream.‘

ἀφόβως ἤνεγκεν αὐτὴ δεινὰς μεταμορφώσεις
αὐτῶν θεῶν, ὡς ἔφησεν ὁ πλάνος μετὰ δόλου
θαυμάζουσα τοῦ δράκοντος τὰς μετασχηματίσεις.

Hier entspricht erstens τῶν θεῶν L (und Syr.), während
A τοῦ θεοῦ bietet, und ausserdem der letzte Vers dem nur in
L überlieferten ἤνεγκεν τὰς τῶν θεῶν μεταμορφώσεις ἀπὸ τοῦ
δράκοντος θαυμάζουσα (p. 710).

3. L ist die einzige der jüngeren Bearbeitung zugehörige
Hds., welche wenigstens den Beginn der ausführlichen Erzählung von der Eroberung und Zerstörung Thebens an der
für A' charakteristischen Stelle bietet; Bi hat, wie hernach
gezeigt wird, die ganze Erzählung aus A' entlehnt. Vielleicht
ist dem Schreiber von L die Sache nur zu langweilig geworden.

4. In dem nur in der jüngeren Rezension überlieferten
Brief[1]) Alexanders an Olympias und Aristoteles (2, 23 ff.) stimmt
insofern Bi zu B, als mehrere Zusätze, die L hat, auch dort
ausgelassen sind, so das Gedicht, das L als Gesang auf der
Insel im Lande der Dunkelheit einschiebt (p. 762); die ausführliche Erzählung von dem Alten, der mit in das Land der
Dunkelheit genommen wird (p. 764 = C 2, 39); der Bericht
von der Bestrafung des Kochs und von der Luftfahrt Alexanders.
Aber abgesehen davon, dass unser Verf. ja möglicher Weise
absichtlich diese Angaben ausgelassen haben könnte, sind charakteristisch für eine gemeinsame Quellenbenutzung von L und Bi
zwei Stellen. Erstens wird die Taucherfahrt, die in B fehlt,
in L (p. 763 = C 2, 38) und Bi (4342—4404) erzählt; zweitens
findet sich in der Erzählung von der Lebensquelle, welche der
Koch Alexanders entdeckt, ohne dem Könige Mitteilung zu
machen, nur in L (p. 766) ein Zusatz, der ähnlich auch in Bi
wiederkehrt: ἦν γὰρ πᾶς ὁ τόπος βρύων ὕδατα πολλά, ἐξ ὧν
ὑδάτων πάντες ἐπίομεν· ὢ τῆς ἐμῆς δυστυχίας, ὅτι οὐκ ἔκειτό
μοι πιεῖν ἐκ τῆς ἀθανάτου ἐκείνης πηγῆς τῆς ζωογενούσης τὰ

---

[1]) In allen Bearbeitungen wird der Brief geschrieben an Olympias
(B 2, 23, L p. 759, Bi 4135); die Anrede aber ist mit Ausnahme von C
(2, 23 A. 1) an Olympias und Aristoteles gerichtet.

ς ὁ ἐμὸς μάγειρος τετύχηκεν. Bi, dem Sinne nach
̣̣̣̣̣̣̣̣ in etwas freierer Fassung, v. 4433 ff.:

̣̣̣̣ οὖν πάντες ἔνυδροι τόποι τῆς γῆς ἐκείνης·
̣̣̣̣ γὰρ αὐτὴ πέφυκεν ἀθάνατος, ὡς οἶμαι,
̣̣̣̣ πᾶσι θαυμαστὴ καὶ πάντων ἡδομένη·
̣̣̣̣ αὐτὸς οὐκ ἔπιον ἀλλ' οὐδὲ Μακεδόνες.
̣̣̣̣ ἐπίνομεν αὐτοὶ πηγῆς τῆς ἀθανάτου,
̣̣̣̣ ἀθάνατοι· φεῦ τῆς ἀποτυχίας.

Übrigen stimmt Bi in diesem Teile in Einzelheiten
̣ zu B, manchmal zu L,[1]) so dass daraus kein irgend-
̣der Schluss zu ziehen ist, wie es allerdings bei den
̣führten Stellen der Fall zu sein scheint.

̣tiger aber als diese Uebereinstimmungen scheinen mir
̣ vier Stellen zu sein, wo L und Bi in ganz auf-
̣Weise in Fehlern übereinstimmen.

̣ der Rede Alexanders an die Aegypter in Memphis,
̣ ̣ ̣seiner Verwunderung darüber Ausdruck giebt,
̣ ̣Fremdlingen unterworfen seien, dabei aber die

̣stimmt z. B. Bi in den Zahlenangaben durchgehends zu B,
̣ finden sich einzelne Zusätze in beiden, so, dass die Make-
den Früchten eines Waldes leben, weil sie nichts anderes
̣ ̣ ̣B 2, 33); dass die Hunde, welche die Höhlen der Riesen
̣ ̣ ̣ heissen (4226 = B 2, 33); der Vergleich des Wald-
̣ ̣ ̣ ̣ Eber (4237 = B 2, 33, auch Syr. p. 99 B = 363 R,
̣ ̣ ̣ u. A. Mit L stimmt die Angabe, dass die Früchte in einem
̣ ̣ ̣ ̣ παρόμοια πεπόνων (4190) sind = L p. 760;
̣ ̣ ̣ ̣, Traditions tératologiques) p. 854: καρπὸν μήλοις
Ferner ̣ ̣ ̣ es 4237: ein Soldat wirft einen Fisch, den er
̣, εἰς ἄγγος = L p. 761, B p. 362 A.[1]) hat ἄλος, wofür Berger
̣ Text gesetzt hat, offenbar ist ἄγγος richtig; auch Arm. hat
̣ und (es waren hier) auch viele Fische, welche nicht im Feuer
̣ndern in kaltem Quellwasser. Einer von den Kriegern nahm
̣ch ihn und warf ihn in ein Gefäss (Istrin, p. 77). v. 4291
̣n bestimmten Vögeln: ὅστις αὐτῶν ἐθίγγανε, κατεφλογοῦτο τάχει
̣, C 2, 36 a. E.; in B steht ἰσθῶν, wofür Berger ᾖσθεν gesetzt
nicht dafür ἔθιγεν stehen muss, muss wohl mit Arm. und Sl.
̣sen werden.

Vermutung ausspricht, dass dies eine Bestimmung der Vorsehung sei, weil sie eben den „weltnährenden" Nil als Geschenk bekommen hätten, heisst es v. 1515 ff.: προνοίας ἔνεστι . . . ὅπως ὑμεῖς . . . γένησθε δοῦλοι τοῖς ἐχθροῖς μὴ κεκτημένοις δέρας. Das letzte Wort ist offenbar korrupt. Nun findet sich in L (p. 730) ganz ähnlich: τοῦτο τῆς ἄνω προνοίας ἐστὶ . . . ἵνα ὑμεῖς . . . ὑποτεταγμένοι ἐστὲ (sic) τοῖς μὴ ἔχουσιν δέρεα. καὶ βασιλεύεσθε· ἔθνησκον γὰρ οἱ βάρβαροι ταῦτα μὴ ἔχοντες. Offenbar herrscht auch hier Verwirrung. In A lautet die Stelle: ἀλλὰ τοῦτο τῆς τῶν θεῶν προνοίας . . . ὂν, ἵνα ὑμεῖς . . . ὑποτεταγμένοι ἦτε τῶν τούτων μὴ ἐχόντων ἐξουσίαν· εἰ γὰρ μετὰ τούτων ὧν ἔχετε δωρεῶν καὶ βασιλεύετε (ἐβασιλεύετε?), ἔθνησκον ἂν οἱ βάρβαροι ταῦτα μὴ κεκτημένοι. Der Schreiber scheint also von ὑποτεταγμένοι ἦτε τούτων auf das nächste τούτων abgeirrt zu sein, und in dem δέρας oder δέρεα wird wohl δῶρα stecken; jedenfalls aber hat sich doch wohl in der Vorlage von L und Bi schon dieser Fehler gefunden.

6. In dem Briefe, den Darius an Porus schreibt, um ihn um Hülfe zu bitten, sagt er u. a. von Alexander v. 3809:

$$\text{ἔχων ἀγρίου τε θηρὸς τύχην, ὡς βαρβαρώδης.}$$

ABC (2, 19) haben hier das allein mögliche und richtige ψυχήν, dem entsprechend denn auch J V von der ferina rabies (c. 30 p. 102 K), Syr. (p. 78 B = 281 R) von der savageness and fury of this evil beast reden, und hist. (p. 95 L) sagt: quia haec bestia . . . ferocem mentem habet, und Sl. (p. 68) ganz zur griechischen Vorlage stimmend von dem Makedonier spricht, der die Seele eines wilden Tieres hat. Nur L (p. 754) bietet auch τύχην.

7. Noch auffallender, aber zugleich auch bezeichnender ist die Uebereinstimmung in der Erzählung von dem Baumorakel. Die Erklärung des von den Bäumen gegebenen Orakels geht nämlich in der gesamten Ueberlieferung dahin, dass Alexander von den Seinigen (ὑπὸ τῶν ἰδίων) getötet werden wird. Nur Bi hat v. 4975: ἔχεις κακῶς ἐκ τῶν

ν βίον ἐξελθεῖν σε und ebenso ist es beim zweiten
nd dritten Mal (v. 5006), wo der König das Orakel
uch hier stimmt nur L — und Sl., worüber unten —
iesem seltsamen Fehler zu Bi (Meusel p. 775 und
, d. h. beim zweiten Male heisst es ὑπὸ τῶν ἰδίων
doch ist die Vermutung wohl nicht zu gewagt,
ur durch ein Versehen die Anmerkung 20 bei Meusel
ist.

lleicht ist endlich eine Uebereinstimmung auch in
zunehmen. Hier heisst es in Bi von den hunds-
mschen:

βλέμματα δὲ κατεῖχον
ν στήθει καὶ τῷ στόματι κτλ.

un diese Leute Augen im Munde gehabt haben
eine zu ungeheuerliche Vorstellung, als dass sie
sein könnte. Daher geben denn auch die andern
en (A B 3, 28 A. 3) ihnen Augen und Mund auf
Eigentümlicher Weise hat aber auch hier L die-
ὀφθαλμοὺς εἶχον ἐν τῷ στήθει καὶ τῷ στόματι
A. 3. 4), und der Fehler ist wohl zurückzuführen
στόματα, das hier ursprünglich gestanden hat.
ans vermute ich, dass hier schon in A B ein Fehler
einmal liest hier C ἀκεφάλους statt κυνοκεφάλους,
(p. 159) giebt: maxime nobis admirationi fuit viden-
es absque capitibus. Zweitens passt auch die An-
liese Leute Augen und Mund auf der Brust gehabt
haus nicht zu den Kynokephalen, die ja oft genug
rden und, wie im Altertum, so auch im Mittelalter

licher Abschreibefehler ist dagegen zu betrachten Ἰνδοὺς
nach v. 5464:

ηλθεν οὖν Ἀλέξανδρος πάλιν πρὸς τοὺς Ἰνδούς.

tens Kapp a. a. O. S. 18 in der Hds. gefunden, während
verbessert hat.

sehr bekannt waren,[1]) während sie umgekehrt durchaus passend
für den kopflosen Menschen ist.[2]) Ich vermute daher, dass
die ursprüngliche Lesart gewesen ist: εἴδομεν δὲ κυνοκεφάλους
καὶ ἀκεφάλους ἀνθρώπους, οἵτινες κτλ., die ἀκέφαλοι aber ausgefallen sind.

2. Verhältnis von Bi zur Rezension A′ des Pseudo-kallisthenes.

Durch die bisherige Untersuchung sind wir also zu dem
Resultat gekommen, dass Bi in den behandelten Abschnitten
sich an B′ anlehnt, und dass innerhalb dieser Rezension die
Hds. L diejenige ist, mit der die Darstellung in Bi wesentliche und charakteristische Berührungspunkte bietet.

Nun finden wir aber, dass Bi sich zunächst in zwei
grösseren Abschnitten eng an A′ anschliesst.

I. Ganz klar und deutlich in der Erzählung von der
Zerstörung Thebens und den darauf folgenden Ereignissen in
Griechenland (A 1, 45—2, 6 = Bi 2156—2915).

II. Einer eingehenderen Darlegung bedarf dagegen die andre
Stelle, der Bericht über den ersten Heereszug Alexanders.
Nachdem dieser den Veteranen seines Vaters, um sie zur Teil-
nahme an dem Zuge zu bewegen, vorgestellt, dass zu einem
derartigen Unternehmen nicht nur der kühne, vorwärts strebende
Mut der Jugend erforderlich sei, sondern vor allem auch die
Ruhe und Einsicht der Alten, schliesst er seine Rede mit
den Worten (1168):

μὴ οὔσης γὰρ τῆς γνώσεως ὁμοῦ καὶ τῆς ἰσχύος . .

Offenbar ist hier eine Lücke, die man etwa ausfüllen
könnte:

οὐδὲν δυνήσεται λοιπὸν στράτευμα συντελέσαι.

---

[1]) Vgl. Berger de Xivrey, Tradit. tératol. p. 67 ff. Peschel, Abhdlgen.
z. Erd- u. Völkerkunde S. 12 ff.

[2]) Vgl. Berger a. a. O. p. 109 ff.; Peschel a. a. O. S. 10.

lls muss dann aber auch wohl noch ein Wort
agt gewesen sein, dass es dem Könige in der That
, seinen Wunsch erfüllt zu sehen (Ps.-K. 1, 25 a. E.),
an fort:

ὃς τὰ πρὸς δ' ἀνάβασιν ηὐτρέπιζεν Ἀσίας,

l Ps.-K. 1, 28 (B). Es fehlen also die Kapitel 26
dessen erhebt sich die Frage, ob die in diesen be-
signisse auch noch in der Lücke gestanden haben,
Verf. nach der glücklichen Beendigung jenes Ver-
eiten Alexanders gleich mit den angeführten Worten
ing des ersten Zuges übergegangen ist. Denn die
msionen berichten, wie bekannt, Verschiedenes.

In A'	In B'
abe über die Stärke	folgt eine Erzählung von der
ers Heer; dann lässt	Dämpfung der Unruhen nach
Schiffe bauen und	Philipps Tode durch Antipater;
en Thermodon von	dann kommen auch hier die
nach Thrakien ὑπή-	Angaben über die Heeresstärke.
υγχάνουσαν διὰ τοῦ	Darauf bricht ein Aufstand der
μιν. ἐκεῖθεν δὲ πα-	Illyrier u. s. w. aus, und Alexan-
τοὺς καὶ ἀργυρίου	der rückt gegen sie. Während
χετο ἐπὶ Λυκαονίαν.	dieses Zuges ἐνεωτέρισεν ἡ
l der weitere Zug	Ἑλλάς, und es schliessen sich
a.	daran die Unterwerfung Thebens
	und die aus der Geschichte be-
	kannten Thaten Alexanders bis
	zur Ankunft in Pamphylien;
	von hier zieht er nach Sizilien.

ist wohl anzunehmen, dass in der Lücke sicher
l über die Heeresstärke fehlen, da diese in allen
en vorhanden sind. Dagegen ist es mir sehr un-
ch, dass unser Verf. hier auch den Zug gegen
l erzählt hat. Denn einmal kommt derselbe, wie

oben angegeben, in ausführlicher Darstellung erst später, und
zweitens müsste dieser Zug doch, wie in B′ erst n a c h der
Unterwerfung Thrakiens berichtet werden, kann also in dieser
Lücke nicht gestanden haben, da die Expedition nach Thrakien
erst v. 1176 erzählt wird. Dazu kommt noch eins. In der
älteren Redaktion (A, J V c. 21 K, Syr. p. 35 B = 112 R) findet
sich die Bemerkung, dass Thrakien schon von dem Vater unterworfen sei, und diese erscheint auch in Bi 1176 f.:

$$\pi\tilde\alpha\sigma\alpha\nu\ o\tilde\nu\ \Theta\varrho\acute\alpha\varkappa\eta\nu\ \delta\iota\varepsilon\lambda\vartheta\grave\omega\nu\ o\tilde\nu\sigma\alpha\nu\ \dot\upsilon\pi\sigma\varkappa\varepsilon\iota\mu\acute\varepsilon\nu\eta\nu$$
$$\alpha\dot\upsilon\tau\tilde\omega\ \Phi\iota\lambda\acute\iota\pi\pi\omega\ \tau\tilde\omega\ \pi\alpha\tau\varrho\grave\iota\ \varkappa\alpha\grave\iota\ \varkappa\alpha\tau\alpha\delta\sigma\upsilon\lambda\omega\mu\acute\varepsilon\nu\eta\nu,$$

dann aber folgt ein Vers, der an sich seltsam ist und auch
sonst nirgends begegnet: $\dot\upsilon\pi\acute\eta\varkappa\sigma\sigma\nu\ \dot\varepsilon\pi\sigma\acute\iota\eta\sigma\varepsilon\ \tau\sigma\tilde\iota\varsigma\ \pi\varrho\sigma\varsigma\eta\nu\acute\varepsilon\sigma\iota\ \lambda\acute\sigma\gamma\sigma\iota\varsigma$.
Die Erklärung dafür ergiebt sich, wie ich glaube, aus folgender
Erwägung. Da die oben gesperrt gedruckten Worte aus A′
stammen, so wird in der Vorlage ähnlich fortgefahren sein,
wie v. 1207 an die Hand giebt: $\dot\alpha\pi\tilde\eta\lambda\vartheta\varepsilon\nu\ \dot\varepsilon\nu\ \tau\sigma\tilde\iota\varsigma\ \mu\acute\varepsilon\varrho\varepsilon\sigma\iota\nu\ \alpha\dot\upsilon$-
$\tau\tilde\eta\varsigma\ \Lambda\upsilon\varkappa\alpha\sigma\nu\acute\iota\alpha\varsigma$. Unser Verf. wünschte aber auch Byzanz und
Chrysopolis in den Kreis der Unternehmungen Alexanders —
worüber unten mehr — einzufügen und lässt daher den König
auch diese Städte besuchen. Dadurch wurde er dann verständlicher Weise auf den Uebergang der Makędonier nach
Asien geführt und schloss sich bis zu dem Berichte von dem
weiteren Zuge nach Sizilien der in B′ vorliegenden Tradition
an, brachte aber den Zug nach Thrakien in seiner Weise erst
mit dem angeführten Verse zu Ende. Denn in der That stimmt
der Verf. hier in der Erwähnung der Schlacht am Granikos
u. s. w. vollständig mit der jüngeren Rezension, selbst in
der Erwähnung der Stadt $'\!A\nu\alpha\pi\sigma\tilde\upsilon\sigma\alpha$ (1206 = Sl. Anaptusa,
B $'\!A\mu\pi\sigma\upsilon\sigma\alpha$, C $'\!A\mu\acute\omega\sigma\upsilon\sigma\alpha$, in L ist die Ortsangabe ausgefallen)
überein. Dann aber lenkt die Darstellung mit v. 1207 wieder
zu A′ über und schliesst sich im folgenden fast wörtlich und
teilweise durchaus abweichend von B′ diesem Berichte an.
Man vergleiche

A (1, 29 A. 8 p. 31):

ἐπὶ Λυκαονίαν

ἥσας[1]) τοῖς ἐκεῖ στρατηγοῖς

ἐπὶ Σικελίαν (st. Λυκαονίαν) καί τινας

αντας αὐτῷ ὑποτάξας διαπορθμεύεται

ἰταλίαν χώραν. Οἱ δὲ τῶν Ῥωμαίων

οἱ πέμπουσι διὰ Μάρκου Αἰμιλίου

Καπιτωλίου Διὸς

ἐν πεπλεγμένον διὰ μαργαριτῶν

προςεπιστεφανοῦμέν σε κατ' ἔτος,

ε, χρυσοῦν στέφανον ὁλκῆς λιτρῶν ρ'.

ραδεξάμενος αὐτῶν τὴν εὐπείθειαν

ἰατο αὐτοὺς μεγάλους ποιήσειν.

δὲ παρ' αὐτῶν στρατιώτας ͵α[2])

ιντα ν'. Ἔλεγον δὲ καὶ πλείους

σειν στρατιώτας, εἰ μὴ τὸν πόλε-

ῆπτον τοῖς Καρχηδονίοις.

Bi 1207 ff.:

ς μέρεσιν αὐτῆς Λυκαονίας

ιε στρατηγοῖς πράττειν καλῶς ἐνοχήψας

παρὰ μετὰ τῶν στρατευμάτων.

ἰ τινας αὐτῷ προςαπειθοῦντας

ἐν αὐτῇ τῆς Ἰταλίας χώρᾳ.

ων στρατηγοὶ πέμπουσι διὰ Μάρκου

(Ἐπιμιλίου W.) στρατηγοῦ τὸν τοῦ Καπετωλίου

ιεον (st. φέροντα W.) Διὸς ἐκ λίθων καὶ μαργάρων

Ἀλέξανδρον· ͵ἡμεῖς χρυσῷ στεφάνῳ

ιν στέφομεν ὡς μέγαν βασιλέα

ιο darauf anfmerksam, dass sowohl an dieser wie an

telle (2. 6 p. 61 M): συνθήσας τοῖς στρατηγοῖς Λακεδαι-

ὁ συνθήσας gelesen haben muss συνθύσας;: nachdem er

xfer dargebracht hatte.

ar Stelle des Ps.-K. stammt wohl auch die Notiz bei

U: εἶχον δὲ ἀπὸ Ἀλεξάνδρου τοῦ Μακεδόνος συνωμοσίας

αὐτὰς λίτρας ἐνέχοντα ἑκατὸν[1]) τοῦ χρυσίου. ‾
καταδεξάμενος δ' αὐτῶν τὰ δῶρα καὶ τοὺς λόγους
αὐτοῖς προςεπηγγείλατο τιμὴν καὶ δόξαν νεῖμαι.
λαβὼν οὖν τάχος παρ' αὐτῶν χιλίους στρατιώτας
σὺν τούτοις πεντακόσια τάλαντα τοῦ χρυσίου
ὅλαις ναυσὶν ἐπέρασεν εἰς 'Αφρικὴν τὴν χώραν.
Ἔλεγον δὲ καὶ πλείονα στρατὸν Ἰταλοὶ δοῦναι,
εἰ μὴ συνῆπτον πόλεμον οὗτοι Καρχηδονίοις.

Sehen wir von einigen weniger wichtigen Punkten ab, so
sind es besonders folgende, in denen Bi abweichend von der
jüngeren Rezension zu A' stimmt.

1. Die Feldherren der Römer werden als Absender des
goldenen Kranzes nur in A, Arm.,[2]) hist.[3]) und Bi genannt.

2. Der volle Name Marcus Aemilius erscheint nur in Λ,
Arm. und Bi; B, L und Sl.[4]) haben Μάρκος, J V (c. 12 K)
Aemilius consul, Syr. und hist. lassen ihn ganz aus.

3. Die Angabe über das Gewicht des goldenen Kranzes
= 100 Pfund findet sich nur in A' (A, Syr. p. 36 B = 112 R,
J V c. 22 K); in B, L wird statt dessen berichtet, dass die

μετὰ τῶν 'Ρωμαίων φιλίας ὅτι καὶ στρατὸν ἔδωκαν 'Αλεξάνδρῳ κατὰ Δαρείου.
Sie erscheint bei dem Bericht über den Ausbruch des Krieges zwischen
den Römern und Antiochus.

[1]) So versuche ich die La. bei Wagner: αὐταῖς λιτραῖσιν ἑκατὸν
ἐνέχοντα zu bessern. Der Akk. ἐνέχοντα ist zu στεφάνῳ zu konstruieren.

[2]) Die Feldherren der Römer sandten durch Marcus Aemilius die
Krone des kapitolinischen Juppiter, die mit Gold und Perlen geschmückt
war, und sagten: „Wir krönen dich nach der Gewohnheit (so; der Uebersetzer hat also entweder κατ' ἔθος wirklich gefunden und damit vielleicht das Ursprüngliche bewahrt, oder ἔτος und ἔθος mit einander
verwechselt), o Alexander, mit der goldenen Krone von 100 Pfund."

[3]) principes militiae (p. 50 L); die interpolierten Hdss. bei Zingerle
c. 22: consules Romanorum.

[4]) In Sl. lautet die Stelle (p. 30): Die römischen Fürsten sandten
zu ihm mit dem Fürsten Marcus einen Kranz mit Perlen und köstbaren
Steinen und sagten ihm: „Wir kränzen dich, Alexander, zum König von
Rom und alles Landes"; sie brachten ihm auch 500 Pfund Gold.

um 500 Pfund Gold gebracht haben, während hist.
9100 goldenen Kränzen spricht.[1])

Die Zahl der Alexander von den Römern gestellten
beträgt nach A, Syr., Bi: 1000 Mann; nach B, L,
στρατιῶται τοξόται (= J V: duo milia militum c. 22 K),
Mann. Vermutlich hat auch hist. dieselbe Zahl gehabt,
la Lamprecht in seinem Gedichte (637 Kinzel) sagt:

> Zehen hundert er mit ime nam
> dór von Rome dar chom,

werlich hat dieser sie doch erfunden. Daraus scheint
?ehen, dass die ganze Verwirrung in den unten ange-
ahlenangaben der hist. ihren Ursprung einer schlechten
g oder falschen Lesung der Truppenzahl verdankt;
wird also die Stelle ursprünglich etwa gelautet haben:
unt ei sex talenta (diese Zahl begegnet allerdings
sends) auri et coronam auream in libras centum et
ÿa.

Die Schlussbemerkung über den Krieg mit den Kar-
rennt die jüngere Rezension gar nicht.

weitere Zug Alexanders verläuft nach beiden Rezen-
? allgemeinen gleichartig: die Ueberfahrt nach Afrika
hago,[2]) der Besuch in der Ammonischen Wüste u. s. w.

Zahlenüberlieferung in der hist. ist verwirrt. M B (Landgr.):
? militiae mandaverunt ei sex talenta auri et coronas centum
?; Gesta (Zingerle p. 147): consules ... et coronas aureas
? ?; die Drucke (Kinzel, Zwei Rezensionen p. 11 und
p. 81): ... talenta LX milia et coronas aureas centum. —
?liche Vorlage scheint hinzuführen der cod. Seitenst.
?, et coronas aures i. libras centum, wonach jene gehabt zu
? sex milia talenta auri et coronam auream in libras centum.
?interpolierten Hdss. der hist. wird allerdings der Zug
?vor dem nach Rom berichtet (Zingerle p. 147). Offenbar
?auf einer Verwechslung von Χαλκηδών und Καρχηδών d. h.
riage Leos, der diesen Fehler schon in derselben fand (vgl.
K. 1,29 A. 8, Landgraf p. 50 A., Zingerle p. 29). Wesselowsky,

bis zur Ankunft am Pontus Euxinus. Hier beginnt dann die hauptsächlichste Verschiedenheit, da A' jetzt die Bestrafung der Thebaner u. s. w. bringt, worüber bereits gesprochen ist. Im einzelnen zeigen sich nun aber doch mancherlei Abweichungen, welche Bi augenscheinlich der älteren Rezension zuweisen. Nicht allzu viel Gewicht dürfte darauf zu legen sein, dass die Bemerkung in A' (A 1, 39 A. 1, J V c. 41 p. 51 K) nach dem ersten Briefwechsel zwischen Darius und Alexander: αὐτὸς δὲ τὰ στρατεύματα παραλαβὼν τὴν Συρίαν ὅλην ὑποτάξας ἐπορεύετο εἰς τὴν Ἀσίαν in Bi übereinstimmend mit B', aber doch auch mit Syr. und hist., fehlt. Wichtiger dagegen erscheint es, dass der weitere Zug Alexanders bis zur Schlacht (bei Issus) in A' (A 1, 41, J V (c. 43 K), Syr. (p. 53 B = 126 R), hist. (p. 61 L, c. 36 Z) durch Arabien geht, wovon in B' keine Rede ist. Diese Richtung schlägt aber in Bi Al. ebenfalls ein, 1984 ff.:

> ὥρμησε γοῦν πρὸς πόλεμον σὺν πάσῃ τῇ δυνάμει,
> ὅθεν καὶ παρεγένετο διὰ τῆς Ἀραβίας
> πρὸς τὸν καλούμενον αὐτὸν Ταῦρον τῆς Κιλικίας.

Der letzte Vers ist ganz selbständig; die ganze Form des Ausdrucks aber stimmt durchaus zu A'. Wohl aber schliesst sich nun Bi im folgenden, wo das Bad, die Krankheit und Heilung des Königs erzählt wird, wieder an B' an und leitet mit denselben Worten zu der Schilderung der Schlacht über:

Zur Gesch. des Romans u. d. Erzählg. 1 p. 178 f. nimmt als möglich an, dass der Bearbeiter der hist. einen Text vor sich gehabt, der, in den Namen wenigstens, der serbischen Alexandreis ähnlich gewesen. In dieser wird nämlich der thessalische König, gegen den Al. zuerst nach seiner Thronbesteigung zieht, Karchidon, sein Sohn Polykrates genannt (Novaković, Serb. Alexandreis p. 25; vgl. Wesselowsky p. 165). In C, der einzigen griechischen Bearbeitung, welche diese Erzählung bringt (Müller p. 28 A.), heissen die Könige Polykrates und Charimedes. Es könnte nun „der Bearbeiter der hist. durch den Gleichklang der Namen von Karchidon und Καρχηδών = Karthago sich haben verführen lassen, die Erzählung von Karthago, die im Ps.-K. erst 1, 30 gegeben wurde, schon in eine frühere Zeit zu versetzen, wobei er dann die Geschichte von Karchedon = (dem griechischen) Polykrates auslicss".

ρας παροξυνθεὶς ὡς λέων

ι εἰς τὸν πόλεμον μετὰ τῶν στρατευμάτων
ταραταξάμενος Δαρείῳ καὶ τοῖς Πέρσαις,

παροξυνθεὶς Ἀλέξανδρος ὥρμησεν ἐπὶ τὸν πόλεμον
ὥσπερ λέων? Müller schreibt πεδίον) καὶ παρ-
είῳ. Scheiden wir indessen einmal diese ganze
a und setzen zur Vergleichung die Fortsetzung
so ergiebt sich folgendes:

Bi

γοῦν πρὸς πόλεμον σὺν πάσῃ τῇ δυνάμει,
ι παρεγένετο διὰ τῆς Ἀραβίας.
ὸν Ἀλέξανδρον οἱ περὶ τὸν Δαρεῖον
ημῖν ἐπάγοντα πρὸς πόλεμον ἀτρόμως . . .

A

ἐπὶ τὸν πόλεμον
Ἀραβίας.
ρὶ τὸν Δαρεῖον ὁρῶντες τὸν
ρον ἐπ᾽ αὐτοὺς ἐπάγοντα τὴν στρατιάν . . .

d zugeben, dass danach jene Geschichte von
. in die Darstellung, wie A' sie bietet, einge-
Die uns jetzt vorliegende Erzählung in B ist
rundet, diese in Bi macht durchaus den Eindruck
gesuchten, besonders wegen der Wiederholung
ὥρμησεν.

chnend ist für A' ferner der Zug Alexanders durch-
n Taurus nach Pierien (J V c. 45, 46 K,[1]) Syr. p. 54
ist. p. 62 L, c. 37 Z), Angaben, die in B' völlig
ier entspricht Bi (2103 ff.) der in A' gegebenen

hier ein Blatt, umfassend die Kapitel 41 Ende bis 44
en (Müller p. 76 A. 37). Doch ist die Darstellung von A'
vangeführten Recensionen zu ersehen.

Was den weiteren Zug anbelangt, so ist darauf aufmerksam zu machen, dass nach der Erzählung von der schwitzenden Orpheusstatue in Pierien (c. 42 = Bi 2113—18) Bi gleich fortführt: αὐτὸς . . . ἀπῆλθεν εἰς Βοιωτίαν. Es fehlt hier also die Geschichte von der Weissagung des Melampus (vorhanden in B, C c. 42, J V c. 46, 47 K, nicht in Syr. und hist.), von dem Dichterling, der den König begrüsst, und des letzteren Bemerkung, und von dem Zuge nach Amphipolis oder Pella[1]) und Abdera (beides auch in Syr. und hist. vorhanden). Da nun in unserer Hds. A ein Blatt fehlt, auf dem auch gerade diese Berichte gestanden haben, so liegt die Vermutung nahe, dass auch Bi ein unvollständiges Exemplar als Vorlage gehabt hat, denn zu einer absichtlichen Auslassung liegt kein irgendwie ersichtlicher Grund vor, und sie würde auch der sonstigen Gepflogenheit unseres Verf. nicht entsprechen.

In der Fortsetzung der Schilderung dieses Zuges scheint denn freilich Bi sich an B' anzuschliessen, denn hier werden vor der Ankunft am Pontus Euxinus noch verschiedene Zwischenstationen erwähnt: Βοτυία (B, Βωτία L, Βοτεία C, Βοττεία Müller), Ὄλυνθος, χώρα Χαλδαίων (Χαλκιδέων Müller), und diese kommen auch in Bi vor (2119 ff.). Indessen scheint es doch nur so, denn offenbar hat auch A' Zwischenstationen erwähnt, wie hervorgeht aus hist. (p. 64 L, c. 38 Z): transiit Ostia (Bihostia Gr.) et venit in Olintho et inde Chaldeopolis et venit ad fluvium[2]) qui dicitur Xenis, und auch in Syr. (p. 55 B = 128 R) werden, allerdings sehr verderbte Namen von Städten oder Völkerschaften (Kusitires, Nutira, river Ustin) als Zwischenstationen genannt. Wir dürfen also wohl um so eher die Route von A' für die Darstellung in Bi in Anspruch nehmen, weil in dieser — wie in A' — wiederum in charakteristischer Ab-

---

[1]) Amphipolis schreibt Müller statt des hds. Πύλη unter Berücksichtigung der Stelle aus dem itin. Al. (c. 18 M, c. 7 Volkmann): agmen vero et auxilia classi vehebantur ... quae Amphipoli ... erat. Ausfeld, Zur Krit. d. gr. Alexanderromans p. 26 A. 2 schlägt vor Πέλλην zu lesen.

[2]) Der Fehler ποταμός für πόντος scheint schon alt zu sein, da er sich bereits in L und Syr. findet.

ng von B' Alexander auch noch an die palus Maeotis
und ihn hier erst die Hungersnot trifft, die in B' be-
n Euxinus eintritt.

ch dieser Darlegung erscheint es nicht zweifelhaft, dass
▸ Darstellung des ersten Zuges und der sich daran
ssenden Ereignisse in Griechenland die ältere Rezen-
für Bi den Rahmen hergegeben hat, freilich nicht ohne
▪▪▪ Abweichungen und Einschiebungen im einzelnen,
▪ zum Teil doch auch als solche kenntlich sind.

l. Ausser diesen beiden grösseren Abschnitten finden wir
er auch in den im allgemeinen mit B' übereinstimmenden
mehrfach ganz unzweifelhaft Anschluss an A'.

Wie in A' (A 1, 4, L p. 708, Syr. p. 4 B = 88 R) wird
(173) die Schönheit der Olympias mit der des Mondes
hen, während B nur hat: *ϑεασάμενος αὐτὴν πάνυ*
▪▪▪▪.

Die Unterredung zwischen Olympias und Nektanabus
lem Traumgesicht der ersteren stimmt durchaus zu A'.
ers in der Aeusserung des letzteren: *ἄλλο ὄνειρος, ἄλλο*
▪ (B 282; auch Syr. p. 7 B = 90 R; Arm. ähnlich:
, das erste, was du gesehen hast, war ein Traum; aber
m du eben im Traume gesehen hast, kommt zu dir; vgl.
▪▪. ▪. 36 L, c. 4 Z) und in der Angabe der verschiedenen
▪▪▪▪▪▪ des Gottes (Bi 283 ff.), die in B' völlig fehlen.
▪▪▪▪▪▪ interessant ist die unmittelbar darauf folgende
▪▪▪ ▪▪ der wirklich erfolgten Täuschung der Olympias
▪▪▪▪▪▪▪. Zur Klarstellung des Sachverhalts muss
aus L und Bi einander gegenüber ge-

Bi 300 ff.:

Γ*νησαμένων*[1]) *οὖν αὐτῶν πάντων τῶν εἰρημένων*
ἴφοβος ἤνεγκεν ▪▪▪▪ ▪▪▪▪▪ *μεταμορφώσεις*
ιἰτῶν ϑεῶν, ὡς ▪▪▪▪▪ *ὁ πλάνος μετὰ δόλου,*

So schlage ich vor zu lesen statt des unverständlichen *γνησο-*

θαυμάζουσα τοῦ δράκοντος τὰς μετασχηματίσεις.
320 Καὶ συμμιγεὶς ὁ φάρμακος ταύτῃ δολίῳ τρόπῳ
ἔτυψε τούτου τῇ χειρὶ κοιλίαν αὐτῆς λέγων·
„σπέρματα μέγιστα θεῶν ἀνίκητα κρατεῖτε.“
326 Καὶ ταῦτ' εἰπὼν ἐξέρχεται πρὸς τὸν αὐτοῦ κοιτῶνα.
350 Ὀλυμπιὰς δ' ἐνόμιζεν, καθὼς ὁ πλάνος ἔφη,
παρ' Ἄμμωνος καὶ δράκοντος, μᾶλλον γοῦν Ἡρακλέως
πανθέου Διονύσου τε τὸ σπέρμα συνειλήφειν,
μεθ' ἡδονῆς κατέχουσα πρὸς ἑαυτὴν κρυφίως.

L p. 710:

Γενομένων οὖν πάντων τῶν προειρημένων
οὐκ ἐδειλίασεν ἡ βασίλισσα, ἀλλ' εὐθαρσῶς
ἤνεγκεν τὰς τῶν θεῶν[1]) μεταμορφώσεις
ἀπὸ τοῦ δράκοντος θαυμάζουσα.
ὁ δὲ πάλιν ἀνιστάμενος ἀπ' αὐτῆς
τύψας[2]) τῇ χειρὶ (om. A) τὴν κοιλίαν (γαστέρα A)
εἰπών· „σπέρματα ἀνίκητα καὶ ἀνυπότακτα δια-
μείνατε“, ἐξέρχεται πρὸς τὴν ἰδίαν ὑπομονήν.
Γίνεται οὖν τὸ τοιοῦτον σύνηθες λοιπόν, ἡδέως
αὐτῆς ὡς ὑπὸ δράκοντος, Ἄμμωνος, Ἡρακλέους,
Διονύσου πανθέου περιλαμβανομένης.

Nichts kann, wie mir scheint, deutlicher sein, als dass
der Erzählung in Bi die ältere Rezension zu grunde liegt; es
stimmt alles, selbst bis auf einzelne Wendungen. Die jüngere
Rezension — dazu auch J V und Arm.[3]) — hat dagegen eine

---

[1]) Meusel ändert das überlieferte τῶν θεῶν unrichtig nach A in
τοῦ θεοῦ, vgl. oben S. 50.

[2]) Syr. allein hat hier: he set his mouth upon her mouth.

[3]) Auch Arm. stellt in dieser Weise die Verkleidung des Nektanabus
dar: und er bereitete das weiche Fell eines Widders mit den Hörnern
an der Schläfe u. s. w., aber ohne es in die andere Erzählung einzu-
schieben. Dagegen stimmt Arm. mit Bi überein darin, dass er an die Worte
σπέρματα ἀνίκητα u. s. w. auch die Worte διάμεινον u. s. w. — aber
unmittelbar — anfügt. S. Römheld, Beitr. z. Gesch. u. Kr. d. Alexandersage. Progr. Hersfeld. 1873. S. 40. Vgl. auch Raabe p. 4.

sführlichere Erzählung, in der vor allem charakteristisch
s die Art, wie Nektanabus seine Verkleidung als Gott
bewerkstelligt, berichtet wird. Nun tritt uns die eigen-
e Erscheinung entgegen, dass ganz dieselbe Geschichte
n die oben gegebene Darstellung in Bi eingeschoben ist.
. 3~~98 heisst es nämlich~~ in Bi weiter:

τὸς δ' ἡτοίμασεν κριοῦ πόκον ἀπαλωτάτου u. s. w.

chend dem Anfange der Erzählung in der jüngeren Rezen-
i B, und dann folgt die Ausführung in gleichartiger
Zum Schluss endlich, nach den Worten σπέρματα
u. s. w., womit die Geschichte doch offenbar ihren
uss erreicht hat, setzt der Verf. hinzu:

τως ἔργασεν αὐτῇ· διάμεινον, ὦ γύναι,
ιστρὸς ἔχεις υἱὸν ἐκδικόν σοι συνεύνου (st. συνεῖναι W) u. s. w.

chend den Worten in B, die hier aber ohne jene andern
Es ergiebt sich also, dass in Bi sich sowohl die Ueber-
g der älteren wie der jüngeren Rezension wiederfindet.
Vielleicht gehört der Rezension A' auch der ὀνειρο-
Βα~~σιλόντος~~ so, der dem König Philipp den ihm von
abus gesandten Traum deutet. Der Hauptunterschied
n der älteren und der jüngeren Rezension ist der, dass
tere (A 1, 8, A. 1, L p. 711, J V (c. 4, p. 7 K), hist.
L. c. § Z) nur einen, die jüngere dagegen mehrere
leuter ruft, lässt (B 1, 8, auch Syr. p. 9 B = 91 R).
ie Ueberlieferung in C (8 p. 8 A. 5) bot bisher *Babyu-*
da nun aber auch Arm.[1]) und Bi diese Angabe hat,
hte ich dieselbe für ursprünglich halten.
In der Beschreibung der äusseren Erscheinung Alexan-
immt Bi zu A'
in den Angaben von den Augen; A (13 A. 9, vgl. J V
, 12 K) sagt: τὸ μὲν γὰρ εἶχε γλαυκόν, τὸ δὲ μέλαν, die
: Ueberlieferung (B, C, L p. 714, Arm. Römheld S. 48)

Römheld S. 41, Raabe p. 5. Auch 81. bietet: Philipp liess einen
losen Mann, der berühmt war, herbeiholen (Istrin, Text S. 12).

giebt: τοὺς δὲ ὀφθαλμοὺς ἑτερογλαύκους (εἶχε), τὸν μὲν δεξιὸν
κατοφερῆ (und schwarz, Arm.) τὸν δὲ εὐώνυμον γλαυκόν.[1]
Bi schliesst sich der älteren Ueberlieferung an mit der Abweichung, dass statt γλαυκόν gesagt wird λευκόν (569); und
dass diese Abweichung nicht auf ein Versehen des Verf. zurückgeht, beweist Syr. (p. 13 B = 95 R) und hist. in der älteren
Fassung (p. 39 L).

b) In der Angabe von den Zähnen, wo Bi wie A zu der
Bemerkung ὀξεῖς — ὡς δράκοντος noch den Zusatz hat ὥςπερ
πασσαλίσκους (570)[2].

c) In dem Schlusssatz, der in A' (A, J V c. 7 K, Syr.,
Arm., hist. p. 39 L, c. 11 Z) sich findet: πρόδηλον γὰρ εἶχε
τὴν φύσιν ὁποῖος ἀποβήσεται = Bi 572.

6. Vermutlich ist der älteren Rezension auch zuzuweisen
eine Bemerkung, die unmittelbar auf die Aufzählung der Lehrer
Alexanders folgt, v. 585 f.:

> ὅπως δὲ τὸ βασίλειον λαβεῖν προςεμελέτα,
> ὡς διδασκόμενος αὐτὸς παρὰ θεοῦ μεγίστου κτλ.

Die letzten Worte sind nämlich eigentümlich und finden
sich, zwar in keiner griechischen Bearbeitung, wohl aber ähnlich in Syr. (p. 13 B = 95 R): for one of the gods had shewn
him in a vision (that he was to be a king ergänzt dem Sinne
nach richtig Budge, und ähnlich Ryssel). Da Bi unmittelbar
vorher sicher der älteren Form gefolgt ist, so scheint mir die
Uebereinstimmung mit Syr. mit ziemlicher Sicherheit dafür zu
sprechen, dass dies auch hier geschehen ist.

7. Der älteren Ueberlieferung am nächsten steht Bi ferner,
wie es scheint, in dem Berichte über die Unterhaltung zwischen
Aristoteles und einigen seiner Schüler. In der griechischen

---

[1] Auch Sl. (Text p. 16) stimmt hiermit überein.

[2] Für πασσαλιχούς ist wohl πασσαλισχούς zu schreiben. Das Wort
muss hier offenbar etwa „spitze Nägel" bedeuten (Römhelds „Basilisk"
S. 48, ist mir nicht ganz deutlich), Syr. (p. 13 B = 95 R) giebt: his teeth
were sharp like a razor. In den anderen Bearbeitungen, ausser L p. 714,
fehlt eine derartige Notiz.

ung fragt Aristoteles vor Alexander zwei seiner
as sie ihm nach ihrem Regierungsantritt Gutes thun
ıd sie beantworten die Frage dadurch, dass sie ihm
iche versprechen, nur Alexander giebt eine nach
Auffassung verständige Antwort.[1]) Im Syr.[2]) (p. 19 f.
ł) finden wir dagegen drei Fragen und Antworten,
ıder aufgefordert wird, und hier werden auch die
zweiten (Kalkalva) und dritten (Partion B, Fration R)
rährend der des ersten ausgefallen ist, und zwar wohl
ırsehen; denn nach dem Texte, wie er jetzt vorliegt,
xander der erste sein, der gefragt wird — das ist
Syr. selbst verkehrt. Nun stimmt an dieser Stelle
ıdig mit Syr. überein; schon in der Einleitung zu
ıhlung, der Begrüssung zwischen Alexander und Ari-
c von allen andern ausgelassen wird, berichten beide
ıi 711 ff.); ferner hat Bi auch die Namen, und zwar
ırei: Ὀμίθρας (714), Καλλίκλης (719), Παρίφρης (723).
ıtworten ist die dritte bei Bi allerdings etwas nichts-
ıil die dritte in der zweiten eigentlich schon voraus-
ıwärt; im allgemeinen aber scheint mir aus der Ueber-
g zwischen Syr. und Bi hervorzugehen, dass wir
testo Form der Ueberlieferung vor uns haben.
c Bändigung des Bukephalos vollführt Alexander
älteren Rezension (A 1, 17, A. 1, J V c. 9, p. 19 K,
ıd hist.[3]) fehlt eine bezügliche Angabe) 14 Jahre alt,

dieser gangbaren Erzählung stimmt vollkommen auch Arm.
ıAbweichung des Syr. von der gewöhnlichen Darstellung
gs darin, dass dort diese Scene erst nach der Bändigung
ılos berichtet wird; die Kapitel 16 und 17 sind von dem
ıtellt. Auch Istrin, Einl. S. 25 macht auf die Uebercin-
ıit Bi aufmerksam. — Arm. stimmt mit der gangbaren Ueber-
B' überein.
. im Mosq. und Bamberg. (Landgraf); sie findet sich in den
ıa Hdss. (Zingerle c. 15) und zwar zu B' stimmend; in den
ıberger Drucken sind 12 Jahre angegeben, die wohl auf eine
g mit der Notiz über den Beginn der kriegerischen Uebungen
ıurückgaben (Ps.-K. 1, 14, A B C L).

ebenso nach Bi (739), während die jüngere (B, C, L) ihn
15 Jahre alt sein lässt.

9. In der Erzählung von dem Wettkampfe zwischen Nikolaus und Alexander zu Olympia und dem vorhergehenden Streit
zwischen den beiden, in welcher Bi im allgemeinen B′ folgt,
stimmt doch Bi zu A′ in dem Schwur, den Alexander dem
Nikolaus gegenüber ausspricht: Νικόλαε, ὄμνυμι ἀγνὴν τοῦ ἐμοῦ
πατρὸς σπορὰν καὶ μητρὸς γαστέρα ἱερὸν (sic), ὡς καὶ ἐνθάδε
ἅρματι νικήσω καὶ ἐν τῇ πατρίδι Ἀκαρνανῶν δόρατί σε λήψομαι
(ähnlich hist. p. 45 L, c. 17 Z, Syr., J V c. 11, p. 22 K und
Arm.[1]) = Bi 843 ff.), während B′ (B 1, 18, C, L p. 718) nur
bieten: N., ἄρτι σε νικήσω καὶ ἐν u. s. w.

10. Bei dem Versöhnungsversuche, den Alexander nach
der Verstossung seiner Mutter bei Philipp macht, ist in allen
vier griechischen Hdss. die Anordnung folgendermassen: Alexander redet seinen Vater an und erklärt ihm, er komme nicht
als Sohn, sondern als Freund und Vermittler; dann antwortet
Philipp, und darauf spricht wieder Alexander. Im Syr. (p. 29
B = 107 f. R), J V (c. 14 K), hist. (p. 47 L, c. 18 Z) bildet alles
eine Anrede des Sohnes an den Vater, und dazu stimmt auch
Bi (969 ff.). Mit Rücksicht auf diese Uebereinstimmung und
darauf, dass die ῥήματα ἀπρεπῆ Λυσίου doch offenbar besser im
Munde Alexanders als Philipps passen, möchte ich annehmen,
dass auch hier Bi sich der älteren Ueberlieferung anschliesst.

11. Der einigermassen gelehrt klingende Vergleich des
Gemetzels, das Alexander bei der Hochzeit seines Vaters mit
der Kleopatra unter den Gästen anrichtet, mit der Kentauren-
und Lapithenschlacht, findet sich in der griechischen Ueberlieferung allerdings nur in der jüngeren Rezension (B, C, L, p. 721).
Aber er begegnet, wie in Bi (952 ff.), so auch im Arm.[2]), und

---

[1]) Ich schwöre dir bei meinem unbekannten Vater und bei dem
Leibe meiner Mutter, der mich getragen hat, dass ich sowohl dich mit
dem Wagen besiegen werde, als auch in der Akarnanen Provinz mit
der Lanze plündern werde. Vgl. Raabe p. 13.

[2]) Und es traf sich zu sehen den Kampf der Lapithen und Kentauren und die Ereignisse bei der Hochzeit des Peirithoos; denn einige

rr. [1]). allerdings verderbt und mit groben Missver-
, und J V (c. 13 K, der statt disicit vorschlägt dis-
iche Angaben haben, so dürfte derselbe am Ende
Ueberlieferung zuzuweisen sein.

der jüngeren griechischen Bearbeitung folgt auf
ng von der Gesandtschaft der Perser bei Philipp
lass diese sich ein Bild von Alexander machen lassen,
Darius mitzubringen,[2]) eine Notiz, die, obwohl auch
B = 109 R) dieselbe bringt, doch sicher der älteren
ng nicht angehört haben kann. Auch hier schliesst
ch die Auslassung derselben dieser Ueberlieferung an.

der Erzählung von der Ermordung Philipps durch
stimmt in einem Zuge Bi zu der älteren Ueber-
Als Alexander den letzteren mit der Lanze[3]) töten
et er, zugleich seine Mutter, die jener an sich ge-
reffen: da aber, heisst es in J V (c. 17 K), Olympias sic
„iaculare‘, inquit, „fili, iaculare ne dubites; habeo
dem Ammonem et protectorem“. Damit stimmt über-

rsteckten sich bei den Sitzen, andere rüsteten sich mit den
mit Waffen, andere gerieten an dunkle Orte; und es war
er Odysseus zu sehen, wie er mordend die Freier der Pene-
rieb. Vgl. Raabe p. 15.

B = 107 R; ersterer bemerkt, dass der Text teilweise zu
um übersetzt zu werden. Vgl. Woolsey in Journ. of the Am.
p. 361.

Notiz findet sich nur in B (1, 23) und L (p. 722), zu denen
26 f.) stimmt: Und die Gesandten nahmen Gold und gaben
kannten hellenischen (dies Wort nur in L, vgl. unten S. 104)
ach ein Bild von ihm zu verfertigen; und er zeichnete darauf
Alexanders ähnlich. Und sie brachten es nach Babylon zu
meldeten ihm alles, was Alexander gesagt hatte. Der letzte
ich nur in B mit der Abweichung πραχθέντα für λεχθέντα,
seiner Bearbeiter gelesen haben muss.

re Syr. (p. 32 B = 110 R): raising up his whip (so auch
sel) he smote Theodion, as Heracles smote Arminos
Antaeus, Ryssel), because he held Olympias in his embrace,
wished to escape and save himself.

ein Arm.: Und es sagte Olympias: „Entsende deinen Speer,
o Sohn, denn Ammon hilft mir", und ebenso Bi 1099:

$$\text{'Ολυμπιὰς δ' εἶπεν αὐτῷ· „δὸς τοῦτον μετὰ λόγχης,}$$
$$\text{ἐμοὶ γὰρ Ἄμμων βοηθεῖ, πατὴρ ὁ σός, ὦ τέκνον".}$$

14. In dem Berichte von der Gründung Alexandrias sind
zwei etwas grössere Abschnitte, die in Bi mit der älteren Ueberlieferung zusammenstimmen, nämlich einmal derjenige über die
Namen der von Alexander an der Stätte, wo die Stadt gegründet werden soll, vorgefundenen Dörfer und Flüsse (A 1, 31,
p. 32, A. 14 = Bi 1292—1314); in der Zahl derselben (12)
stimmt Bi zu Syr. (p. 38 B = 115 R), während A 16 bietet.
Ferner giebt Bi (1460—79) auch die Erzählung von dem Bau
des Serapeums durch Parmenio und der Errichtung eines Stand-
bildes für Serapis, das nach den bekannten Homerischen Versen
(Il. 1, 528 ff.) gebildet werden soll, nach denen Phidias, wie
berichtet wird, seine Zeusstatue für Olympia gebildet hat.[1]
Ausser diesen beiden grösseren Abschnitten stimmt Bi mit A' auch

---

[1] Bi lässt allerdings die Angaben von der Gründung eines Altars
und einem grossen Opferfeste (A, p. 38 A.) aus. Dass diese Bemerkungen
der älteren Ueberlieferung aber angehören, beweist ausser J V (c. 32 K)
auch Arm.: Und er baute einen grossen Altar und befahl, würdige Opfer
dem Gotte herbeizubringen, sie zu schlachten und auf den Altar zu legen,
und viel Weihrauch anzuzünden und Haufen von allerhand Rauchwerk
auf den Altar zu legen, und befahl allen froh zu sein. Und dem Feldherrn Parmenio trug er auf, Kupferbilder und einen Tempel zu bauen,
der die Homerischen Verse als Inschrift trug, wie der wunderbare Homer
sagte: Und es winkte u. s. w. (Zacher, Pseudo-Kall. S. 99), Parmenio aber
richtete den sogenannten Serapistempel her. Und die Ordnung der Stadt
hat so (= οὕτως ἔχει). Die Bezeichnung Parmenios als Feldherrn stimmt
zu Bi, der ihn σατράπης nennt, während A und J V ihn als Architekten
bezeichnen. Mit Arm. stimmt Bi auch in der Beziehung der Inschrift
auf den Tempel überein, v. 1462 f. (κατασκευάσαι ξόανον):

$$\text{καὶ τέμενος ἐμφέρες τοῖς (st. ἐμφέρεσθαι W) στοιχείοις τοῖς Ὁμήρου,}$$
$$\text{καθὼς αὐτός ἀοίδιμος (st. ὡς ἀοιδός W) Ὅμηρος προςεφώνει.}$$

Aller Wahrscheinlichkeit nach war in der Vorlage der beiden das in A
stehende δομησάμενον (τέμενος) schon ausgefallen, so dass, was auf τέμενος
gehen sollte, auf τέμενος bezogen wurde.

Einzelheiten überein; so wird v. 1243 und 1255 in
timmend mit A' (A 1, 30, A. 13 und 18, Syr. p. 37,
3, 14 R, J V c. 23, p. 32 K) berichtet, dass Ammon
„im Traum" erschienen sei, was B' auslässt; v. 1420
her (κατάσκοποι) dem Könige, dass ein Adler Ale-
ır von einem Altar zum andern getragen (= A c. 33,
), J V c. 30, p. 39 K), was ebenfalls bei B' fehlt;
mmon sich dem Könige als Vater zu erkennen ge-
t es in B, C, L (p. 726) — übereinstimmend mit Syr.
114 R — *ἐπισκευάζει αὐτοῦ τὸ τέμενος καὶ τὸ ξόανον*
ιε, während in A, J V und Bi von dem Standbilde
ie Rede ist. Endlich bietet Bi auch einzelne Wörter
d mit A (*ἀείμνηστον πόλιν* 1254 = A c. 30, p. 31
ιβούλευτοι 1334 = ibid. p. 33 A. 27, *διχοστατήσουσιν*
ιι, auch L p. 727, *Εὐρυλόχου* 1345 = A ibid. A. 35).
also in der Darstellung bei Bi noch mehr von der
ırlieferung erhalten, als in unsern griechischen Hdss.

dem Berichte von dem weiteren Zuge nach der
llexandrias stimmt Bi zu A' (A c. 34, p. 38, A. 1
ff.) in den Angaben über die Entsendung der Flotte
ıs¹) und die Schwierigkeiten des Zuges, die in B,
. Auch in der nachher folgenden Erklärung der
ἐχρημάτισε ἡμῖν ὁ ἐν τῷ ἀδύτῳ τοῦ Σινωπείου θεός
) entspricht Bi (1502): *χρησμὸς ἐδόθη παρὰ — θεοῦ
ἐς ἀδυτείοις* (st. *ἀδυνάτοις* W), während die jüngere
ur *ἐχρησμοδότησαν ἡμῖν οἱ θεοί* bieten.

dem Briefe, den Darius nach dem ersten von Ale-
ltenen Schreiben an seine Satrapen richtet mit dem
ı räuberischen König zu ergreifen und mit dem
ıtzeug an seine Mutter zurückzusenden, schliesst
A' darin an, dass er ihm einen Perser als *παι-
ıδεύτης ... ὃς οὐκ ἐπιτρέπει αὐτῷ ἀνδρὸς φρό-
ρα τοῦ* (cod. *πρῶτος*, Müller *πρὶν*) *ἄνδρα γενέσ-*

---

³ ist statt *τὴν πόλιν* zu lesen *Τρωάδιν.* Ueber den Accent
ı, Kül. i. d. neogr. Gr. 433.

ϑαι mitgeben will (A c. 39, p. 44, A. 7, vgl. J V c. 41 K =
Bi 1897 ff.).

17. Dieselbe Uebereinstimmung treffen wir in dem darauf
folgenden Briefe der Satrapen an Darius und der Antwort des
Königs. Die jüngere Ueberlieferung (B, C c. 39, L p. 735)
giebt überhaupt keine Namen der Satrapen, der Brief derselben
hat nur die Ueberschrift: ϑεῷ μεγάλῳ Δαρείῳ χαίρειν, und
Darius schreibt wieder: βασιλεὺς βασιλέων μέγας ϑεὸς Δαρεῖος
πᾶσι τοῖς σατράπαις καὶ στρατηγοῖς χαίρειν. In der älteren
Ueberlieferung dagegen sind zwei Namen[1]) genannt und zwar
geben A (1. 39, A. 11), Syr. (p. 51 B = 124 R) und Arm. sie in
beiden Briefen, J V (c. 41) nur in dem des Darius, hist. (p. 58 L,
c. 33 Z) nur in dem der Satrapen; Bi nennt sie auch an beiden
Stellen (1911, 24). Ebenso schliesst sich Bi in der Antwort
des Darius, besonders in dem Satze παρ' ἐμοῦ μηδέποτε ἐλπίδα
ἔχοντές τινα, ἐὰν ἐκβῆτε τῆς χώρας u. s. w. durchaus der älteren
Ueberlieferung an.

18. In der Ansprache des Darius an seine Satrapen und
Generäle schliesst sich Bi in dem Satze αὐτὸς δὲ τελείως παι-
δευθεὶς ἐπ' ἐμὲ τὸν καθηγητὴν ἵσταται (st. ἔσται cod.) τὰ ὅπλα
νικήσων (A 2, 7, p. 61, A. 10, vgl. J V c. 21 K, hist. p. 75 L,

---

[1]) Die Namen werden sehr verschieden folgendermassen angegeben:
Ὑδάσπης καὶ Σπίγχθηρ A, Hystaspes et Spinther J V, Guschtazaph und
Sabantar Syr., Vistaspa und Spandjatar Arm., Primus (Prinus) et Anti-
lochus (Antiochus) hist., Σπινθήρ, Ἰδάσπης Bi, Marius und Tybotes Lampr.
Die ursprünglichen Namen werden vermutlich gewesen sein Ὑστάσπης,
der von J V und Arm. (Gustazaph = Vistaspa) und doch wohl auch in
A überliefert ist — die Form Ὑδάσπης ist wohl ein Versehen des Abschreibers, wie es auch sonst begegnet, vgl. Krüger zu Arr. an. 7, 6, 5
— und Σπιθριδάτης. Der Name würde passen als der des Satrapen von
Lydien, der in der Schlacht am Granikos kämpft und fällt (Droysen,
Alexander 1, 191, 193). Ein Hystaspes, der als persischer Name ja
übrigens bekannt war, wird erwähnt als Verwandter des Darius, Gatte
einer Nichte des Königs Ochus bei Curt. 6, 2, 7. Dieselben Namen kehren
wieder in A (2, 10, A. 3, Bi 3163) und hist., wo sie Stapsi und Fictir
(L p. 82), Stapsir und Sphistir (Z c. 52) heissen. A. Ausfeld, Z. Krit. d.
griech. Alexanderromans S. 23 nimmt an, dass die beiden Namen su
dem einen Σπιθριδάτης allmählich entstanden sind.

6 Z. Arm.[1]) an die ältere Ueberlieferung an, die jüngere t denselben ganz aus.

19. In dem Rate, den ein Satrap in dieser Beratung über Fortsetzung des Kampfes mit Alexander giebt, finden wir Δ´ als Schluss einer Aufzählung der dem Darius ausser den ˃ern unterthänigen Völker die Notiz: ἔστι γὰρ ἔϑνη τού-ρπ´, dieselbe Bemerkung findet sich auch in Bi (2973)[2]).

20. Die Notiz über den Euphrat und Tigris und ihren ammenhang mit dem Nil, die sich nur in A´ (A 2, 9, p. 64, l. hist. p. 80 L, c. 48 Z, Arm.)[3]) findet, begegnet, wenn h mit etwas mehr Worten, auch in Bi (3079—90).[4])

---

[1]) Und wie wir Perser gross zu sein meinen, so erscheint Alexander s dadurch, dass er Kühnheit beweist. Und während es mir gut n, ihm eine Peitsche und einen Ball zu senden, um damit zusammen seinen Altersgenossen zu spielen und erzogen zu werden, ist er voll-dig verständig geworden, ist über mich, seinen Lehrer, gekommen wird über alles siegen. Vgl. Raabe p. 47 f. — Im Syr. fehlen hier Kapitel 6—13 einschliesslich.

[2]) In A (2. 7, A. 26) sind ausser den in B angeführten Völkerschaften erwähnt: καὶ τὴν Ἰλλυρίαν χώραν, ἵνα μή σοι τὰ Βακτρῶν καὶ τὰ Ἰνδῶν τὰ Σεμιράμεως μελάϑρων εἴκω. Dieselben Völkerschaften, allerdings ehr verstümmelter Gestalt, bieten aber auch L p. 742, C p. 62, A. 26. stimmt genau zu A, ebenso die hist. (p. 77 L, c. 46 Z) mit der Aus-ne, dass hier aus Versehen statt Indi, Itali und statt der 180 Völker angegeben werden.

[3]) Und es ist ein grosser Fluss Deklath (= Tigris) und Aradsans Euphrat) in Mesopotamien und Babylonien, die sich in den Nil er-ˎen. Denn man sagt, wenn der Nil in den Passatzeiten überfliesst, das weltnährende Aegypten zu tränken, dann werden die beiden se Deklath und Aradsans leer; wenn er aber fällt und aus Aegypten ˎstritt, dann fliessen sie über. Vgl. Raabe p. 50.

[4]) Die Quelle dieser Notiz ist bis jetzt unklar. Eine immerhin nur ingende Bemerkung giebt Pausan. 2, 5, 2: καὶ δὴ καὶ αὐτὸν ἔχει τὸν ˑν λόγος Εὐφράτην ὄντα ἔς τε ἕλος ἀφανίζεσθαι καὶ αὖθις ἀνιόντα ὑπὲρ αλίας Νεῖλον γίγνεσθαι (vgl. Delitzsch, Wo lag das Paradies? S. 44 A. Knötgen, D. Ansichten der Alten üb. d. Nilquellen, Progr. 1876, ˀ). Im allgemeinen ist dieselbe natürlich als einer der zahlreichen ˎche zu betrachten, die Quellen des Nils anzugeben, besw. seine ˎhwellung zu erklären. Zurückgehen mag dieselbe ja vielleicht dar-

21. In dem Briefe des Darius an Alexander nach der ersten
Schlacht stimmt Bi zu A′ (A 2, 10, J V c. 25, p. 88 K, hist.
p. 83 L, c. 53 Z) in den Zusätzen am Anfang und Schluss desselben, die in B′ fehlen (Bi 3181—85 und 3200—3).

22. Zweifelhaft erscheint es, ob Bi sich in einem Zusatze
in dem Briefe, den Alexander an seine Satrapen schreibt mit
dem Auftrage, Waffenröcke und Waffen nach Antiochia in
Syrien zu senden, an A′ anschliesst. Es heisst hier 3237 ff.:

$$\delta o \varrho \grave{\alpha} \varsigma \ \beta o \tilde{\omega} \nu, \ \pi \varrho o \beta \acute{\alpha} \tau \omega \nu,$$
$$\varphi \acute{\epsilon} \varrho \epsilon \iota \nu \ \tau \epsilon \ \tau \alpha \acute{\upsilon} \tau \alpha \varsigma \ \tau \acute{\alpha} \chi \iota \sigma \tau \alpha \ \mu \epsilon \tau \grave{\alpha} \ \tau \tilde{\omega} \nu \ \tau \epsilon \tau \varrho \alpha \pi \acute{o} \delta \omega \nu.$$
$$\chi \varrho \eta \sigma \acute{o} \mu \epsilon \vartheta \alpha \ \delta' \ \alpha \grave{\upsilon} \tau \grave{\alpha} \varsigma \ \dot{\eta} \mu \epsilon \tilde{\iota} \varsigma \ \dot{\epsilon} \nu \ \tau \alpha \tilde{\iota} \varsigma \ \pi \epsilon \varrho \iota \kappa \nu \eta \mu \tilde{\iota} \sigma \iota,$$
$$\sigma \tau \epsilon \varrho \varrho o \tilde{\iota} \varsigma \ \tau o \tilde{\iota} \varsigma \ \dot{\upsilon} \pi o \delta \acute{\eta} \mu \alpha \sigma \iota \nu \ \ddot{o} \pi \lambda \alpha \ \kappa \alpha \tau \alpha \delta \epsilon \sigma \mu o \tilde{\upsilon} \nu \tau \epsilon \varsigma \ (?).$$

Von diesen Angaben bieten nämlich die griechischen Texte
(2, 11) und J V (c. 25, p. 90 K) nichts. Dagegen findet sich
Aehnliches sowohl in der hist. (p. 84 L): pelles mortuorum,
ubicunque mortua fuerunt animalia, conficite et dirigite eas
similiter in Antiochiam, ut militibus omnia parata sint, scilicet
vestimenta atque calciamenta, wie auch im Arm.: Und von all
den Vierfüsslern, die ich getötet habe, sollen die Häute nach
Antiochia in Syrien gebracht werden, damit für die Soldaten
Arbeiten ausgeführt werden an Beinschienen, Schuhen . . .
(das Folgende ist, auch in der Uebersetzung bei Raabe (p. 52)
nicht ganz klar). Ferner stimmt auch in der weiteren Darstellung Bi allein mit Arm. überein. Hier heisst es nämlich
nach der in allen Bearbeitungen erscheinenden Bemerkung,
dass 3000 Kamele, die vom Euphrat kommen, die Sachen
bringen sollen: von Syrien aus sollen andrerseits 3000 Kamele

---

auf, dass einer der grössten Bewässerungskanäle des Euphrat Schatt en
Nil hiess (Delitzsch, a. a. O. S. 70 f.), und vielleicht auch darauf, dass
der Name für das afrikanische Aethiopien Kusch auch auf Babylonien
übertragen ist (Hommel, Gesch. Babylon. u. Assyr., S. 276 ff.; Meyer,
Gesch. Aegypt., S. 22; ders., Gesch. d. Altertums 14, 140 A.), insofern
dadurch auch in betreff des Nils und Euphrats eine Verwirrung angerichtet werden konnte, wie sie thatsächlich in Beziehung auf die afri-
kanischen und babylonischen Kuschiten angerichtet worden ist.

ausgehen bis an den Euphrat, und so die einen vom Euphrat nach Antiochien zu, die andern wieder umgekehrt marschieren, um alles möglichst schleunig herbeizuschaffen. Auch hier ist Bi, wenn auch etwas breiter in der Ausführung, doch durchaus übereinstimmend mit Arm.

23. In dem Briefe, den ein, bezw. mehrere Satrapen an Darius schreiben, schliesst sich Bi an A′ darin an, dass er nur von einem Satrapen geschrieben wird, und dass die in B′ fehlenden Namen genannt werden.[1]

24. Am Ende von 2, 13, wo von dem Traume die Rede ist, durch welchen Alexander von Ammon aufgefordert wird, als sein eigener Bote zu König Darius zu gehen, weicht Bi in dem Schlussatz (3369): οἱ δὲ (σατράπαι) συνεβουλεύσαντο γενέσθαι τοῦτο τάχος von der gesamten griechischen Ueberlieferung (A, B, C, L) ab, die gerade das Umgekehrte meldet: τοῦτο μὴ ποιῆσαι. Da aber hist. (p. 87 L, c. 60 Z): dederuntque ei consilium ut ita faceret, und Arm.: und sie rieten ihm, zu thun, was er im Traume gesehen hatte, zu Bi stimmen, und da diese Wendung offenbar auch viel besser in den Zusammenhang passt, so vermute ich, dass in der älteren Ueberlieferung die Negation gefehlt hat.

25. Nachdem Alexander als sein eigener Gesandter zu Darius gekommen ist, wird er von diesem zur Tafel gezogen. A′ (A 2, 14, p. 69, A. 23, Syr. p. 73 B = 276 R) hat hier, während die übrigen Bearbeitungen (B, C, L, JV, hist.) nur

---

[1] A 2, 11, p. 67, A. 4, hist. p. 84 L, c. 56 Z, Bi 3257. Arm.: Und ein Satrap des Darius schrieb in Betreff der Dinge, die geschehen waren, folgendes: Dem Darius, meinem Herrn, Gruss von Notares; ich scheue mich allerdings, Euch derartiges zu schreiben, aber ich sehe mich durch die gegenwärtige Lage dazu gezwungen. Wisse, mein Herr, dass Kosares verwundet ist, und dass zwei Grosse umgekommen sind. Kosares aber ging nach seiner Verwundung in sein Zelt, und die Feinde trugen weg, was ihnen passte. Amnias aber und die Grossen, die mit ihm waren, gingen zu Alexander über eintretend (? εἰσόδους λαβόντες = Einkünfte, Raabe, p. 89), nachdem sie die königlichen Dörfer verbrannt hatten mit den Feldweibern, und die Schwester des Mithridates töteten sie, und das Dorf verbrannten sie. — Vgl. Ausfeld, a. a. O., S. 24.

melden, dass neben Darius die übrigen Fürsten und Alexander
zu Tische lagen, die Namen der betreffenden Grossen. Auch
hierin stimmt Bi (3454 ff.) zu A´, und zwar kommen die Namen
fast vollständig mit Arm. überein.

26. In der Darstellung des weiteren Verlaufes der Mahl-
zeit schliesst sich Bi (3468 ff.) an A´ an in den Einleitungs-
worten zu der Erzählung von der List Alexanders, die goldenen
Becher alle einzustecken: οἱ μὲν οὖν πινεχύται πυκνότερον ἐν
τοῖς σκύφοις διηκόνουν. μεσάσαντος δὲ τοῦ πότου ἐπινοεῖ τι ὁ
φρενήρης Ἀλ.[1]) u. s. w., während die jüngere Ueberlieferung
einfacher hat τῶν δὲ πινόντων πυκνοτέρως ἐν τοῖς σκύφοις.

27. In dem Berichte von der Musterung des Heeres durch
Alexander nach seiner Rückkehr von dem Botengangs zu Darius
schliesst sich Bi (3571—81) der ausführlicheren Darstellung
in A, die zum Teil noch in L (p. 750) und C (p. 72, A. 1 M)
bewahrt ist, an, während B, J V und hist. (p. 91 L, c. 64 Z)
nur ganz kurz darüber berichten.

28. Die Notiz von dem Befehle Alexanders, die Königs-
burg des Xerxes anzuzünden: μείνας δὲ τὸν ἀκμαιότατον χειμῶνα καὶ ποιήσας τοῖς ἐγχωρίοις θεοῖς θυσίας προςέταξε u. s. w.
(A 2, 17, p. 75, A. 19, J V c. 29, p. 100 K, hist. p. 94 L, c. 68 Z,
Syr. p. 77 B = 280 R, Arm.)[2]) stimmt zu Bi (3746 f.); die
jüngere Ueberlieferung (B, C 2, 17, L p. 753) hat nur: μείνας
οὖν ἐκεῖ τὸν χειμῶνα.

3. Zusätze und Erweiterungen in Bi.

An sich ist es schon sehr wahrscheinlich und eigentlich
selbstverständlich, dass in einem Gedichte sich manche Zusätze
finden müssen, die allein schon durch den Vers oder durch

---

[1]) A 2, 15, A. 3, B, C 2, 15, L p. 749, J V (c. 26, p. 93 K): praecedente
iam convivio. Syr. (p. 73 B): when they had eaten, they called for
wine in a jar. Ryssel (p. 276) übersetzt: und als sie assen, wünschten
sie Wein in Krügen.

[2]) Und indem er dort den ganzen Winter über blieb und die ange-
ordneten Opfer den einheimischen Göttern darbrachte, gab er Befehl,
den Palast des Xerxes, das Wunderwerk in diesem Lande, anzuzünden.

das Streben nach einer etwas volleren Ausdrucksweise hervorgerufen sind. Wenn ich also im folgenden auf einige Zusätze
und Abweichungen in unserem Werke etwas näher eingehe,
so sind natürlich nur entweder charakteristische Zusätze und
Abweichungen gemeint, oder solche, die ganz Neues enthalten.

Zu den ersteren rechne ich es, wenn der Verf. in Brief-
aufschriften bezw. -schlüssen gern Titulaturen, Kosenamen u. dgl.
anwendet, wo sie sonst fehlen. Sehr bezeichnend ist in dieser
Beziehung z. B. die Anrede der Brahmanen in ihrem Briefe
an Alexander. Die allgemeine Ueberlieferung in A' und B'
lautet: „Die Brahmanen grüssen den Menschen Alexander"[1],
und gerade die Anrede „Mensch" ist natürlich das eigentlich
Bedeutsame. Bei unserm Verf. aber lautet die Anrede v. 4708 f.:

$$\mathit{T\tilde{\omega}\ \nu\iota\varkappa\eta\varphi\acute{o}\varrho\omega\ \beta\alpha\sigma\iota\lambda\epsilon\tilde{\iota}\ \Pi\epsilon\varrho\sigma\tilde{\omega}\nu\ \varkappa\alpha\grave{\iota}\ M\alpha\varkappa\epsilon\delta\acute{o}\nu\omega\nu}$$
$$\mathit{\tau\tilde{\omega}\ \varkappa\upsilon\varrho\iota\epsilon\acute{\upsilon}\sigma\alpha\nu\tau\iota\ \tau\tilde{\eta}\varsigma\ \gamma\tilde{\eta}\varsigma,\ \tau\upsilon\varrho\acute{\alpha}\nu\nu\upsilon\upsilon\varsigma\ \varkappa\alpha\vartheta\epsilon\lambda\acute{o}\nu\tau\iota,}$$

so dass also das Charakteristische gänzlich verwischt ist. Aehnlich fügt Alexander in dem Briefe an Darius, wo er sagt, er
würde berühmt werden, wenn er den grossen König Darius
besiege (τὸν τηλικοῦτον δυνάστην, Ps.-K. 1, 38), noch hinzu: τὸν
μέγαν πόλον φθάσαντα, τὸν συγγενέα τῶν θεῶν καὶ σύνθρονον
Ἡλίου, τὸν γίγαντα τὸν ἰσχυρὸν, τὸν σχόντα θεῶν κλήσεις (1853 ff.),
und das Gleiche finden wir an manchen anderen Stellen. Auch
in den Briefschlüssen begegnen wir einer ähnlichen Erscheinung.
In der griechischen Vorlage, wie in den sonstigen, davon ab-
geleiteten Schriften bildet den Schluss entweder ein einfaches
ἔρρωσο, ἔρρωσθε, oder es wird gar keine besondere Schlussformel hinzu gesetzt. Damit begnügt sich unser Verf. aber
höchst selten, wie die folgende Zusammenstellung beweist:[2]

---

[1] 3, 5 (A, B, C, L): Γυμνοσοφισταὶ Ἀλεξάνδρῳ ἀνθρώπῳ ἐγράψαμεν,
I V (c. 10 K): Gymnosophistae Bragmanes Alexandro homini dicunt,
Syr. (p. 92 B = 357 R): From the Brahmans, the naked sages, to the
man Alexander greeting, hist. (p. 107 L, c. 90 Z): Corruptibiles gymnosophistae Alexandro homini scribimus, Sl.: Wir Gymnosophisten schreiben
dem Menschen Alexander (Istrin p. 84).

[2] Nur die gesperrt gedruckten Wörter finden sich in der Vorlage.

Ἔρρωσο τοίνυν, βασιλεῦ Δαρεῖε τῆς Περσίδος (1874); ἔρρωσθε
γοῦν, σατράπαι μου, πρὸς ἅπαντα τὸν χρόνον (1908); ἔρρωσθε
πάντες, ἔρρωσθε σατράπαι καὶ στρατάρχαι (1944); ἔρρωσο
τοίνυν, βασιλεῦ Δαρεῖε τῆς Περσίδος (3177); ἔρρωσο, πάλιν
ἔρρωσο (3703); ἔρρωσο, Πῶρε, βασιλεῦ μέγιστε τῆς Ἰνδίας (3832);
ἔρρωσο τοίνυν, ἔρρωσο, ζῆθι πολλοῖς ἐν χρόνοις (4096); ἔρρωσο,
περιπόθητε θύγατερ τοῦ Δαρείου (4116); φιλτάτη μῆτερ, ἔρρωσο,
σὺν τῷ καθηγητῇ μου (4472); ἔρρωσο τοίνυν, βασιλεῦ, σὺν πᾶσί
σου σατράπαις (5061); ἔρρωσο, τροπαιοῦχε (5549); ἔρρωσο
γοῦν, Ἀλέξανδρε μέγιστε τροπαιοῦχε (5568); ἔρρωσο, γλυκυτάτη
μου μῆτερ ποθεινοτάτη (5709); ἔρρωσο, πάλιν ἔρρωσο, μῆτερ
ποθεινοτάτη (5813); ἔρρωσο πανυπέργλυκε μῆτερ ποθεινοτάτη
(5889). Offenbar gewährten derartige Zusätze unserem Verf.
ein besonderes Vergnügen, obwohl sie doch alle eine gewisse
Gleichförmigkeit zeigen.

Hierher gehört auch die häufige Anwendung des Ver-
gleiches von Alexander mit einem Löwen; nicht nur nennt er
ihn in der ganz selbständig verfassten Einleitung λέων ὁ βρυ-
χητίας (7) und λέων (39), sondern an 6 Stellen (1175. 2004.
2233. 2949, 58. 6003) spricht er davon, dass Alexander ὥσπερ
λέων oder καθάπερ λέων gegen die Feinde gestürmt sei, während
er nur an drei, und zwar anderen Stellen diesen Vergleich in
seiner Vorlage fand.[1]) Ausserdem kommt der, wie der Verf. am
Schlusse seines Werkes selbst sagt, aus Daniel stammende Vergleich mit dem πάρδαλις nur in Bi vor, nämlich, abgesehen von
der Einleitung, v. 1665, wo er übrigens aus der Vorlage —
Georgios Monachos — stammt, und v. 2960, wo zu dem in der
Vorlage (Ps.-K. 2, 7) gebotenen σχῆμα λέοντος noch παρδάλεως
τρόπον hinzugefügt wird. An sonstigen Vergleichen finden wir
selbständige nur v. 3633 f.: die Menge der Erschlagenen wird
mit den Blättern der Bäume verglichen, und v. 2047 (= 3629):
das Blut der Erschlagenen floss dahin wie ein Strom.

---

[1]) Nämlich Ps.-K. 1, 8 = Bi 409; 2, 7: ἅπαντα λέοντος ἔχει = Bi 2960:
σχῆμα φέρει λέοντος, 3, 29: ὥρμησα εἰς αὐτοὺς ὡς λέων εἰς θήρας = Bi 3889,
wo unser Verf. wohl zur Erhöhung des Eindrucks ein θήρ hinzugefügt und
aus dem εἰς θήρας gemacht hat ἐν θήρᾳ: ὥσπερ θήρ καὶ λέων ἐν θήρᾳ.

idere, wenn auch ähnliche Art von Zusätzen be-
reiterungen, die zu dem Inhalt und Ton des Ganzen
doch eben nur breitere Ausführungen eines Ge-
l. Ein sehr charakteristisches Beispiel bieten hier
des Erstaunens von seiten der Brahmanen, als sie
Alexander sterblich ist. Im Ps.-K. (3, 6) heisst es
θνητὸς ὑπάρχεις, τί τοσαῦτα πολεμεῖς; ἵνα ἅπαντας
ἀπενέγκῃς; οὐ πάλιν καὶ σὺ αὐτὰ ἑτέροις καταλείψεις;
e anderen Bearbeitungen dem Entsprechendes bieten,
erf. daraus folgende Tirade gemacht, v. 4870 ff.:

> Ἄρα θνητὸν ὑπάρχεις;
> , Ἀλέξανδρε, θανεῖν καὶ τάφῳ συγκλεισθῆναι;
> τοσαῦτα πολεμεῖς, ἵνα τοὺς πάντας ἄρῃς;
> ἀπενέγκῃς τοὺς αὐτούς, ποῦ καταλίπῃς τούτους;
> σὸν κράτος δέξεται, τίς τὴν ἀρχὴν κρατήσει;
> Βραχμάνων, βασιλεῦ, μέλλεις τῇ γῇ ταφῆναι;
> τίς, ἄνθρωπε, λοιπόν, ἀθάνατον τί σπεύδεις;
> σὺ καὶ τὴν ζωὴν καὶ δόξαν ἀπολέσεις
> καὶ τοὺς συνόντας σοι φεῦ τίνα καταλείψεις;[1]

h ist auch die Klage, in welche die Krieger Ale-
seinem Totenbette ausbrechen, von unserm Verf.
sgeführt (6001 ff.). Derartiger Zusätze finden sich
Reihe, von denen ich die hauptsächlichsten in der
) mir anzuführen gestatte. Sie beweisen jeden-
Verf. mit Lust und Liebe bei der Sache war.

καταλείπειν mit dem doppelten Akkusativ vgl. meine Ab-
ler Byzant. Zeitschr.

Zusatz zu den Worten des Nektanabus an seinen Späher:
z zu den Worten des Nektanabus an Olympias nach der
79 —80 Hoffnung Philipps, dass der Gott seinem Sohne
πολυχρονίαν) verleihen werde; 1727—29 Zusatz zu der Be-
Goldes, in dem von Darius an Alexander übersandten
14 Aufforderung des Darius an seine Satrapen am
Briefes; 2510—23 Aufzählung seiner Thaten in dem
an die Athener, und der Schluss des Briefes mit einer
an die Athener; 3247—53 Zusatz in dem Briefe Alexanders

Eine besondere Art von Zusätzen finden wir endlich da,
wo der Verf. seiner Anteilnahme an den Ereignissen, besonders
seiner Indignation Ausdruck giebt. Dies geschieht besonders
am Anfang und Ende, d. h. bei der Erzählung von den Ver-
führungskünsten und Zaubereien des Nektanabus, und von der
Ermordung Alexanders. Er nennt den ersteren μιαρός (197)
oder κάκιστος ἀνήρ (315) oder μάταιος (531) oder γόης (637 u. ö.);
er sagt nicht einfach προτείνας τὴν χεῖρα (1, 4), sondern χεῖρα
τὴν παμμίαρον κακῶς προτείνας (175), so dass er also in mannig-
facher Weise seinem Abscheu über das Treiben des Aegypters
Ausdruck verleiht. Noch stärker geschieht dies bei dem Berichte von der Ermordung des Königs. Φεῦ τῆς κακίστης
συμβουλῆς, φεῦ τοῦ κακούργου τρόπου ruft er bei der ersten
Erwähnung des Mordanschlages aus (5936), und wünscht den
Mördern, sie möchten selbst das Gift in sich getrunken haben:
εἴθε προσέπιον αὐτοὶ πρῶτον οἱ δεδωκότες (5951), und mehrfach unterbrechen Ausrufe, wie βαβαὶ τοῦ πάθους (6046) oder
ὦ συμφορᾶς μεγίστης den Fluss der Darstellung. Aber auch
an manchen anderen Stellen (man vgl. z. B. 2246. 2248. 3263.
5948. 5966 u. s.) verrät sich diese Teilnahme,[1] so dass wir
wiederum erkennen, wie der Verf. wirklich mit Herz und Gemüt
bei der Sache war, und nicht nur eine einfache Zusammenstellung der Thatsachen geben wollte.

---

an seine Satrapen über die Art und Weise der Zusendungen durch
Kamele; 3566—69 Worte Alexanders an seinen Satrapen und Freund
Eumelos nach seiner Rückkehr von dem Botengange zu Darius; 3677—87
Allgemeine Betrachtung über die Vergänglichkeit alles Irdischen in dem
Briefe des Darius an Alexander nach der zweiten Schlacht; 4105—8 Ein-
leitung zu dem Briefe Alexanders an Roxane; 4674—76 Zusatz bei der
Darstellung des Zweikampfs zwischen Alexander und Porus; 5540—43
Zusatz in dem Briefe der Amazonen an Alexander betr. die Trauer über
die etwaige Gefangennahme einer ihrer Angehörigen.

[1] Aehnlich ist es auch in manchen Lemmatis, z. B. nach 344 mit
Rücksicht darauf, dass Nektanabus sich θεοῦ προφήτης genannt hat:
οὐκ εἰ θεοῦ προφήτης σύ, μᾶλλον τοῦ βροτοκτόνου, 5955: ὦ σῆς ἀνόμου
πράξεως, Ἰοῦλε, κακεργέτα, 6044: ἀπέθανεν Ἀλέξανδρος· ὦ συμφορᾶς μεγίστης und sonst an manchen Stellen.

sen mehr in der Form liegenden Abweichungen
a aber auch in sachlicher Beziehung mancherlei
und Zusätze, die ich im folgenden möglichst
stelle.

.enderungen der Ueberlieferung.

-Kall. wird erzählt, wie dem König Philipp, als er
sbust seines Sohnes in seinem Garten sitzt, ein
net,[1]) das dann auf den Glanz, aber auch das
nes künftigen Sohnes gedeutet wird. Es ist die
der Schlange, die aus einem Ei kriecht, aber
Kopf wieder in das Ei stecken kann, stirbt.
rungen sind darin einig, dass dieser Vorgang
ror den Augen des Königs abspielt; nur in Bi
ds Traumgesicht dargestellt, v. 481 ff.: Φιλίππου
ς θαλάμοις ἔνδον τοῖς αὐτοῦ u. s. w.; nachher
ὀνειρολύτης (493), nicht, wie in den andern
ein σημειολύτης[2]) berufen. Es scheint fast, als
em für seinen eigentlichen Helden keine Wunder-
seltsam und unglaublich war, bei dem Vater
a Wunderglauben hegte und deshalb den wirk-
ε in ein Traumgesicht verwandelte.

a Berichte über die Eroberung von Tyrus sagt
Tyrus durch Verrat[3]) in die Hände der Make-
a sei: οἱ Τύρον προσφυλάττοντες νυκτὸς αὐτὴν
592), während die griechische Vorlage (1, 35)

_____

B, C, L), J V (c. 5 K), Syr. (p. 10 B = 93 R), hist.

yr. (p. 11 B = 93 R): the chief of the Chaldeans, Arm.
auch den Namen Antiphon, B, C, L und hist.
ihn weg. Ueber die eigentümliche Erweiterung dieser
phiem, Alexander werde sterben unter einem knöchernen
Erde in der zweiten Redaktion von Sl. (Istrin,
. Istrin, Einl. S. 148 ff.
rus durch Verrat genommen sei, berichtet, so viel ich
a 11, 10, 14. Wober diese Notiz stammt, weiss ich

hat: συλλαβὼν Ἀλέξανδρος rd στρατόπεδα αὐτοῦ ... νυκτὸς ἀνοίξαντες τὰς πόλας (πόρτας C) εἰςῆλθον.

3. Eine Aenderung, die wohl auf einem Missverständnis beruht, findet sich in der Rede, die Demades in Athen gegen Alexander hält. Der Redner wendet sich gegen Aeschines und sucht einige Aeusserungen desselben zu widerlegen: ἀλλά λέγει Αἰσχίνης· αἰσθήσεται ἡμῶν τῶν καθηγητῶν καὶ αἰδεσθή-σεται ἡμῶν (cod. ὑμῶν) τὰς ὄψεις βλέπων (2, 2). Daraus hat Bi (2607 ff.) eine wirkliche Unterbrechung gemacht. Da aber auch Syr. (p. 66 B = 271 R) und J V (c. 6 K) mit A überein-stimmen, und die Sache selbst diese Form verlangt, so ist hier wohl ein Missverständnis des Verf. anzunehmen.

4. Bewusste Aenderung wird es dagegen wohl sein, wenn unser Verf. den Demosthenes in seiner Rede von Xerxes sagen lässt, er sei besiegt worden von den vorher genannten grossen Feldherren (2689—91), während A (und J V c. 11 K) sagt: ὑπὸ (cod. ὑπὲρ) τῆς τῶν Ἑλλήνων φρονήσεως ἡττήθη (2, 3). Dasselbe ist vermutlich mit dem Namen Θουκυδίδης (2843) der Fall statt des von A (2, 5), J V (c. 17 K), Syr. (p. 71 B = 275 R) und Arm. gegebenen Εὐκλείδης. Auch der Name Ἀχιλλέως (2771) statt Ἄρεως (A, Syr., Arm.) verdankt seine Entstehung wohl nur dem Bedürfnis des Verses.

5. Eine Umstellung hat der Verf. vorgenommen im An-fange der Erzählung von dem Botengange Alexanders zu Darius. Sämtliche Bearbeitungen der älteren wie der jüngeren Rezension beobachten nämlich diese Reihenfolge: Alexander kommt zu den persischen Vorposten, die ihn für einen Gott halten, und verlangt zu Darius geführt zu werden. Dies geschieht. 'Ale-xander — oder Darius   ist über den Anblick des Darius — oder Alexanders — so erstaunt und verwirrt, dass er ihm beinahe die Proskynesis erwiesen hätte. Denn er war herrlich geschmückt — und nun folgt eine Beschreibung der äusseren Erscheinung des Darius. Nur Bi bringt die Beschreibung des Darius vor der Angabe von der beinahe stattgehabten Proskynesis. Es erscheint also, da alle Bearbeitungen jene andere Reihen-folge einhalten, einigermassen sicher, dass der Verf. selbständig

ıg vorgenommen hat. Der Grund zu derselben
noch zu finden, und hängt offenbar zusammen
liebkeit des Anbetenden. Ueber diese herrscht
Uebereinstimmung: während A, B, C, Arm. und
Alexander sei über den Glanz und die Pracht
g des Perserkönigs derartig ausser Fassung ge-
ihm fast göttliche Verehrung gezollt hätte, ist
„ hist., Bi und Sl.[2]) Darius, der diese Ehren-
nahe oder wirklich ausführt.

obwohl A Alexander als den Anbetenden nennt,
n Darius als solchen bezeichnete, scheint mir
Uebereinstimmung der sonst mehr oder weniger

4, A ibid. A. 10, J V (c. 10, p. 92 K): Jamque aderat
ipsa illum pompamque regiae magnificentiae mirabatur.
que ea dubitatione egit, utrumne adorandus sibi idem
sabe p. 55.

2 B = 276 R): and when ... Darius had seen Alexander,
f down and did reverence to Alexander, for he imagined
od Mithras, who had descended (from heaven) and had
le Persians, for his aspect resembled that of the gods.
ist dann freilich, aus Versehen oder mit Absicht, die
Darius, allerdings in etwas anderer Form, auf Alexander
L ist der Text zerrüttet und lautet nach Meusel (p. 748,
ας δὲ 'Αλέξανδρος τῇ θεωρία τῇ ξένῃ· πάντας παρ' ὀλίγον δὲ·
β δάρειος. Meusel hat einfach die Ueberlieferung von B
ist, dadurch die Sache aber geradezu umgekehrt: zu lesen
Hülfe von Sl., das sich unmittelbar an L anschliesst:
Ἀλέξανδρον τὴν θεωρίαν τὴν ξένην πάντως παρ' ὀλίγον
ὦ Δαρεῖος. Sl. bietet nämlich: Als Darius die seltsame
xanders betrachtete, wäre er ihm beinahe zu Füssen
neinte, dass es ein Gott sei, welcher vom Olymp (eig.
fremdartige Kleidung gekleidet (Istrin p. 61). — Hist.:
Darius indutum vestem Macedonicam adoravit eum ut
lum cum Mithram deum descendentem de caelis (L p. 88,
). Bi 3496 fl.:

προέδραρχοι προσήνεγκαν 'Αλέξανδρον Δαρείῳ
ἄγγελον· ὃν παιδὼν ἐν ξένῃ θεωρίᾳ
ἠλλαγμένην τε στολὴν τοῦτον ἐνδεδυμένον,
ἴσα; μάλιστα θεὸν ἡγέρθη προσκυνῆσαι.

A' folgenden Bearbeitungen hervorzugehen, andererseits auch aus der Fassung der Notiz in A selbst, wo es heisst: ἔξω γὰρ ἐπὶ λόφῳ ἦν Δαρεῖος στρατοὺς (τάφρους?) ὀρύσσων καὶ φάλαγγας συντάσσων διὰ τὴν τῶν Μακεδόνων ἐπέλευσιν. Ὁ δὲ συναθροίσας τὸ πολὺ θαῦμα Δαρείου παρ' ὀλίγον αὐτὸν προςεκύνησε ὡς θεὸν Μίθραν νομίζων οὐρανοῦ κατελθόντα τοῖς βαρβάροις πέπλοισι ἐγκοσμηθέντα· ἦν γὰρ κατὰ τὸν αὐτὸν τύπον τὸ πρόσχημα. Wie sollte eigentlich Alexander dazu kommen, in dem Könige, zu dem er, wie er wusste, geführt wurde, einen Gott zu sehen? und nun gar den Gott Mithras? Verständlich aber ist es, wenn Darius den in fremdartiger (βαρβάροις), und zwar in einer Art von Götterkleidung, auftretenden Makedonier für einen Gott hält, und gerade für den Mithras, der ja auch sonst als Persergott in der Alexandersage erscheint (1. 36, Bi 1699), um ihm Hülfe zu bringen. Ich vermute daher, dass der Anfang dieses Satzes korrupt ist, und ursprünglich hier etwa gestanden hat: συναθροίσας δὲ τὸ πολὺ θαῦμα Δαρεῖος κτλ. Mag dem nun sein, wie ihm wolle, Bi ist jedenfalls einer Quelle gefolgt, die Darius als den Anbetenden nannte. Auffallend war dann aber immer, dass unmittelbar darauf die Beschreibung der wunderbaren Erscheinung des Darius folgte. Dies hat unser Verf. gefühlt und infolge dessen diese voran gestellt. In der That fügt sich in dieser Weise alles viel besser an einander, so dass diese Aenderung nicht nur für das Nachdenken und die Selbständigkeit, sondern auch für das Geschick unseres Verf. spricht.[1])

---

[1]) Als selbständige Aenderung ist nicht zu bezeichnen die in Bi von L und B abweichende Angabe der Zeit, wo der Waldmensch erscheint. Bi hat hier nämlich (4236): περὶ δεκάτην ὥραν, während die anderen Bearbeitungen die neunte Stunde angeben. Aber in Arm. finden wir die Zeitbestimmung: um die neunte oder zehnte Stunde, und auch in Sk. (p. 76) heisst es: Darauf zeigte sich uns um die neunte bis (vielleicht und) zehnte Stunde ein Mensch, behaart wie ein Schwein. Es ist daher wohl eine Verschiedenheit in der ältesten Ueberlieferung anzunehmen; jedenfalls hat Bi nicht selbständig geändert. Der armenische Text lautet vollständig: Da erschien uns um die neunte oder zehnte Stunde ein Mann, dicht behaart wie eine Ziege (sonst immer χοῖρος, porcus: sollte

…nderung scheint der Verf. auch vorgenommen
…a dem Briefe Alexanders über die Wunder des
der griechischen Vorlage fordern die Wegweiser
…von Vögeln, von denen bei Berührung
…ht, den König zur Umkehr auf; aber er will nicht,
…noch mehr Wundererscheinungen ein. In
…dagegen die Satrapen und Vornehmen,
…über den Weitermarsch Ausdruck
…Wundererscheinungen kommen vor der Auf-

Aenderung hat der Verf. ferner vorgenommen
er mit der Erzählung von der Einschliessung der
…ker Gog und Magog einen ganz neuen Brief be-
…während in B (3, 29) diese sich in demselben
…Mutter, in welchem auch die anderen Wunder
…, befindet.
Schluss dieses Abschnittes bemerke ich noch, dass
…ige Bearbeitung ist, welche den Bericht von der

che Lesart vielleicht $\chi i\mu\alpha\iota\rho\alpha$ gewesen sein?). Ich aber
und aufgeregt, als ich ein solches Wesen sah. Und ich
…nn zu ergreifen und er bellte (gr. $\varkappa\alpha\tau\dot\omega\pi\tau\epsilon\nu\sigma\epsilon\nu$) schreck-
…schämt gegen uns. Und ich befahl einer Frau sich aus-
…n ihm zu gehen, damit er infolge des Verlangens der
…rgebe. Er aber nahm die Frau und ging weit weg und
…r sich. Und als wir hineilten und uns bemühten hinzu-
…hn zu ergreifen, stotterte er, indem er heulte, mit seiner
…ρ$\tilde\eta$ς $\tau\tilde\eta$ $\gamma\lambda\dot\omega\tau\tau\eta$ $\alpha\dot\upsilon\tau o\tilde\upsilon$ B, wofür Berger p. 858 $\dot\eta\gamma\epsilon$-
…auf Vorschlag Gildemeisters p. 761, A. 16 $\dot\epsilon\beta\alpha\tau\tau\dot\alpha\rho\iota\zeta\epsilon\nu$
…t. Raabe p. 71 übersetzt: $\dot\epsilon\mu\eta\chi\tilde\alpha\tau o$ $\varkappa\alpha\chi\dot\alpha\zeta\omega\nu$). Und als die
…en ($\pi\dot\alpha\nu\tau\epsilon\iota\varkappa o\iota$ B, dafür Berger $\pi\dot\alpha\rho o\iota\varkappa o\iota$, $\sigma\dot\upsilon\nu\tau\epsilon\nu o\iota$ L, $\dot o\mu\dot o\varphi\upsilon$-
…, kamen sie gegen uns aus dem Röhricht, unzählige
…aber waren vier Myriaden. Da befahl ich Feuer in das
…rfen, und als sie das Feuer sahen, wandten sie sich zur
…wir verfolgten sie und banden 40 Myriaden. Und da sie
…ng enthielten, gingen sie zu Grunde. Und sie hatten
wie Menschen (= L $\epsilon\tilde\iota\chi o\nu$ $\lambda o\gamma\iota\sigma\mu\dot o\nu$ $o\dot\upsilon\varkappa$ $\dot\alpha\nu\vartheta\rho\dot\omega\pi\iota\nu o\nu$, B, Bi:
…en sie bellten wie Hunde.
…ρ $\dot\alpha\nu\dot o\tau\alpha\iota\epsilon$ $\gamma\rho\alpha\varphi\dot\eta\nu$ $o\tilde\upsilon\tau o\varsigma$ $'O\lambda\upsilon\mu\pi\iota\dot\alpha\delta\iota$ $\varkappa\tau\lambda$. — Hist.
…Fassung p. 125 L, auch die Strassburger Drucke und die

Missgeburt und der darauf sich gründenden Weissagung von
dem nahen Ende des Königs in Briefform bietet. Andeutungen
derselben geben sonst nur hist. und B, L; die ältere Rezension
(A, Syr., Arm., J V) haben die Geschichte in Erzählform aufgegelöst. Da nun alle sonstigen Wundererzählungen — wie die
von den Wundern des Ostens und von dem Besuche Alexanders
bei der Königin Kandake — sicher in Briefform umgelaufen
sind, so ist es wahrscheinlicher, dass Bi hier die ursprüngliche
Form bewahrt, als dass der Verf. eine selbständige Aenderung
vorgenommen hat.

II. Zusätze.

A. Zusätze geringeren Umfanges.

1. Nach der Schilderung der Zauberei des Nektanabus
fügt der Verf. hinzu, v. 78 ff.:

> φασὶ δ' αὐτὸν διδάσκαλον πρώτιστον γεγονέναι
> μεγάλης τέχνης μαγικῆς καὶ λεκανομαντείας
> κακίστης γοητείας τε πᾶσι τοῖς Αἰγυπτίοις.

2. Bei der Flucht desselben Königs erwähnt der Verf.,
dass er auch sein kostbares Astrolabium mitgenommen habe
(140 ff.).

3. Nur Bi berichtet (790), dass Alexander auch den
Bukephalos zu den Olympischen Spielen mitgenommen habe.

4. Nach dem Siege Alexanders in Olympia fügt Bi der
Begrüssungsrede des Priesters noch hinzu, v. 908 ff.:

> λαβὼν οὖν στέφος παρ' ἐμοῦ χαίρων ἄπιθι τάχει,
> ἔκδικος σὺ καὶ τιμωρὸς πατρὸς μητρὸς γενέσθαι.
> 'Αλέξανδρος δὲ τὸν χρησμὸν ἀκούσας ὑπεξῄει.

Berliner Hdss. bei Kinzel, Zwei Rezensionen der vita Al. Berl. 84, S. 29,
während die interpolierte Fassung (c. 124 Z) und die Drucke zu A'
stimmen. B 3, 30: γράφει καὶ ἕτερα γράμματα 'Αλέξανδρος ... περι
έχοντα οὕτως, dann aber folgt die Geschichte als Erzählung. Syr.
p. 134 B = 391 R, J V (c. 54 K), Raabe p. 97.

die einzige Bearbeitung, welche berichtet, dass die
ausanias von Alexander getötet seien[1]) (1119 f.).

ie von Alexander an die Tyrier geschickten Ge-
liesen gekreuzigt wurden,[2]) berichtet allerdings
hische Ueberlieferung (Ps.-K. 1, 35); aber weiter
reine Rücksicht genommen. Unser Verf. aber
al darauf zurück, einmal mit der Bemerkung,
he die Stadt zu erobern, um den Mord seiner
rächen (1575), und nach der Eroberung der
).

anz eigentümliche Angabe, die sich sonst nirgends
ren Quelle ich auch nicht anzugeben weiss, findet
zählung von der Belagerung Thebens, v. 2235 ff.:

ων τοῦτον δὲ μεγάλων τῶν θηρίων
ιαχίαν γὰρ αὐτῶν εἶχον αὐτὰ Θηβαῖοι),
ἵρεχε *(ἀπέφευγε?)* φυγῇ, τὰ δὲ κατειροποῦτο,
ἵμα τὸν αὐτοῖς γενναίως κατασφάττων.

Erzählung von dem Streite zwischen der Prie-
hene in Platää und Stasagoras endet in der
Vorlage (2, 1) derselbe mit der Absetzung des
h Alexander und seiner Flucht nach Athen.
ch eine erneute Weissagung der Priesterin über
Stasagoras ein (2492—97).
gehe einige kleinere Zusätze von geringer Be-
wende mich zu den

B. Zusätzen grösseren Umfanges.

fallen in solche, die von unserm Verf. ganz neu
lung des Pseudo-Kallisthenes eingefügt sind und
r benutzt sind, um den Bericht desselben weiter

___

berichtet Plut. Al. c. 10: οὐ μὴν ἀλλὰ καὶ τοὺς συναι-
ῆς· ἀναζητήσας ἀπόλεσεν.
torikern berichtet, so viel ich weiss, nur Curt. 4, 2, 15:
, Tyrii ... praecipitaverunt in altum.

auszuschmücken und anders zu gestalten. Zu der ersteren Art gehören:

1. die Angabe, dass Alexander von Thrakien aus zuerst Byzanz und Chrysopolis besucht hat (1178 ff.),

2. die Erzählung von dem jüdischen Bogenschützen Mosomachus (1667 ff.),

3. die Angaben über die Inschrift auf dem Grabe des Kyros (3765 ff.),

4. die Antwort Alexanders auf die Erklärung eines Philosophen, dass es mehrere Welten gebe (6053 ff.),

5. die tadelnde Aufforderung zur Tapferkeit an einen Namensvetter Alexanders (6056 f.).

Zu der zweiten Art gehören: 1. die Darstellung von Alexanders Zug nach Jerusalem (1604 ff.); 2. manche Einzelheiten in dem Berichte über Alexanders Verkehr mit den Brahmanen (4698 ff.).

Alle diese Erweiterungen der im Ps.-K. überlieferten Erzählung entstammen mit Ausnahme von I, 3 einer und derselben Quelle, nämlich der Chronik des Georgios Monachos,[1]) eines der bekanntesten Chronisten des neunten Jahrhunderts. Man könnte freilich an sich auch an einen der Ausschreiber dieser sehr beliebten Chronik denken, aber dem steht, wie mir scheinen will, entgegen, dass alle diese Erzählungen sich eben nur bei Monachos finden, während die Ausschreiber manche auslassen.

Was zunächst den Bericht von dem Zuge Alexanders nach Byzanz und Chrysopolis anbelangt, so zeigt die Gegenüberstellung der Texte deutlich die Quelle.[2])

Bi 1179 ff.:

"Οθεν καὶ πρὸς τὴν Βύζαντος πόλιν κατασκηνώσας
καὶ στήσας τόπον ἐν αὐτῇ καὶ πάντας στρατηγήσας
στρατήγιν κέκληκεν αὐτόν· ἔνθεν ἀντιπεράσας
καὶ τῷ στρατῷ νείμας χρυσὸν ἄντικρυς Βυζαντίδος
Χρυσόπολιν ὠνόμασε τὸν τόπον ἀπὸ τούτου.

---

[1]) S. Krumbacher, Gesch. d. byzant. Litter., S. 128 ff., vgl. 263 f.
[2]) Auf diese Entlehnung weist auch hin Istrin, Einl., S. 27, A. 3 u. S. 161.

Monachus (p. 18 M):

ὃς (Ἀλ.) ἐλθὼν εἰς Βυζούπολιν τῆς Εὐρώπης
καὶ κτίσας ἐκεῖ τόπον, ἐν ᾧ καὶ τὸν λαὸν στρατηγήσας ἐκάλεσεν αὐτὸν Στρατήγιν· κἀκεῖθεν
ἀπάρας ὀλίγον καὶ ἀντιπεράσας καὶ τῷ λαῷ
αὐτοῦ διανείμας χρυσὸν πολὺν καὶ τὸν τόπον
Χρυσόπολιν ἐπονομάσας ὥρμησεν κτλ.

enbar hängen diese beiden Geschichten von dem Stra-
in Byzanz und dem Namen der Stadt Chrysopolis aufs
zusammen. Allem Anschein nach ist es byzantinische
ge, die sich erst allmählich ausgebildet hat, um den
gen König auch in ihre Stadt kommen zu lassen. Das
ion war ein Platz in Byzanz, der von byzantinischen
tellern oft erwähnt wird, und lag in der vierten Region
dt;[1]) vielleicht mag er ursprünglich als Paradeplatz
haben. Mit Alexander wird er zuerst, so viel ich
on Jos. Malalas[2]) in Verbindung gebracht; später ist
lese Geschichte allgemein verbreitet gewesen und kehrt
mittelalterlichen Topographen von Konstantinopel in
acher Form wieder, so dass unser Verf., wenn er die
elbst auch aus Monachos entlehnt hat, von der Existenz
hzählung doch jedenfalls auch sonst gehört haben wird.
ber Chrysopolis steht historisch nur fest, dass der Ort
Art Fort von Alkibiades nach der Schlacht bei Kyzikos
iete von Chalkedon angelegt wurde.[3]) Ueber die Ent-

---

ammer, Constantinopolis und der Bosporus 1, 180 f., Mordtmann,
topographique de Constantinople, p. 4, 5, 62 verlegt ein Stra-
g die fünfte Region.
rumbacher, Gesch. d. byzant. Litt., S. 112. Mal. p. 292 (Bonn.):
ρόμενον Στρατήγιον ἀνενέωσεν ὁ αὐτὸς Σεβῆρος, πρώην γὰρ ἦν
πὸ Ἀλεξάνδρου τοῦ Μακεδόνος, ὅτι κατὰ Δαρείου ἐπεστράτευσεν,
αλεσεν τὸν τόπον Στρατήγιον· ἐκεῖ γὰρ στρατηγήσας τὰ τοῦ πολέμου
ς τὸ πέραν κατὰ Περσῶν. Daraus ist es wörtlich übergegangen
hron. pasch. 1, p. 445 (B.), nur stimmt hier der Name Στρατήγιν
os.
en. Hell. 1, 1, 22, Diod. 13, 64, 2; vgl. Curtius, Gr. Gesch. 2², 675.

stehung des Namens ist uns die erste Notiz überliefert von
Dionysius Byzantius[1]) aus der zweiten Hälfte des zweiten
Jahrhunderts n. Chr., und zwar giebt er zwei Erklärungen,
von denen die eine ihn auch mit der Verteilung des Goldes,
die andere mit Chryses, dem Sohne Agamemnons und der
Chryseis in Verbindung bringt. Unsere, von Monachos und
Bi vorgebrachte Erklärung scheint damals noch nicht bekannt
gewesen zu sein, da der Byzantiner sie doch wohl schwerlich
ausgelassen hätte. Ein Gleiches dürfte wohl gelten für Stephanus Byzantius,[2]) der jenen benutzte, aber doch wohl auch die
Notiz beigefügt hätte, wenn sie damals in Konstantinopel schon
bekannt gewesen wäre. Allerdings berichtet auch Hesychius[3])
(Mitte des 6. Jahrhunderts) nichts davon; indessen wäre es
doch wohl möglich, dass die Geschichte zwar damals in Byzanz

---

[1]) Bei Gillius, de Bosporo Thracico in Bandurius, Imp. Orientale,
Paris 1711, I, p. 268: Appellatur autem Chrysopolis, ut quidam dicunt,
ex eo quod Persae imperatores in hunc locum cogerent auri acervos
exactos ab urbium tributis; ut vero multi tradunt, a Chryse, filio Chry-
seidis et Agamemnonis ibi mortuo et sepulto. In hunc enim locum
dicunt Chrysen fugientem metu Aegisthi et Clytemnestrae pervenire
cogitantem in Tauros transire ad sororem Iphigeniam, sacerdotem ini-
tiatam Dianae; sed illum morbo laborantem hic sepultura affectum fuisse
suoque ex nomine loco nomen reliquisse. Posset etiam ab portus com-
moditate ita appellari ab iis, qui mirabilia auro comparare solent.
Vgl. Dionys. Byz. Anaplum Bospori ... ed. O. Frick. Progr. Wesel
1860, S. 4 f.

[2]) Der griechische Text lautet bei Frick, a. a. O. p. 36 (vgl. p. 5):
κέκληται δὲ Χρυσόπολις, ὡς μὲν ἔνιοί φασιν, ἐπὶ τῆς Περσῶν ἡγεμονίας ἐνταῦθα ποιουμένων τοῦ προσιόντος ἀπὸ τῆς πόλεως χρυσοῦ τὸν ἀθροισμόν· οἱ
δὲ πλείους ἀπὸ Χρυσοῦ παιδὸς Χρυσηΐδος καὶ Ἀγαμέμνονος. Falls J. Geffcken,
de Steph. Byz. (Gött. 1889) mit der Annahme (S. 26) Recht hätte, dass
Symeon mag. aus Stephanus geschöpft hat, würde die Geschichte zwischen
dem zweiten und fünften Jahrhundert entstanden sein.

[3]) Hesych. Miles. Πάτρια Κπόλεως ed. Orelli § 11 p. 62: Χρυσόπλεως
... ἦν Χρύσης ὁ παῖς ἐκ Χρυσηΐδος γεγονὸς Ἀγαμέμνονος, φεύγων τὴν Κλυ-
ταιμνήστρας ἐπιβουλὴν μετὰ τὴν τοῦ πατρὸς ἀναίρεσιν, καὶ πρὸς τὴν τῆς
Ἰφιγενείας ζήτησιν ἐπειγόμενος μνῆμα τῆς ἑαυτοῦ ταφῆς τοῖς ἐγχωρίοις κατ-
έλειπεν φθασάσης αὐτὸν τῆς τοῦ βίου καταστροφῆς, offenbar aus Dionys.
Aus Hesychius hat dann abgeschrieben Codin. orig. p. 5 (B.).

nnt gewesen wäre, aber sich noch nicht weiter
lätte. Wie dem nun auch sein mag, jedenfalls
er mit der Geschichte von Byzanz Allgemeingut
nischen Schriftsteller geworden und wird häufig

kannteste und am meisten verbreitete Erweiterung
weifel die Erzählung von Alexanders Zug nach
Die Erzählung stammt offenbar aus jüdischen
l ist hier zur eigenen Verherrlichung oder viel-
wie St. Croix meint,[2] um den Schutz von Ale-
hfolgern zu gewinnen, erfunden. Das gänzliche
aller andern Schriftsteller ausser Josephus[3] be-
falls zur Genüge, dass wir es hier mit einer der
rdungen zur Geschichte des grossen Königs zu

ältere Sagengeschichte hat dieselbe aber keinen
rfunden, weder A' noch B' haben sie. Nur die
m, C, giebt allerdings eine Erzählung von diesem
ber in einer durchaus selbständigen und von Jose-
abweichenden Weise.[4] In der Darstellung des
t sie dagegen übergegangen auch in die inter-
sung der hist. und zwar als fast wörtliche Ueber-
) griechischen Textes (hist. p. 149 Z). Monachos

eispiel führe ich an die auch von Codinus ausgiebig be-
me Schrift Πάτρια τῆς πόλεως, die dem Alexios Komnenos
, wie einige vorausgehende jambische Trimeter besagen,
bei Bandur., Imp. Orientale I, p. 25. Vgl. ebenda p. 76
σύντομοι χρονικαί. Auch Symeon mag. de Const.
p. 728 f. (B.) bringt dieselbe Geschichte.
en critique des historiens d'Alexandre le Grand, p. 69.
nat. 11, 8, 4 ff., daraus herübergenommen hat sie Zonar.
Vgl. im allgemeinen auch Niese, Gesch. der griech. und
nten 1, 83, bes. Anm. 3. — Ueber die Uebereinstimmung
Monachos vgl. auch Istrin, Einleitung S. 112 ff.
24) auch in einem späteren Briefe (2, 43 p. 93, Berger de
Xivrol. p. 389) wird dies erwähnt, und Al. nennt den Gott
ηραφίμ θεόν.

dagegen hat einige, allerdings kleine Abweichungen,[1]) in denen Bi zu ihm stimmt, so dass die Entlehnung aus jenem ganz klar ist; ich führe daher nur den Anfang der Erzählung aus beiden an.

Bi 1604 ff.:

Τὴν Τύρον δὲ παραλαβὼν καὶ ταύτην κατασκάψας
πρὸς Ἰουδαίους ἔπεμψε πρέσβεις, ζητῶν ἐκ τούτων
συμμάχους ἄνδρας ἰσχυροὺς κατὰ Περσῶν γενναίους.
Οἱ δὲ μὴ τοῦτο πράξαντες ὅλως καταδεχθέντες,
ὄντες ὡς ὑποχείριοι τῷ τότε τοῦ Δαρείου,
καὶ ὡς συνθήκας ἔχοντες μὴ μάχεσθαι Δαρείῳ,
Ἀλέξανδρος μετὰ θυμοῦ πρὸς Ἰουδαίαν ἦλθε.
Τοῦτο μαθὼν ἀρχιερεὺς Ἰάδδιος τῇ κλήσει,
πᾶσαν περιβαλόμενος τὴν ἱερὰν ἐσθῆτα
(πολλαῖς γὰρ ἐκεκόσμητο στολαῖς ἔκπαλαι θείαις)[2])
ἀποκαλύψει θείᾳ τε πρὸς ἔκπληξιν καὶ πίστιν κτλ.

Georg. (p. 18 Muralt. Text nach de Boor):

Τὴν Τύρον καταλαβὼν
πρέσβεις ἀπέστειλε πρὸς Ἰουδαίους
αἰτούμενος κατὰ Περσῶν συμμαχίαν.
Οἱ δὲ μὴ καταδεξάμενοι
Δαρεῖον δεδοικότες, ὡς ὑποχείριοι

---

[1]) Die Abweichungen sind folgende: Die ganze Begebenheit wird hinter die Belagerung von Tyrus verlegt; der Traum, in welchem Gott selbst dem Hohenpriester sein Verhalten Al. gegenüber vorschreibt, ist weggelassen, die göttliche Aufforderung wird nur durch die Worte: κατὰ θείαν ἀποκάλυψιν angedeutet; der Name des Platzes, auf dem der Hohepriester Al. erwartet (Σαφὰ λεγόμενος, Scopulus, „Warte") fehlt; die Vorlegung und Deutung der Stelle aus Daniel (8, 21) auf Al. wird vor dem Opfer, das dem Jehovah dargebracht wird, berichtet, und Jos. wie Daniel sprechen nur von einem der Hellenen, Monachos und Bi von Makedoniern.

[2]) Wagner setzt die Klammer falsch nach πίστιν. — Dass diese Bemerkung sich bei Monachos nicht findet, rührt daher, dass derselbe eine ausführliche Beschreibung der hohenpriesterlichen Kleidung vorher gegeben hat.

καὶ συνθήκας ἔχοντες μὴ πολεμεῖν αὐτῷ
θυμωθεὶς Ἀλέξανδρος ἐπῄει τῇ Ἰουδαίᾳ.
Ὁ δὲ ἀρχιερεὺς Ἰαδδαῖος
τὴν ἱερατικὴν ἐσθῆτα περιθέμενος
κατὰ θείαν ἀποκάλυψιν πρὸς ἔκπληξιν καὶ πίστιν κτλ.

st nun diese Erzählung auch von anderen Bearbeitern
lexandersage benutzt worden, so begegnen wir dagegen
ei Bi der Geschichte von dem jüdischen Bogenschützen
nachus, deren Inhalt kurz folgender ist: Alexander nimmt
en Juden einige Hülfstruppen mit, unter ihnen einen
hen Bogenschützen Mosomachus. Auf dem Marsche nach
on wird auf Anraten eines griechischen Sehers plötzlich
gemacht. Mosomachus, der erstaunt nach der Ursache
Aufenthalts fragt, erhält zur Antwort, das Verhalten
eeres müsse sich nach dem Verhalten eines in der Nähe
den Vogels richten. Nach dieser Erklärung spannt Moso-
is seinen Bogen, erschiesst den Vogel und erklärt dem
zt dreinschauenden Griechen: Wie könnt ihr euer Ver-
von dem Verhalten eines Vogels abhängig machen, der
einmal für sich selbst die Zukunft richtig voraussehen
e.

)iese Erzählung, die ich bis jetzt in der Alexandersage
a Bi und der altslavischen Uebersetzung gefunden habe,
st ursprünglich auch aus Josephus,[1]) ist aus diesem von
hos herausgenommen und durch diesen dann wieder in
ergegangen. Dass sie von unserm Verf. nicht direkt aus
hus genommen ist, beweist der Umstand, dass die beiden
en Abweichungen, die im Monachos vorkommen, auch in
h finden: einmal ist der Name Μοσόμαχος statt Μοσόλ-
,[2]) und zweitens spielt sich der Vorfall auf dem Wege

[1]) contra Apionem 1, 22, p. 204 f. (Bekker), p. 37, 2 ff. (Niese, Bd. 6
it. Ausgabe).
[2]) Dieser Name, der nach gütiger Mitteilung meines Kollegen,
Dr. Schneider, der hebräischen Form משלם entsprechen würde.
i der ursprüngliche zu sein (integrum faciens). Aber die Form
früh korrumpiert zu sein, denn im Euseb., der praepar. evang. 9,

nach Babylon ab, nicht, wie bei Josephus, auf dem nach dem
Roten Meere; im übrigen herrscht fast wörtliche Ueberein-
stimmung, und zwar hat Bi hier noch den echten Text des
Monachos vor Augen gehabt.[1])

Dieser Bericht von dem Besuche Alexanders in Jerusalem
nach Monachos existiert, wie schon erwähnt, auch in Sl., und
zwar in allen Bearbeitungen mit dem Unterschiede von unserm
Text, dass die ganze Beschreibung der hohenpriesterlichen
Kleidung bei Monachos in den Bestand der Alexandreis übergegangen ist.[2])

4, 6—9 (Dind.) dieselbe Geschichte erzählt, begegnet die Form *Μοσό-
μαμος*, woraus dann vermutlich weiter *Μοσόμαχος* geworden ist. — Hinweisen möchte ich noch darauf, dass Monachos und mit ihm Bi eine
Stelle richtiger überliefern, als sie in dem cod. Laur. des Josephus überliefert ist. Hier, wie in der lateinischen Uebersetzung (s. Jos. rec.
B. Niese V praef. p. XIV; so auch im Bekker'schen Text) heisst es, nachdem Mosomachos den Vogel getötet hat, und die Seher ihm darüber
Vorwürfe machen: *τί μαίνεσθε, ἔφη, κακοδαιμονέστατον ὄρνιθα λαβόντες
εἰς τὰς χεῖρας· πῶς γὰρ οὗτος κτλ.* Monachos (und Bi) bietet dagegen
übereinstimmend mit Eusebius: *τί μαίνεσθε, ἔφη, κακοδαίμονες; εἶτα τὸν
ὄρνιθα λαβὼν εἰς κτλ.*

[1]) Es ergiebt sich dies besonders aus dem Schluss, wo es nach dem
Schusse in dem Muralt'schen Texte heisst: *Μοσόμαχος τοιάδε ἔφη*, während
Bi ausführlicher sagt: *τὸν δέ γε μάντιν αὖθις λύπην αὐτὸς προυξένησε καὶ
τοὺς συνόντας τούτῳ· ὅθεν λαβὼν Μοσόμαχος νεκρὸν τὸν ὄρνιν ἔφη*, und
so lautet die Stelle auch in dem ursprünglichen Texte des Monachos:
*ἐφ' οἷς ὁ μάντις χαλεπήνας καὶ οἱ τῇ πλάνῃ δεδουλωμένοι λαβὼν εἰς χεῖρας
νεκρὸν τὸν ὄρνιν τοιάδε ἔφη* (vgl. Cedren. p. 271 Bonn.).

[2]) In der ersten Redaktion zeigt sich auch noch ganz deutlich die
Einschiebung; denn es folgt nach den Worten: Und darauf schickte Al.
nach der Einnahme von Tyrus Gesandte an die Juden und verlangte
Hülfe gegen die Perser. Sie aber wollten seine Worte nicht annehmen,
denn sie fürchteten Darius, weil sie unter seiner Hand waren und weil
sie einen Vertrag hatten, nicht gegen ihn zu kämpfen. Da ergrimmte
Al. und zog nach Judäa — unmittelbar die Ueberschrift: Ueber den
Besuch Al.'s in Jerusalem. — In der zweiten Redaktion — ohne Ueberschrift — ist eine Umstellung vergenommen (vgl. Istrin, Einl. S. 360),
da die Erzählung sich an diejenige von der Gründung Alexandrias und
dem Könige Byzas von Byzanz anschliesst. — Istrin, Text S. 14,
152 ff., 284 ff.

...sprechung der Angaben über die Inschrift auf dem
Kyros verspare ich mir für den Schluss dieser Aus...
...ung und wende mich zu I, 4, 5. Diese beiden
...den sich in einer Art von Charakteristik, die Bi
...nach der Erzählung von dem Tode Alexanders
stammen ebenfalls aus Monachos, der sie gleich...
...der — von Bi und der Alexandersage überhaupt
...weichenden — Darstellung der Kandakegeschichte
...mittelbar sich daran anschliessenden Berichte von
...und der Dauer der Regierungszeit des Königs ein...
führe den Anfang der Charakteristik aus beiden an.

Bi 6047 ff.:[1])

ἀλλὰ μὲν οὖν εἰργάσατο μυρία, παμμεγέθη,
λόγον ὑπερβαίνοντα καὶ γνῶσιν ἀνθρωπίνην.
πηγὴν γὰρ πάρδαλιν αὐτὸν ὁ Δανιὴλ προλέγει
πυρώδες καὶ ταχὺ καὶ δυνατὸν προβλέπων.

Mon. p. 24:

ἃ μὲν οὖν καὶ ἄλλα μυρία τρόπαια καὶ δυς-
...α καὶ λόγον ὑπερβαίνοντα εἰργάσατο.
διὰ τοῦτο πηγὴν πάρδαλιν ὁ προφήτης
...προβλέπει τὸ ταχὺ καὶ σφοδρὸν καὶ
...δηλῶν.

...ache darauf aufmerksam, wie der Verf. einmal vernünftiger
...die des Monachos vermieden hat, und zweitens statt des
...B. Cedren. (p. 272 B.) und Glykas (p. 268 B.) ohne
...schreiben, den Namen eingesetzt hat, s. Dan. 7, 5, dessen
...mit den 4 Flügeln und 4 Köpfen auf Alexanders Monarchie
...; vgl. Zöckler, Der Prophet Daniel S. 75 f., auch S. 39, 67.
...Erzählungen mit den einleitenden Worten finden sich
...weiten Redaktion von Sl. (Istrin, Text p. 239 f.), aber nach
...hin abweichend von der Darstellung in Bi: 1. hat Sl.
...unmittelbar nach der Rückkehr Al.'s in den Palast, und
...folgt die Erzählung von dem Tode Al.'s und den ihn be-
...; 2. ist hier die Stelle des Monachos ohne irgend
...rung gegeben, während Bi hier einige durchaus ver-
...rungen vorgenommen hat. Vgl. Istrin, Einl. S. 287.

Die Geschichte von dem Philosophen selbst[1]) lautet bei

Bi 6053 ff.:

Ὅθεν καὶ τούτῳ προειπών τις τῶν φιλοσοφούντων,
ὡς κόσμοι πλείονες εἰσίν, οὗτος στενάξας ἔφη·
„εἰ κόσμοι πλείονες εἰσίν, ἑνὸς αὐτὸς οὐκ ἦρξα“.

---

[1]) Aus Monachos haben die Geschichte Kedrenos (p. 272) und Glykas (p. 268) herüber genommen. Uebrigens wird diese Anekdote mehrfach erzählt. Am meisten Aehnlichkeit mit der bei Monachos gegebenen
Form hat die Ueberlieferung bei Plut. de tranq. an. c. 4, wo auch der
Name des Philosophen genannt ist: Ἀλέξανδρος Ἀναξάρχου περὶ κόσμων
ἀπειρίας ἀκούων ἐδάκρυε καὶ τῶν φίλων ἐρωτώντων ὅ τι πέπονθεν „οὐκ
ἄξιον“ ἔφη „δακρύειν, εἰ κόσμων ὄντων ἀπείρων ἑνὸς οὐδέπω κύριοι γεγό-
ναμεν“; Monachos aber hat die ganze Stelle, wie mir scheinen will, aus
Joa. Chrysostomos genommen, der in der zweiten Homilie zu 1. Thes-
salon. 1 (Migne, Patrol. 62, p. 400) die ganze Stelle so ähnlich hat, dass
ein anderer Schluss kaum möglich ist: Ἃ γὰρ ὁ Μακεδόνων βασιλεὺς εἰργάσατο, πάντα ὑπερέβαινε λόγον . . . διὰ τοῦτο πτηνὴν πάρδαλιν αὐτὸν ὁρᾷ ὁ
προφήτης, τὸ τάχος καὶ τὸ σφοδρὸν καὶ τὸ πυρῶδες καὶ τὸ ἄφνω που δια-
πτῆναι τὴν οἰκουμένην μετὰ τροπαίων καὶ νίκης δηλῶν. Λέγουσι δὲ ὅτι
καὶ φιλοσόφου τινὸς ἀκούσας λέγοντος, ὅτι ἄπειροι κόσμοι εἰσί, πικρὸν ἐστέ-
ναξεν εἴ γε ἀπείρων ὄντων μηδὲ ἑνός που κεκράτηκεν· οὕτως ἦν μεγαλόφρων
καὶ μεγαλόψυχος καὶ πανταχοῦ τῆς οἰκουμένης ἥδετο. Besonders das εἰ bei
Monachos, das eigentlich völlig sinnlos ist, spricht deutlich für eine
Entlehnung aus Chrysostomos, der seinerseits die Geschichte vielleicht
aus Plutarch kannte. — Uebrigens ist der Ausspruch, weil er, wahr oder
erdichtet, doch für Al., bezw. die Auffassung seiner Persönlichkeit, sehr
charakteristisch ist, natürlich sehr bekannt geworden und findet sich
auch in den uns erhaltenen Anekdotensammlungen von Val. Max. 8, 14,
ext. 2 — wo auch Anaxarchus, der ein Schüler des Demokritus genannt
wird (vgl. über ihn Droysen, Al. 2, 89), diesen Ausspruch thut — und
Ael. var. hist. 4, 29 — in einer von der unsrigen am meisten abweichenden Form —; wie denn jedenfalls im 1. Jahrh. n. Chr., und vielleicht
eben durch die um 30 n. Chr. herausgegebene (Schanz, Gesch. d. röm.
Litt. 2, 349) Sammlung des Maximus dieses Wort die Geltung eines
„geflügelten“ angenommen haben muss, da Juv. 10, 168:

unus Pellaeo iuveni non sufficit orbis

ohne weitere Erklärung darauf anspielen konnte.

Mon. p. 24:

Λέγεται δὲ ὅτι καὶ φιλοσόφου τινὸς εἰπόντος
ἤκουσεν, ὅτι ἄπειροι κόσμοι εἰσίν· ὃς καὶ μέγα
στενάξας ἔφη „εἰ ἀπείρων ὄντων μηδὲ ἑνὸς ἐγὼ
ἐκυρίευσα."

Bei der folgenden Erzählung von der Aeusserung Alexanders gegenüber seinem Namensvetter hat unser Verf. wiederum
durch eine Auslassung bewiesen, dass er keineswegs ein gedankenloser Abschreiber gewesen. Er lässt nämlich hier die
Bemerkung des Monachos: *ὅθεν καὶ πανταχοῦ ᾔδετο (ᾔδετο?)*
καὶ ἐθαυμάζετο, μάλιστα διὰ τὴν σωφροσύνην αὐτοῦ καὶ σύνεσιν
καὶ τὴν ἀγχίνοιαν τε καὶ φιλοσοφίαν. Ἀριστοτέλει γὰρ μαθη-
τεύσας πᾶσαν λογικὴν ἐπιστήμην εἰς ἄκρον ἐπαιδεύθη — Angaben, die unser Verf. ja schon längst gemacht hatte, vernünftiger Weise beiseite und bringt nur die Geschichte selbst
(Mon. 25), und zwar fast wörtlich übereinstimmend.[1]

Interessant ist es, die Art und Weise näher zu betrachten,
in der Bi die Erzählung von den Brahmanen, wie sie ihm in
der Vorlage geboten wurde, weiter ausgeführt hat.[2] Die
gemeine Einkleidung und der Fortgang der Erzählung sind

[1] Eine Abweichung ist nur in den letzten Worten *ἢ σὺ τὴν τύχην*
..... oder durch die κλῆσιν, wo Muralt *τρόπον* statt *τύχην* hat, sonst
.... (ἔλεγεν nach de Boor, Muralt hat *ὄνομα*): vermutlich ist
.... zu lesen. Die Geschichte wird, wenn auch nicht so zuge-
.... von Plut. Al. c. 58 und Curt. 8, 11, 10 angeführt. — Auch
...... Alexandersage bringt diese Anekdote: Ein anderer grosser
...... desselben Namen Al. hatte, war sehr furchtsam und floh
...... Al. sagte zu ihm: Mensch, entweder ändere deinen
...... (deine) Thaten, mein Name ist für dich eine Schande
.... S. 407, vgl. Wesselowsky 1, S. 408 f.).
...... hat diese Uebereinstimmung zwischen Monachos und
...... (Einl., S. 207). In der zweiten Redaktion von Sl. findet
...... auch eine Bearbeitung dieser Brahmanengeschichte (Istrin,
...... 81), die allerdings der unsrigen durchaus nicht entspricht,
...... erste Redaktion die Uebersetzung der ganzen Abhandlung
Palladius, aber erst am Schluss der ganzen Alexandergeschichte,
vgl. Istrin, Text p. 106 ff.).

dieselben wie bei Pseudo-Kallisthenes, speziell der jüngeren Rezension. Dagegen ist die Unterhaltung mit dem Brahmanenfürsten Dandamis wesentlich länger und anders als in den griechischen Bearbeitungen und bietet einen Auszug aus dem unter dem Namen des Palladius gehenden Werkes Περὶ τῶν τῆς Ἰνδίας ἐθνῶν καὶ Βραχμάνων. Aber auch hier ist es nicht dieses selbst, das unser Verf. eingesehen und benutzt hat, sondern wiederum das Werk des Monachos. Beweis dafür ist eine Bemerkung über den Nil, die bei Palladius fehlt, bei Monachos aber steht.

Bi 4817 ff.:

Λέγουσι δὲ τὸν ποταμὸν τὸν Νεῖλον ἐν Αἰγύπτῳ
μέσον τοῦ θέρους τὸν αὐτὸν μὴ πλημμυρεῖν, ὡς ἔθος,
ἀλλ᾽ ἅπασαν τὴν Αἴγυπτον καλλίστως περικλύζειν[1])
ζώνην ἡλίου θέοντος τότε βορειοτέραν
καὶ τοῖς μὲν ἄλλοις ποταμοῖς σμικρύνοντος τῇ θέρμῃ
καὶ ζημιοῦντος, τούτῳ δὲ πλεῖστον ἀποφευγότος.

Mon. p. 25:[2])

Ὅπερ δὲ καὶ τὸν Νεῖλόν φασι οὐ κατὰ τὸν
αὐτὸν τοῖς ἄλλοις ποταμοῖς πλημμυρεῖν καιρόν,
ἀλλὰ μεσοῦντος τοῦ θέρους ἐπικλύζειν τὴν

---

[1]) Der Sinn ist gänzlich verdreht, bezw. die ganze Sache unverständlich geworden. Man müsste entweder ein völliges Missverständnis unseres Verf. annehmen oder eine durch einen Schreiber hervorgerufene Verwirrung; vielleicht ist so zu lesen:

κατὰ καιρὸν μὲν τὸν αὐτὸν μὴ πλημμυρεῖν, ὡς ἔθος,
μέσον δὲ θέρους Αἴγυπτον καλλίστως περικλύζειν.

[2]) Aus Monachos haben dann Cedren. (p. 266) und Glykas diese Worte an derselben Stelle ausgeschrieben; letzterer auch noch p. 19 bei der Auseinandersetzung über den zweiten Schöpfungstag. Auch Suid. hat s. v. *Βραχμάν* mit der übrigen Darstellung diese Notiz aus Monachos herüber genommen (s. de Boor, D. Chron. des Georg. Mon. als Quelle des Suidas, S. 21). Woher Monachos speziell diese Notiz genommen hat, vermag ich nicht anzugeben. Ich erinnere daran, dass diese Erscheinung, wie der Nil gerade in der heissen Zeit (Juli-September) anschwillt, auch in späterer Zeit, wo man die Erklärung dafür ahnte oder kannte, die Aufmerksamkeit erregt hat. Vgl. z. B. Diod. 1, 36, 7; Abd-Allatif, R.

ττον ὡς τοῦ γε παντὸς ἡλίου τὴν βορειοτέ-
ᴵκαθέοντος ζώνην καὶ τοῖς ἄλλοις μὲν παρεν-
ἰντος ποταμοῖς καὶ σμικρύνοντος, τούτου δὲ
ᴵον ἀπέχοντος.

Verf. hat nun den Bericht, den ihm Monachos
ᴵlständig in die andere Erzählung des Ps.-K. hinein-
doch so, dass das Ganze — mit einer gleich zu
den Ausnahme — dem Dandamis in den Mund ge-
während Monachos es als historischen Bericht giebt.
ᴵ den Worten: *('Αλ.) ἔρχεται πρὸς Βραχμάνους* schiebt
ᴵnes Stück ein:

v. 4699 ff.:

ὺς μακροβίους τε φημί· ζῶσι γὰρ οὗτοι πάντες
ἔτεσι πεντήκοντα πρὸς ἑκατὸν καὶ πλείοις
ᴵ εὐκρασίαν τὴν πολλὴν καὶ καθαρὰν ἀέρος.

Mon. p. 25 (cf. Pall. c. 7 M, p. 3 Biss.):

ᴵ Μακρόβιοι· ζῶσι γὰρ οἱ πλείονες αὐτῶν περὶ
ᴵ ἔτη διὰ τὴν πολλὴν καθαρότητα καὶ εὔκρα-
τοῦ ἀέρος καὶ ἀνεξερεύνητον θεοῦ κρίμα.

aber lenkt unser Verf. wieder vollständig in die
g der jüngeren Bearbeitung des Ps.-K. ein bis zu
ᴵandersetzung des Dandamis. Während in dieser
ᴵandamis auf die Frage des Königs, ob sie Eigentum
besitzen, einfach antwortet: κτήματα ἡμῖν γῆ, δένδρα
ᴵ, φῶς ἥλιος, σελήνη, ἀστέρων χορός, ἀέρων χύσις
ᴵihlt er in Bi übereinstimmend mit Monachos (und
eine ganze Reihe einzelner Sachen auf, nämlich:

ᴵΕgypto (trad. par Silvestre de Sacy) p. 2: La seconde parti-
ᴵᴵᴵrquer par rapport au Nil, c'est que le temps de sa crue
ᴵᴵᴵᴵᴵ l'époque, où tous les autres fleuves diminuent et où
ᴵᴵᴵᴵᴵᴵᴵᴵ.

ᴵ.ᴵ, ᴵ; das ἀέρων χύσις wird nur von B — nicht von L —
Ich würde, wenn dies richtig ist, die ganze Stelle so über-
ᴵr Besitztum ist die Erde und die Fruchtbäume, unser Licht
ᴵ und Sternenchor, unser Wasser der Regen (= ἀέρων χύσις?).

Pallad. (c. 9 M., p. 8 Biss.):	Mon. p. 26:[1)	Bi 4792 ff.:
τετράποδον	τετράποδον	τετράποδον
γεώργιον	γεώργιον	σίδηρος
σίδηρος	σίδηρος	σῖτος[2)
οἰκοδομή	οἰκοδομή	οἴκων ἐποικοδομαί
πῦρ	πῦρ	—
—	χρυσός	χρυσός (ξίφος)
—	ἄργυρος	ἄργυρος (μόλυβδος)
ἄρτος	ἄρτος	ἄρτος
οἶνος	οἶνος	οἶνος
ἱμάτιον	ἱμάτιον	ἱμάτιον
—	κρεοφαγία	κρεωφαγία.

Demnach hat auch hier Bi unzweifelhaft aus Monachos geschöpft,[3) zumal, da auch die Bemerkung, mit welcher letzterer seine Erörterungen über die Lebensweise (πολιτεία) der Brahmanen abschliesst: καὶ αὕτη μὲν ἡ τῶν Βραχμάνων πολιτεία καὶ διαγωγή[4) nur mit Einfügung des in diesem Zusammenhange richtigen ἡμῶν und Auslassung von διαγωγή wiederkehrt.

Darauf folgen nach einer kurzen Angabe aus Pseudo-Kall. (4801—4 = 3, 6 B, p. 774 L) die Verse: ἐν τούτοις (den Bäumen) ἄλλο μὲν ἀνθεῖ, θάτερον ὀμφακίζει (st. φακιάζει W) ἄλλο τρυγᾶται παρ' ἡμῶν ἔχον καρποὺς καλλίστους[5) (4805. 6), deren

---

[1) Der Text des Monachos nach de Boor; bei Muralt fehlen οἶνος, ἱμάτιον, κρεοφαγία, überdies steht statt πῦρ — πύργος.

[2) Damit ist wohl das γεώργιον des Monachos gemeint.

[3) Monachos haben ausser Bi auch Cedrenus (p. 268), Glykas (p. 269, sehr gekürzt), und, wie de Boor a. a. O. S. 20 nachgewiesen hat, Suidas ausgeschrieben; dieser lässt nur ἱμάτιον aus.

[4) καὶ διαγωγή fehlt bei Muralt; die ganze Bemerkung, ohne die beiden letzten Worte, stammt aus Pallad. (c. 9 a. E. M., p. 10 Biss.) und kehrt auch bei Suidas am Ende des Artikels wieder, Cedrenus lässt sie weg.

[5) Die Worte erinnern eigentümlich an die bekannten Verse Homers bei der Beschreibung des Gartens des Alkinoos Od. 7, 123 ff.:

τῆς (ἀλωῆς) ἕτερον μὲν θειλόπεδον λευρῷ ἐνὶ χώρῳ
τέρσεται ἠελίῳ, ἑτέρας δ' ἄρα τε τρυγόωσιν,
ἄλλας δὲ τραπέουσι· πάροιθε δέ τ' ὄμφακές εἰσιν
ἄνθος ἀφιεῖσαι, ἕτεραι δ' ὑπατερκάζουσιν.

Inhalt aus Monachos (p. 25) stammt, während die Stelle eine andere bei Bi geworden ist. Es schliessen sich daran in Bi, der jüngeren Bearbeitung des Ps.-K. entsprechend, die Angaben über die Löschung des Durstes mit dem Wasser des Euphrat und über den Verkehr der Brahmanen mit ihren Frauen. Den letzten Punkt, der von Ps.-K. sehr kurz abgemacht wird, behandelt Bi wiederum im engsten Anschluss an Monachos sehr ausführlich.[1])

Mit dieser Auseinandersetzung und den schon oben angeführten abschliessenden Worten: καὶ αὕτη μέν u. s. w. endet dann offenbar die Rede des Dandamis. Das folgende (4840 bis 4858) ist eine eigene Ausführung des Verf., gleichfalls im engsten Anschluss an Monachos, über den Odontotyrannus,[2]) ein Untier, das ganze Elephanten verschlingen kann, und sonstige wunderbare Tiere. In Bi wird dieselbe eingeführt mit den Worten: ἱστορικοὶ δὲ λέγουσι (4840), während die Vorlage einfach φασὶν bietet. Vermutlich wollte der Verf. damit absichtlich den folgenden Bericht als einen aus einem Schriftsteller entlehnten Abschnitt bezeichnen und diese ganze Darlegung gewissermassen als Parenthese aufgefasst wissen. Dazu stimmt die Erwägung, dass die Worte v. 4859 ff.:

ὡς δ' ἔμαθεν Ἀλέξανδρος πάντα τὸν βίον τούτων
ἐθαύμασε τὴν τῶν ἀνδρῶν ἐκείνων πολιτείαν,
τὴν εἰς θεοὺς εὐσέβειαν, χρηστὴν φιλοσοφίαν

offenbar unmittelbar auf jene Rede des Dandamis folgen müssen. Der Verf. wollte aber gern die Tiergeschichten mit anbringen, und hat sie nun durch den Zusatz ἱστορικοὶ δὲ λέγουσι als nicht zur Rede des Dandamis gehörig zu bezeichnen versucht. Ich würde daher vorschlagen, die Verse 4840—58 im Texte auch wirklich in Klammer zu setzen.

---

[1]) Nur die Bemerkungen über die Kinder und ihre Erziehung (4828 bis 4830) weichen von Monachos und Palladius ab und scheinen eine selbständige Aenderung unseres Verf. zu sein.

[2]) Man vergleiche über die Bedeutung dieses Untieres Berger de Xivrey, Tradit. tératologiques p. 268 ff., Zacher, Pseudo-Kall. S. 153 ff.

Der Inhalt der Erzählung stimmt durchaus zu Monachos mit einer kleinen Aenderung in der Anordnung: die Bemerkung, dass der Odontotyrannus während der Zeit, wo die Brahmanen ihre Frauen besuchen, sich nicht zeigt, folgt bei Bi erst nach dem Bericht von den sonstigen in der Gegend befindlichen Wundertieren, bei Monachos — übereinstimmend mit Palladius — unmittelbar auf die Beschreibung des Untieres selbst.

Den Abschluss dieser Erzählung hat unser Verf. dann in gewissem Sinne völlig selbständig gemacht. Nach den schon oben angeführten Worten ὡς δ' ἔμαθεν Ἀλ. u. s. w. folgen die Verse:

ὅθεν καὶ στήλην ἔστησε παρὰ Βραχμάνοις γράψας·
„Ἀλέξανδρος ὁ βασιλεὺς ἔφθασα μέχρι τούτου".

Daran knüpft sich sodann der Fortgang der Erzählung nach dem Berichte des Ps.-K. Jene beiden Verse stammen nun allerdings ihrem Inhalte nach auch aus Monachos, aber sie stehen hier zu Anfang der ganzen Schilderung des Lebens der Brahmanen: (Ἀλέξανδρος) τὴν εἰς τὸν πάντων θεὸν εὐσέβειάν τε καὶ λατρείαν μεμαθηκὼς ἐξεπλάγη πάνυ καὶ ἠγάσθη τῆς τῶν ἐκείνων ἀκροτάτης φιλοσοφίας. Ἐν ᾧ (καὶ add. M.) τόπῳ καὶ (om. M.) στήλην στήσας ἐπέγραψεν (ἔστησεν ἐπιγράψας M.)· „ἐγὼ μέγας Ἀλέξανδρος βασιλεὺς ἔφθασα μέχρι τούτου."

Ueberschauen wir also noch einmal die ganze Darstellung bei Bi, so ist zuzugestehen, dass der Verf. nicht ungeschickt bei der Ineinanderarbeitung der Berichte verfahren ist, und sich jedenfalls durchaus nicht sklavisch an seine Vorlage gehalten, sondern den ihm gebotenen Stoff in seiner Weise selbständig verarbeitet hat.

Es bleibt noch kurz die Stelle über die Inschrift auf dem Grabe des Kyros zu besprechen, die nicht aus Monachos genommen ist, weil sie bei ihm nicht vorkommt. Sie findet sich bekanntlich auch bei den Historikern,[1]) aber in verschiedener

---

[1]) Arr. 6, 29, 8. Strabo 15, 3, 7, p. 730 aus Aristobul: ὦ ἄνθρωπε, ἐγὼ Κῦρός εἰμι ὁ τὴν ἀρχὴν τοῖς Πέρσαις κτησάμενος (καταστησάμενος Arr.) καὶ τῆς Ἀσίας βασιλεύς (βασιλεύσας Arr.)· μὴ οὖν φθονήσῃς μοι τοῦ μνήματος.

ie von unserm Verf. gegebene stimmt vollkommen
m Plutarch angeführten überein. Indessen ist es
als zweifelhaft, ob sie unmittelbar aus diesem ge-
sind näher scheint es zu liegen, dass dieselben aus
er seinerseits wieder aus Plutarch geschöpft hat.
Die Inschrift lautet bei

Bi 3767 ff.:

δεν ἥκεις, ἄνθρωπε, καὶ τίς δε πέλεις φράσον,
ἐν ἥξεις ἀκριβῶς ἐπίσταμαι καὶ λέγω·
γὰρ Κῦρος βασιλεὺς ὁ κείμενος ἐνθάδε,
αις ὁ δείξας τὴν ἀρχὴν καὶ βασιλείαν στήσας·
τὸν ὀλίγης μου τῆς γῆς καὶ ταύτης σὺ φθονήσῃς,
γὰρ σῶμα δυστυχῶς αὕτη περικαλύπτει.

Zonar. 4, 14, p. 349 (Bonn.):

ἄνθρωπε, ὅστις εἶ καὶ πόθεν ἥκεις,
γὰρ ἥξεις, οἶδα·
ἡ Κῦρός εἰμι
Πέρσαις κτησάμενος τὴν ἀρχήν.
ἡ οὖν τῆς ὀλίγης μοι ταύτης γῆς φθονήσῃς,
τοὐμὸν σῶμα περικαλύπτει.

III. Resultate.

wir jetzt aus dem Dargelegten die Ergebnisse, so
h uns zunächst folgendes:

Quelle unseres Verf. ist das Werk des Pseudo-

ersten Teile (bis II, 22) sind grosse Abschnitte der
rlieferung entlehnt, im zweiten Teile hat sich der
och der jüngeren Ueberlieferung angeschlossen.

bei Plutarch führt Fränkel, Quellen der Alexanderhistoriker,
cht ohne Wahrscheinlichkeit auf Chares zurück. — Ueber
das Grab des Kyros zu Murgab vgl. Duncker, Gesch. der
l., Justi, Gesch. des alten Persiens (Oncken I, 4), S. 44 ff.

3. Daher kann keine der uns bekannten Hdss. die Quelle von Bi gewesen sein; doch weisen einige Spuren auf einen nahen Zusammenhang mit L.

4. Der Verf. hat ausser dem Ps.-K. noch andere Quellen, besonders den Georgios Monachos benutzt.

In Bezug auf Punkt 3 möchte ich nun noch die Bearbeitung des altslavischen Redaktors heranziehen, die uns durch Istrins treffliche Ausgabe bekannt geworden ist; es wird sich uns, wie ich glaube, dabei herausstellen, dass L, Bi, Sl., und teilweise auch C innerhalb der jüngeren Bearbeitung einen bestimmten Typus darstellen, der seine besonderen Eigentümlichkeiten hatte. Es sei mir daher gestattet, da jene Ausgabe in Deutschland verhältnismässig wenig bekannt sein dürfte, auf die hauptsächlichsten Berührungspunkte, zunächst zwischen L und Sl., auf die teilweise schon Istrin in der Einleitung und in den Anmerkungen hingewiesen hat, und dann auch zwischen Sl. und Bi aufmerksam zu machen.

I. An Zusätzen finden sich folgende übereinstimmende.

1. Bei dem Berichte von der Verwandlung des Nektanabus in eine Schlange und dann in einen Adler setzen L (p. 712) und C (1, 10, A. 6) hinzu: καὶ τὸ ποῦ ἐχώρησε περιττὸν τὸ λέγειν. Dieselbe Bemerkung giebt auch Sl. (p. 13): und wohin er ging, ist viel (so) zu sagen.

2. Lysias redet bei der Hochzeit Philipps mit Kleopatra den König an: Φίλιππε, βασιλεῦ καὶ πάσης πόλεως δυνάστα, der letzte Zusatz findet sich nur in L (p. 720), C (1, 21, A. 3) und Sl. (p. 23).

3. 1, 23 findet sich der Zusatz zu Φίλιππος — ὁ βασιλεὺς τῶν Ἑλλήνων, und zu ζωγράφῳ — Ἕλην nur in L (p. 722) und Sl. (p. 25).

4. Die Erzählung von der Eroberung und Zerstörung Thebens kommt nur in L und Sl. zweimal vor, und die ausführlichere Erzählung derselben (1, 46) begegnet nur in L und Sl. (p. 52) an dieser Stelle. Interessant dabei ist, dass,

wenn schon L kürzer ist als A, Sl. nun noch mehr kürzt, wenn im übrigen auch der Wortlaut fast völlig stimmt.

5. L (p. 750), C (2, 15, A. 26) und Sl. (p. 63) stimmen zusammen in dem Zusatz, dass Alexander zum Eumelos „zu Fuss" zurückkehrt.

6. Der Zusatz zu den Worten der Wegweiser, dass sie den Weg nicht weiter kennen und deshalb zur Umkehr raten *ἵνα μὴ εἰς τόπους χείρονας ἐμπέσωμεν* findet sich nur in L (p. 761), C (2, 37 u. A.) und Sl. (p. 77).

7. Als die Makedonier von dem beabsichtigten Heereszuge Alexanders gegen Indien hören, murren sie; dieser trennt daher das makedonisch-griechische Heer von dem persischen und *εἶπε πρὸς τοὺς Μακεδόνας καὶ Ἕλληνας* (L p. 769, Sl. p. 80 und A. 1). nur *αὐτούς* (A, B, C, 3, 1). Der Beginn der Rede des Königs lautet in L, C, Sl. *ἄνδρες συστρατιῶται καὶ σύμμαχοι,* in A, B *Μακεδόνες*.

8. und 9. kleine Zusätze in 3, 23: *βασιλικήν* zu *μάχην* und a. E. *πορευομένου αὐτοῦ* (L p. 781. 82, Sl. p. 94. 95).

II. Auslassungen und Abweichungen sonstiger Art.

1. Am Anfange von 1, 27 bietet L: *φήμης δὲ γενομένης ὅτι τέθνηκεν Φίλιππος καὶ ἀγανακτήσας ἐπέβη τοῖς Θηβαίοις.* B berichtet viel ausführlicher von der Art und Weise, wie die Nachricht von dem Tode Alexanders nach Athen gekommen. Meusel nimmt infolge dessen eine grössere Lücke im Texte an. Dass dies aber nicht der Fall ist, sondern nur eine Verderbnis des Textes vorliegt, beweist Sl. (p. 29), wo der Anfang des Kapitels lautet: Es war nun verkündigt, dass Alexander, der makedonische König, auf einem Heereszuge getötet war. Als dies Alexander hörte und sich ärgerte, zog er sogleich fort, um Theben zu belagern. Darnach würde der Text in L etwa folgendermassen herzustellen sein: ... *ὅτι τέθνηκεν Ἀλέξανδρος ὁ Φιλίππου, οὗτος ἀκούσας καὶ ἀγανακτήσας* (auch in Sl. stehen beide Verben im Partizipium) *ἐπέβη κτλ.* Jedenfalls stimmen L und Sl. in der Auslassung des längeren Berichtes überein.

2. Es fehlt in L wie in Sl. die durchaus notwendige Antwort Alexanders auf die ruhmredige Lobhudelei des Dichterlings: κρεῖττον ἡμεῖς γράψομεν τὰς πράξεις τοῦ Ὁμήρου, in denen ebenfalls Sl. zu L, nicht zu B und C stimmt.[1])

3. 2, 10 a. E. lautet der Schluss eines Briefes Al.'s an Darius übereinstimmend in L (p. 745) und Sl. (p. 57 und A. 8): „Dies ist der letzte Brief, den ich an dich schreibe", B, C fügen hinzu: γνησίως ἔχων πρός σε.

4. 3, 6 fehlt in L (p. 774) und Sl. (p. 85 und A. 7) ἀέρων χύσις.

5. 3, 23 fehlt in L (p. 781) und Sl. (p. 94) der Zusatz κατὰ μόνας.

6. Als Al. mit der Fackel von dem Gastmahle des Darius davoneilt, heisst es bei L (p. 750): ὁ δὲ Ἀλ. ἦν ὥςπερ ἀστὴρ ἐξ οὐρανοῦ φαιδρὸς ἀνιὼν μόνος. und ebenso bei Sl. (p. 63): Al. aber war wie ein Stern am Himmel glänzend allein dahingehend; B setzt hinzu: ἔχων φῶτ' (sic) ἄπειρον ἔμπροσθεν (2, 15, A. 24).

7. In der Anrede des sterbenden Darius an Al. stimmt Sl. (p. 70) genau nur mit L in den Worten: τὴν δ' ἐμὲ τεκοῦσαν ὡς σὲ τεκοῦσαν ἀνατίθημί σοι, SL: Die mich geboren habende übergebe ich dir wie eine dich geboren habende; ähnlich C (2, 20, A. 17); A B: τὴν δὲ ἐμὲ τεκοῦσαν παρατίθημι σοι (2, 20).

8. Von einer wilden Völkerschaft heisst es am Schlusse der Beschreibung in B (Berger de Xivrey, p. 360) offenbar richtig: οὐ γὰρ ἐλάλουν, ἀλλ' ὡς κύνες ὑλάκτουν, in L (p. 761) und Sl. (p. 76): sie besassen nicht menschliche Ueberlegung, sondern bellten . . . .

9. Von den an die Brahmanen gerichteten Rätselfragen heisst die eine: „Was ist früher, die Nacht oder der Tag?" Die Antwort lautet in B: ἡ νύξ, καὶ γὰρ τὰ γενόμενα ἐν τῷ σκότει τῆς γαστρὸς αὐξάνονται, εἶτα εἰς τὴν αὐγὴν ἀποκύει

---

[1]) B 1, 42: κρείττονα ἡμεῖς γράψομεν. — C 1, 42, A. 11, L p. 738, Sl. p. 51. Nach Sl. ist das σου, das Meusel hinter πράξεις einschiebt, gerechtfertigt: Besser als Homer werden wir deine Thaten beschreiben. ·

τὸ βρέφος, in L der letzte Teil (p. 773): εἶτα ... ἀπο-
βεῖν τὸ φῶς übereinstimmend mit Sl. (p. 85): und darauf
ı ans Licht geboren, um das Licht zu nehmen.

bereinstimmungen in einzelnen Wörtern, Namen
und Zahlen.

1, 14, B: διεσώσατο, L (p. 715): διεζώσατο, Sl. (p. 18):
ιεῖε εἰοῖε.

2, 14 a. E.: (ʾΑλ.) πρῶτος ἐκηρύχθη (B), L: ἀνεκλήθη
ı), dafür hat Sl. (p. 62 oben) ἀνεκλίθη gelesen oder
ε

2, 15 (B, C): ᾔδει, L (p. 749): εἴδη = Sl. (p. 62): er sah.
2, 21 (A, B. C): σατραπείας, L (p. 756): τιμὰς μεγάλας
(p. 71).

Die wilde Völkerschaft der ʾΟχλιστοί ist nach B[1]) ζώ-
ɩρωεζωσμένοι, nach L (p. 760) περιεζωσμένοι δέρματα
ν, Sl. (p. 75 und A. 8) in Felle gekleidet.

Der Name von Darius' Bruder ist in L (p. 741) und Sl.
und A. 6) ʾΟξυδέλκυς, ʾΟξυδέρκης in B, C.

Der Name des Persers, der Al. bei dem Gastmahle des
erkennt, lautet in L (p. 749) Παραγάγης = Sl. (p. 62
, 4).

Der Name von Kandaules' Bruder Thoas findet sich in
ιrɩde Al.'s an diese beiden nur in L (p. 781) und Sl.
ιει, A. 6).

In Zahlenangaben stimmt Sl. zu L an drei Stellen:
ʼp. 782, Z. 3): μεθ' ἡμέρας δέκα = Sl. (p. 95), sonst
μέρας τινάς (B 3, 23) — b) L (p. 785) 120 Stadien =
98), B (3, 28) 150, C (3. 28, A. 5): ἑπτd, δ λέγεται μί-
— c) Der Becher, den Al. in dem Palaste des Kyros
fasst nach Ł. (p. 786), C (3, 28, A. 23) und Sl. (p. 99)
ιas. nach B. (8, 28) μετρητὰς ζ, wohl mit Müller zu
ı

2, 88: ζάματα schreibt Berger de Xivrey a. a. O. p. 856, Müller

IV. Wichtiger aber und entscheidender als die bis jetzt zusammengestellten Uebereinstimmungen ist die Thatsache, dass L und Sl. in einigen ganz auffallenden Fehlern zusammenstimmen; besonders hervorzuheben sind folgende.

1. Als Darius bei dem Gastmahle den Perser, welcher Al. erkannt zu haben glaubt, fragt, woher er ihn kenne, antwortet dieser nach L[1]): ὅταν ἐπέμφθην ὑπὸ σοῦ, βασιλεῦ, πρὸς Φίλιππον, ἔβλεπον τοὺς φόβους Ἀλεξάνδρου ἐν Μακεδονίᾳ u. s. w.: A, B, C haben statt dessen: ἔβλεπον τοὺς χαρακτῆρας Ἀλεξάνδρου u. s. w. Mit L stimmt nun in jenem sinnlosen Fehler Sl. genau überein: . . . sah ich die Furcht Alexanders und seine Schönheit und seinen Verstand und seine Gestalt. Der Fehler ist vielleicht aus einer Verlesung von φόρους und φόβους entstanden; in A wird nämlich berichtet, der Perser sei nach Makedonien geschickt τοὺς φόρους ἀπαιτῆσαι, so dass durch Nachlässigkeit oder Ueberschlagen einer Zeile von seiten des Schreibers ein derartiges Versehen wohl erklärlich wäre. Jedenfalls war er aber also schon in der Vorlage von L und Sl. vorhanden.

2. In dem eigentümlichen Fehler Ἰνδῶν statt ἰδίων in der Erzählung von dem Baumorakel stimmt Sl. (p. 88 und 222; vgl. Einleitung. S. 86) mit L und folglich auch mit Bi überein (vgl. oben S. 52).

3. Bei der Besichtigung ihres Palastes zeigt Kandake dem Könige u. a. glänzende Lagerstätten ἐκ λίθου ἀερίτου A (3, 22. A. 4), ἀργίτου B (3, 22), ἀρρήτου L (p. 780, A. 15) und C, und dies übersetzt Sl. (p. 92) mit „ungesagt".

4. Nachdem Kandake, entzückt von der Verständigkeit, oder vielmehr Schlauheit, mit der Al. ihre feindlichen Söhne wieder mit einander versöhnt hat, ausgerufen, sie möchte, dass Al. ihr Sohn wäre, fährt die Erzählung in A. B, C (3, 23) fort: ἥσθη (ἴσθι B) μὲν οὖν — δορυφορούμενος, εὐκρατῶς τῆς Καν-

---

[1]) L p. 742, Sl. p. 53, A, B, C 2, 7. Istrin bemerkt A. 11 nur: „das Wort ist an dieser Stelle unverständlich, im Ps.-K. τοὺς χαρακτῆρας". Dass L dieselbe Unverständlichkeit bietet, wird nicht angemerkt.

γαστὴρ τὸ βρέφος, in L der letzte Teil (p. 773): εἶτα ... ἀποκύει λαβεῖν τὸ φῶς übereinstimmend mit Sl. (p. 85): und darauf wird es aus Licht geboren, um das Licht zu nehmen.

III. Uebereinstimmungen in einzelnen Wörtern, Namen und Zahlen.

1. 1, 14, B: διεσώσατο, L (p. 715): διεζώσατο, Sl. (p. 18): er gürtete sich.

2. 2, 14 a. E.: (ʼΑλ.) πρῶτος ἐκηρύχθη (B), L: ἀνεκλήθη (p. 749), dafür hat Sl. (p. 62 oben) ἀνεκλίθη gelesen oder verhört.

3. 2, 15 (B, C): ᾔδει, L (p. 749): εἶδη = Sl. (p. 62): er sah.

4. 2, 21 (A, B, C): σατραπείας, L (p. 756): τιμὰς μεγάλας = Sl. (p. 71).

5. Die wilde Völkerschaft der Ὀχλιστοί ist nach B[1]) ζώματα περιεζωσμένοι, nach L (p. 760) περιεζωσμένοι δέρματα λεόντων, Sl. (p. 75 und A. 8) in Felle gekleidet.

6. Der Name von Darius' Bruder ist in L (p. 741) und Sl. 58 und A. 6) Ὀξυδάλκης, Ὀξυδέρκης in B, C.

7. Der Name des Persers, der Al. bei dem Gastmahle des erkennt, lautet in L (p. 749) Παραγάγης = Sl. (p. 62 4).

Der Name von Kandaules' Bruder Thoas findet sich in der Anrede Al.'s an diese beiden nur in L (p. 781) und Sl. (p. 96 und A. 6).

9. In Zahlenangaben stimmt Sl. zu L an drei Stellen: a) L (p. 782, Z. 3): μεθ' ἡμέρας δέκα = Sl. (p. 95), sonst μετ' ἡμέρας τινάς (B 3, 23) — b) L (p. 785) 120 Stadien = Sl. (p. 98), B. (3, 28) 150, C (3. 28. A. 5): ἐννά, ὃ λέγεται μίλιον. — c) Der Becher, den Al. in dem Palaste des Kyros findet, fasst nach L (p. 786), C (3, 28. A. 23) und Sl. (p. 99) 100 Mass, nach B (3, 28) μετρητὰς ζ, wohl mit Müller zu lesen ξ.

[1]) 2, 23: ζώματα schreibt Berger de Xivrey a. a. O. p. 356, Müller

τῷ ποιήσαντι πόλιν Μακεδονίας ἐλευθέραν, C: τῷ π. πᾶσαν Μακεδονίαν καὶ πόλιν αὐτῆς ἐλευθέραν, L: τῷ π. Μακεδονίαν πόλιν
ἐλευθέραν, Sl. (p. 103 und A. 6): besser wäre es für uns mit
dir zu sterben, der Makedonien grosse Freiheit gebracht (wörtl.
gemacht) hat. Offenbar hat der Uebersetzer also die La. πολλὴν
ἐλευθερίαν gefunden, bezw. so verlesen. Entschieden aber kann
nur die Vorlage von L auch diese La. gehabt haben, bezw.
die Uebersetzung daraus verlesen sein. Ja, ich möchte noch
einen Schritt weiter gehen und diese La. für die ursprüngliche
erklären, denn ποιεῖν mit dem doppelten Akkusativ ist eine
durchaus nicht ungewöhnliche Konstruktion, und man sieht
nicht recht ein, welche πόλις Μακεδονίας denn eigentlich gemeint sein soll. Man kann überdies die Entwickelung des
Fehlers genau verfolgen. Ursprünglich stand: Μακεδονίαν
πολλὴν ἐλευθερίαν, daraus wurde verlesen πόλιν, daher erscheint
in B πόλιν Μακεδονίας und ἐλευθέραν; dies erschien dann aber
zu seltsam, und so entstand die Lu., wie sie uns in C entgegentritt.

c) 1, 21 heisst es in B: γάμον σοι τελοῦμεν Κλεοπάτρας
τῆς ἀδελφῆς ἐμῆς, in Sl. (p. 23 und A. 3, vgl. Einleitung,
S. 86): wir verheiraten dich mit Kleopatra Edeskoju (so), eine
La., die nur erklärt werden kann durch diejenige in L (p. 720)
und C (1, 21, A. 4): Κλ. τῆς δεσίμης, bezw. αἰδεσίμης. Dies
ist, wie Istrin richtig bemerkt, von dem Bearbeiter als Eigen-
name gefasst und darnach als Beiname zu Kleopatra übersetzt
worden.

d) 1, 30 heisst es in C (A. 14) und L (p. 726), nachdem
Al. von Ammon die Bestätigung erhalten hat, dass er sein
Sohn sei: ἐπισκιάζει αὐτοῦ τὸ τέμενος. Natürlich ist hier ἐπι-
σκιάζειν aus ἐπισκευάζειν verlesen „er liess ausbessern", wie es
Müller auch in den Text gesetzt hat. Aber auch Sl. (p. 31) muss
dies Verbum gelesen haben, denn er giebt es wieder durch
„pokruiti", das von Miklosich (Lexikon s. v.) mit καλύπτειν
übersetzt wird. Dass überhaupt Sl. sich an L und C anschliesst,
ergiebt sich übrigens schon daraus, dass die ganze Stelle in B
fehlt, wo nur die Form ἀνέθετο übrig geblieben ist.

Ist es somit wahrscheinlich gemacht, dass L und Bi, wenn auch nicht aus derselben, doch jedenfalls aus einer sehr ähnlichen Vorlage geschöpft haben, und ferner dass L und Sl. auf einer ähnlichen Vorlage beruhen, so tritt bestätigend die Erscheinung hinzu, dass einmal an manchen der angeführten Stellen Sl., L und Bi, und ausserdem Sl. und Bi zusammenstimmen. In erster Beziehung mache ich aufmerksam auf die oben unter I, 2 (Bi 933), 5 (3565); III, 3 (3492), 5 (4212), 8 (5356), 9ᵇ (5597); IV, 2 (s. S. 52) besprochenen Stellen. Mit Rücksicht auf den zweiten Punkt weise ich auf folgende Stellen hin.

1. Nach Sl. (p. 12) und Bi (376) sendet Philipp zur Deutung seines Traumes zu einem babylonischen Traumdeuter.

2. Nur in Bi (602) und Sl. (p. 16) findet sich die Bemerkung, dass Philipp die Grösse und Schönheit des Bukephalos bewundert.

3. Bi (1160) stimmt zu Sl. (p. 28) in den Worten „die Jugend ἀπόλλυται τῷ τάχος", die griechischen Bearbeitungen (I, 25) haben ἐξάπινα κινδυνεύει.

4. Der Name der Stadt, in welche Al. von Pamphylien aus gelangt, stimmt in Sl. Anaptusa (p. 30) am genauesten zu Bi (1206) Ἀναπούσα.

5. Als der Arzt Philipp dem Könige bei seiner Erkrankung nach dem Bade einen Heiltrank zu geben verspricht, heisst es in den griechischen Bearbeitungen (2, 8): ὁ δὲ Ἀλ. ἕτοιμος (A, ὑπεύθυνος B L, πρόθυμος C) ἐγένετο τοῦ δέξασθαι. Mit Bi (3006): κατένευσεν Ἀλ. τοῦτο γενέσθαι τάχος stimmt Sl. (p. 54): Al. aber befahl ihm so zu handeln.

6. Mit Sl. und Arm. stimmt Bi abweichend von allen anderen Bearbeitungen überein an der Stelle, wo Al. mit seinen Truppen an einen Ort kommt, wo eine herrliche Quelle entspringt; er lässt hier ein Lager aufschlagen,

ὅπως ἐμὰ στρατεύματα καλῶς ἀναπαυθῶσι,

καὶ μεμνημένος συνεχῶς κήπων τῶν μηλοφάγων (4234 f.).

Arm.: und ich befahl ein Lager aufzuschlagen und einen Graben zu ziehen und einen Schutzwall (χάρακα übersetzt Raabe p. 71)

herumzulegen, damit die Soldaten ruhten und sich ein wenig
stärkten, indem ich mich der rohes Fleisch essenden Menschen
erinnerte.

Aehnlich, nur noch genauer zu Bi stimmend, Sl. (p. 76):
Wir zogen nun weiter von da und kamen an einen Ort, wo
eine Quelle mit vielem Wasser floss, und ich befahl dort ein
Lager aufzuschlagen und sich zu rüsten(?) in dem Gedanken
an die Mühen der Aepfelesser. Offenbar ist hier also die gleiche
Vorlage, nur dass Sl. in derselben κόπων statt κήπων ge-
bezw. verlesen hat.

Diese Uebereinstimmung ist um so interessanter und wichtiger, weil die beiden einzigen Bearbeitungen, welche sonst
noch die μηλοφάγοι erwähnen, sie als neue Völkerschaft ein-
führen. B (p. 358 B): καὶ ἐκέλευσα παρεμβολὴν γενέσθαι καὶ
τάφρους γενέσθαι καὶ σκοτοτάφρους (st. σκοτοτάφους Berger,
vielleicht σκόλοπας?) περιτεθῆναι ... καὶ ἤλθομεν ἕως τῶν
Μηλοφάγων. Aehnlich L (p. 760), nur mit dem Zusatze ἐμεί-
ναμεν δὲ ἐκεῖ μῆνας δύο vor dem Zuge zu den Melophagen.
Alle anderen Bearbeitungen erwähnen davon nichts, und es ist
mir nicht zweifelhaft, dass die Bemerkung über diesen Zug
eine spätere Einschiebung ist, und mit den μηλοφάγοι (= Aepfelesser, nicht Schafesser, Zacher, Pseudokall. S. 137) vielmehr
hingewiesen werden soll auf die Zeit, wo die Makedonier von
μῆλα leben mussten, weil sie keine andre Speise hatten (2, 32:
Bi 4203 u. s.). Da indessen eine nähere Besprechung nicht
hierher gehört, so beschränke ich mich darauf, die Thatsache
der Uebereinstimmung zwischen Sl. und Bi festgestellt zu haben.

Aus der vorstehenden Auseinandersetzung ergiebt sich also,
wie mir scheinen will, dass L, Bi, SL und teilweise auch C
zwar nicht aus einer gemeinsamen Quelle geschöpft, wohl aber
eine gemeinsame Urquelle, wenn ich so sagen darf, gehabt
haben, aus deren Kanälen die Verfasser ihre Darstellung genommen haben, eine Quelle, die in manchen Partieen, in einzelnen Wendungen und Ausdrücken dem ursprünglichen Texte
noch näher stand als eine der uns erhaltenen, zur jüngeren
Bearbeitung gehörenden Handschriften, die dann aber auch in

verschiedener Weise von den Verfassern benutzt wurde. Es
ist ein gemeinsamer Typus der Ueberlieferung, der uns hier,
in verschiedener Weise wiedergestrahlt, begegnet. Und dies
ist um so wahrscheinlicher und interessanter, weil Bi und Sl.
doch sicher dem orientalischen oder, besser gesagt, dem byzantinischen Kreise angehören, so dass auch für die beiden
anderen eine byzantinische Quelle wahrscheinlich wird. C re-
präsentiert allerdings in seinen Aenderungen und Erweiterungen
noch einen andern Typus, der sich, wie Wesselowsky nachgewiesen hat, vielfach mit der serbischen Alexandersage berührt, aber die vorher aufgeführten wesentlichen Berührungspunkte machen es doch wieder wahrscheinlich, dass die weiteren Auswüchse und Ausschmückungen, wie C sie darbietet,
sich eben an jene Bearbeitung angesetzt haben.

Für Bi wäre jedenfalls erwiesen, dass der Verf. allerdings
einer der Klasse B′ zugehörigen Darstellung gefolgt ist, die
dem Typus L, um mich so auszudrücken, zuzuweisen ist, und
dass sich die hier gebotene Darstellung am meisten mit der
in L und Sl. berührt. Aber, so müssen wir doch wohl weiter
fragen, ist es denn durchaus notwendig, dass dieser nur aus
einer Quelle geschöpft hat?

Der ganze Verlauf unserer Untersuchung hat gezeigt, dass
der Verf. seiner Arbeit grosses Interesse entgegengebracht hat,
und dass er in vieler Hinsicht selbständig zuwerke gegangen
ist. Ich erinnere nur an die Art, wie er im Gedichte selbst
sowohl als auch in manchen Lemmatis seiner Freude oder Indignation, kurz seiner Anteilnahme Ausdruck zu verleihen sucht;
ich weise ferner, um seine selbständige Thätigkeit zu verdeut-
lichen, hin auf die Einleitung, die, wenn auch dem Geschmacke
des Verf. und des Publikums entsprechend, etwas bombastisch
und überladen, doch jedenfalls ihm ganz eigentümlich ist;
und vor allem auch auf die grösseren und kleineren Einschiebungen aus anderen Schriftstellern, die auch im einzelnen, wie
ich glaube nachgewiesen zu haben, die selbständige geistige
Thätigkeit des Verf. bekunden, besonders die Art, wie er in
der Erzählung von den Brahmanen die Darstellung des Pseudo-

Kallisthenes und die des Monachos in und mit einander verarbeitet hat. Ueberblicken wir darnach noch einmal den Inhalt des ganzen Werkes, so ist es unleugbar, dass dasselbe in
Beziehung auf den Stoff mancherlei Neues und auch von der
bei Ps.-Kall. überlieferten Form Abweichendes enthält. Darnach bleiben, wie mir scheinen will, nur zwei Annahmen übrig:
entweder hat unser Verf. ein ihm dem Inhalte nach vollkommen
fertig vorliegendes Werk einfach in Verse gebracht, oder er
selbst hat diese Aenderungen, Erweiterungen und Zusätze vorgenommen. Nun ist es ja allerdings keineswegs ausgeschlossen,
dass der Verf. eben nur Versifikator war, und es müssten dann
jene Aenderungen sowohl, wie die Ineinanderarbeitung verschiedener Rezensionen dem betreffenden Redaktor zugeschrieben
werden — freilich würde der Nachweis, dass durch Vermittelung einer solchen Bearbeitung unser Gedicht in manchen
Fällen das Ursprüngliche erhalten hat, · bestehen bleiben. So
lange indessen die Existenz einer solchen Bearbeitung nicht
erwiesen ist, dürfen wir, da doch kein Grund vorliegt, dem
Verf. nicht zuzutrauen, dass er eine solche Arbeit machen
konnte oder wollte, annehmen, dass er selbst sich dieser Mühe
unterzogen hat.

Wenn er nun also in der That selbständig Aenderungen
vorgenommen; wenn er Zusätze aus andern Schriftstellern gemacht; wenn er bisweilen Stücke aus verschiedenen Rezensionen
in einander gearbeitet hat, so ist die Annahme, dass er auch
verschiedene Bearbeitungen des Pseudo-Kallisthenes vor sich
gehabt hat, jedenfalls nicht von vorn herein abzuweisen. Dass
dies aber wirklich der Fall gewesen, schliesse ich aus folgenden
Gründen. Es ist von mir schon oben (S. 63 f.) durch die Gegenüberstellung der beiden Texte gezeigt worden, wie einmal die
Erzählung von der wirklich vollführten Täuschung der Olympias durch Nektanabus in einer Weise dargestellt ist, dass
offenbar zwei verschiedene Bearbeitungen an einander gereiht
sind, wie besonders, worauf ich noch einmal hinweise, die nach-
hinkenden Worte *εἶθ' οὗτος ἔφησεν αὐτῇ* (323) deutlich zeigen:
der Verf. wünschte eben möglichst vollständig zu sein. Ebenso

der Besprechung des ersten Heereszuges Al.'s hervor-
n, wie einmal bei Beginn desselben durch den Wunsch
f. auch Byzanz in den Kreis der Orte zu ziehen, die
l. besucht wurden, die Erwähnung der Schlacht am
us u. s. w. zu erklären ist, und das Ganze sich dadurch
schiebung zu erkennen giebt; und zweitens, dass die
Erzählung von dem Bade des Königs im Kydnos und
Folgen durchaus den Eindruck der Einschachtelung in
ndere Erzählung macht. In diesem Zusammenhange
ich in betreff dieser Erzählung noch auf zwei Punkte
ksam. Erstlich: die nach meiner Ueberzeugung — natür-
om Verf. selbst — eingeschobene Stelle enthält keine
en über die Zahl der Truppen des Darius und stimmt
wieder zu A'; zweitens: die Stelle enthält einmal An-
über die sogenannten „Unsterblichen" des Perserkönigs
werdem die Erzählung von dem Bade des Königs überwin-
nd mit B'. Während aber alle andern Bearbeitungen
mit B C L (auch Sl.)[?] — die oben angegebene Reihen-
nnehalten. hat B' dieselbe ganz geschickt umgekehrt:
der kommt nach Kilikien, sieht dort das einladende
r, badet und zieht nach seiner Genesung gegen Darius,
inzwischen sich nach Kilikien marschiert ist. Jedenfalls
t der Verf. von B' selbständig vorgegangen. Wenn er
e Grundlage seiner Darstellung B' hatte, so ist eigent-
her Grund zu dieser Umstellung ersichtlich, denn die Er-
ählt ganz klar und verständig fort: Al. war
über die grossprecherischen Worte des Darius
inzwischen nach Kilikien, und auch Al. kam dort
u. s. w. Hatte er aber A' als Vorlage und wollte
schleunig anfragen, so lag zum besseren Zusammen-

hange derselben diese Umstellung sehr nahe, denn sonst würde
sie zerstückelt sein: Al. zog nach Kilikien, Darius zog eben-
dahin, Al. badete im Kydnos und zog weiter. Dazu kommen
die beiden Verse 2004. 5, die sich, wie schon oben angedeutet
wurde, als Flickverse ausweisen. Ich glaube also auch aus
dieser Stelle schliessen zu dürfen, dass der Verf. zwei Bearbeitungen des Ps.-Kall. vor sich gehabt und auch benutzt hat.

Ausserdem weise ich hier auf ein längeres Lemma unseres
Verf. nach v. 772 hin:

Τοῦ Βουκεφάλου σύμπασαν μάθε τὴν ἱστορίαν·
ὡς ἵππος ἦν ἀτίθασσος ἀνθρώπους κατεσθίων,
μόνῳ τῷ Μακεδόνι δ' οὖν ὑπείκων Ἀλεξάνδρῳ.
Τὴν Βουκεφάλου κλῆσιν δὲ τοιουτοτρόπως εἶχεν (st. ἔχει)·
βοὸς γὰρ εἶχε κεφαλὴν ἐν τῷ μηρῷ σφραγίδα (σφραγεῖσαν?),
οὐ μὴν βοὸς ἐκέκτητο κεφάλιον καὶ κέρας.

Der letzte Vers enthält nämlich offenbar eine Polemik gegen
diejenigen, welche behaupteten, der Bukephalos habe Kopf und
Horn eines Rindes gehabt. In der That wird nämlich in C
Aehnliches berichtet[1]): θεασάμενος δὲ αὐτοῦ τὸ μέγεθος Φίλιππος ὁ βασιλεύς, καὶ ὅτι βοὸς κεφαλὴν ἔχει (εἶχεν?) ἐκετυ-
πωμένην ἐν τῷ δεξιῷ μηρῷ καὶ κέρας ἐν τῇ κεφαλῇ, ἐθαύμασε
(Ps.-Kall. 1, 13, A. 24). Diese Notiz über den Namen Bukephalos fehlt in den ältern Bearbeitungen überhaupt ganz
an dieser Stelle — die Erklärung desselben folgt erst Kap. 15
— und kehrt ähnlich nur wieder in den interpolierten Texten
der hist.: dicebatur ipse equus Bucefalas propter aspectus tor-
vitatem seu ab insignis (a binis signis?), quod taurinum caput
in armo babebat ustum, seu (et?) quod de fronte eius quaedam
mine corniculorum protuberabant (Zingerle, p. 140). Wenn in
der Stelle bei Bi auch von dem κεφάλιον βοός die Rede ist,
so mag das entweder auf einer schlechten Vorlage oder auf

---

[1]) Aus einer ähnlichen Vorlage ist diese Notis dann auch in die
serbische Alexandersage übergegangen, wo dem Bukephalos auch ein
Rindskopf auf dem rechten Schenkel und Hörner zwischen den Ohren
zugeschrieben werden. Novaković S. 18; vgl. Wesselowsky, a. a. O. S. 152.

einem Missverständnis des Verf. beruhen. Mag dem nun sein, wie ihm wolle, jedenfalls ergiebt sich, dass der Verf. auch die jüngste Ueberlieferung kannte, der er hier doch nicht folgte.

Indessen glaube ich auch noch geradezu einen Beweis für meine Annahme erbringen zu können. Als Philipp einstmals wieder in Zorn darüber gerät, dass Al. nicht sein eigener Sohn ist, verwandelt sich Nektanabus in eine Schlange und liebkost in dieser Gestalt die Olympias, so dass der König von der göttlichen Abstammung seines Sohnes überzeugt wird. Der Schluss dieser Erzählung lautet in Bi v. 460 ff.:

> Ἅπαντες φοβηθέντες οὖν οἱ μετὰ τοῦ Φιλίππου
> ἅμα τε προςθαυμάζοντες ξένα προςθεωροῦντες
> τρόμῳ κατεξεπλήττοντο βλέποντες ἀκορέστως,
> αὐτὸς δ᾽ ὁ δράκων ἀφανὴς γέγονε παραυτίκα.
> Ἐν ἄλλοις οὖν ὡς ἀετὸς αὐτὸς γεγενημένος
> ἀνέπτη πρὸς οὐράνια Φιλίππου θεωροῦντος.

Offenbar ist hier von zwei verschiedenen Berichten die Rede, die in der That ja auch vorhanden sind. In A heisst es: ἀφανὴς ἐγένετο, in B: μεταβάλλεται ἑαυτὸν ὁ δράκων εἰς ἀετόν, καὶ ἵπταται καὶ ἀποχωρεῖ, C endlich verbindet beides in den Worten: Νεκτεναβὼ ... ἀφανὴς ἐγένετο μεταβαλὼν ἑαυτὸν εἰς ἀετόν. Darnach scheint es mir nicht zweifelhaft, dass ἐν ἄλλοις „bei anderen“ oder „nach anderen“ heissen soll, so dass der Verf. selbst uns den Beweis dafür geliefert hätte, dass er eine zweite Bearbeitung eingesehen hat.[1]

---

[1] In L (p. 712) lautet der Text: καὶ τοῦ μὲν Φιλίππου ἅμα μεμφομένου ἅμα δὲ καὶ θαυμάζοντος καὶ ἀκορέστως προςέχοντος καὶ ταῦτα πράξας Νεκτεναβὼ πρὸς ἑσπέραν ἀφανὴς ἐγένετο, μεταβάλλει ἑαυτὸν ὁ δράκων εἰς ἀετόν, καὶ τοῦ ἐχώρησε περιττὸν τὸ λέγειν. Meusel klammert die Worte καὶ ταῦτα ... ἐγένετο ein, und es ist nicht zu leugnen, dass sie in störender Weise den grammatischen Zusammenhang unterbrechen, so dass sie sehr nach einer späteren Einschiebung — wie derartige auch sonst in L begegnen — aussehen; um so mehr, da Sl., wo der Schlusssatz mit L übereinstimmt (s. oben S. 104), den ersten Satz nicht bietet, zu dessen Auslassung doch eigentlich kein Grund vorlag, wenn er schon in der Vorlage gestanden hätte.

Mag man nun diesen letzten Beweis für stichhaltig erklären oder nicht, so viel scheint jedenfalls aus den erwähnten
Beispielen hervorzugehen, dass unser Verf. sowohl die ältere
wie die jüngere Ueberlieferung kannte und benutzte. Ich denke
dabei nicht daran, dass alle diejenigen Stücke, die nach meiner
Darlegung der älteren Ueberlieferung angehören, stets auch
aus A' genommen sind, während die sonstige Darstellung B'
angehört; einer solchen Mosaikarbeit sieht das ganze Werk
nicht ähnlich. Wohl aber glaube ich dies mit Bestimmtheit
für die Darstellung der Verführung der Olympias, einen Teil
des ersten Heereszuges und die letzte von mir angeführte Stelle
annehmen zu dürfen. Wie sonst im einzelnen die Benutzung
gewesen, ist wohl schwerlich nachzuweisen. Wenn aber eine
zum Typus L gehörige Handschrift die Grundlage unseres
Werkes gebildet hat, wie ich glaube wahrscheinlich gemacht
zu haben, so ist sie im zweiten Teile desselben die alleinige
Grundlage gewesen, da hier alle Berührungspunkte mit A' aufhören, und dafür grössere Stücke aus Monachos eingeführt sind.
Im ersten Teile dagegen muss diese Hds. in vielen Beziehungen
der in A vorhandenen ursprünglichen Ueberlieferung näher
gestanden haben, und zugleich ist auch eine Hds. dieser älteren
Ueberlieferung mit benutzt worden.

Im allgemeinen ist der Verf. bei Abfassung seines Werkes
offenbar besonders auf Vollständigkeit ausgegangen und hat
daher den Stoff von verschiedenen Seiten zusammengetragen.
Wir können ihm daher Fleiss und Eifer gewiss nicht absprechen;
aber auch Interesse und Geschick werden wir ihm zuerkennen
müssen, denn wenn das Gedicht auch keinen grossen dichterischen Wert hat, so liest es sich doch leicht und angenehm,
und ist zugleich ein Beweis für das Streben des Verfassers
wie für das Interesse, das auch in jener Zeit die Alexandersage noch erweckte.

äge sur Erklärung und Kritik Juvenals.

Von W. Christ.

orgelegt in philos.-philol. Classe am 2. Januar 1897.)

h zu Juvenal wie zu Aeschylus geht der Mahnruf an
ologen dass jeder sein Scherflein beitrage, um die
gen der grossen Dichter leichter lesbar und allgemeiner
ich zu machen. Der Text zwar der Satiren Juvenals
th gut erhalten, so dass wir wenigstens nicht wie in
tzflehenden des Aeschylus auf Schritt und Tritt einem
gegnen. Auch das Verhältnis der handschriftlichen
erung ist durch die Verdienste von Jahn und Bücheler
gelegt, dass wir den kritischen Apparat auf ein Mini-
uciert sehen und auf den Wust der handschriftlichen
mit dem noch Ruperti die Noten unter dem Text
getrost verzichten können. Aber bei einem Dichter
sal, der als Satiriker mitten in das volle Leben seiner
ingreift und oft mit nur einem Worte Zustände und
hkeiten seiner Zeit streift, hat von jeher die Erklärung
hellung der Beziehungen die Hauptaufgabe der Philo-
bildet. Nach dieser Richtung ist uns in neuester Zeit
riedländer mit seiner Ausgabe, D. Junii Juvenalis
a libri V, mit erklärenden Anmerkungen, Leipzig 1895,
rügliche Gabe geboten worden. Der berühmte Ver-
r Sittengeschichte Roms und verdiente Herausgeber
n und Martial war zu einer erklärenden Ausgabe des
rie nicht leicht ein zweiter unter den lebenden Philo-
rufen. Er hat aber nicht bloss seine eigene Gelehr-

samkeit zur Lösung der schwierigen Aufgabe aufgeboten, er
hat auch als echter φιλόλογος über einzelne Stellen mit anderen Gelehrten und speciellen Fachmännern, wie insbesondere
C. F. W. Müller, Michaelis, Bücheler, Goetz, Wissowa,
Hirschfeld, O. Richter, Landauer, Lenel sich in Verbindung gesetzt und deren Beiträge voll seinem Kommentar
einverleibt, ohne dass deshalb sein Werk das Aussehen einer
buntscheckigen Compagniearbeit bekommen hätte.

Aber so ist nun doch der Kommentar nicht ausgefallen,
dass jetzt alles abgethan sei, und man auf alle anderen Ausgaben einfach verzichten könne. Zum Teil liegt dieses in dem
Plan und der Anlage der neuen Ausgabe. So hat Friedländer
nicht mit dem Texte des Dichters zugleich auch die alten
Scholien herausgegeben, und auch nur verhältnismässig selten,
viel seltener, als es wünschenswert gewesen wäre, deren Bemerkungen in seinen Kommentar verwoben. Wer sich also
mit Juvenal näher beschäftigen will, wird vor wie nach die
elegante Ausgabe Bücheler's (edit. tertia, Berolini 1893), in
der unter dem Text nebst dem kritischen Apparat auch die
Scholien stehen, nicht entbehren können. Sodann war Friedländer überall bemüht, wo möglich Neues und Eigenes zu geben.
Das ist an und für sich sehr lobenswerth, namentlich in einer
Zeit der kompilatorischen Buchmacherei, aber es sind doch
dadurch nicht selten wertvolle Bemerkungen Früherer unter
den Tisch gefallen. Zu XIV 126 *servorum ventres modio castigat
iniquo* führt Friedländer zum Belege für die Bedeutung von
iniquus an Livius V 48 *pondera ab Gallis adlata iniqua* und
Persius I 130 *fregerit heminas Arreti aedilis iniquas*. Aber
noch bezeichnender für die Sache ist die schon von Ruperti
aus der Schilderung des Geizhalses bei Theophrast charact. 30
angeführte Stelle μέτρῳ τὸν πύνδακα ἐγκεκρουμένῳ μετρεῖν
αὐτὸς τοῖς ἔνδον (scil. τὰ ἐπιτήδεια), σφόδρα δ᾽ ἀποψῶν. Zu
IV 24 *hoc tu succinctus patria quondam, Crispine, papyro* verweist Friedländer wie auch Mayor auf Plinius n. h. XIII 72
texunt e libro vela tegetesque nec non et vestem. Aber nicht
minder gehört hieher die schon von Früheren angezogene Stelle

in den Anacreontea 30, 5 ed. Bergk ὁ δ' Ἔρως χιτῶνα δήσας ὑπὲρ αὐχένος σπανδρῳ μέθυ μοι διακονείτω. Zu X 168 *unus Pellaeo iuveni non sufficit orbis* verweist Friedländer auf Seneca *suas.* 1, 2; aber diese Stelle beweist für *unus orbis* so gut wie nichts, einzig wichtig aber ist die von Ruperti angeführte Stelle des Valerius Maximus 8, 14 extr. 2 *Nam Alexandri pectus insatiabile laudis, qui Anaxarcho comiti suo, ex autoritate Democriti praeceptoris innumerabiles mundos esse referenti, ,heus me, inquit, miserum, qui ne uno quidem adhuc sum potitus'*, mit welcher Stelle man Plutarch de tranqu. an. 4, Joa. Chrysostomus bei Migne 22, 400 und die byzantinische Bearbeitung des Alexanderromans bei Christensen, Die Vorlagen des byzantinischen Alexandergedichtes, in diesem Heft S. 96 verbinde. — Nicht selten auch wird man an dunklen Stellen vergeblich in den Noten der neuen Ausgabe die gewünschte Belehrung suchen. Das mag vielfach daher kommen, dass Friedländer an die Leser sehr hohe Anforderungen stellt und von ihnen auch da, wo Andere eine Krücke für angebracht hielten, voraussetzt, dass sie sich mit Hilfe ihrer eigenen, aus ausgebreiteter Lektüre erworbenen Kenntnissen zurecht finden. So hält der neue Herausgeber XIV 114 *Hesperidum serpens aut Ponticus*, und XIV 286 *hic bove percusso mugire Agamemnona credit* seine Leser für so bewandert in der Mythologie, dass sie bei *Ponticus serpens* sofort an die das goldene Vliess im Kolcherland bewachende Schlange, und bei *hic bove percusso* an den Aias des Lesches und Sophokles denken, während andere Herausgeber diese Belehrung ihren Lesern suggerieren zu müssen glaubten. Ebenso hält er III 238 *eripient somnum Druso vituliseque marinis* es nicht für notwendig, wegen der Meerkälber auf die Stelle der Odyssee IV 448 ff. zu verweisen, sondern führt nur das abgeleitete Zeugnis des Plinius n. h. IX 41 an. In ähnlicher Weise setzt er XIV 306 *dispositis praedives amis vigilare cohortem servorum noctu Licinus iubet* bei seinem Leser die Bekanntschaft mit dem reichen Licinus aus I 109 *voranz*, während der alte Scholiast und die neueren Erklärer durch Verweisung dem Leser jene Stelle ins Gedächtnis zurückrufen. Hier kann man sagen, wird sich ein geschickter Leser, wenn ihn das Gedächtnis im Stiche lässt, leicht durch den sorgfältigen Index unterrichten, aber auch aus diesem wird derselbe nicht erfahren, dass der Dichter VIII 94 ff. einen ähnlichen Fall wirkungsloser Justiz behandelt wie I 46 ff., und dieses obendrein mit Worten, die eine Vergleichung geradezu herausfordern; vgl. I 47 *hic damnatus inani indicio* und VIII 94 *sed quid damnatio confert?* Von den nicht wenigen Fällen, wo ausserdem frühere Erklärer, namentlich Ruperti (ed. altera Lipsiae MDCCCXX) und Mayor (Thirteen satires of Juvenal, with a commentary by John E. B. Mayor, London and Cambridge 1869), über Stellen, deren Erklärung nicht so auf der Hand liegt, mehr bieten als der neueste Herausgeber, werde ich einige unter anderer Rubrik weiter unten anführen. Nimmt man noch die bestrittenen Stellen, wie VIII 58. 247. III 187. XI 6. IX 70 hinzu, wo andere Gelehrte eine andere und meines Erachtens richtigere Erklärung vertreten, so wird man nicht sagen können, dass Friedländers Kommentar die früheren Ausgaben überflüssig gemacht habe. Wie gute Dienste der alte Ruperti auch heute noch dem Leser Juvenals leistet, habe ich nicht bloss an mir erfahren, sondern mehr noch an den jungen Kommilitonen, mit denen ich in den beiden letzten Semestern Juvenal im Seminar behandelte. Ja auch die Ausgabe von Weidner, über die Friedländer S. 98 das harte Urteil fällt: „Von den beiden Ausgaben von A. Weidner 1873 und 1889 ist auch die zweite in jeder Beziehung ungenügend". leistet oft auch nach dem Erscheinen der neuen Ausgabe von Friedländer noch sehr gute Dienste. Ich will nicht von der Sorgfalt der Interpunktion reden, in der Weidner entschieden den Vorzug verdient, auch nicht von dem kritischen Urteil, in dem ich mich oft unbedingt auf die Seite des so geringschätzig behandelten Rivalen stelle; auch in der Erklärung bietet Weidner manchmal Besseres. Zu V 21 *vinum quod sucida nolit lana pati* führt Friedländer aus der erklärenden Stelle des Varro de re rust. II 11, 6 nur an *tonsurae tempus . . . cum sudare inceperunt oves, a quo sudore recens lana tonsa sucida appel-*

lalo est. Das genügt zum Verständnis des Adjektivs *sucida*; aber zur Erklärung der Sache, dem Tränken der abgeschorenen Wolle mit Wein, ist nicht minder wichtig der darauf folgende Satz *tonsas recentes eodem die perungunt vino et oleo.* Diesen zweiten Satz führt denn auch Weidner ganz verständig an, wenigstens in der ersten Auflage, während von der zweiten hier so wenig wie anderwärts gerühmt werden kann *αἱ δεύτεραι φροντίδες σοφώτεραι.* Ferner hat Weidner zu VIII 58 *sic laudamus equum, facili cui plurima palma fervet et exultat rauco victoria circo* die zutreffende Anmerkung: *palma fervet,* die Hände sich heiss klatschen. Friedländer hingegen denkt unglaublicher Weise an die Palmzweige, die zu den Siegespreisen auch im Circus gehörten.[1]) Ich hebe diese guten Seiten der Ausgabe Weidners hervor, nicht weil er ehemals mein Zuhörer und Schüler war, sondern, weil ich wirklich viel Brauchbares in seiner Ausgabe finde und weil es mich geärgert hat, dass der Recensent im Leipziger Centralblatt jene *nota censoria* Friedländers einfach abgedruckt hat, ohne sich die Mühe zu nehmen, zuerst die Richtigkeit derselben vom Standpunkt eines Unbeteiligten zu prüfen.

Aber wenn ich auch günstiger über die Vorgänger und Mitbewerber Friedländers urteile und die früher gepflogene Art die Beweisstelle im Original anzuführen statt die neueren Werke von Mommsen, Blümner, Teuffel u. a. zu citieren, weit mehr billige, so bin ich doch voll des Lobes der grossen Verdienste, die sich Friedländer mit seiner ausgebreiteten sachlichen Gelehrsamkeit, namentlich durch ausgiebige Ausbeutung der Inschriften und Glossen um die Erklärung des Juvenal erworben hat. Aber eingedenk des Spruches, von dem ich ausgegangen bin, will ich nun doch auch meinerseits versuchen, ob es mir gelingt ein und das andere Scherflein zur Erklärung

---

[1]) Herm Weidner war in der richtigen Erklärung Ruperti vorangegangen. Friedländer liess sich wohl mit Heinrich und Mayor durch die Stelle des Cod. Theodos. *de Seneciniis* XV 7 *quidquid illud est, quod palmarum numero gloriosum et celebratis utrimque victoriis nobile* vom richtigen und einfachen Weg ableiten.

unseres Dichters beizutragen. Ich behandele zuerst einige Stellen,
zu denen sich aus griechischen Autoren ein Beitrag zum Verständnis erbringen lässt.

VI 468 ff.

> *atque illo lacte fovetur,*
> *propter quod secum comites educit asellas,*
> *exul Hyperboreum si dimittatur ad axem.*

Angespielt ist hier, wie von den Scholien und allen Herausgebern angemerkt ist, auf die bekannte Gemahlin des Kaisers
Nero, Poppäa, welche nach dem Zeugnis des Plinius n. h. XI
238 und XXVIII 183 und Cassius Dio LXII 28 auf ihren Reisen
eine ganze Herde von Eselinnen mit sich zu führen pflegte,
um in deren Milch sich zu baden und so ihren Teint rein zu
erhalten. Der Scholiast nimmt auch eine Verbannung der
Poppäa an: *Poppaea uxor Neronis adeo diligens in excolenda
forma fuit, ut eam quinquaginta asinae sequerentur missam in
exilio, quarum lacte candorem corporis provocabat.* Aber von
einer Verbannung der Poppäa weiss keiner der Historiker etwas,
weder Tacitus noch Sueton noch Cassius Dio, wiewohl sie doch
sehr ausführlich von der berüchtigten Curtisane handeln. Tacitus ann. XIV 1 lässt sie nur in ihrer intriguanten Verstel-
lungskunst zu Nero sagen *ituram quoquo terrarum*; aber sie
dachte weder thatsächlich an eine Verbannung, noch liess es
der von ihren Reizen umstrickte Nero irgendwann dazu kommen.
Auch spricht unsere Stelle selbst, der Gegensatz zwischen dem
Indicativ *educit* und dem Conjunctiv *dimittatur*, den umsonst
Jahn durch die verkehrte Correctur *educet* zu entfernen suchte,
gegen eine wirkliche Verbannung und gegen die Angabe des
Scholiasten. Ganz richtig gibt jenen Gegensatz Friedländer
mit der Paraphrase wieder: „Die hier geschilderte führt wie
Poppaea auch auf Reisen, und selbst wenn eine zum Nordpol
ginge, Eselinnen mit sich". Aber warum *Hyperboreum ad
axem?* Man sagt, um die Weite der Entfernung, die Verbannung in den äussersten Norden zu bezeichnen. Das wäre ein
sehr frostiger Zusatz, da es hier auf die Entfernung gar nicht
ankommt. Nein, der Grund ist ein anderer: im Hyperboreer-

land war nach alter Ueberlieferung der Esel zu Haus und
opferte man diese geilen Tiere dem Landesgott Apollo. Das
erzählt uns Pindar in dem pythischen Siegesgesang P. X 33 ff.,
und darauf verweist Kallimachus in zwei uns erhaltenen Fragmenten 187 und 188 ed. Schneider. Also auf diesen Esels-
kult der Hyperboreer spielt unser Satiriker an, indem er mit
allerdings gesuchtem Witz, aber doch ganz nach seiner rheto-
risierenden Weise die Gelegenheit ergreift, um seine mythologische Weisheit an den Mann zu bringen: die Poppäa hat,
wenn sie einmal in das Hyperboreerland verbannt wird, gleich
ihre Eselinnen bei sich, die dort die gewünschten Esel finden
werden.

VIII 224 ff. sagt Juvenal unter Anspielung auf die gleiche
Zeit des Kaisers Nero

haec opera atque hae sunt generosi principis artes,
gaudentis foedo peregrina ad pulpita cantu
prostitui Graiaeque apium meruisse coronae.

Dazu bemerkt Friedländer: Der Kranz von Eppich (*apium*)
war der Preis bei den nemeischen Spielen. Das ist richtig,
aber von einem Sieg, den Nero speziell an den Nemeen davon
getragen habe, erfahren wir nichts: er sang in Olympia und
Delphi und siegte in den Isthmien. Das wissen wir; besonders
sein Sieg in den Isthmien erlangte eine grosse Berühmtheit,
weil sich daran die Proklamation der Autonomie Griechenlands
und der grosse, erst in unserer Zeit zur vollen Verwirklichung
gekommene Plan einer Durchstechung des Isthmus knüpfte.
Ihn erwähnen daher ausdrücklich Sueton Ner. 24, Ps.-Lucian
Nero 3, Philostratus vit. Apoll. IV 24, und ihn auch trug der
Kirchenvater Eusebius unter dem Jahre Abraams 2082 (Ausg.
von Schöne p. 156) in seine Chronik ein. Auf die Isthmien
wird man daher auch den Vers unseres Juvenal beziehen wollen,
wenn anders es das Wort *apium* erlaubt. Die Erlaubnis gibt
aber, wie schon aus dem Commentar von Mayor zu ersehen
war, jenes Wort, da auch an den Isthmien dem Sieger ein
Kranz aus Eppich gegeben wurde, was Pindar Ol. XIII 33 δύο

δ' αὐτὸν ἔρεψαν πλόκοι σελίνων ἐν Ἰσθμιάδεσσιν φανέντα beweist und die Scholien zu dieser Stelle und zu Isthm. II 19
des Näheren ausführen. Nach den letzteren bestand nämlich
an den Isthmien der Kranz aus getrocknetem, an den Nemeen
aus grünem Eppich, etwas was mit der verschiedenen Jahres-
zeit, in der jene Spiele gefeiert wurden, zusammenhing. Freilich wissen wir aus den Tischgesprächen des Plutarch V 3
und Lukian Anach. 9, dass an den Isthmien die Fichte, der
dem Poseidon heilige Baum, dem Eppich den Rang streitig
machte, aber vielleicht dürfen wir gerade aus unserer Stelle
schliessen, dass damals zur Zeit des Nero noch an dem alten
Gebrauch festgehalten und an den Isthmien ein Kranz von
Eppich gegeben wurde. Cassius Dio 63, 9 τίς δὲ νίκη ἀτοπω-
τέρα, ἐν ᾗ τὸν κότινον ἢ τὴν δάφνην ἢ τὸ σέλινον ἢ τὴν πίτυν
λαβὼν ἀπώλεσε τὸν πολιτικόν; wird also die Sitte seiner Zeit,
nicht den Bericht eines zeitgenössischen Gewährsmannes wiedergegeben haben.

VIII 46 weist Juvenal den adelsstolzen Rubellius Blandus,
der sich ein Abkömmling des Cecrops zu sein rühmte und mit
Nasenrümpfen auf die gemeine Plebs herabschaute, mit den
Worten ab

>   vivas et originis huius
>   gaudia longa feras, tamen ima plebe Quiritem
>   facundum invenies etc.

Damit verabschiedet offenbar der Dichter den adeligen Gecken,
indem er auf seine Prahlereien nicht weiter eingeht und ihm
nur zum Abschied zuruft: meinetwegen magst du dir wunder-
was auf deinen Adel zugute thun, den tüchtigen brauchbaren
Sachwalter, Gesetzgeber, Militär wirst du doch in den Angehörigen der Plebs suchen müssen. Mayor verweist in seiner
Ausgabe auf Cassius Dio LXXII 18, wo dem kaiserlichen Gla-
diator Commodus das Volk zujubelt τὸ ἐν τοῖς συμποσίοις εἰ-
ωθὸς λέγεσθαι ζήσειας. Das lateinische vivas ist nun allerdings
die wörtliche Uebersetzung des griechischen ζήσειας, aber für
die Bedeutung der Phrase an unserer Stelle vergleicht viel
passender Weidner den Abschiedsgruss vive valeque. Aber ganz

gar deckt sich mit dem Gebrauch derselben an unserer
e das griechische χάρις, das Pindar in zwei Oden Pyth.
7 und Nem. III 76 und ebenso Herodot II 117. IV 96.
) Legg. X p. 886 D ganz so wie hier Juvenal gebrauchten,
das Gespräch über das bisher behandelte Thema abzu-
hen und zu etwas anderem überzugehen.

IV 34 gebraucht der Dichter, um von der einleitenden
ldarung der verschwenderischen Tafel des Hofschranzen
)inus zu der Hauptsache, der lächerlichen Geheimratssitzung
den dem kaiserlichen Herrn angebotenen Kolossalfisch
ugehen, die Eingangsformel:

incipe, Calliope; licet hic considere. non est
cantandum, res vera agitur: narrate, puellae
Pierides. prosit mihi vos dixisse puellas.

lländer will hier, indem er den Satz *non est cantandum,*
res agitur eng mit dem vorausgehenden *licet hic considere*
indet, einen Gegensatz zwischen Sitzen und Stehen finden,
man dichterische und Gesangsvorträge stehend gehalten,
Bericht über ein wirkliches Ereignis aber sitzend vorge-
i habe. Sonderbare Feinspinnerei: also Kalliope, die Muse
pischen Poesie, soll aufgefordert werden, einen prosaischen
cht sitzend vorzulesen. Aber muss man denn die Einladung
Sitzen auf die Muse beschränken, und ist es nicht einer, unter Aenderung der von Friedländer beliebten Inter-
ction — er setzt mit Bücheler nach *considere* ein Komma,
i *Calliope* einen Punkt — *licet hic considere* mit der voraus-
nden Aufforderung *incipe Calliope* zu verbinden? Damit
aber ja kein Bedenken trage die Aufforderung zum Sitzen
die vortragende Muse und die lauschenden Zuhörer auszu-
len, lese man nur die Stelle, die Juvenal offenbar vor Augen
bt hat, Theokrit I 12 und 21

λῇς ποτὶ τᾶν Νυμφᾶν, λῇς, αἰπόλε, τεῖδε καθίξας,
ὡς τὸ κάταντες τοῦτο γεώλοφον αἵ τε μυρῖκαι,

ἀλλὰ σὺ γὰρ δή, Θύρσι, τὰ Δάφνιδος ἄλγε' ἄειδες
καὶ τᾶς βουκολικᾶς ἐπὶ τὸ πλέον ἵκεο Μοίσας,
δεῦρ' ὑπὸ τὰν πτελέαν ἐσδώμεθα,

und den römischen Nachahmer des Theokrit, Vergil Bucol. 5, 3

cur non, Mopse, boni quoniam convenimus ambo,
tu calamos inflare levis, ego dicere versus,
hic corylis mixtas inter consedimus ulmos?

Ich gebe aber dabei noch etwas anderes zu bedenken. Dem
Verdammungsurteil, das Ribbeck, Der echte und der unechte
Juvenal 76 ff. über den ersten Teil unserer Satire, IV 1—36,
aussprach, haben sich zwar Weidner und Friedländer nicht
unbedingt angeschlossen, aber sie sprechen doch von zwei gar
nicht auf einander angelegten Stücken, die erst ein späterer
Redactor auf das Roheste zusammengeflickt habe. Aber wenn
meine oben ausgesprochene Vermutung, dass Juvenal mit jener
Uebergangsformel den Theokrit nachgeahmt habe, richtig ist,
so wird es doch dabei bleiben, dass der erste kurze Teil unserer Satire vom Dichter selbst bestimmt ward die Einleitung
zu dem zweiten, längeren Hauptteil zu bilden. Es wird also
auch Nägelsbach (Philol. III 469) nicht so weit vom Wahren
abgeirrt sein, wenn er meinte, der Dichter habe im ersten Teil
gezeigt, wie es eine kaiserliche Creatur treibe, im zweiten, wie
mit solchen Creaturen kaiserliche Majestät umgehe. Damit will
ich aber nicht gesagt haben, dass diese beiden Teile gut zu
einander passen, oder dass Juvenal von vornherein der schönen
Satire auf Domitian die wenig gelungene auf Crispinus voran-
geschickt habe. Die Einheitlichkeit der Anlage ist der schwächste
Teil in der Mehrzahl der Satiren des Juvenal. Oder steht es
besser mit der Einheit der 11. Satire, wo der Einladung zu
einem frugalen Mahl (XI 56—182) eine langweilige Einleitung
über das Thema, dass einer, der sich nicht nach der Decke
streckt, in Not und Armut kommt, vorausgeschickt ist? Freilich Ribbeck bleibt sich auch hier konsequent: er verwirft als
fremdes, elendes Machwerk nicht weniger den ersten Teil der
11. wie den der 4. Satire.

XI. 55 -

sanguinis in facie non haeret gutta, morantur
pauci ridiculum et fugientem ex urbe pudorem.

Friedländer fasst hier, wie auch früher Ruperti, *morantur* in
dem Sinne von festhalten und erklärt den zweiten Teil des
Satzes mit 'Wenige halten die Scham fest, die aus Rom ent-
flieht, d. h. wenige bewahren noch Schamhaftigkeit.' Aber
wenn man so auch zur Note *morantur pudorem* erklären darf,
werden die Wenigen auch das Lächerliche festzuhalten suchen?
oder ist es erlaubt, *morantur* in einem andern Sinn zu *pudorem* und in einem andern zu *ridiculum* zu nehmen? Noch
gewundener ist die Erklärung von Weidner: ein solcher Mensch
besitzt noch immer Scham, denn er verlässt ja Rom; weil aber
diese Art von Scham des Herabgekommenen nicht auf wirk-
lichem Ehrgefühl beruht, so erscheint sie lächerlich (*ridiculum
pudorem*), und kaum bemüht sich ein Mensch darum, einen so
verkommenen Menschen von seinem Entschluss, Rom zu meiden,
wieder abzubringen. Es verlohnt sich nicht der Mühe, eine
so geschraubte und unpassende Erklärung zu widerlegen.
Andere Herausgeber scheinen in den Worten überhaupt keine
Schwierigkeit gefunden zu haben und bemerken gar nichts zu
der Stelle. In der That liegt die Sache sehr einfach. Das
Verbum *morari* c. acc. hat hier wie so oft im Lateinischen
die Bedeutung, sich um etwas kümmern, und von ihm in diesem
Sinne hängen die zwei Accusative ab *ridiculum* und *pudorem*:
in jenen verkommenen Leuten ist kein Tropfen mehr von
Schamröte (*sanguinis*); nur wenige fragen noch etwas nach
dem Lächerlichen, d. i. ob sie sich lächerlich machen, und
nach der Schamhaftigkeit, die ohnehin der Stadt den Rücken
kehrt. Es ging aber Juvenal bei der Phrase *fugientem ex urbe
pudorem* von der Stelle in Hesiods Werken 199 aus ἀϑανάτων
μετὰ φῦλον ἴτον προλιπόντ᾽ ἀνϑρώπους Αἰδὼς καὶ Νέμεσις.
Auf diese Stelle hat bereits Mayor hingewiesen; ich füge noch
von Kunstdarstellungen das schöne Relief im Münchener Antiquarium n. 799 (= Campana Op. in plast. 46) hinzu, wo die

Aidos davonschwebt, das unreine Opfer der Lustdirne mit abwehrender Handbewegung verschmähend.

XV 33 ff.

> *inter finitimos vetus atque antiqua simultas,*
> *immortale odium et numquam sanabile vulnus*
> *ardet adhuc Ombos et Tentyra. summus utrimque*
> *inde furor vulgi, quod numina vicinorum*
> *odit uterque locus, cum solos credat habendos*
> *esse deos quos ipse colit etc.*

Die Verse enthalten die merkwürdige Schilderung eines aus fanatischer Wut entstandenen Streites zweier ägyptischer Städte Ombi und Tentyra, der zuletzt darin gipfelte, dass die Ombiten einen der fliehenden Tentyriten, der in der Hast der Flucht gestrauchelt war, aufgriffen, zerstückelten und in unmenschlicher Gier auffrassen. Der Dichter selbst sagt im Eingang V. 27, die Sache sei in seiner Zeit unter dem Consul Iuncus, d. i., wie wir jetzt aus einem Militärdiplom Sardiniens CIL. III p. 874 n. XXXI mit Bestimmtheit wissen,[1] im Jahr 127 n. Chr. vorgefallen: *nos miranda quidem sed nuper consule Iunco gesta super calidae referemus moenia Copti.* Um die Wahrscheinlichkeit seines an sich unglaublichen Berichtes zu erhöhen, hebt Juvenal V. 45 *horrida sane Aegyptos sed luxuria, quantum ipse notavi, barbara famoso non cedit turba Canopo* hervor, dass er selbst in Aegypten gewesen und mit eigenen Augen Land und Leute kennen gelernt habe. Mit dieser Selbstbeobachtung war es indes nicht sehr weit her: Unterägypten kannte wohl Juvenal aus eigener Beobachtung, und er wird dort auch das, worauf er sich an jener Stelle bezieht, kennen gelernt haben, dass nämlich die Aegypter bei allem Elende ihrer Lage doch darin sich gefielen, ihre Götterfeste bei Tag und bei Nacht und mehrere Tage hinter einander zu feiern. Aber den Schauplatz des schauerlichen Ereignisses, das er

---

[1] Das Cognomen *Iunco* ist in jener Inschrift freilich ausgefallen, aber mit voller Sicherheit ergänzt von Borghesi, Oev. V 62 ff. Vergleiche auch Wissowa unter Aemilius p. 560.

schildert, kannte er weder aus eigener Beobachtung noch aus
genauen Karten. Denn er macht Ombi und Tentyra, die an
30 Meilen auseinander lagen, zu Nachbarstädten, und verwechselt, was schlimmer ist, V. 28 und 35 Coptus mit Ombi.
Jenen Fehler aber mit Pauw durch die Correctur *Coptos* statt
Ombos in V. 35 zu beseitigen, wird man sich wohl hüten müssen,
da *Ombos* durch die Wiederkehr des gleichen Wortes *Ombis*
V. 75 gesichert ist, und auch Aelian περὶ ζῴων X 21 die
Ombiten und Tentyriten als Anbeter und Verächter des Krokodils
in Gegensatz setzt, dieses aber mit einer kleinen Modifikation
(Ἀπολλωνοπολῖται δὲ Τεντυριτῶν μοῖρα σαγηνεύουσι τοὺς κροκοδείλους), die uns hindert, den Bericht des Aelian aus dem des
Juvenal abzuleiten. Aber wenn nun auch Juvenal die Lage
der zwei oder drei Städte nicht genau gekannt haben und
niemals in jenen Gegenden Oberägyptens gewesen sein wird,
so lautet doch auf der anderen Seite die Zeitangabe so bestimmt, dass man an der Richtigkeit des Ereignisses und an
dem Falle rohesten Kannibalismus nicht zweifeln kann. Juvenal
übertreibt nur die Sache, indem er so thut, als ob nicht bloss
die menschenfressenden Lästrygonen und Kyklopen des Homer
dem Mythen angehörten, sondern als ob auch seit der Belagerung
der spanischen Städte Saguntum und Calagurris kein Fall von
Menschenfresserei vorgekommen sei, während doch thatsächlich
kurz zuvor im Jahre 116 n. Chr. die Juden in dem benachbarten Kyrene Römer und Griechen aus politischem und reli-
giösem Hass geschlachtet und gefressen hatten, worüber Cassius Dio 68, 32 berichtet: οἱ κατὰ Κυρήνην Ἰουδαῖοι, Ἀνδρέαν
τινὰ προστησάμενοί σφων, τούς τε Ῥωμαίους καὶ τοὺς Ἕλληνας
ἔφθειρον καὶ τάς τε σάρκας αὐτῶν ἐσιτοῦντο καὶ τὰ ἔντερα ἀνε-
δοῦντο καὶ τῷ αἵματι ἠλείφοντο καὶ τὰ ἀπολέμματα ἐνεδύοντο,
πολλοὺς δὲ καὶ μέσους ἀπὸ κορυφῆς ἔπριον.[1])

— Mit dem frischen Eindruck der Erzählung Juvenals, die
ich im Sommer gelegentlich der schon erwähnten Seminar-

---

[1]) Wahrscheinlich fand Juvenal die Fälle von Kannibalismus in
einer Beispielsammlung, die nicht bis 116 n. Chr. reichte, vielleicht des
Cornelius Nepos. Der Punkt verdiente weiter verfolgt zu werden.

übungen nochmals gelesen hatte, ging ich in den Herbstferien
nach Ems, um am Krähnchenbrunnen ein altes Halsleiden zu
kurieren. Da ein Gelehrter auch in den Bädern keine Lang-
weile haben darf, und da ich in den Ferien zwar die Handwerksarbeit fortzusetzen verschmähe, aber doch bei der Auswahl der freien Lektüre bestimmte Gesichtspunkte zu verfolgen
liebe, so wählte ich dieses Jahr zur Ferienlektüre mit Rücksicht auf Juvenal und die Wechselbeziehungen griechischer
und römischer Litteratur in der römischen Kaiserzeit die Moralia
des Plutarch. Da stiess ich in der Schrift über Isis und Osiris
c. 72 auf die Stelle: τῶν γὰρ θηρίων, ἃ προσέταξεν ἄλλοις ἄλλα
τιμᾶν καὶ σέβεσθαι, δυσμενῶς καὶ πολεμικῶς ἀλλήλοις προς-
φερομένων καὶ τροφὴν ἑτέραν ἑτέρου (ἑτέρους … πεφυκότας
codd.) προσίεσθαι πεφυκότος, ἀμύνοντες ἀεὶ τοῖς οἰκείοις ἕκαστοι
καὶ χαλεπῶς ἀδικούμενοι φέροντες ἐλάνθανον ταῖς τῶν θηρίων
ἔχθραις συνελκόμενοι καὶ συνεκπολεμούμενοι πρὸς ἀλλήλους·
μόνοι γὰρ ἔτι νῦν Αἰγυπτίων Λυκοπολῖται πρόβατον ἐσθίουσιν,
ἐπεὶ καὶ λύκος, ὃν θεὸν νομίζουσιν· οἱ δὲ Ὀξυρυγχῖται καθ'
ἡμᾶς, τῶν Κυνοπολιτῶν τὸν ὀξύρυγχον ἰχθὺν ἐσθιόντων, κύνα
(κύνας codd.) συλλαβόντες καὶ θύσαντες ὡς ἱερεῖον κατέφαγον.
ἐκ δὲ τούτου καταστάντες εἰς πόλεμον ἀλλήλους τε διέθηκαν
κακῶς καὶ ὕστερον ὑπὸ Ῥωμαίων κολαζόμενοι διετέθησαν. Sofort
erinnerte ich mich der 15. Satire des Juvenal und wunderte
mich nicht schon durch die Kommentatoren auf diese wichtige
Parallelstelle aufmerksam gemacht worden zu sein oder dieselbe so rasch wieder aus dem Gedächtnis verloren zu haben.
Aber da ich keine Bücher zur Hand hatte, so verschob ich
die weitere Prüfung dieses Punktes auf die Zeit meiner Rückkehr in die Stadt, erwog nur gleich damals bei mir, dass die
beiden Berichte trotz der grossen Aehnlichkeit der Situation
nicht in allen Punkten mit einander übereinstimmen, indem
Plutarch nur von einer Befehdung der beiden Städte aus reli-
giösem Fanatismus, nicht auch von Kannibalismus spricht, und
statt der Städte Ombi und Tentyra die Kynopoliten und Oxy-
rynchiten nennt. Aber hoch schlug ich schon damals die Differenz nicht an, da einesteils den speciellen Zug der Ausartung

des Streites in kannibalische Roheit der Satiriker Juvenal
ebenso gut ausmalen wie der Theosoph Plutarch übergehen
konnte, und da andernteils ohnehin, wie wir oben sahen, in
der Erzählung des Juvenal die Namen der beiden Städte zur
örtlichen Situation nicht stimmen und so aussehen, als seien
sie von Juvenal hinzugedichtet, um der anfangs ort- oder
namenlosen Erzählung ein bestimmteres lokales Gesicht zu
geben. — In die Stadt zurückgekehrt, fand ich dann auch,
dass schon Salmasius Exerc. Plin. p. 452 die beiden Stellen
des Juvenal und Plutarch zusammengestellt und auf das gleiche
Vorkommnis bezogen hatte; ferner, dass Mayor in seinem Kommentar zu Juvenal nicht bloss auf jene Stelle des Plutarch
verweist, sondern auch noch drei andere, auf ähnliche religiöse
Streitigkeiten bezügliche Stellen anführt: Cassius Dio 42, 34
aus dem Jahre 707 u. c. θρησκεύουσί τε πολλὰ περισσότατα
ἀνθρώπων καὶ πολέμους ὑπὲρ αὐτῶν καὶ πρὸς ἀλλήλους, ἅτε
μὴ καθ᾽ ἓν ἀλλὰ καὶ ἐκ τοῦ ἐναντιωτάτου [καὶ] αὐτοῖς τιμῶντές
τινα, ἀναιροῦνται, Philo legat. ad Gaium 20 οἱ κύνας καὶ λύκους
καὶ λέοντας καὶ κροκοδείλους καὶ ἄλλα πλείονα θηρία, καὶ ἔνυδρα
καὶ χερσαῖα καὶ πτηνά, θεοπλαστοῦντες, ὑπὲρ ὧν βωμοὶ καὶ ἱερὰ
καὶ ναοὶ καὶ τεμένη κατὰ πᾶσαν Αἴγυπτον ἵδρυνται, Athanasius
c. gentes 23 ὅλως ἑκάστη πόλις καὶ κώμη, τοὺς ἐκ γειτόνων
οὐκ εἰδυῖα θεούς, τοὺς ἑαυτῆς προκρίνει καὶ μόνους εἶναι τούτους
νομίζει θεούς (vgl. Juv. 15, 36 f.) περὶ γὰρ τῶν ἐν Αἰγύπτῳ
προσαρκῶν οὐδὲ λέγειν ἔστι πᾶσιν ἐν ὀφθαλμοῖς ὄντων, ὅτι ἐναν-
τίας καὶ μαχομένας ἀλλήλαις ἔχουσι τὰς θρησκείας· ὁ γοῦν παρ᾽
ἑτέροις προσκυνούμενος ὡς θεὸς κροκόδειλος, οὗτος παρὰ τοῖς
πλησίον βδέλυγμα νομίζεται· καὶ ὁ παρ᾽ ἑτέροις λέων ὡς θεὸς
θρησκευόμενος (vgl. Philo a. St.), τοῦτον οἱ ἀστυγείτονες οὐ
μόνον οὐ θρησκεύουσιν ἀλλὰ καὶ εὑρόντες ἀποκτείνουσιν ὡς
θηρίον· καὶ ὁ παρ᾽ ἄλλοις ἀνατεθεὶς ἰχθύς, οὗτος ἐν ἄλλῳ εὑρί-
σκεται τροφή. Auf der anderen Seite erfuhr ich aber, dass
der gelehrte Herausgeber der Schrift des Plutarch, Parthey,
in seiner Ausgabe sich auf das nachdrücklichste unter Hervor-
hebung der grossen Verschiedenheiten gegen die herkömmliche
Confundierung der zwei auf verschiedene Vorkommnisse bezüg-

lichen Berichte ausgesprochen hatte.[1]) Um daher nicht als
kritiklos zu erscheinen, scheinen die neuesten deutschen Herausgeber des Juvenal von der Anführung der Stelle des Plutarch
ganz abgesehen zu haben. Das ist nun jedenfalls nicht zu
billigen. Denn eine so wichtige Parallelstelle gehört unbedingt
in einen Kommentar des Dichters. Aber auch in der Sache
selbst hat mich Parthey nicht völlig überzeugt. Wenn man
bedenkt, wie Gerüchte im Weitertragen wachsen und wie bei
Sagen und Mythen auch die Oertlichkeiten wechseln, so wird
man es nicht für unmöglich halten, dass dasselbe Ereignis
des Jahres 127 den Hintergrund der beiden Erzählungen, des
Juvenal und Plutarch, gebildet habe. Ich gebe dabei noch zur
weiteren Erwägung, erstens, dass so weit von einander entfernt
die angeblich benachbarten Städte des Juvenal, Ombi und
Tentyra liegen, so nahe bei einander die plutarchischen Städte
Kynopolis und Oxyrynchos nach dem Zeugnis des Geographen
Strabo XVII p. 812, zweitens, dass auch ein dritter mit dem
plutarchischen verwandter Bericht bei Aelian περὶ ζῴων XI 27
Θηβαῖοι δ' οἱ ἐν Αἰγύπτῳ πρὸς Ῥωμαίους ὑπὲρ κυνὸς πολε-
μῆσαι λέγονται eine geographische Verwirrung enthält, indem
er Kynopolis in die Nähe von Theben nach Oberägypten verlegt, endlich, dass von einem in Folge jener religiösen Streitigkeiten ausgebrochenen Krieg der Römer der Historiker jener
Zeit, Cassius Dio, schweigt. Indes als ausgemacht will auch
ich es keineswegs hinstellen, dass ein und dasselbe Ereignis
den beiden Berichten zugrunde liegt, es können auch mehrere
Zuckungen des religiösen Fanatismus gewesen sein, die endlich
ein gewaltsames Eingreifen der Römer notwendig machten.
So fasst der Historiker, Mommsen, Röm. Gesch. V 580 die
Dinge auf: „In den Kreisen der Eingeborenen knüpften sich
in dieser Epoche an den Cultus die ärgsten Missbräuche:

---

[1]) Noch kräftiger Ribbeck, Der echte und unechte Juvenal S. 16:
Dass an eine Identificierung dieser Geschichte nicht zu denken ist, liegt
auf der Hand, und ist zum Ueberfluss von Parthey S. 300 ff. ausein-
andergesetzt.

nicht bloss viele Tage hindurch fortgesetzte Zechgelage zu
Ehren der einzelnen Ortsgottheiten mit der dazu gehörigen
Unzucht, sondern auch dauernde Religionsfehden zwischen den
einzelnen Sprengeln um den Vorrang der Ibis vor der Katze,
des Krokodils vor dem Pavian. Im Jahre 127 n. Chr. wurden
wegen eines solchen Anlasses die Ombiten im südlichen Aegypten
von einer benachbarten Gemeinde bei einem Festgelage überfallen und es sollen die Sieger einen der Erschlagenen gefressen haben. Bald nachher verzehrte die Hundsgemeinde der
Hechtgemeinde zum Trotz einen Hecht und diese jener zum
Trotz einen Hund, und es brach darüber zwischen diesen beiden
Nomen ein Krieg aus, bis die Römer einschritten und beide
Parteien abstraften.* Uebrigens ist die ganze Streitfrage weniger
von Belang für Juvenal als für die Chronologie Plutarchs.
Denn ist meine oder Mommsens Annahme richtig, so erhalten
wir damit ein sehr erwünschtes Zeugnis, dass Plutarch noch
im Jahre 127 lebte und um diese Zeit die Schrift über Isis
und Osiris verfasste.

Im Anhang daran will ich noch von anderen Berührungen
des Juvenal und Plutarch in Kürze erwähnen, dass der reiche
Dilettant Paccius bei Juv. VII 12 und XII 99 mit dem vornehmen Römer, dem Plutarch die Schrift über die Seelenruhe
widmete, identisch zu sein scheint;[1] ferner, dass der Vers des
Juv. III 82 *toro meliore recumbet* durch Plut. Sympos. I 2 eine
treffliche Illustration erhält; dass die Pythagorei des Juv. III 229
in dem Kreis der von Plutarch Sympos. VIII 7 mit Namen
angeführten Pythagoreer Moderatus und Lucius zu suchen sind,
und dass der Ausspruch des Juv. XV 173 *Phythagoras cunctis
animalibus abstinuit qui tamquam homine*[2]) mit den von Plut.
περὶ σαρχοφαγίας p. 997 E und 998 C angegebenen Gründen
der Fleischenthaltung der Pythagoreer zusammenhängt; endlich,
dass die Phrasen *nobilis indocti* Juv. VIII 49 und *Delphis oracula*

---

[1] Vergleiche darüber Volkmann, Leben, Schriften und Philosophie
des Plutarch I 41 f.

[2] Gut erläutert von Weidner, übergangen von Friedländer, in weitere
Diskussion gezogen von Mayor mit ausführlicher Litteraturangabe.

cessant VI 555 an die Schriften des Plutarch πρὸς ἡγεμόνα ἀπαίδευτον und περὶ τῶν ἐκλελοιπότων χρηστηρίων erinnern.

XIII 74

>   *summam quam patulae vix ceperat angulus arcae.*

Weidner erklärt die letzten Worte mit ‚der Verschluss des geräumigen Kastens; es ist der angulus reconditus, in dem das Geld sich gewissermassen versteckt hält‘. Unter ‚Verschluss des geräumigen Kastens‘ wird man sich entweder gar nichts oder etwas gar nicht bieher gehöriges, das Schloss am Kasten, vorstellen. Der Ausdruck ist vielmehr aus dem Griechischen zu erklären, indem Juvenal mit *angulus* das griechische μυχός übersetzt. Der Genetiv, der dabei steht, ist entweder partitiver Natur, wie in dem homerischen μυχῷ Ἄργεος Z 152 ‚in dem zurückliegenden Winkel von Argos‘, oder bezeichnet nach Analogie von ἕρκος ὀδόντων den Stoff oder Inhalt, der den durch das erste Wort ausgedrückten Gegenstand bildet, wie bei Pindar Pyth. VIII 79 ἐν Μεγάροις δ’ ἔχεις γέρας μυχῷ τ’ ἐν Μαραθῶνος ‚in der Einbuchtung des Landes, in der Marathon liegt‘, nicht ‚in dem hinteren Teile von Marathon‘. So bedeutet also auch bei Juvenal an unserer Stelle *angulus arcae* den durch die Kiste gebildeten abgelegenen Ort, in dem sich das Geld befindet.

Bei der Gelegenheit will ich noch einige andere Stellen kurz verzeichnen, an denen Juvenal einen griechischen Originalausdruck mit einem lateinischen wiederzugeben scheint: H 23 *loripedem* = ἱμαντόποδα, wofür zum Belege die Herausgeber auf Plinius n. h. V 46 und VII 25 verweisen. Der griechische Ursprung des Wortes ist um so sicherer, da die lateinische Sprache so ausserordentlich arm an ursprünglichen Compositis ist; es ist eine Neubildung nach dem Recept des Horaz a. p. 53 *graeco fonte cadent parce detorta*. — VIII 56 und XV 143 *animalia muta* = ζῷα ἄλογα. An eine Aenderung *brutorum* für *mutorum*, die sich XV 143 in interpolierten Handschriften findet, wird heutzutage niemand mehr denken. Der Ausdruck ἄλογον ζῷον war den Griechen ganz geläufig, und hat bekanntlich

ι geführt, dass im Neugriechischen ἄλογον für das alt-
chische ἵππος in Gebrauch ist. — X 148 *hic est, quem non
t Africa*. Der hier vorliegende Gebrauch von *capit* lässt
auch aus dem Lateinischen belegen, wie die Herausgeber
namentlich Friedländer nachweisen; aber das eigentliche
totyp für *capit* dürfte doch das griechische χωρεῖ sein in
klassischen Stelle Demosth. Phil. III 27 οὔϑ᾽ ἡ Ἑλλάς οὔϑ᾽
ἀρβαρος τὴν πλεονεξίαν χωρεῖ τἀνθρώπου. — VII 19 *nectit
unque canoris eloquium vocale modis* wird eher heissen ‚wer
er den Worttext‘ als ‚wer immer den klangreichen Text
Gesangsweisen verbindet‘. Ist das erstere der Fall, dann
Juvenal mit *eloquium vocale* das griechische ἐπέων θέσιν
Stellen, wie Pind. Ol. IH 8 φόρμιγγά τε ποικιλόγαρυν
βοὰν αὐλῶν ἐπέων τε θέσιν Αἰνησιδάμου παιδὶ συμμῖξαι
πόντως wiedergegeben.

Mit den letzten Stellen sind wir schon in den Kreis der
dlelstellen eingetreten, die zu sammeln bei jedem Autor
ιtig ist, die aber namentlich bei Juvenal zur Aufhellung
kler Stellen von grösster Bedeutung sind. Man kann in
Aufsuchung von solchen Parallelstellen des Guten zu viel
ι und dadurch den Kommentar übermässig belasten. Das
Lewis in der Vorrede seiner Ausgabe (ed. London 1873,
. VI) seinem Landsmann Mayor vorgeworfen, aber man
s doch dem Letzteren die ihm auch von Friedländer ge-
nkte Anerkennung zu teil werden lassen, dass er in seinem
amentar mehr wie irgend ein anderer aus seiner ausser-
ntlichen Belesenheit zur Aufhellung unseres Dichters bei-
agen hat. Friedländer ist es zum grossen Teil mit Hilfe
es trefflichen Mitarbeiters C. F. W. Müller gelungen, noch
ge weitere Stellen für die sachliche wie sprachliche Erung Juvenals beizubringen. Im übrigen hat er eine weise
wahl getroffen, so dass er nur das eigentlich Zutreffende
lhrt und nicht nach Art der alten Holländer ein Wort
ι eine Phrase im Juvenal benützt, um die Speicher seiner
drsamkeit auszukramen. Doch vermisst man hie und da
wichtige, von den früheren Herausgebern beigebrachte

Parallelstelle. So sollte zu X 261 *ut primos edere planctus Cas-sandra inciperet* auf das ἦρχε γόοιο bei Homer Il. XXIV 723 verwiesen sein, zu VIII 268 *legum prima securis* auf Lucan VII 441 *tempora legum egimus*, zu II 46 *iunctaeque umbone phalanges* auf Homer Il. XIII 130 φράξαντες δόρυ δουρί, σάκος σάκεϊ προθελύμνῳ, ἀσπὶς ἄρ' ἀσπίδ' ἔρειδε. Ich vergleiche ferner die Umschreibungen *capitis matrona pudici* VI 49 mit der ähnlichen bei Pindar Pyth. XI 35 ὁ δ' ἄρα γέροντα ξένον Στρόφιον ἐξίκετο νέᾳ κεφάλᾳ (vgl. Ol. VI 60, VII 67), ebenso die Wendung *sunt talis quoque taedia vitae magna* XI 207 mit der ganz gleichen bei Hom. Il. XIII 136 πάντων μὲν κόρος ἐστὶ καὶ ὕπνου καὶ φιλότητος μολπῆς τε γλυκερῆς καὶ ἀμύμονος ὀρχηθμοῖο und Nem. VII 52 ἀλλὰ γὰρ ἀνάπαυσις ἐν παντὶ γλυκεῖα ἔργῳ, κόρον δ' ἔχει καὶ μέλι καὶ τέρπν' ἄνθε' Ἀφροδίσια.

Ich wende mich zu einer zweiten Art von Stellen, wo durch Heranziehung sachlicher Verhältnisse Licht auf die Worte des Dichters geworfen wird.

III 67 f.

> *rusticus ille tuus sumit trechedipna, Quirine,*
> *et ceromatico fert niceteria collo.*

Juvenal, dem nichts mehr als die griechisch gewordene Stadt ein Dorn im Auge ist, lässt hier seinen Zorn darüber aus, dass der alte römische Bauer auch beim Mahle griechische und fremde Sitte zur Schau trägt: er zieht wie ein Parasit elegante Stiefeletten zum Mahle an und trägt Siegesmedaillen am eingesalbten Hals. Was das erste Fremdwort *trechedipna* anbelangt, so erklärt dasselbe der Scholiast mit *vestimenta parasitica vel calligulas* (*galliculas* cod. mit C für G) *graecas currentium ad cenam*. Die zweite Erklärung ist offenbar die richtigere, da sie allein der Etymologie des Wortes Rechnung trägt: aus der ersteren können wir höchstens nur den Begriff des Parasiten herübernehmen. Das Wort ist griechisch, uns aber nur bei einem einzigen griechischen Autor, bei Plutarch in den Tischgesprächen VIII 6, 1 erhalten: τῶν υἱῶν μου τοὺς

ους ἐν θεάτρῳ προστρίψαντας ἀκροάμασι καὶ βράδιον ἐπὶ
των ἐλθόντας οἱ Θέωνος υἱοὶ κωλυσιδείπνους καὶ ζοφο-
ας καὶ τοιαῦτα μετὰ παιδιᾶς ἐκαλεσαντον, οἱ δὲ ἀμυνόμενοι
ἐκείνους τρεχεδείπνους ἀπεκάλουν· καί τις εἶπε τῶν πρε-
ον τρεχέδειπνον εἶναι τὸν ὑσταρίζοντα τοῦ δείπνου· θᾶττον
βάδην ἐπειγόμενον, ὅταν βραδύνῃ, φαίνεσθαι. Das Wort
enbar eine komische Bildung und stammt, wenn nicht
picharm oder einem Dichter der neueren Komödie, aus
einem Mimus des Parasitenlebens. Laufende Parasiten,
t Füssen und Händen ausgreifend zur gutbesetzten Tafel
waren eine stehende Figur der neuen Komödie und haben
der bekannten Unterscheidung der fabulae motoriae und
e statariae beigetragen. Als Vorbild für die Neubildung
n die alten Komposita, deren erstes Glied ein Verbum in
ematischen Form auf ε bildete, wie ἀγέλαος φερέοικος.
in der Bedeutung sind nach altertümlicher Weise die
Teile des Compositums zusammengefügt. Das Substantiv,
s den zweiten Teil jener Composita ausmacht, hat die
iatische Geltung eines Objektes oder eines Accusativs, so
ς = ἄγων λαόν. Der Bildner des neuen Wortes war sich
och bewusst, dass die Verba des Gehens und Laufens
n, wie noch häufig bei Homer und Pindar,[1]) mit dem
itiv des Ziels construiert wurden, dass also τρεχέδειπνος
wie τρέχων πρὸς δεῖπνον bedeuten konnte. Das Wort
iedem wie die meisten Composita ein Adjektiv und ward
ist nur von Personen gebraucht. Das Neutrum *treche-*
das Juvenal an unserer Stelle gebraucht und wahrlich aus der Toilettensprache der vornehmen Welt herüber-
men hat, ist erst von dem adiect. masc. τρεχέδειπνος in
Weise abgeleitet; ergänzt wird man wohl haben ὑπο-
ι, nicht ἱμάτια, wie man nach der Glosse *vestimenta* des
asten annehmen könnte. Damit waren also leichte Schuhe
it, wie man sie an den Parasiten der griechischen Komödie
en gewohnt war und wie sie überhaupt von den eleganten,

Siehe meine Note zu Pindar Ol. X 67.

verzärtelten Griechen bei den Gastmählern getragen wurden.
Den Gegensatz dazu bildete der römische calceus, der schwere
Soldatenstiefel, der den Römer als militärischen Herrscher
charakterisierte, und den daher derselbe Plutarch praec. reip.
ger. c. 17 p. 262 A anwendete, um den Gegensatz zwischen
dem gebietenden Römer und dem unterwürfigen Griechen zu
bezeichnen: ἀρχόμενος ἄρχεις, ὑποτεταγμένης πόλεως ἀνθυπάτοις,
ἐπιτρόποις Καίσαρος ... εὐσταλεστέραν δεῖ τὴν χλαμύδα ποιεῖν
καὶ βλέπειν ἀπὸ τοῦ στρατηγίου πρὸς τὸ βῆμα, καὶ τῷ στεφάνῳ
μὴ πολὺ φρόνημα πιστεύειν, ὁρῶντα τοὺς καλτίους ἐπάνω τῆς
κεφαλῆς. Wir älteren erinnern uns noch eines ähnlichen
Gegensatzes aus neuerer Zeit, als vor Ausbruch des vorletzten
russisch-türkischen Krieges der russische Gesandte bei Ueber-
bringung der drohenden Forderungen seines Kaiserlichen Herrn
nicht mit den Lackstiefeletten des Diplomaten, sondern den
Kanonenstiefeln des Generals in den Palast des Sultans trat.

Wenden wir uns zum zweiten Satz unserer Stelle

et ceromatico fert niceteria collo.

Hier ist die Nachäffung der fremden Sitte durch die zwei griechischen Wörter niceteria (νικητήρια) und ceromatico (von κήρωμα)
angedeutet. Dass es sich dabei um Siege in den Gymnasien
oder Ringschulen handelt, ersieht man aus dem Worte ceroma,
worunter man nach Plinius n. h. XXVIII 50. XV 19. XXIX 26.
XXXV 168, Seneca de brev. vit. 12 eine in griechischen Gymnasien zu Rom gebrauchte Wachssalbe verstand. Die um den
Hals getragenen niceteria aber sind, wenn nicht identisch,
so doch verwandt mit den sogenannten Tesserae gladiatoriae,
beinenen Stäbchen in der Form eines Parallelepipedon, die am
Griff oder Knopf durchbohrt waren, damit man durch das Loch
eine Schnur ziehen und so das Stäbchen als Orden oder Ehren-
zeichen um den Hals tragen konnte. Derartige Tesserae, welche
auf den vier Langseiten Inschriften mit dem Namen des Decorierten und dem Datum des Sieges oder der Prüfung tragen,
sind an 100, alle aus der Zeit des Marius bis Vespasian, erhalten, darunter auch ein Stück in unserem Antiquarium n. 687.

das mit andern Ritschl, Die Tesserae gladiatoriae der Römer,
in den Abhandlungen unserer Akademie 1864 S. 293 ff. =
Opusc. IV 572 ff. veröffentlicht hat. Direkt identificieren
möchte ich allerdings die niceteria unserer Stelle mit jenen
tesserae gladiatoriae nicht, da es sich an unserer Stelle nicht
um Gladiatorensiege, sondern um Siege von freien Römern in
griechischen Gymnasien handelt. Denn wenn auch in Juvenals
Zeit selbst freie und vornehme Römer sich nicht scheuten, als
Gladiatoren aufzutreten (s. VIII 200 ff. und XI 20), so waren
dieses doch immer Ausnahmsfälle, und haben die Gladiatoren-
kämpfe jedenfalls mit griechischer Sitte nichts zu thun. Aber
da die Gladiatorentesserae gerade so wie die Siegesorden (niceteria) unserer Stelle von den Decorierten um den Hals getragen
wurden, so kann man nicht zweifeln, dass beide von ähnlicher
Form waren, und die einen den andern, wahrscheinlich die
Gladiatorentesserae den griechischen niceteria nachgebildet waren.
Auch wird die in unserer Zeit so lebhaft erörterte Streitfrage,[1]
wie das SP., SPECTAT., SPECTAUIT der Tesserae gladiatoriae
zu deuten sei, durch Heranziehen unserer Juvenalstelle eine
neue Seite gewinnen. Denn unsere νικητήρια sind offenbar von
νίκη benannt und weisen demnach auf einen Sieg hin, mit dem
der Decorierte sich brüstete. Deshalb wird auch das SP nicht
zu SPECTANDUS, sondern zu SPECTATUS zu ergänzen sein,
und das vereinzelt dafür vorkommende SPECTAUIT die Bedeutung haben ,hat sich bewährt'. so dass der mit jener Tessera Ausgezeichnete aus der Klasse der Tirones zu der höheren
der Geprüften, der Burschen, wie unsere Studenten sagen
würden, aufstieg.

III 320 ff.

> *nec quoque ad Helvinam Cererem vestramque Dianam*
> *converte a Cumis. saturarum ego, ni pudet illas,*
> *adiutor gelidos veniam caligatus in agros.*

---

[1] S. Mommsen Herm. XXI 271 ff., Elter Rhein. Mus. XLI 517 ff.
Meier ebenda XLII 122 ff.

Diese Schlussverse der Perle der Satiren Juvenals sind an und
für sich wohl verständlich; sie verlieren nur von ihrer unge-
schminkten Einfachheit, wenn man in ihnen mit Borghesi und
Weidner eine Anspielung auf den gemeinsamen Kriegsdienst
des Juvenal und Umbricius und die untergeordnete Stellung des
miles gregarius Umbricius gegenüber dem kommandierenden
Centurio Juvenal erblickt.   Das Beiwort gestiefelt *caligatus* erklärt sich hinlänglich aus den daneben stehenden Worten *gelidos
in agros*: im Winter bei Eis und Schnee trägt man feste Stiefeln
statt leichter Sandalen.   Mit Recht also verwirft Friedländer
jene Feinspinnereien; er hätte nur noch weitergehen und die
Deutung der bekannten, auch von Schanz, Röm. Lit. II 337 über-
schätzten Inschrift CIL X 5382, *C[ere]ri sacrum [D. Iu]nius
Iuvenalis trib. coh. [I] Delmatarum II vir quinq. flamen divi
Vespasiani vovit dedica[vit]que sua pec.* auf unseren Dichter
Juvenal als durchaus unsicher und zweifelhaft bezeichnen sollen.
Denn der Fundort der Inschrift, Aquinum, und die in der Er-
wähnung des Vespasian liegende Zeitangabe beweisen nur, dass
ein Iunius Iuvenalis aus Aquinum in der Zeit der Flavier Tribun
einer in Britannien stationierten Cohorte der Delmater war.
Aber das braucht keineswegs nun gerade unser Dichter D.
Iunius Iuvenalis gewesen zu sein; die Angaben passen gerade
so gut, ja besser auf ein anderes, etwas älteres Glied der
Familie Iunia Iuvenalis, einen älteren Bruder oder älteren
Vetter oder selbst den Vater des Dichters.   Denn unser Dichter
gibt sich in den ersten Büchern seiner Satiren, mit denen er
erst nach dem Sturze der Flavier hervortrat, als einen stellen-
losen, auf die Gunst der Reichen angewiesenen Flaneur, der
sich erst um eine höhere, mit ansehnlichem Einkommen ver-
bundene Staatsstelle bewarb, eine solche aber nicht erlangte.
Keine aber der Stellen, die man für einen Aufenthalt des
Dichters in Britannien anführt, II 161. IV 127. 141. X 14.
XIV 196. XV 124, reicht zu einem ernsten Beweise aus.
Denn was dort erzählt wird, konnte der Dichter auch durch
Hörensagen erfahren haben, namentlich, wenn einer seiner Ver-
wandten in Britannien gedient hatte und im Winter beim

Heerdfeuer von seinen Erlebnissen erzählte. Hingegen haben
wir dafür, dass Juvenal im späten Alter die Präfectur einer
Cohorte in Aegypten erlangte, die bestimmte Ueberlieferung
der Vita[1]) und können uns obendrein für den Aufenthalt desselben in Aegypten auf sein eigenes Zeugnis XV 45 *horrida
same Aegyptos sed luxuria, quantum ipse notavi* berufen. Doch
kehren wir zu unserer Stelle III 322 zurück, so stimme ich
allerdings ganz Friedländer bei, dass in dem *caligatus* keine
Anspielung auf den Kriegsdienst der beiden Freunde Umbricius und Juvenal zu suchen ist; aber trotzdem glaube ich,
dass Juvenal bei jenen Versen noch an etwas anderes als an
das einfache Zusammenarbeiten der beiden Freunde gedacht hat.
Wenigstens bekommen die Verse eine feinere Pointe, wenn
man annimmt, dass der Dichter dabei auf das berühmte Beispiel gemeinsamer Dichterthätigkeit in der römischen Litteratur,
auf das Zusammenarbeiten des Dichters Terentius und seiner
hohen Gönner Laelius und Scipio anspielen wollte. Man lese
nur den auch im Wortlaut stimmenden Bericht des Zeitgenossen unseres Juvenal, des Historikers Suetonius Tranquillus
im Leben des Terenz: *non obscura fama est adiutum Terentium
in scriptis a Laelio et Scipione, eamque ipse auxit, numquam nisi
leviter se tutari conatus … sciebat Laelio et Scipioni non in-
gratam esse hanc opinionem, quae tum magis et usque ad poste-
riora tempora valuit.*

IV 26 f.

> *provincia tanti
> vendit agros, sed maiores Apulia vendit.*

Dass die Ländereien in dem damals halb verödeten Apulien
noch wohlfeiler als in Latium und dem übrigen Italien waren,

---

[1]) Anstössig ist mir in der Angabe der Vita nur das hohe Alter
per honorem militiae quamquam octogenarius urbe summotus est. Vielleicht hatte der Verfasser in seiner Vorlage nur gefunden, dass Juvenal
als ein Achtziger gestorben war, und hat diese Zeitangabe auf seine in
hohem Alter, aber doch weit früher in der Form eines Ehrenamtes erfolgte zeitweise Verweisung nach Aegypten übertragen.

haben die Herausgeber gut belegt. Aber wenn jemand sagt,
Apulien verkauft um den Preis noch grössere Aecker, so setzt
das voraus, wenn man nicht mit Ribbeck S. 81 den Fehler
in *maiores* finden und dafür *maioris scil. pretii* schreiben will,
dass im vorausgehenden ein bestimmtes Mass angegeben sei;
agros aber ist an und für sich ein ganz allgemeines Wort,
unter dem man eben so gut ein kleines wie ein ganz grosses
Feld verstehen kann. Es gilt also zu sehen, ob nicht durch
ein anderes Wort oder eine andere Wendung ein bestimmtes
Mass angedeutet sei. Diese Andeutung finde ich durch subtile, hoffentlich nicht allzu subtile Erklärung der Verse 15 f.

> *mullum sex milibus emit,*
> *aequantem sane paribus sestertia libris.*

Es wog demnach der kostbare Fisch, den der kaiserliche
Günstling Crispinus für seine Tafel bestimmte, 6 Pfund und
kostete 6000 Sesterze, oder 1000 Sesterze = 250 Denare das
Pfund. Wenn dann der Dichter fortfährt, *provincia tanti vendit
agros*, so sagt er damit: in der Provinz kauft man um das
Geld 6 Aecker von der Grösse je 1 Pfundes. Das ist für uns
unverständlich, weil man bei uns Pfund als Ackermass nicht
kennt. Anders aber bei den Alten: es gab nicht bloss in
Gallien, wie Hygin de condic. agr. p. 122 bemerkt, ein Ackermass *libra*, es wurde auch ganz allgemein im römischen Reich
das Gewichtssystem auf das Flächenmass übertragen und dabei
1 iugerum = 1 as oder Pfund gesetzt. Hultsch und jede
Metrologie bietet für diese Thatsache die Belege. Man darf
also *provincia tanti vendit agros* übersetzen: die Provinz verkauft um so viel Geld, d. i. um 1000 Sesterze, 6 Morgen
(iugera) Ackerland. Und nun kann fortgefahren werden: und[1])
Apulien verkauft um das Geld noch grössere Länderstrecken
als von 6 Pfund oder 6 Morgen. Ich habe mich aber dann
noch gefragt, ob denn dieser Preis auch für das damalige Ver-

---

[1]) Ich lese nämlich *et* statt *sed*, da das *s* leicht durch Dittographie
nach *agros* entstehen konnte und für *sed* bekanntlich auch *set* geschrieben
wurde. Wie ich aus Achaintre ersehe, hat schon Henning 1685 *et* vermutet.

hältnis von Geld und Waare zutreffe. Zu meiner Freude fand ich, dass dieses wirklich der Fall ist. Böckh, Staatshaushaltung der Athener I 89 berechnet nach einer Stelle des Redners Lysias 19, 29 und 42 den Preis eines attischen Ackers von der Grösse eines Magdeburger Morgens zu 242 Drachmen; ein römisches iugerum aber kam um ein Kleines einem preussischen Morgen gleich und kostete nach der Deutung, die wir unserer Juvenalstelle geben, 1000 Sesterze oder 250 Denare. Das stimmt also so genau als man nur wünschen mag.

X 289 ff.

> *formam optat modico pueris, maiore puellis*
> *murmure, cum Veneris fanum videt, anxia mater*
> *usque ad delicias votorum.*

Der Sinn der Stelle im allgemeinen ist nicht zweifelhaft, es handelt sich nur um die Deutung des verzwickten Ausdrucks *usque ad delicias votorum.* Die Ausleger gehen nach allen Seiten auseinander. Friedländer erklärt *usque ad ineptias* unter Berufung auf die wenig beweiskräftige Stelle Cic. orat. 12 *Herodotus Thucydidesque ... longissime tamen ipsi a talibus deliciis vel potius ineptiis afuerunt,* Weidner *usque ad vota quae in deliciis nostris causam habent,* Wünsche unserer Liebhabereien oder Tändeleien, ähnlich Mayor *for any charm that happens to be in fashion,* beide unter Berufung auf Seneca de benefic. IV 5 *neque enim necessitatibus tantummodo nostris provisum est: usque in delicias amamur,* und Plinius n. h. II 157 *multo plus ut deliciis quam ut alimentis terra famuletur nostris.* Ruperti endlich erklärt *vota deliciarum dulcedinisque plena faciat, quibus favorem animumque deae, qualis Venus est, conciliari posse sperat.*[1]) Gehen wir in dem locus conclamatus logisch zuwerke, so fragt es sich, für wen die Wünsche oder Gelübde deliciae sind, ob für die Tochter oder für die Göttin oder für die Mutter. Dass für die Tochter, will am wenigsten passen, da ohnehin schon im Anfang des Satzes gesagt ist, dass die Mutter nicht um notwendige und nützliche Dinge, wie Gesundheit und Kraft,

---

[1]) Noch andere Erklärungen früherer Herausgeber siehe bei Ruperti.

die Göttin Venus anfleht, sondern um Schönheit und eitlen
Tand, so dass es der Verstärkung *usque ad delicias votorum* im
Sinne von ‚bis zu Tändeleien‘ nicht mehr bedarf. Die deliciae
auf die Mutter zu beziehen und *usque ad delicias* im Gegensatz zu *usque ad taedium* zu fassen, in dem Sinne ‚die Mutter
wird nicht müde, zu bitten, sie verliebt sich wahrhaft in das
Bitten‘, passte an und für sich ganz gut in den Zusammenhang;
aber der Zusatz *votorum*, der ganz unnütz wäre, macht Bedenken.
Es erübrigt daher nur die dritte Beziehung von deliciae auf
die Göttin, wonach also die deliciae votorum soviel als deli-
ciosa vota sind, Gelübde, welche der Göttin Freude machen.
In diesem Sinne fasst die Worte Ruperti; ich selbst möchte zur
Bestärkung dieser Erklärung auf die schönen Sächelchen, wie
Delphine, Statuetten, Ringe, beflügelte Phalli hinweisen, die
sich als Votivgegenstände in Tempeln der Venus finden und
von denen eine ganze Collection Jos. Hefner aus einem bei
Rom an der via Salaria ausgegrabenen Venustempel in das
hiesige Antiquarium mitgebracht hat. Die um den schönen
Teint der Tochter ängstlich besorgte Mutter beschränkt sich
also nicht darauf, der Göttin eine Taube oder einen Altar zu
geloben; um die Gnade der Liebesgöttin auf sich und ihre
Tochter zu lenken, gelobt sie ihr Dinge, die ihr als Schön-
heitsgöttin besonders gefallen müssen, schöne Ohrringe, nied-
liche Köpfchen und andere kunstreiche Votivgeschenke der Art.

VIII 108—112.

> nunc sociis iuga pauca boum, grex parvus equarum
> et pater armento capto eripietur agello,
> ipsi deinde Lares, si quod spectabile signum,
> si quis in aedicula deus unicus; haec etenim sunt
> pro summis, nam sunt haec maxima.

Zu diesen Versen bemerkt Friedländer: „Diese dürftigen Ueberreste vertreten die Stelle des Wertvollsten (was sie einst besassen); denn sie sind in der That immer noch das Wertvollste,
was sie jetzt besitzen. Eine Stelle von einer auch bei Juvenal
seltenen Unbehülflichkeit des Ausdrucks". Das wäre in der

That eine grosse Unbehülflichkeit, so dass ich meinerseits, wenn kein anderer Ausweg sich böte, mit Manso, Ruperti, Heinrich lieber die Verse 111—112 *propter tot tamque inanes et ingratas eiusdem sententiae et eorundem verborum repetitiones* als seichte Interpolation tilgen würde. Aber wollen wir doch erst sehen, ob in der That die Verse an einer solchen Unbehülflichkeit des Ausdrucks und Leere des Gedankens leiden. Zweimal sicher gebraucht Juvenal nicht wie Friedländer (und ähnlich Weidner) dasselbe Wort ,Wertvollsten . . . Wertvollste'. Er wechselt das Adjektiv, gebraucht einmal *summis*, das andermal *maxima*; das bessert den Satz in formaler Beziehung; aber wird nicht der Dichter mit dem verschiedenen Wort auch eine verschiedene Sache bezeichnet haben? Die Alten unterschieden zwischen den dii maiores und den dii minores; die Penaten gehörten sicher zu den dii minores oder vielmehr zu den dii minimi; lässt sich da nicht bei *pro summis* an die höheren Gottheiten, an Jupiter, Juno, Minerva, Apollo denken? Ziehen wir diese herein und nehmen, was in Vergleichen bei den Griechen, Lateinern und uns erlaubt ist, *pro summis* für *pro simulacris summorum deorum*, so bekommen wir den ganz guten, gar nicht tautologischen Gedanken: diese kleinen Penatenfigürchen gelten den armen Bundesgenossen für Bildnisse der höchsten Götter; denn diese Figürchen oder Götterbildchen sind die grössten, die sie überhaupt noch haben.

Noch ganz in Kürze sei bemerkt, dass Lobeck, Aglao-phamus p. 416 bei Besprechung des geoponischen Kalenders (ἐφημερίδες) der Orphiker auf die Stelle des Juvenal VI 569 verweist, und dass es also auch den Erklärern des Juvenal wohl anstehe, auf das ausgezeichnete Buch des einzigen Gelehrten zu verweisen. Ebenso konnte zu VIII 143 *quo mihi te solitum falsas signare tabellas in templis quae fecit avus* auch auf die Schlussformel der Militärdiplome *descriptum et recognitum ex tabula aenea quae est Romae ad Minervam (aedis Fidei, post aedem Iovis* etc., cf. Mommsen CIL III p. 916), oder auf die Ausfertigung und Versiegelung jener Diplome in einem Tempel verwiesen werden.

10*

Wir haben die Fälle, an denen man mit exegetischen
Hilfsmitteln dem Verständnis des Juvenal nachhelfen kann,
vorangestellt. Die Erklärungskunst des Philologen steht eben
heute in der Gunst des Publikums voran, nachdem man der
Ausschreitungen unnützer Conjecturenjägerei satt geworden ist.
Pries man früher ein Buch nach der Zahl scharfsinniger Vermutungen und kühner Textesverbesserungen, so hören wir heute
es als einen besonderen Vorzug einer Ausgabe rühmen, dass
der Verfasser sich streng an die Ueberlieferung gehalten und
einen urkundlich genauen Text ohne Conjecturen geliefert hat.
Das Lob mag angebracht sein, wo wir alte und gute Handschriften haben und der Wert einer Ausgabe von der sorgfältigen Vergleichung der besten Quelle abhängt; aber oft ist
es nur der Stumpfsinn der Beobachtung und die alles ver-
dauende Oberflächlichkeit, die sich in unseren Tagen mit dem
Mantel konservativer Kritik oder richtiger Kritiklosigkeit bekleidet. Wir unsererseits sind noch in der Schule von Spengel
unter dem Einfluss der Schriften Madvig's und Cobet's auf-
gewachsen und betrachten es auch heute noch als Hauptvorzug
einer Ausgabe, wenn sie mit Scharfsinn die kritischen Versuche Anderer verwertet und mit neuen treffenden Conjecturen
Schäden der Ueberlieferung heilt und das richtige Verständnis
schwieriger Stellen erschliesst. Zu diesen Büchern gehört die
neue Ausgabe von Friedländer nicht; in ihr tritt der Scharfsinn und die Kritik gegenüber der Gelehrsamkeit und der
statistischen Erklärungsmethode entschieden zurück. Das soll
noch kein Tadel, sondern nur eine Charakterisierung des Buches
sein. Denn es fragt sich ja, ob noch bei Juvenal mit der
Emendationskunst etwas anzufangen ist, und ob nicht bei ihm
bisher schon die Kritiker einer unnützen Sisyphusarbeit ihren
Scharfsinn geliehen haben. Von mir selbst erwarte der ge-
neigte Leser keine lumina ingenii, über die verfüge ich leider
nicht; ich will nur die Leistungen der neuesten Herausgeber
auf dem Gebiete der Texteskritik beleuchten und zufrieden sein,
wenn es mir schliesslich an einer oder der anderen Stelle gelingt, einen richtigeren Weg zu weisen.

Ich beginne mit einem Punkt, der sich eng an die Auf-
n des Erklärers anschliesst und nicht wegen der Kühn-
eher vielleicht wegen der Kleinlichkeit Tadel findet, mit
nterpunktion. Friedländer hat in den Prolegomena seiner
ichen Ausgabe der Fragmente des Nikanor uns die Inter-
tionsweise der alten Grammatiker gelehrt. Darin mag
gründet sein, dass er mit der Mehrzahl der neueren Kri-
das moderne Ausrufungszeichen von dem Texte Juvenals
gehalten hat. Wir gehören nicht zu denen, die eine das
tändnis erleichternde Schreibart deshalb, weil sie bei den
1 nicht gebräuchlich war und sich nicht in den Hand-
ften findet, aus unseren Texten wieder verbannen wollen.
cht hat sich sicher Juvenal in zahlreichen Fällen den
in der Form des Ausrufes, und lieber lese ich daher den
ter in Ausgaben, wo dieses mit dem modernen Ausrufungs-
en auch äusserlich angedeutet ist, oder wenigstens ein
ertretendes Fragezeichen statt des unbestimmten Punktes
atzweise andeutet. An der berühmten Stelle von der rück-
losen Habsucht XIV 150—155

di̇gere vix possis quam multi talia plorent
et quod venales iniuria fregerit agros.
sed qui sermones, quam foedae bucina famae!
,quid nocet haec?' inquit, ,tunicam mihi malo lupini
quam si me toto laudet vicinia pago
si curio paucissima farra secantem'

geraden durch den Punkt, den statt des Ausrufungs-
Fragezeichens -nach *famae* Friedländer, Weidner und
eler setzen, der Gedanke unverständlich. Es bedarf dieses
es weiteren Beweises; die neueren deutschen Kritiker —
Engländer und Franzosen machen die Mode nicht mit —
n auch sicher nicht, weil sie einer anderen Auffassung
eu, sondern nur einer gelehrten Grille zulieb die das Ver-
Inis so einfach erleichternde Interpunktion geändert. Hier
stehe ich mit meiner altmodischen Ausstellung einer beten Neuerung moderner Gelehrsamkeit gegenüber. — Au

anderen Stellen steht die Interpunktion mit der kritischen Textes-
gestaltung in Zusammenhang, wie IV 22—25

> *emit sibi. multa videmus*
> *quae miser et frugi non fecit Apicius. hoc tu*
> *succinctus patria quondam, Crispine, papyro?*
> *hoc pretio squamae?*

So interpungieren und lesen nach cod. P Bücheler und Friedländer.   Die Scholien, die doch höher als unsere Handschriften
hinaufreichen, erklären *hoc pretio s. piscem, a parte totum*, lasen
also *squamam* statt *squamae*, und so ward seit Valla bis in
unsere Zeit ediert, offenbar richtig, wenn man mit Ergänzung
von *emis* unter wirkungsvoller Anwendung der dem Juvenal
so geläufigen Figur der Anaphora die beiden Sätze in einen
zusammenzieht: *hoc tu succinctus patria quondam, Crispine,
papyro, hoc pretio squamam?* Aeusserst hart und matt ist es
im ersten Satze *facis* und in dem zweiten *sunt* zu ergänzen,
weshalb ich auch den Vorschlag *squamae* in *squama ē* i. e.
squama est zu corrigieren ganz unterdrücke und einfach die
Vulgata herzustellen rate.

Auf die Fälle, in denen man unseren Vorschlägen eine
andere Interpunktionsmethode oder einen verschiedenen Standpunkt der Kritik entgegenstellen kann, lasse ich eine Reihe
anderer folgen, wo nur Missverständnis oder, wie ich eher
annehmen will, Geringschätzung dieser niederen Stufe der Text-
gestaltung die falsche Interpunktion neuerer Ausgaben verschuldet hat.   II 23 f. darf es nicht heissen

> *loripedem rectus derideat Aethiopem albus.*
> *quis tulerit Gracchos de seditione querentes?*

sondern, wie Weidner in der ersten Auflage interpungiert hat:

> *loripedem rectus derideat, Aethiopem albus:*
> *quis tulerit Gracchos de seditione querentes?*

Die beiden Sätze gehören zusammen und haben dem Sinne
nach die Bedeutung eines Vorder- und Nachsatzes ,wenn auch
einen Schwarzen ein Weisser verlachen darf, so wird doch

Erzrevolutionäre C. und Sempr. Gracchus über Revo-
lt beklagen lassen? Nur äusserlich hat der Dichter,
um lebendiger zu gestalten, den Nachsatz in die
Frage gekleidet.

—70 schreiben Bücheler und Friedländer

> sed quid
> in facient alii, cum tu multicia sumas,
> retiec, et hanc vestem populo mirante perores
> Proculas et Pollitas? est moecha Fabulla,
> amnetur si vis, etiam Carfinia talem
> non sumet damnata togam.

talem beginnt rhetorisch effektvoll der neue Satz, es
mit Ruperti, Jahn, Heinrich, Weidner, Lewis u. a.
ein eine Interpunktion zu setzen und also zu schreiben:

> est moecha Fabulla:
> si vis, etiam Carfinia: talem
> damnata togam i. e. neque Fabulla, neque Carfinia.

80 f.

(Romae) *ultra vires habitus nitor, hic aliquid plus*
satis est interdum aliena sumitur arca.

Satz enthält zwei Momente, in denen der über-
mus in Rom besteht: *aliquid plus quam satis est sumitur*
dum aliena sumitur arca. Um dieses durch die Inter-
auszudrücken, setze man ein Komma vor *interdum.*

L. interpungiert Friedländer

> tam ieiuna fames? cum possit honestius illic
> et tremere et sordes farris mordere canini?

soll hier das Fragezeichen nach *canini?* vermutlich
aus einer Ausgabe, in der nach *fames* kein Frage-
sondern ein Komma stund

> fames, cum possit honestius illic
> et tremere et sordes farris mordere canini?

Das lässt sich ertragen; aber zwei Fragezeichen, nach *fames* und nach *canini*, haben keinen Sinn. In ähnlicher Weise ist XI 185 aus Bücheler in Friedländer eine Interpunktion gekommen, dem die eigene Note Friedländers widerspricht.

VII 36—8

> *accipe nunc artes, ne quid tibi conferat iste*
> *quem colis et Musarum et Apollinis aede relicta,*
> *ipse facit versus.*

So lesen Jahn, Bücheler, Weidner, Mayor und Friedländer; aber *artes* ohne Zusatz ist unverständlich, und viel nachdrucksvoller wird der Ausdruck, wenn mit *ipse* die Exposition beginnt. Daher ist mit Heinrich, Lewis und den älteren Ausgaben zu schreiben

> *accipe nunc artes, ne quid tibi conferat iste*
> *quem colis et Musarum et Apollinis aede relicta:*
> *ipse facit versus.*

VII 181—3

> *hic potius, namque hic mundae nitet ungula mulae,*
> *parte alia longis Numidarum fulta columnis*
> *surgat et algentem rapiat cenatio solem.*

So lesen wir bei Bücheler und Friedländer, bei letzterem mit der Note: 178—183, ein Porticus, um darin bei Regenwetter spazieren zu gehen. Aber von diesem Porticus handeln bloss die Verse 178—181; in den letzten Versen 182—3 ist eine andere Halle geschildert, die nach Süden liegt und als Speisesaal dient. Daher ist mit Ruperti und andern zwischen *mulae* und *parte alia* ein grösseres Trennungszeichen zu setzen.

XII 10—14 lesen wir bei Friedländer und in den meisten Ausgaben

> *si res ampla domi similisque adfectibus esset,*
> *pinguior Hispulla traheretur taurus et ipsa*
> *mole piger nec finitima nutritus in herba,*
> *laeta sed ostendens Clitumni pascua sanguis*
> *iret et a grandi cervix ferienda ministro.*

Die Rede entbehrt der natürlichen Einfachheit, und Weidner hat vielleicht mit Recht eine stärkere Corruptel in *sanguis iret* angenommen; aber so viel ist doch jedenfalls klar, dass *laeta sed ostendens Clitumni pascua* den Gegensatz enthält zu *finitima nutritus in herba*, und dass demnach *piger* zum vorausgehenden *taurus*, *nutritus* aber zum folgenden *sanguis* zu beziehen ist. Deshalb ist notwendig zu interpungieren *mole piger, nec finitima nutritus* etc.

XII 24—27 hebt der Dichter hervor, dass bei dem furchtbaren Seesturm, den der Freund bestanden, ausser den gewöhnlichen Gefahren auch noch etwas ganz besonderes vorgefallen sei, nämlich dass der Schiffsherr, um den Kiel zu entlasten, alle Kostbarkeiten über Bord geworfen habe

> *genus ecce aliud discriminis audi*
> *et miserere iterum, quamquam sint cetera sortis*
> *eiusdem pars dira quidem sed cognita multis*
> *et quam votiva testantur fana tabella.*

Die Logik verbietet die Fassung des Gedankens: höre eine andere Art von Unglück, wiewohl das übrige Loos hart war, aber bekannt ist. Das *quamquam* gehört nur zu *cetera* (neutr. pl.) *sint pars eiusdem sortis*, und das folgende *dira quidem sed cognita multis* tritt in neuer Gedankenentwicklung als Apposition zu *pars* hinzu. Es ist daher, wie schon Ruperti andeutete, *dira quidem* von *pars* durch Komma zu trennen.

Ich will den Leser nicht weiter durch derartige Subtilitäten ermüden; nur in Kürze sei bemerkt, dass auch VII 191. X 70. XIII 45. 182. XV 50 Weidner pr. ed., VIII 50—2 Heinrich und Lewis die sachgemässere Interpunktion haben. Friedländer hat offenbar diesen Teil seiner Ausgabe als kleinlich und unbedeutend zu sehr vernachlässigt, und doch ersieht man oft aus der blossen Interpunktion, ob jemand den Gedanken des Autors richtig erfasst hat. Dass meist Bücheler die gleiche Interpunktion hat, entschuldigt nicht; es bildet die Interpunktion auch bei Bücheler nicht die Glanzseite der Ausgabe.

Nirgends zeigt sich die konservative Richtung der Phi-

lologie unserer Tage mehr als in der Abnahme der Klammern
und Athetesen. Nachdem eine Zeit lang unter den Obelen
unserer Kritiker die ohnehin kleine Zahl der Verse unserer
Klassiker schier auf die Hälfte zusammenzuschrumpfen drohte,
nachdem in Horaz, Juvenal, Cicero, Plato die Philologen um
die Wette teils ganze Reden und Gedichte, teils einzelne Verse
und Sätze als unecht zu verdächtigen gesucht hatten, ist eine
gewaltige Ernüchterung gefolgt: die Toten stehen wieder auf,
der Ausgang des Jahrzehnte lang mit schärfsten Waffen geführten Kriegs ist entweder ein totales Fiasko oder ein Zurückweichen auf die sicherere Linie der Verschiedenheit des Alters
und des dichterischen Vermögens.[1] Auch bei Juvenal lässt
sich jener Rückgang der kritischen Kühnheit beobachten.
O. Ribbeck zwar, der mit seinem Buch, Der echte und unechte Juvenal (1865) den Hauptvorstoss gemacht hatte, gibt
auch jetzt in der Geschichte der römischen Dichtung (1892)
III 310 ff. seine Hypothese noch nicht ganz auf, wenn er sich
auch ἐντροπαλιζομένῳ Αἴαντι ἐοικώς auf einen vorsichtigeren
Standpunkt zurückzieht. Aber aus der Ausgabe von O. Jahn
schwindet in den von Bücheler besorgten Neubearbeitungen
eine Klammer nach der andern, und auch bei Weidner rücken
in der zweiten Auflage (1889) nicht wenige in der ersten Auflage (1873) ausgeschiedene Verse wieder in ihre Stellung ein.
Friedländer steht ganz auf konservativer Seite: kein Vers
ist aus dem Text verwiesen, alle haben vor ihm Gnade gefunden;[2] er ist konservativer als selbst der Führer der Kon-
servativen Joh. Vahlen. Wir unsererseits haben nie die Orgien
der Athetesensucht mitgemacht, lassen uns aber auch nicht
durch die unda resorbens in das entgegengesetzte Lager ver-
schlagen. Im Juvenal begegnen uns zu viele Verse, die den
Gedankenfortgang stören und durch deren Streichung der Gedanke und die Form gewinnt, als dass wir glauben könnten,

---

[1] Teufel hat bekanntlich mit Noten die Gedichte des Horaz censiert
und es dabei auch an der Note III nicht fehlen lassen.

[2] Eingeschlossen ist VI 126 *ac resupina iacens multorum absorbuit
ictus*, aber dieser Vers fehlt in P.

diese rührten alle von Juvenal her oder seien alle von dem
Dichter in abschliessender Redaktion dem Gedichte einverleibt
worden. Warum sollten nicht auch bei Juvenal interpolierende
Grammatiker der Construction nachgeholfen haben, wie VI 188.
XII 29. 172. XV 97 f., oder was hat es bei der schwer-
fälligen Art, mit der Juvenal arbeitete, gegen sich, dass er
sententiöse und erweiternde Verse an dem Rande seines Exem-
plares anschrieb, wie II 53.[1]) III 296. X 117. XI 11. 99.[2])
XII 50 f. XIV 125. 229, in einer anderen Redaction des Gedankens sich versuchte, wie IX 118—119, 120—125, V 92—98
und V 99—102, endlich auch einen neuen Seitenhieb einzufügen den vorläufigen Versuch machte, wie I 127—131? Aber
das sind zu schwierige Fragen, als dass dieselben so im Vorbeigehen gelöst werden könnten. Wenden wir uns daher lieber
noch zu einem dritten Punkt, der eigentlichen Conjecturalkritik.
Hier, auf dem alten Boden der Kritik, zeigt sich Friedländer
viel weniger spröde gegenüber den divinatorischen Versuchen
alter und neuerer Gelehrten; er ist ein viel zu klarer Kopf,
als dass von ihm das Madvig'sche *stupent monstra codicum*
gelten könnte. Er hat nicht bloss öfter die entschieden besseren Lesarten der 2. Handschriftenklasse denen der ersten
vorzuziehen gewagt und die *conjecturas palmarias* von Salmasius *privum* (*primum* codd.) VIII 68, von Jahn *artem scindes*
(*scindens* codd.) *Theodori* VII 177 und *non licet esse viro* (*viros* P
viris ω) X 304, von Lachmann *cave sis* (*causis* P) IX 120, von
Haupt *fac cant* (*taceant* P) IX 106, und selbst von Kiaer
squalorem atque rei (*squaloremque rei* codd.) XV 135, und
von Müller *in clipeo* (*clipeo* codd.) XI 106 ohne Zaudern in
den Text aufgenommen. er hat auch selbst nicht ohne Glück
VII 15. X 82. 175 sich an der Besserung des überlieferten
Textes versucht. Freilich werden Andere, die mehr Vertrauen
in den divinatorischen Scharfsinn setzen, noch viel öfter glück-

[1]) Der Vers II 58 ist wohl nach VI 246 ff. zugesetzt.
[2]) XI 90 *tales ergo cibi qualis domus atque supellex* unterbricht
nicht bloss den Gedankenfaden, sondern man würde auch *porro* statt

lichen Conjecturen den Vorzug vor den handschriftlichen Lesarten geben, wie der Umstellung *tantum non* (statt *non tantum*)
meiere fas est von Scaliger I 131, der Umstellung der Verse
III 295. 296 von Pinzger, den Emendationen *quanti* (statt
quantum) *licet* von Jahn VII 124, *desideret* (statt *desiderat*)
von Beer VIII 78, *Cratetis* (statt *Thaletis*) von Jessen XIII 184,[1]
nostris . . . pari (statt *nostra . . . putat*) von Herwerden XIV 16,
den Verbesserungen der jüngeren Handschriftenklasse *quod do*
(statt *quid do*) VII 165, *mirabile* (statt *miserabile*) XII 73 (vgl.
Verg. Aen. 8, 81), *vindicet* (statt *iudicet*) XIII 226, *usquam*
(statt *umquam*) XIV 43, *aut* (statt *adque*) XIV 310. Doch
über den Grad der Wahrscheinlichkeit werden immer verschiedene Gelehrten verschiedener Meinung sein; daher mag
es genügen, dass jene Verbesserungen doch immer unter dem
Text von Friedländer angemerkt sind. Aber es fehlt auch
nicht an Stellen, wo scharfsinnige und beachtenswerte Conjecturen jüngerer Handschriften oder früherer Gelehrten ganz
übergangen sind. So vermisse ich I 157 *deducet* (statt *deducit*)
coni. Gronov, V 104 *carie* (statt *glacie*) coni. Schrader, VII 179
vectetur (statt *gestetur*) cod. rec. ap. Ruperti, X 114 *eloquium
ac* (statt *aut*) *famam Demosthenis* cod. p ap. Buecheler, XI 118
hos (statt *hoc*) coni. Ruperti,[2] XV 97 *qui* (statt *quod*) cod. rec.
ap. Ruperti. Auch sollte an sicher verderbten Stellen, wie
XI 147 f., wenn die gemachten Conjecturen nicht genügen
und eine bessere nicht gelingen will, durch ein Kreuz die
heilungsbedürftige Wunde angedeutet sein.[3]

Aber ich habe der Abhandlung den Titel ‚Beiträge‘ gegeben; ich will daher nicht mit der Aufzählung von Aus-

---

[1] Ich selbst dachte an *Teletis*, was sich enger an die Ueberlieferung anschliessen würde; aber als Hauptvertreter humaner Sittenlehre
galt in der Zeit Juvenals nicht Teles, sondern Crates, wie man besonders
aus Plutarch ersehen kann.

[2] Füge hinzu XI 112 *unguenta atque rosae, latos nisi sustinet
orbes*, wo Halbertsma in seinem von Herwerden herausgegebenen Nachlass *Libycos* für *latos* nach Martial II 43 schreibt.

[3] Ein Kreuz steht vor dem verderbten *in Leucade* VIII 241, wofür
ich getrost nach den Scholien *sub Leucade* geschrieben hätte.

stellungen fortfahren, sondern zum Schluss nun auch noch einige eigene Verbesserungsvorschläge vorlegen.

VII 178 ff.

> *porticus in qua*
> *gestetur dominus quotiens pluit — anne serenum*
> *exspectet spargatque luto iumenta recenti?*

Der vornehme Reiche, der für den Lehrer der Rhetorik kein Geld übrig hat, wirft dasselbe massenhaft hinaus für Luxusgegenstände und Prachtbauten. So hat er eine Säulenhalle sich hergerichtet, um darin, wenn es draussen regnet, sich mit der Sänfte herumtragen oder fahren zu lassen. Oder, führt der Dichter fort, soll er zur Regenzeit das Promenieren im Freien unterlassen, auf helles Wetter wartend, oder trotz des schlechten Wetters spazieren fahren, dann aber mit dem frischen Koth die elegante Equipage beschmutzen? Man sieht die beiden Sätzchen *anne serenum exspectet* und *spargat luto iumenta recenti*, stehen nicht in einem coordinierten, sondern in einem gegensätzlichen Verhältnis; es muss daher *spargatve* statt *spargatque* geschrieben werden. Hintendrein sehe ich, dass schon Heinrich an *ve* dachte, aber ohne bei den neueren Herausgebern Beachtung zu finden oder auch nur der Anführung gewürdigt zu werden.

IX 118 ff.

> *vivendum recte est, cum propter plurima tunc est (tunc his* p)
> *idcirco ut possis linguam contemnere servi.*
> *praecipue causis (cave sis* em. Lachmann) *ut (tu* coni. Vahlen)
>   *linguas mancipiorum*
> *contemnas; nam (nam* p *nec* P) *lingua mali pars pessima servi.*

Die beiden *est* des Verses 118, welche Vahlen Vindic. 27 und Friedländer ruhig hinnehmen, haben nicht den meisten Kritikern Anstoss erregt, sondern auch schon in der jüngeren Klasse der Handschriften zur Interpretation *tunc his* und Versetzung des Verses 119 nach 123 Anlass gegeben. Aber dieses *his* wird hinfällig, wenn man einerseits Bedenken trägt, den Vers 119 zu versetzen oder mit

Pithoeus und Bücheler zu streichen, und anderseits das Wort, zu dem *his* bezogen wird, nämlich *causis*, anzutasten und dafür nach Lachmanns genialer Conjectur *cave sis* zu schreiben wagt. Es hat daher Lachmann einen anderen Weg eingeschlagen und für *tunc est* vorgeschlagen *tunc et*. Einfacher ist es, das erste *est*, was leicht aus der Dittographie *recte ē* statt einfachem *recte* entstehen konnte, zu streichen und zu lesen

> *vivendum recte cum propter plurima tunc est*
> *idcirco, ut possis linguam contemnere servi.*
> *praecipue cave sis ut linguas mancipiorum*
> *contemnas; nam lingua mali pars pessima servi.*

Einen ähnlichen Weg hat schon Weidner eingeschlagen, aber nach Streichung von *est* nach *recte* trotzdem das Lachmann'sche *tunc et* aufgenommen.

X 28 ff.

> *iamne igitur laudas quod de sapientibus alter*
> *ridebat, quotiens de limine moverat unum*
> *protuleratque pedem, flebat contrarius auctor?*
> *sed facilis cuivis rigidi censura cachinni:*
> *mirandum est unde ille oculis suffecerit humor.*

In Gegensatz gesetzt sind die Philosophen Demokrit und Heraklit, von denen der eine über die Thorheiten der Menschen lachte, der andere weinte.[1]) Das Lachen, setzt Juvenal scherzend hinzu, ist für jedermann leicht, das kann man sich immer wieder und wieder erlauben; aber der Thränenquell wird nicht ausreichen für die Menge der Thorheiten der Menschen. Aber was soll in diesem Zusammenhang das *ille*? es für *illius philosophi* zu nehmen, wäre doch sehr gesucht und sehr hart. Dazu kommt, dass man einen anderen Gegensatz erwartet; es geht *cuivis* im ersten Satz voraus, und demnach erwartet man im zweiten Satz wiederum einen Dativ. Beachtet man nun, dass *oculis* vor *suffecerit* leicht durch Wiederholung des *s* aus

---

[1]) Gerade so wie Juvenal gebraucht diesen Gegensatz der beiden Philosophen Seneca de tranquillitate animi 15.

ursprünglichem *oculi* entstehen konnte, so ergibt sich von selbst die Verbesserung *unde illi oculi suffecerit humor.*

X 54 f.

> *ergo supervacua aut perniciosa petuntur,*
> *propter quae fas est genua incerare deorum.*

Für den metrischen Fehler des ersten Verses sind allerlei Verbesserungen vorgeschlagen worden, unter denen ich die Conjectur Döderleins *aut vel* statt *aut* für die beste und leichtest zu erklärende halte. Doch gehe ich auf diesen Vers nicht weiter ein, da möglicher Weise Juvenal sich erlaubt hat, nach dem Muster des homerischen Verses E 576

$$\text{ἔνθα Πυλαιμένεα ἑλέτην ἀτάλαντον Ἄρηι}$$

die letzte Sylbe eines mehrsylbigen Wortes in der Hauptcäsur zu verlängern.[1] Aber der zweite Satz ist absolut anstössig; man erwartet geradezu den entgegengesetzten Gedanken *propter quae non fas est genua incerare deorum.* Denn eine Sünde ist es, die Götter um etwas zu bitten, was nicht bloss überflüssig ist, sondern geradezu Verderben einem bereitet, wie die Dinge sind, die der Dichter im ersten Teil der Satire aufgezählt hatte, indem er V. 57 die einleitenden Worte vorausschickte *evertere domos totas optantibus ipsis di faciles.* Ganz und gar unstatthaft aber ist die von Friedländer aufgestellte Unterscheidung: unter den Gegenständen der überflüssigen und verderblichen Wünsche sind die in der Satire behandelten zu verstehen (Macht, Beredsamkeit, Kriegsruhm, langes Leben, Schönheit); denn dies sind solche, für deren Erfüllung Gelübde öffentlich zu thun zulässig ist im Gegensatz zu denen, zu welchen man sich nicht laut bekennen darf, daher sie den Göttern nur zugeflüstert werden.' Dass der Dichter an einen solchen Gegensatz dachte, hat er auch nicht mit einer Sylbe angedeutet; von einem laut und öffentlich beten und einem blossen Gemurmel ist keine Rede. Und stiesse Juvenal nicht

---

[1] Nicht die gleiche Entschuldigung gilt für den ähnlich fehlerhaften Vers VIII 105 *sic Dolabella atque hinc Antonius, inde.*

die ganze Kraft seiner Bekämpfung der verkehrten Bitten der
Leute um, wenn er hintendrein ganz überflüssiger Weise hin-
zufügte, dass man aber doch um solche Dinge die Götter öffentlich bitten dürfe? Nein, der Dichter muss das Gegenteil behauptet haben, dass es nicht erlaubt ist, statt in der Weise
des Sokrates die Götter einfach um das Gute zu bitten, sie
um solche vermeintliche Güter, die thatsächlich nur Unheil
und Verderben bringen, anzugehen. Ich lese daher

> *ergo supervacua aut vel perniciosa petuntur,*
> *propter quae fasne est genua incerare deorum?*

so dass der Dichter im Relativsatz, statt denselben negativ
auszudrücken,[1]) zu der Form der rhetorischen Frage mit zu
erwartender negativer Antwort übergegangen ist, wie ähnlich Sophokles in Antig. 2 ἆρ' οἶσθ' ὅτι Ζεὺς τῶν ἀπ' Οἰδίπου
κακῶν ὁποῖον οὐχὶ νῷν ἔτι ζώσαιν τελεῖ; El. 390 ὅπως πάθῃς
τί χρῆμα; man könnte sich vielleicht auch damit begnügen,
einfach ein Fragezeichen an den Schluss des zweiten Satzes
zu setzen, wie Bücheler in seiner Ausgabe gethan hat und
wohl auch Heinrich mit der Bemerkung, dass *fas est* sati-
rischer Ausdruck ist, andeuten wollte. Aber nicht beide Sätze
sind in der Form der Frage oder des Ausrufs gegeben, weshalb ich die zwei Fragezeichen bei Bücheler nach *petuntur*
und nach *deorum* nicht verstehe.

XI 12 f.

> *egregiusque cenat meliusque miserrimus horum*
> *et cito casurus iam perlucente ruina.*

Eine Schwierigkeit häuft sich hier auf die andere: *egregius*
als Komparativ kommt sonst nirgends vor, der ablativus com-
parationis zu *melius* fehlt, die Verbindung des Komparativs
melius mit dem Superlativ *miserrimus* verstösst gegen die Sprach-
regel, welche entweder *eo melius cenat quo quisque miserior
est* oder *ita optime cenat, ut quisque miserrimus est* verlangt.

---

[1]) Dieses hat Vahlen Vindic. Juven. 13 mit der Conjectur *petunt
nec* (statt *petuntur*) zu thun versucht.

Wo so alles widerstrebt, da darf man sich nicht mit Ver-
legenheitsausreden helfen, sondern muss rundweg an eine
Verderbnis der Ueberlieferung glauben. Ich dachte an *medio*
in dem Sinne des bekannten *de medio die*; aber die Ellipse
von *die* kommt nicht vor; daher wage ich *egregius cenat medius-
que*, der herabgekommenste unter den Schlemmern, der schon
am Bankrott steht, speist ausnehmend und am vornehmsten
Platz des Tricliniums als mittlerer, d. i. auf dem mittleren
Sopha (lectus medius), das als angesehenstes galt und vor dem
oberen (summus) und unteren (imus) den Vorrang hatte.
Bedenken kann es nur erregen, dass der Ehrenplatz (locus
consularis) auf diesem mittleren Sopha — es war bekanntlich
nach Plutarch Sympos. I 3 nicht der mittlere, sondern der
untere — nicht ganz in der Mitte des Tricliniums sich befand.
Diesem Bedenken will ich nicht entgehen dadurch, dass ich
zu den Persern meine Zuflucht nehme, bei denen nach demselben Plutarch der mittelste Platz (ὁ μεσαίτατος) der ehren-
vollste war; ich denke, es genüge zur Begründung des vermuteten *medius*, dass der lectus medius angesehener als die
beiden anderen war.

XIII 177 ff.

>   *manet illa tamen iactura nec umquam*
>   *depositum tibi sospes erit, sed corpore trunco*
>   *invidiosa dabit minimus solacia sanguis.*

Juvenal tröstet in dieser Satire seinen Freund Calvinus,
der über den Verlust eines Depositums von 10000 Sesterzen
ausser sich war und den Betrüger mit Kerker und Tod bestraft wissen wollte. Juvenal hält ihm entgegen, dass er dadurch sein Geld nicht wieder bekommen und mit einer solchen
Bestrafung nur Hass auf sich laden würde. Aber unpassend
ist in diesem Zusammenhang der Zusatz *minimus sanguis*.
Es befriedigt mich weder Weidner mit der Erklärung „minimus
im Verhältnis zur Grösse des Verlustes‘, noch auch Heinrich
mit der Bemerkung „schon der kleinste Blutstropfen‘, und noch
weniger Ruperti, der, um *minimus* in dem letzteren Sinne

fassen zu können, den Satz *sed corpore . . . sanguis* dem Calvinus in den Mund legen will. Wie ich aus Friedländer sehe,
haben auch schon Andere an jenem *minimus* Anstoss genommen, und hat dafür Wakefield *missus*, Herwerden *vilis vel minius*
vermutet. Das Wort, welches ganz nahe an das überlieferte
minimus angrenzt und mit *corpore trunco* verbunden einen ganz
passenden Sinn gibt, ist *manans* i. e. *sanguis e corpore trunco
manans.*

XIV 316 ff.

> *mensura tamen quae*
> *sufficiat census, si quis me consulat, edam:*
> *in quantum sitis atque fames et frigora poscunt,*
> *quantum, Epicure, tibi parvis suffecit in hortis,*
> *quantum Socratici ceperunt ante penates.*

Die Construction *in quantum poscunt* ist nicht unerhört;
Mayor bringt dafür aus seiner grossen Belesenheit mehrere
Beispiele; aber sie ist sehr ungewöhnlich, und bei Juvenal
steht unsere Stelle allein. Dazu kommt, dass die Anaphora
von *quantum* durch den Zusatz *in* im ersten Glied verletzt
wird. Ich frage daher, ob es nicht vorzuziehen ist, *in* in *en*
zu bessern, damit die Anaphora rein bewahrt und die gewöhnliche Construction *quantum poscunt* hergestellt werde. Juvenal
liebt es, in lebhafter Weise eine Auseinandersetzung mit *en*
einzuleiten. Das zeigen die Beispiele IX 50. VI 531. II 73.

Schon den letzten Versuch habe ich nur zaudernd niedergeschrieben. In unserer Zeit, die dem Conjecturenspiel so
wenig hold ist, muss man Einfälle, die nicht notwendig sind
oder doch nicht wesentlich die Klarheit des Gedankens oder die
Schönheit des Ausdrucks fördern, lieber im Pulte zurückhalten.

Behandelte Stellen.

Juvenal XI	118—21	S. 157	Juvenal XIV	126	S. 120
XI	207	138	XIV	150—5	149
XII	10—14	152	XIV	229	151
XII	24—7	153	XIV	286	121
XII	29	155	XIV	806	121
XII	50	155	XIV	310	156
XII	73	156	XIV	818	162
XII	172	155	XV	33 ff.	130 ff.
XIII	45	153	XV	50	153
XIII	74	136	XV	97	155 f.
XIII	179	161	XV	143	136
XIII	182	153	XV	173	135
XIII	184	156	Casius Dio 42, 84		133
XIII	226	156	Hesiod opp. 199		129
XIV	43	155	Pindar P. II 67		127
XIV	114	121	P. X 83		125
XIV	125	155	Plut. de Iside 72		132 ff.

Sitzungsberichte

der

königl. bayer. Akademie der Wissenschaften.

———

Sitzung vom 6. Februar 1897.

Philosophisch-philologische Classe.

Herr Ad. Furtwängler hält einen Vortrag:

Ueber neue Denkmäler antiker Kunst in privatem
Besitze

erscheint in den Sitzungsberichten.

Herr Christ legt vor von Fr. Unger in Würzburg zwei
Abhandlungen „Zu Josephos":

IV. Die Republik Jerusalem
V. Das verlorene Geschichtswerk

erscheinen in den Sitzungsberichten.

Historische Classe.

Herr Alfr. Dove hält einen Vortrag:

Studien zur Periodologie II.

erscheint zusammen mit dem im November 1896 gehaltenen
Vortrag (s. Sitzungsberichte 1896 S. 448) in den Abhandlungen.

———————

Ein unbekannter Numismatiker des 16. Jahrhunderts.

Von H. Riggauer.

(Vorgetragen in der histor. Classe am 7. November 1896.)

Herzog Albrecht V. von Bayern hat den Grund zum bayerischen Münzkabinet gelegt und dasselbe allem Anschein nach bereits auf eine hohe Stufe gebracht. Der prunkliebende, aber auch den Künsten und Wissenschaften holde Fürst wurde dabei von hervorragenden Männern unterstützt, wie von Jakob de Strada, von dem kunstsinnigen Hans Jakob Fugger, dem Freunde Tizians, dem vielgereisten Künstler Hubert Goltz, der zum ersten Mal ein fast die gesammte antike Numismatik umfassendes Material literarisch zugänglich machte, von dem gelehrten Arzt Samuel Quichelberg aus Antwerpen, der von Albrecht zur Ordnung seiner Kunstschätze und Münzen gewonnen wurde. An den Hauptplätzen des Kunsthandels hatte der Herzog Agenten; sein hochgebildeter Freund, der Bischof von Augsburg, spätere Cardinal Otto Truchsess von Waldburg, d auf seinen sieben Romreisen immer in Correspondenz mit ihm über allenfalls den Sammlungen des Herzogs zuzuführende Kunstwerke. Aus dieser Correspondenz, die vielfach an den Briefwechsel König Ludwig I. mit dem Bildhauer Wagner erinnert,[1] scheint hervorzugehen, dass der Herzog doch von lebhaften künstlerischen Interessen erfüllt war und nicht bloss

---

[1] Vertraul. Briefwechsel des Card. Otto Truchsess v. Waldburg mit Albrecht V. v. Bayern, von Dr. Wimmer in Steicheles Beiträgen zur Geschichte des Bisthums Augsburg II.

12*

der Mode huldigte, als er seine Kunstsammlungen anlegte.
Allerdings hat er dabei die finanziellen Kräfte des Landes
übermässig angestrengt und dadurch in Verbindung mit der
auch sonst üppigen und prunkvollen Hofhaltung Anlass
gegeben zu der unlängst von S. Riezler publicirten[1]) frei-
müthigen Denkschrift herzoglicher Räthe über die Finanzlage
des Landes.

Auch ganze Sammlungen kaufte Albrecht, um sein Münzkabinet rascher in die Höhe zu bringen, so die des Nachfolgers des Otto Truchsess Johann Aegolf von Knöringen vom
Senat der Hochschule Ingolstadt, dem sie Knöringen geschenkt
hatte, und die des Johann Baptist Fickler in Salzburg. Dieser
Mann, der später auch in bayerische Dienste trat und Leiter
des Münzkabinets wurde, ist in mehrfacher Beziehung für die
Landesgeschichte von Interesse.

Ein Württemberger von Geburt (zu Backnang 1533 geboren)[2]) machte er seine Studien zu Ingolstadt als Jurist und
Theologe und kam 1555 als Privatsekretär zum Dompropst
zu Basel, Ambros von Gumppenberg, der während eines lang-
jährigen Aufenthaltes in Rom als apostolischer Notar eine kostbare Münz- und Kunstsammlung angelegt hatte. Fickler fand
hier Gelegenheit, sich in antiquarische und numismatische
Studien zu vertiefen. Im Jahre 1559 wurde er als Sekretär
für die römischen Angelegenheiten von Salzburg (a secretis
scriniis, sagt er Eingangs seines Itinerariums) vom Erzbischof
Michael von Kuenburg angestellt. Als im nächsten Jahre bei
Erledigung und Wiederbesetzung des erzbischöflichen Stuhles
eine Gesandtschaft nach Rom geschickt wurde, um für den
neugewählten Johann Jakob von Kuen-Belasy die Bestätigung
zu erholen, war Fickler bei der Gesandtschaft. Von dieser
Romreise, die er im Alter von 27 Jahren machte, ist uns
handschriftlich eine Beschreibung erhalten (k. Staatsbibliothek

---

[1]) S. Riezler, Zur Würdigung Herz. Albrechts V., Abh. der k. b. Ak.
d. Wiss., III. Cl. 1894.

[2]) s. Föringers Artikel Fickler in der allgem. deutschen Biographie.

cod. lat. 714, Abschriften cod. lat. 2872 und cod. germ. 1308).
Dieses Itinerarium ist nicht ohne Interesse. Fickler behandelt
darin mit voller Beherrschung der Quellen und Literatur aber
in ziemlich trockener Form die Geschichte und Geographie der
bereisten Städte und Gegenden, da und dort zeigt er Sinn für
die Erzeugnisse des Bodens und die Industrie der Bewohner,
spärlich sind Hinweise auf landschaftliche Schönheiten, fast
nirgends aber werden Werke der schönen Künste erwähnt.
Bei Mantua z. B. ist eine flüchtige Notiz über Mantegna, aber
kein Wort über Giulio Romano, der so lange in Mantua wirkte,
hier und in ganz Italien ausserordentlich gepriesen war und
nur 14 Jahre vor der Anwesenheit Ficklers in Mantua starb.
Allerdings scheint die Reise sehr beschleunigt worden zu sein;
Fickler wurde nämlich mit einem gewissen Doctor der Rechte
Johann Colnbeck vorausgeschickt, um das geschäftliche in Rom
vorzubereiten. Dennoch aber nahm er sich überall Zeit, was
ihm an antiken oder für antik ausgegebenen Inschriften vorkam, genau zu copiren. Diese Copien von Inschriften sind für
das Corpus Inscript. Latin. nur theilweise verwerthet, nämlich
nur für Trient Corpus I. L. V, 1 p. 529, wo von ihm lobend
gesagt wird: meretur diligentiae laudem praesertim Ficklerus.
Es wäre wünschenswerth, dass ein Fachmann von den übrigen
Copien eine vielleicht nicht uninteressante Nachlese für die
Addenda des Corpus halten würde.

Im Jahre 1562 wurde Fickler den Salzburgischen Depu-
tirten zum tridentinischen Concil beigegeben, wo er bis Februar
1564 blieb. Er erhielt nun die Erlaubniss, seine juristischen
Studien in Bologna zu vollenden und erhielt nach einem Jahre
das Diplom als Doctor beider Rechte. Rasch rückte er dann
in Salzburg zum Protonotar vor. Aus der Zeit seines Wirkens
in Salzburg sind in der Staatsbibliothek (cod. germ. 1308)
sehr interessante Protokolle und Berichte über Visitationen der
Klöster in Steiermark im Jahre 1581 handschriftlich vorhanden.
Im Jahre 1588 wurde er nach Bayern berufen, um dem jungen
Maximilian Vorträge über Rechtswissenschaft zu halten, scheint
aber auch den Unterricht in Geschichte und Literatur gegeben

zu haben. Wenn Fickler auch auf der wissenschaftlichen Höhe
stand und nach dieser Richtung für den Unterricht des hochbegabten jungen Prinzen befähigt war, so scheint er doch als
Pädagog manch unheilvollen Einfluss geübt zu haben. Fickler
war nämlich von extrem kirchlicher Richtung. Bereits 1582
hatte er anlässlich einiger Hexenprocesse im Salzburgischen
ein judicium generale de poenis maleficarum magorum et sor-
tilegorum utriusque sexus verfasst, worin „er die strengsten
Grundsätze der päpstlichen Inquisitoren vertritt." S. Riezler
hat in seiner unlängst erschienenen Geschichte der Hexenprocesse in Bayern p. 194 aus Briefen Maximilians an seinen
Vater nachgewiesen, dass der jugendliche Fürst selbst Hexen-
torturen beiwohnte und bezüglich dieser unglücklichen Ge-
schöpfe die düsteren Grundsätze seines Lehrers theilte.

Als Maximilian die Regierung Bayerns angetreten, ernannte
er Fickler zum Hofrath und übertrug ihm die Ordnung und
Beschreibung der von Albrecht V. gegründeten Münzsammlung
und Kunstkammer. Aus dieser Thätigkeit stammt der 4 Folio-
bände umfassende Katalog des herzoglichen Münzkabinets in
der hiesigen Staatsbibliothek (cod. lat. 1599—1602). Ausserordentlich zahlreich und mannigfaltig sind seine Schriften, von
denen gegen 20 gedruckt wurden. Die übrigen sind handschriftlich grossentheils in der hiesigen Staatsbibliothek aufbewahrt. Leider ist eine Autobiographie und ein Diarium
Picklers verloren.

Von den Schriften Ficklers kommt für uns hier nur in
Betracht der 4 bändige Katalog des herzoglichen Münzkabinets
und ein im cod. lat. 714 der hiesigen Staatsbibliothek handschriftlich vorhandenes Antiquariolum seu promptuariolum rerum
antiquarum ex variis tum autoribus cum Romanis numismatibus
compositum studio Joann. B. Fickleri, also ein kleines Handbuch
der römischen Alterthümer, auf Grund der Schriftsteller und
der römischen Münzen zusammengestellt von Joh. Bapt. Fickler.
Gewidmet ist dieses Handbuch, wie aus der schwungvollen und
in fliessendem Latein geschriebenen Vorrede hervorgeht, offenbar Albrecht V., von dem er sagt, dass er „per omnem vitae

s cursum nihil prius nihil antiquius nihil nobilius nihilque
nius habuit quam animi bona quae saepenumero progeni-
im vivis exemplis in aere auro argento ceterisque metallis
ressis et per multa saecula consecratis acquiruntur. Und
ir geschah dies gelegentlich eines Besuches des Herzogs in
tburg, wie ebenfalls aus der Vorrede hervorgeht. Fickler
an dem Herzog, dass er in langer Zeit und ohne Zweifel
sehr grossem Aufwand in seinem Antiquarium einen ausser-
entlich kostbaren Schatz griechischer und römischer Münzen
elegt hat, und dass er hierin nicht bloss selbst eine vor-
fliche Erfahrung besitzt, sondern auch den Gelehrten Zu-
t gewährt, damit sie dort gleichsam Licht entlehnen und
die dunklen Stellen der Historien leuchten können.

Die Grundlage zu diesem Antiquarium bildet eine kleine
imlung römischer Münzen, die Fickler wohl in Italien an-
gt und in Salzburg vermehrt hatte, später aber wahr-
inlich auf Anregung durch diese Schrift an Herzog Albert
rat. Das Material ist ein schlechtes, sowohl was Erhaltung,
was Aechtheit anbelangt. Fickler, der kein Vermögen be-
, konnte offenbar nicht viel ausgeben und musste sich mit
geringeren Stücken begnügen; denn die schönen und guten
izen hatten, wie wir später von Fickler selbst hören werden,
als einen horrenden Werth. Bereits im 16. Jahrhundert
en mannigfache Fälschungen von antiken Münzen im Um-
; hervorgerufen eben durch die hohen Preise, welche für
ene Stücke bezahlt wurden, und solche waren in Ficklers
imlung. Fickler hat da und dort selbst Zweifel geäussert,
bei einer ganz frei erfundenen Münze Cäsars aus dem An-
g des 16. Jahrhunderts; wenn er aber einen sogenannten
luaner, eine der herrlichen Arbeiten des Cavino in Padua,
ächt hielt, wollen wir ihm das bei der ganz vorzüglichen
führung dieser Werke, insbesondere bei den ersten Kaisern
it hoch als Schuld anrechnen.

In der Einleitung zählt Fickler zuerst alle Notizen über
Entstehung der Münze auf. Einfach referirend ent-
 er sich fast jeder Kritik. Wenn er auch Tubalkain, „den

Erfahrnen in jeglicher Behandlung des Eisens und Erzes" noch
nicht als Münzmeister annimmt, so glaubt er doch den Gebrauch der Münze zu Abrahams Zeit ableiten zu dürfen aus
Gen. 18, 20, 23. Fickler erwähnt nun die Notiz Herodots,
wonach die Lydier in Asien zuerst aus Gold und dann aus
Silber Münzen geschlagen haben, und des Ephorus, wonach
Pheidon von Argos in Aegina zuerst Silber gezeichnet habe
(signasse), dem auch Strabo und Aelian beistimmen; auch die
übrigen, von verschiedenen Autoren (Plutarch, Lukanus, Caelius)
als Erfinder der Münze genannten Persönlichkeiten, als Theseus,
Jonus von Thessalien, Harmodike, die Gattin des Midas von
Phrygien, führt er auf. Er erwähnt das Zeugniss des Plin.
(18, 3), dass Servius bei den Römern zuerst das Kupfer ge-
markt habe (signavit), vorher habe man formloses Kupfer verwendet (aes rude); als Marke, Münzbild diente Vieh und hievon
komme das Wort pecunia. Die Einführung der Silberprägung
zu Rom erfolgt nach Plin. nat. hist. 33, 3 5 Jahre vor dem
ersten punischen Krieg im Jahre der Stadt 485; die Einführung
des Goldes 62 Jahre nach Einführung der Silbermünze, also
546 der Stadt, ebenfalls nach Plinius. Diese Stelle wird heute
bekanntlich nach Mommsens Emendationen post annos LI per-
cussus est quam argenteus gelesen, also 51 Jahre nach der
Silberprägung, demnach 217 v. Chr.

Fickler handelt nun von den Bezeichnungen für Münze
im Allgemeinen bei den Römern und Griechen. Er führt hier
bei den Römern an moneta, pecunia, numus, bei den
Griechen νόμισμα, χρῆμα, κέρμα, letztere nur der Analogie
der Dreizahl wegen. Moneta komme nach Einigen von monere,
weil uns die Münze durch das aufgedrückte Zeichen an den
Urheber oder den Werth erinnert, und daher nennen wir auch
die Münzen Philipps von Macedonien, des Darius, Alexanders
des Grossen nach diesen, so auch die Münze mit dem Bilde
Karls Carolinus. In Deutschland hat damals meines. Wissens
keine Münze den Titel Carolinus geführt. Carolus oder Caro-
line kommt als Münzbezeichnung damals nur vor bei Silbermünzen Carls VIII. von Frankreich im Werthe von 10 Deniers.

geprägt. Fickler führt auch an, dass die Juno bei den
len Beinamen Moneta führte, weiss aber natürlich noch
ss hievon die Bezeichnung Moneta für Münze stammt,
n Tempel des Juno eine uralte Münzstätte gewesen,
durch Vermittlung der Titel des Personals (triumvir
, monetarius), wie erst Mommsen (Röm. M. W. p. 302)
chtig vermuthet, sich die Bezeichnung moneta auf die
ke selbst übertragen habe. Das was Fickler über die
Münzbezeichnungen sagt, stimmt ungefähr mit dem,
hel in seinen Prolegomena ausführt. Ebenso ist das
Eckhels über die Materia numorum veterum seinem
hen Inhalt nach bereits in unserm 220 Jahre früher
enen Antiquariolum vorhanden. Besonders interessant
ührlich ist die Abhandlung über Aes, und zwar über
thiacum. Bemerkenswerth ist auch, was Fickler über
hschätzung der Münzen durch Zeitgenossen, welche
mlungen anlegten, berichtet. Er citirt aus dem sel-
ch des Aeneas Vicus Discorsi sopra le medaglie de
hi, dass Antonio Capodivacca, ein vornehmer Paduaner,
einzige Bronzemünze des Aurelius 15 coronatos aureos,
Andreas Aueroldus, ein Vornehmer in Brescia, für
izemünze des Commodus mit dem Bild des Mars Paci-
30 coronatos aureos,[1]) Petrus Ludovicus Romanus für
dern Commodus in habitu Herculis 60 goldene Ducaten
habe. Ein Bischof, der zu Rom lebte, habe für einen
, Domitian und Commodus in Bronze 65 coronati an-
Andreas Lauretanus, ein Vornehmer in Venedig, sehr
in griechischer und römischer Geschichte, habe die
Ehrenstellen und Aemter ausgeschlagen und sich
tudium so hingegeben, dass er kein Bedenken trug,
er zu Hause ein reiches Museum von Alterthümern
r einen einzigen Vitellius und einen bronzenen Domi-
Ducaten zu geben, der oben erwähnte Aueroldus

if dem Medaillon heisst er Mars pacator.

habe mit einem Male ein Museum von Alterthümern um
1500 coronati gekauft, Johannes Grimanus, der Patriarch von
Aquileja habe das Antiquarium seines Bruders, des Cardinals,
um 3000 coronati gekauft.

Nach dieser kurzen Einleitung geht Fickler an die Beschreibung der Münzen, die sich in seinem „Musaeum seu
Antiquariolum" befinden, und zwar in anerkennenswerther Weise
rein chronologisch ohne Rücksicht auf das Metall. Er beginnt
mit den Münzen der Republik. Wenn wir bedenken, dass
der erste Anfang einer wissenschaftlichen Behandlung dieser
grossen Münzreihe erst durch Fulvius Ursinus erfolgte auf
Grund eines gewaltigen Materials (Familiae Romanae in antiquis numismatibus, Romae 1577), also nach der Abfassung
unseres Antiquariolums und wirklich feststehende Resultate
überhaupt erst in unserer Zeit durch Borghesi, Cavedoni und
Mommsen auf Grund scharfsinnigster Untersuchung zahlreicher
und umfangreicher Funde von Familienmünzen gewonnen wurden, so muss man Fickler bei seinem ganz verschwindend geringen Material nachsichtig beurtheilen. Ich gehe nun auf
seine Beschreibung und Erklärung der ersten Münzen ein, um
seine Methode anschaulich zu machen.

Nr. 1 hat der Verfasser wohl selbst als Fälschung oder
Irrthum erkannt; denn er hat die Beschreibung mit Excurs
durchstrichen. Es handelt sich um eine Silbermünze mit der
Wölfin und den Buchstaben R · L · darüber, die er als Romana
lupa oder Romulus deuten wollte. Etwas derartiges oder ähnliches existirt als antike Münze nicht und ist mir auch nicht
als Fälschung bekannt. Ich möchte fast vermuthen, dass
Fickler hier einen Silberpfennig Rudolf des Stammlers, gemeinsam mit Ludwig dem Bayer geprägt, vor sich hatte,
der den allerdings schlecht geschnittenen Ingolstädter Panther,
darüber die Buchstaben R · L (Rudolf — Ludwig) trägt. Die
Rückseite zeigt allerdings die bayerischen Rauten, die aber
bei einem schlechten Exemplar vielleicht verwischt waren.

Nr. 2 ist ein ziemlich gewöhnlicher Denar der Familie
Furia, der gut beschrieben ist: Januskopf mit der Umschrift

RI · L · F, welche dem Autor dunkel blieb, weil er
1 nach jedem Buchstaben einen Punkt gesetzt. Auf
zweite, die ebenfalls richtig beschrieben ist, die eine
bekränzende Roma, hat Fickler die Buchstaben P-ILI
hnitt nicht gesehen, da er ein schlechtes Exemplar
Er theilt die Münze ohne Begründung dem Horu-
les zu; sie gehört dem Monetarius M. Furius L. F.
egen 104 v. Chr. (Mommsen n. 183. Babelon I p. 525).
er **Nr. 3** bringt Fickler die Beschreibung eines Silber-
das er für eine Münze des Antiochus Soter hält, mit
rstellung von zwei ineinander gestellten Dreiecken, so
⟩ Figur mit 6 Ecken an der Aussenseite entsteht ✿,
Winkel die 6 Buchstaben des Wortes ΥΓΙΕΙΑ stehen.
ert hier an die Sage, dass Antiochus Soter, als er
le Galater zog und etwas in Enge kam, im Traume
⟩r den Grossen gesehen habe, der ihn ermahnte, ein
der Hygiea zu machen, dies als tessera den Tribunen
und in deren Kleider einzunähen, dann werde ihm
zufallen. Eine derartige tessera erblickt er hierin.
ergeht sich nun des Weitern über diese Figur, „den
'uss", und sagt, dass zu seiner Zeit die Leute oder
ns die alten Weiber die harmlosen Würzburger Silber-
mit dem Bruno-episcopusmonogramm auch Druden-
annt haben. Wahrscheinlich haben wir hier einen
mane des 16. Jahrhunderts oder noch etwas früherer
gerne diese Zauberfigur trugen.
folgen nun auf zwei eingeschobenen, aber nichtpagi-
olien die Beschreibungen von 3 Münzen. Die erste
Bronzemünze des Agathokles, die er dem tapfern und
hne des Lysimachus zuschreibt, während dieser nie zur
lg kam, also nicht den Titel *Βασιλεύς* führen konnte,
uf der Münze erscheint, sondern noch vor dem Tode
aters seiner ränkesüchtigen Stiefmutter Arsinoe zum
l. Die Münze gehört dem Tyrannen Agathokles von
an, den Fickler gewiss aus Trogus und Diodor kennen
die ausführlich von · **ihm handeln** und namentlich er-

wähnen, dass er sich den Königstitel beilegte. Die Beschreibung
der Münze ist richtig und die Notiz über die Darstellung der
Hauptseite: Kopf der Artemis Soteira ganz treffend. Die
nächste Münze ist fälschlich als Victoriat bezeichnet wegen
der Darstellung der von der Victoria gelenkten bigae trium-
phales, während die Victoriaten die eine Trophäe bekränzende
Victoria zeigen. Es ist ein Denar des L. Piso Frugi, der aber
in Wirklichkeit nicht eine biga zeigt, sondern einen galop-
pirenden Reiter. Es scheint hier Fickler ein ganz schlechtes
Exemplar dieser heute gewöhnlichen Münze vorgelegen zu
haben. Die dritte Münze ist fast vollständig richtig beschrieben
und erklärt. Es ist der ziemlich gewöhnliche Brutusdenar mit
dem Kopf der Libertas und dem unter Vorantritt eines Amts-
dieners zwischen 2 Lictoren schreitenden Consul. Die Darstellung der Rückseite wird von Fickler gedeutet auf die
4 Hauptverschwörer; es ist aber wohl ein Consul anzunehmen,
und da an Dolabella, der das Consulat nach Cäsars Tod übernahm und sich den Verschwörern anschloss, kaum zu denken
ist, wird wohl die von Babelon gegebene Deutung auf L. Junius
Brutus den Aelteren, den ersten Consul und Freiheitshelden
richtig sein, zumal sie durch die Aufschrift Brutus im
Abschnitt unterstützt wird. Mommsen glaubt diesen Denar
15 Jahre vor die Blutthat an den Märziden setzen zu sollen,
allein ein zwingender Grund liegt nicht vor und die Uebereinstimmung mit den Münzen mit $KO\Sigma\Omega N$[1]) führt mich zu
der Annahme, dass diese Münzen von Brutus in Makedonien
geschlagen wurden vor der Schlacht von Philippi.

Nach dieser Einschiebung folgt nun n. 4, ein Denar der
Familie Cornelia, ziemlich richtig beschrieben: Marskopf auf
der Vorderseite, die Rückseite zeigt aber kein Viergespann,
wie Fickler sagt, sondern ein Zweigespann; im Abschnitt:
Cn. Lent. In der Persönlichkeit des Monetarius irrt Fickler;
dieser Lentulus war ungefähr 84 v. Chr. monetarius. In dem

---

[1]) Ueber diese immer noch nicht sicher erklärten Münzen s. Beschreibung der antiken Münzen (Berliner Museum), II. Band p. 23.

den Fickler an die Beschreibung der Rückseite an-
~~~~~~~~ Victoria bringt er eine sehr interessante, für
Münchener Museumsgeschichte nicht unwichtige Fund-
► Im Jahre 1561 wurden nämlich unweit Salzburg
~~ ausgegraben und auf Befehl des Erzbischofs Joh.
~~ die Stadt gebracht. Sie stellten dar die herrlichen
~~ des Sept. Severus mit einer geflügelten Victoria in
~~~~~~~ Werk. Ein Theil dieses Kunstwerkes wurde
~~ Thor zum Nonnthal eingemauert und später auf
~~ Herzogs Albrecht nach München gebracht. Ein
~~ Stück stellte einen opfernden Priester dar, leider fehlt
r Kopf und wurde das Werk auch in einige Stücke

Antiquariolum fol. 27. Bei der Wichtigkeit der Stelle lasse ich
~laut folgen: Anno MDLXI prope Salisburgum (quod antiquis
~~~~~~~ militum colonia fuit Juvavium dictum est) in loco hodie
~~ partim palustri admirandae magnitudinis saxa ex collapsi
~~~~~~ Romani demersaque ruina effossa jussuque reverendiss.
~et Archiepiscopi Joann. Jacobi etc. in civitatem maximo labore
~~~ quae Septimii Severi magnificos triumphos cum ejusdem
~ statua imagine Romano referebant opere cujus pars altera prope
~allis Moinalis, ut hominibus in conspectu esset muro injuncta,
~~en post rursum eruta est et petente Alberto illustris. Bavariae
(quemadmodum ex aliorum relatione habeo Randbemerkung)
~ translata esse fertur, alterum vero fragmentum in campo qui
~~~ Cathedralem Palatium Archiepiscopale ac Coenobium S^{ti.} Petri
~~~~~~~~ inter alia saxa sub dio omni tempestatum injuriae
~~~~ memorabilibus fragmentis Romani artificii expositum in-
atque contemptum jacet, dignum etenim operaeque precium
et cetera monumenta quae etiam dum eo quo dixi loco terra
~~~~~~~ subrata jacent eruerentur ac nobiliori loco statuerentur.
~tera advecta saxa pulcherrimum ac nobilissimum monumentum
quo statua flaminis sacrificantis ac patera libantis ad arulam
~ripodi similem superne ignem habentem erat; nihil ei ad omnem
~dinem vel artificium defuit quam quod capite ob importuni-
~que neglegentiam bajulorum fossorumve ut conjectura est trun-
~it. Quin quod maxime dolendum latomorum inscitia atque aliorum
prohibuisse debebant neglegentia concisum in frusta operique
adhibitum est. Quod nisi meo instinctu Principem quidam ex
~us hujus rei tum admonuisset credendum est cetera quoque per-

zerschlagen; auf Anregung Picklers hat einer der Vornehmen
den Erzbischof aufmerksam gemacht, der hierauf den weitern
Untergang des Kunstwerkes verhinderte. Ich habe das nach
München gebrachte Stück in keiner hiesigen Sammlung identificiren können; an der Richtigkeit der Notiz ist, da sie
Gleichzeitiges betrifft, bei der Gewissenhaftigkeit Picklers nicht
zu zweifeln.

Die nächste Münze von Fickler ist eine Fälschung des
16. Jahrhunderts, nach F. von Silber; sie ist in unserer Staatssammlung in Gold vorhanden. Sie zeigt auf der Hauptseite das
lorbeerbekränzte Brustbild Cäsars mit der Inschrift ·DIVI·IVLI·,
auf der Rückseite einen Elephanten im Lorbeerkranz, über dem
Elephanten ·S·P·Q·R· Fickler bemerkt hiezu, dass diese
ziemlich kunstvolle Münze ihm neu und gefälscht vorkomme
und er sie desshalb nicht unter den Antiken aufführe, bis sie
von Erfahreneren geprüft ist; denn er möchte in diesem Punkt
nicht leichtfertig erscheinen.

Nr. 6 ist ein Legionsdenar des Antonius, der wegen
schlechter Erhaltung — von der Aufschrift ANT·AVG·III·
VIR R·P·C sah Fickler nur AVG — dem Augustus zugetheilt wird. Er ist von der VIII. Legion. Bei der Betrachtung
der Rückseite: Legionsadler zwischen zwei signa militaria spricht
Fickler mit grosser Ausführlichkeit und für damalige Zeit wohl
erschöpfend über die Feldzeichen des römischen Militärs, insbesondere auch über das Labarum.

Nr. 7 ist der Denar des Augustus mit seinen beiden Enkeln
Cajus und Lucius, den Söhnen der Julia und des Agrippa, die
er adoptirt und mit dem Cäsarentitel ausgestattet hatte. Da
im Felde zwischen den beiden stehenden Cäsaren die Attribute
der Augurn, das Simpulum n. der Lituus angebracht sind, geht
Fickler hier auf die Augurenwürde dieser Enkel des Kaisers,
die er für Lucius durch eine Inschrift in Spanien, enthalten
im Inschriftenwerk Peter Apians, belegt, im besondern und
das Augurenamt im Allgemeinen mit seinen Abzeichen ausführlich ein.

Nr. 8 ist eine Münze Cäsars mit einem Elephanten, der eine Schlange zertritt, und gottesdienstlichen Instrumenten, nämlich dem Simpulum, Aspersorium, dem Opferbeil und der Priestermütze. Cäsar war seit 63 Pontifex maximus, daher die Attribute; der Elephant war eine Art Wappen. Die Münze gehört nach Mommsen in die Zeit der gallischen Statthalterschaft. Fickler glaubt annehmen zu müssen, dass dieser Denar von Augustus zu Ehren des Cäsar geschlagen sei wegen der Insignien des Pontifex und wegen der Darstellung des Elephanten als Symbols der Consecratio. Diese Darstellungen finden aber durch obige Angaben volle Erklärung. Ein gelehrter, ausführlicher Anhang über die Attribute des Pontificats reiht sich hieran.

Nr. 9 ist eine unter Tiberius zu Ehren des Augustus geschlagene Münze mit dem Kopf des Augustus mit Strahlenkrone; Umschrift: DIVVS AVGV * STVS, vor dem Kopf der Blitz des Zeus. Rs. sitzende weibliche Gestalt mit Schale und Scepter; im Felde SC. Bezüglich des Sterns erinnert Fickler daran, dass nach Sueton bei den Spielen, die er dem Andenken Cäsars gab, ein Comet erschienen sei und 7 Tage geleuchtet habe, was man als Zeichen der Versetzung Cäsars unter die Sternbilder gedeutet hat. Bezüglich des Blitzes erinnert Fickler an die verschiedenen Erzählungen, in denen dieses Himmelszeichen eine Rolle im Leben des Kaisers spielte. Die sitzende Figur der Rückseite hält Fickler für männlich und zwar für einen Augur; sie ist aber sicher weiblich und soll wohl Livia darstellen.

Bei Nr. 10, ebenfalls eine Bronzemünze mit DIVVS AVGVSTVS PATER, aber auf der Rückseite mit Adler, wird die Erzählung Suetons wiederholt, wonach dem Augustus einst ein Adler, als er in Campanien in einem Hain frühstückte, das Brod geraubt und nach kurzer Zeit wieder gebracht haben soll.

Im Anschluss handelt Fickler von einer andern Münze des Tiberius, die, wie er angibt, alle Vorzüge hat, die man verlangen kann, treffliche Erhaltung, gutes Metall, kunstvolle

Arbeit. Es ist der Denar des Tiberius mit der sitzenden Livia
auf der Rückseite und Umschrift PONTIF·MAXIM (Cohen
n. 16), Fickler hält die weibliche Figur für die Concordia.
Da nun ein Caligula in der Sammlung Ficklers fehlte, geht er
gleich zu Claudius über und behandelt hier 4 Bronzemünzen,
bemerkt aber an den Rand, es gehören vielleicht zwei davon
dem Claudius II. Und das ist auch gleich bei der ersten der
Fall, die einen Kopf mit Strahlenkrone zeigt, die beim 1. Claudius noch nicht vorkommt, ausser bei Consecrationsmünzen.
Diese Strahlenkrone gibt Fickler Veranlassung, auf alle Gattungen von Kronen einzugehen, die bei den Alten im Gebrauch
waren. Die zweite Münze des Claudius ist bei der in Folge
der schlechten Erhaltung mangelhaften Beschreibung nicht zu
identificiren, ist aber sicher kein 1. Claudius. Ebenso ist die
3. Münze ihm abzusprechen; diese kann aber bei der guten
Beschreibung bestimmt werden; sie ist eine Consecrationsmünze
des Claudius Gothicus. Dagegen gehört die 4. Münze dem
1. Claudius an; sie ist die Bronzemünze mit Spes Augusta
(Coh. n. 85). Endlich beschreibt Fickler noch eine Restitutions-
münze des Titus mit Claudius, doch kommt diese nicht mit
kämpfendem Jupiter vor, sondern es ist wohl die kämpfende
Pallas (Coh. 105).

Die folgende Nr. 13 Nero ist von Fickler richtig beschrieben und erklärt; es ist Coh. n. 316 mit Salus. Fickler
berichtet hier über den Cult und die Tempel der Salus bei
den Römern. Die zweite von Fickler beschriebene ist Coh.
n. 314. Die dritte Münze dürfte wohl Coh. n. 45 sein mit
der Umschrift: AVGVSTVS GERMANICVS und dem Kaiser
mit Lorbeerkranz und Victoria. Am Rande führt Fickler noch
die Münze Neros mit Aufschrift DECVRSIO und der Darstellung
dieser cavalleristischen Uebung an, über welche Fickler ausführlich und richtig berichtet.

Nr. 15 bringt eine Münze von Galba mit Roma, wahrscheinlich Cohen n. 180. Hier ergreift Fickler die Gelegenheit, eine gelehrte Abhandlung über das Volks- und Militär-
Tribunat zu geben.

r. 16 gehört dem Vitellius an mit CONCORDIA auf der
ite, es ist wohl Coh. n. 18. Fickler erwähnt hier die
wie die Alten die Concordia dargestellt und erklärt,
gerade die Concordia bei Vitellius erscheine.

nter Nr. 17 führt F. eine Münze Vespasians an, die auf
ckseite ein auf dem Boden sitzendes gefangenes Weib
f den Rücken gebundenen Händen zeigt. Umschrift der
ite TRIPOL. F. glaubt, dass Tripolis ohne Zweifel
Provinz wurde, wenn es auch nicht erwähnt werde und
chichte werde hier durch das Zeugniss der Münze unter-
und ergänzt. Nun ist aber diese Münze entschieden zu
gen, da die Beschreibung offenbar auf einem Irrthum F.
. Die Münzen Vespasians mit der Personification einer
en Provinz oder eines besiegten Landes beziehen sich
f Judäa, tragen aber die Aufschrift IVDAEA CAPTA
EVICTA, was auch bei schlechtester Erhaltung nicht
ls TRIPOL gelesen werden kann. Nahe liegt die An-
, dass der Irrthum F. aus TRI POT Tribunicia potestas
iden ist, aber sämmtliche Münzen Vespasians mit Ander TRIB · POT. haben keine Darstellung einer unter-
Provinz. Ich konnte auch unter den Fälschungen
finden, was allenfalls mit dieser Beschreibung sich deckt.
ie folgende Münze ist richtig beschrieben mit Concordia;
lie dritte Münze Vespasians mit COS · ITER · TR · POT ·
mit Mars oder Neptun vor und nicht, wie F.
, mit sitzender weiblicher Figur mit Aehren und

nter Nr. 18 gibt F. richtig einen Denar des Titus mit
T VIII COS VII und einem gefangenen Juden an einer
e sitzend, sowie eine Bronzemünze des Titus mit Dar-
g und Aufschrift der Aeternitas.

ei Domitia (Nr. 20) erklärt F. den Denar mit COS IIII
er Darstellung des Pegasus. Domitian war selbst der
unst beflissen und war überhaupt Literaturfreund, wie
uetonius bestätigt wird. Weiter bringt er unter dieser
er den Denar Domitians mit Imp. XXI Cos. XV PPP

und der kämpfenden Pallas, die von Fickler für einen Jupiter
gehalten wird, d. h. eigentlich für den Kaiser in dieser Gestalt.
Diesen Irrthum hat F. schon früher einmal begangen. Richtig
sind die Bemerkungen, die der Autor daran knüpft über die
Stiftung des capitolinischen Agon, Herstellung des Capitols und
Erbauung eines neuen Tempels für den Jupiter custos.

Unter der folgenden Nr. 21 erscheinen 3 Bronzemünzen
des Domitian, darunter die sehr interessante, auf die Säcular-
spiele bezügliche,[1] die aber nach seiner genauen Beschreibung
ein sog. Paduaner ist, eine jener herrlichen Fälschungen oder
vielmehr Nachahmungen römischer Grossbronzen des Paduaners
Cavino aus der 1. Hälfte des 16. Jahrhunderts. Bei der Erklärung dieser Münzen schüttet nun F. mit vollen Händen
seine reichen antiquarischen Notizen und Citate aus über das
Paludamentum, über den Suggestus, d. h. das Podium, auf dem
der Kaiser sitzt (er erwähnt hier, dass er zu Rimini superiore
anno 1561 das Podium gesehen habe, von dem aus Jul. Cäsar
vor dem Zug nach Rom seine entscheidende Ansprache an seine
Soldaten gehalten haben soll, und das nach der von F. gegebenen Inschrift im Jahre 1555 vom Magistrat von Rimini
wieder hergestellt wurde), das congiarium, ein Geldgeschenk
des Kaisers an das Volk, das aber hier nicht dargestellt ist,
sondern eine Darreichung von Rauchwerk (suffimenta populo
dat) die uns literarisch durch Zosimus bezeugt wird, endlich über
die ludi saeculares selbst, ihren Ursprung, ihre Bedeutung und
die Art ihrer Durchführung, endlich über die Daten derselben.

Von Nerva führt F. den Denar mit Aequitas und die
Bronzemünze mit Fortuna Augusti vor; diese Münzen sind
richtig beschrieben und geben keinen Anlass zu weiteren
Aeusserungen.

Unter Nr. 24 endlich kommen drei Silbermünzen Trajans
richtig beschrieben, eine mit der sitzenden Concordia (C. 594),

---

[1] Der Kaiser sitzt im Paludamentum auf einem Podium und reicht
dem Volk, vertreten durch einen Bürger mit einem Knaben, aus zwei
neben ihm stehenden Vasen oder Urnen Etwas, was durch die Inschrift
als suffimentum bezeichnet ist.

cite mit der Spes (C. 455), von F. richtig gedeutet, die
schlecht erhalten und in Folge dessen nicht genau be-
mit der Aequitas mit Waage und Füllhorn. Es folgt
onzemünze mit Dacia capta (nicht devicta) und eine mit
naubrücke (C. 542), die F. für eine Abbildung des Hafens
icona, den allerdings Trajan neu gebaut hat, hält. Bei
lgenden Beschreibung einer Bronzemünze kommt eine
dlung über das Consulat, die bei aller Kürze doch in
nuptzügen erschöpfend genannt werden kann.

dieser Weise erklärt Fickler noch eine Menge römischer
münzen bis Gordian dem jüngern. Es würde zu weit
und auch kein Interesse bieten, diese einzeln durchzu-
wenn auch da und dort noch hübsche Notizen gegeben
ı. So untersucht er die Frage, woher Antonius Pius
Beinamen erhalten habe, die übrigens heute noch nicht
gelöst ist, und glaubt, dass er von seinem milden Sinne
die Christen herrühre, den er bekundet habe in einem
nzedikt, das er aus Nikephoros wörtlich anführt. Dieses
genau mit dem bei Eusebius überein, leider ist dies
mächt und Antonius durchaus kein Begünstiger der
ichen Lehre gewesen, sondern ein entschiedener Anhänger
en Staatsreligion.

ei einer Münze des Marc Aurel bemerkt er, dass er die-
n Salzburg gefunden habe. Diese Notiz ist topographisch
lzburg von Bedeutung, so dass ich sie, ohne ein Urtheil
hre Richtigkeit zu fällen, hieher setze: Fol. 64: hunc
ı ego in hortulo aedium habitationis meae ad reverendiss.
hiemensem spectantium in ea regione civitatis Juvavianae
Volgus Cuji vocat (quod nomen a Romano illo Caio
io Cupito, cujus clara adhuc illic monumenta extant
um ad hoc usque aevum in usu et ore civium est) superiore
IDLXX XI Calend. Junii fortefortuna inveni.[1]) Bis jetzt
ines Wissens eine befriedigende etymologische Erklärung

Von diesem C. Tegionius Cupitus sind einige Monumental-
ten bekannt.

des Wortes Kaistrasse (eine Strasse in Salzburg, die aber Nichts
mit Quai zu thun hat)[1]) nicht gegeben worden. Sollte diese
die richtige sein?

Ausführlich verweilt Fickler bei der Liebhaberei dieses
Kaisers, die Lebensweise eines Stoikers zu führen und die
stoischen Lehren in sich aufzunehmen im steten Umgang mit
Philosophen.

Endlich möchte ich noch darauf hinweisen, dass er bei
den Münzen des Septimius Severus Veranlassung nimmt, die
zahlreichen Denkmäler dieses Kaisers kurz zu erwähnen, die
im Salzburgischen vorhanden sind. Septimius Severus war bekanntlich Statthalter von Oberpannonien, als er zu Carnuntum
zum Kaiser ausgerufen wurde. Dann bespricht er die verschiedenen Beinamen des Kaisers, darunter Adiabenicus, von
der bedeutendsten Provinz Assyriens.

Aus dieser Betrachtung der Behandlung der Familienmünzen und der Kaisermünzen des 1. Jahrhunderts erhellt zur
Genüge die Bedeutung Ficklers als Numismatiker. Wir mössen
hiebei aber die Zeit ins Auge fassen, in der F. lebte, und den
Höhepunkt, den die Numismatik damals eingenommen. Das
Antiquariolum ist wahrscheinlich in den 70er Jahren des
16. Jahrhunderts geschrieben, zu einer Zeit, wo in ganz Mittel-
europa eine ausserordentliche Sammelthätigkeit sich entwickelt
hatte, so dass Hubert Goltz auf einer Reise durch die Rheinlande und das südliche Deutschland 175 Münzsammlungen zählte.
Bei den enormen Preisen entfaltete sich auch die Thätigkeit
der Imitatoren und Fälscher ganz bedeutend. Von einer wissenschaftlichen Verarbeitung des massenhaft sich ansammelnden
Stoffes, von einer kritischen Sichtung des Materials, von einer
Scheidung des Falschen vom Aechten war damals noch kaum
die Rede. Bis zu Ficklers Zeit und noch lange nach ihm hat
man mit Ausnahme des Fulvius Ursinus die Numismatik nur
als Ausgangspunkt zu antiquarischen und mythologischen Unter-

---

[1]) Vgl. Keinz, Flurnamen aus den Monum. Boica, Sitz.-Ber. der
philos.-philol. und histor. Classe der k. b. Ak. d. W. 1867, p. 116.

[...]en genommen, ohne das Material selbst gründlich zu
[...] Die Art und Weise, wie der erwähnte Goltzius ein
[...] Münzmaterial verarbeitete, kann keine wissenschaft-
[...]genannt werden, ja seine Werke haben zum Theil ge-
[...] da er sich nicht scheute, Lücken in seinen Tafeln
[...]on ihm erfundene Münzen auszufüllen.

[...]khels strenge Kritik im 22. Capitel seiner Prolegomena
[...]oltius[1]) trifft bei Fickler nicht. Fickler hat nur an
[...] vorliegende Material sich gehalten, das zum Theil
[...] erhalten, zum Theil falsch war; aber er war immer,
[...] auch oft irrte, gewissenhaft und hat nur, was er sah
[...]usste, berichtet. Seine Aengstlichkeit, für oberflächlich
[...]chtfertig gehalten zu werden, hat er an mehreren Stellen
[...]rt (fol. 27 non enim hoc in judicio velim videri levis
[...]erarius, und kurz vorher: inter antiquos relatum nolo,
[...] peritioribus approbatus fuerit).

[...]hr als 20 Jahre später hat Fickler als bayerischer Hof-
[...]d Vorstand der herzoglichen Kunstkammer und des
[...]binets in 4 Bänden einen Katalog der antiken Münz-
[...]ng geschrieben, wie ich oben kurz erwähnt habe. Es
[...]die Geschichte dieser damals erst kurz bestehenden
[...]ng wichtig, diese 4 Bände rasch durchzusehen und
[...]elleicht weiteren Kreisen nicht unerwünscht sein, wenn
[...] Inhaltsangabe dieser Bände hier folgen lasse.

[...]ne Entschuldigung oder mildere Beurtheilung für Goltz mögen
[...]paar Worte vermitteln. Eckhel wirft ihm vor, dass er gewisse
[...]e Münzen in Gold gesehen haben will, die sonst nur in Silber
[...]wurden (Prol, p. CLI) und zwar in einer Fassung, die den
[...]Eckhels an der Wahrhaftigkeit des Goltzius deutlich ausdrückt.
[...] hat unser Kabinet eine reiche Sammlung von Nachgüssen
[...]her Silbermünzen in Gold und Goltz hat wohl diese Fälschungen
[...]hen. Von diesen Goldmünzen, die also Copien sind, wurde in
[...]Jahren ein Theil eingeschmolzen, und ich kann zwar nicht die
[...]e, die Eckhel mit Emphase dem Goltzius vorwirft, eine Münze
[...]laugenden Kuh, einen Cistophor, und eine Münze mit Aesillas
[...]chweisen, wohl aber eine Reihe ähnlicher Copien in Gold, die
[...]t nur in Silber vorkommen.

Der Titel des ersten Bandes cod. lat. 1599 lautet:

Ordo atque descriptio numismatum antiquorum auri argenti et aeris tam Graecorum quam Romanorum quotquot eorum in Serenissimi Principis Maximiliani Palatini Rheni utriusque Bavariae Ducis sunt Antiquario.

Serenitatis suae jussu singula quantum ejus fieri potuit explicata descriptaque sunt per Joannem Baptistam Ficlerum IC. Serenitatis suae Consiliarium etc.

Primum quidem Graecorum Regum bellique Ducum notorum et ignotorum numismatum in auro: deinde Consulum, Proconsulum, Dictatorum, Tribunorum militum plebisque Romanae Triumvirûm Aedilium etc. post Imperatorum et Imperatricum juxta temporum seriem quibus praefuerunt reposita. Primum in auro deinde in argento, mox in aere sese subsequentium.

In hoc autem ordine primo tractatur de aureis.

Am Schluss dieses Bandes werden 4 Augustalen Friedrichs II. angefügt und eine kleinere Medaille von Herzog Albert von Bayern, bisher immer und auch in dem Werke „die Medaillen und Münzen des Gesammthauses Wittelsbach, München 1897" dem Vierten dieses Namens zugetheilt (unter n. 216), von Fickler dem Dritten († 1460) zugewiesen. Ich möchte an der Bestimmung für Albert IV. festhalten; auffallender Weise war damals das Stück in Gold vorhanden, jetzt nur mehr in Silber. Es scheint hieraus wie aus manchem Andern hervorzugehen, dass die Goldbestände der Sammlung sehr früh, vielleicht im dreissigjährigen Kriege, eine Minderung erfuhren.

Im 2. Bande cod. lat. 1600 wird Fickler bereits Eques Auratus et sacri Palatii Lateranensis Comes genannt. Der volle Titel lautet: Series Imperatorum tam Graecorum Orientis quam Romanorum occidentis antiquis numismatibus expressorum quae in Sereniss. Principis Maximiliani Palatini Rheni utriusque Bavariae ducis comperta sunt Antiquario explicata descripta et in hunc ordinem redacta studio serenitatis suae Consiliarii Joannis Baptistae Fickleri JC̄ Equitis aurati et sacri Palatii Lateranensis Comitis (beigeschrieben Collegii S. J. Monachii) Hoc vero recensentur ordine argentea.

Das letzte Blatt dieses 2. Bandes ist die praefatio zum
og der Silbermünzen der Kaiserinnen, die den 3. Band
at. 1602 gleichlautend eröffnet, der also besser mit n. 1601
t wäre.[1]) In diesem Band folgt auf die Silbermünzen
Kaiserinnen Ordo descriptionis numismatum antiquorum
teorum Consulum, Proconsulum, Dictatorum Censorum,
ium curulium, Tribunorum militum, Triumvirorum caete-
ıque Magistratuum Romanorum juxta temporum succes-
ıque seriem. Hierauf folgen Incerta und Anonyma. Dann
ı die griechischen silbernen Münzen und Anonyma der
hen, dann die Barbaren: Gothen, Vandalen u. dergl.
Im 4. Band endlich codex lat. 1601 (besser als 1602 zu
·en) sind die Bronzemünzen der römischen Kaiserzeit ver-
net quae post aurea et argentea, de quibus in superio-
libris actum est in celeberrimo . . . continentur antiquario.
Vorrede zu diesem letzten Band ist genommen aus der
de des Werkes von Fulvius Ursinus (praefatio . . . ex
atis Fulvii Ursini), enthaltend eine Beschreibung der
eben Familienmünzen, das R. Weil[2]) mit Recht ein muster-
es Werk nennt. Diese Familiae Romanae erschienen zu
1577; es scheint also Fickler sich bald mit diesem Buch
ıut gemacht zu haben.
Auch in diesem Catalog bespricht Fickler bei jeder ein-
ı Münze all' das, wozu die Münze in antiquarischer,
ologischer oder mythologischer Hinsicht Anlass gibt, in
hrlicher Weise und mit einer das gesammte Wissen seiner
in diesen Gebieten umfassenden Gelehrsamkeit. Fickler
ınt daher unter den Numismatikern des 16. Jahrhunderts
nt zu werden, und er wäre gewiss als solcher gerühmt
·n, wenn nur irgend etwas von seinen numismatischen

) Dass dieser Band anschliesst, geht auch daraus hervor, dass nach
rei ersten Blättern die pag. 1451 sich anreiht, während der 2. Bd.
150 schliesst.
) R. Weil, Zur Geschichte des Studiums der Numismatik in von
Zeitschrift XIX, p. 252. J. C. Scaliger pflegte es opus divinum

Arbeiten gedruckt worden wäre. Daher kennt ihn weder
Banduri in seiner bibliotheca numaria, noch Eckhel, noch
irgend einer, der sich mit der Bibliographie oder der Geschichte des Studiums der antiken Numismatik beschäftigt hat.
So unbekannt wie Fickler war, scheint aber auch das von
ihm verwaltete Münzkabinet später geworden zu sein, so dass
Eckhel in seiner Einleitung im Abschnitt, der von den illu-
striora per Europam Musea handelt, des Münchener Münzkabinets mit keiner Silbe erwähnt, während er doch viele an
Umfang und Bedeutung weit unter diesem stehende Sammlungen aufführt. Mag Fickler auch von einer anderen Seite,
seiner schroff kirchlich-politischen, keine erfreuliche Erscheinung
in der Bewegung am Ausgang des 16. Jahrhunderts sein, so
muss er doch als hochgebildeter numismatisch-antiquarischer,
wenn auch ungedruckter, Autor hervorgehoben werden. In
dieser Beziehung wollte ich ihm als sein Nachfolger im Amt
wenigstens einigermassen gerecht werden.

Zu Josephos.

Von G. F. Unger.

gelegt in der philos.-philol. Classe am 6. Februar 1897.)

IV. Die Republik Jerusalem.[1])

im Frühjahr 57 der neue Statthalter Gabinius nach
am, war im jüdischen Lande, wo Pompejus im J. 63
berung Jerusalems den Hohenpriester und König Ari-
abgcsetzt und dessen älteren Bruder Hyrkanos zum
ester und Ethnarchen ernannt hatte, ein Bürgerkrieg
: Aristobuls der Abführung nach Rom entronnener
xander war mit bewaffneter Mannschaft eingefallen,
en hatten sich unter seine Fahne gestellt und bereits
grösste Theil des Landes in seiner Hand. Antonius (der
ge Triumvir), welchen Gabinius mit einer Abtheilung
tückte, zog die Söldner des Hyrkanos[2]) an sich und

---

tikel I (Senatusconsulte) s. Sitzungsb. 1895 S. 551 ff., Art. II u. III
jahre) ebenda 1896 S. 357 ff.
s. ant. 14, 5, 2 ὁπλίσαντες τοὺς ὑπηκόους Ἰουδαίους, ὧν Πειθόλαος
Μάλιχος, προσλαβόντες δὲ καὶ τὸ Ἀντιπάτρου ἑταιρικόν (vgl. ἑταῖροι,
des Philippos und Alexander d. Gr.). Antipater (Vater des
dessen Vater unter Alexander Jannaios Stratege seines Heimath-
maa gewesen war, scheint die Stellung eines Majordomus, des
Hausbeamten bei Hyrkanos bekleidet zu haben: er verwaltete,
Weise auf dem Wege des Pachts, dessen Güter (Art. II S. 381)
dem entsprechend an der Spitze seiner Haustruppen. In der
lle 1, 8, 3 οἱ περὶ Ἀντίπατρον ἐπέλιπον καὶ τὸ ἄλλο τάγμα τῶν

bewaffnete die treugebliebenen Juden; als dann Gabinius mit
dem Hauptheer erschien, konnte Alexander der feindlichen
Uebermacht nicht Stand halten: nach einer vernichtenden
Niederlage warf er sich mit dem Rest seiner Truppen in die
Feste Alexandreion und ergab sich, nachdem er eine Zeit lang
die Belagerung ausgehalten hatte. Nun führte Gabinius den
Hyrkanos nach Jerusalem zurück, beliess ihm aber nur die
mit dem Hohenpriesteramt untrennbar verbundene Verwaltung
des Tempelheiligthums, führte eine aristokratische Verfassung
ein und theilte das Land in fünf Stadtgebiete: Jerusalem,
Jericho, Gadara (oder Gazara, in Westjudäa), Sepphoris in
Galiläa und Amathus (in Peräa). So Josephos b. 1, 8, 2—5.
a. 14, 5, 2—4.

Nach Kuhn, Die städtische und bürgerliche Verfassung des
römischen Reichs II 336. 367, Mendelssohn in Ritschl's Acta
societatis philologae Lipsiensis V 162 und Schürer, Geschichte
des jüdischen Volkes im Zeitalter Jesu I 274 ist das Land von
Gabinius damals der Provinz Syrien einverleibt worden und
die von ihm geschaffene Einrichtung im Wesentlichen (d. i. mit
einer von demselben im J. 55 getroffenen Aenderung, welche
Josephos erwähnt) geblieben bis zum J. 47, in welchem Caesar
den Hyrkanos wieder zum Ethnarchen ernannte. Von ihnen
weicht Marquardt, Römische Staatsverwaltung I 406 darin ab,
dass er (mit Unrecht) die Einverleibung schon 63 von Pompejus vollziehen lässt und die Ethnarchie des Hyrkanos von
63 bis 57 auf die Ausübung des Richteramts beschränkt.[1])

Ἰουδαίων, ὧν Μάλιχος ἧρχε καὶ Πειθόλαος ist nach einem bekannten
Sprachgebrauch ἄλλος attributiv statt appositiv (οἱ ἄλλοι, τὸ τάγμα τῶν
Ἰουδαίων) behandelt.

[1]) Er beruft sich auf Ammianus 14, 8 (Palaestinam) Pompejus in
provinciae speciem rectori delata jurisdictione formavit; zur Zeit des
Origenes (responsio ad Africanum c. 14) verband der Ethnarch mit der
Priesterwürde das Richteramt, ebenso schon früher in Alexandreia
(Jos. ant. 14, 7, 2). Diese Einrichtung hat Ammian mit der von Pompejus
geschaffenen verwechselt. Durch die Angabe, dass dieser die Städte,
welche er den Juden nahm, der Provinz zugeschlagen habe, deutet
Josephos b. 1, 7, 7. a. 14, 4, 4 an, dass das mit dem jüdischen Gebiet nicht

iausen, Israelitische und jüdische Geschichte [1] S. 264 geht
es Verhältniss zur Provinz nicht ein und lässt die ganze
:ung bloss bis zum J. 55 bestehen, in welchem nach
· Ansicht Gabinius dem Hyrkanos die Ethnarchie zurück-
:ar dad.

Was im Nachstehenden ausgeführt wird, ist in der Haupt-
Folgendes. Gabinius zerschlug den jüdischen Staat in
Stadtrepubliken, welche zu den Römern in demselben Ver-
:as standen wie bisher Hyrkanos (Abschn. 1); das Heer-
: leitete in jeder ein Stratege und ein Hypostratege (Ab-
:t 3); Jerusalem erhielt das Münzrecht und datirte wie
:eisten Stadtrepubliken (civitates liberae) des römischen
s nach einer mit dem Empfang der Autonomie anhebenden
(Abschn. 2). Nach den neuen Aufständen Aristobuls im
und Alexanders im J. 55 änderte Gabinius die Verfassung
:leans; vermutlich damals setzte er an die Stelle des Stra-
:und Hypostrategen ein Strategencollegium: ein solches
: wir (Abschn. 3) dort im J. 48 vor. Im J. 53 verlor
:lem durch Cassius das Münzrecht, wahrscheinlich im Zu-
:mhang mit der Niederschlagung des Aufstandes, welcher
dem Untergang des Crassus ausbrach; damals ist wohl
die Datirung auf den Namen des Senatsvorsitzenden und
:len fünf Staaten die Anwendung des Griechischen als
:prache eingeführt worden (Abschn. 4). Im Anfang 47
:yrkanos wieder Ethnarch, aber die Regierung führt in
:a Namen Antipater unter dem Titel ἐπιμελητής; diese
:ng hat ihnen vermuthlich im J. 49 im Auftrag des Pom-

hen sei; er scheidet es von jener bell. a. a. O. παραδοὺς ταύτην
:αρχίαν) τε καὶ τὴν Ἰουδαίαν Σκαύρῳ διέπειν und wählt daher den
:r bestimmten, ebensowohl die unmittelbare Verwaltung wie die
:ficht (so Plutarch Perikl. 13 init.) bezeichnenden Ausdruck διέπειν.
:chlich bekam Hyrkanos die Gewalt eines Königs, nur den Titel
:ie Insignien nicht, ant. 20, 10, 4 τὴν μὲν τοῦ ἔθνους προστασίαν
:ρα, διάδημα δὲ φορεῖν ἐκώλυσεν; dementsprechend werden die Juden
:67 τῆς ἐξ ἑνὸς ἐπικρατείας (b. 1, 8, 5), τῆς δυναστείας (a. 14, 5, 4)
:gt und kann, bloss auf die Sache sehend, vom J. 63 Dio Cassius
:chreiben: ἡ βασιλεία τῷ Ὑρκανῷ ἐδόθη.

pejus der Statthalter Metellus Scipio wegen der Absichten
Caesars auf Syrien angewiesen (Abschn. 5). Damit ist die
Landeseinheit wiederhergestellt und die Autonomie der fünf
Stadtgebiete thatsächlich aufgehoben; doch liess man ihre
republikanischen Formen fortbestehen, so weit es möglich war
(Abschn. 6). An die Stelle dieses Scheinwesens setzte Caesar
im J. 47 ein anderes, indem er Hyrkanos als Hohenpriester
und Ethnarchen anerkannte, aber dem Antipater unter dem
harmlosen Titel ἐπίτροπος eine thatsächlich von jenem völlig
unabhängige, aber dem Volk gegenüber absolute Regierungs-
gewalt verlieh (Abschn. 7).

1. Josephos gibt nirgends eine Meldung oder Andeutung,
dass Gabinius das jüdische Land zur Provinz geschlagen habe;
auch ist kein Grund gegen die Annahme geltend gemacht
worden, dass die fünf Stadtgebiete die Autonomie erhalten
haben; nur der Ausdruck σύνοδοι, welchen er bell. 1, 8, 5 auf
ihre Bevölkerung anwendet, hat Kuhn[1]) dazu geführt, in ihnen
die Gerichtssprengel (conventus juridici, gewöhnlich kurzweg
conventus genannt) wiederzufinden, in welche die römischen
Provinzen getheilt waren; aber diese hatten einen Umfang,
welcher mindestens dem des ganzen Judenlandes gleichkam und
es wäre überhaupt unverständlich, wie Josephos dazu gekommen
sein sollte, eine von den Einrichtungen, welche bei der Schöpfung
einer Provinz getroffen wurden, zu erwähnen, von dieser selbst
aber zu schweigen; sonst ist (auch bei Josephos) selbstverständlich das umgekehrte Verfahren zu finden, wo nicht auf
beides miteinander eingegangen wird.

Die Einverleibung ihres Landes in eine Provinz, durch
welche sie selbst zu unmittelbaren Unterthanen von Heiden
degradirt wurden, musste die heiligsten Gefühle der Juden,
welche als ihren wahren König und als Eigenthümer ihres

---

[1]) Mendelssohn und Marquardt lassen sich auf dieses Argument
nicht ein, während Schürer, nach Kuhns Vorgang die σύνοδοι mit den
συνέδρια ant. 14, 5, 4 (mit Unrecht, s. u.) identificirend, an Gerichts- und
Steuerbezirke denkt; jeder conventus zerfiel aber in mehrere Steuerbezirke.

Landes Jehova betrachteten, aufs Tiefste beleidigen und sie
in eine dauernde, über kurz oder lang zu Empörung führende
Erbitterung versetzen; eine solche Massregel hätte ein jüdischer
Erzähler nicht mit Stillschweigen übergehen können, am aller-
wenigsten Josephos, der bei der ersten wirklich (im J. 6 n. Chr.)
geschehenen Einverleibung Judäa's geflissentlich hervorhebt,
dass sie den Grund zu dem grossen Aufstand von 66—70 gelegt habe (bell. 2, 8, 1. ant. 18, 1, 1 und 6), und auch bei
den späteren Akten dieser Art (37 und 44 n. Chr.) ausdrücklich angibt, dass die Einverleibung stattgefunden hat (bell. 2, 11,
6. ant. 18, 4, 6. 19, 9, 2). Aber das Gefühl, welches das
Volk (nicht bloss die Aristokratie) im J. 57 v. Chr. empfand,
war nichts weniger als Schmerz, vielmehr Freude, bell. 1, 8, 5
ἀσμένως δὲ τῆς ἐξ ἑνὸς ἐπικρατείας ἐλευθερωθέντες τὸ λοιπὸν
ἀριστοκρατίᾳ διῳκοῦντο; der Abgang des unfähigen Hyrkanos
von der Regierung würde eine solche nicht haben aufkommen
lassen, wenn sich an ihn die unmittelbare Abhängigkeit von
den Römern geschlossen hätte. Als im Frühling 63 Pompejus
in Damaskos ankam, erschienen bei ihm nicht bloss die mit
einander um die Herrschaft streitenden Brüder Hyrkanos und
Aristobulos, sondern auch die angesehensten Männer aus dem
Volk, mehr als 200. Diese erklärten, die Vorfahren der Brüder
hätten als Tempelvorstände an den Senat Botschafter geschickt
und von ihm die Regierung (προστασίαν) der Juden als freier
und selbständiger Männer mit dem Titel nicht eines Königs,
sondern eines dem Volk vorstehenden Hohenpriesters erhalten;
die zwei Brüder dagegen seien eigenmächtige Herrscher (δυνα-
στεύειν), welche die von den Vätern überkommene Verfassung
missachtend die Bürger knechteten; auf grosse Söldnerschaaren
gestützt, hätten sie sich durch Gewaltthaten und Morde die
Königsherrschaft angemasst. So Diodor 40, 2 und kürzer
Josephos ant. 14, 3, 2; aus Hohenpriestern sind Alexander
Jannaios und seine Nachkommen, wie Strabon p. 761 und 763
extr. sagt, Tyrannen geworden. Dem damals von dem 'Volk'
(Jos. a. a. O.) ausgesprochenen Wunsch nach Wiederherstellung
der alten Verfassung war jetzt Gabinius wenigstens zum Theil

nachgekommen, indem er eine Aristokratie einführte: mit dem
Hohenpriester hatten die 'Aeltesten' und gewöhnliche Priester die
Regierung geführt, s. Schürer II 145 fg., Wellhausen S. 235 fg.;
an der Wiedereinsetzung des Hohenpriesters in seine politischen
Rechte konnte wegen der Unfähigkeit des Hyrkanos und seiner
Abhängigkeit von Antipater nur wenigen gelegen sein.

Wollte Gabinius die Juden zu unmittelbaren Unterthanen
Roms machen, so musste er nothwendig, um sie im Gehorsam
zu erhalten, dasselbe thun wie nachmals die Kaiser, nämlich
Besatzungen in die wichtigsten Städte legen; er scheint das
aber nicht gethan zu haben. Bei den Aufständen der Jahre 56,
55 und 53 wird keines Widerstandes im Lande liegender
römischer Truppen, keines Kampfes mit solchen Erwähnung
gethan, und im J. 55 konnte Alexander das ganze Land ungehindert durchziehend alle Römer, deren er habhaft wurde —
offenbar Geschäftsleute und andere Private gleich denen, welche
im J. 57 Alexander bestimmt hatten, von dem Wiederaufbau
der Mauern Jerusalems abzustehen (bell. 1, 8, 2. ant. 14, 5, 2)
— ohne Weiteres niedermachen (ant. 14, 6, 2); immer erst der
Einmarsch eines römischen Heeres aus Syrien führte zur Wiederherstellung der Ruhe.

Positive Beweise, dass Gabinius die Juden nicht zu Provinzialen gemacht hat, liefert Josephus an mehreren Stellen. Zunächst bell. 1, 8, 9 *Πάρθους μετὰ τὸν Κράσσον ἐπιδιαβαίνειν
εἰς Συρίαν ὡρμημένους ἀνέκοπτε Κάσσιος, εἰς τὴν ἐπαρχίαν
διαφυγών. περιποιησάμενος δὲ αὐτὴν ἐπὶ Ἰουδαίας*[1]) *ἠπείγετο.*
Ferner im Anfang des Berichts über die neue Organisation
bell. 1, 8, 5 *εἰς Ἱεροσόλυμα Ὑρκανὸν καταγαγὼν καὶ τὴν τοῦ*

---

[1]) So ALVR (die älteste und beste Textquelle, die lateinische Uebersetzung las entweder *Ἰουδαίας* oder *Ἰουδαίαν*); dies wurde theils in
Ἰουδαίαν, wie MC schreiben, theils in *Ἰουδαίους* verwandelt, was von
Destinon-Niese und Naber aus der besten Handschrift, dem Parisinus (P)
und der freien lateinischen Bearbeitung (welche nach Niese selbst nirgends
eine bessere Lesart bietet als die Handschriften, vgl. Art. II S. 365) aufgenommen worden ist. Gegen *Ἰουδαίους* spricht auch die Fortsetzung καὶ
Ταριχέας μὲν ἑλὼν εἰς τρεῖς μυριάδας Ἰουδαίων (nicht *αὐτῶν*) *ἀνδραποδίζεται.*

ιαραδούς κηδεμονίαν αὐτῷ καθίστησι τὴν ἄλλην πολι-
̶̶̶̶̶̶̶̶̶ τῶν ἀρίστων: wenn Gabinius die ganze
̶̶̶̶ Hyrkanos geführte Staatsverwaltung mit Ausnahme
mpelaufsicht so geordnet hat, dass die Leitung jetzt den
umen zufiel, so wurde auch ihre Stellung den Römern
bar dieselbe wie die, welche Hyrkanos eingenommen
Josephos hätte nicht so schreiben können, wie er ge-
en hat, wenn die Besteuerung, Rechtsprechung und
ung jetzt von den Römern in die Hand genommen wor-
ire; vielmehr ist jetzt an die Stelle der monarchischen
sung eine aristokratisch-republikanische gesetzt, an der
fsicht des Statthalters von Syrien aber nichts geändert
ι. Das Gleiche besagt der Schluss der Schilderung in
Werken: bell. a. a. O. ἀσμένως δὲ τῆς ἐξ ἑνὸς ἐπικρα-
̶̶̶̶ελευθερωθέντες τὸ λοιπὸν ἀριστοκρατίᾳ διῳκοῦντο und
̶ 5, 4 καὶ οἱ μὲν ἀπηλλαγμένοι τῆς δυναστείας ἐν ἀριστο-
διῆγον. Auch in der Sprache drückt sich die Gleichheit
̶chtfülle zwischen dem alten und dem neuen Regiment
̶̶ προστασία τῶν ἀρίστων entspricht der προστασία, welche
jus dem Hyrkanos verliehen hatte (ant. 20, 10, 4), und
ιστοκρατία d. i. ἐπικράτεια ἐκ τῶν ἀρίστων der ἐπικρά-
̶ ἑνός.

on der Uebertragung der meisten politischen Rechte des
nos auf die Vornehmen, welche bell. a. a. O. hervor-
m ist, meldet der Anfang der Schilderung in der Parallel-
ant. a. a. O. nichts: Ὑρκανὸν κατήγαγεν εἰς Ἱεροσόλυμα
̶̶̶̶ τοῦ ἱεροῦ ἐπιμέλειαν, während in dem oben an-
̶̶̶̶ Schluss ἀπηλλαγμένοι τῆς δυναστείας ἐν ἀριστοκρατίᾳ

̶̶̶̶. Angabe steht Wellhausens Annahme, Hyrkanos habe
̶ its im jerusalemischen Synedrion behalten, in Widerspruch. Die
t über das Heiligthum wird insofern zur politischen Thätigkeit
kanos gerechnet, weil ihm zu ihrer Führung eine Polizeitruppe
nd, vgl. Schürer II 213 und unten Abschn. 3 (Note). Die Un-
keit der besonders von Schürer vertretenen Annahme, die fünf
en seien mit den fünf Synoden identisch, dürfte aus dem im
orgetragenen zur Genüge erhellen.

διῆγον das Tempus perfectum die Enthebung des Hyrkanos
von der Ethnarchie als eine bereits vollendete Thatsache, deren
Eintritt demnach im Vorausgehenden schon angegeben oder
angedeutet sein muss, darstellt. Wir haben also die Erwähnung
in dem Mittelstück zu suchen, welches von der Fünftheilung
handelt: πέντε δὲ συνέδρια καταστήσας εἰς ἴσας μοίρας διένειμε
τὸ ἔθνος καὶ ἐπολιτεύοντο[1]) οἱ μὲν ἐν Ἱεροσολύμοις, οἱ δὲ ἐν
Γαδάροις, οἱ δὲ ἐν Ἀμαθοῦντι, τέταρτοι δ' ἦσαν ἐν Ἱεριχοῦντι
καὶ τὸ πέμπτον ἐν Σεπφώροις[2]) τῆς Γαλιλαίας. Diesem ἐπολιτεύοντο
(fünf Synedrien bildeten jetzt die Staatsregierung) entspricht
die ἄλλη πολιτεία, welche dem Hyrkanos abgenommen wurde.

Der Ausdruck συνέδριον bezeichnet nicht die Versammlung der ganzen Bürgerschaft, sondern eine engere, z. B. den
Amphiktyonenrath, ferner den von Philippos 338 gestifteten
Bundesrath der Hellenen auf dem Isthmos, einen von Depu-
tirten beschickten Landtag, einen Senat (bei Polybios auch den
römischen), ein Richtercollegium (so im Alten u. Neuen Testament,
Schürer II 147) u. a., in unserem Falle ohne Zweifel einen
(gleich dem römischen) regierenden Senat; dass die fünf Synedrien mit der Bürgerschaft der fünf Gebiete nicht identisch
sind, lehrt die Unterscheidung beider in den Worten πέντε
συνέδρια καταστήσας εἰς ἴσας μοίρας διένειμε τὸ ἔθνος: als Volk
und Land getheilt wurden, waren die Synedrien schon gebildet.
Die gesammte Bürgerschaft jedes einzelnen Theils hiess σύνοδος,
bell. 1, 8, 5 διεῖλεν δὲ πᾶν τὸ ἔθνος εἰς πέντε συνόδους, τὸ

---

[1]) Als Subject ist οἱ συνεδρεύοντες aus συνέδρια zu entnehmen:
τέταρτοι ἦσαν ἐν Ἱεριχοῦντι lässt sich nicht auf das ganze Fünftel des
Volkes, sondern nur auf die in Jericho tagenden Mitglieder des entsprechenden Synedrions beziehen und zu τὸ πέμπτον ist offenbar συνέδριον
zu ergänzen.

[2]) So, mit ε die lateinische Uebersetzung, welche gleich der des
'Judenkriegs' die älteste und beste Textquelle ist, nebst F und (aus α
corr.) A, bestätigt dadurch, dass an allen andern Stellen (ant. 13, 12, 5;
15, 4. 17, 10, 5; 9. 18, 2, 1. vita 9. 21. 22. 25. 45. 65. bell. 1, 8, 5; 16, 2. 2,
20, 6. 3, 2, 4) derselbe Vocal von der gesammten Textüberlieferung gegeben wird. Mit α hier Niese im Anschluss an die andern Handschriften
und die Epitome: Naber Σεπφώροις.

Ἱεροσολύμοις προςτάξας, τὸ δὲ Γαδάροις, οἱ δὲ ἵνα συντε-
) εἰς Ἀμαθοῦντα, τὸ δὲ τέταρτον εἰς Ἱεριχοῦντα κεκλήρωτο
πέμπτῳ Σέπφωρις ἀπεδείχθη πόλις τῆς Γαλιλαίας. Unter
ς wird eine Versammlung verstanden, deren Mitglieder
chiedenen Orten ihren Wohnsitz haben: so bei Herodot
der Kriegsrath der bei Plataiai zusammengekommenen
en, im Achaierbund (275—146) mit seiner demokratischen
sung die Versammlung des ganzen Volkes zuerst in
, später abwechselnd in verschiedenen Städten; zur Zeit
users Claudius heisst die in Argos tagende Deputirten-
mlung der Provinz Achaia unter andern· auch σύνοδος
λλήνων und ἡ τῶν Ἀχαιῶν σύνοδος, Keil sylloge inscr.
p. 116 nr. 31, dieselbe aber auch τὸ τῶν Ἀχαιῶν καὶ
ἱήνων συνέδριον ἐν Ἄργει, C. I. Gr. 1625, in der christ-
Zeit das Concilium der Bischöfe σύνοδος (zuerst bei
ιnus 15, 7). In unserem Fall ist σύνοδος als Ausdruck
bleibenden Eigenschaft auf die Bevölkerung übertragen,
zu gewissen Zeiten die Versammlung bildet; eine ähn-
Uebertragung hat das lateinische conventus, die umge-
unser 'Gemeinde' erlitten.

a die Römer in jedem Staat, welchem sie die Autonomie
ien, unter Abschaffung der Demokratie, falls diese bis
dort bestanden hatte, eine auf den Census gegründete
kratie, die sogenannte Timokratie einführten und dem-
s für die Zulassung sowohl zu höheren Aemtern als in

Nach dem bekannten Sprachgebrauch, welcher den Singular von
ὁ δέ im Sinne von 'ein Theil — ein anderer' verwendet, be-
t er hier das erste, zweite Fünftel u. s. w. des ganzen Volkes;
Theile können, da ἔθνος eigentlich nur eine vereinigte Menge
r Wesen, z. B. einen Schwarm (Bienen), eine Herde (Gänse) be-
selbst wieder ein ἔθνος bilden, vgl. Platons Republik 5 p. 475, 6
ὁσοφον σοφίας φήσομεν ἐπιθυμητὴν εἶναι, οὐ τῆς μὲν τῆς δ' οὔ,

Weist nicht nothwendig auf eine Steuerbehörde hin: συντελεῖν
ιeisst hier wie öfters wohin oder wozu gehören, vgl. Xenophon
4. 12 καταλαμβάνουσιν οἱ Ἤλειοι Λασίωνα, τὸ μὲν παλαιὸν ἑαυτῶν
δὲ τῷ παρόντι συντελοῦντα εἰς τὸ Ἀρκαδικόν.

den Senat, welcher wie in Rom die Regierung führte, einen
höheren Census als für das aktive Bürgerrecht vorschrieben,[1])
so darf man annehmen, dass die von Gabinius eingeführte Verfassung ebenso beschaffen gewesen sei. An der Synode, deren
Hauptaufgabe jedenfalls die Wahl der Beamten und Senatoren
gewesen ist, haben dann alle mindestens den niedrigeren Census
erreichenden Einwohner theilgenommen, am Synedrion aber
nicht bloss die Vornehmen der Hauptstadt, sondern auch die des
platten Landes, indem ihnen vielleicht das Bürgerrecht in jener
ertheilt wurde. Dass der seit 63 an Rom gezahlte Tribut
abgeschafft worden sei, ist nicht wahrscheinlich; die jüdischen
Landesgemeinden zählten dann zu der Klasse der tributpflichtigen
Freistaaten, zu welchen die makedonischen und illyrischen von
167 bis 146, ferner Byzantion, Chios und andere Stadtgemeinden
gehörten; am nächsten stehen ihnen die zuerst genannten, bei
deren Organisation die Römer auch einen ähnlichen Zweck
verfolgt hatten wie jetzt Gabinius, nämlich die Schwächung
des Volkes durch seine Zerreissung in mehrere aristokratisch
regierte Landesgemeinden. Illyrien war in drei, Makedonien
in vier Republiken getheilt worden, die makedonischen (über
die illyrischen fehlt es an Nachrichten) wurden von Synedrien
mit dem Sitz in Pella, Pelagonia, Thessalonike und Amphipolis
regiert, Liv. 45, 29 senatores quos synedros vocant, legendos
esse, quorum consilio respublica administraretur[2]); an der Spitze
jeder Republik stand ein wohl dem Strategen des Achaier-,
Aitoler-, Thessalerbundes vergleichbarer Oberbeamter mit dem
Titel ἀρχηγός, Diodor 31, 8 ἐν ταύταις (den vier Hauptstädten)
ἀρχηγοὶ[3]) τέσσαρες κατεστάθησαν καὶ οἱ φόροι ἠθροίζοντο. So
weit wie in Makedonien, wo das Connubium und Commercium
zwischen den vier Landschaften aufgehoben wurde, konnte die
Zerreissung des Volkes in Palästina nicht geführt werden,

---

[1]) Marquardt I 78. 327.

[2]) Cic. ep. ad Qu. fr. 1, 1, 8 (video) provideri abs te, ut civitates
(Asiae) optimatium consiliis administrentur.

[3]) Von Livius 45, 29 frei durch magistratus übertragen (eo concilia suae
cujusque regionis indici, pecuniam conferri, ibi magistratus creari jussit).

ie Cultuseinheit bleiben musste; dafür wurden die Juden
nich nur wenig durch Herabsetzung der bisher an die
v gezahlten Steuern entschädigt, welche in Makedonien
shr grosse Summe betragen hatten; die hohen Abgaben
n Hohenpriester blieben und ob ausser dem Ertrag der
üter und den Zöllen noch besondere Steuern den jüdischen
en zugeflossen waren, darf füglich bezweifelt werden.

. Ist Jerusalem einmal eine Republik gewesen, so löst
ielleicht die von Schürer I 192—194. 635—639 erheblich
erte, aber nicht zum Abschluss gebrachte Frage nach
ntstehungszeit der jüdischen Sekel- und Halbsekelmünzen.
iche Silberstücke zeigen in hebräischer Sprache und
t auf der einen Seite die Worte 'Jerusalem, heiliges'
Jerusalem, das heilige', auf der andern 'Sekel Israels'
halber Sekel' und, meist mit dem Wort 'Jahr' eine von
ihlen I—IV; nur eine Sekelmünze gibt V. Da die jüdischen
n von Johannes Hyrkanos (134—103) an den Münzen
ìamen aufgeprägt haben, vor Simon (142—134) aber und
den römischen Procuratoren die Juden zu abhängig ge-
sind, um Münzen prägen zu können, so ist man darüber
dass sie entweder unter Simon oder während des von
gedämpften Aufstandes (66—70) geschlagen worden
die aus dem Aufstand unter Hadrian (132—135) stam-
m sind von ihnen durchaus verschieden. Die meisten
nmatiker erklären sich wegen des alterthümlichen Aus-
ı der Stücke für den früheren von beiden Ansätzen; für
ındern nur Ewald, Reinach und Imhoof-Blumer (bei
er), letzterer mit Angabe von Gründen; Schürer schwankt,
ich Imhoof anzuschliessen, weil gegen Simon
ichtliche Gründe zu sprechen scheinen. Betreffs der Dicke
Münzen, welche für ein hohes Alter derselben angeführt
bemerkt Imhoof, dass unter den in jenen Gegenden ge-
ın Silberstücken mit den Bildnissen von Nero, Agrippina
Tespasian viele ziemlich dicke sind und dass allen, auch
reniger dicken die Sekelmünzen in dem kleinen Durch-
r und im Rande mehr entsprechen als die syrischen

Prägungen aus Simons Zeitalter. Gegen ihn hält Sallet (ebenfalls bei Schürer) daran fest, dass ihr alterthümlicher Charakter ausgeprägt, ihre Dicke den lange vor Christus geschlagenen conform, das Gepräge und die Schrift durchaus alt, die späteren Aufstandsmünzen aber von ihnen ganz verschieden seien. Nach Euting (bei Schürer) gestattet der Schriftcharakter ebensowohl die Ansetzung in der Makkabäerzeit als in einer erheblich späteren; ebenso liefert nach Imhoof und Schürer die Prägung wegen der äusserst unsauberen und rohen Behandlung der Typen keinen Anhalt für die Zeitbestimmung.

Aus historischen Gründen ist der ältere von beiden Ansätzen entschieden abzulehnen. Simons Regierung umfasste 8 hebräische Kalenderjahre (Sel. 170—177); warum, wie mit Wahrscheinlichkeit angenommen wird, die Prägung dieser Silbermünzen im 5. Jahr aufgehört hat, würde sich bei Simon nicht erklären lassen. Auch haben, während sie keinen Personennamen zeigen, seine Nachfolger (Alexandra, Aristobulos II und Hyrkanos II ausgenommen, von welchen es keine Münzen gibt) ihre Namen und Titel aufprägen lassen und Silbersekel von ihnen gibt es nicht; eine so grosse Verschiedenheit von Simons Prägung würde ebenfalls unverständlich sein. Weniger Gewicht legt Schürer darauf, dass diesem nach 1 Makkab. 15, 6 erst Antiochos Sidetes, der Sel. 174 König Syriens wurde,[1]) das Münzrecht verliehen hat, aus den 4 ersten Jahren Simons demnach gar keine Münzen Simons zu erwarten wären: diese Verleihung könne sehr wohl die nachträgliche Genehmigung eines von Simon schon früher usurpirten Rechtes gewesen sein. Der Brief des Antiochos unterscheidet jedoch geflissentlich zwischen vollendeten Thatsachen, welche er theils anerkennt, theils nachträglich sanctionirt, und neuen Gnadenerweisungen: er erlässt Simon alles, was die letzten Könige ihm erlassen

---

[1]) Im Spätsommer oder Frühherbst 138, s. Art. II S. 369; der Brief ist nicht lange vor seiner Landung in Syrien geschrieben; nach der Gefangennahme des Demetrios, welche im Winterhalbjahr 139/8 geschah (s. Seleukidenära, Sitzungsber. 1895 S. 263), hatte Diodotos im Namen des Knaben Antiochos VI allmählich ganz Syrien an sich gerissen.

gibt ihm das Recht, eigene Münzen zu schlagen, Jeru-
und das Heiligthum sollen frei sein, Simon dürfe alle
n gebauten oder besetzten Festungen und alle Kriegs-
behalten und sämmtliche dem König Syriens noch
deten Leistungen sollen ein für allemal erlassen sein.
gen beide Ansätze spricht die Aufschrift 'heiliges Jeru-
Diese Stadt hat nie eine solche Stellung dem ganzen
der auch nur der Landschaft Judäa (auf welche Simons
aft beschränkt war) gegenüber eingenommen, dass
ne jenes oder diese hätte mitbezeichnen können, was
II 141 hinsichtlich Judäa's annimmt. Von den drei
welche er anführt, würde an einer der Name ihrer
schaft nicht bloss die Einwohner Judäa's, sondern das
jüdische Volk umfassen, ant. 20, 1, 2 in der Adresse
überlichen Erlasses: Ἱεροσολυμιτῶν ἄρχουσι βουλῇ δήμῳ
ṽ παντὶ ἔθνει; dieser ist aber herbeigeführt worden von
andten der Hohenpriester und ersten Männer Jerusalems
rd demgemäss zunächst an die Hierosolymiten, weil aber
nliegen die Verwahrung des hohenpriesterlichen Pracht-
es betraf, nebenbei auch an das ganze Judenvolk als
eiligt gerichtet. — An der zweiten Stelle ist, was ver-
rird, eine selten vorkommende Bedeutung des Wortes
zu constatiren. Nicht lange nach dem Ausbruch des
Aufstandes (geschehen am 17. Artemisios, d. i. 17. Jjar
Mai 66) begab sich König Agrippa, von Alexandreia
rd, nach Jerusalem (bell. 2, 16, 1), hielt eine Ansprache
Bevölkerung (b. 2, 16, 2—5) und bewog sie zum Ein-
(ebenda c. 17, 1): sie ging daran, die eingerissenen
zwischen dem Tempelberg und der Burg Antonia wieder
uen, die Beamten und Rathsherren begannen die rück-
n Steuern in den 'Komen' (εἰς τὰς κώμας μερισθέντες)
nmeln und rasch war der ganze Betrag, 40 Talente,
engebracht. Als er aber dann (αὖθις) der Bevölkerung
te, auch dem verhassten Procurator wieder zu gehor-
bis der Kaiser einen neuen geschickt habe, richtete sie
orn gegen ihn selbst; da schickte er die Beamten und

Vornehmen zum Procurator nach Caesarea, damit jener aus
ihrer Mitte die Steuereinnehmer für das Land (τοὺς τὴν χώραν
φορολογήσοντας) ernenne.   Da dies, schreibt Schürer, geschieht,
nachdem die Steuern des Stadtbezirks, also wohl der Toparchie
Jerusalem, bereits beigetrieben sind, so werde unter χώρα ganz
Judäa zu verstehen sein; für dessen ganzes Gebiet also seien
die Steuereinnehmer aus der Mitte der ἄρχοντες und δυνατοί
von Jerusalem ernannt.   Zunächst ist, wenn in der That die
Steuern aus dem Stadtgebiet oder aus der ganzen Toparchie
Jerusalem schon erhoben gewesen wären, nicht abzusehen,
warum τὴν χώραν bloss auf Judäa und nicht ebensogut auf
das ganze vom Procurator regierte Judenland bezogen werden
dürfte.   In Wirklichkeit ist aber keines von beiden, vielmehr
das platte Land (χώρα) der Toparchie Jerusalem gemeint.   Der
Aufstand hatte sich bis jetzt auf die Bevölkerung dieser Stadt
beschränkt,[1] die auch vom 16. Artemisios an allein die Grau-
samkeit des Procurators erfahren hatte (s. bell. 2, 14, 1 ff.
an vielen Stellen), und während dieser Zeit war die Zahlung
der Steuern fällig geworden; ihre Verweigerung bildete eine
neue Kundgebung des Aufstandes.   Denn nach der erwähnten
Ansprache, welche Agrippa an die Bevölkerung gerichtet hatte,
war er noch zu der Bemerkung veranlasst worden, thatsächlich hätten sie schon den Krieg begonnen, da sie die Steuern
nicht entrichtet (c. 16, 5 οὔτε γὰρ τῷ Καίσαρι δεδώκατε τὸν
φόρον) und die Hallen eingerissen hätten.   Die Einhebung
wurde nun dadurch in Schnelle bewerkstelligt, dass zu diesem
Behuf die Beamten, durch die Rathsherren verstärkt, sich über
die einzelnen Stadtquartiere[2] vertheilten.   Ob die Einhebung auf dem platten Land von den Beamten, indem sie
mit der Beschwichtigung der Städter zu viel zu thun hatten,

---

[1] Erst am 7. Gorpiaios (= 7. Elul, 14. September 66) brachte das
in Caesarea angerichtete Blutbad das ganze Volk in Harnisch, bell. 2, 18, 1.

[2] Wie vicus so heisst κώμη nicht bloss Flecken oder Dorf, sondern
auch Strasse, Distrikt einer Stadt, z. B. Isokrates Areopag. 46 διελόμενοι
τὴν μὲν πόλιν κατὰ κώμας τὴν δὲ χώραν κατὰ δήμους; ebenso κωμήτης
nicht bloss Dorfbewohner sondern auch Nachbar (vicinus).

ʷˡᵉⁿ ⸗oder⸗ ⸗absichtlich⸗ unterlassen worden war, oder
dbewohner dem Beispiel dieser gefolgt waren, bleibt
ᵗⁱˡ ᵗ;⸗jedenfalls hatten die Einwohner der übrigen
ᵗᵉ⸗Judäa's und die Juden der andern Landschaften
uern schon entrichtet, als die von Jerusalem sie zahlten.
der dritten Stelle, bell. 3, 3, 5 μερίζεται (Judäa) εἰς
κληρουχίας, ὧν ἄρχει μὲν ὡς βασίλειον τὰ Ἱεροσόλυμα
χουσα τῆς περιοίκου πάσης ὥσπερ ἡ κεφαλὴ σώματος·
ιὶ δὲ μετ' αὐτὴν διῄρηνται τὰς τοπαρχίας. Γοφνὰ δευ-
ᵗᵉᵣ. ᵂ. wird jetzt von Destinon-Niese mit der besseren
ᵘᵗⁱⁿᵍ ὡς weggelassen, Destinon will auch βασίλειον
n; für unsere Frage ist überhaupt aus ihrem Dunkel
ufklärung zu holen: ob sich περιοίκου πάσης auf Judäa
f das ganze Land bezieht, ist ungewiss und ἄρχει kann
ch wegen Γοφνὰ δευτέρα im Sinne von πρώτη ἐστί

ᵉ Zurückführung der in Rede stehenden Münzen auf
des Aufstands von 66—70 ist noch aus einem andern
abzulehnen. Die das 2. und 3. Jahr zeigenden würden
ᵉⁱᵇᵉⁿ Prägestätte entstammen wie die damals ge-
ᵗᵉⁿ Kupfermünzen mit der hebräischen Aufschrift 'Frei-
ᵘⁿᵍ' und 'Jahr II' oder 'Jahr III'; dies ist aber wegen
ᵉⁿˢᶜʰⁱᵉdenheit des Gepräges und des Schriftcharakters
ᵘⁿwahrscheinlich.

ᵉ Ansetzung der ganzen und halben Silbersekel in der
ᵉⁿ Republik Jerusalem begegnet keinen Schwierigkeiten.
ⁱʳzahlen gehören einer im J. 57 beginnenden Aera der
ᵘⁱᵉ dieses Freistaats an; ihr Aufhören im 5. Jahr
ᵗᵗ das Geschichte dieses Jahres zusammen (Abschn. 4).
ᵉ ᵖʳⁱᵐⁱᵗⁱᵛᵉ Prägung erklärt sich aus dem bescheidenen
ᵉʰᵃˡt der jungen Republik, welche nicht wie ein den
ⁱ Thron besteigender König gleich aus dem vollen, von
ᵛᵒʳgänger hinterlassenen Schatz schöpfen konnte, auch
ʳie die jüdische Monarchie reiche Einkünfte aus dem
Lande bezog, sondern, zu gleicher Zeit dem Hohen-
zinspflichtig, auf die Reichnisse eines Theils von Judäa

angewiesen war und in Folge dessen sich veranlasst sehen
konnte, an die Stelle eines bewährten Münzmeisters einen ungeübten Anfänger zu setzen. Aus dem völligen Fehlen von
Münzen der vier andern Freistaaten ist zu schliessen, dass
Gabinius das Prägerecht bloss dem vornehmsten verliehen hatte.

3. 'Nicht lange nach' der Theilung des jüdischen Volkes
und Landes (bell. 1, 8, 6, vgl. ant. 14, 6, 1), aber doch wohl
schon im J. 56 erschien Aristobulos, dem es gelungen war,
aus Rom zu entfliehen, und versuchte die von Gabinius geschleifte Feste Alexandreion wiederherzustellen; er fand grossen
Zulauf, aber nur 8000 waren gerüstet, unter ihnen 1000 Mann,
welche ihm Peitholaos, der Hypostratege von Jerusalem zu-
führte; sie scheinen den Kern seiner Mannschaft gebildet zu
haben. Als Gabinius ein Heer gegen ihn schickte, entliess
er die Unbewehrten und zog auf das ebenfalls geschleifte
Machairus zu, wurde aber von den Römern angegriffen und
geschlagen; 5000 Juden fielen, fast 2000, welche sich auf
einen Hügel gerettet hatten, liefen nach allen Seiten auseinander; Aristobulos selbst durchbrach mit 1000 Mann die feindlichen Reihen, erreichte Machairus und begann es zu befestigen,
wurde aber von den herbeikommenden Römern nach zwei-
tägigem Kampf gefangen genommen und nach Rom abgeführt.
Im Jahr 55 zog Gabinius über den Euphrat gegen die Parther
(bell. 1, 8, 7. ant. 14, 6, 2), kehrte aber, von Ptolemaios Auletes
bestochen, plötzlich um und führte das Heer gen Aegypten,
um jenen wieder dort einzusetzen. Antipater unterstützte ihn
im Auftrag des Hyrkanos mit Geld, Getreide, Waffen und
Söldnern,[1] bewog die bei Pelusion wohnenden Juden, ihn
durchzulassen und führte auch ihren Anschluss herbei. Kaum
war der Krieg in Aegypten beendigt und der König eingesetzt,[2]

---

[1] Diese erwähnt Josephos bloss bell. a. a. O. (ἐπικούρους); sie waren
zum Theil wenigstens wohl erst angeworben; eine kleine Truppe zu
halten hatte Hyrkanos das Recht (Abschn. 2 Anm.).

[2] Nach Fischer (röm. Zeittafeln S. 247) u. a. im Anfang des Jahres 55,
etwa März, wegen Cic. ad Att. 4, 10 (geschrieben am 22. Aprilis 699 =
10. April 55) Puteolis magnus est rumor Ptolemaeum esse in regno.

ı die Nachricht, dass Syrien sich empört und in Folge
Alexander die meisten Juden zum Abfall gebracht hatte.[1])
,ter, den er sogleich nach Palästina schickte, konnte nur
Theil des Volks zur Umkehr bewegen; mit 30000 Mann
ich Alexander am Tabor den Römern entgegen, verlor
0000 in der Schlacht und die andern verliefen sich.
egab sich Gabinius nach Jerusalem und änderte die Ver-
ʒ der Republik im Sinn der Vorschläge Antipaters, bell.
..-ἐλθὼν εἰς Ἱεροσόλυμα πρὸς τὸ Ἀντιπάτρου βούλημα
ἥσατο τὴν πολιτείαν. ἔνθεν ὁρμήσας Ναβαταίων τε μάχῃ
κτλ., ant. 14, 6, 4 καταστησάμενος δὲ Γαβίνιος τὰ κατὰ
ἐν Ἱεροσολυμιτῶν πόλιν, ὡς ἦν Ἀντιπάτρῳ θέλοντι, ἐπὶ
τίους[2]) ἔρχεται καὶ κρατεῖ κτλ.

ie Aenderung, welche Gabinius vornahm, bestand nach
ısohn in Ritschl's Acta soc. philol. Lips. V 164 darin,
Antipater die Regierung Jerusalems übertrug. Schürer
glaubt, dieser habe jetzt die Würde eines ἐπιμελητὴς
ʹνδαίων erhalten, welche wir ihn im J. 47 bekleiden
nach Wellhausen Isr. und jüd. Gesch.[3] S. 298 hob er
ınftheilung des Landes wieder auf, Hyrkanos wurde
Ethnarch und Antipater sein allmächtiger Vezir. Beide

ıüsste aber der Zug über den Euphrat und zurück, dann durch
ɴach Aegypten, ebenso der Krieg daselbst während des Winters
ınden haben. Jenes Gerücht könnte, wenn etwas daran war, nur
Einmarsch des Gabinius, welchen der König begleitete, in
ɴn bezogen werden; auffallend wäre aber, dass über das unbot-
Vorgehen des Gabinius kein Wort verlautet. Die Nachricht
Einsetzung des Auletes lief in Rom sogleich ein (Dio 39, 60) und
ınden hat das Ereigniss in den späteren Monaten des J. 699
Tag 11. Dec. 55), Dio a. a. O. ὁ οὖν Πομπήιος ὅ τε Κράσσος
ʹν ἔτι.
Jerusalem war jedenfalls und zwar stark betheiligt; dies geht
, 8, 7 Ἰουδαίους πάλιν ἀπέστησεν Ἀλέξανδρος hervor; a. 14, 6, 2
ρος πολλοὺς τῶν Ἰουδαίων ἀπέστησεν.
Bloss der Palatinus, welchem Niese folgt, ἐπὶ τὴν Ναβαταίων
 schn. 6), was unter dem Einfluss des vorausgehenden κατὰ τὴν
ʹμεταʹν entstanden zu sein scheint. Naber Ναβαταίους.

setzen sich mit unserer einzigen Quelle in Widerspruch, welche
die Aenderung auf die Verfassung Jerusalems beschränkt; in
den andern Republiken blieb alles beim Alten. Hätte Antipater sei es allein oder wenigstens in hervorragender Weise
durch die Aenderung gewonnen, so ist nicht zu erkennen,
warum Josephos bloss erwähnt, dass Antipater die Aenderung
wünschte, die Hauptsache aber, den Inhalt des Wunsches verschweigt; da er nur als der geistige Urheber einer neuen, ihm
persönlich angenehmen Einrichtung bezeichnet wird, so ist zu
schliessen, dass sie ihm weder allein noch in hervorstechender
Weise zu statten gekommen sei. Offenbar hatte Gabinius erkannt, dass seine Organisation nicht ausreichte, um Aufstände
zu verhüten oder im Voraus ihre Kraft zu schwächen, und
behufs ihrer Verbesserung den Rath Antipaters eingeholt. Der
Aufstand von 56 und wohl auch der von 55 war dadurch
gross geworden, dass Jerusalem sich stark betheiligt hatte;
von den neuen Aemtern aber war dasjenige, welches den grössten
Einfluss in einem solchen Fall ausüben konnte, die Strategie.
Jerusalem hatte (wie ohne Zweifel auch die vier andern Freistaaten) einen Unterstrategen, bell. 1, 8, 6 ἐν οἷς καὶ Πειθόλαος
ἦν ὁ ἐξ Ἱεροσολύμων ὑποστράτηγος; daraus folgt, dass nur ein
einziger Stratege da war. Dagegen im J. 48 finden wir in
Jerusalem ein aus mehreren Strategen bestehendes Collegium
(Abschn. 6); einen Hypostrategen haben wir neben diesem nicht
zu erwarten. Die Einsetzung des Collegiums ist vielleicht jetzt,
im J. 55 geschehen. Wenn im J. 57 der Unterstratege dem
Aristobulos hatte 1000 Mann in Waffen (welche möglicher
Weise zum grossen Theil dem Arsenal des Staates entnommen
waren) zuführen können, so ist das entweder, wenn er bloss
Gehülfe und Stellvertreter des Strategen war, im heimlichen
Einvernehmen mit diesem geschehen, oder ihm kam eine selbständige Thätigkeit, etwa die Einübung der ausgehobenen Mannschaft und die Aufsicht über das Kriegsmaterial zu, während
der Stratege die auswärtigen Angelegenheiten besorgte[1]) und

---

[1]) Diese gehören im J. 48 vor das Strategencollegium.

g die Oberanführung übernahm. Durch Abschaffung
kollle und Vertheilung der Geschäfte unter mehrere
p-gleichstehende Beamte wurde dem eigenmächtigen
n eines einzigen eine Schranke gesetzt und bei der
weifel von Gabinius beeinflussten ersten Besetzung der
konnte auch auf die Wahl sicherer Männer wie des
g-oder Malichos Bedacht genommen werden.

Irgend eine Verfassungsänderung hat nach Mendelssohn
V 164 auch Crassus vorgenommen; er beruft sich auf
, 7, 3 *Κράσσος δὲ πάντα διοικήσας ὃν αὐτὸς ἐβούλετο
ἐξώρμησεν εἰς τὴν Παρθυαίαν*; aber der Gedankengang
icht dahin. Die Angabe schliesst sich, über eine die
Schätze des Tempels betreffende Abschweifung hinweg,
Ende des § 1 *ἅπαντα τὸν ἐν τῷ ναῷ χρυσὸν ἐξεφόρησεν*.
älteren Werke, bell. 1, 8, 8 hat Josephos angegeben,
assus für den Feldzug gegen die Parther alles ver-
e Gold (im Werth von 8000 Talenten, ant. 14, 7, 1)
von Pompejus nicht angetasteten 2000 Talente aus
mpel genommen habe; bei dem dort nicht benützten
smann (Strabon) fand er später, dass Crassus den Raub
selbst wollte, verwendet', also möglicher Weise ihn zum
g-sich behalten hatte.

ahrscheinlicher ist, dass Cassius Neuerungen vorgenommen
ie Prägung von Silbermünzen Jerusalems hat im 5. Jahr,
Lauf von Sel. 259 (Nisan 53—52) ein Ende genommen.
s Jahr fällt ein neuer, von jenem gedämpfter Aufstand
rtei des Aristobulos. Nach der schweren Niederlage
sus (am 9. Junius 701 = 7. Mai 53) und seinem 2 Tage
r erfolgten Untergang brachten die Parther zunächst
ihm mit Besatzungen, deren Gesammtärke 8000 Mann
17) betrug, belegten Städte Mesopotamiens in ihre
(Dio 40, 28); dann versuchten ¹) sie, in nicht grosser
Syrien einzudringen, in der Meinung, es sei kein Feld-
d kein Heer dort (Dio a. a. O.), wurden aber von dem

lo bell. 1, 8, 9. ant. 14, 7, 3; dagegen Dio a. a. O. *ἐσέβαλον*.

Quaestor Cassius zurückgeworfen, der sich mit 500 Reitern
noch vor dem Tod des Crassus gerettet hatte. Dieser Vorgang
wird allgemein, auch von Gutschmid, Geschichte Irans und
seiner Nachbarländer S. 92 in das Jahr 52 gesetzt; aber in
diesem können die Parther nicht mehr darauf gerechnet haben,
keinen Feldherrn und kein Heer in Syrien anzutreffen. Ihre nicht
grosse Zahl erklärt sich eben daraus, dass kein neues, sondern das
Heer, welchem Crassus erlegen war, den Versuch gemacht
hat:[1] die Kämpfe mit diesem und dann mit den Besatzungs-
truppen hatten es geschwächt; es bestand bloss aus Reitern
und mit dem Hauptheer hatte gleichzeitig der Grosskönig
gegen Artavasdes in Armenien Krieg geführt, mit dem er
bereits fertig geworden war, als ihm dort der Kopf des Crassus
überbracht wurde; nach Verlauf einer längeren Zwischenzeit
hätte sich das Hauptheer an der Unternehmung betheiligen
können. Dass mehr als 3—4 Monate nach der Schlacht von
Carrae verfliessen würden, ehe aus Cilicien, Asia, Bithynien
oder zur See aus Italien Ersatz käme, liess sich kaum mit
Sicherheit annehmen; sie mögen im Juli oder August 55 an
der Grenze Syriens erschienen sein. Bis dahin aber hatten sich
ohne Zweifel die nach Armenien, Cilicien und Syrien (Florus
3, 11) geflohenen Reste der Legionen bei Cassius zusammen-
gefunden; sie zählten an 10000 Mann (Appian b. civ. 2, 18).
Gleich nach dem Abzug der Angreifer zog dieser gegen die
Juden, ἐπὶ Ἰουδαίαν ἠπείγετο, bell. 1, 8, 9. Mit ihnen wurde
er bald fertig und zog dann noch gegen einen in Syrien ausgebrochenen Aufstand (s. Art. V Schluss), was im Herbst 53
geschehen sein mag.

Die Angaben des Josephos über seinen jüdischen Feldzug
sind abgerissen und unklar, bell. 1, 8, 9 'er eilte gegen das
jüdische Land (Ἰουδαίαν) und machte nach Einnahme von

---

[1] Darauf führt bei Jos. bell. 1, 8, 9 Πάρθους δὲ μετὰ τὸν Κράσσον
ἐπιδιαβαίνειν εἰς Συρίαν ὡρμημένους ἀνέκοπτε Κάσσιος schon die Bedeutung
von ἐπιδιαβαίνειν; gleich nach jemand oder nach einem Vorgang (hier
also: bald nach der Schlacht) übergehen.

Taricheai an 30000 Juden zu Sclaven und liess auch den Peitholaos tödten (κτείνει), welcher die Anhänger des Aristobulos gegen ihn zusammenschaarte (oder gegen ihn zusammen-zuschaaren suchte, ἐπισυνιστάντα). Den Rath, Peitholaos zu tödten, hatte Antipater gegeben, welcher u. s. w. Nachdem er Alexander gezwungen hatte, sich zum Ruhehalten zu ver-pflichten, zog er zurück und dem Euphrat zu'; ant. 14, 7, 3 in Tyros angelangt zog er auch gegen das Judenland. Taricheai nun gewann er gleich nach dem Angriff und machte gegen 30000 Menschen[1] zu Sclaven, den Peitholaos aber, welcher die Führung der Anhänger des Aristobulos an dessen Statt übernommen hatte (Πειθ. τὸν τὴν Ἀρ. στάσιν διαδεδεγμένον), tödtete er auf den Rath des Antipater, welcher u. s. w. Cassius brach auf und eilte zum Euphrat'; von Alexander hier nichts. Der Hergang war vielleicht folgender. Als Cassius in Galiläa einzog, war Peitholaos eben damit beschäftigt, den Anhang des Aristobulos um sich zu schaaren; überrascht warf er sich mit seiner Mannschaft nach Taricheai (südlich von Tiberias, s. Schürer I 519), wo er mit offenen Armen empfangen wurde; nach der Einnahme der Stadt machte Cassius alle darin be-findlichen Juden (Weiber und Kinder eingeschlossen) zu Sclaven und liess Peitholaos hinrichten. Alexander wollte in Judäa[2]) die Gesinnungsgenossen zu den Waffen rufen, nahm aber, durch das schnelle Ende der Erhebung im Norden eingeschüchtert, die von Cassius, welcher Eile hatte nach Syrien zu kommen, unter der angegebenen Bedingung angebotene Amnestie gerne an und bewog seine Freunde Ruhe zu halten.

Jerusalem wurde mit Aufhebung des Münzrechtes bestraft; vielleicht suchte Cassius durch andere Massregeln auch einem

---

[1] Nach Wellhausen S. 296 hatte der Aufstand gewaltige Dimen-sionen angenommen, wurde aber von Cassius niedergeschlagen, er tödtete den Peitholaos und liess auf dem Markt von Taricheai 30000 gefangene Juden als Sklaven versteigern.

[2] Dass er von Peitholaos weit entfernt war, beweist die Rolle, welche dieser als Vertreter des Aristobulos spielte; vielleicht kam er von Askalon, wo seine Mutter mit den andern Kindern wohnte (ant. 14, 7, 4).

neuen Zusammenwirken der fünf Republiken und dem Einfluss
der nationalen Idee entgegenzuarbeiten. Im Jahre 48 herrscht
die griechische Sprache in der Kanzlei Jerusalems und der
Senatsvorstand, ein Priester, führt, wie auch sein Vater, einen
heidnischen Namen. Aus den Umständen, welche im J. 49
eine neue Aenderung der Verfassung herbeiführten, lässt sich
das nicht erklären. Vielleicht erhob Cassius das Griechische
in den fünf Republiken zur Amtssprache; dadurch wurde den
Römern die Einsicht in den gegenseitigen Verkehr der fünf
Regierungen und damit die Controle ihrer Treue gegen Rom
erleichtert. Durch diese und wohl auch noch andere Massnahmen wurde auch die je nach der Stärke und dem Willen
der suzeränen Macht hervor- oder zurücktretende hellenistische
Tendenz der Vornehmen ermuthigt und gestärkt, in demselben
Masse aber der nationale Einheits- und Unabhängigkeits-
gedanke abgeschwächt.

    5. Im Jahre 47 ist schon vor Caesars Ankunft Antipater
Landpfleger und Hyrkanos sein Vorgesetzter, dieser also nicht
mehr bloss Hoherpriester sondern auch Ethnarch. Damals, in
den ersten Monaten des Jahres sollte Mithridates von Pergamon
Verstärkungen für Caesar nach Aegypten führen, stiess aber
vor Pelusion auf heftigen Widerstand (bell. 1, 9, 3. ant. 14, 8, 1);
da führte ihm Antipater im Auftrag ($\dot{\epsilon}\xi$ $\dot{\epsilon}\nu\tau o\lambda\tilde{\eta}\varsigma$, ant. a. a. O.)
des Hyrkanos, der nach dem Tod des Pompejus (24. Sept. 706
= 25. Juli 48) auf den Rath Antipaters die Partei des Siegers
ergriffen hatte, 3000 jüdische Hopliten zu, bewog die benachbarten Araber und die Dynasten im Libanongebiet zur Nachahmung und leistete in Aegypten selbst bis zur Beendigung des
alexandrinischen Kriegs dem Dictator die besten Dienste. Er
war und hiess damals d $\tau\tilde{\omega}\nu$ $\mathrm{'}Iou\delta a\iota\omega\nu$ $\dot{\epsilon}\pi\iota\mu\epsilon\lambda\eta\tau\dot{\eta}\varsigma$, ant. 14, 8, 1
oder δ $\tau\tilde{\eta}\varsigma$ $\mathrm{'}Iou\delta a\iota a\varsigma$[1]) $\dot{\epsilon}\pi\iota\mu\epsilon\lambda\eta\tau\dot{\eta}\varsigma$, Strabon bei Jos. a. 14, 8, 3

---

[1]) Mit $\mathrm{'}Iou\delta a\iota a$ bezeichnet Josephos ebensowohl das ganze jüdische
Gebiet (vgl. das Citat S. 208) wie die Landschaft Judäa; wo er die erstere
Bedeutung kenntlich machen will, setzt er $\pi\tilde{a}\sigma a$ hinzu, z. B. bell. 1, 10, 3
$\pi\dot{a}\sigma\eta\varsigma$ $\dot{\epsilon}\pi\iota\tau\varrho o\pi o\varsigma$ $\mathrm{'}Iou\delta a\iota a\varsigma$ $\dot{a}\pi o\delta\epsilon\iota\kappa\nu\nu\tau a\iota$, wofür ant. 14, 8, 6 $\dot{\epsilon}\pi\iota\tau\varrho o\pi o\nu$ $a\dot{v}\tau\dot{o}\nu$
$\dot{a}\pi o\delta\epsilon\iota\kappa\nu\dot{v}\varsigma$ $\tau\tilde{\eta}\varsigma$ $\mathrm{'}Iou\delta a\iota a\varsigma$ gesagt ist.

aus Hypsikrates. Die Vermutung Schürers I 278, Antipater sei im J. 55 von Gabinius unter diesem Titel mit der obersten Verwaltung der Steuern im jüdischen Gebiet betraut worden und die Einwirkung des Hyrkanos erkläre sich aus der geistigen Autorität des Hohenpriesters, wird durch die Bedeutung von ἐντολή (Auftrag, Befehl) widerlegt. Ἐπιμελητής bezeichnet, wie das Lexikon lehrt, unter andern auch den Statthalter eines Landes, ja selbst den Befehlshaber einer Truppenschaar (z. B. τῆς οὐραγίας).

— Durch die Rückgabe der Ethnarchie an Hyrkanos ist die Autonomie der fünf Republiken aufgehoben worden; was etwa noch von den Einrichtungen des Gabinius beibehalten wurde, konnte bloss von municipaler Bedeutung sein. Ausgegangen war diese tief einschneidende Aenderung ohne Zweifel von den Römern, aber nicht mehr zur Zeit der Republik: denn in dieser drohte Syrien fortwährend ein Einfall der Parther[1]) und damit eine neue Erhebung der Partei des Aristobulos, eine Gefahr, welche es räthlich machte, die Theilung, welche das jüdische Volk schwächen musste, beizubehalten. Sie findet ihre volle Erklärung in der Geschichte des römischen Bürgerkriegs und in den Vorgängen seines ersten Jahres. Im Aprilis 705 = Februar 49 löste Caesar die Haft des Aristobulos und wies ihm zwei Legionen an, mit ihnen sollte er sein Heimathland erobern und von da aus den Gegnern Syrien entreissen; der Plan wurde aber von den in Rom befindlichen Pompejanern durch Aristobuls Vergiftung vereitelt, bell. 1, 9, 1. ant. 14, 7, 4. Dio 41, 18. Bald darnach fiel sein Sohn Alexander in die Hand des Statthalters von Syrien, Metellus Scipio, welcher ihn auf die brieflich eingeholte Weisung seines Schwiegersohns Pompejus, kraft kriegsgerichtlichen Urtheils als auf der That ergriffenen Wegelagerer hinrichten liess, bell. a. a. O. ant. 14, 7, 4; 8, 4; er hatte also schon eine Mannschaft um sich

[1]) Nach dem Ausbruch des Bürgerkriegs änderten sie ihre Politik: sie gedachten aus ihm Nutzen zu ziehen durch Verbindung mit der schwächeren Partei, die ihre Hülfe mit einer Abtretung bezahlen würde.

gesammelt. Noch lebte aber sein jüngerer Bruder Antigonos, welchen der mächtige Ituräerfürst Ptolemaios beschützte; ihn konnte Caesar jederzeit in derselben Weise und zu demselben Zweck benützen, wie er es mit Aristobulos beabsichtigt hatte; aber auch ohne Caesars Truppen konnte Antigonos gefährlich genug werden, wenn Scipio, was er vorhatte und im Herbst 49 (vgl. Caesar b. civ. 3, 31) ausführte, mit seinem Heer abzog, um sich in Europa mit Pompejus zu vereinigen. Das Interesse der Partei erheischte die Kräftigung des jüdischen Volkes, also die Verbindung der fünf Gebiete unter gemeinsamer Spitze durch Wiederherstellung der Ethnarchie des Hohenpriesters Hyrkanos, und die Uebertragung einer umfassenden Amtsgewalt in die Hand seines bisherigen Leiters, des klugen und thatkräftigen Antipater; er wurde, ohne Zweifel auf Antrag des Scipio, von Hyrkanos (s. Abschn. 7) zum Landpfleger ernannt. Dies mag im Sommer (beginnend gegen Mitte Mai) des J. 49 geschehen sein. Den fünf Gebieten wurde vermuthlich von Selbständigkeit so viel gelassen, als ihnen unbeschadet des Hauptzweckes belassen werden konnte; nachweisbar ist mit dem vornehmsten so verfahren worden.

6. Nachdem Josephos ant. 14, 8, 5 die von Caesar im April 47 dem Hyrkanos und Antipater (s. Abschn. 7) gewährten Vergünstigungen erzählt und als Beleg irrthümlich das im J. 128 für Johannes Hyrkanos ausgefertigte Senatusconsult (Art. I S. 553 ff.) mitgetheilt hat, bemerkt er ebenda (§ 149), dass Hyrkanos auch von den Athenern viel Ehre genossen habe, insbesondere hätten sie ihm folgendes Psephisma geschickt: Ἐπὶ πρυτάνεως καὶ ἱερέως Διονυσίου τοῦ Ἀσκληπιάδου μηνὸς Πανέμου πέμπτῃ ἀπιόντος ἐπεδόθη τοῖς στρατηγοῖς[1]) ψήφισμα 150 Ἀθηναίων. Ἐπὶ Ἀγαθοκλέους, Εὐκλῆς Μενάνδρου Ἀλιμούσιος ἐγραμμάτευε, Μουνιχιῶνος ἑνδεκάτῃ, ἑνδεκάτῃ[2]) τῆς πρυτανείας

---

[1]) Niese [τοῖς στρατηγοῖς], s. unten.

[2]) Von Dindorf und Naber eingesetzt, von Niese nicht; im Text kann auch bloss das Wiederholungszeichen (gestanden haben. In den Psephismen jener Zeiten wurde gewöhnlich das Tagdatum angegeben.

ἐκκλησίας ἀγομένης ἐν τῷ θεάτρῳ τῶν προέδρων ἐπεψήφισεν
Δωρόθεος Ἐρχιεὺς καὶ οἱ συμπρόεδροι, ἔδοξεν[1]) τῷ δήμῳ, Διονύσιος Διονυσίου εἶπεν· ἐπειδὴ Ὑρκανὸς Ἀλεξάνδρου ἀρχιερεὺς 151
καὶ ἐθνάρχης τῶν Ἰουδαίων διατελεῖ κοινῇ τε τῷ δήμῳ καὶ
ἰδίᾳ τῶν πολιτῶν ἑκάστῳ εὔνους ὢν καὶ πάσῃ χρώμενος περὶ
αὐτοὺς σπουδῇ καὶ τοὺς παραγινομένους Ἀθηναίων ἢ κατὰ
πρεσβείαν ἢ κατ᾽ ἰδίαν πρὸς αὐτὸν ὑποδέχεται φιλοφρόνως καὶ
προπέμπει τῆς ἀσφαλοῦς αὐτῶν ἐπανόδου προνοούμενος, ἐμαρ-
τυρήθη μὲν καὶ πρότερον περὶ αὐτῶν, δέδοκται[2]) δὲ καὶ νῦν 152
Διονυσίου[3]) τοῦ Θεοδώρου Σουνιέως εἰσηγησαμένου καὶ περὶ
τῆς τἀνδρὸς ἀρετῆς ὑπομνήσαντος τὸν δῆμον, καὶ ὅτι προαίρεσιν
ἔχει ποιεῖν ἡμᾶς ὅ τι ποτ᾽ ἂν δύνηται ἀγαθόν, τιμῆσαι τὸν 153
ἄνδρα χρυσῷ στεφάνῳ ἀριστείῳ κατὰ τὸν νόμον, καὶ στῆσαι
αὐτοῦ εἰκόνα χαλκῆν ἐν τῷ τεμένει τοῦ Δήμου καὶ τῶν Χαρίτων,
ἀνειπεῖν δὲ τὸν στέφανον ἐν τῷ θεάτρῳ Διονυσίοις τραγῳδῶν
τῶν καινῶν ἀγομένων καὶ Παναθηναίων καὶ Ἐλευσινίων καὶ[4])
ἐν τοῖς γυμνικοῖς ἀγῶσιν, ἐπιμεληθῆναι δὲ καὶ τοὺς στρατηγοὺς 154
διαμένοντί τε αὐτῷ καὶ φυλάττοντι τὴν πρὸς ἡμᾶς εὔνοιαν εἶναι
πᾶν ὅ τι ἂν ἐπινοήσωμεν εἰς τιμὴν καὶ χάριν τῆς τἀνδρὸς σπουδῆς
καὶ φιλοτιμίας, ἵνα τούτων γενομένων φαίνηται ὁ δῆμος ἡμῶν
ἀποδεχόμενος τοὺς ἀγαθοὺς καὶ τῆς προσηκούσης ἀμοιβῆς ἀξιῶν
καὶ ζηλώσῃ τὴν περὶ ἡμᾶς σπουδὴν τῶν ἤδη τετιμημένων·
ἑλέσθαι δὲ καὶ πρέσβεις ἐξ ἁπάντων τῶν Ἀθηναίων, οἵτινες τὸ 155
ψήφισμά τε αὐτῷ κομιοῦσι καὶ παρακαλέσουσιν προσδεξάμενον
τὰς τιμὰς πειρᾶσθαί τι ποιεῖν ἀγαθὸν ἡμῶν ἀεὶ τὴν πόλιν.

⁹ - Das Psephisma beginnt offenbar erst mit § 150 Ἐπὶ Ἀγαθοκλέους; was Josephos für den Anfang desselben hält, ist
(s. u.) ein Vermerk des Archivars. Dass Hyrkanos der zweite

---

¹) Von Boeckh ergänzt; Niese setzt bloss einen Stern.
²) Niese bloss mit P δεδόχθαι, wodurch die Construction zerstört
wird. Den Zusatzantrag des zuerst genannten Dionysios enthält § 155;
der vor ihm angenommene Hauptantrag (§ 152—154) wird durch den
Finalsatz ἵνα ... τετιμημένων von jenem geschieden.
³) So Niese mit dem Lateiner und P; die andern Hdss. Θεοδοσίου.
⁴) Von Niese ansprechend für unecht erklärt; Lowth Παναθηναίοις
καὶ Ἐλευσινίοις.

Hohepriester dieses Namens ist, beweist der Name seines
Vaters; der erste war ein Sohn Simons. Der willkürliche
Gedanke mancher, das von Josephos dem erwähnten Senatusconsult gegebene Datum: Jahr 9 des Hohenpriesters und Ethnarchen Hyrkanos (d. i. Johannes Hyrkanos, s. Art. I S. 573)
als das unserer Urkunde anzusehen, würde dieses in das J. 55/4,
in welchem Hyrkanos II bloss Hoherpriester war, oder, wenn
man mit Mendelssohn die Jahrzählung von der ersten, nur
3 Monate und zwar des Jahrs 69 umfassenden Regierung desselben ausgehen lässt, in 61 bringen; sie mit andern auf
jenes Datum hin in das J. 47 zu setzen, ist unmöglich, weil,
wie eben bemerkt, 55 v. Chr. Hyrkanos gar nicht Ethnarch
war, von da also keine Zählung ausgehen konnte. Agathokles
war erst nach 53/2 Archont: denn von 63/2 bis dahin regierten
Archonten anderen Namens, nach der Liste C. J. A. III Nr. 1015
... ios, [Ari]staios, Theophemos, Herodes, Leukios, Kalli[phon?],
Diokles, Kointos, Aristos, Zenon und Ai...; Theophemos war
nach Kastor bei Eusebios chron. I 295 mit den Consuln von
693/61 gleichzeitig und das Jahr des Herodes fiel nach Diodor 1, 4 in Olymp. 180 (= 60/59—57/6). Um noch ein Jahr
müssten wir die Frühgrenze des Agathokles herabsetzen, wenn
dieser mit dem Agathokles der Ephebenurkunde C. J. A. II Nr. 470
identisch wäre, als dessen Vorgänger dort Aristarchos genannt ist.
Die Gründe, welche noch Köhler zur Beziehung beider Urkunden auf einen und denselben Archonten bewogen, beruhten
auf der Gleichheit oder wenigstens Aehnlichkeit mehrerer in
ihnen genannten Namen, welche theils durch Niese's Colla-
tionen vermindert, theils durch eine Unähnlichkeit von vornherein geschwächt ist: der Grammateus *Εὐκλῆς Ξενάνδρου* und
der Antragsteller *Θεόδοτος Διοδώρου Σουνιεύς* in der Ephebenurkunde schien mit *Εὐκλῆς Μενάνδρου* und *Θεοδόσιος Θεοδώρου*
Σουνιεύς bei Josephos eins zu sein; jetzt führt letzterer den
Namen *Διονύσιος* und der Eukles der Inschrift heisst als Demos-
genosse *Αἰθαλίδης*, der andere dagegen *Ἁλιμούσιος*. Uebrigens
führen andere Spuren die Inschrift nach Köhler selbst in eine
frühere Zeit und Foucart im Bulletin de correspondance Hel-

que XIII 269 zeigt an der Hand einer neuen Epheben-
hrift aus der Regierung dieses Agathokles, dass beide Ur-
len nebst einer dritten unter Arch. Herakleides abgefassten
C. J. A. H Nr. 122, b (Arch. Sosikrates) zusammengehören,
alle drei den Paidotriben Neon von Aphidna nennen; die
genannte fällt aber nach Köhler in das zweite vorchrist-
p Jahrhundert.

Durch das Praedicat Ethnarch, welches Hyrkanos in dem
hisma führt, wird dieses in die Zeit zwischen Sommer 49
8. 40 gewiesen, durch die Nichterwähnung des Antipater
· in die vor Caesars Landung in Palästina (Ende März 47)
ende: denn die Machtfülle, welche der Dictator jenem ver-
, war so gross, dass er von dem Hohenpriester ganz unab-
gig wurde und diesem von der Ethnarchie weiter nichts
der Titel blieb. Der 11. Munychion entsprach im J. 49
rscheinlich ungefähr dem 24. April, im J. 48 dem 13. April,
J. 47 dem 3. Mai, s. Zeitrechnung der Griechen und Römer
w. Müller's Handbuch der klass. Alterthumsw. I⁸ S. 764;
April 49 war Hyrkanos jedenfalls noch nicht Ethnarch
die Erwähnung der vielen Dienste, welche er den Athenern
Ethnarch vor jenem Munychion geleistet hat, erlaubt es
it, an das Jahr 49 zu denken; andrerseits hatte im J. 47
destens sechs Wochen vor dem 11. Munychion Antipater
its thatsächlich die volle Herrschaft über das jüdische
iet, welches die letzten vor dem attischen Volksbeschluss
ngefahrenen Athener doch vermuthlich nur ungefähr 2
3 Wochen vor dem 11. Munychion verlassen hatten; ja
dem von Josephos irrthümlich als Anfang des Psephisma
........Zusatz ersieht man, dass noch 2¹/₂ Monate nach
........ychion die bis zur Ankunft Caesars herrschende
fassung bestanden hat. Der attische Volksbeschluss wurde
· ungefähr am 13. April 48 gefasst und am 27. (oder 28.) Juni,
chem der 26. Panemos (eigentlich Sivan) des J. 48 ent-
cht,¹) den Strategen Jerusalems überreicht.

───────────

¹) Wahrer Neumond am 31. Mai 9 U. 55 M. Vorm. Jerusalemer Zeit.

Der Inhalt des Ehrendecrets für Hyrkanos lässt vermuthen, dass die Athener bald in eine Lage zu kommen fürchteten, welche ihnen dessen Dienstwilligkeit wünschenswerth machen musste: obgleich er laut § 152 die Absicht hat, für sie zu thun, was in seinen Kräften steht, soll doch eine grosse Gesandtschaft an ihn geschickt werden, um nicht bloss das Psephisma, welches ihm hohe Ehren zuerkennt, zu überbringen, sondern ihn auch zu ermahnen, dass er allezeit ihnen einen Gefallen zu thun sich bestrebe (§ 155). Im März 48[1]) hatte Caesar, um allmählich in den Provinzen festen Fuss zu fassen, zunächst von Oricum den L. Cassius mit einer Legion nach Thessalien, C. Calvisius mit 5 Cohorten nach Aetolien und Cn. Domitius mit zwei Legionen nach Makedonien geschickt (Caesar b. civ. 3, 34); nachdem die erstgenannten auch Akarnanien und Amphilochien gewonnen hatten, unterstellte er sie dem G. Fufius und trug ihm auf, 'Achaia' den Pompejanern zu entreissen. Dieser gewann Delphi, Theben und Orchomenos durch freiwilligen Beitritt, eroberte einige Städte und schickte zu den andern Botschafter (Caesar b. c. 3, 55); dies war zur Zeit der Grünfütterung (ebenda 3, 58), also im April. Megara und Athen leisteten Widerstand; beide Städte wurden belagert und ergaben sich erst, als der Ausgang der Schlacht von Pharsalos bekannt wurde (Plut. Caes. 43. Dio 42, 14). Ohne Zweifel sahen die Athener, als sie vom Eintreffen feindlicher Truppen in Aetolien hörten, voraus, dass diese über kurz oder lang, da Mittelgriechenland keine Besatzung hatte, auch vor ihrer Stadt erscheinen und sie sich auf eine Belagerung, ja

---

[1]) Zur Zeitbestimmung im Allgemeinen s. U., Frühlings Anfang in Fleckeisen's Jahrbb. 1890 S. 492; O. E. Schmidt, Briefwechsel des M. Tullius Cicero (1893) S. 190 setzt die Frühlingsepoche und die Vegetation der Gegend um Dyrrachium zu früh. Die Gesandten der Thessaler, welche die Sendung des Domitius erwirkten, waren paucis mensibus vor dem Einmarsch Caesars (b. civ. 3, 80) in Thessalien nach Oricum gekommen; der Einmarsch fand ungefähr 10 Tage vor der grossen Schlacht statt, um den 27. Mai (b. civ. 3, 80. 6. 82, 1. 84, 2), als das Getreide fast reif war (ebenda 81, 3).

kein Entsatz kam) Eroberung derselben einrichten müssten.
t es, sich der guten Dienste anderer, besonders asiatischer
ı zu versichern, welche durch die Seeherrschaft der Pom-
auf lange Zeit hinaus vor einem Angriff gesichert waren:
tützung mit Lebensmitteln und andern Kriegsbedürfnissen
ı Anfang einer Belagerung, Aufnahme flüchtiger Stadt-
r, wenn diese zum Ziel führte, durfte man von den
befreundeten erwarten. Die lange Dauer der Reise,
ungefähr zwei Monate wegnahm, erklärt sich daraus,
ie unterwegs mit Psephismen ähnlichen Inhalts andere
besucht hatten; als sie in Jerusalem ankamen, war der
in Europa bereits entschieden und Athen von Caesar
ıden angenommen worden; um dieselbe Zeit ging aber
Iyrkanos zum Sieger über.
ie Datirung am Anfang, welche Josephos irrthümlich
ıen Bestandtheil des attischen Psephisma ansieht, ist
Beamten hinzugefügt, welcher die Urkunde dem
larchiv (γαζοφυλάκιον) von Jerusalem einverleibte, vgl.
S. 574; Mendelssohn vermuthet, dass sie nebst dem
en Volksbeschluss den Anfang eines von einer autonomen
stischen Stadtgemeinde beschlossenen Psephisma[1]) ge-
habe, dessen eigentlicher Inhalt verloren gegangen sei.
eine autonome Stadtgemeinde in der Art der helleni-
n war auch Jerusalem im J. 57 geworden und bei der
t der Pompejaner, das jüdische Volk durch Wiederher-
g seiner Einheit zu stärken, empfahl es sich zugleich,
aber am Ruder gewesenen Elemente durch schonende
llung derjenigen Einrichtungen, deren Abschaffung nicht
änglich nothwendig schien, mit dem neuen Regiment
ıhnen. Heidnische Namen, wie der des Senatsvorstandes
ınes Vaters finden sich schon seit einem Jahrhundert
len Juden: von den drei Gesandten des Hyrkanos I im

Vgl. z. B. das von Ephesos ant. 14. 10, 25 Ἐπὶ πρυτάνεως Μηνοφίλου
Ἰρτεμισίου προτέρᾳ (schr. προτριακάδι) ἔδοξε τῷ δήμῳ. Νικάνωρ
υ εἶπεν ἐξηγηοαμένων τῶν στρατηγῶν oder von Pergamon ebenda 22
τάντεως Κρατίππου μηνὸς Δαισίου πρώτῃ, γνώμη στρατηγῶν.

J. 122 heisst einer Apollonios, ein anderer Diodoros (ant. 13,
9, 2), Apollonios begegnet uns im Jahre 112 wieder als
Botschafter (ant. 14, 10, 22); angeblich schon unter Ptolemaios IV (221—204), wahrscheinlich aber unter Ptolemaios VII
(145—116) blühte nach Clemens strom. 1, 21 der jüdische
Schriftsteller Demetrios; einer von den Führern der 6000 Juden,
durch deren Uebergang zu Alexander Jannaios diesem die
Herrschaft gerettet wurde, hiess Diogenes (ant. 14, 16, 2,
vgl. c. 14, 2); ein kleiner Dynast, wie der im J. 63 von
Pompejus unterworfene Silas in Lysias, war vermuthlich auch
der Bacchius Judaeus, von dessen Unterwerfung die Münze
des A. Plautius, Aedil im J. 54, zeugt (Schürer I 237). Aus
den heidnischen Namen dieser Männer folgt nicht, dass sie
dem Jehovadienst entsagt hatten; sie thaten nur, was schon
in der Zeit der alten Richter und Könige häufig geschehen
war, sie huldigten zugleich dem Cultus der Nachbarvölker, und
von den Vornehmen unter den Priestern, den Sadducäern, ist
es bekannt, dass sie dem Hellenismus am meisten zugänglich
waren. Im vorliegenden Falle beweist der Text selbst, dass
der Prytan Dionysios ein Priester des Jehova gewesen ist: er
wird schlechthin ἱερεύς genannt, ohne Angabe des Gottes, dessen
Priester er war; das Psephisma einer hellenistischen Stadt,
welche als solche mehrere Götter verehrte, würde in der Angabe des Eponymen auch den Namen seines Gottes zeigen.
Eine Ausnahme bilden die Urkunden der Städte, deren Epo-
nymos der Priester des Stadtgründers (z. B. in Kassandreia
des Kassander) oder der mit der Stadt gleichnamigen Stadt-
gottheit war (z. B. in Smyrna); übrigens genoss Dionysios
die Ehre der Eponymie nicht als Priester, sondern als Prytan.

Die Worte τοῖς στρατηγοῖς hat Niese bloss auf ihr Fehlen
im Palatinus (P) hin als unächt eingeklammert. Dieser ist
die älteste Handschrift und bietet hie und da allein die richtige
Lesart; dies gilt aber auch von der möglicher Weise ebenso
alten Epitome und der entschieden älteren lateinischen Uebersetzung, ja auch von dem erst 1354 geschriebenen Vaticanus
und P ist, wie Niese selbst bemerkt, mit mehr Fehlern be-

haftet als jede andere Handschrift, welche dieselben Bücher enthält.[1]) Auf Flüchtigkeit beruhende Weglassungen (dergleichen auch hier einer[2]) anzunehmen ist) finden sich viele in ihm, z. B. in der Nähe unserer Stelle fehlt § 108 $\tilde{\eta}\nu$, 135 $\tau\acute{o}$, 140 $\tau o\tilde{v}$, 143 $\delta\acute{\epsilon}$, 149 $\tau o\tilde{v}$, 153 $\varkappa a\grave{\iota}$ $\sigma\tilde{\eta}\sigma a\iota$ $a\grave{v}\tau o\tilde{v}$, 172 $\acute{v}\mu\tilde{a}\varsigma$, 187—189 die ganzen drei Paragraphen. Einseitige Bevorzugung dieser Handschrift hat öfters zu Entstellung des Textes geführt, z. B. § 112 (cap. 7, 2) streicht Niese in dem Citat aus Strabon $\pi\acute{\epsilon}\mu\psi a\varsigma$ $\delta\grave{\epsilon}$ $M\iota\vartheta\varrho\iota\delta\acute{a}\tau\eta\varsigma$ $\epsilon i\varsigma$ $K\tilde{\omega}$ $\acute{\epsilon}\lambda a\beta\epsilon$ $\tau\grave{a}$ $\chi\varrho\acute{\eta}\mu a\tau a$, $\tilde{a}$ $\pi a\varrho\acute{\epsilon}\vartheta\epsilon\tau o$ $\acute{\epsilon}\varkappa\epsilon\tilde{\iota}$ $K\lambda\epsilon o\pi\acute{a}\tau\varrho a$ mit ihr die Worte $\epsilon i\varsigma$ $K\tilde{\omega}$; der Leser weiss aber dann nicht, auf welchen Ort sich $\acute{\epsilon}\varkappa\epsilon\tilde{\iota}$ bezieht, und Josephos faselt, wenn er hinzufügt $\delta\tilde{\eta}\lambda o\nu$ $\H{o}\tau\iota$ $\tau a\tilde{v}\tau a$ $\mu\epsilon\tau\acute{\eta}\nu\epsilon\gamma\varkappa a\nu$ $\epsilon i\varsigma$ $K\tilde{\omega}$. Unentbehrlich sind die wegen ihres Fehlens im P verdächtigten oder eingeklammerten Worte in § 101 (c. 6, 3) $\Gamma a\beta\acute{\iota}\nu\iota o\varsigma$ ... $\pi\acute{\epsilon}\mu\pi\epsilon\iota$ $\pi\varrho\grave{o}\varsigma$ $\tau o\grave{v}\varsigma$ $\nu\epsilon\nu o\sigma\eta\varkappa\acute{o}\tau a\varsigma$, ϵi $\pi a\tilde{v}\sigma a\iota$ $\delta\nu\eta\vartheta\epsilon\acute{\iota}\eta$ $\tau\tilde{\eta}\varsigma$ $\pi a\varrho a\varphi\varrho o\sigma\acute{v}\nu\eta\varsigma$ $a\grave{v}\tau o\grave{v}\varsigma$ $\varkappa a\grave{\iota}$ $\pi\epsilon\tilde{\iota}\sigma a\iota$[3]) $\pi\varrho\grave{o}\varsigma$ $\tau\grave{o}\nu$ $\grave{a}\mu\epsilon\acute{\iota}\nu\omega$ $\lambda\acute{o}\gamma o\nu$ $\acute{\epsilon}\pi a\nu\epsilon\lambda\vartheta\epsilon\tilde{\iota}\nu$, § 195 (c. 10, 2) $\H{a}\nu$ $\tau\epsilon$ $\mu\epsilon\tau a\xi\grave{v}$ $\gamma\acute{\epsilon}\nu\eta\tau a\acute{\iota}$ $\tau\iota\varsigma$ $\zeta\acute{\eta}\tau\eta\sigma\iota\varsigma$ $\pi\epsilon\varrho\grave{\iota}$ $\tau\tilde{\eta}\varsigma$ $'I o\nu\delta a\acute{\iota}\omega\nu$ $\grave{a}\gamma\omega\gamma\tilde{\eta}\varsigma$, $\grave{a}\varrho\acute{\epsilon}\sigma\varkappa\epsilon\iota$ $\mu o\iota$ $\varkappa\varrho\acute{\iota}\sigma\iota\nu$ $\gamma\epsilon\nu\acute{\epsilon}\sigma\vartheta a\iota$ $[\pi a\varrho'$ $a\grave{v}\tau o\tilde{\iota}\varsigma]$[4]) und § 201 (c. 10, 5) $\H{o}\pi\omega\varsigma$ $\tau\epsilon$ $'I o\nu\delta a\acute{\iota}o\iota\varsigma$ $\grave{\epsilon}\nu$ $\tau\tilde{\wp}$ $\delta\epsilon\nu\tau\acute{\epsilon}\varrho\wp$ $\tau\tilde{\eta}\varsigma$ $\mu\iota\sigma\vartheta\acute{\omega}\sigma\epsilon\omega\varsigma$ $[\H{\epsilon}\tau\epsilon\iota]$ $\tau\tilde{\eta}\varsigma$ $\pi\varrho o\sigma\acute{o}\delta o\nu$ $\varkappa\acute{o}\varrho o\nu$ (das Getreidemass Kor) $\acute{v}\pi\epsilon\xi\acute{\epsilon}\lambda\omega\nu\tau a\iota$; vgl. auch Abschn. 3 S. 205. Wie § 195 $\pi a\varrho'$ $a\grave{v}\tau o\tilde{\iota}\varsigma$, so ist an unserer Stelle $\tau o\tilde{\iota}\varsigma$ $\sigma\tau\varrho a\tau\eta\gamma o\tilde{\iota}\varsigma$ schon desswegen zu halten, weil ein Anlass zu einem solchen Zusatz nicht vorhanden war.

     7. Als Caesar auf der Fahrt von Aegypten nach Syrien um den 30. März 47 in Ptolemais landete,[5]) belohnte er zu-

---

    [1]) Vgl. Naber vol. III praef. p. IV, der sich bereits entschieden gegen die Ueberschätzung der Lesarten des P ausgesprochen hat.

    [2]) Man könnte auch annehmen, in der Vorlage des P sei $\sigma\tau\varrho a\tau\eta\gamma o\tilde{\iota}\varsigma$ und im P $\tau o\tilde{\iota}\varsigma$ ausgefallen.

    [3]) Lässt man das Wort mit P und, wie es scheint, dem Lateiner weg, so wird auch Gabinius selbst zum $\nu\epsilon\nu o\sigma\eta\varkappa\acute{\omega}\varsigma$.

    [4]) In der That wurden sie unter den Kaisern sowohl im Mutterland als in der Diaspora von jüdischen Richtern aus ihrer Gemeinde abgeurtheilt; vgl. Schürer I 260.

    [5]) S. Judeich, Caesar im Orient. (1885) S. 110 fg. O. E. Schmidt, Briefwechsel des Cicero (1893) S. 224. Der 12. Artemisios, an welchem

nächst Antipater für die Verdienste, welche er sich im alexandrinischen Krieg erworben hatte, durch Verleihung des römischen
Bürgerrechts und der Steuerfreiheit, den Hyrkanos aber bestätigte er als Hohenpriester (bell. 1, 9, 4. ant. 14, 8, 3), damit aber stillschweigend auch als Ethnarchen, eine Würde,
welche verfassungsmässig seit 140 mit dem Hohenpriesteramt
bis zur Organisation des Gabinius verbunden und durch den
von 103 bis 63 usurpirten Königstitel nur verdunkelt gewesen
war; wollte Caesar sie ihm (was wegen seiner Thätigkeit im
alexandrinischen Krieg und wegen des von Josephos beobachteten Schweigens unwahrscheinlich ist) entziehen, so musste
er, was nicht geschehen ist, auch für einen neuen Inhaber der
Regierung sorgen. Als aber Aristobuls Sohn Antigonos seine
Ansprüche auf das Hohenpriesteramt geltend machte und die
Anschuldigungen, welche er gegen Hyrkanos und Antipater
erhob, von diesen zurückgewiesen wurden, erklärte Caesar jenen
für den würdigeren Bewerber,[1] den Antipater aber ernannte
er zum ἐπίτροπος des jüdischen Gebiets (vgl. Abschn. 5 S. 210).
Grätz, Geschichte der Juden III 149 und Schürer I 279 begnügen sich damit, das Wort mit procurator zu übersetzen;
nach Wellhausen S. 299 (2. Ausg. 1895) wäre er Majordomus
Hyrkans mit dem Titel ἐπιμελητής geblieben, er wurde aber
jetzt ἐπίτροπος; Korach, Ueber den Werth des Josephos als
Quelle für die römische Geschichte (1895, Leipziger Disser-
tation) S. 63 erklärt mit Rosenthal in d. Monatsschrift für
Geschichte und Wissenschaft des Judenthums 1879 S. 217, der
Ethnarch habe die einzige Autorität in religiösen Fragen und

---

seine Ankunft in Syrien zu Antiocheia verkündigt wurde (Malala 9 p. 216),
entspricht dem 4. oder 5. April (wahrer Neumond am 23. März früh
7 U. 5 M. Antiochener Zeit); 7 oder, nach Schmidt, 6 Tage kann ein
Bote von Ptolemais dorthin gebraucht haben.

[1] So bell. 1, 10, 3; weniger genau ant. 14, 8, 5 ἀποδείκνυοιν ἀρχιερέα.
Die Ethnarchie wird abermals nicht besonders erwähnt, tritt aber in der
Fortsetzung b. 1, 10, 4. a. 14, 9, 1. 3 unter der ungenauen Bezeichnung
βασιλεία verborgen auf; bezeugt ist die Ethnarchie erst in dem Erlass
Caesars a. 14, 10, 2 aus dem J. 47.

ertheidiger der Religionsfreiheiten, der Epitropos aber
ertreter der römischen Interessen sein sollen; die Be-
ung Mommsens, Röm. Gesch. V 500, die ἐπιτροπή sei ein
om jüdischen Ethnarchen verliehenes Amt, widerlegt er
er erwähnten Meldung des Josephos von ihrer Verleihung
Caesar. Zwischen ἐπιμελητής und ἐπίτροπος besteht von
aus keine sonderliche Verschiedenheit der Bedeutung:
Verwalter oder Aufseher und einen Statthalter bezeichnen
Wörter. Ethnarch sollte Hyrkanos nur dem Namen
in Wirklichkeit aber Antipater sein; da dies nicht aus-
chen werden durfte, wurde für letzteren ein unverfäng-
Titel mit unbestimmter, aber, wie es wegen der Aende-
des Titels scheinen musste, von der eines Epimeleten
niedener Bedeutung gewählt. Als Epimeleten hatte Caesar
Antipater nicht (wie als Hohenpriester den Hyrkanos) aus-
lich anerkannt, offenbar desswegen, weil die Ernennung
Epimeleten vom Hohenpriester als Ethnarchen ausge-
n war; dagegen zum Epitropos wurde Antipater von
r ernannt. In Folge dessen konnte Antipater, wenn er
dem Hyrkanos noch so viel Anlass zur Unzufriedenheit
doch nicht von ihm, sondern nur von dem römischen
thaber abgesetzt werden, war nur den Römern, nicht
Hyrkanos verantwortlich, und thatsächlich war also er
thnarch, nur den Titel dieser Würde führte der Hohe-
er. Als Caesar den Streit zwischen Antigonos und Hyr-
zu Gunsten des letzteren entschied, bot er Antipater
Herrschaft[2]) an, die er sich selber aussuchen solle; als
die Wahl ablehnte,[3]) ernannte er ihn zum ἐπίτροπος.

) Nur diese Bedeutung hat δυναστεία hier und überall, was Rosen-
chtig erkannt hat; nicht die von Korach wegen der Uebersetzung
tem, welche der Lateiner a. 14, 8, 5 liefert, vorgezogene 'Macht-
g', was ἐξουσίαν heissen würde.
) So ant. 14, 8, 5 τούτου δὲ ἐπ' αὐτῷ ποιησαμένου τὴν κρίσιν, eine
serung der älteren Darstellung bell. 1, 10, 2 ὁ δ' ἐπὶ τῷ τιμήσαντι
ρον τῆς τιμῆς θέμενος ... ἀποδείκνυται, in welcher das Euphemistische
els ἐπίτροπος verkannt ist. Dasselbe gilt von der Aenderung der

Weil aber dieser bescheidene Titel seine Machtvollkommenheit
nicht erkennen liess und die Juden sich selbständig wähnten,
auch die Anhänger des Antigonos das Haupt wieder erhoben,
so begann er unter Drohungen zur Ruhe zu mahnen: denn
Hyrkanos treu bleibend, würden sie die Segnungen des Friedens
geniessen, im andern Fall dagegen in ihm nicht ihren Landes-
hauptmann, sondern ihren Herrn (ἀντὶ προστάτου δεσπότην,
ant. 14, 9, 1), in Hyrkanos anstatt eines Königs einen Tyrannen,
in den Römern und Caesar aber bittere Feinde erkennen. Die
Ausdrücke, welche sonst von der Ethnarchie des Hohenpriesters
gebraucht werden (δυναστεία a. 14, 5, 4 — auch in ihrer Ausartung bei Diodor 40, 2 oben Abschn. 1 S. 193 — und προστασία
a. 11, 4, 8. 20, 10, 4. Diodor a. a. O., von der Aristokratie
bell. 1, 8, 5) werden jetzt auf die Regierung Antipaters angewendet. Alsbald zeigte er sich auch in Thaten als den
eigentlichen Landesherrn, indem er seine Söhne Phasael und
Herodes zu Strategen, jenen in Jerusalem und der Umgegend,
diesen in Galiläa ernannte, und Sextus Caesar, der Statthalter
Syriens, that das Seine, um den Juden den neuen Stand der
Dinge klar zu machen: als, von ihnen getrieben, Hyrkanos
den Herodes wegen unbefugter Anordnung von Hinrichtungen
vor das Synedrion stellte, gebot ihm Sextus, denselben freizu-
sprechen, s. bell. 1, 10, 4—7. ant. 14, 9, 2—4.

Bezeichnung κηδεμών, welche sich Antipater b. 1, 10, 4 beilegt, in προστάτης a. 14, 9, 1.

V. Das verlorene Geschichtswerk.

\n vielen Stellen seiner Jüdischen alten Geschichte (*ἀρχαιο-
Ἰουδαϊκή*) zeigt Josephos durch *καθὼς καὶ ἐν ἄλλοις
δήλωμεν* und ähnliche Wendungen an, dass er einen Vor-
schon einmal erzählt hat, aber nicht in allen Fällen findet
die citirte Erzählung in jener oder in dem älteren, den
:n Aufstand von 66—70 (*Ἰουδαϊκὸς πόλεμος*) betreffenden
, wieder und die vermissten Darstellungen beziehen sich
tlich auf die syrische Geschichte, während die nachweis-
theils der jüdischen, theils der allgemeinen angehören.
nachweisbar sind folgende sechs: ant. 12, 5, 2 Abzug
.ntiochos Epiphanes aus Aegypten auf Befehl römischer
hafter; 13, 2, 1 Abwendung des Demetrios I von den
rungsgeschäften und dem Verkehr mit den Unterthanen;
l sein Sturz; c. 4, 6 Rache der Antiochener an Ammonios,
ling des Alexander Bala; c. 5, 11 Gefangennahme des
trios II durch die Parther; c. 12, 6 Einnahme von Ptolemais
. Ptolemaios Lathuros. Genau dasselbe Verhältniss findet
)ei den mit *καθὼς καὶ ἐν ἄλλοις δεδήλωται* oder einer ähn-
i Formel in der dritten Person Singularis eingeführten Citaten,
e sämmtlich oder wenigstens grösstentheils ebenfalls für
:citate gehalten werden.[1]) Von einem Werk des Josephos
die Geschichte Syriens oder der Seleukiden wird zwar

Ueber diese s. Abschnitt 3. In der Sammlung der Beispiele beider
auf das Destinon ist eines sammt dem Fundort des nächsten beim
karakteristikum, was im Nachstehenden durch Einklammerung des
anen angezeigt wird: '14, 11, 1 [*τοῦτο οὖν καὶ ἐν ἄλλοις δεδήλωται.*
:; Ermordung Caesars. 14, 12, 2.] *ὡς καὶ παρ' ἄλλοις δεδήλωται.*
:: Schlacht bei Philippi.' Destinon hat den Druckfehler nicht
ligt; Wachsmuth, der dadurch getäuscht worden ist, hat dafür ein
ichtiges, von den ändern übersehenes Citat, das späteste (s. Ab-

nirgends etwas gemeldet, es ist aber auch keine Aufzählung
seiner sämmtlichen Schriften auf uns gekommen und demnach
die Annahme, dass er ein solches Werk geschrieben habe,
keineswegs ausgeschlossen; jedenfalls aber ist es, wie der Urheber der im Folgenden zu besprechenden Hypothese zuge-
steht, nicht unmöglich, dass die Erklärung der 70 Jahrwochen
des Propheten Daniel c. 9, 25—27, welche Hieronymus bei
Josephos gelesen hat, in demselben Werke gestanden habe, in
welchem er die in Rede stehenden Vorgänge der syrischen
Geschichte erzählt hatte.

Eine ganz eigenthümliche, in ihrer Art einzig dastehende
Ansicht hat Justus v. Destinon, Die Quellen des Flavius Josephus (1882) S. 21—29 aufgestellt: die durch die erhaltenen
Werke des Josephos nicht bestätigten Selbstcitate seien nicht
von diesem selbst, sondern von dem an jenen Stellen benützten
Verfasser einer jüdischen Geschichte ausgegangen, welcher damit
auf ein von ihm früher über Syriens Geschichte geschriebenes
Werk zurückverweise, Josephos aber habe sie mit dem erzäh-
lenden Text unverändert abgeschrieben und in solcher Weise
fremdes Gut für sein Eigenthum ausgegeben. Diese Vermuthung hat, so viel ich weiss, keinen Widerspruch, wohl
aber grossen Beifall gefunden: Paulus Otto, Strabonis ἱστορι-
κῶν ὑπομνημάτων fragmenta, in d. Leipziger Studien zur class.
Philologie (1889), Bd. XI, Supplementb. S. 231 ff. und Wachsmuth, Einleitung in das Studium der alten Geschichte (1895)
S. 443—445 billigen die Argumentation Destinons vollkommen
und weichen nur darin von ihm ab, dass sie mehr mit δεδήλωται angeführte Citate als er für Selbstcitate erklären, Wachsmuth auch den zwei Werken des Anonymus einen weiteren,
universalhistorischen Charakter beilegt; wogegen Korach, Ueber
den Werth des Josephus als Quelle für die römische Geschichte
(1895) S. 18—20 wiederum die beiden gemeinsame Abweichung
zu widerlegen sucht. Nur Schürer, Gesch. des Volkes Israel I 70
ist mit der Beweisführung Destinons theilweise nicht einverstanden, will aber dessen Ansicht doch nicht ganz von der Hand
weisen und lässt die Frage nach ihrer Richtigkeit unentschieden.

Im Vorliegenden wird versucht: 1. die von Destinon vorgebrachten Gründe zu entkräften, 2. die Selbstcitate des Josephos als solche zu erweisen und 3. über Inhalt und Ausdehnung des verlorenen Werkes einige Aufschlüsse zu gewinnen.

1. Die Verdachtgründe sind hergenommen von der Ausführlichkeit, welche für einen grossen Theil der in den Rückverweisungen citirten Darstellungen anzunehmen sei, ferner von den Angaben des Josephos über seine bisherige Schriftstellerei, endlich von der Form, in welcher er seine früheren Schriften zu citiren pflegt.

a) Gewiss mit Recht behauptet Destinon, dass die Selbstcitate bald auf kurze Notizen bald auf ausführlichere Darstellungen zurückverweisen, obwohl von den drei Beispielen der zweiten Gattung, welche er anführt,[1]) nur eines, der Bericht von dem Untergang des Ammonios, Beweiskraft hat, welcher mindestens den Umfang des ganzen Abschnittes ant. 13, 4, 6 gehabt haben muss; zum Ersatz dienen aber andere, z. B. der über den Untergang des Demetrios I, welcher nach den Worten τέλος τοιοῦτο τὸν Δημήτριον κατέλαβεν zu schliessen ebenfalls mindestens den Umfang des Abschnitts a. 13, 2, 4 gehabt zu haben scheint; Gleiches gilt von dem Citat a. 13, 13, 4 extr., welches wohl dem ganzen von c. 12 extr. (Tod des Antiochos Grypos) bis dahin reichenden Bericht gilt. Ebenso richtig bemerkt Destinon, dass die Fülle geschichtlichen Stoffes, welche mit einer Untersuchung über den Sinn der Jahrwochen Daniels zusammenhing, in der Schrift des Josephos über diese unmöglich in solcher Ausdehnung habe behandelt werden können. Er setzt aber ohne Grund voraus, dass das Werk bloss oder in

---

[1]) Der Bericht über die Einnahme Antiocheias durch Jonathan ant. 13, 5, 3 ist mit keinem Selbstcitat verbunden, auch fraglich, ob ein solches am Platze gewesen wäre, da der Vorgang die Juden mitbetrifft; die Eroberung von Ptolemais durch Lathuros ant. 13, 12, 6 wird nur erwähnt, nicht geschildert, und ist von den Kämpfen um Ptolemais und Gaza (ebenda, Abschn. 2 ff.), welche D. in das Selbstcitat einbezieht, durch die Niederlage des Jannaios in Galiläa getrennt.

erster Linie den Jahrwochen gewidmet, dass es eine Schrift
über diese gewesen sei. Unser einziges Zeugniss, das des
Hieronymus im Commentar zu Jesaia 36, 1 (ed. Vallars.
t. IV 451) meldet nur, dass Josephos und Porphyrios sich weit-
läufig über Daniels Jahrwochen ausgesprochen haben: intellegant
me non omnium probare fidem, qui certe inter se contrarii sunt,
sed ad distinctionem Josephi Porphyriique dixisse, qui de hac
quaestione plurima disputarunt. Wer aus dieser Stelle schliesst,
dass Josephos ein Buch über Daniels Jahrwochen geschrieben
habe, müsste folgerichtig das Gleiche auch von Porphyrios
annehmen; man weiss aber aus der Vorrede des Hieronymus
zum Commentar über Daniel (t. V 617), dass jener seine
Deutung der Jahrwochen [1]) im 12. Buch seines berühmten
Werkes κατὰ Χριστιανῶν niedergelegt hatte.

b) Das 'Buch über Daniel' hat Josephos, wie Destinon
behauptet, erst nach der Jüdischen alten Geschichte, ja sogar
erst nach den noch später erschienenen zwei Büchern gegen
Apion geschrieben. Im Epilog des erstgenannten Werkes,
ant. 20, 12, sucht er, wie D. behauptet, die Ausdehnung seiner
literarischen Thätigkeit, seinen Fleiss, seine Vielseitigkeit in
helles Licht zu stellen, erwähnt desswegen die Geschichte des
Judenaufstands, charakterisirt die Jüdische alte Geschichte und
gibt seine Pläne für die Zukunft an, meldet aber nichts von
einer Schrift über Daniel. Wir finden von einer solchen Tendenz
keine Spur in jenem Rückblick, auch keine Erwähnung der
Geschichte des Judenaufstands oder überhaupt seiner vor der
Alten Geschichte erschienenen Schriften. Was sich scheinbar
auf die Aufstandsgeschichte bezieht, der Anfang des Epilogs:
παύσεται δ' ἐνταῦθά μοι τὰ τῆς ἀρχαιολογίας μεθ' ἣν καὶ τὸν
πόλεμον ἠρξάμην γράφειν bezieht sich vielmehr auf die neue
Bearbeitung der Geschichte des grossen Aufstands, welche er
unter der Feder hat; die auf uns gekommene erste ist bekanntlich vor der Jüdischen alten Geschichte geschrieben;

---

[1]) Worin die des Josephos bestanden hat, wird in einer demnächst
erscheinenden Arbeit über Daniels Jahrwochen untersucht werden.

übrigens würde die Bemerkung, auch wenn sie sich auf die
erste bezöge, keinen Anhalt für jene Behauptung liefern: am
Schluss des vorhergehenden Capitels hat er bereits von ihr
zu sprechen Anlass gehabt, weil die Alte Geschichte da aufhört, wo der Aufstand anfängt. Dass er das soeben zum
Abschluss gelangende Werk charakterisirt, ist bei einem Rückblick, einem Epilog selbstverständlich und auch die Erwähnung
seiner Pläne keineswegs bei den Haaren herbeigezogen. Die
neue Geschichte des Judenaufstands und die weitere bis zur
Gegenwart umfassen die ganze Zeit von dem Zeitpunkt, bei
welchem er die Alte Geschichte schliesst, bis zu demjenigen,
in welchem er mit ihrer Darstellung fertig geworden ist; zugleich gibt er durch diese Mittheilung zu verstehen, dass er
manche in der ersten Bearbeitung des Jüdischen Aufstands
vermisste Ausführung bringen, manche dort weniger gelungene
verbessern werde; mit dieser Ankündigung verbindet er die
des Werkes von Gott, seinem Wesen und seinen Gesetzen, auf
welches er schon in den ersten Büchern der Alten Geschichte
an verschiedenen Stellen aufmerksam gemacht hat.

In der Schrift gegen Apion 1, 9 ff., führt D. fort, spricht
Josephos zwei Capitel lang über seine Schriftstellerei; von
Daniel kein Wort. Seine Absicht ist aber nicht von seiner
literarischen Thätigkeit überhaupt zu sprechen, sondern die
zwei Werke zu vertheidigen, welche er über die jüdische
Geschichte geschrieben hat; eine Compilation über die syrische,
eine Untersuchung über die Jahrwochen Daniels konnte seinen
Gegnern keine Handhabe zu einem persönlichen Angriff bieten.
Eigentlich will Josephos, dem Plan der ganzen Schrift gegen
Apion entsprechend, bloss seine Alte Geschichte vertheidigen
und thut dies von c. 1 bis c. 8, wo er am Schluss die Zweifel
der Griechen an der Ueberlieferung über die älteren Vorgänge
der jüdischen Geschichte daraus erklärt, dass manche Juden
auch über die neueren, besonders über den grossen Aufstand
in sichtlich unzuverlässiger Weise geschrieben haben. Dem-
entgegen beweist er in c. 9 die Wahrhaftigkeit seiner Geschichte
desselben und vertheidigt in c. 10 seine beiden Werke durch

den Nachweis, dass die Anforderungen, welchen der gute
Geschichtschreiber genügen muss, in beiden erfüllt sind.

Durch die Verwüstung des Tempels unter Antiochos
Epiphanes ist nach ant. 12, 7, 6 das 408 Jahre früher von
Daniel verkündete Orakel bestätigt worden: jener habe nämlich
vorhergesagt, dass Makedonen ihn verwüsten würden. Dieses
Ereigniss, meint Destinon, müsste doch jedenfalls in jener
Schrift ausführlich besprochen gewesen sein; trotzdem sei a. a. O.
nicht einmal die Formel ὡς δεδηλώκαμεν zu finden. Unseres
Erachtens ist mit der in dem Gesicht von den Jahrwochen
angekündigten Tempelverwüstung nicht die von dem genannten
König angerichtete gemeint; aber auch wenn das der Fall
wäre, würde nicht zu erwarten sein, dass Josephos sie in der
fraglichen Schrift ausführlich besprochen hätte: dieses Ereigniss
spielte in der jüdischen Geschichte eine weit grössere Rolle als
in der syrischen und ist demgemäss von Josephos in beiden
jener gewidmeten Werken so ausführlich behandelt, dass er in
dem fraglichen Werke sich mit einer blossen Erwähnung begnügen konnte. Hievon abgesehen besagt schon der Text des
Josephos, dass er nicht die Vision von den Jahrwochen meint:
welcher König oder welches Volk die Verwüstung herbeiführen
wird, ist Dan. 9, 26 weder gesagt noch angedeutet; dies geschieht vielmehr Dan. 11, 31, vgl. 21—35 in dem Gesicht,
welches dem Propheten laut c. 10, 1 im 3. Jahre des Kyros
zu Theil wurde. Die nachexilischen Hohenpriester von Jesua,
welcher von den Heimgekehrten, also im 2. Jahr des Kyros
(das erste wird ant. 11, 1, 1 dem letzten des Exils gleichgesetzt)
gewählt wurde, bis Onias Menelaos, der unter Antiochos Eupator
im Jahr Sel. 150 (ant. 12, 9, 3. 7) hingerichtet wurde, regierten
nach Josephos 414 Jahre (ant. 20, 10, 2, vgl. Art. II S. 365);
die Tempelverwüstung fand Sel. 145 (ant. 12, 7, 6), also 5 Jahre
vor Onias' Tod statt. Bis zu ihr rechnete demnach Josephos
vom 2. Jahr des Kyros an 409 und vom 3. Jahr an zählend
erhalten wir die genannten 408 Jahre. Dagegen die Vision
von den Jahrwochen sah Daniel (c. 9, 1) im 1. Jahr des
Meders Darius.

Auch ant. 10, 10, 4, wo Josephos 'den Leser auf das Buch Daniel verweist', würde jener nach Destinons Meinung nicht unterlassen haben seine eigene Schrift zu empfehlen, wenn sie damals schon existirt hätte. Das muss bestritten werden. Es wird weder von Hieronymus gemeldet, dass jener ein Buch über Daniel geschrieben habe, noch von ihm selbst (wie es dem Leser der von D. unvollständig ausgeschriebenen Stelle allerdings scheinen könnte) auf das Buch Daniel im Allgemeinen sondern auf die Deutung des Felsstücks im Traum des Nebukadnezar (Dan. 2, 45, vgl. mit 2, 34—35) hingewiesen: Josephos vermeidet es aus guten Gründen den Sinn, welchen sie zu seiner Zeit für einen Juden haben musste (Vernichtung des römischen Reichs), offen anzugeben.

c) An allen Stellen, wo Josephos auf eine andere, von ihm verfasste Schrift Bezug nimmt, verweist er, wie Destinon erklärt, auf sie mit bestimmter Titelangabe: so ant. 1. 11, 4. 13, 3, 3. c. 5, 9. 10, 10 (bezüglich auf bell. 4, 8, 4. 7, 10, 2. 2, 8, 2 ff.) und gegen Apion 1, 18. 2, 40 (vgl. mit ant. 8, 3, 1. 3, 5, 5 ff.); eine einzige, aber nur scheinbare Ausnahme mache ant. 7. 15, 3 $\varkappa\alpha\vartheta\grave{\omega}\varsigma$ $\varkappa\alpha\grave{\iota}$ $\dot{\epsilon}\nu$ $\ddot{\alpha}\lambda\lambda o\iota\varsigma$ $\delta\epsilon\delta\eta\lambda\acute{\omega}\varkappa\alpha\mu\epsilon\nu$ bei Beziehung auf bell. 1, 2, 5. Von diesem Citat wird sich unten herausstellen, dass es in der That eine Ausnahme macht; überdies ist Destinon und den Nachfolgern eine ganze Reihe von Stellen entgangen, auf welche die vermeintliche Regel nicht zutrifft: in Destinons Sammlung figuriren sie unter den unverändert aus der Quelle abgeschriebenen Citaten mit $\delta\epsilon\delta\acute{\eta}\lambda\omega\tau\alpha\iota$, welche sich in unserem Josephos nicht wiederfinden, und ihre Verkennung hat auch zu verschiedenen Fehlschlüssen anderer Art geführt (Abschnitt 3). 'Als sich der Krieg (schreibt Josephos ant. 14, 11, 1) in die Länge zog, kam Murcus in die Provinz des Sextus (S. Caesar); (Gaius) Caesar aber wurde von Brutus und Cassius im Rathhause getödtet, nachdem er die Regierung 3 Jahre 6 Monate geführt hatte. Dies nun ist auch anderen Ortes mitgetheilt ($\varkappa\alpha\grave{\iota}$ $\dot{\epsilon}\nu$ $\ddot{\alpha}\lambda\lambda o\iota\varsigma$ $\delta\epsilon\delta\acute{\eta}\lambda\omega\tau\alpha\iota$)'; gemeint ist bell. 1, 10, 10 — a. 11, 1 'als sich aber der Krieg in die Länge zog, kam aus Italien Murcus als Nachfolger des Sextus. Es

brach aber zwischen den Römern zu dieser Zeit der grosse
Krieg aus, als Brutus und Cassius meuchlings Caesar ermordeten,
welcher die Regierung 3 Jahre 7 Monate geführt hatte.' —
Ebenso bezieht sich in ant. 14, 6, 2 'als Gabinius gegen die
Parther zog und schon den Euphrat überschritten hatte, beschloss er den Zug abzubrechen, sich nach Aegypten zu
wenden und dort den Ptolemaios einzusetzen. Dies nun ist
auch anderen Orts mitgetheilt' das Citat $\varkappa a i$ ℓv $\ddot{a}\lambda\lambda o\iota\varsigma$ $\delta\varepsilon\delta\dot{\eta}$-
$\lambda\omega\tau a\iota$ auf bell. 1, 8, 7 'den Gabinius, welcher gegen die Parther
ausgezogen war, bestimmte Ptolemaios davon abzustehen; er
zog vom Euphratufer zurück auf Aegypten zu und setzte dort
dem Ptolemaios ein.' — In gleicher Weise führt in ant. 14, 7, 3
'Crassus zog, nachdem er (in Jerusalem) ganz nach seinem
Belieben geschaltet und gewaltet hatte, gegen Parthien zu
Feld und fand dort mit seinem ganzen Heer den Untergang,
wie auch andern Ortes mitgetheilt ist' das Citat $\varkappa a i$ ℓv $\ddot{a}\lambda\lambda o\iota\varsigma$
$\delta\varepsilon\delta\dot{\eta}\lambda\omega\tau a\iota$ auf bell. 1, 8, 8 'Crassus plünderte behufs des Feldzugs gegen die Parther den Tempel in Jerusalem ...; aber
jenseit des Euphrat angelangt fand er und sein Heer den
Untergang.'

Ein viertes Citat dieser Art ist durch einen Textfehler
unkenntlich gemacht, ant. 14, 12, 2 $K\acute{a}\sigma\sigma\iota o\nu$ $\mu\grave{e}\nu$ $o\mathring{v}\nu$ $\chi\varepsilon\iota\rho o\mathring{v}\nu\tau a\iota$
$A\nu\tau\acute{\omega}\nu\iota\acute{o}\varsigma$ $\tau\varepsilon$ $\varkappa a i$ $K a\~\iota\sigma a\rho$ $\pi\varepsilon\rho i$ $\Phi\iota\lambda\acute{\iota}\pi\pi o\nu\varsigma$, $\dot{\omega}\varsigma$ $\varkappa a i$ $\pi a\rho'$ $\ddot{a}\lambda\lambda o\iota\varsigma$
$\delta\varepsilon\delta\acute{\eta}\lambda\omega\tau a\iota$. $\mu\varepsilon\tau\grave{a}$ $\delta\grave{e}$ $\tau\dot{\eta}\nu$ $\nu\acute{\iota}\varkappa\eta\nu$ $K a\~\iota\sigma a\rho$ $\mu\grave{e}\nu$ $\ell\pi'$ $I\tau a\lambda\acute{\iota}a\varsigma$ $\ell\chi\acute{\omega}\rho\varepsilon\iota$,
$A\nu\tau\acute{\omega}\nu\iota o\varsigma$ $\delta\grave{e}$ $\varepsilon\dot{\iota}\varsigma$ $\tau\dot{\eta}\nu$ $A\sigma\acute{\iota}a\nu$ $\dot{a}\pi\~\eta\rho\varepsilon$. $\gamma\varepsilon\nu o\mu\acute{e}\nu\omega$ $\delta\grave{e}$ $\ell\nu$ $\tau\~\eta$ $B\iota\vartheta\nu\acute{\iota}a$
$a\iota$ $\pi a\nu\tau a\chi\acute{o}\vartheta\varepsilon\nu$ $\dot{a}\pi\acute{\eta}\nu\tau\omega\nu$ $\pi\rho\varepsilon\sigma\beta\varepsilon\~\iota a\iota$, $\pi a\rho\~\eta\sigma a\nu$ $\delta\grave{e}$ $\varkappa a i$ $I o\nu\delta a\acute{\iota}\omega\nu$ $o\iota$
$\ell\nu$ $\tau\acute{e}\lambda\varepsilon\iota$ $\varkappa a\tau\eta\gamma o\rho o\~\nu\tau\varepsilon\varsigma$ u. s. w. Hier ist $\pi a\rho'$ $\ddot{a}\lambda\lambda o\iota\varsigma$ schon aus
einem in Abschn. 3 vorgetragenen Grund zu beanstanden; in
Wirklichkeit bezieht sich die Rückverweisung auf bell. 1, 12, 4
$\ell\pi\varepsilon i$ $\delta\grave{e}$ $K\acute{a}\sigma\sigma\iota o\nu$ (auch hier ohne Brutus!) $\pi\varepsilon\rho i$ $\Phi\iota\lambda\acute{\iota}\pi\pi o\nu\varsigma$
$\dot{a}\nu\varepsilon\lambda\acute{o}\nu\tau\varepsilon\varsigma$ $\ell\chi\acute{\omega}\rho\eta\sigma a\nu$ $\varepsilon\dot{\iota}\varsigma$ $\mu\grave{e}\nu$ $I\tau a\lambda\acute{\iota}a\nu$ $K a\~\iota\sigma a\rho$ $\ell\pi i$ $\delta\grave{e}$ $\tau\~\eta\varsigma$ $A\sigma\acute{\iota}a\varsigma$
$A\nu\tau\acute{\omega}\nu\iota o\varsigma$, $\pi\rho\varepsilon\sigma\beta\varepsilon\nu o\mu\acute{e}\nu\omega\nu$ $\tau\~\omega\nu$ $\ddot{a}\lambda\lambda\omega\nu$ $\pi\acute{o}\lambda\varepsilon\omega\nu$ $\pi\rho\grave{o}\varsigma$ $A\nu\tau\acute{\omega}\nu\iota o\nu$
$\varepsilon\dot{\iota}\varsigma$ $B\iota\vartheta\nu\acute{\iota}a\nu$ $\~\eta\varkappa o\nu$ $\varkappa a i$ $I o\nu\delta a\acute{\iota}\omega\nu$ $o\iota$ $\delta\nu\nu a\tau o i$ $\varkappa a\tau\eta\gamma o\rho o\~\nu\tau\varepsilon\varsigma$, zumal an beiden Stellen unmittelbar vorher von jüdischen Vor-
gängen die Rede ist und diese ant. 14, 11, 7—12, 1 gerade so
erzählt werden wie bell. 1, 12, 2—3. Statt $\varkappa a i$ $\pi a\rho'$ $\ddot{a}\lambda\lambda o\iota\varsigma$ ist

also καὶ ἐν ἄλλοις zu lesen: der Fehler erklärt sich daraus,
dass *KAIEN* durch Verwechslung mit dem vorausgehenden
oder dem um eine Zeile (35 Buchstaben) tiefer stehenden
Personennamen' in *KAIΣAP* übergegangen, dies aber von dem
nächsten Abschreiber in καὶ παρ' verschlimmbessert worden ist.

Als scheinbare Ausnahme soll das Citat in ant. 7, 15, 3
'Hyrkanos, von Antiochos (Sidetes) . . . belagert . . . öffnete
eine von den Kammern des Davidgrabes, nahm 3000 Talente
heraus, gab einen Theil dem Antiochos und befreite sich dadurch von der Belagerung, wie wir auch andern Ortes mitgetheilt haben' desswegen betrachtet werden, weil diese Episode
gar nicht in die Darstellung des 7. Buches gehöre und am
rechten Platz, ant. 13, 8, 4 nochmals berichtet werde; entweder sei das 7. Buch nach dem 13. ausgearbeitet oder wenigstens jene Episode erst nach Abfassung des 13. eingelegt worden:
das Perfectum δεδηλώκαμεν sei dann ein erklärlicher Ana-
chronismus. So leicht erklärlich würde dieser zwar nicht sein,
da Josephos es in der Hand hatte, ihn zu vermeiden; übrigens
hätte anstatt des 13. Buches das 16. genannt werden müssen:
denn ant. 7, 15, 3 wird auch die zweite, von Herodes vorgenommene Graböffnung angeführt. Obige Behauptungen sind
aus drei Gründen abzuweisen. Dass die Episoden nicht am
unrechten Platz stehen, lehrt der Text: 'Salomon bestattete
seinen Vater mit königlichem Prunk und legte auch Reich-
thümer in das Grab, von deren Grösse man sich aus Folgendem eine Vorstellung machen kann;' hierauf berichtet er von
der Ausbeute, welche 1300 Jahre später Johannes Hyrkanos
und viele Jahre nach diesem Herodes durch die Oeffnung des
Grabes gewonnen habe. Der zweite Grund ist, dass sich das
Selbstcitat nur auf die erste Oeffnung bezieht, also von der
zweiten in der citirten Quelle nichts gestanden hat: dies ist
in der Geschichte des grossen Aufstands, bell. 1, 2, 5 in der
That der Fall. Drittens stimmt der Inhalt zu dieser Stelle:
'Antiochos belagerte den Hyrkanos in Jerusalem. Der aber
öffnete das Grab Davids . . . nahm über 3000 Talente heraus und
bewog mit 300 Talenten den Antiochos zum Abzug.

16*

Und von dem Uebrigen begann er auch Söldner zu halten,'
aber nicht zu ant. 13, 8, 3—4 'sie (die Juden) boten für
den Erlass der Besatzung Geiseln und 500 Talente an, von
welchen sie 300 und die Geiseln sogleich lieferten ...
Hyrkanos aber öffnete das Grab ... und schaffte 3000 Talente
heraus und auf diese gestützt begann er, als der erste unter
den Juden, Söldner zu halten.'

2. Die Erscheinung, dass Verweisungen und Citate aus
der einen Darstellung in die andere mit der Erzählung unverändert übergehen, ist, wie Destinon behauptet, aus den Untersuchungen auf andern Gebieten der alten Historiographie bekannt. Dies trifft zu, ein einziges Wort, den Ausdruck 'unverändert' ausgenommen; in diesem ist aber das punctum saliens
unserer Frage gegeben. Dass ein Geschichtsschreiber sich ein,
sei es ausdrücklich oder wenigstens unverkennbar als aus-
schliessliches Eigenthum des Vorgängers von diesem gegebenes
Citat in derselben Form angeeignet hätte, wäre erst nachzuweisen; alte Schriftsteller, wie nicht selten auch neuere nennen
hie und da Autoren und deren Bücher, die sie nicht selbst
gelesen, sondern bloss aus ihrer Quelle kennen gelernt haben;
sie schreiben sich aber nicht ausdrücklich das geistige Eigenthum ihres Vorgängers und damit ein Verdienst zu, welches
sich jener erworben hat. Ein derartiges Vorgehen würde auch
nicht ohne Annahme eines entweder geistigen oder moralischen
Defectes erklärlich sein. Von einem geistig gesunden Menschen,
wofür Josephos als Verfasser vieler. zum Theil umfassender
Werke anzusehen ist, lässt sich doch nicht annehmen, dass er
(nur so liesse sich die constant, d. i. in allen 12 Fällen, wo
er die Quelle für einen syrischen Vorgang anführt, wiederkehrende Rückverweisung auf seine eigene frühere Darstellung
begreifen) das von ihm bei der Ausarbeitung des 11.—18. Buches
benützte Werk eines anderen Geschichtsschreibers während und
nach der Arbeit für sein eigenes gehalten habe; das würde
sich nicht aus vorübergehender, sondern nur aus permanenter
Gedankenlosigkeit, also aus Verrücktheit erklären lassen; diese
Erklärung ist aber unmöglich, weil sonst keine Anzeichen eines

solchen Zustandes bei ihm zu finden sind. Er müsste also für
einen bewussten Plagiator gehalten werden. Aber ein solcher
Betrug wäre auch zugleich sehr thöricht gewesen: er würde
Wasser auf die Mühle persönlicher Feinde, politischer Gegner
(von welchen er als Verräther betrachtet wurde) und litera-
rischer Concurrenten (z. B. anderer Verfasser einer Geschichte
des grossen Aufstandes) geliefert, aber auch die Reihen seiner
Freunde und Gönner, an deren Wohlwollen ihm eben wegen
seiner zahlreichen Gegner viel liegen musste, stark gelichtet
haben: denn das Plagiat würde ohne Zweifel entdeckt und in
der Oeffentlichkeit besprochen worden sein und jedenfalls hätte
er mit dieser Eventualität rechnen müssen, wenn er auf den
Gedanken, es zu begehen, verfallen wäre.

Ein besonderes Gewicht wird von Destinon, Otto, Schürer
und Wachsmuth darauf gelegt, dass drei Selbstcitate doppelt,
d. i. in beiden Werken des Josephos vorkommen; woraus man
den Schluss ableitet, dass in beiden eine und dieselbe Quelle
benützt und oft unverändert ausgeschrieben sei; diesen Schluss
hat aus jenen Stellen schon Niese im Hermes XI 469 gezogen
und dadurch den Anstoss zu Destinons Hypothese gegeben.
Zur Rechtfertigung derselben tragen sie nichts bei. Wenn bei
dem Untergang des Crassus bell. 1, 8, 8 die Bemerkung 'von
welchem zu erzählen jetzt nicht an der Zeit ist,' ant. 14, 7, 3
aber bei ihm die Verweisungsformel 'wie auch anderorts mitgetheilt ist' steht, so enthält die erste[1]) offenbar nicht gleich
der zweiten eine Rückverweisung auf schon Erzähltes, ist also
von Wiedergabe der Bemerkung einer gemeinsamen Quelle
nichts zu finden. Genau dasselbe gilt von dem Zusatz bei der
Rückkehr des Cassius aus Palästina nach Syrien, bell. 1, 8, 9
'wovon wir anderen Ortes erzählen werden' und ant. 14, 7, 3
'wie auch von andern mitgetheilt ist;' in diesem Fall beweist

---

[1]) Destinon nennt diese entsprechend der in Abschn. 3 gewürdigten
Lehre eine Abbruchsformel; um das zu sein, müsste sie, was nicht der
Fall ist, einen auf Abbruch hinweisenden Ausdruck enthalten. Auch
dies angenommen, bliebe doch die Thatsache, dass Abbrechen und Zurückverweisen nicht einerlei ist.

aber auch die grosse Verschiedenheit des Inhalts, dass keine
gemeinsame Quelle ausgeschrieben ist:[1]) an der ersten Stelle
sind die Feinde, welchen Cassius entgegenzieht, auf dem syrischen,
an der zweiten auf dem mesopotamischen Euphratufer gedacht;
mehr über beide Stellen s. unten und Abschn. 3. Einzuräumen
ist das Vorkommen gleicher Rückverweisung bei der Meldung
von der Vermählung des Herodes mit der ihm bereits vor
langer Zeit verlobten Tochter Alexanders, bell. 1, 17, 8 τὴν
Ἀλεξάνδρου μετιὼν θυγατέρα καθωμολογημένην, ὡς ἔφαμεν,
αὐτῷ und ant. 14, 15, 14 ἀξόμενος τὴν Ἀλεξάνδρου τοῦ Ἀρι-
στοβούλου θυγατέρα· ταύτην γὰρ ἦν ἠγγυημένος, ὡς μοι καὶ
πρότερον εἴρηται; dieses beweist aber gar nichts: denn in beiden
Werken ist von dem Vorgang seinerzeit die Rede gewesen,
b. 1, 12, 3 (wo in γήμας die Verlobung mit der Hochzeit verwechselt ist) und a. 14, 2, 1. Die Verlobung des Herodes mit
der Tochter und bezw. Enkelin seiner Todfeinde hatte grosses
Aufsehen gemacht und 5 Jahre waren vergangen, bis sie zum
Ziel führte. Wenn Josephos die jüdische Geschichte von 167
v. Chr. bis 66 n. Chr. zweimal erzählte, konnte es nicht ausbleiben, dass er sich öfters auch in formeller Beziehung wiederholte: dieselbe Ursache, welche an der einen Stelle ein Selbstcitat herbeiführte, konnte doch auch in der Parallelstelle die
gleiche Wirkung thun. Dies ist auch der Fall bei dem Vorkommen einer übereinstimmenden Verweisung auf spätere Erzählung in beiden Werken: bell. 1, 1, 1 περὶ οὗ (über Onias,
welcher nach Aegypten floh und den dortigen Jehovatempel
gründete) αὖθις κατὰ χώραν δηλώσομεν und ant. 12, 9, 7 περὶ
τούτων (ebenfalls über Onias' Flucht und Tempelbau) μὲν οὖν
εὐκαιρότερον ἡμῖν ἔσται διελθεῖν, worin Destinon S. 37 (dem
Wachsmuth beistimmt), obgleich er S. 22 die in der Verweisung gemeinten Stellen b. 7, 10, 2 und a. 13, 3, 1 angibt,
den Beweis, dass beim Excerpiren sich ein Stück aus der ver-

---

[1]) Nach Wachsmuth S. 443 hat Josephos die citirte Darstellung
gedankenloser Weise gar nicht wiedergegeben. Ein solcher Vorwurf
würde berechtigt sein, wenn vorher das Vorhandensein von Selbstcitaten
an beiden Stellen constatirt wäre.

meintlichen gemeinsamen Quelle in die Aufstandsgeschichte
(warum, da *εὐκαιρότερον ἔσται διελθεῖν* dasselbe besagt wie
κατὰ χώραν δηλώσομεν, nicht auch in das andere Werk?) ver-
irrt habe, und eine mächtige Stütze seiner Hypothese finden will.

Das Hauptbedenken, welches Schürer abgehalten hat, dieser
entschieden beizustimmen — darauf, dass *καθὼς ἐν ἄλλοις
δεδηλώκαμεν* und ähnliche Wendungen auch in anerkannt
echten Selbstcitaten des Josephos vorkommen, ist wenig Gewicht zu legen —, beruht darauf, dass an zwei Stellen ein
angefochtenes Selbstcitat neben einem unanfechtbaren steht,
ant. 12, 5, 2 (worüber unten) und 13, 12, 6 *λέγει δὲ καὶ
Στράβων καὶ Νικόλαος, ὅτι τοῦτον αὐτοῖς ἐχρήσαντο τὸν τρόπον,
καθὼς ἐγὼ* (im unmittelbar Vorhergehenden) *προείρηκα. Ἔλαβε
δὲ καὶ τὴν Πτολεμαΐδα κατὰ κράτος, ὡς καὶ ἐν ἄλλοις φανερὸν
πεποιήκαμεν.* Wer es für möglich hält, dass Josephos aus
Gedankenlosigkeit dem wirklichen Selbstcitat das in seiner
Quelle stehende angereiht habe, wird mit einer solchen Auffassung wenigstens bei einer dritten Stelle dieser Art sicher
nicht auskommen, bei ant. 13, 13, 4—5 'Syrien blieb den
Brüdern Demetrios und Philippos, wie anderen Ortes mitgetheilt ist (*καθὼς ἐν ἄλλοις δεδήλωται*). Alexander aber wurde,
als seine Landsleute mit ihm stritten — es hatte sich nämlich
das Volk gegen ihn erhoben — und er bei dem Fest am Altar
stehend opfern wollte, von ihnen mit Citronen beworfen; es
besteht nämlich die Sitte bei den Juden, dass am Laubhütten-
fest jeder Zweige von Palmen oder Citronenbäumen trägt und
haben wir auch dies anderen Ortes mitgetheilt (*δεδηλώκαμεν
δὲ καὶ ταῦτα ἐν ἄλλοις*, s. ant. 3, 10, 4).' Wenn Josephos
das erste dieser zwei Selbstcitate unverändert abgeschrieben
hätte, müsste er geflissentlich gelogen haben.

Das verlorene Werk ist nach der Aufstandsgeschichte
geschrieben:[1] in dieser weist er an zwei oben schon citirten

---

[1] Gutschmid, Kleine Schriften IV 378 hielt die Selbstcitate für
Hinweise auf eine Jugendschrift des Josephos, deren spurloses Verschwinden sich daraus erkläre, dass er ihren Inhalt später anstössig für die

Stellen auf jenes als ein später zu erwartendes hin. Ausdrücklich geschieht dies bell. 1, 8, 9 *Κάσσιος* ... *ἐπὶ τὸν Εὐφράτην
ὑπέστρεψεν Πάρθους διαβαίνειν ἀνείρξων, περὶ ὧν ἐν ἑτέροις
ἐροῦμεν* und nicht anders verstehen lässt sich b. 1, 8, 8 *διαβὰς
(Κράσσος) τὸν Εὐφράτην αὐτός τε ἀπώλετο καὶ ὁ στρατὸς αὐτοῦ,
περὶ ὧν οὐ νῦν καιρὸς λέγειν*: die Wortstellung *οὐ νῦν καιρὸς
λέγειν*, verschieden von *νῦν οὐ καιρὸς λ.* oder *οὐ καιρὸς νῦν λ.*,
erheischt den Gegensatz *ἀλλ' ὕστερον* oder, damit gleichbedeutend, *ἀλλ' αὖθις*. Während er die Aufstandsgeschichte aus-
arbeitete und auch, als er zu dem vollendeten Werk (s. pro-
oem. 12) die Vorrede schrieb, lag es noch nicht in seiner Absicht, die Jüdische alte Geschichte zu schreiben, bell. pr. 6
*ἀρχαιολογεῖν μὲν δὴ τὰ Ἰουδαίων, τίνες τε ὄντες καὶ ὅπως
ἀπανέστησαν Αἰγυπτίων χώραν τε ὅσην ἐπῆλθον ἀλώμενοι καὶ
πόσα ἑξῆς κατέλαβον καὶ πῶς μετανέστησαν,*[1] *νῦν ἄκαιρον
ᾠ̣ή̣θην εἶναι καὶ ἄλλως περιττόν*; für 'überflüssig' hielt er es,
weil, wie er hinzufügt, jene schon von vielen Juden genau und
von manchen Hellenen ziemlich richtig dargestellt war, und
entschloss sich, da anzufangen, wo jene aufgehört hatten, nämlich bei den Uebergriffen des Antiochos Epiphanes, die Geschichte von da aber bis zum grossen Aufstand kürzer, als
eine Art Einleitung zu behandeln. Die Ausdehnung, welche
er damals seiner Geschichte Syriens geben wollte, hat sie bei
der Ausarbeitung der späteren Partieen nicht bekommen (Abschnitt 3), eine Aenderung, welche ohne Zweifel damit zusammenhängt, dass er sich unterdessen entschloss, auch den
bereits kürzer dargestellten Zeitraum vor dem Aufstand ein-

Juden gefunden und sie desswegen fallen gelassen habe. Diese Meinung
widerlegt Destinon S. 27; Wachsmuth S. 443 bemerkt auch, dass Güt-
schmid die Zahl der Citate nicht ganz übersehen hat.

[1] In dem hier beschriebenen Umfang passt der Titel *ἀρχαιολογία*,
welchen Josephos seinem ausführlichsten Werk gegeben hat, auf die
erste Hälfte desselben, Buch 1—10; seine Uebertragung auf das Ganze
hat ein Analogon an der Bezeichnung *ἀνάβασις* für das berühmteste Werk
Xenophons, dessen grössere und interessantere Hälfte der *κατάβασις* gewidmet war.

gehend zu beschreiben und ihm in gleicher Ausführlichkeit
die ältere Geschichte vorausgehen zu lassen.

Bestätigt wird das hier über die Aufeinanderfolge der
drei Werke Gesagte durch die schon von Schürer beachtete,
aber nicht in ihrer ganzen Bedeutung gewürdigte Stelle ant. 12,
5, 2. Antiochos musste nicht nur von Alexandrien, sondern
auch aus ganz Aegypten abziehen, als die Römer ihm be-
deuteten, er solle die Hand von dem Lande lassen, wie ich
irgendwo auch schon in einer anderen Darstellung mitgetheilt
habe (καθὼς ἤδη που καὶ πρότερον ἐν ἄλλοις δεδηλώκαμεν).
Ich will aber von diesem König eingehend berichten, wie er
das jüdische Gebiet und den Tempel vergewaltigt hat. In
meinem ersten Geschichtswerk nämlich (ἐν γὰρ τῇ πρώτῃ μου
πραγματείᾳ) habe ich nur das Wichtigste davon gemeldet und
halte es daher für nöthig, behufs einer ausführlichen Darstellung darauf zurückzukommen.' Dem griechischen Sprachgebrauch gemäss hat er bei dem auf die syrische Geschichte
bezüglichen Selbstcitat, weil hier bloss zwei Werke ihrem Zeit-
verhältniss nach mit einander verglichen werden, den Comparativ πρότερον angewendet; nachdem aber mit dem zweiten
Selbstcitat noch ein drittes Werk, die Aufstandsgeschichte (b. 1,
1, 1—3) in Vergleichung gekommen ist, setzt er (abermals im
Einklang mit der Grammatik) mit Bezug auf dieses den Superlativ πρώτη πραγματεία, während er ant. 1, 11, 4, wo er bloss
die Werke über jüdische Geschichte mit einander vergleicht,
consequenter Weise den Comparativ gesetzt hat: ὥς μοι καὶ
πρότερον λέλεκται τὸν Ἰουδαϊκὸν ἀναγράφοντι πόλεμον. Der
Jüdische Krieg' ist also das älteste der drei Werke; auf ihn
folgte die Geschichte Syriens.

3. Ausser der meist durch καὶ ἐν ἄλλοις δεδηλώκαμεν ausgedrückten Rückverweisungsformel gebraucht Josephos auch eine
in der dritten Person Singularis, in der Regel durch καὶ ἐν
ἄλλοις δεδήλωται ausgedrückte. Von diesen Citaten hat man
mit einer einzigen Ausnahme keines in den zwei erhaltenen
Geschichtswerken wiedergefunden und daher die meisten für
unverändert aus der Quelle abgeschriebene Citate erklärt; in

Wirklichkeit beziehen sich aber fünf solche Citate auf den
'Jüdischen Krieg' (Abschn. 2) und die Verkennung dieser Thatsache hat, wie oben bemerkt wurde, zu Ansichten geführt,
welche sich nicht aufrecht erhalten lassen. Nach Destinon
schreibt Josephos die jüdische Geschichte eines Schriftstellers
aus, welcher vorher eine syrische Geschichte verfasst hatte, und
die aus jener unverändert in das Werk des Josephos über-
gegangenen Verweisungen sind im 12. und 13. Buch, wo sie
bald mit δεδηλώκαμεν, bald mit δεδήλωται eingeführt werden,
Selbstcitate, welche sich auf jene syrische Geschichte beziehen;
sie dienen bloss zum Abbruch des fremdländischen Themas
und Uebergang auf das eigentliche des Werkes; dagegen im
14. Buch, wo immer δεδήλωται angewendet wird, sollen sie
die Darstellung abkürzen und auf die ausführlichere Erzählung
fremder Werke über die römische Geschichte verweisen; hier
citire der Anonymus nicht sich selbst. Zu dieser Meinung
ist Destinon dadurch gekommen, dass jene Citate bei dem
Zug des Gabinius nach Aegypten, dem des Crassus gegen die
Parther, bei der Ermordung Caesars und der Schlacht bei
Philippi angebracht sind. Dies sind aber eben die verkannten
Rückverweisungen auf die Geschichte des grossen Aufstands,
ächte Selbstcitate des Josephos, und sie verweisen nicht auf
eine ausführlichere Darstellung, denn in jenem Werk ist über
die erwähnten Vorgänge auch nicht mehr gesagt, als in der
Alten Geschichte. Die Unterscheidung verschiedener Bedeutungen von ἐν ἄλλοις δεδήλωται ist gesucht und unnatürlich:
von Hause aus hat der Ausdruck keine von beiden, Josephos
kann mit seiner Anwendung die verschiedensten Absichten verbinden und es wird sich zeigen, dass er überall einem Selbstcitat dient. Diesen Sinn legt ihm Wachsmuth, ohne die Gründe
anzugeben, in der That bei; wegen der soeben erwähnten, auf
die römische, oder besser gesagt, auf die allgemeine Geschichte
bezüglichen Citate nimmt er an, Josephos habe einen Universal-
historiker zu Grund gelegt, der bereits aus verschiedenen
jüdischen und heidnischen Quellen eine Contamination hergel-
richtet hatte, und vertheilt in Folge dessen die Selbstcitate

über verschiedene Gebiete: sie beziehen sich, schreibt er, auf
Alexander d. Gr. (a. 11, 8, 1), auf die Geschichte der syrischen
Könige, auf die der Ptolemäer (13, 12, 6, oben S. 223), auf
die der Römer im Orient am Ende der Republik und Anfang
der Kaiserzeit, auf Herodes (14, 15, 14, oben S. 234). Aber
Alexander d. Gr. konnte, ja musste in der syrischen Geschichte
erwähnt werden; Ptolemaios Lathuros war zur Zeit König von
Cypern und der Krieg, welchen er mit seiner Mutter, der
Herrscherin Aegyptens führte, spielte an der syrischen Küste
und betraf auch die Juden; endlich die römischen Ereignisse
waren weltgeschichtliche Vorgänge und gingen alle Völker des
Reichs an, daher hat sie Josephos in seinen beiden Werken
über jüdische Geschichte erzählt. Wie man aber sich das Ver-
hältniss der zwei universalhistorischen Werke des hypothetischen
Anonymus zu einander denken soll, dürfte schwer zu sagen sein.
Bringen wir von den Citaten mit ἐν ἄλλοις δεδήλωται die
auf die Aufstandsgeschichte hinweisenden in Abzug, so bleiben
folgende sechs übrig: ant. 11, 8, 1 Alexanders Krieg in Kleinasien bis zum Zug nach Pamphylien; 12, 10, 1 Sturz des
Antiochos Eupator; 13, 4, 8 Sturz des Alexander Bala; 13, 8, 4
Rückkehr des Demetrios II aus der Gefangenschaft; 13, 13, 4
Thronwirren nach dem Tod des Antiochos Grypos; 18, 2, 5
von Piso (Statthalter Syriens) wird Germanicus, welchem Tiberius unter andern die Ordnung der Regierungsverhältnisse von
Commagene aufgetragen hatte, (in Antiocheia) vergiftet. Also
fünf Vorgänge aus der Geschichte Syriens und einer, welcher
zur Einleitung derselben gehört haben kann; offenbar beziehen
sich diese Citate auf dasselbe Werk, wie die auf die syrische
Geschichte bezüglichen Rückverweisungen mit der Formel ἐν
ἄλλοις δεδηλώκαμεν, und sind ebenfalls als Selbstcitate anzusehen, um so mehr, als auch die andern mit δεδήλωται eingeführten Citate sich bereits als solche herausgestellt haben
und diese Bedeutung allen eigentlich schon an sich zukommt:
die schlichte Angabe 'ist in einer anderen Darstellung' oder
'anderen Orts mitgetheilt,' muss in dem Leser, weil sie nicht
auch von einem andern Darsteller spricht, die Vorstellung

erwecken, dass sie von dem Verfasser selbst mitgetheilt sei.
Ueberdies wusste ja jeder denkende Leser, dass Josephos sein
Wissen über die ausserjüdische Geschichte fremden Darstellern
verdankte und auf diesem Gebiet nur als Compilator auftreten
konnte. Von den zwei Stellen, welche dem zu widersprechen
scheinen, ist die eine (παρ' ἄλλοις δεδήλωται, oben S. 230) verdorben, die andere aber, ant. 14, 7, 4 ὑπ' ἄλλων δεδήλωται,
bildet, wie sich zeigen wird, eine Ausnahme, durch welche die
Regel bestätigt wird.

Das verlorene Werk war eine Geschichte Syriens,
nicht der Seleukiden, was sowohl aus dem letzten Citat,
dem über Germanicus, als daraus hervorgeht, dass Alexanders
Zug darin erzählt war: er musste nur in jener, nicht nothwendig in dieser erzählt werden, weil die Hellenisirung der
Einwohner von der Unterwerfung des Landes und diese von
der Erwerbung Kleinasiens durch die Makedonen bedingt war.
Dass das früheste aller Selbstcitate, eben das über Alexanders
Zug auch am Anfang des Werkes gestanden habe, darf aus
dem Text selbst geschlossen werden: 'zu dieser Zeit nun wurde
auch Philippos der Makedonenkönig in Aigeai von Pausanias,
Sohn des Kerastes aus dem Stamm der Oresten meuchlings
umgebracht. Nach dem Antritt der Herrschaft aber und dem
Uebergang über den Hellespont (παραλαβὼν ... τὴν βασιλείαν
... καὶ διαβὰς) besiegt sein Sohn Alexander die Heerführer
des Darius, mit welchen er am Granikos zusammenstiess. Und
nachdem er Lydien und Jonien unterworfen, auch Karien durch-
zogen hatte, griff er die Plätze in Pamphylien an, wie an
einem andern Ort mitgetheilt ist.' Die auffallende Uebergehung
der Feldzüge Alexanders in den Jahren 336 und 335 erklärt
sich, wenn Josephos das Werk mit dem Zug Alexanders gegen
die Perser begonnen hat; in einer vor Alexanders Zeit beginnenden Erzählung würden auch die Züge an die untere
Donau und nach Illyrien, dann der nach Hellas mit der Belagerung Thebens eine Beachtung gefunden haben. Aus dem
spätesten Citat, dem über Germanicus Tod (10. Oktober 19),
scheint hervorzugehen, dass Josephos bis in die Kaiserzeit

gegangen ist; war dies der Fall, so hat er das letzte Jahrhundert nur flüchtig gestreift; die zusammenhängende Geschichts-
erzählung führte er jedenfalls nicht weiter, als bis etwa zum
Jahr 90 v. Chr.

Das vorletzte hieher gehörige Citat steht am Ende des
Abschnittes 13, 13, 4, welcher ausschliesslich syrische Geschichte
enthält: Tod des Antiochos Grypos (96 v. Chr.); Krieg seines
Nachfolgers Seleukos mit Antiochos Kyzikenos, welcher gefangen genommen und getödtet wird (Jahr 94); nicht lange
darnach wird Seleukos von dessen Sohn Antiochos Eusebes
verjagt; nach einer Zwischenzeit erhebt Seleukos' Bruder Antiochos die Fahne, wird aber besiegt und getödtet; darnach
setzt sich der dritte Bruder Philippos das Diadem aufs Haupt
und gewinnt einen Theil von Syrien; in Damaskos hatte Ptolemaios Lathuros den vierten, Demetrios Eukairos, auf den Thron
gesetzt; Antiochos Eusebes findet im Kampf mit ihnen bald
den Untergang, Syrien aber behalten Philippos und Demetrios,
'wie in einer andern Darstellung mitgetheilt ist.' Das Auftreten
des Philippos neben Eusebes fand nach der armenischen Uebersetzung des Eusebios chron. I 261 (Fragment des Porphyrios)
im J. Ol. 171, 1 (96 v. Chr.), nach dem griechischen Excerpt
ebenda I 262 im J. Ol. 171, 3 (94 v. Chr.) statt, aber in
jenem war erst Grypos, in diesem Kyzikenos gestorben; vielleicht soll es 172, 1 (92 v. Chr., genauer Okt. 93—92) heissen:
die 2 Jahre, welche alle Listen (sie gehen theils mittelbar,
theils unmittelbar auf Porphyrios zurück) dem letzten von
ihnen aufgezählten König (der vorletzte ist Kyzikenos von
Ol. 171, 1. 96—171, 3. 94) unter dem Namen Philippos geben,
sind ohne Zweifel aus dem von Porphyrios nach Ol. 171. 3
(Kyzikenos) angegebenen Thronwechseldatum, dem in beiden
Texten verdorbenen erschlossen. Eusebes wurde bald darnach
gestürzt, wohl spätestens um 90, vgl. unten.

Schon ant. 13, 14, 3 — c. 15, 1 folgt ein Syrien betreffen-
der Bericht ohne Selbstcitat: Demetrios, aus dem jüdischen
Gebiet nach Beroia abgezogen, belagert seinen Bruder Philippos; der mit diesem verbündete Tyrann von Beroia ruft den

arabischen Phylarchen Azizos und den nächsten parthischen
Statthalter zu Hülfe, welche Demetrios zur Ergebung zwingen
und ihn zum Grosskönig Mithridates verbringen lassen; bei
diesem verbringt er sein Leben, während Philippos in Syrien
weiterregiert.   Dann (c. 15, 1) bemächtigt sich der fünfte,
jüngste Sohn des Grypos, Antiochos Dionysos der Herrschaft
von Damaskos; Philippos greift in seiner Abwesenheit die Stadt
an, wird aber zurückgeschlagen.   Die Fortsetzung der Geschichte
des Antiochos greift in die jüdische ein: er zieht gegen die
Juden zu Feld, wendet sich, da er auf Schwierigkeiten stösst,
gegen die Araber und findet im Kampf mit ihnen den Tod.
Damaskos mit Koilesyrien fällt in die Hand des Araberkönigs
Aretas.   Dies sind die letzten syrischen Vorgänge aus der Zeit
vor dem Beginn der Herrschaft des Tigranes (83 v. Chr.),
welche Josephos anführt: die Münzen des Demetrios gehen von
Sel. 217 bis Sel. 224 (Okt. 89—88), von Antiochos Dionysos
ist eine einzige, aus Sel. 227 (Okt. 86—85) vorhanden; Mithridates ist frühestens Sel. 225 zur Regierung gekommen: denn
in den Jahren Sel. 223, 224 und 225 (Nisan 87—86) zeigen
babylonische Keilinschriften[1]) Gotarzes als Grosskönig.   Demetrios ist also 87/85 in Gefangenschaft gerathen, Antiochos
Dionysos 87/84 gestürzt worden.

Im Jahr 71 (Artik. II S. 374 fg.) erfuhr die Königin Alexandra, dass der Armenierkönig Tigranes mit 500000 Streitern
in Syrien eingefallen sei (ant. 13, 16, 4 ἐμβεβληκὼς εἰς τὴν
Συρίαν) und auch gegen das jüdische ͨebiet ziehen werde:
hiedurch erschreckt, schickte sie eine Gesandtschaft mit reichen
Geschenken zu ihm, als er gerade Ptolemais belagerte.   Die
Königin Selene Kleopatra nämlich (Wittwe des Antiochos Eusebes), welche sich in Syrien festzusetzen oder zu behaupten
suchte,[2]) hatte die Einwohner bewogen, ihm die Thore zu ver-

---

[1]) Epping und Strassmaier, Zeitschrift für Assyriol. VI 222, 226.
Strassmaier ebenda VII 202. VIII 112.

[2]) Naber mit V τῶν ἐν Συρίᾳ κατῆρχεν (P κατέχειν, Niese vermuthet
ἀντείχεν; die andern Hdss. κατ᾿ εἰρήνην).

schliessen. In Wirklichkeit hatte Tigranes schon im Jahr 83 auf den Wunsch der Bevölkerung die erledigte Regierung Syriens, so weit dies damals noch den Seleukiden geblieben war, angetreten (Justinus 40, 1) und unternahm es jetzt, Koilesyrien wieder mit dem Hauptland zu vereinigen. Josephos weiss also nichts von der Herrschaft des Tigranes über letzteres in den 12 Jahren vor 71, woraus von selbst folgt, dass er die syrische Geschichte dieser Zeit nicht erzählt hatte.

Während er den 'Jüdischen Krieg' schrieb, gedachte er in seiner Geschichte Syriens auch den unglücklichen Partherzug des Crassus zu erzählen, bell. 1, 8, 8 διαβὰς δὲ τὸν Εὐφράτην αὐτός τε ἀπώλετο καὶ ὁ στρατὸς αὐτοῦ· περὶ ὧν οὐ νῦν καιρὸς λέγειν, s. Abschn. 2; da er sein Vorhaben aufgegeben und in Folge dessen die Geschichte jenes Feldzugs nicht eingehender kennen gelernt hat, berichtet er a. 14, 7, 3 nur so viel davon wie dort: ἐξώρμησεν ἐπὶ τὴν Παρθυαίαν καὶ αὐτὸς μὲν δὴ σὺν παντὶ διεφθάρη τῷ στρατῷ und kann so mit ὡς καὶ ἐν ἄλλοις δεδήλωται bloss auf jene Stelle zurückverweisen. Bei dem Rückzug des Cassius aus Palästina hat er bell. 1, 8, 9 seine anfängliche Absicht noch deutlicher ausgesprochen: ἐπὶ τὸν Εὐφράτην ὑπέστρεψε Πάρθους διαβαίνειν ἀνείρξων· περὶ ὧν ἐν ἑτέροις ἐροῦμεν; darum, weil der Leser seines 'Jüdischen Kriegs' jetzt mehr erwartet, er aber nicht mehr zu bieten hat, verweist er ausnahmsweise auf andere Geschichtschreiber, a. 14, 7, 3 ἐπὶ τὸν Εὐφράτην ἠπείγετο ὑπαντιάσων τοῖς ἐκεῖθεν ἐπιοῦσιν, ὡς καὶ ὑπ' ἄλλων δεδήλωται. Auf sein ältestes Werk konnte er sich hier nicht berufen, weil der Beweggrund des Cassius dort anders und, wie mir scheint, durch seine eigene Schuld unrichtig angegeben ist. Cassius hatte ungefähr im Hochsommer 53 (vgl. Art. IV S. 208) die Parther am Euphratübergang verhindern können, weil sie ihn mit ungenügenden Streitkräften versucht hatten; er war dann eilig nach Palästina gezogen, hatte schon in Galiläa Gelegenheit gehabt, den Aufstand niederzuschlagen, indem er einerseits an der ganzen in Taricheai gefangen genommenen Bevölkerung ein Exempel statuirte, andererseits mit dem Sohn des Aristobulos ein güt-

liches Abkommen traf, und eilte jetzt nach Norden; wie sollen
nach so kurzer Zeit die Parther von Neuem und in weit grösserer Zahl am Euphrat erschienen sein? Das Richtige hat er
ant. a. a. O. angedeutet: die makedonische Bevölkerung Nord-
und besonders Nordostsyriens hatte in seinem Rücken die Waffen
ergriffen[1]) und war von dort, also vom Euphrat her im Begriff,
gegen ihn zu ziehen. Vielleicht hat Josephos die Hoffnung,
welche diese, durch Versprechungen getäuscht, auf die Parther
setzte, mit deren erst im J. 51 erfolgter Ausführung verwechselt.

Als Josephos, mit Bearbeitung der Geschichte Syriens beschäftigt, auf den Gedanken kam, die Jüdische alte Geschichte
zu schreiben, mag er, um bald an diese zu kommen, sich entschlossen haben, jene abzukürzen. Als ein zum Abbrechen
der zusammenhängenden Erzählung geeigneter Moment mag
ihm der Zeitpunkt erschienen sein, in welchem der letzte Be-
herrscher des (wenn man von Damaskos absieht) ganzen Seleu-
kidenreichs, Antiochos Eusebes den Untergang fand; in ähnlicher Weise führt Porphyrios seine zusammenhängende Darstellung bis zu dem wenig früheren Zeitpunkt, in welchem er
bereits einen Theil des Reiches an Philippos verlor. Aus der
späteren Geschichte hat Josephos gewiss nur wenige Haupt-
ereignisse herausgehoben; eines konnte er jedenfalls nicht übergehen: die Einbeziehung Syriens in das römische Reich.

---

[1]) Orosius 6, 13 cognita clade Romanorum multae Orientis provinciae . . . defecissent, ni Cassius collectis ex fuga militibus paucis intu-
mescentem Syriam egregia animi virtute ac moderatione pressisset: qui
et Antiochum copiasque eius ingentes proelio vicit et interfecit (folgt
sein Sieg im J. 51 über Pacorus und Osaces). Antiochos (kein Seleukide)
scheint der Führer der Syromakedonen gewesen zu sein, Syriam . . .
pressisset aber sich auch auf den Aufstand der Juden (und vielleicht
anderer Stämme) zu beziehen.

Philosophisch-philologische Classe.

Herr Ad. Furtwängler macht Mittheilung:

a) Ueber das Monument von Adamklissi,
b) Zur Athena Lemnia des Phidias,

erscheinen in den Sitzungsberichten.

Herr Theod. Lipps macht Mittheilungen aus seinem demnächst erscheinenden Buche:

Das Problem der schönen Raumform und die geometrisch-optischen Täuschungen, Untersuchungen zur Psychologie und Aesthetik des Raumes und der räumlichen Künste.

Derselbe trägt vor eine Abhandlung:

Psychologie der Suggestion,

erscheint in den Sitzungsberichten.

Historische Classe.

Herr Ludw. Traube hält einen Vortrag über:

Textgeschichte der Regula S. Benedicti,

erscheint in den Abhandlungen.

Adamklissi. — Zur Athena Lemnia.

Archäologische Studien

von

A. Furtwängler.

(Vorgetragen in der philos.-philol. Classe am 6. März 1897.)

---

1. Adamklissi.

Erneute Beschäftigung mit dem Denkmal von Adamklissi
mich zu einigen positiven Resultaten geführt, welche die
mir in Intermezzi S. 51 ff. gegebene Datierung und Erung stützen und die Beweisführung erweitern und vertiefen
en. Anregend und dadurch förderlich waren mir dabei
beiden kürzlich erschienenen Abhandlungen über Adam-
i von O. Benndorf (im 2. Hefte des 19. Jahrgangs der
häologisch-epigraphischen Mitteilungen aus Oesterreich-
arn) und E. Petersen (im 4. Hefte des 11. Jahrgangs der
eilungen des Römischen Instituts 1896, S. 302 ff.), welche
beide zum Ziele setzen, jene meine Datierung und Erung zu widerlegen. Hätte ich nicht einiges Neue und
tive zu bringen, würden die genannten beiden Entgeg-
gen mich zu keiner Antwort veranlasst haben, wenigstens
t in diesen Blättern; ich konnte die Entscheidung ruhig
Urteile aller derer anheim geben, welche sich die Mühe
nen wollten, den Sachverhalt selbst zu prüfen. Denn dieser
sich ja auch nach jenen Entgegnungen unleugbar dahin
zusammenfassen, dass 1. die ursprüngliche Zugehörigkeit der
hinschrift Trajans zu dem Denkmal und ihre Gleichzeitig-

17*

keit mit demselben nach dem Fundbestande nicht bewiesen
werden kann, vielmehr eine Reihe von Thatsachen gegen dieselbe sprechen; ferner, dass 2. das ganze Gewicht sachlicher
Gründe gegen die Datierung des Denkmals unter Trajan in
die Wagschale fällt, indem die Bewaffnung der Römer auf
eine ältere Zeit weist und die Barbarentypen mit den uns von
den Dakerkriegen durch die Trajanssäule bekannten Thatsachen unvereinbar sind; endlich 3., dass eine alle Einzelheiten
der Bildwerke, den Inhalt ihrer Darstellungen, wie die Typen
der Dargestellten, sowie auch die Lage des ganzen Denkmals
voll befriedigende Deutung in der Ueberlieferung von Crassus
Feldzug 29/28 v. Chr. gefunden ist.

Dieser Sachverhalt ist so einfach und beredt, dass ich
ihn für sich selbst sprechen lassen könnte. Doch zu seiner
Klärung und Befestigung kommt Einiges hinzu, das meine
frühere Abhandlung noch nicht enthielt.

Ich hatte mich damals (Intermezzi S. 53) mit dem negativen Resultate begnügt, dass die Inschrift Trajans nicht zu
dem ursprünglichen Baue gehört habe, indem ich ohne eigene
Kenntnis des Ortes und seiner Fundstücke keine Vermutung
darüber äussern zu dürfen glaubte, wie jene kolossale Inschrift
einst über dem Dache des ihr ursprünglich fremden Baues,
auf dem sie sich nach dem für die zwei grössten Fragmente
derselben festgestellten Fundorte befunden haben muss, angebracht gewesen sein konnte. Erneute Erwägung des von
G. Niemann dargelegten Fundbestandes zeigte mir indess, dass
diese Lücke meiner damaligen Ausführungen sich doch ausfüllen liesse. Ich teilte meine Idee, die Anbringung der trajanischen Inschrift betreffend, Prof. Bühlmann mit, der bereit-
willigst die ganze Sache durchzuprüfen sich entschloss. Das
Resultat unserer gemeinsamen Ueberlegungen stellt der umstehend wiedergegebene, von Prof. Bühlmann gezeichnete und
mir gütigst zur Publikation überlassene neue Rekonstruktions-
entwurf dar. Zu dessen Begründung sei das Folgende bemerkt.

1. Die monumentale Inschrift Trajans, von der zwei schwere
grosse Fragmente auf dem Dache des Baukörpers liegend

unden wurden, kann nach dieser Thatsache nur an dem
nenden sechseckigen Aufbaue angebracht gewesen sein. Die
ite der Inschriftplatte passt genau zu der Breite der Seiten
Sechsecks, wenn zwischen dem Gesimse über den Pilastern
l dem Waffenfriese eine Steinschicht angenommen wird
Niemann S. 33). Niemann war der Ansicht, dass von
rkstücken, die einer solchen Zwischenschicht angehören
inten, nichts vorhanden sei (a. a. O.); allein wir möchten
muten, dass dies doch der Fall ist. Auf S. 39 f. beschreibt
mann drei Werkstücke, „davon offenbar eine grössere An-
l vorhanden war“ und die nach dem Fundorte des einen
dem Denkmal gehört haben müssen, für die er aber keinen
tz anzugeben wusste. Es sind Stücke mit Rundbogen. Sie
ffen so tief in die Mauer ein, wie nur die Stücke des Waffen-
ses. Wir vermuten daher, dass sie zu jener gesuchten
ischenschicht zwischen Gesims und Waffenfries gehörten.
e vortrefflich sich diese halbrunden Abschlüsse über den
chen des Sechsecks machen und wie günstig sie zur Heraus-
ung des Waffenfrieses und zur Verstärkung des monumen-
n wuchtigen Charakters des ganzen Aufbaues wirken, mag
Zeichnung Bühlmanns lehren. — Zu der Uebereinstimmung
Breite der Inschrift mit der der Seiten des Sechsecks
nmt noch der Umstand, dass der letzte Buchstaben der ersten
le, das I von Ultori, in eine Fuge fiel; denn auch dies
st bei der Anbringung zwischen den Pfeilern, an denen
h ein kleines Plattenstreifchen angearbeitet war.

2. Die Anbringung der Inschrift an dem Sechseck kann
r nicht dem ursprünglichen Baue angehören. Denn:

a) die vorhandenen Inschriftfragmente müssen von einer
zigen grossen Tafel stammen, und diese lässt sich nicht ver-
igen mit den von Niemann sicher hergestellten Grundlinien
ursprünglichen Baues, in deren Harmonie sie nur störend
greifen konnte. Niemann hat sich daher zu der Gewalt-
sregel entschlossen, die Platte in zwei Hälften zu teilen
l die eine an der Nord-, die andere an der Südseite anzu-
ngen. Die Zerstückelung der Inschrift machte die Annahme

einer solchen Teilung möglich und der Umstand, dass die Höhe
der oberen fünf Zeilen ungefähr der Höhe der Pilaster ent-
sprochen haben muss, schien derselben sogar günstig; wobei
freilich zu bedenken blieb, dass das untere Ende der fünften
Zeile nicht erhalten ist und selbst das Fragment mit dem
unteren Ende eines Buchstabens, dessen Zugehörigkeit zu der
fünften Zeile überdies ungewiss ist, auch nach unten nur Bruchfläche zeigt.   Allein diese Annahme der Trennung der Inschrift
und Verteilung auf die beiden entgegengesetzten Seiten führt
zu einer nicht abnormen, sondern gänzlich unerhörten, ja ab-
surden Consequenz.   Die Titulatur des Kaisers wird in der
Mitte durchgeschnitten, und um die zweite Titelhälfte, sowie
um das zugehörige Verbum zu dem Subjekt und Objekt der einen
Seite zu finden, hätte der arme Leser, der die Platten an dem
Sechseck ohnedies nur bei erheblichem Abstande sehen konnte,
einen ganzen Spaziergang um das Denkmal machen müssen.

Wenn die Römer etwas verstanden haben, so war es die
Anbringung monumentaler Inschriften, darin sie bekanntlich
die unerreichten Muster für alle Folgezeiten geliefert haben.
Wie wäre es nun denkbar, dass man an einem so monumentalen
und gewaltigen und mit solchem Aufwande in der thunlichst
solidesten Weise errichteten Denkmal die Weihinschrift, für den
Römer wohl das Wichtigste an dem Ganzen, dermassen unsinnig
angebracht hätte, dass die ganze Wirkung verhunzt und der
Baumeister dem Gelächter und Gespötte preisgegeben worden
wäre? Auch Mommsen, der die ganze Fülle der erhaltenen
römischen Inschriften übersieht, weiss doch keinerlei Analogie
anzuführen.   Er meint allerdings (bei Benndorf), die Inschrift
„sollte wohl auf beiden Fronten stehen; bei der Grösse der
Schrift, die der Aufstellungsort fordert, wird dies nicht aus-
führbar gewesen sein [so auch Petersen], und so half sich der
Militärarchitekt mehr als Militär denn als Architekt; er stellte
damit angemessen die Harmonie der Inschrift her mit den
Sculpturen". Wenn ich dies recht verstehe, so heisst dies, die
Inschrift passe sehr wohl zu den mit stümperhaftem Ungeschick von ungeübten Soldatenhänden ausgeführten Sculpturen

und sei also ebenfalls stümperhaft. Wie, diese prachtvoll monumentale Inschrift mit ihren riesigen, der Abbildung nach tadellos schönen Buchstaben, die in nichts zurückstehen hinter denen der schönsten stadtrömischen Inschriften, wie der Trajanssäule selbst, diese Inschrift die Stümperei eines ‚Militärarchitekten'?! — Barbaren, die kein Wort lateinisch konnten, hätten die Inschrift etwa so anbringen können: der Römer, der diese Prachtbuchstaben einhieb, niemals.

Betrachten wir die Fragmente der Inschrift näher, so kann man indess — worauf mich L. Traube aufmerksam macht — schon an ihrer Gestalt erkennen, dass sie von einer grossen Platte herrühren; denn die schräge, in diagonaler Richtung verlaufende Bruchlinie des unteren Fragmentes findet sichtlich an den anderen Bruchstücken ihre Fortsetzung nach oben: ein grosser schräger Bruch spaltete einst das Ganze.

Vor Allem aber: die Zeilen nehmen nach unten ab, und dies hat nur Sinn, wenn die Zeilen alle unter einander standen. Niemann hat allerdings neuerdings (bei Benndorf und Petersen) mit Recht bemerkt, dass die 6. Zeile ein wenig höher ist als die 5., worin man ein Zeichen sehen wollte, dass mit der 6. Zeile ein frischer Anfang — auf der entgegengesetzten Seite des Bauwerks — gemacht werde. Allein, müsste man dann nicht bei Zeile 6, 7 eine einigermassen den Zeilen 1, 2 entsprechende Höhe erwarten? sie sind aber wesentlich niedriger als jene. Sieht man nun genauer zu, so findet man: Zeile 6 entspricht Zeile 4 und Zeile 7 entspricht Zeile 5 in der Höhe! Es findet sich also hier gerade in der Mitte der Inschrift ein rhythmischer Wechsel der Zeilenhöhen. Ueber diesen vier mittleren, in dieser Weise rhythmisch verbundenen Zeilen stehen die grossen Anfangs- und unter jenen die kleineren Schlusszeilen. Die Zeilenhöhen erweisen sich also, wie dies bei einer so grossartigen monumentalen Inschrift nicht anders zu erwarten war, als fein überlegt, und aus dem vermeintlichen Argumente für die Teilung der Inschrift — der grösseren Höhe der 6. Zeile — wird vielmehr ein neues Argument für die ursprüngliche Einheit der Tafel.

Diese riesige Inschrifttafel ist aber, wie wir Niemann zugeben müssen, mit dem ursprünglichen Bauwerke nicht vereinbar.

b) Ein weiterer Grund dafür, dass die grosse Inschrift erst
später eingefügt wurde, liegt in ihrer von den Platten des
ursprünglichen Sechsecks verschiedenen technischen Beschaffenheit; die Inschriftplatte ist erheblich dünner als jene (sie ist
29—30 cm, jene sind 42 cm, d. h. eben so dick wie die Eckpfeiler, an welche sie anschliessen), und die Art der Verklammerung ist verschieden. Auch Prof. Bühlmann sieht hierin
ein entschiedenes Anzeichen, dass die Inschrift nicht ursprünglich zugehört; man sieht nicht ein, weshalb ein Architekt, der
so gewaltige Blöcke wie die des Tropaions auf die Höhe des
Bauwerkes brachte, hier wegen doppelter Grösse eines mässigen
Steines die Dicke (und entsprechend die Verklammerung) verändert und von der Dicke der anschliessenden Eckpfeiler verschieden gemacht haben sollte; überdies kann die Absicht, eine
Inschrift an einer Seite anzubringen, nicht als genügender
Grund angesehen werden, diese abweichend von den anderen
ohne Fugenschnitt aus einer Platte zu bilden, da Steinfugen
sonst den monumentalen römischen Bauinschriften kein Hindernis waren (vgl. nur z. B. den Trajansbogen zu Benevent oder den
Titusbogen zu Rom, an welchen beiden die Steinfugen mitten
durch die Buchstaben gehen). Die ursprüngliche Inschrift muss
auf einer ebenso konstruierten Fläche des Sechsecks gestanden
haben, wie sie durch die eine erhaltene Platte desselben bezeugt
wird. Da von allen zwölf (oder, wenn wir eine Seite für die
spätere trajanische Inschrift abrechnen, zehn) ursprünglichen
Platten des Sechsecks nur eine einzige gefunden worden ist,
so kann das völlige Verschwinden der ursprünglichen Inschrift,
die eben auf zwei der verlorenen neun Platten gestanden haben
wird, nicht im mindesten auffallen.

3. Die kolossale trajanische Inschrift muss sich also als
Zuthat an einer der Seiten des Sechsecks, dieselben aber hoch
überragend, befunden haben. Für die Art der Ausführung
dieser Zuthat sind folgende Thatsachen von Wichtigkeit:

a) Von dem **Waffenfriese** sind **fünf Stücke** gefunden; drei davon sind Eckstücke. **Wir** sind **also vollkommen** frei, den Waffenfries an einer Seite des Sechsecks unterbrochen zu denken.

b) Niemann (S. 39 f.) beschreibt als Werkstücke, die er nicht an dem Baue anbringen kann, erstlich die oben schon erwähnten mit den Bogen, die wir zwischen Gesims und Waffenfries ansetzten; dann einen „Eckpfeiler von ganz ähnlicher Form wie jene des sechsseitigen Aufbaues; dieser Pfeiler wurde nicht beim Monumente gefunden, hat eine grössere Höhe als jene, nämlich 2,14 m, eine andere Basis und nach der Messung Herrn Dr. Dregers einen Kantenwinkel von etwa 114°; er gehörte also wahrscheinlich einem sechsseitigen Baukörper an.‘ Leider ist keine Abbildung beigefügt. Dieser Eckpfeiler findet jetzt seine vortreffliche Erklärung: die an die eine Seite des Sechsecks gesetzte kolossale trajanische Inschrift bedurfte in ihrem emporragenden Teile eine der unteren entsprechende Umrahmung, also zwei Eckpfeiler mit Pilastern ähnlicher Form wie die unteren. Das Mass von 2,14 m, etwas höher als die unteren Pilaster von 2,05, passt ganz vortrefflich zu dieser Bestimmung, indem dies aufgesetzte obere Geschoss, um nicht gedrückt zu erscheinen, ein wenig höher sein musste als das untere. Dass bei dieser Zuthat das Detail nicht genau nach den unteren Pilastern kopiert, sondern die Basis etwas anders gebildet wurde, ist nur natürlich; die Differenz des Kantenwinkels („etwa 114 Grad“ gegen 120 Grad unten) ist an dieser Stelle nach Prof. Bühlmanns Urteil ohne Belang. Da keine Zeichnung des erhaltenen Eckpfeilers vorliegt, so kann unsere Ergänzung in diesem Punkte nur den Anspruch ungefährer Andeutung machen.

Die solchergestalt umrahmte Inschrift musste oben einen Abschluss haben. Dieser ist von Prof. Bühlmann frei ergänzt, der dazu bemerkt, dass, da er aus kleinen Werkstücken bestanden haben kann, deren Verschleppung und Verwendung leicht möglich war, das Verschwinden derselben nicht im mindesten auffällig ist; sind doch von allen kleinen Werkstücken des Baues, die in sehr grossen Mengen verwendet waren, z. B.

von den Deckziegelplatten (von denen eine einzige vollständig erhalten ist), nur wenige Ueberreste vorhanden; selbst von den ursprünglich gegen vierzig zählenden grossen Zinnenreliefs sind nur noch 25 nachweisbar; dass von den Füllungsplatten des Sechsecks nur eine einzige erhalten ist, ward oben schon bemerkt; von dem ganzen Gesimse des Sechsecks erwähnt Niemann nur zwei, von dem Sockel gar nur ein erhaltenes Werkstück.

c) Die kolossale Barbarengruppe am Fusse des Tropaion ist nur für eine Seite durch die Funde bezeugt, während das Tropaion selbst zweiseitig ist. Dadurch ist die Möglichkeit gegeben, an der der Figurengruppe gegenüber liegenden zweiten Façade des Tropaion die kolossale Inschrift emporragen zu lassen, ja diese erscheint so als künstlerisches Gegengewicht gegen jene Gruppe selbst in der Seitenansicht nicht unangenehm. Die Herausgeber von Adamklissi waren allerdings der Meinung, die Figurengruppe sei der Symmetrie wegen zweimal wiederholt gewesen; allein die von ihnen berichteten Thatsachen sprachen dagegen. „Am Fusse des Baukörpers im Nordosten", also gewiss von der nördlichen auch am Tropaion als die wichtigste charakterisierten Façade herrührend, fanden sich zwei der ungeheuren Torsen, der eines aufrecht stehenden Barbars und der einer am Boden nach links sitzenden Gestalt, wahrscheinlich einer Barbarin. An entgegengesetzter Stelle fand sich eine nach rechts sitzende Gestalt, also das Gegenstück der anderen, nicht der Teil einer zweiten Gruppe. Bei den kolossalen Dimensionen dieser Figuren wäre es äusserst unwahrscheinlich, wenn auch nur eins geschweige drei der gewaltigen Rumpfstücke, die sich ja nicht verwenden liessen und deren Entfernung die grössten Schwierigkeiten gemacht haben würde, vollständig verschwunden wären; deshalb darf auch der seltsame, aber immerhin denkbare Zufall nicht angenommen werden, dass von ursprünglichen sechs Figuren gerade nur solche drei, die sich zu einer Gruppe zusammenschliessen, gefunden wären. Die Herausgeber sagen allerdings, dass einige der kleinen Bruchstücke der Figuren „keinem der erhaltenen Rumpfe zugehörig schienen"; allein, wenn man die Photographien dieser gar

Unkenntlichkeit verstümmelten Rümpfe betrachtet, sieht man,
dass dieses „Zugehörigscheinen" ein sehr trügerisches gewesen
sein muss, was denn auch die Herausgeber nach ihren Aeusserungen sich selbst offenbar nicht verhehlt haben.

d) Den Stamm des Tropaions hat Prof. Bühlmann um
eine Schicht (die zweite von unten) höher gezeichnet als Niemann, und zwar aus den von diesem S. 35 angegebenen Gründen;
die obere Fläche der Schichte 1 zeigt nämlich kein Zapfenloch,
während die untere Lagerfläche der Niemannschen 2. Schicht
ein Zapfenloch hat; hierdurch ist das Fehlen einer Schicht
angezeigt, welche in der Bühlmannschen Zeichnung eingefügt ist.
Niemann wollte an die Möglichkeit des Verschwindens einer
Schicht nicht glauben, weil die Masse der eine solche bildenden
zwei Steinblöcke zu bedeutend sei — in merkwürdigem Wider-
spruche mit der oben erwähnten Annahme der Herausgeber,
dass drei kolossale, je aus einem Blocke bestehende Figuren
einer zweiten Gruppe einfach verschwunden seien; jene eine
Tropaionschicht ausmachenden zwei Blöcke, deren Verschwinden
wir annehmen, waren nicht nur im Volumen geringer, als es
jene angenommenen Figurenrepliken wären, sondern sie waren
vor allem durch ihre Form ebenso geeignet, relativ leicht
entfernt wie anderweitig verwendet zu werden; und endlich
sind sie eben durch den oben erwähnten Sachverhalt bestimmt
angezeigt. Dass die Wirkung des Tropaions nur gewinnt,
wenn der Stamm um diese eine Schicht erhöht wird, ist ohne
weiteres klar und zeigt auch unsere Zeichnung.

Wir fassen die erreichten Resultate noch einmal zusammen:
die kolossale trajanische Weihinschrift muss sich an dem sechseckigen Aufbau befunden, konnte demselben aber nicht ursprünglich angehört haben, sondern erweist sich als eine spätere
Zuthat. Das Tropaion hatte zwei Fronten, eine nach der
Nord-, eine nach der Südseite; aus der verschiedenen Art der
Ausführung der Rüstungsteile hat man (Ad. S. 89) geschlossen,
dass die Nordseite die wichtigste war; das hier angebrachte
Panzerbild zeigte den die Barbaren niederwerfenden Feldherrn
zu Ross; vor allem aber war diese Seite durch die grosse

Gruppe dreier gefangenen Barbaren ausgezeichnet. Ohne Zweifel
befand sich hier auch an dem sechseckigen Unterbau die jetzt
verschwundene Weihinschrift des ursprünglichen Baues. Dass
dieser sein Hauptgesicht nach Norden wandte, hatte gewiss
seinen eigentlichen Grund darin, dass zur Zeit seiner Errichtung
der Norden jenseits der Donau eben das Barbarenland war,
von dem die Feinde gekommen waren, die nun als Gefangene
im Bilde hier oben standen. Für die grosse trajanische Inschrift war somit die südliche Façade des Tropaions disponibel.
Der trajanische Architekt hatte nur nötig, an dieser einen Seite
des Sechsecks die Platten zwischen den Pilastern nebst Gesims
und Waffenfries darüber herauszunehmen und die gewaltige
Inschriftplatte einzusetzen, die er den ursprünglichen Teilen
entsprechend umrahmte. So war in würdiger monumentaler
Weise, ohne störenden Eingriff in das Ursprüngliche, die riesige
Platte mit der Meldung von Trajans neuer Weihung angebracht.

Das Ganze, das sich uns auf diese Weise ergeben hat,
steht nun aber — und darin liegt seine endgiltige Bestätigung —
im vollsten Einklange

a) mit den Bildwerken des Denkmals, die mit Trajan und
seinen Dakerkriegen nicht das mindeste zu thun haben, indem
sowohl die Barbarentypen als die der Römer auf eine andere
Epoche weisen. Ich kann hierfür auf „Intermezzi" sowie auf
den Petersens Einwände betreffenden Teil am Ende dieser Abhandlung verweisen. Nur ein Punkt sei hier erwähnt, das
angebliche Porträt Trajans auf den Metopen. Es ist wirklich
naiv, dass Benndorf immer noch dieses Argument vorzubringen
wagt; denn derjenige, für den es von vornherein feststeht, dass
das Denkmal trajanisch ist, kann ja freilich leicht mit der
Phantasie in die rohen allgemeinen Züge eines bartlosen Römers,
wie sie das Denkmal dem Feldherrn giebt, das Bild Trajans
hineinsehen; sobald aber der trajanische Ursprung zweifelhaft
geworden ist und es sich handelt, Beweise für denselben zu
erbringen, muss doch jeder klar Denkende sich sagen, dass
diese Aehnlichkeitseindrücke hier ganz zu schweigen haben;
denn mit demselben Rechte, mit dem hier der Eine Trajan

sehen will, kann ja ein Anderer einen beliebigen anderen bartlosen Römer erkennen. Die Reliefs verwenden für die Gesichter aller Römer einen und denselben allgemeinen Typus,
der natürlich immer leicht variiert; das Gesicht des angeblichen Kaisers variiert auf den verschiedenen Reliefs (vergl.
„Metopen" 44 und 27) ganz ebenso wie die anderen Gesichter; das
einemal, wo das Haar sorgfältiger ausgearbeitet ist („Metope" 44),
ist dies Haar augusteischem mindestens ebenso ähnlich als trajanischem (vgl. hiezu den Nachtrag).

b) Es steht ferner unsere neue Rekonstruktion im vollsten
Einklange mit den gesamten historischen Verhältnissen. Sowohl
der vortrajanische Ursprung des Denkmals als die spätere Aufstellung der trajanischen Inschrift werden wohl verständlich
durch das, was wir von der Geschichte jener Gegenden wissen.
Nach allen Analogien muss das gewaltige Tropaion bedeuten,
dass zur Zeit seiner Errichtung eben diese Gegenden für die
römische Herrschaft neu gewonnen wurden und dass dieser
Gewinnung eine besondere Bedeutung zukam, d. h. dass es das
Vorrücken der römischen Reichsgrenze an die Donau war, das
hier gefeiert ward. Nach Norden war die Hauptseite des Denkmals gerichtet; die Bildwerke zeigen als den bezwungenen
Hauptfeind einen germanischen Stamm; hier drüben nördlich
über der Donau sassen die germanischen Bastarner, von deren
Einfällen in das Land südlich des Flusses viel überliefert ist.
Ihr letzter grosser Volksauszug, von dem wir wissen, ward
von Marcus Licinius Crassus 29/28 v. Chr. zurückgeschlagen.
Durch diesen Feldzug geschah es aber auch, dass des römischen
Reiches Grenze an das Ufer der unteren Donau vorgeschoben
wurde. Die Bildwerke des Denkmals stimmen in überraschen-
der Weise mit der detaillierten Ueberlieferung, die wir gerade
diesem Feldzuge besitzen (vgl. über all dies „Intermezzi"
gegen Petersens Einwendungen weiter unten).

Es kamen andere Zeiten, die Bastarner sind befriedet;
durch Gesandte haben sie Augustus, wie der greise Herrscher
meldet (mon. Ancyr. V 51), die Freundschaft der Römer nach-
gesucht. Als, wie es scheint, im Zusammenhange des panno-

nischen Krieges, Lentulus an der unteren Donau zu kämpfen
hatte und den Fluss überschritt (c. 6 n. Chr., vgl. Mommsen,
res gestae divi Aug.² p. 131 f.; röm. Gesch. V, 38), sind seine
Gegner nur die Daker und von den Bastarnern ist nicht die
Rede. Es folgt dann in Domitians Zeit die grosse Erhebung
der Daker unter ihrem Könige Decabalus. Jetzt sind die Daker
das unbedingt herrschende Volk an der ganzen unteren Donau:
sie sind es, die die Existenz der Provinz Mösien in Frage stellen
und im Kampfe gegen sie fiel der Statthalter der Provinz
(Mommsen, R. G. V, 201). Die Bastarner spielen gar keine
Rolle; dagegen sind es im Westen der Daker die Markomanen,
die nebst den Jazygen Domitian eine Niederlage beibringen,
die ihn zwingt, mit den Dakern einen diesen vorteilhaften
Frieden zu schliessen. Diesem schmählichen Verhältnisse ein
Ende zu machen, sah Trajan als seine erste Pflicht an. Nach
sorgfältiger Vorbereitung folgten seine zwei grossen Dakerkriege.
Die Säule in Rom lehrt uns, dass während dieser Kriege kein
germanisches Volk dem Kaiser entgegentrat, dass aber ein
germanischer Stamm, der genau so charakterisiert ist wie die
Bastarner des Tropaions, als Freund und Bundesgenosse ihm
gegen die Daker half. Es entspricht jener Haltung der Bastarner, in der wir sie im ganzen ersten Jahrhundert n. Chr. sehen,
dass sie jetzt gegen die Daker auf römischer Seite stehen.
Was aber die Gegend um unser Denkmal betrifft, so ist es
gewiss sehr wahrscheinlich — die äusserst kümmerliche Ueberlieferung schweigt hier leider ganz —, dass sie während der
grossen Zeit des Dakerreiches, als Decebalus auf seiner Höhe
stand, als der mösische Statthalter besiegt war, dass damals
diese Gegend in den Händen der Daker war und blieb, bis
Trajan ihre Macht gebrochen hatte und damit ein vollständiger
Umschwung aller Verhältnisse an der unteren Donau stattfand.
Das neugefundene Ehrendenkmal für gefallene Soldaten, welches
200 m östlich vom Tropäum zu Tage gekommen ist,[1]) giebt

---

[1]) Röm. Mitteil. 1896, 104. Intermezzi 8. 57, 1. Ein ausführlicherer
Bericht jetzt in den Verh. d. Philologenvers. s. Köln, 8. 196 ff. von Tocilescu.

uns vollkommenen Aufschluss. In der Inschrift ist höchst
wahrscheinlich, wie Tocilescu und Mommsen erkannt haben,
der Name Trajans als des Stifters zu ergänzen und die Schlacht,
in der die Soldaten gefallen waren, wird immerhin mit der
grössten Wahrscheinlichkeit am Orte des Denkmals stattgefunden haben. Dann aber kann ihre Bedeutung nur die gewesen sein, dass das Tropaion und mit ihm die ganze Gegend
wieder in die Gewalt der Römer kam: das Tropaion, der Zeuge
vergangenen römischen Ruhmes, römischer Ehre, von den Barbaren entweiht und besudelt, von Trajan siegreich zurück-
gewonnen.

Jetzt erst verstehen wir die Inschrift recht: das entweihte
Tropaion muss neu geweiht werden, und — Marti Ultori, dem
Kriegsgotte als dem Rächer weiht es Trajan. Die Schmach
war gerächt, die das schwache Regiment Domitians herbeigeführt. Wie einst Augustus, nachdem die Niederlagen bei
den Parthern gerächt und die Feldzeichen von dort zurück-
gewonnen waren, dem Mars Ultor einen Tempel stiftete (auf
dem Kapitol) und wie er für die Rache an den Mördern des
Vaters „pro ultione paterna" den grossen Mars Ultor-Tempel
gelobte, in dessen Innerstem dann alle von den Feinden zurück-
eroberten Feldzeichen als Zeugen der Rache aufbewahrt wurden,
so musste Trajan das wiedergewonnene Tropaion — das er,
wenn es beweglich gewesen wäre, in der Cella des Mars Ultor
zu Rom hätte weihen müssen — am Orte durch eine neue
Inschrift dem Mars dem Rächer weihen. Er that dies, wie
wir sahen, mit möglichster Schonung des Vorhandenen — und
natürlich blieb die alte Inschrift an der Nordseite, die erst uns
verloren ist, erhalten —, allein in einer seinem monumentalen
Sinne und dem Stolze des Siegers entsprechenden Weise auf
einer mächtigen, über die ursprünglichen Linien des Bauwerks
hinausragenden und sich dadurch als Zuthat dokumentierenden
Platte. Leider sind von den Zeilen der Inschrift, welche auf
die Titulatur des Kaisers folgen, nur so kümmerliche Reste
erhalten, dass eine Wiederherstellung unmöglich ist. Doch
mag sie etwa gelautet haben:

Dacorum exerc]itu | devicto tropaeum | reciperatum rit]e | dedicavit.[1])

Am Schlusse kann dem verfügbaren Raume nach auch etwas mehr gestanden haben. Die Ergänzung mit 15 Buchstaben in der Zeile schliesst sich genau den Raumbedingungen an.

Und gleichzeitig mit dieser neuen Weihinschrift am Tropaion errichtete Trajan in nächster Nähe desselben den gefallenen Kriegern ein Ehrenmal. Es war ein quadratischer Bau auf fünf Stufen, festlich mit sculpierten Guirlanden behängt und an der Hauptseite mit Inschriftplatten versehen, welche in langen Listen die Namen der Gefallenen enthielten. Man hat gemeint, in diesem Denkmal die Bestätigung des trajanischen Ursprungs des Tropaions zu finden. Es ist natürlich das Gegenteil, ein Zeichen mehr, dass das Tropaion vortrajanisch ist. Die Doppelheit, Tropaion und Ehrenmal der Soldaten für eine und dieselbe Schlacht wäre geradezu unverständlich und ohne alle Analogie; denn für den, der das Tropaion errichtete, musste dies doch zugleich Ehrenmal der Soldaten sein. H. Bulle hat in seinem Aufsatze über Adamklissi (Beilage zur Allgemeinen Zeitung 1896, Nr. 2) sehr treffend ausgeführt, dass die Form des Tropaions von Adamklissi sich unmittelbar anreiht an die der grossen Grabbauten, wie der Cäcilia Metella und der Mausoleen des Augustus und des Hadrian. Die Grundform war der von Erde aufgeschüttete Tumulus, der auf dem Schlachtfelde zugleich Grab- und Ehrenmal der Gefallenen wie das natürliche Postament des Siegeszeichens des Tropaions ist: Grab- und Siegesdenkmal sind aufs engste verwachsen. Wie sollte der Erbauer des Tropaions zu Adamklissi daneben noch das Bedürfnis gehabt haben, den Soldaten ein besonderes Mal zu errichten! Wollte er die Namen der Einzelnen verewigen, bot ihm der gewaltige Steinmantel des Tropaions da nicht den besten passendsten Raum in Fülle? wie sollte er in schwacher Konkurrenz mit dem eigenen grossen Denkmal daneben noch

[1]) Der Entwurf hat durch Löschckes Vermittlung Bücheler vorgelegen, der die Güte hatte, ihn zu prüfen und ihn unter Voraussetzung der Richtigkeit meiner Prämissen als gut befand.

eines relativ unscheinbares erbauen! Dagegen erklärt sich
vortrefflich, wenn eben das Tropaion schon da war, von
n nur wiedergewonnen und neu geweiht wurde; da war
jenes trajanisches Ehrenmal der Soldaten wohl am Platze.
heinbar gewichtig ist die Versicherung, die Tocilescu[1])
Benndorf geben, es seien die Zierformen an dem Ehren-
und dem Tropaion so übereinstimmend, dass daraus die
izeitigkeit beider hervorgehe.[2]) Indes diese Angabe ist
ieder ein neues Beispiel der alten Lehre, dass Vorurteile
machen: ich kann keine Spur besonderer Aehnlichkeit
1 Ornamenten beider Bauten finden.   Die so eigenartigen
kteristischen Zierformen des Tropaions haben an dem Ehren-
gar keine Analogie; hier erscheinen nur die gewöhnlichen
seinen römischen Ornamente, so der herkömmliche Ranken-
nicht etwa der eigentümliche des Tropaions mit den
enköpfen; auch die Guirlanden sind banal und haben
ropaion keine Parallele.   Tocilescu hebt hervor, dass die
iartige Darstellung der Palmbäume grosse Aehnlichkeit"
en Skulpturen am Tropaion habe.   Am Tropaion kommen
naturtreue Bilder wirklicher Palmbäume — nicht Orna-
' — an den Zinnenreliefs vor; vom Ehrenmale ist das
eines dekorativen Säulenschaftes in Relief erhalten, der
tammartige Schuppen zeigt; der Stamm ist stellenweise
inürt von pflanzlichem Geschlinge; er findet seine Ana-
in gemalten Säulen zu Pompeji (vgl. z. B. Mau, Wand-
. Taf. 13. 14. 18 oben)[3]): mit dem Tropaion und seinen

) Verhandl. d. Philologenvers. zu Köln, S. 197. 198.
) Um mir über diesen Punkt Gewissheit zu verschaffen, wandte
ch brieflich an Tocilescu mit der Bitte um Auskunft über jene
men. Ich habe keine Antwort darauf erhalten, woran, wie
nehmen will, nur die Post Schuld haben mag. Ich ward dafür
die Liebenswürdigkeit der Wiener Gelehrten E. Bormann und
Schneider entschädigt, durch welche ich Zeichnungen der Reste
enkmals zur Ansicht erhalten habe.
) Die Schuppen auch häufig an Pilastern, Säulen und anderen
tiven Teilen provinzialer Skulpturen späterer Kaiserzeit, z. B.
r, röm. Steindenkm. zu Trier, Nr. 212. 230. 237. 516.

18*

Palmbäumen besteht hier nicht einmal eine entfernte Beziehung,
geschweige irgend welche Aehnlichkeit.

Die Folge der Wiedergewinnung des unteren Donaugebietes, des alten Einfallthores der Barbaren durch Trajan war
die Befestigung der Donaulinie, die Belegung mit starken Gar-
nisonen, die Ansiedelung von Veteranen. In diesen Zusammenhang gehört gewiss die Gründung der Ortschaft „*Tropaeum*"
durch Trajan nahe bei dem von ihm wiedergewonnenen Tropaion.
Dass die Niederlassung nach diesem Monumente, dem Charakteristikum der Gegend genannt ward, ist natürlich; sie nannte
sich ausserdem noch nach dem kaiserlichen Stifter Trajan;
dieser zweite Teil des Ortsnamens ist uns nur in der ethnischen
Form *Traianenses* erhalten. Wie ich aus den Ausführungen
Bormanns (bei Benndorf) gelernt habe, war es ein Irrtum
von mir, wenn ich früher bezweifelte, dass das trajanische
Element zum Stadtnamen gehörte; es war aber ebenso ein
Irrtum von mir, wenn ich damals mit Benndorf meinte, das
trajanische Element im Namen der Ortschaft könne irgend
etwas für den trajanischen Ursprung des Tropaions beweisen.
Denn jenes trajanische Namenselement geht ja doch nur die
Ortschaft an und hat mit dem Tropaion selbst gar nichts zu
thun, kann also über dessen Ursprung auch nichts aussagen.
Am klarsten würde dies in der von Bormann auch als möglich bezeichneten Namensform *municipium Traianum Tropaeen-
sium* sein; doch auch in der Form *Tropaeum Traiani* oder
Traianum bezieht sich der Zusatz eben auf Tropaeum als Ortschaft und beweist nur für sie die Gründung durch Trajan,
nicht aber für das Denkmal. Uebrigens ist das rasche Verschwinden des trajanischen Elements aus dem Ortsnamen — es
findet sich nur einmal in einer Ehreninschrift für Trajan vom
Jahre 115/116 — besonders verständlich, wenn eben das Tropaion selbst gar nicht nach Trajan hiess.

Eine Kupfermünze der dem Tropaion benachbarten Stadt
Tomis zeigt, wie B. Pick nachgewiesen hat (Oesterr. Mitteil.
Bd. 15, S. 18; Adamkl. S. 126), das Tropaion von Adamklissi
in kleiner flüchtig andeutender Nachbildung, auf der Vorder-

e den Kopf Trajans mit dem Namen im Dativ, wodurch
Prägung sich als „Dedikation" charakterisiert. Ganz richtig
te man sie als „eine bescheidene Huldigung der Stadt für
Kriegsherrn, dessen Feldzug sie mit der ganzen Provinz
schwerer Gefahr errettet hatte" und der, wie wir hinzu-
en, das alte Tropaion dem rächenden Kriegsgotte neu geht und es von Neuem für die ganze Gegend zum Symbole
nischen Ruhmes und römischer Ehre gemacht hatte. Ich
e diese Münze in meiner früheren Abhandlung nicht er-
nnt, weil ich es für unnütz hielt, besonders hervorzuheben,
s so klar auf der Hand liegt, dass sie für die Entstehungs-
des Tropaions nur einen terminus ante quem abgiebt; nur
n Beweise, dass das Tropaion nicht nachtrajanisch ist, kann
benutzt werden. Wäre bewiesen, dass das Tropaion tra-
isch wäre, könnte man sie als eine Bestätigung dafür wohl
ten lassen; als Beweis gegen vortrajanischen Ursprung kann
kein klar Denkender je benutzen wollen. Wie trefflich sie
n in dem hier dargelegten Zusammenhange verstehen lässt,
ube ich nicht näher darlegen zu müssen.

Ich bin am Ende meiner positiven Ausführungen. Es hat
n ein Stein zum anderen gefügt, und die Entgegnungen, die
Bau zerstören sollten, haben nur dazu gedient, ihn zu

Was Benndorf eingewendet hat, ist hier schon Alles be-
ksichtigt; übrigens enthält ja seine Abhandlung mit Aus-
me zweier oben verwendeter wertvollen Beiträge Anderer, der
bachtung Niemanns über die Höhe der 6. Zeile der Inschrift
der Mitteilung Bormanns über den Namen der Ortschaft,
olut nichts Neues. Auf die persönliche Polemik Benndorfs
r und den hässlichen Ton, den er dabei angeschlagen hat,
r einzugehen, liegt mir gänzlich fern; die Wissenschaft hätte
werlich Gewinn davon. Ich kann es wohl auch ruhig dem
eile Anderer und vor allem dem der Zeit überlassen, zu
scheiden, ob Benndorf zu einem solchen Tone berechtigt war.
Seltsam übrigens, dass Benndorf den „wilden Gemengen",
„Aergernis" erregenden, „erstaunlichen" Auslassungen gegen-

über, wie er meine Arbeiten jetzt zu nennen beliebt, sich früher
recht aufnahmefähig gezeigt hat.

Die schöne Publikation des Heroons von Gjölbaschi ist
gewiss eines der grössten Verdienste Benndorfs. Wer nun die
1889 erschienene umfassende Bearbeitung mit dem „vorläufigen
Bericht" von 1883 (in den Oesterr. Mitteil. VI) genauer vergleicht, dem wird ein gewaltiger Gegensatz nicht entgehen,
der die kunsthistorische Beurteilung des Heroons hier und dort
unterscheidet. Während Benndorf noch 1883 „rein attischen
Ursprung" jener Bildwerke behauptet, während er hier in
Allem, in Gegenständen, Composition und Stil nur einheitlich
attischen Charakter, nur Entlehnungen, Varianten, Weiter-
bildungen aus dem Strome der attischen Reliefplastik sieht, so
nimmt er 1889 einen total anderen Standpunkt ein; hier ist
von attischem Charakter gar nicht mehr die Rede; kaum dass
noch eine attische Einwirkung überhaupt zugestanden wird
(S.250); der Stil, der ganze Charakter und Geist der Skulpturen
ist jetzt nicht mehr attisch, sondern ionisch, und die Uebereinstimmungen mit attischen Reliefskulpturen entstammen jetzt
der gemeinsamen Quelle beider, der ionischen Malerei. Woher
dieser gewaltige Umschwung in Benndorfs Anschauungen kam,
verrät er uns mit keinem Worte; die Quelle war aber eines
meiner „wilden Gemenge", der Aufsatz „von Delos" in der
Archäol. Zeitung von 1882, wo ich S. 360 ff. eben jene von
den damals herrschenden vollständig abweichenden Anschauungen über die Skulpturen in Lykien, über die attische und
die ionische Kunst des 5. Jahrhunderts[1] und das Verhältnis
der Reliefs zu der ionischen Malerei zum erstenmale ausführte
und dabei auch von dem Heroon von Gjölbaschi S. 368, von
dem ich eben die ersten Photographien gesehen hatte, schon
in aller Kürze diejenige kunsthistorische Beurteilung gab, die

---

[1] Vgl. dazu auch, was ich kurz nach jenem Aufsatze über Delos,
über die damals in der herrschenden Voreingenommenheit für Attisches
noch völlig verkannte Bedeutung der ionischen Kunst im 5. Jahrhundert
in den Preussischen Jahrbüchern Bd. 51, S. 378 f. und Goldfund von
Vettersfelde, S. 47 ausgeführt habe.

rf später, 1889, weiter ausgeführt hat, freilich ohne
Vorgangs Erwähnung zu thun.[1]) Indes, es hat mich
gefreut, dass meine Anregungen so gute Wirkung ge-
haben, und ich gebe deshalb auch die Hoffnung nicht
ss Benndorf einst auch meine Gedanken über Bedeutung
it des Monuments von Adamklissi sich ebenso still-
rend aneignen wird wie die über das Heroon von Gjöl-
[1])

n ganz anderer Art als Benndorfs Entgegnung auf mein
klissi" ist die von E. Petersen; jener gegenüber gleicht
m feingeschnitzten Kunstwerk; sie ist voll scharfsinniger
er Beobachtungen und neuer Gedanken, so dass sich
a polemisches Eingehen auf das Einzelne lohnt, indem
mmer etwas Positives herauskommt.
it Befriedigung kann ich zunächst konstatieren, dass
n in zwei der wichtigsten Punkte auf meiner Seite gegen
rf steht: auch er erkennt an, dass 1. der Typus der
rung am Tropaion ein älterer ist als an der die Daker-
darstellenden Trajanssäule, sowie 2., dass die Reliefs
paions sich nicht auf die Dakerkriege beziehen können.
rohl bringt er eine grosse Reihe von Gründen, die gegen
These sprechen sollen: der wichtigste, der die Inschrift
ist durch das Vorstehende bereits erledigt; ebenso der
r Münze Tomis genommene; die übrigen Gründe sind
e:

Nur für ein Detail, die Datierung des Nereidendenkmals, ver-
nndorf S. 243, Anm. 2 auf meine Abhandlung.
Bin ich doch auch bisher mehr durch Zusammentreffen als durch
tz der Meinungen mit Benndorf zusammengestossen. Benndorf
anntlich 1887 dieselbe Hypothese über ein Meisterwerk der
hen Plastik, den Eubuleus des Praxiteles, die ich vier Monate
gründet hatte, veröffentlicht, ohne freilich meines Vorgangs zu
n, was er dann später durch eine beleidigende Insinuation zu
n suchte, die ich ebenso entschieden zurückweisen musste, wie
gerne zugestand, dass er jene Hypothese für sich gewiss schon
hegt haben möge, bevor er sie veröffentlichte (Archäolog. An-

1. Petersen ist der Ansicht, ich hätte die Bedeutung der
Bastarnerschlacht des Crassus bedeutend übertrieben, wie daraus
hervorgehe, dass Augustus in seinem Berichte auf dem Mono-
mentum Ancyranum derselben gar nicht erwähne. P. fährt
fort „Augusto non tace l'invasione dei Daci, ma tace com-
pletamente la sconfitta dei Bastarni, secondo F. il fatto prin-
cipale". . . Hier ist vor Allem zu bemerken, dass P. irrt,
wenn er die von der Invasion der Daker handelnde Stelle des
mon. Ancyr. c. 30 auf den Feldzug des Crassus gegen die
Geten bezieht; er scheint die Stelle nicht genau angesehen und
Mommsens Commentar nicht beachtet zu haben.   Augustus erwähnt der Invasion der Daker im Anschlusse und Zusammenhange mit dem pannonischen Kriege 742—745 d. St.; Mommsen
setzt sie um 744 (10 vor Chr.) und den von Augustus mit
„postea" angeknüpften Uebergang der Römer über die Donau
um 759 (6 nach Chr.), indem er den Dakersieg des Lentulus
jenseits der Donau damit identificiert.   Augustus erwähnt also
des Feldzugs des Crassus überhaupt gar nicht, und wenn er
in dem folgenden Abschnitt (c. 31) unter den entferntesten
Völkern, welche seine Freundschaft durch Gesandte sich er-
baten, auch die Bastarner neben Skythen und Sarmaten erwähnt, so bezieht sich auch dies natürlich nicht im geringsten
auf Crassus Feldzug gegen die diesseits der Donau in Thrakien
eingebrochenen Bastarner, sondern auf die späteren Zustände,
wo die Bastarner ruhig drüben über der Donau sassen und
mit den Römern Frieden hielten.   Aus dieser Nichterwähnung
des Feldzugs des Crassus im Monum. Ancyr. aber ist natürlich nicht der geringste Grund gegen die von mir angenommene
Errichtung eines grossen Tropaions nach dem Feldzuge zu
entnehmen.   Wie viele einzelne Anlässe zu Siegesdenkmälern
übergeht Augustus in jener kleinen Auswahl von Thaten seiner
Regierung, die das Monum. Ancyr. giebt! Die von E. Bormann jüngst (Verhandl. d. Philol.-Vers. zu Köln S. 184) gewiss richtig erkannte ursprüngliche Natur desselben als „elogium sepulcrale" erklärt die Beschränkung in jener Auswahl
vollständig.   Wenn Augustus z. B. c. 30 selbst seinen eigenen

sen illyrisch-pannonischen Krieg der J. d. St. 719—721
t erwähnt und nur den späteren der J. 742—745, weil
· eben durch diesen überholt war, so wird man sich wirk-
nicht wundern dürfen, wenn er, des Crassus Feldzug über-
nd, nur die späteren Ereignisse und Verhältnisse an der
ren Donau, die Einfälle der Daker und die friedlichen
ehungen zu den Bastarnern berücksichtigt. Auch an der
rischen Bedeutung jenes Feldzugs kann die Nichterwäh-
· durch Augustus nicht im mindesten zweifelhaft machen;
ein elogium sepulcrale ja auch nichts weniger als ein voll-
diges Geschichtswerk. Die historische Bedeutung des Feld-
des Crassus bestand darin, dass „die sämtlichen kriege-
en Völkerschaften zwischen Hämus und Donau besiegt
len, so dass dieser Strom fortan die Grenze des römischen
hes ward", und vor allem darin, dass das gewaltigste,
rchtetste Volk an der unteren Donau, die germanischen
arner, „ein für allemal vom rechten Donauufer ausgewiesen
dieses vollständig der römischen Herrschaft unterworfen
· (Mommsen). Die Bastarner haben von da an bis zum
tomanenkriege unter Kaiser Marcus den Frieden mit den
ern gehalten. So durfte ich jenes Ereignis wohl als eines
ungeheurer geschichtlicher Tragweite" nennen.

2. Petersen findet es unwahrscheinlich, dass Crassus die
von Antonius an die Bastarner verlorenen Feldzeichen
er Veste Genucla, wo sie aufbewahrt waren, noch vor-
, als er sie eroberte; ausdrücklich überliefert ist (bei Dion)
dings nur die Eroberung dieser Veste; wären aber die
zeichen nicht mehr darin gewesen, so würde wohl eben
hervorgehoben sein, während das Gegenteil als im Zu-
enhange selbstverständlich leicht unerwähnt bleiben konnte.
n, wie dem auch sei, ein Grund gegen die Errichtung des
aions durch Crassus kann es niemals sein, auch wenn
die Feldzeichen, als er Genucla eroberte, von den Feinden
n weggebracht waren.

3. Petersen bezweifelt es, dass die Reliefs von Adamklissi
Bericht Dions über die Bastarnerschlacht des Crassus illu-

strieren. Er findet es „incredibile", dass Metope Nr. 32 sich
auf die im Walde wartenden, von Crassus geführten Römer
beziehe; er sieht hier einfach einen „imperatore che fa il gesto
d'allocuzione". Incredibile! möchte ich hier ausrufen — unglaublich, dass Petersen nicht sieht, dass die Scene ja im Walde
vorgeht und von einer Allocution gar nicht die Rede sein kann.
Hier haben die Herausgeber von Adamklissi viel richtiger und
schärfer gesehen; sie erkannten, dass der Feldherr mit seinen
Soldaten sich im Walde befindet und dass ersterer, auf einer
Erhöhung stehend, die Rechte „in beobachtender Haltung" an
einen Baumstamm lehnt. Dies ist aber eben genau die Situation
des Crassus bei Dion. Dass die Bäume hier wirklich bedeutungs-
voll sind und Wald angeben, in dem die Römer hier wartend
gebildet erscheinen, ist unzweifelhaft, indem die Reliefs land-
schaftlichen Hintergrund, den die Trajanssäule ständig beigiebt,
gar nicht kennen, die Bäume also ein wichtiges bedeutungs-
volles Moment sein müssen. — Petersen findet ferner, dass
Metope 31 nicht zu Dions Schlachtbericht passe. Allein, hier
ist eine Schlacht im Walde dargestellt — im Walde fand die
Bastarnerschlacht des Dion statt. Es ist die Niedermetzelung
von Barbaren im Walde dargestellt; ein Todter mit abge-
hauenem Kopfe liegt am Boden; über ihn stürmt ein Römer
gegen einen zweiten Barbar, der sich auf einen Baum zu retten
versucht hat und von da seinen Bogen abschiesst: der letzte
Versuch eines Widerstandes — bei Dion heisst es πολλοὺς
(sc. *Βάσταρνας*) μὲν ἐνταῦθα (d. h. im Walde) … ἔφθειρεν.
Wie kann etwas besser zusammenstimmen, und wie bestätigend
wirkt es, dass eben die zwei zumeist charakteristischen Bilder
unter den Reliefs, das Warten der Römer im Walde wie die
Niedermetzelung der Barbaren im Walde, zu Dions Bericht von
Crassus stimmen! Dass aber auch die weiteren charakteristischen Elemente der Bildwerke, die Fortsetzung der Schlacht,
der Verzweiflungskampf der an die Wagen mit den Frauen
geflohenen Barbaren und ihre Vernichtung an den Wagen,
ferner ihr Herabstürzen (in die Donau), auch die (in die Höhle)
zusammengedrängte Herde, dann der Wanderzug des Volkes,

Allem aber der germanische Typus dieses Hauptfeindes
Römer an dem Denkmale, und dass nicht minder die zwei
ären Volkstypen, die vorkommen (Thraker und Geten) —
eben alles und jedes in ganz einzig treffender Weise zu
Berichte Dions über Crassus Feldzug sich fügt, dies über-
l Petersen gänzlich.

4. Petersen ist ferner der Meinung, meine Bemerkungen
Gebrauch und Form des Tropaions seien nicht richtig.
meint, das Tropäum von Adamklissi habe durch seine
htige Gedrungenheit eine nahe Parallele in der „moles
lriani" zu Rom, während in augusteischer Epoche elegantere
ankere Verhältnisse zu erwarten wären, wofür er auf die
paea Augusti oberhalb Monaco und das Julierdenkmal von
Remy hinweist. Allein das letztere gehört einer ganz
ren Kategorie von Denkmälern an und kann hier nicht
plichen werden, und über die Proportionen jener Tropaea
rusti können wir bei dem Wenigen, das wir über dies Bau-
k wissen, nicht mehr urteilen; dies Wenige zeigt nur das
e sicher, dass, wie die Herausgeber von Adamklissi richtig
nnten, der Aufbau dieses monumentalen Tropaions dem von
mklissi überaus verwandt gewesen sein muss. Petersens
stellung, dass das Gedrungene an Adamklissi auf trajanisch-
rianische Epoche weise, ist aber gänzlich irrig; die vor-
denen Analogien ergeben das gerade Gegenteil von dem,
er möchte. Es scheint Petersen wirklich in dem Augen-
ke ganz vergessen zu haben, dass das Mausoleum des
rian ja nicht die plumpe Masse war, die die heutige Engels-
g darstellt, sondern ein im Verhältnis zum Monument von
mklissi höchst eleganter, leichter, säulenumgebener Bau,
er scheint ferner vergessen zu haben, dass es ja das Mau-
um des Augustus in Rom ist, das durch die Schwere seines
igen Aufbaues ebenso in Gegensatz tritt zu dem eleganten
lenbau des Hadrian wie es andrerseits dem Denkmal von
mklissi verwandt erscheint, und selbst die Caecilia Metella
s seinem Gedächtnis entschwunden gewesen sein, dieser
ungen gewaltige Rundbau, der künstlerisch ja offenbar

unter den besser erhaltenen Bauten die nächste Analogie zu
Adamklissi ist und der eben aus der Zeit, in welche ich dieses
setze, den ersten Jahren des Augustus oder den letzten vor
ihm stammt (Hülsen in Neue Heidelberger Jahrb. VI, 1896,
S. 50 ff.); und der Caecilia Metella wiederum sehr ähnlich ist
das Grabmal der Plautier an der Strasse nach Tibur, das
M. Plautius Silvanus erbaute, der 2 vor Chr. mit Augustus
Consul war. Dagegen ist uns aus trajanischer oder hadria-
nischer Zeit Analoges gar nicht bekannt. Petersen meint
ferner, die Tropäen des Drusus und Germanicus in Germanien
seien von völlig verschiedener Form gewesen; gewiss, insofern es keine monumentalen Steinbauten, sondern nur Erd-
aufschüttungen mit darüber aufgehäuften Waffen waren; aber
diese vergängliche Gestalt des Tropaions war ja eben das Vorbild, die Grundform für den monumentalen steinernen Bau!
Tacitus sagt, Ann. 2, 18, von Germanicus Tropaion, ein „agger“,
also ein Erdaufwurf sei errichtet und darauf die Waffen „in
modum tropaeorum“ angeordnet worden („imposuit“); Drusus
Tropaion wird von Florus 2, 30 als „editus tumulus“ bezeichnet, den Drusus „spoliis et insignibus . . . in tropaei
modum excoluit“. Eine solche Erdaufschüttung, ein Tumulus
mit darauf aufgepflanzten Waffen, das ist aber ja eben das
Vorbild des Steinmales von Adamklissi! Und hierin, in diesem
gemeinsamen Ursprunge aus dem aufgeschütteten runden Erd-
hügel mit für den Ablauf des Wassers schrägem kegelför-
migem Abschlusse beruht ja auch die schon oben (S. 262)
hervorgehobene Gleichartigkeit der monumentalen Tropäen und
der Mausoleen.

Dagegen endlich, dass unsere Ueberlieferung für das Tropaion von Adamklissi eine Reihe der schlagendsten Parallelen
aus der augusteischen oder der kurz vorangehenden Periode,
gar keine aus trajanischer oder späterer Zeit kennt, sucht sich
Petersen mit allgemeinen Erwägungen zu trösten, wie die,
warum sollte der Soldatenkaiser Trajan nicht auch u. s. f.
— allein diese ändern an jener Thatsache nichts, die ich für
meine Datierung jedenfalls mit verwenden durfte; ihrethalben

allein Adamklissi Trajan abzusprechen, was mir Petersen zu-
zuschieben scheint, ist ja Niemand eingefallen.

Dies sind die Gründe Petersens gegen meine These. Sie
haben sich uns sämtlich als nichtig erwiesen. — Im weiteren
Verlauf seiner Abhandlung bespricht Petersen noch die Unterschiede in Bewaffnung und Ausrüstung der Soldaten von Adamklissi und von der Trajanssäule; er erkennt an, wie schon
bemerkt, dass Adamklissi hierin einen älteren Typus aufweist;
allein, indem er annimmt, der trajanische Ursprung des Tropaions sei erwiesen, glaubt er jene Differenzen auf dieser Basis
erklären zu müssen, was ihn nun in unmögliche Folgerungen
verwickelt. Auch hierdurch wird unsere These nur bestätigt,
wie sich beim Eingehen auf die einzelnen Punkte sofort zeigt.

Zunächst der Panzer. Am Relief des Domitius 35—32
v. Chr. (Intermezzi S. 36) erscheint nur das Kettenhemd. In
Adamklissi ist genau dasselbe von derselben bis zur Mitte der
Oberschenkel reichenden Länge die gewöhnliche Tracht des
Soldaten, neben der nur auch das ganz gleichartige Schuppen-
hemd erscheint. An der Trajanssäule ist diese Ausrüstung
nur den Auxiliarcohorten und der Reiterei eigen, während
der Legionar eine völlig verschiedene Panzerart, die sog. lorica
segmentata trägt, die während des ganzen ersten Jahrhunderts,
wie die Denkmäler, insbesondere die militärischen Grabsteine
lehren, unbekannt war und wahrscheinlich eben von Trajan
eingeführt wurde, jedenfalls für seine Legionare eminent charakteristisch ist. Dass sie in Adamklissi nicht erscheint, wird
immer eine der besten Bestätigungen dafür bleiben, dass dies
mit Trajan und den Dakerkriegen nichts zu thun hat. Denn
die ganz abenteuerliche Hypothese, mit der die Herausgeber
von Adamklissi über diesen Punkt wegzukommen suchten, dass
nämlich jener Streifenpanzer eine Erfindung der Kunst sei und
in Wirklichkeit nicht existiert habe, kann man nur mit schonen-
dem Stillschweigen übergeben; auch hat sie weder Benndorf
noch Petersen wieder aufzunehmen gewagt.[1]

[1] Der Gedanke war indess schon früher aufgetaucht und von
A. Müller im Philologus Bd. 40, 1881, S. 126 ff. (vgl. Bd. 47, S. 547 ff.)

Dann das cingulum: weder das Relief des Domitius noch Adamklissi kennen den Gurt mit dem langen Streifenbehang, der so charakteristisch ist für die römischen Soldaten der Grabsteine der Kaiserzeit und zwar des ersten Jahrhunderts n. Chr.; auf der Trajanssäule erscheint dieser Streifenbehang zwar noch am Legionar, aber nicht mehr regelmässig und lange nicht mehr so gross und breit wie an jenen älteren Reliefs; und noch mehr im Verschwinden ist er an der Marcussäule. Auch diese Thatsachen stehen mit unserer These im vollsten Einklang, während man bei Petersens Annahme, die Adamklissi ganz kurz vor die Trajanssäule setzt, den Gürtelbehang erwarten müsste, und zwar noch in grösserer Geltung als an der Säule.[1])

gründlich zurückgewiesen worden. — Was aber die Herkunft dieses Streifenpanzers betrifft, so hat Petersen in einer Anmerkung p. 314, 1 einen sehr beachtenswerten Fingerzeig gegeben: an der Basis der Trajanssäule erscheint eine Art Streifenpanzer, wie sie für Trajan wohl das Vorbild sein konnte, unter allerlei fremden orientalischen Waffen, die man nicht mit P. als wirkliche dakische Beutestücke, sondern nur als beliebig vom Künstler ausgewählte Fremdenwaffen zu betrachten hat; mit Recht vermutet Petersen daher griechisch-orientalische Herkunft jener trajanischen Neuerung. A. Müllers Versuch (Philol. 40, 136) die Form von den Etruskern herzuleiten, ist nicht geglückt. Hübner (Hermes Bd. 16, 306) nimmt griechischen Ursprung an, aber ohne Belege zu bringen.

[1]) Der Abschnitt Petersens über die „cintura" p. 313 f. enthält eine Reihe seltsamer Unrichtigkeiten. Auffallend ist es, dass er die Reihen von Lederstreifen, die an Adamklissi unter dem Panzerhemd erscheinen, die den Pteryges des griechischen Panzers entsprechen und deshalb auch am Oberarm erscheinen, für eine „cintura" ansieht und nun weiter angiebt, „con siffatta cintura" sei auf den Grabsteinen der Streifenbehang des cingulum verknüpft. Er citiert dazu Tafeln von Lindenschmit, die gar nichts Derartiges zeigen: Lindenschmit I, 8, 6; 9, 4; 10, 5; 11, 6 erscheint nur der Rock mit dem bekannten cingulum und Behang: I, 6, 5 dagegen zeigt einen Offizier mit dem griechischen dem Offiziersstande eigenen Panzer und zugehörigen Pteryges, aber natürlich ohne jenes cingulum; I, 4, 6, 1. 2 erscheint ein Koller mit Streifen, darüber, aber ohne jede Verbindung, der Gurt mit seinem Behang. Auch wenn Petersen p. 314 sagt, an der Säule sei die „cintura di due file" für den Offizier

Was die Schildform betrifft, so stehen die langen ovalen
bilde, von Adamklissi zweifellos denen des Domitiusreliefs
näher als denen der Trajanssäule, und auch die halb-
indischen Scuta des Tropaions sind durch relative Grösse
d Einfachheit der Ausstattung von denen der Säule ver-
ieden, finden dagegen an rheinischen Grabsteinen der frühen
iserzeit nähere Parallelen: die Entwickelung ging von der
weren schwereren Form zur leichteren eleganteren.

Die Beschienung von Arm und Bein, die Adamklissi zeigt,
den trajanischen Denkmälern völlig fremd,[1] ebenso den
ch späteren; nur die Gladiatorenrüstung, die überhaupt älteres
ge bewahrt hat (wie den altitalischen, an den Seiten auf-
nommenen Rock) behielt sie bei. Dass aber Armschienen
der frühen Kaiserzeit auch der Soldatentracht nicht fremd
ren, zeigen rheinische Grabsteine (Lindenschmit I, 9, 4;
, 6, 5, 3). Beinschienen gehörten zu der altrömischen Be-
ffnung; vereinzelt erscheinen sie in früherer Kaiserzeit (z. B.
gen von Orange, vgl. Hübner in Oesterr. Mitteil. VI, 67 f.);
scheinen sich bei den Offizieren relativ länger gehalten zu
ben (vgl. Oesterr. Mitteil. V, 206, Taf. 5; Marquardt, Staats-
w. II², 338, 5; A. Müller im Philol. Bd. 47, S. 527 f.),
ch auch bei diesen fehlen sie schon an den trajanischen
nkmälern: die Tendenz der Entwickelung ging auch hier auf
leichterung der Ausrüstung. — Auch das schwere Pilum
a Adamklissi, das Polybios Beschreibung entspricht, ist auf
nkmälern trajanischer und späterer Zeit nicht nachzuweisen.
Die Hornbläser und Standartenträger von Adamklissi haben
gmsicht die Barbarentracht mit den Fellen, die in flavischer

erviert, so liegt jener seltsame Irrtum zu Grund, denn gemeint sind
zwei Pterygesstreifen des griechischen Offizierspanzers. — Thatsache
dass die Pterygesreihen an der lorica der Infanteristen zu Adam-
si ihre nächsten Analogien an frühkaiserlichen Denkmälern finden;
, A. Müller, Philol. Bd. 47, S. 528.

[1] Die Armschiene eines dekorativen Waffenreliefs wahrscheinlich
janischer Zeit, Berlin Sculpt. Nr. 958, kann nicht dagegen angeführt
len, da sie für die Ausrüstung des römischen Soldaten nichts beweist,
am hier zu dekorativem Zwecke Waffen aller Art abgebildet sind.

Zeit aufkam (vgl. Petersen p. 312, 2) und die man erwarten
müsste, wenn das Denkmal trajanisch wäre.

Wenn endlich die Römer zu Adamklissi, von 20 deutlichen
Köpfen alle bis auf einen, rasiert erscheinen, während an der
Trajanssäule überall Bärtige sich einmischen, wie denn bald
nachher unter Hadrian der Bart wieder allgemein ward, so
gehört natürlich auch diese Thatsache zu denen, die Adamklissi mit Vortrajanischem verbinden, von Trajanischem trennen.

Die kurzen Hosen, welche bei den Römern von Adamklissi vorkommen, können nicht etwa für eine spätere Datierung verwendet werden; in den kalten nördlichen Gegenden
haben sie die Römer offenbar schon früh gebraucht; an Adamklissi erscheint ja auch sonst warme Winterkleidung. Caecina
(Mitte 1. Jahrh.) kommt bei Tacitus hist. 2, 20 von den Alpen
und hat sich die Hosen angewöhnt. Schon auf den Reliefs
des augusteischen Triumphbogens im Alpenlande zu Susa erscheinen die Römer mit kurzen Hosen (nach den Zeichnungen
bei Rossini), wie zu Adamklissi. An rheinischen Grabsteinen
früherer Kaiserzeit kommen kurze Hosen mit Lederstreifen-
besatz vor (Lindenschmit III, 6, 5; von Lindenschmit bei seinem
bekannten Modell eines römischen Soldaten benutzt)[1].

Eine Neuerung am Tropaion, die auf die Zeit zwischen
Trajan und Antoninus Pius beschränkt gewesen sei, soll nach
Petersen p. 314 der dort sichtbare Pferdeschmuck gewesen sein.
Beweise für diese zeitliche Begrenzung führt Petersen nicht
an; sie ist irrig, denn schon der Adamklissi S. 73 angeführte
Mainzer Grabstein, Lindenschmit I, 11, 6, 2, der jenen Pferde-
putz mit Halsriemen zeigt, gehört vortrajanischer Zeit an;
auch am Titusbogen zu Rom kommt der mit Scheiben be-
setzte zierende Halsriemen vor, und andererseits erscheint dieser
Pferdeschmuck in der Spätzeit nicht minder, wie z. B. auf den
sassanidischen Silberschalen (Monum. d. Inst. III, 51; Stephani,

---

[1] Petersen p. 314, 2 will zwar bestreiten, dass hier Hosen darge-
stellt sind; allein sie sind vollkommen deutlich, wie ich mich am
Originale überzeugt habe. Vgl. auch A. Müller im Philologus Bd. 47,
S. 528 f.

Compte-rendu 1867, 3, 1; auch an der Silbervase unbestimmter
römischer Zeit aus Südrussland, Antiqu. du Bosph. pl. 40, 41).
Petersens Behauptung ist also ganz willkürlich und aus diesem
Pferdeschmuck ist für das strittige Datum von Adamklissi nichts
zu entnehmen.

Sind schon die einzelnen Aufstellungen Petersens sämtlich
irrig, so ist seine positive Schlussthese erst recht seltsam. Er
muss, wie bemerkt, anerkennen, dass das Tropaion älter ist
als die Trajanssäule mit den Dakerkriegen. Nun ist aber die
Trajaninschrift, die für ihn das Datum des Tropaions geben
muss, um 109 datiert, also zwei Jahre nach Beendigung der
Dakerkriege. Aus dieser Klemme hilft sich Petersen mit der
Annahme, das Tropaion stelle, obwohl 109 erst geweiht, doch
Ereignisse dar, die vor die Dakerkriege fielen, für welche aber
nur die zwei Jahre 98/99 und 100 verfügbar sind, die Jahre,
in denen Trajan den Dakerkrieg vorbereitete, den er 101 begann.
In diese Vorbereitungen, denkt sich Petersen, gehörten die
Kämpfe an der unteren Donau, welche die Errichtung des
Tropaions veranlassten. Also, ein riesiges Siegesdenkmal v o r
dem Kriege und an der Grenze — wer möchte das für glaublich halten! Und dann: die Säule war 113/114 vollendet; sie
schildert die zwei Dakerkriege 101—107; Petersen erkennt die
grossen Unterschiede in dem ganzen Aeussern, der Ausrüstung
und Bewaffnung der Römer am Tropaion und an der Säule
und giebt zu, dass ersteres ein älteres Stadium repräsentiere;
nun bleibt ihm nur übrig, entweder anzunehmen, dass die
Säule nicht die wirkliche Bewaffnung der Dakerkriege, die sie
schildert, sondern eine später 107—113 aufgekommene darstellt und dass die wirkliche Ausrüstung der Dakerkriege am
Tropaion zu sehen sei, das ihnen voranliegende Ereignisse darstelle —, oder dass das Tropaion, obwohl während der Dakerkriege und noch 2 Jahre nach ihnen gearbeitet, doch mit
antiquarischer Treue einen jenen Kriegen vorangegangenen
Typus in Bewaffnung, Ausrüstung, Bärtigkeit u. s. f. wiedergebe!
Beide Annahmen sind gleich absurd. Uebrigens sind schon
jene Unterschiede ja auch keine solchen, die von heute auf

morgen eintreten können; man müsste einen längeren Zwischenraum zwischen Tropaion und Säule annehmen, auch wenn wir
dies nicht Punkt für Punkt noch so genau nachweisen könnten.

Ueber die Meinung Benndorfs, dass das Tropaion von
Adamklissi die Dakerkriege selbst darstelle und über seinen
erneuten Versuch eine Bestätigung dafür aus den Bildern der
Trajanssäule herauszulesen, verliert Petersen mit Recht kein
Wort; „tranquillamente io lascio il giudizio ad altri" bemerkt
er p. 316, 1: es sieht es ja ein Jeder, dass jene Benndorf'sche
Ausdeutung der Trajanssäule nur ein wertloses Hirngespinnst
ist, dem man mit Leichtigkeit ein Dutzend andere von ganz
der gleichen Glaubwürdigkeit an die Seite stellen könnte.

Es bleibt noch ein Punkt übrig, den ich schon Intermezzi
S. 76 berührt habe, den die Entgegnungen aber unberücksichtigt liessen: der künstlerische Charakter des Denkmals.
Er giebt eine letzte, und nicht die geringste Bestätigung
meiner These.

Eine zusammenfassende historische Betrachtung der pro-
vinziell römischen Kunst wäre, wie ich a. a. O. hervorhob,
eine wichtige dankbare Aufgabe für die Zukunft. Um einen
Anfang zu machen und mir wenigstens auf einem Gebiete
einen Ueberblick zu verschaffen, habe ich neuerdings die Museen
der Rhein- und Moselgegend besucht mit besonderer Rücksicht auf solche Steinskulpturen, die durch ihre Inschriften
datierbar sind. Ich war überrascht, wie sehr sich bestätigte,
was ich (Intermezzi a. a. O.) über den Entwicklungsgang schon
vermutet hatte. Jene Trockenheit und nüchterne Treue, jene
naive Derbheit, jenes hölzerne Ungeschick, das die Reliefs von
Adamklissi charakterisiert — wir finden dies alles unter den
provinzialen Denkmälern am Rhein an denen der ersten Kaiserzeit wieder, aber nur an diesen. Die frühen militärischen
Grabsteine zeigen in überraschend gleicher Weise nicht nur
denselben ächt römischen Geist in der harten nüchternen
Wiedergabe des Aeusserlichen, ja auch dieselbe Stilisierung
des Gesichtes und des Haares wie Adamklissi. In der flavischen
Periode ändert sich dies schon; die etwa in Domitians Zeit zu

finden Grabsteine und dann mehr noch die der trajanischen
iche zeigen nicht nur neue Typen — es ist der griechische
en Todtenmahltypus in seiner hellenistischen Gestalt jetzt
lebt geworden — sondern auch einen ungleich „besseren",
is sozusagen gebildeteren, der hellenistisch-römischen κοινή
eren Stil mit guten tiefgeschnittenen Falten, reicher Model-
ung u. s. f.; jene harte hölzerne, ungeschickte treue Art
frühen Reliefs ist verschwunden. Und sie kam nicht wieder.
zweiten und der ersten Hälfte des dritten Jahrhunderts
gerade aus letzterer Epoche sind wichtige datierte Denk-
ler vorhanden, welche viele andere ungefähr zu datieren
statten — herrschte in den Rheingegenden ein von jenem
geschickt harten früheren, total verschiedener weicher flotter,
r allgemeiner und flauer Stil. Die Viergötteraltäre, Matronen-
ne, Mithrasreliefs sind regelmässig von dieser Art. In der
en Hälfte des dritten Jahrhunderts war dieser Stil noch in
buster Blüte und scheint damals besonders viel in demselben
rbeitet worden zu sein. Auch die grossartigen Grabdenk-
ler der Trierer Gegend, die Igeler Säule und die pracht-
len Reste ähnlicher Denkmäler aus Neumagen in Trier[1])
ören in diese Reihe und sind nicht älter als das zweite
rhundert; ganz abgesehen von den historischen Erwägungen,
eine wesentlich frühere Entstehung schon sehr unwahr-
nlich machen, wird jene Datierung durch zahlreiche Details

---

[1]) Vgl. den vorläufigen Bericht von Hettner im Rhein. Mus. Bd. 36,
S. 435 ff. Eine vollständige Publikation derselben dürfen wir
nächst von ihm erwarten. Hettner machte mich aufmerksam, dass
Monument des C. Albinius Asper aus verschiedenen Gründen (wie
hrift, Material) älter als die übrigen sein müsse; es stellt aber den
storbenen in römischer Toga mit Bart dar und kann daher wohl
nur vor Hadrian oder höchstens Trajan fallen, wozu auch der Stil
t. Dieser ist aber noch etwas trockener und härter als bei den
ern schöneren Sandsteinmonumenten. — Von den in Hettners treff-
en Kataloge der Trierer Steindenkmäler beschriebenen und abge-
ldeten Stücken gehören zu dieser letzteren Serie der flotten Sand-
skulpturen des 2.—3. Jahrhunderts namentlich Nr. 220, 232, 264, 235,
242, 245, 247, 249, 255, 256, 460. — In frühere Epoche gehört 458.

(auch der architektonischen Formen) wie den ganzen Stil, die
Formen- und Materialbehandlung und den Zusammenhang mit
jenen anderen Werken erwiesen. Mit den frührömischen süd-
französischen Skulpturen von St. Remy und Orange, die in
ihrem stilistischen Wesen eigentlich rein hellenistisch-griechisch
sind, haben sie keine engere Gemeinschaft; sie sind provinzial
römisch, aber nicht von jener ächt römischen Art der frühkaiserlichen Provinzialdenkmäler, sondern der hellenisiert römisch-
provinzialen des 2.—3. Jahrhunderts. Es fügt sich trefflich
in den Gang der ganzen Kulturentwicklung in jenen Gegenden,
dass in frühkaiserlicher Zeit noch ächt römischer Geist herrscht,
während später durch fortschreitende Bildung, d. h. Hellenisierung
eine zwar ungleich geschicktere glänzendere, aber auch flauere
kraftlosere Kunstweise eintritt. Jene frühen Werke der Rhein-
gegend stammen vermutlich aus dem römischen Heere selbst;
die späteren von gelernten, gebildeten provinzialen Steinmetzen.

An der Donau war, so viel ich sehe, die Entwickelung
ganz die gleiche; nur ist die Frühzeit hier weniger vertreten.
Besonders wichtig sind die von Bormann in Oesterr. Mitteil.
Bd. 18, 1895, S. 208 f. besprochenen ältesten Grabsteine von
Carnuntum, die in die Epoche vor 63 n. Chr. datiert sind.
Die dort S. 212 Nr. 2 und S. 220 abgebildeten Steine gleichen
in der Inschrift wie dem Stil des Bildes vollständig den frühesten
rheinischen; nicht minder aber gleichen sie Adamklissi! Ja
selbst Gesichtsbildung, Auge, Mund, Haare des Steins S. 212
sind frappant ähnlich wie an Adamklissi. Beide Grabmäler
gehören aber zu denen, die wegen Fehlens des Cognomens nach
Bormann nicht nach Claudius gesetzt werden können. Auch
der Grabstein Oesterr. Mitteil. V, Taf. 5 (vgl. Bormann a. a. O.
S. 215 Nr. 7 und 223), der unter Claudius gesetzt wird, gehört
hierher. In trajanischer und späterer Zeit aber ist auch an
der Donau dieser Adamklissi gleichende Stil verschwunden und
durch jene flotte freie, weiche Weise ersetzt wie am Rhein
(vgl. z. B. den Grabstein von Cilli bei Conze, röm. Bildw. in
Oesterr., Taf. 13, die Skulpturen von Poetovio ebenda Taf. 5 ff.,
die Mithräen aus Dacien, Oesterr. Mitteil. 1883, S. 200 ff., die

Grabsteine im Museum zu Regensburg). Dass die Rhein- und
Donauländer von ein und derselben Kunstströmung beherrscht
wurden, zeigt sich auch dadurch deutlich, dass die reichen
Grabmäler vom Typus und Stile derer von Neumagen und der
Igeler Säule an der Donau ebenfalls vertreten waren, wie Frag-
mente von Pechlarn (Oesterr. Mitteil. XVIII, 1895, S. 24 ff.)
und Carnuntum (ebenda XVI, 1893, S. 193 ff.) schliessen lassen.
Die Anregung zu diesen eigentümlichen Denkmälern mit ihrer
Kompositionsweise in mehreren Feldern übereinander (vgl. dazu
auch den oben genannten Stein von Poetovio, Conze, Taf. 5. 6)
scheint nicht vor dem 2. Jahrhundert n. Chr. nach Donau und
Rhein von Osten, vom griechischen Kleinasien gekommen zu
sein (vgl. Samml. Sabouroff, Text zu Taf. 137 am Schluss).
Interessant ist, dass auch in Bezug auf Sarkophage und ihren
Schmuck Rhein und Donau zusammengehen und in gemeinsamen Gegensatz zu dem ganz anderen Sarkophagtypus Italiens
treten, während sie östlicher griechischer Weise näher stehen.
    Indes dies führt uns zu weit. Möge bald ein Anderer
die hier begonnene Untersuchung über die Entwickelung der
provinzialen Skulptur an Rhein und Donau aufnehmen und
voll durchführen. Uns genügt für jetzt das Resultat: Adamklissi wäre auch kunsthistorisch in Trajans Zeit unverständlich,
während es in die augusteische Epoche sich vortrefflich einfügt.
Nur wer Kunstformen überhaupt nicht mit historisch unter-
scheidendem Blicke zu sehen versteht, kann bei Adamklissi
die von Unkundigen so beliebte bequeme Redeweise von der
zu allen Zeiten in gleicher Form sich wiederholenden, also
undatierbaren Rohheit anwenden. Es giebt ja Fälle solcher
Rohheit; in entlegeneren Gegenden im Donaugebiete z. B.
kommen unbedeutende kleine Skulpturen völlig barbarischer
Rohheit in der Kaiserzeit vor (in Serbien, Oesterr. Mitteil. 1886,
S. 212 ff.; in Dacien, ebenda 1884, S. 39); allein, dergleichen
hat mit Adamklissi nichts zu thun; denn hier haben wir einen
in seinem Ungeschick doch ganz bestimmt ausgeprägten naiven,
treuen Stil; die „Rohheit" von Adamklissi ist voll des indivi-
duellsten Charakters, und dieser Charakter ist derselbe ächt

römische, den wir an den frühen provinzialen Denkmälern am
Rhein und der Donau und, wie wir schliesslich noch als wichtige
Bestätigung hinzufügen, in wiederum überraschend analoger
Weise an dem Augustus im Jahre 8 n. Chr. geweihten Triumphbogen von Susa im Alpenlande wiederfinden,[1]) ein Denkmal,
das wir schon oben auch wegen sachlicher Uebereinstimmungen
mit Adamklissi zu nennen hatten.

Wo nun so alles und Jedes zusammentrifft, um eine These
zu bestätigen, da darf sie wohl als bewiesen gelten: das Tropaion von Adamklissi ist nach Crassus Kämpfen 29/28 v. Chr.
errichtet, von Trajan aber wiedererobert und neu geweiht worden.

Zusatz.

Nachdem Obiges bereits zum Drucke gegeben war, erhielt
ich durch die Freundlichkeit des Verfassers einen Sonderabdruck
der in „Philolog.-histor. Beiträge Curt Wachsmuth zum 60. Ge-
burtstage überreicht" soeben erscheinenden Abhandlung von
Conrad Cichorius „die Reliefs des Denkmals von Adamklissi."
Ich freue mich, dass Cichorius in der Hauptsache zu ganz demselben Resultate gekommen ist wie ich. Auch er erkennt, dass
es ganz unmöglich ist, die Reliefs von Adamklissi in die Zeit
Trajans zu setzen. Er ordnet die Gründe, die auch für ihn
trajanischen Ursprung der Reliefs einfach ausschliessen, in
drei Reihen. Er hält es 1. mit Recht für unmöglich, dass
der prachtliebende Kaiser Trajan in seiner Machtfülle, dem die
vorzüglichsten Künstler der damaligen Welt jeden Augenblick
überall zu Gebote standen, dass insbesondere sein berühmter
griechischer Architekt Apollodor an einem grossen kaiserlichen
Siegesmonumente so gering und ungeschickt gearbeitete Reliefs,
wie es die von Adamklissi sind, geduldet haben könne. — 2. ist
auch Cichorius der Ansicht, dass die tiefgreifenden Verschiedenheiten in Uniform und Bewaffnung der römischen Soldaten,
die Adamklissi von den trajanischen Denkmälern scheiden, den

---

[1]) Reproduktion der Photographie eines Stückes Adamklissi S. 146.
Die Zeichnungen bei Rossini sind für das Stilistische natürlich unbrauchbar.

trajanischen Ursprung jener Reliefs unmöglich machen. — Und ~~denselben Schluss~~ zieht auch er 3. aus der Thatsache, dass die ~~Barbaren~~ ~~des~~ Tropaions von den Gegnern Trajans auf dessen ~~Monumenten~~ ~~total~~ verschieden sind. Auch Cichorius erkennt ~~in dem Hauptvolke~~ des Tropaions Germanen.

In all diesen Hauptpunkten erfreue ich mich also der ~~Uebereinstimmung~~ mit Cichorius. In anderen ist er abweichender Meinung; allein, dass er in diesen irrt, ist unschwer nachzuweisen. Und seine Schlusshypothese, dass das Monument selbst trajanisch, die Metopen- und Zinnenreliefs aber constantinisch seien, ist gar sofort als Unmöglichkeit erkennbar.

Sie wird schon durch den architektonischen Thatbestand ~~ausgeschlossen~~. Wie Niemann nachgewiesen hat, ist das Denk~~mal~~ ~~aus einem~~ Gusse. Cichorius nimmt an, Constantin habe die von Barbaren beschädigten Reliefs durch neue ersetzt. Allein dies war, wie ein Blick auf Niemanns architektonische Aufnahmen zeigt, unmöglich, ohne die ganze geschmückte obere Hälfte der Verkleidung des Denkmals mit allen Friesen, Pilastern, Gesimsen, Zinnen zu ersetzen. Dass die ganze Steinverkleidung aber aus einem Gusse zu derselben Zeit gearbeitet ward, ist eine einfache Thatsache. Cichorius müsste also, um seine These aufrecht zu halten, annehmen, der gesamte Hausteinmantel des Monuments sei constantinisch, nur der Kern trajanisch. Dies wird durch alles, was wir von dem künstlerischen Können und technischen Verfahren constantinischer Zeit wissen, ausgeschlossen. Und wie sollte Constantin, der selbst in Rom zu seinem Triumphbogen fremde Monumente hier in der Einsamkeit ohne Not vorhandenes Trajanisches beseitigt und durch Eigenes ersetzt haben! Denn dass etwa die Barbaren jenen ganzen gewaltigen Steinmantel zerstört hätten, so dass er hätte ersetzt werden müssen, ist ganz unmöglich. Die ungeheure Festigkeit des Ganzen und die Höhe, in welcher die zierenden Teile angebracht waren, sicherten das Monument überhaupt vor den Händen der hier durchziehenden Barbarenhorden. Aber wäre eine totale Zerstörung vor Constantin denkbar, wie sollte dann gerade die

trajanische Inschrift allein verschont geblieben sein, wo die
Barbaren doch gewiss diese vor Allem vernichtet hätten. Und
weiter: nach Cichorius Annahme hatte der constantinische
Künstler zwar die Absicht, die Dakerkriege Trajans darzustellen, indem er ältere trajanische Reliefs dieses Gegenstandes
ersetzen sollte; in Wirklichkeit aber hat er nach Cichorius
wider eigenes Wollen aus Versehen, doch gleichwohl mit
exaktester Treue, die soeben stattgefundenen Kämpfe Constantins gegen die Gothen, die Karpen und die Sarmaten dargestellt, in diesen aber statt des Porträts Constantins das Trajans
angebracht! Es genügt wohl, diese These anzuführen, um
sie zu widerlegen.

Sehen wir indes, wie Cichorius zu seiner seltsamen Annahme
kommen konnte. Es sind vier Irrtümer, die ihn dazu führten.

Zunächst der Glaube, dass der trajanische Ursprung des
Monuments durch die Inschrift bewiesen sei. Dass dies nicht
richtig ist, haben wir oben ausführlich dargelegt.

Zweitens die Annahme, der auf den Reliefs vorkommende
römische Feldherr sei ein Porträt Trajans. Cichorius will zwar
nur eine geringe Aehnlichkeit zugeben, hält dieselbe aber doch
für einen Beweis, dass die Künstler die Trajanskriege hätten
darstellen wollen (die in der Ausführung nur unversehens zu
denen Constantins geworden seien). Da auch Cichorius sich
von diesem angeblichen Trajansporträt hat täuschen lassen, so
ist es vielleicht nicht unnütz, hier zu dem, was oben S. 258 f.
schon gesagt ist, als Illustration die drei Fälle, wo der Kopf
des Feldherrn auf den Reliefs mehr oder weniger erhalten ist,
in Autotypieen nach den Lichtdrucken der Publikation[1]) und
daneben den Kopf des vor der Mitte des ersten Jahrhunderts
gestorbenen Soldaten Q. Veratius von seinem Grabsteine aus
Carnuntum (s. oben S. 280)[2]) und ferner einen wirklichen

---

[1]) Nach Fig. 75 (Metope 27), 87 (Met. 39), 92 (Met. 44); auf Fig. 87
(Met. 39) ist der zerstörte Kopf der des Feldherrn, der andere der des
Begleiters.

[2]) Nach Oesterr. Mitteil. Bd. XVIII, S. 212, Fig. 2.

Adamklissi
Metope 39.

Adamklissi
Metope 44.

Adamklissi
Metope 27.

Grabstein von Carnuntum
(Arch.-ep. Mitteil. a. Oesterr. XVIII, S. 212).

Trajan
München, Glyptothek Nr. 196.

Trajanskopf zu geben und daran die Frage zu knüpfen, wem
wohl jene drei unter sich übrigens ja recht verschiedenen Köpfe
von Adamklissi ähnlicher sehen, dem trefflichen Q. Veratius
oder dem Kaiser Trajan? Wenn jene Adamklissiköpfe Trajan
sein sollen, warum nicht auch der Q. Veratius und seine Com-
militonen frühkaiserlicher Zeit von Rhein und Donau? vielleicht
sind diese Grabsteine unter Trajan mit den Zügen des Kaisers
ausgestattet worden?! — Ich möchte wünschen, dass die hier
gegebenen unvollkommenen Autotypieen bald von den Ver-
fechtern des Trajanporträts durch grosse Photographieen ersetzt werden mögen.

Es ist ferner drittens eine zwar sehr verbreitete, aber deswegen nicht minder falsche Voraussetzung von Cichorius, dass
ungeschickte rohe Arbeit ohne Weiteres späten Ursprung in-
diziere. Dieser landläufige Schulbegriff entspringt nur einfacher
Unkenntnis. Wenn Cichorius sagt, der „unbefangene“ Be-
schauer habe den Eindruck später Zeit, so würde er richtiger
sagen, der „unkundige“. Ich habe oben nachgewiesen, dass
die Eigenart des Stiles von Adamklissi, dieses harte rohe Ungeschick der Formen, verbunden mit nüchterner Treue der
Darstellung, eben die Eigenart der provinzialen Kunst des
Alpen-, Rhein- und Donaugebietes in der frühest kaiserlichen
Epoche ist, während später auch hier ein ganz anderer helleni-
sierter weicher Stil herrscht, der in der ersten Hälfte des
dritten Jahrhunderts besonders blüht. Hundert Jahre später
unter Constantin aber ist die Kunst erstarrt. Constantinisches
ist von Adamklissis Weise himmelweit verschieden. Bei aller
Unbeholfenheit ist hier Leben und Wahrheit und einfache
Schlichtheit, dort nur starr leblose Oede beim Streben nach
äusserlich prunkvoller Wirkung. Die Grabung in der Stadt
Tropäum hat in dem constantinischen Tropaion (Adamklissi
S. 109, Fig. 126) ein recht charakteristisches Stück ergeben.

Endlich hat Cichorius viertens sich durch eine falsche
Einzelbeobachtung verleiten lassen. Er weist auf einen an
zwei Metopen (Nr. 38 und 43) bei den römischen Soldaten
erscheinenden schärpenartigen Zeugstreifen hin, der nach Benn-

Nachweisen nur im vierten Jahrhundert und speziell in
tantinischer Zeit vorkomme. Allein hier muss ich zunächst
idorf in Schutz nehmen, der S. 78 zu jenem Streifen be-
t, dass „etwas zutreffend Aehnliches" in antiken Dar-
ingen ihm nicht aufgestossen sei. Die in der Anmerkung
mit „vgl." citierten Bildwerke des 4. und 5. Jahrhunderts
er also nicht als „zutreffend ähnlich" bezeichnen. Mit
it nicht; denn es handelt sich da um etwas total Anderes.
onstantinischer Zeit findet sich bei Consuln und vornehmen
ern in Civil ein breiter, von der linken Schulter (erst
r nach von der rechten) unter der rechten Achsel durch
den Rücken laufender schärpenartiger Streif (vgl. nament-
W. Meyer, zwei Elfenbeintafeln S. 23 f.). In Adamklissi
wir bei einigen gemeinen Legionssoldaten, die ohne
terhemd, nur mit dem Rocke bekleidet, das Pilum schul-
l, auf dem Marsche begriffen sind, an der rechten Schulter
ler Stelle, wo das schwere Pilum aufliegt, einen glatten
en Streifen; ich glaube, man kann bei einiger Ueberlegung
dessen Bedeutung nicht zweifelhaft sein: es ist ein Leder-
f, der den Rock an der Stelle schützen soll, wo er der
ligen Reibung des auf dem Marsche mit der Rechten ge-
lterten schweren Pilums ausgesetzt ist. Mit jenem Schulter-
le constantinischen Prunkes hat er wahrlich nichts zu thun
kann nicht einmal äusserlich mit ihm verglichen werden.
'eltsam ist übrigens, dass Cichorius dieser vermeintlichen
treinstimmung gegenüber mit keinem Worte auch des geigen Unterschiedes gedenkt, der doch zwischen Gewandung,
ung und Bewaffnung an Adamklissi und an Denkmälern
vierten Jahrhundert besteht! Um nur eines Punktes zu
hnen: wie will Cichorius die schwere Schlachtrüstung der
onare von Adamklissi erklären, wo die Entwickelung in
späteren Kaiserzeit doch immer auf leichtere Ausrüstung
(vgl. auch A. Müller im Philol. Bd. 40, 124) und wo
i im 3. und 4. Jahrhundert aus dem alten gewaltigen
m, das wir noch in Adamklissi sehen, eine ganz jämmer-
i Waffe geworden war, die ein moderner Militär treffend

ein „Spielzeug" nennen konnte (O. Dahm, in den Bonner
Jahrbüchern Heft 96/97, S. 247; vgl. Taf. 8). Dass aber jene
naive Treue und Schlichtheit der Reliefs des Tropaions nur
einem Phantasiebilde entsprungen sein sollte, das sich kon-
stantinische Künstler etwa von älterer römischer Zeit gemacht
hätten — wem sollte man dies widerlegen müssen?

Doch genug: wir sehen, dass die Voraussetzungen, von
denen Cichorius zu seiner merkwürdigen Hypothese gekommen
ist, sämtlich irrige waren, und auch diese neue Behandlung
der Adamklissifrage hat nur dazu gedient, unsere eigene Stellung
in derselben zu befestigen.

2. Zur Athena Lemnia.

Im Centralmuseum zu Athen hat unlängst ein Relief als
Nr. 1423 Aufstellung gefunden, das im Hieron des Asklepios
zu Epidauros bei den so erfolgreichen Ausgrabungen von
P. Kabbadias zu Tage gekommen ist. Ich bin auf eine in
Athen käufliche Photographie des Reliefs durch P. Arndt aufmerksam gemacht worden, der die Beziehung desselben zur
Athena Lemnia sofort richtig erkannt hatte. Das Original
habe ich nicht gesehen, doch haben die Herren P. Kabbadias
und A. Milchhöfer mich durch freundliche Mitteilungen über
damselbe unterstützt.

Danach ist das Relief trotz seines Fundortes eine zweifellos attische Arbeit. Der Marmor ist pentelisch und der Stil
entspricht genau den attischen Reliefs vom Ende des 5. oder
Anfang des 4. Jahrhunderts. Das Relief ist jetzt mit Gips
aus zwei Bruchstücken zusammengefügt und der Rand teilweise in Gips ergänzt. Die nach der Photographie gefertigte
umstehend gegebene Zeichnung lässt die ergänzten Teile deutlich erkennen. Das Relief hat unten geraden horizontalen
Abschluss, oben aber ist es gebrochen; es kann sich die Platte
hier noch länger fortgesetzt und vielleicht, wie P. Kabbadias
vermutet, eine Inschrift getragen haben, so dass das Ganze
eine Urkundenstele wäre, deren Relief nur statt wie gewöhnlich oben vielmehr unten gestanden hätte. Auch nach links
hin ist das Relief gebrochen; rechts ist unten der Rest einer
eigentümlichen abgeschrägten Randleiste erhalten.

Trotz der Verstümmelung ist unverkennbar, dass die Figur
rechts, wie ausser Arndt auch Kabbadias und Milchhöfer erkannten, dieselbe statuarische Schöpfung wiedergiebt, die ich
„Meisterwerke der griech. Plastik“ S. 1 ff. aus ihren disjecta
membra rekonstruiert und in der ich die Athena Lemnia des

nachgewiesen habe. Wie die Photographie deutlich
ıd mir Milchhöfer bestätigt, ist der Kopf der Athena
hr zerstört, aber die hintere Nackenlinie und der sie
ende Reliefgrund sind erhalten; sie zeigen, dass der
von Haaren frei und das Haar in Rolle aufgenommen
so mit dem Kopfe der Lemnia übereinstimmte. Der
r Schulter lässt ferner erkennen, dass auch der linke
ı erhoben war, ganz wie an der Statue. Die schräge
st etwas in der Weise des jüngeren Stiles vom Ende
Jahrhunderts modifiziert, indem sie schmäler und auch
ren Rande mit Schlangensaum geziert erscheint. Ebenso
Falten, namentlich von den Knieen abwärts natürlich
Weise dieser jüngeren Zeit mit tiefen schmalen Kanälen
hrt. Die ganze Stellung der Figur ist aber recht treu
(man vergl. die Seitenansicht der Statue, etwa Master-
ıl. II*). Eine Zuthat des Reliefarbeiters ist dagegen
ine Gewandstreif über dem rechten Arme; es schien
ı nackte Arm wohl etwas zu kahl; auch der schräg
nte Schild, der die Lücke zwischen beiden Figuren
oll, ist eine Zuthat des Reliefkünstlers.
ionders interessant ist aber natürlich, dass die rechte
ler Göttin erhalten ist, die einen grossen Helm der
schen Form am Nackenschirme gefasst hält. Dadurch
etätigt, was ich bereits aus anderen Analogien und
chlich aus gewissen Nachbildungen des Oberkörpers der
die auf nicht weniger als sechs Gemmen erscheinen,
ısen habe (vgl. über diese Gemmen meine zwei kleinen
e in der Revue archéol. 1896). Auf all diesen Gemmen
t, obwohl sie nur ein Brustbild der Lemnia wieder-
vor der Brust im freien Raume ein Helm, den ich als
ıng dafür fasste, dass der rechte Arm, der auf den
ı keinen Platz mehr fand, den Helm trug. Diese An-
findet jetzt ihre endgiltige Bestätigung.
ch die zweite Figur des Reliefs ist von Interesse; es
bärtiger Mann im Mantel auf den Stock gelehnt in
·annten schönen, den attischen Denkmälern so geläufigen

Motive. Seine rechte Hand fasst an den Helm, wie trotz der
Zerstörung deutlich ist und mir Milchhöfer nach Vergleichung
des Originals bestätigt. Ich glaube, dies kann nur Hephaistos
sein, und der Helm wird durch jenes Motiv als ein Werk des
Athena so nahe stehenden und mit ihr so eng verbundenen
Gottes bezeichnet. Die beiden Gottheiten sind auf diese Weise
geschickt durch ein lebendiges Motiv verbunden, obwohl an
dem statuarischen Typus der Athena gar nichts geändert ist.

Ist dieser aber der der Lemnia auf der Akropolis zu Athen,
d. h. der von den attischen Kleruchen auf Lemnos gestifteten
Statue, so gewinnt der Hephaistos auch erst seinen rechten
Sinn: er ist der Hauptgott von Lemnos, und zwar derjenige
lemnische Gott, der zugleich zur attischen Athena das innigste
Verhältnis hat. Unsere Platte würde sich nun am einfachsten
erklären bei der Annahme, dass die attischen Kleruchen auf
Lemnos im Asklepiosheiligtum zu Epidauros Anlass hatten,
eine Urkunde aufzustellen; sie konnten aber in der That kein
besseres Bild dazu finden als ihre Schutzgöttin Athena, in der
Gestalt wie sie dieselbe in der Heimath Athen durch Phidias
Hand hatten aufstellen lassen, und mit ihr vereint den lem-
nischen Hauptgott Hephaistos, den ja der heimische attische
Kultus in das innigste Verhältnis zu Athena setzte. Allein, da
die Bestimmung unseres Reliefs nicht ganz sicher ist, kann
diese Erklärung vorerst auch nur als Vermutung gelten; vielleicht findet man in Epidauros noch weitere zugehörige Fragmente, welche bestimmten Aufschluss über die ursprüngliche
Verwendung und über die Weihenden geben.

Indes das Sichere, das uns das Relief schon jetzt bietet,
ist erfreulich genug: die Athena Lemnia, die wir bisher nur
aus Kopien römischer Zeit in Marmor und kleinen Gemmen
rekonstruiert haben, finden wir hier auf einem attischen Denkmal der Blütezeit um 400 v. Chr. nachgebildet und ihr früher
nur erschlossenes Motiv mit dem Helme auf der Hand end-
giltig bestätigt.

Sitzungsberichte

der

kl. bayer. Akademie der Wissenschaften.

Oeffentliche Sitzung

zur Feier des 138. Stiftungstages

am 27. März 1897.

Präsident der Akademie, Herr M. v. Pettenkofer,
lie Sitzung mit folgender Ansprache:

ieute stattfindende öffentliche Festsitzung der Akademie
enschaften ist zur Feier ihrer Stiftung, welche am
1759 erfolgte, angeordnet. Sie dient jährlich dazu,
orbenen Mitglieder zu gedenken und den Anwesenden
en mitzutheilen, welche mit dem Gedeihen der Wissen-
sammenhängen. Schliesslich wird unser Mitglied Herr
hivrath Baumann die angekündigte Festrede halten.
mit der Akademie der Wissenschaften verbundene
onservatorium der wissenschaftlichen Staatssammlungen
flossenen Jahre wieder werthvolle Schenkungen erhalten.
Königliche Hoheit Prinz Ludwig haben die offizielle
Medaille auf den Tod des Kaisers Alexander III. von
und die offiziellen goldenen und silbernen Medaillen
Krönung des Kaisers Nicolaus II. und der Kaiserin
dem k. Münzkabinet mit der Bestimmung zur Auf-
g zu übergeben geruht, dass diese Medaillen nach
em Ableben in das Eigenthum des Staates übergehen.
erst werthvolle Schenkung von historisch und theils

auch künstlerisch sehr interessanten Medaillen beweist aufs
Neue, dass der traditionelle hochherzige Sinn der Wittelsbacher
gegenüber dieser von ihnen vor mehr als 300 Jahren gegründeten
und stets aufs freigebigste vermehrten Sammlung in
unserem Königshause fortlebt.

Herr Otto Günther, Direktor der Liebig-Fleischextrakt-
Gesellschaft in Fray Bentos, Uruguay, hat durch eine neue
werthvolle Sendung fossiler Säugethierreste sein früheres Geschenk
ergänzt. Die paläontologische Staatssammlung ist dadurch
in Besitz von zwei Schädeln und nahezu aller wichtigen
Skelettheile von Mastodon Humboldti gelangt. Die kostbaren
Reste nebst einer Anzahl anderer Knochen von fossilen
Säugethieren aus Uruguay bilden jetzt eine Zierde unseres
reichen Museums.

Noch bedeutender ist die Schenkung einer grossen Sammlung
fossiler Säugethierreste aus den tertiären Ablagerungen
von Dakota durch Herrn Kommerzienrath Theodor Stützel dahier.
Die berühmten Fundstellen am White River wurden in
den letzten Jahren durch mehrere Expeditionen unter der
sachkundigen Leitung des Herrn Professor W. B. Scott in
Princeton ausgebeutet. Die Ausgrabungen lieferten eine grossartige
Sammlung, von welcher ein Theil im Museum von
Princeton verbleibt, während der übrige Theil dem hiesigen
paläontologischen Museum angeboten wurde. Herr Theodor
Stützel, welcher sich seit einer Reihe von Jahren in lebhaftester
Weise für unsere wissenschaftlichen Staatssammlungen interessirt
und sich namentlich um die prähistorische Sammlung verdient
gemacht hat, entschloss sich, die genannte Sammlung zu
erwerben und dem paläontologischen Museum zu schenken. —
Sie enthält die meisten der aus den White River-Ablagerungen
bekannten Gattungen und Arten in prachtvoller Vertretung,
namentlich vollständige Skelette von Titanotherium und Oreodon
und circa 30 Schädel und sonstige Skelettheile verschiedener
Gattungen. Nachdem das hiesige paläontologische Museum im
vorigen Jahre durch Herrn Professor Henry Fairfield Osborn
eine fast vollzählige Serie der ältesten tertiären Säugethiere

:u sogenannten Puerco-Schichten in Neu-Mexiko erhalten
lürfte in Folge der überaus werthvollen Schenkung des
Kommerzienrath Stützel kein europäisches Museum eine
vollständige Vertretung der nordamerikanischen Säuge-
iuna aufzuweisen haben.

)er Münchener Bürgerstiftung ist unser Mitglied Herr
sor Dr. Königs mit einem namhaften Betrage beigetreten.
.um ersten Male kommen in diesem Jahre Mittel aus der
iener Bürgerstiftung für wissenschaftliche Arbeiten zur
:ndung. Die im Statut der Stiftung vorgeschriebene
iission hat für zwei wissenschaftliche Untersuchungen
bewilliget, für eine, welche unser Mitglied Herr Ferdi-
Lindemann, Professor der Mathematik, und für eine,
: Herr Hans Buchner, Professor der Hygiene und Vor-
des hygienischen Institutes dahier, ausführen wird.

.rchäologische Funde haben von jeher das Interesse aller
.leten erregt, weil sie für jeden Denkenden sprechende
reifbare Wahrzeichen längst dahingegangener Zeiten und
hlicher Kulturperioden sind. Unter vielem Anderen hat
uch Formstücke aus Stein und Erz, Polyeder, insbesondere
:aeder gefunden, deren Herstellung man bisher den alten
ien um das fünfte Jahrhundert vor Christus zuschrieb. Nun
:r Herr Lindemann auf ein Dodekaeder aufmerksam ge-
n, dessen Provenienz schliessen lässt, dass sein Entstehen
über die genannte Zeit der Griechen zurückreicht. Es
: Lindemann, das fragliche Stück mit anderen, meist aus
a stammenden, augenscheinlich jüngeren Dodekaedern in
idung zu bringen, deren Beschreibung und Abbildung in
ilogischen Werken und Zeitschriften vorliegen. Diese
ler trugen wahrscheinlich auf ihren Seitenflächen Zeichen
h gebildeten Strichen, wie sie auf jenem zuerst erwähnten
dare noch erhalten sind. Diese Zeichen liessen sich durch
iichung mit entsprechenden Zeichen auf gleich alten Stein-
iaten als ägyptische bez. babylonische Zahlzeichen erkennen.
a verschiedenen Museen aufbewahrten Polyeder müssen
uch mit mathematischen Augen angesehen werden, und

20*

es müssen analoge Marken, welche sich auf vielen Gegenständen
der Bronze- und Hallstadt-Zeit finden, genauer untersucht
werden. Abbildungen, wie sie für archäologische Zwecke hergestellt sind, genügen für diesen Zweck kaum, da es auf jeden
Strich und auf die genaue Richtung ankommt, in welcher der
Strich geführt ist. Ueberdies erscheint es wahrscheinlich, dass
in den Museen noch manches hier in Betracht kommende Fundstück aufbewahrt wird, das bisher noch keine Beachtung fand.
Man begreift leicht die Wichtigkeit dieser Untersuchungen
nicht nur für die Geschichte der Mathematik, indem Entdeckungen und Lehrsätze, welche bisher den alten Griechen, z. B.
Pythagoras zugeschrieben wurden, vermuthlich einer weit älteren
Geschichtsperiode angehören, sondern auch für die Klärung
der bisher noch mangelhaften Kenntniss der Zahlzeichen der
ältesten Kulturvölker und hiemit auch des Verkehrs dieser
Völker untereinander.

Herr Lindemann wird nun behufs Vollendung seiner Untersuchungen auswärtige Museen, namentlich oberitalienische besuchen.

Die Untersuchungen, welche Herr Hans Buchner mit
Hilfe der Münchener Bürgerstiftung ausführen wird, beziehen
sich wesentlich auf die sogenannte Selbstreinigung der Flüsse.
Der Gegenstand ist zunächst vom hygienischen Standpunkte
aus interessant und von grosser Wichtigkeit und hat ausserdem noch ein ganz besonderes Interesse für uns Münchener.
Sie alle erinnern sich wohl, mit welcher Heftigkeit vor wenigen
Jahren noch gestritten wurde, ob man das Abwasser der
Münchener Siele, der Kanäle in die Isar leiten darf, ohne
befürchten zu müssen, die isarabwärts gelegenen Städte Freising, Moosburg und Landshut zu schädigen. Ich sprach mich
bekanntlich sehr entschieden für das Schwemmsystem aus, be-
hauptend, dass Krankheitskeime in München der Isar übergeben
nicht einmal bis Freising, noch viel weniger bis Landshut gelangen könnten. Ich wagte diese Behauptung auf Grund genauer, jahrelang fortgesetzter epidemiologischer und chemischer
Untersuchungen, von mir und meinen Schülern ausgeführt.

ngs die Frage, wie und wodurch der viele Unrath aus
en in der rasch strömenden Isar so rasch verschwindet,
ich nicht bestimmt beantworten: ich konnte nur be-
n, dass sich in Freising und Landshut davon nichts mehr
ähnlich wie dieser Unrath nichts der Gesundheit schadet
ich verschwindet, wenn er auf Getreidefelder, auf Wiesen
Gemüsegärten gebracht wird. Die Staatsregierung hat
ngeordnet, dass während einer längeren Zeit das Isar-
oberhalb und unmittelbar unterhalb München, dann
n Freising und Landshut zu verschiedenen Zeiten, bei
und bei Niederwasser untersucht werden soll. Die
te Opposition gegen das Schwemmsystem von München
ekanntlich von Landshut aus. Um ja recht unpar-
zu sein, wurde die Untersuchung des Isarwassers in
ut vom Ministerium dem dortigen Stadtchemiker Herrn
illemer übertragen, der auch bakteriologische Kennt-
atte. Die Untersuchungen wurden bis jetzt fortgesetzt,
ich während des Jahres 1896 konnte in Landshut keine
einigung der Isar durch das in München bereits be-
le Schwemmsystem nachgewiesen werden. Die Ge-
in Landshut scheinen sich jetzt auch ganz beruhiget
en, denn der Magistrat Landshut hat beschlossen, seine
ach Münchener Muster zu kanalisiren und auch abzu-
nmen und die Arbeit Herrn Oberingenieur Niedermayer
gen, welcher die Kanalisation in München durchführt.
Selbstreinigung der Flüsse wurde übrigens in neuester
ich anderwärts als Thatsache konstatirt, z. B. an der
t in Zürich, am Rhein bei Köln, an der Oder bei Bres-
a. w. Das entbindet aber die Wissenschaft doch nicht
r Pflicht, nun genauer zu ergründen, was bei der that-
ien Selbstreinigung der Flüsse eine Rolle spielt. Einiges
ereits von Botanikern, Bakteriologen, Pflanzenphysiologen
en. Solche wissenschaftliche Befunde haben schliesslich
e Praxis dann oft wieder einen grossen praktischen
, wie ihn z. B. die wissenschaftlichen Studien über die
der Hefe für die Bierbrauerei gehabt haben.

Professor Hans Buchner hat sehr schlagende Experimente über den Einfluss des Sonnenlichtes auf pathogene Bakterien ausgeführt. Wenn man Agargallerte mit Cholera- oder Typhus- bazillen infizirt in grosse Uhrgläser giesst und diese dann in den Brutapparat bringt, der eine Temperatur von 30 bis 35° C. hat, so entwickeln und vermehren sich die Keime so üppig, dass sich in der anfangs ganz klar scheinenden Gallerte durch zahllose kleinste Bakterienhäufchen eine Trübung bildet, welche noch deutlicher hervortritt, wenn man eine Farblösung (Anilin- farben) darüber giesst, die Lösung wieder ausgiesst und die Schaale auswäscht. Die Bakterienhäufchen binden den Farb- stoff, färben sich roth oder blau und treten dadurch noch deut- licher hervor. Wenn man aber diese mit Agargallerte gefüllten und mit Bakterienkeimen besäten Glasschalen, ehe man sie in den Brutapparat bringt, dem Sonnenlichte aussetzt, dann entwickelt sich im Brutapparat keine Spur von solchen Bakterienhäufchen mehr, bleibt die Schaale ganz klar, nimmt auch keine Farbe mehr an, weil den Farbstoff ja nur die Bakterien und nicht die Gallerte oder das Glas binden und festhalten. Das ist ge- wiss ein sicheres Zeichen, dass das Sonnenlicht vorher alle Keime getödtet hat. Diese Thatsache springt noch viel augen- scheinlicher hervor, wenn man die Kehrseite solcher Gallerte- schaalen theilweise mit für das Licht undurchdringlichen Stoffen, z. B. mit ausgeschnittenen Buchstaben belegt, und die Schaalen dann erst dem Sonnenlichte aussetzt. Wenn nun das Sonnenlicht auf die Schaale fällt, so werden die unter den Buchstaben liegen- den Theile der infizirten Gallerte nicht getroffen. Bringt man nun solche von der Sonne beschienene Schaalen in den Brut- apparat, so wachsen Mikroorganismenhäufchen nur an den be- schattet gebliebenen, von der Sonne nicht getroffenen Stellen, und diese Stellen haben natürlich die Form der aufgeklebten Buchstaben und können dann auch gefärbt werden. Die Buch- staben, welche Sie hier auf diesen Schaalen sehen, sind sozu- sagen mit Bakterien geschrieben oder gedruckt, hier das ganze Wort Typhus mit Typhusbazillen.

Man hat nun weiter gefunden, dass Sonnenlicht nicht nur

Mikroorganismen zerstörend wirkt, sondern auch auf
ganische Stoffe. Der französische Chemiker Duclaux
vor Jahren nachgewiesen, dass z. B. Oxalsäure in
gelöst dem Sonnenlichte ausgesetzt zu Kohlensäure
uns Buchner findet, dass das Sonnenlicht auch noch
re organische, im Wasser gelöste oder suspendirte
kt, und will diese Versuche weiter verfolgen, wozu
verschiedene Gewässer, Experimente in Gegenden
hiedener Höhenlage nothwendig sind. Die Sonnen-
virken nämlich verschieden, kräftiger oder schwächer,
m sie mehr oder weniger Luftschichte zu durch-
aben, wie jeder Bergsteiger weiss, wenn er mit oder
eier über einen Gletscher geht. Es ist ja auch auf-
ass z. B. die Lungenschwindsucht, die Tuberkulose,
n Höhen nicht mehr vorkommt, was allerdings kaum
esonnung, sondern auf andere Art zu erklären ist.
Professor Hans Buchner wird nun untersuchen in
die Sonnenstrahlung bei der thatsächlichen Selbst-
der Flüsse betheiliget ist.
den Zinsen der hochherzigen Cramer-Klettstiftung,
gen Ende des vergangenen Jahres der Akademie zu
rde, konnte noch nichts vergeben werden, da die
st im Laufe dieses Jahres anfallen.

---

uf widmete der Sekretär der philosophisch-philolo-
lasse, Herr W. v. Christ, eine kurze Ehrenerwähnung
gen im abgelaufenen Jahre verstorbenen Mitgliede.
t Curtius, geboren in Lübeck den 2. September 1814,
in Berlin am 11. Juli 1896 in fast vollendetem
sjahre, gehörte unserer Akademie als auswärtiges
eit 1875 an. Seiner hervorragenden Verdienste um
Zweige der klassischen Alterthumswissenschaft wird
her an der eigentlichen Stätte seines Wirkens ge-
den; doch auch uns geziemt es, ein Blatt der Er-
dem berühmten auswärtigen Kollegen zu weihen, der

nicht bloss über 20 Jahre unserer Korporation angehörte,
sondern auch lebhaften Verkehr mit seinen Fachgenossen unter
uns unterhielt und unserer Akademie bei Gelegenheit ihres
hundertjährigen Stiftungsfestes im Jahre 1859 die schöne Abhandlung „Ueber Quell- und Brunneninschriften" widmete.

Ernst Curtius, Sohn eines Syndikus der alten Hansestadt
Lübeck, wandte sich ebenso wie sein jüngerer Bruder Georg
dem Studium der klassischen Alterthumswissenschaft zu; aber
während jener sein Hauptaugenmerk auf die Sprache der alten
Hellenen richtete, zog unseren Ernst von vornherein mehr die
reale Seite des Alterthums, die griechische Kunst und Geschichte an. Gottl. Welcker, Otfr. Müller und Aug. Böckh
waren die Männer, welche auf der Universität den geistigen
Bildungsgang des jungen Studenten leiteten und denen er zeit-
lebens ein dankbares Andenken bewahrte. Wo möglich noch
nachhaltenderen Einfluss auf die Richtung des angehenden
Gelehrten übten seine Wanderjahre aus. Zu einer Zeit, in der
Reisen nach Griechenland unter den Philologen noch zu den
Seltenheiten gehörten, kam Curtius als Hofmeister in der
Familie von Professor Brandis nach Athen, wo er mehrere
Jahre lang in trautem Verkehr mit seinem Freunde und Landsmann Geibel lebte und auf grossen Wanderungen durch ganz
Griechenland Land und Leute kennen und lieben lernte. Ein
Vortrag, den er nach seiner Rückkehr, noch ganz erfüllt von
den Eindrücken des klassischen Bodens, über die Akropolis
von Athen in der Singakademie zu Berlin hielt (1844), führte
eine Wendung in dem Leben des jungen Mannes herbei, die
für seine ganze Lebensstellung von einschneidender Bedeutung
war. Die Prinzessin Auguste, die mit gespannter Aufmerksamkeit den Schilderungen des Kunst- und Griechenfreundes
gefolgt war, erkannte in dem Vortragenden den rechten Mann
für die Erziehung ihres heranwachsenden Sohnes Friedrich
Wilhelm, und so ward Curtius zum Lehrer des nachmaligen
Kronprinzen und Kaisers Friedrich berufen, um in der Seele
des hochbegabten Prinzen jenen Sinn für literarische und künstlerische Bestrebungen zu wecken, der leider in Folge einer

gnissvollen Krankheit nicht zur vollen Geltung kommen
Nachdem Curtius die Erziehung des Prinzen vollendet
mselben noch auf die Universität nach Bonn begleitet
widmete er sich ganz den Aufgaben jenes Berufes, dem
inde genommen doch alle diese vorbereitenden Schritte
en hatten. Als akademischer Lehrer wirkte er zuerst
lin, dann in Göttingen und seit 1868 wieder in Berlin,
ohne Schule zu machen, aber doch mit dem grossen Er-
dass er das Feuer der Begeisterung für die Ideale des
enthums nicht bloss in seinen Zuhörern, sondern auch in
·eisen seiner Freunde und Kollegen anfachte und hütete.
einem früh entwickelten und bis in das hohe Alter
ssig genährten Drang zur wissenschaftlichen Forschung
·hriftstellerischen Thätigkeit sind ausser zahlreichen Ab-
ngen und Reden drei grosse Werke hervorgegangen,
uch Peloponnesos in 2 Bänden, die reifste Frucht der
tter angebahnten geographisch-historischen Betrachtungs-
die griechische Geschichte bis zum Untergang des freien
in 3 Bänden, ein von Bewunderung des griechischen
erfülltes, in edelster Sprache geschriebenes Werk, das
Uebersetzungen in Frankreich und England fast gleiche
·itung wie in Deutschland gefunden hat, die Karten zur
raphie von Athen und der Atlas von Athen, durch die
rfasser zusammen mit seinen Freunden und Mitarbeitern
t und Kaupert von den Bodenverhältnissen des attischen
genaueste Kenntniss gibt.
elehrte in einfacher Stellung begnügen sich und müssen
egnügen mit der Thätigkeit auf dem Katheder und in
issenschaftlichen Literatur. Curtius fühlte sich durch
Verbindungen mit den regierenden Kreisen und durch
mst der allgemeinen politischen Verhältnisse auch noch
er dritten Thätigkeit berufen. Waren früher die grossen
schaftlichen Expeditionen auf dem Gebiete der Archäologie
ır von England und Frankreich ausgegangen, so sollte
ıch das neuerstandene deutsche Reich seine Mission als
geistiger Kultur durch grosse, die Kräfte des Einzelnen

übersteigende Unternehmungen beweisen. Dem Einfluss und
dem unermüdlichen Eifer von Curtius gelang es, die Stimme
der leitenden Kreise zu gewinnen für die Errichtung des
archäologischen Instituts in Athen, das nunmehr dem älteren
Institut auf dem Kapitol wetteifernd zur Seite steht, für die
Blosslegung der alten Königsstadt Pergamon, deren Kunstschätze nun das Museum in Berlin schmücken, endlich für die
Ausgrabung des Festplatzes und des Zeustempels von Olympia,
deren aus dem Schutte der Jahrhunderte wieder an das Tages-
licht gezogene Reste zum Reiseziel der Gebildeten aller Nationen
geworden sind.

Mit Curtius hat so die deutsche Alterthumswissenschaft
einen ihrer fruchtbarsten und anregendsten Vertreter verloren.
Er war eine harmonisch angelegte Natur, in der neben der
Klarheit des Denkens auch die Wärme der Empfindung und
der Schwung der Begeisterung zur Geltung kam; er war nicht
bloss professor eloquentiae, er hielt auch formvollendete, über
die tägliche Handwerksarbeit zu den lichten Höhen der Wissenschaft hinaufführende Reden; mit poetischem Geiste versenkte
er sich in die klassischen Schöpfungen griechischer Kunst und
Poesie; mit bewundernder Wärme schilderte er die Vaterlands-
liebe und den Opfersinn der grossen Staatsmänner Griechenlands. Was er weniger besass, war die Schärfe der Kritik
und die Sicherheit der Beobachtung im Einzelnen. In Folge
dessen liess er sich vielfach zu Hypothesen und phantasievollen
Deutungen fortreissen, die bei nüchterneren und klarer blicken-
den Forschern Widerspruch erregten. Den Widersprüchen trat
er aber weder mit den Waffen scharfer Abwehr entgegen, noch
liess er sich durch dieselben leicht zu einer Sinnesänderung
bewegen; er beharrte lieber in verdrossener Stimmung gegen
die anstürmenden Neuerer bei der alten Meinung von den asiatischen Sitzen der Urjonier, von der hochgelegenen Veste des
Priamos auf den Höhen von Bunarbaschi, von dem Spiel der
athenischen Schauspieler auf hohen Brettergerüsten. Aber
wenn wir auch in der wissenschaftlichen Forschung das Scheide-
wasser des Verstandes und die Originalität neuer Gedanken

höher schätzen müssen als die Anhänglichkeit an das Ueberlieferte und den Optimismus bewundernder Anerkennung, so
lassen wir doch gerne Ernst Curtius das Verdienst, diejenige
Aufgabe erfüllt zu haben, die er in einer seiner Reden als die
schönste der klassischen Philologie bezeichnete, das Unver-
gängliche von dem, was im Alterthum gedacht und geschehen
ist, lebendig zu erhalten und für die Mitwelt fruchtbar zu machen.

—— · ———

Der Sekretär der historischen Klasse, Herr Ad. v. Cornelius bekennt in der glücklichen Lage zu sein, den Tod
keines Mitgliedes, weder eines hiesigen noch auswärtigen, in
der diesjährigen Festsitzung verzeichnen zu müssen.

Sitzung vom 1. Mai 1897.

Philosophisch-philologische Classe.

Herr KRUMBACHER hält einen Vortrag über eine

Neue Vita des Theophanes Confessor,

erscheint in den Sitzungsberichten.

Herr FURTWÄNGLER macht Mittheilungen über:

a) Ein Todtenmahl der Sammlung Jacobsen mit Inschrift,
b) Die Venus von Milo,

erscheinen in den Sitzungsberichten.

Historische Classe.

Herr v. HEFNER-ALTENECK hält einen Vortrag über:

Schreibwachstafeln des Mittelalters.

Herr HEIGEL hält einen Vortrag über:

Das Verhältniss Oesterreichs und Preussens zu dem polnischen Staatsstreich vom 3. Mai 1791.

Kasia.

Von K. Krumbacher.

orgetragen in der philos.-philol. Classe am 6. Juni 1896.)

Mit 2 Tafeln.

I.

Die Person der Kasia.

r die Beurteilung und Schlichtung des uralten, gegen-
lurch die Frauenbewegung in das Stadium der höchsten
ät getretenen Streites über die Bedeutung und Eigen-
geistigen Fähigkeiten des Weibes gibt es kein besseres
leich anziehenderes Hilfsmittel, als eine sorgfältige Be-
g der geistig hervorragenden Frauen in der Geschichte
onders in der Litteratur und Kunst. In grösserer Zahl
Frauen allerdings erst in der neueren Zeit in den
rerb mit dem starken Geschlechte eingetreten; aber
s Altertum und Mittelalter darf nicht übersehen werden.
chischen Altertum haben die Frauen namentlich auf
biete der Poesie mit den Männern um die Palme ge-
  Wie sehr aber die Bethätigung der Frau auf litte-
n Gebiete von ihrer sozialen Stellung abhängt, zeigt
tsache, dass alle griechischen Dichterinnen der vor-
inischen Zeit, wie Sappho, Erinna, Korinna, Telesilla,
  u. a. dem aeolischen oder dorischen Stamme ange-
ro die Stellung der Frauen seit alter Zeit eine freiere
bei den Joniern und in Attika.[1]) Merkwürdiger Weise

---

gl. W. S. Teuffel, Die Stellung der Frauen in der griechischen
a seinen: Studien und Charakteristiken zur griechischen und
Litteraturgeschichte [2], Leipzig 1889 S. 18 ff.

hatten ·die grossen politischen und kulturellen Umwälzungen
der alexandrinischen Zeit auf die Stellung der Frauen keinen
erheblichen Einfluss. Die Wohlthaten einer freieren Geistes-
bildung blieben dem weiblichen Geschlechte — mit Ausnahme
der fürstlichen Kreise und der Halbwelt — nach wie vor ver-
sagt, und künstlerisch oder wissenschaftlich thätige Frauen
erscheinen auch jetzt wie in der früheren Zeit als Raritäten.[1]

In der römischen Zeit hören wir von zahlreichen Frauen,
die mit den Männern in litterarischen und sogar in gelehrten
Studien wetteiferten. Vornehme Römerinnen traten häufig in
ein persönliches Verhältnis zur Litteratur, liessen sich neue
Werke vorlesen, nahmen Widmungen an und versuchten sich
selbst litterarisch sowohl in lateinischer als griechischer Sprache.
Manche scheuten sogar vor der Beschäftigung mit der Philosophie nicht zurück, und wenn hier auch viel Modekram und
wertlose Tändelei mit unterlief, so fehlte es doch nicht an
Frauen, die mit aufrichtigem Bemühen in der Weltweisheit
eine Richtschnur für das praktische Leben zu finden suchten.[2]
Mit der regen Teilnahme, welche im römischen Zeitalter die
Frauen der Bildung und der Litteratur entgegenbrachten, steht
ihre selbständige litterarische Produktion nicht im richtigen
Verhältnis. Wenn auch einige Griechinnen[3] und Römerinnen[4]
dieser Zeit ausdrücklich als Dichterinnen bezeugt und auch einige
Kleinigkeiten von ihnen, zum Teil sogar auf Stein, erhalten sind,
so finden wir doch keine einzige durch eine starke Individualität
und grössere Fruchtbarkeit hervorragende Erscheinung.

Mächtiger als von allen anderen geistigen Elementen
wurden die Frauen im ersten und zweiten und noch mehr im

---

[1] Vgl. E. Rohde, Der griechische Roman und seine Vorläufer,
Leipzig 1876 S. 62 ff.

[2] Vgl. L. Friedländer, Darstellungen aus der Sittengeschichte
Roms 6 1 (1888) 492 ff.

[3] Z. B. Melinno, die (kaum vor Augustus) im sapphischen Masse
ein Gedicht auf die Stadt Rom verfasste. Vgl. Th. Birt, De Romae
urbis nomine, Universitätsschrift, Marburg 1887 S. XI f.

[4] Vgl. L. Friedländer, a. a. O. S. 495 f.

und vierten Jahrhundert der Kaiserzeit von den reli-
Bewegungen fortgerissen, von jenen mystischen Speku-
n und orientalischen Kulten, mit welchen das sinkende
tum sich der neuen Weltreligion gegenüber zu behaupten
rte. Noch eifriger aber ergriffen die Frauen die Lehre
selbst, durch welche die Stellung des weiblichen Ge-
ites ' in der Familie, in der Gesellschaft und im Staate,
st vielfach nur in der Theorie, zum Teil aber auch
in der Praxis, so gründlich umgestaltet wurde. Auch
) geistige und moralische Selbständigkeit der Frau hatte
ristentum zweifellos eine günstige Wirkung. Sie äusserte
n Mittelalter in einer ziemlich regen Teilnahme der
an der gelehrten Bildung und Litteratur. Doch ist
tzt an zwischen dem Abendlande und dem Osten
der ganz verschiedenen politischen und kulturellen Ent-
ıng zu unterscheiden. Im romanischen und germanischen
nt war die Stellung der Frauen seit alter Zeit eine freiere
n als im Orient, und durch das Christentum wurde diese
it nur noch veredelt und in eine höhere sittliche Sphäre
n; das kommt im lateinisch-germanischen Mittelalter
n den Beziehungen der Frau zur Bildung und Litteratur
.isdruck.[1]) Im Osten, wo die Frau nie zu jener Selb-
;keit gelangt war wie bei den Römern,[2]) wurde die be-
e Wirkung der christlichen Lehre wesentlich behindert
ngeschränkt durch die schnell um sich greifende, auf
lebieten des öffentlichen und privaten Lebens, besonders
ten und Gebräuchen erkennbare Orientalisierung des
hen Reiches. Trotzdem fehlt es auch bei den christ-
Griechen nicht an Frauen, die sich durch wissenschaft-
enntnisse oder durch dichterische Begabung auszeichneten

Näher auf dieses Thema einzugehen, ist hier nicht der Ort.
ie Bildung und litterarische Thätigkeit der Frauen im deutschen
ter handelt eingehend F. A. Specht, Geschichte des Unterrichts-
iu Deutschland von den ältesten Zeiten bis zur Mitte des drei-
Jahrhunderts, Stuttgart 1885 S. 255 ff.
Vgl. E. Rohde, Der griechische Roman S. 354 ff.

und litterarisch in die Oeffentlichkeit traten. Die erste geistig
hervorragende Byzantinerin, von der wir hören, war allerdings
noch Heidin, die berühmte Philosophentochter Hypatia; das
Studiengebiet, das sie sich auswählte, scheint mit seiner er-
barmungslosen Logik dem weiblichen Charakter mehr als jedes
andere zu widerstreben, die Mathematik und Astronomie; leider
ist von den litterarischen Versuchen der Hypatia nichts erhalten.
Was uns aber die gelehrte Tochter des Theon menschlich näher
bringt und ihr unsere wärmste Sympathie gewinnt, ist ihre
edle Persönlichkeit, ihr freundschaftliches Verhältnis zu Synesios,
den sie in die neuplatonische Lehre einführte, und vor allem
ihr tragisches Ende durch den fanatisierten christlichen Pöbel
von Alexandria (i. J. 415).[1])   Nach allem, was heidnische und
christliche Zeugen über Hypatia berichten, muss sie eine ganz
ausserordentliche Frau gewesen sein; geistreiche Herrin eines
litterarischen Salons, durch glänzende Schönheit ausgezeichnet,
aber von unnahbarer Keuschheit, bildet sie ein byzantinisches
Seitenstück zu Madame Recamier.

Noch berühmter ist eine Zeitgenossin der Hypatia, ebenfalls eine Philosophentochter und ebenfalls ursprünglich Heidin,
Athenais, als Christin Eudokia genannt, die Gemahlin Kaiser
Theodosios' II. Den Ruhm, den sie heute geniesst, verdankt
sie weniger ihren platonischen Studien und ziemlich lenden-
lahmen Dichtungen, als ihren merkwürdigen Schicksalen und
einigen neueren belletristischen Darstellungen, besonders der
warmen und poesievollen, wenn auch zu empfindsamen und
optimistischen Schilderung von F. Gregorovius.[2])   Eudokias
uns mehr oder weniger vollständig erhaltenen Gedichte: Para-
phrasen von Teilen des alten Testaments, das Leben der Märtyrer Cyprianus und Juliana und Homercentonen, sind künstliche
Machwerke im homerischen Stil, aber arm an poetischer Kraft
und Eigenart.   Ein verlorenes Gedicht auf den Sieg des Kaisers
über die Perser war schwerlich besser als die erhaltenen·

---

[1]) Vgl. Rich. Hoche, Hypatia, die Tochter Theons, Philologus 15
(1860) 435—474.

[2]) Athenais, 3. Aufl., Leipzig 1892.

) Zweifellos steht Eudokia in geistiger Hinsicht unter

den nun folgenden Jahrhunderten ist das weibliche
:ht in der Litteratur nur durch eine höchst merk-
Erscheinung vertreten, durch Demo. Ihre Zeit lässt
ht mit völliger Sicherheit bestimmen; doch ist es sehr
einlich, dass sie etwa in der zweiten Hälfte des 5. Jahr-
; lebte; denn in den ihr von Ludwich mit triftigen
i angeteilten Allegorien ist eine Schrift des Theodoretos
rhos († um 458) benützt, und etwa ins 5. Jahrhundert
uch die Spuren neuplatonischer Einflüsse. Es ist so-
neuplatonische Kreis, mit dem die ersten drei
in der byzantinischen Litteratur verbunden erscheinen.
lokia hat Demo die Vorliebe für die epische Dichtung
am. Sie versuchte sich aber nicht wie jene in selb-
n Dichtungen nach dem Muster des Homer, sondern
e sich mit dem bescheidenen Ruhme der Scholiastin.
klärungen sind nun freilich höchst eigentümlicher Art.
nnt den Schlüssel zum Verständnis des Homer in der
i, dass seinen Worten kosmische Ideen zugrunde
liegen verrückte Einfall wird von ihr mit echt weib-
figensinn durchgeführt. In der Folgezeit, wie es scheint,
eachtet, hat Frau Demo im 12. Jahrhundert auf ein-
en Kritiker gefunden in der Person des Urtypus byzan-
Scholiastenweisheit, in Johannes Tzetzes. In seinen
zur Ilias und Odyssee gedenkt er zweimal seiner
Kollegin.[2])
Prooemion der Allegorien zur Odyssee[3]) prahlt Tzetzes,

Eine genauere Kenntnis und bessere Würdigung der Eudokia als
verdanken wir vor allem den Schriften von A. Ludwich:
die Gattin des Kaisers Theodosius II., als Dichterin, Rhein.
1882) 206—225, Eudociae Augustae carminum reliquiae, Königs-
dex lect. für das Sommersemester 1893; Zu den Fragmenten
rin Eudokia, Berliner philol. Wochenschr. 13 (1893) 770—772.
Iatranga, Anecdota gr. 1 S. 166 V. 651 ff. und S. 225 V. 31 ff.
Iatranga, a. a. O., S. 225 V. 31 ff.

er habe zum ersten male in durchsichtiger und jedem verständlicher Weise allegorisiert, nicht wie Demo (Dimo), die den Klugen als Mimo (Aeffin) erscheine, das aufgeputzte, hochtrabende Frauenzimmer, das nichts Brauchbares zu Homer beibringe; man möge nur die Schriften der Demo, des Heraklit, des Kornutos, des Palaephatos, des Fsellos und sonstiger Allegoristen mit seinen eigenen Schriften vergleichen:

> ἐν λέξει γράφων διαυγεῖ, γνωστῇ καὶ τοῖς τυχοῦσιν,
> οὐχὶ καθάπερ ἡ Δημώ, μιμὼ δὲ τοῖς φρονοῦσι,
> γύναιον κομπολάκυθον γευδυψηγορογράφον,
> μηδὲν δὲ πρὸς τὸν Ὅμηρον τῶν συντελούντων λέγον.
> Ἔχεις Δημοῦς τὸ σύγγραμμα καὶ τὸ τοῦ Ἡρακλείτου,
> Κορνοῦτον καὶ Παλαίφατον καὶ τὸν Ψελλὸν σὺν τούτοις
> καὶ εἴ τις ἄλλος λέγεται γράψας ἀλληγορίας,
> ἀνερευνήσας εὕρισκε καὶ τὰ τοῦ Τζέτζου βλέπε.

Aehnlich verlangt Tzetzes in den Allegorien zur Ilias,[1] man möge seine eigenen Erklärungen mit denen der Mimo, der prahlerischen und hochnäsigen Sphinx, vergleichen.[2]

Von Demo gelangen wir in chronologischer Folge zur berühmtesten Frau des byzantinischen Zeitalters, der Kaiserin Theodora. Wie Eudokia aus niedrigem Stande auf den Thron erhoben, ist sie wie diese mehr durch ihre romantischen Schicksale und die zahlreichen Bearbeitungen in der neueren Litteratur als durch eigene Verdienste berühmt geworden. An der Litteratur nimmt Theodora nur Anteil durch einen von Prokop[3] erhaltenen Brief an Belisar, der in manchen Handschriften[4] auch gesondert überliefert ist. In weiteren Kreisen bekannt ist durch ihre Beziehungen zu Karl dem Grossen auch die

---

[1] Matranga, a. a. O., S. 166, V. 651 ff.

[2] Das Verdienst, Demo als Person erkannt und in ihr freilich bescheidenes Besitztum eingesetzt zu haben, gebührt A. Ludwich, Die Homerdeuterin Demo, Festschrift zum 50jährigen Doktorjubiläum L. Friedländers, Leipzig 1895 S. 296—321.

[3] Historia arcana 4 = III 33, 13 ff. ed. Bonn.

[4] Z. B. in den Codd. Paris. gr. 3023, fol. 24 und Bodl. Canon. 41, fol. 137ᵛ.

rin Irene, übrigens eine mit schwerer Schuld beladene,
m» Frau, die zum Verweilen noch weniger einlädt als
)ra. Eine erfreulichere Erscheinung ist Theophano,
emahlin des deutschen Kaisers Otto II.[1]) Eine vierte
inische Kaiserin, Eudokia, die Gemahlin des Konstan-
kas (1059—1067), hat den litterarischen Ruhm, den sie
e Jahrhunderte lang als vermeintliche Verfasserin des
ogischen Sammelwerkes 'Ιωνιά genoss, an den Griechen
antin Palaeokappa abtreten müssen, der im 16. Jahr-
t das „Veilchenbeet" aus bekannten, zum Teil sogar
kten Quellen kompiliert und zur Empfehlung mit dem
ι der Kaiserin geschmückt hat.[2]) Gegen das Ende des
d im Anfange des 12. Jahrhunderts lebte die litterarisch
)arste und bedeutendste aller byzantinischen Frauen, die
bildete, geistreiche, aber egoistische und herrschsüchtige
sin Anna Komnena, die Verfasserin des grossen Ge-
swerkes Alexias; auch ein Epigramm und ein rhetorisches
werden ihr zugeschrieben.[3]) Weiterhin hören wir bei
~~~~~~~~ nichts mehr von geschichtlich oder litterarisch
ragenden Frauen. Es ist für die Schwierigkeiten, welche
~~~~~~~~~~~ Byzanz dem persönlichen oder litte-
en Hervortreten des schönen Geschlechtes entgegenstand
cht bezeichnend, dass die Mehrzahl der erwähnten Frauen
lerhöchsten Kreisen angehörten und dadurch eine be-
~ sorgfältige Erziehung genossen und leichter Gelegen-
anden, sich litterarisch oder politisch zu bethätigen.
isam ist den meisten dieser Frauen auch ein energischer,
licher Charakter; zwei von ihnen, Irene und Anna Kom-
scheuten selbst vor einem schweren Verbrechen bezw.
lane eines solchen nicht zurück. Dass auch Hypatia

Ueber Athenais-Eudokia, Irene und Theophano handelt v. Stefa-
Vilovsky, Frauencharaktere im alten Byzanz, Neusatz 1893 (serb.).
lie Herkunft der Theophano vgl. Karl Uhlirz, Byz. Zeitschr. 4
67—477.
Vgl. meine Geschichte der byz. Litt. [2] S. 576 f.
Vgl. ebenda S. 278 f.

ein gut Teil männlicher Derbheit besass, zeigt die seltsame
Art, wie sie einen allzu feurigen Anbeter zurückwies.[1] Will
man sich ein konkretes Bild von diesen Frauen machen, so
muss man gewiss jede Vorstellung von gretchenhaftem Wesen
fernhalten; man darf sich wohl vielmehr viragines denken,
kräftig gewachsene Mannweiber mit feiner Adlernase, gewölbten
Augenbrauen, feurigem Blicke und einer mehr tiefen als hellen
Stimme, Frauentypen, wie sie noch heute in südlichen Ländern
viel häufiger sind als bei uns.

Recht verschieden von den genannten Frauen ist eine bisher wenig beachtete[2] Byzantinerin, die, obschon nicht aus
kaiserlichem Blute entsprossen und nie zu hohen Ehren erhoben,
in der stillen Zelle des Klosters nicht ohne Glück und Originalität litterarisch thätig war, Kasia. Es hat sich glücklich
gefügt, dass uns über die Persönlichkeit dieser interessanten
Frau einige Nachrichten überliefert sind, die, im Verein mit
ihrem litterarischen Nachlass, uns die Möglichkeit geben, ihr
Gesamtbild mit einiger Schärfe zu erkennen. Die Lebensgeschichte Kasias gleicht einem lieblichen Märchen. Euphrosyne,
die Witwe des Kaisers Michael des Stammlers, liess nach dem
Tode ihres Gemahls aus allen Provinzen des Reichs die schönsten
Jungfrauen zusammenkommen, auf dass ihr Sohn Theophilos
sich aus ihnen eine Braut erlese. Als die Mädchen im Perlen-
triklinion ($\tau\varrho\iota\kappa\lambda\acute{\iota}\nu\iota\upsilon\nu$ $\mu\alpha\varrho\gamma\alpha\varrho\acute{\iota}\tau\upsilon\nu$) versammelt waren, übergab
die Kaiserin ihrem Sohne einen goldenen Apfel mit der Weisung,
ihn der Jungfrau zu reichen, die ihm am besten gefalle. Unter
den versammelten Jungfrauen war ein wunderschönes Mädchen
aus edlem Geschlechte, namens Kasia (Eikasia, Ikasia). Von
ihrem Liebreiz bezaubert, wandte sich Theophilos zu ihr mit
dem Worte: „Durch das Weib ist das Böse entstanden" ($\Omega\varsigma$
$\check{\alpha}\varrho\alpha$ $\delta\iota\grave{\alpha}$ $\gamma\upsilon\nu\alpha\iota\varkappa\grave{\delta}\varsigma$ $\grave{\epsilon}\varrho\varrho\acute{\upsilon}\eta$ $\tau\grave{\alpha}$ $\varphi\alpha\~{\upsilon}\lambda\alpha$). Hierauf erwiderte die

---

[1] Vgl. R. Hoche, Philologus 15 (1860) 444 Anm. 42.

[2] G. Olearius, De poetriis graecis, Diss., Leipsig 1706, der 76
griechische und byzantinische Dichterinnen aufzählt, hat Kasia ganz
übersehen. Aber auch in der neueren Zeit ist ihr Name sehr wenig
genannt worden.

Jungfrau schamhaft, aber unerschrocken: „Aber aus dem Weibe erspriesst auch das Gute" ('*Ἀλλὰ καὶ διὰ γυναικὸς πηγάζει τὰ κρείττονα*). Ueber diese schlagfertige Antwort, die wohl der Hofetikette zuwiderlief, verdrossen, gab der byzantinische Paris nicht ihr den Apfel, sondern der Theodora aus Paphlagonien. Kasia, die durch ihr freimütiges Wort den Thron verscherzt hatte, stiftete ein Kloster und weihte sich als Nonne dem Dienste Gottes. Dazu fügt der Chronist die Bemerkung, dass Kasia eine Menge Schriften hinterlassen habe, wie das Lied *Κύριε ἡ ἐν πολλαῖς ἁμαρτίαις*, das Tetraodion für den Charsamstag: *Ἄφρων γηραλέε* und anderes.

An der Glaubwürdigkeit dieser Erzählung ist nicht zu zweifeln. Sie wird uns von mehreren Chronisten — Symeon Magistros (S. 624 f. ed. Bonn.), Leon Grammatikos (S. 213 ed. Bonn.), dem (aus Symeon Magistros?) interpolierten Georgios Monachos (S. 700 ed. Muralt = S. 790 ed. Bonn.), Zonaras, Buch 15 Kapitel 25 (ed. Teubneriana Vol. 3 S. 401 f.) und Michael Glykas (S. 535 f. ed. Bonn.) — allerdings in einer ziemlich übereinstimmenden und offenbar auf dasselbe Original zurückgehenden Form erzählt. Aber dieses Original ist vor Symeon Magistros, d. h. vor ca. 963 geschrieben worden und also von der Zeit des Ereignisses selbst wenig mehr als 100 Jahre entfernt. Eine mächtige Bestätigung erhält die Geschichte durch die Thatsache, dass der Verfasser der *Πάτρια* von Konstantinopel das von Kasia gegründete Kloster ausdrücklich als ein zu seiner Zeit, d. h. am Ende des 10. Jahrhunderts vorhandenes erwähnt und dabei über die schriftstellerische Thätigkeit der Stifterin Aehnliches berichtet wie die Chronisten: *Ἡ μονὴ τῆς Εἰκασίας ἐκτίσθη παρὰ Εἰκασίας μοναχῆς εὐσεβεστάτης καὶ παρθένου ὡραίας τῷ εἴδει, ἥτις σοφωτάτη οὖσα καὶ κανόνας πολλοὺς καὶ στιχηρὰ καὶ ἄλλα τινὰ ἀξιοθαύμαστα ἐποίησε καὶ ἐμελῴδησεν ἐν τοῖς χρόνοις Θεοφίλου τοῦ βασιλέως.*[1]) Auch die Geschichte von dem goldenen Apfel ist an einem so sehr

---

[1] Kodinos, De antiquitatibus Constantinopolitanis ed. Bonn. 128, 14 ff. Ueber eine Variante des Textes s. unten.

dem orientalischen Geschmacke ergebenen Hofe nicht im min-
desten auffällig. Zwar kennt die byzantinische Geschichte noch
eine andere Erzählung von einem Kaiser und einem Apfel;
allein diese ist von der unserigen so verschieden, dass an eine
Doublette nicht zu denken ist. Ich meine die von mehreren
Chronisten überlieferte Erzählung vom Apfel der Athenais-
Eudokia. Kaiser Theodosios II schenkte einst seiner Gemahlin
Eudokia einen Apfel von aussergewöhnlicher Grösse; Eudokia
ihrerseits tröstete mit dem Apfel den schönen Hofbeamten
Paulinus, der eben an der Gicht darniederlag, und dieser wusste
mit dem Apfel nichts Besseres anzufangen, als ihn dem Kaiser
zu verehren. Nun fragte Theodosios Eudokia, was sie mit dem
Apfel gethan habe; sie erwiderte, sie habe ihn verzehrt. Diese
Lüge machte aus Theodosios einen Othello. Der schöne Höf-
ling wurde verbannt und später hingerichtet; die Kaiserin
unternahm eine wohl nicht ganz freiwillige[1]) Wallfahrt nach
Jerusalem, von der sie nicht mehr zurückkehrte. Diese offenbar im Kerne ebenfalls historische Geschichte, die mehrfach
auch in orientalische Erzählungen, z. B. in 1001 Nacht übergegangen ist,[2]) ist von der Kasiageschichte völlig verschieden
und mit ihr auch nicht durch den dünnsten Faden verbunden.
Das Gemeinsame beider Erzählungen ist nur der Apfel, aber
auch dieser Apfel ist nicht der gleiche; in der ersten Geschichte
ist es ein Evaapfel, in der zweiten ein Parisapfel.

In der neueren Zeit ist die Geschichte der Kasia zweimal
novellistisch behandelt worden, von Hermann Lingg und von
Alexandra Papadopulu. Lingg hat in seiner Novelle Nikisa
(Byzantinische Novellen Nr. 3; jetzt in Reclams Universalbibl.
Nr. 3600) nicht nur den Namen der Heldin ohne ersichtlichen
Grund geändert, sondern auch die Erzählung durch unwahr-
scheinliche und schlecht erfundene Zusätze verballhornt. An-
spruchsloser, aber der historischen Ueberlieferung näher stehend

---

[1]) Trotz des der Eudokia gewidmeten Epigramms (Anthol. Pal. I 105),
das ihre Wallfahrt als spontanen Ausfluss reiner Frömmigkeit darstellt.

[2]) Vgl. die von E. Rohde, Der griechische Roman, S. 355, Anm. 1,
angeführte Litteratur.

kurze Nacherzählung *Tò μῆλο τῆς ἀγάπης* von Papa-
(*Ἑστία* vom 6. Juni 1893).

ie Lebenszeit der Kasia wird durch die Erzählung der
:ten mit Sicherheit bestimmt. Die Brautschau des Kaisers
nilos fand um das Jahr 830 statt; also muss Kasia um
ir 810 geboren worden sein. Ueber die Zeit ihres Todes
its Näheres bekannt. Aus ihren Werken, die mannig-
Erfahrung und einen gereiften Verstand verraten, lässt
it Wahrscheinlichkeit schliessen, dass sie erst geraume
ich 830 gestorben ist. Dazu stimmt auch der Wortlaut
hlusses der erwähnten Erzählung der Chronisten und
·rs die Bemerkung in der topographischen Redaktion
;ria von Konstantinopel, dass Kasia (Ikasia) unter Theo-
und seinem Sohne Michael (842—867) gedichtet

e Handschriften der Chronisten und der Patria nennen
dchen, dessen Geschichte eben erzählt worden ist, meist
Kasia, sondern Ikasia (Eikasia). Ebenso schwankt der
in den Handschriften der geistlichen und weltlichen
i, die bald einer Kasia, bald einer Kassiane, bald einer
zugeteilt werden. Man mag daher wohl die Frage auf-
ob sich nicht unter dieser Verschiedenheit der Namen
rschiedenheit der Personen verberge, d. h. ob die Jung-
ait der Theophilos sprach, wirklich mit der Dichterin
h sei, von der uns geistliche und weltliche Poesien er-
sind. Diese Frage wird im bejahenden Sinne[1]) ent-
a schon durch die eine Thatsache, dass die bei den

Der die topographische Redaktion enthaltende Cod. Paris. 1788
uch einer freundlichen Mitteilung des Herrn Dr. Th. Preger in
schnitte *Περὶ Ἰκασίας* (= Codinus, De antiquitatibus Cpol. ed.
. 123, 13 ff.); ... *ἥτις καὶ κανόνας καὶ στιχηρὰ ποιήσασα ἐν τοῖς
Θεοφίλου καὶ Μιχαὴλ τοῦ υἱοῦ αὐτοῦ ὁποῖα τὰ εἰς τὴν
ιαὶ εἰς τὸ μύρον· αὐτῆς γάρ εἰσιν ἅπαντα ταῦτα.* Nach den Schluss-
st zu vermuten, dass einige Liedertitel ausgefallen sind.
Gegen Chrysanthos, *Θεωρητικὸν μέγα τῆς ἐκκλησιαστικῆς μου-*
37. Vgl. Lampros, *Δελτίον τῆς ἱστορικῆς καὶ ἐθνολογ. ἑταιρίας*

Chronisten und in den Patria genannten Lieder unter den Dichtungen, die in den liturgischen Handschriften der Kasia (bezw.
Kassiane oder Ikasia) zugeschrieben werden, wirklich vorkommen.
Es bleibt mithin nur die Frage zu lösen, wie sich die verschiedenen Benennungen zu einander verhalten und welche von
ihnen die richtige ist. In den Handschriften der Chronisten,
der Patria, der Kirchenlieder und der Profandichtungen findet
man folgende Varianten: *Κασσία, Κασία, Κασσιανή, Εἰκασία,
Ἰκασία.* Leon Grammatikos 213, 8 ed. Bonn. bietet *Ἰκασία*;
Symeon Magistros 624, 19 und 625, 1 ed. Bonn. *Εἰκασία*;
Georgios Monachos 700, 9 ed. Muralt (790, 6 ed. Bonn.)
Εἰκασία; Zonaras XV 25 *Εἰκασία*; Michael Glykas 536, 1
ed. Bonn. *Κασία.* In den Patria schwankt die Ueberlieferung;
der gedruckte Text (S. 123, 13 ed. Bonn.) bietet *Εἰκασία*; die
topograph. Redaktion in dem oben erwähnten Cod. Paris. 1788
Ἰκασία, der Cod. Palat. gr. 328, fol. 70ʳ dagegen in der Ueberschrift: περὶ τῆς κασίας, im Texte ἰκασίας. Im Kommentar
des Prodromos zum Kanon des Charsamstags lesen wir *Κασία*
(s. Christ, Anthologia graeca carminum christ. S. XLVIII; der
von mir eingesehene, denselben Kommentar enthaltende Cod.
Barb. II 48, fol. 182 bietet *Κασσία*). *Κασία* bietet endlich
Nikephoros Kallistos Xanthopulos (s. unten). Ebenso
schwanken die Handschriften, welche Werke der Kasia enthalten: Der Cod. Marc. 408, s. 14 bietet *Ἰκασία*; der Laur. 87, 16,
s. 13/14 (und der aus ihm stammende Paris. Bibliothèque
Mazarine P. 1231, s. 15) *Κασσία*; der Cod. British Mus.
Addit. 10072 *Κασία.* Die Handschriften der Kirchenlieder
bedürfen bezüglich dieser Frage noch der näheren Untersuchung;
der unten zu erwähnende Codex von Grotta-Ferrata bietet *Κασσία.*
Die Form *Κασσιανή* kenne ich bis jetzt nur aus der Ueberschrift des Idiomelon auf den Charsamstag (Κασσιανῆς μοναχῆς
bei Christ a. a. O., S. 104).

Eine rein palaeographische Entscheidung der Streitfrage
ist auf grund der angeführten Belege nicht möglich; zu diesem
Behufe müssten alle Handschriften der einzelnen Chronisten
und alle liturgischen Handschriften, in denen Werke der Kasia

~~vollständig~~, ~~eingesehen~~ werden, eine Aufgabe, die ein einzelner
selbst bei sehr ausgedehnten persönlichen Verbindungen nicht
~~bewältigen~~ kann. Wir müssen daher versuchen, die Frage mit
~~den bis jetzt~~ zugänglichen Mitteln zu lösen. Die genannten
Varianten gehen offenbar auf zwei Haupttypen zurück: K a s i a
und I k a s i a. Die, soweit ich sehe, ganz vereinzelte Form
Κασσιανή ist entweder durch den Männernamen *Κασσιανός*
veranlasst oder sie beruht auf der irrtümlichen Ansicht, die
Dichterin stamme aus K a s o s; zwar heisst das alte gentilicium
~~von Kasos~~ *Κάσιος*; aber die Weiterbildung auf -*ανός* ist im
Mittel- und Neugriechischen sehr beliebt; vgl. *Συριανός, Ζακυν-
~~θιανός,~~ Καλαμαριανός, Καστοριανός, Ψαριανός* u. s. w. Die Form
~~Κασσιανή~~ kann mithin völlig ausser acht gelassen werden, und
es bleiben nur die Typen K a s i a und I k a s i a übrig. Soweit
wir nach den oben angeführten Belegen urteilen können, ist
I k a s i a vornehmlich durch die Chronisten und die Patria,
K a s i a zwar nur durch einen Chronisten (Glykas), recht gut
aber durch mehrere alte Handschriften von Werken der Dichterin bezeugt. Schon diese Thatsachen sprechen zu gunsten
der Form K a s i a. Die Entscheidung gibt der Cod. Cryptoferr. *Γ. β.* V. Hier steht ein *Κανὼν ἀναπαύσιμος εἰς κοίμησιν* (s. unten) mit der im Anfang durch Ausfall der 3 Strophen
der zweiten Ode lückenhaften Akrostichis † *υπε * * * οντοναμαχριστωκασσιας*. Es steht, wie häufig, der Verfassername im
Genitiv am Ende der Akrostichis. Die Dichterin trug also den
Namen der T o c h t e r des J o b. Seine Orthographie schwankt
zwischen *Κασία* und *Κασσία*; in der eben erwähnten Akrostichis
erscheint die Form mit *σσ*; doch scheint die Schreibung mit *σ*
sonst besser bezeugt, und es dürfte sich empfehlen, in die
Litteraturgeschichte die Form *Κασία* einzuführen.

Wie ist nun aber die Form I k a s i a — ein in der Litteratur und Geschichte sonst völlig unerhörter Name — zu erklären? Ich vermute, dass in der rätselhaften Vorschlagssilbe
El- oder *'I-* der weibliche Artikel *ἡ* steckt. Irgend jemand,
wahrscheinlich ein Chronist, hat *ἡ κασία* als e i n Wort aufgefasst und *'Ικασία (Εικασία)* geschrieben; der Fehler ist dann in

andere Chronisten und endlich auch da und dort in die Ueberschriften von Werken der Kasia übergegangen. Dieser Vorgang ist bei Appellativen ziemlich häufig; vgl. ἡστιά Feuer,
aus ἡ στιά (für ἑστία) schon im 12. Jahrhundert bei Ptocho-
prodromos und in vielen vulgärgriechischen Texten des 13.
und der folgenden Jahrhunderte; ἡσκιά Schatten, aus ἡ σκιά;
ἧρα Lolch, aus ἡ αἷρα; ἡγῆ Erde, aus ἡ γῆ. Auch Beispiele
mit dem maskulinen und dem neutralen Artikel finden sich da
und dort wie ὁθεός Gott, aus ὁ θεός; τουράδιν Schwanz, aus
τὸ οὐράδιν.[1]) Bei Personennamen scheint die Verschmelzung
des weiblichen Artikels bis jetzt nicht belegt zu sein; aber
dass die seltsame Missbildung auch Eigennamen nicht verschont, beweist das häufige Ὀβριός, aus ὁ Ἑβραῖος; und eine
eng verwandte Erscheinung, nämlich die Verwachsung des
Schluss-ν vom Artikel τὸν, τὴν mit dem folgenden Substantiv,
kommt gerade bei Eigennamen häufig vor, z. B. Negroponte,
aus Νέγριπος, τὴν Ἔγριπον; Νικαριά, aus τὴν Ἰκαρίαν; Νιό,
aus τὴν Ἴον u. s. w.[2]) Es ist also durchaus nicht auffällig,
dass auch ein seltener und daher wenig bekannter Personenname wie Κασία einer missverständlichen Erweiterung durch
den Artikel zum Opfer fallen konnte.

---

[1]) Belege und weitere Beispiele s. bei G. Meyer, Zur neugriechischen
Grammatik, Analecta Graeciensia, Graz 1893 S. 1—23.

[2]) Zahlreiche Beispiele bei G. Meyer, a. a. O.

II.

Schriften der Kasia.

Die erwähnte Schlussbemerkung der Chronisten über die
rarische Thätigkeit der Kasia hat nicht gelogen. Wir be-
n in der That von Kasia mehrere Dichtungen, die sich
h Originalität der Gedanken und kräftiges Selbstbewusst-
auszeichnen und völlig zu dem Charakterbilde stimmen,
wir uns von Kasia aus der Erzählung der Chronisten zu
n geneigt sind. Der litterarische Nachlass der Kasia zer-
in kirchliche und in profane Dichtungen. Sowohl
kirchlichen (mit Ausnahme der in die späteren Redaktionen
Liturgiebücher aufgenommenen Stücke) als die profanen
tungen sind in den Handschriften äusserst selten.

1. Kirchenlieder.

Dass Kasia als Kirchendichterin allgemein bekannt und
lätzt war, erhellt schon aus der Thatsache, dass sie von
ephoros Kallistos Xanthopulos in sein metrisches Ver-
nis der berühmten Meloden aufgenommen wurde; der letzte
dieses Memorialgedichtes[1] lautet:

$$\Gamma \varepsilon \acute{\omega} \varrho \gamma \iota \circ \varsigma, \; \varLambda \acute{\varepsilon} \omega \nu \; \tau \varepsilon, \; M \acute{\alpha} \varrho \chi \circ \varsigma, \; K \alpha \sigma \acute{\iota} \alpha.$$

Auch in der die bedeutendsten Kirchendichter darstellen-
Bildergallerie, die, jedenfalls nach handschriftlichen Vor-
l, dem Venezianer Triodion von 1601 beigegeben ist, hat
ihre Stelle gefunden.[2]

ne erschöpfende Charakteristik der Kirchenlieder Kasias
h Zeit noch nicht gegeben werden; denn wir haben

---

[1] Vgl. Christ, a. a. O., S. XLI.
[2] Vgl. G. J. Papadopulos, *Συμβολαί εἰς τὴν ἱστορίαν τῆς παρ'*
ἐκκλησιαστικῆς μουσικῆς, Athen 1890 S. 150 Anm. 504.

noch keine das sehr zerstreute und zum Teil noch unbekannte
Material zusammenfassende Ausgabe. An der erwähnten Stelle
des Georgios Monachos werden als Werke der Kasia ausdrücklich genannt das Lied Κύριε, ἡ ἐν πολλαῖς ἁμαρτίαις und
das Tetraodion für den Charsamstag Ἄφρων γηραλέε. Im Codex
Parisinus 1788 (s. o. S. 315) werden genannt das Lied Εἰς
τὴν πόρνην (identisch mit dem oben erwähnten Liede Κύριε,
ἡ ἐν πολλαῖς ἁμαρτίαις) und das Lied Εἰς τὸ μύρον. Zu diesen
Zeugnissen kommt noch eine Stelle im Kommentar des Prodromos zum Kanon des Charsamstags, durch welche wir erfahren, dass der Bischof Markos von Otranto in den den Kanon
des Kosmas von Jerusalem auf den Charsamstag ergänzenden
ersten vier Oden sich an die von Kasia geschaffenen Hirmen
anschloss: Ὁ παρὼν κανὼν ποίημα μὲν ἐστιν ἄχρι τῆς πέμπτης
ᾠδῆς Μάρκου ἐπισκόπου Ὑδροῦντος, ἐκ δὲ ταύτης ἄχρις ἐννά-
της τοῦ μεγάλου ποιητοῦ Κοσμᾶ· ἀλλὰ πολὺ πρότερον, ὡς ἐκ
ἀγράφου ἔχομεν παραδόσεως, γυνή τις τῶν Εὐπατριδῶν σοφὴ
καὶ παρθένος, Κασία τοὔνομα, τοῦ τε μέλους ἀρχηγὸς ἐχρημάτισε καὶ τὸν κανόνα συνεπεράνατο· οἱ δὲ ὕστερον τὸ μέλος μὲν
ἁγιασάμενοι, ἀνάξιον δ' ὅμως κρίναντες γυναικείοις συμμίξαι
λόγοις τὰ τοῦ ἥρωος ἐκείνου μουσουργήματα, τὸ μέλος παρα-
δόντες τῷ Μάρκῳ καὶ τοὺς εἱρμοὺς ἐγχειρήσαντες τὴν πλοκὴν τῶν
τροπαρίων τούτῳ μόνῳ (μόνων τούτῳ em. Christ) ἐπέτρεψαν.[1])

Mithin sind durch alte Zeugnisse als Werke der Kasia
anerkannt: das Lied auf die Buhlerin, das Lied auf die Salbe
und das Tetraodion auf den Charsamstag, dessen Hirmen später
der Bischof Markos benützte. Dazu kommen einige in Handschriften liturgischer Bücher ausdrücklich der Kasia zuge-
schriebene, zum Teil auch noch durch die Akrostichis als ihr
Gut bezeugte Lieder, von denen nur ein Teil veröffentlicht ist.

---

[1]) Vgl. Christ, a. a. O. S. XXXVI; XLVIII f.; 196 Anm. Die Stelle
des Prodromos kommt auch separat ohne seinen Namen in Hss des
Kanons τοῦ μεγάλου Σαββάτου vor, z. B. im Codex der Evangelischen
Schule in Smyrna B. 9. Vgl. A. Papadopulos Kerameus, Κατάλογος
τῶν χειρογράφων τῆς ἐν Σμύρνῃ βιβλιοθήκης τῆς Εὐαγγελικῆς σχολῆς,
Smyrna 1877 S. 33.

Die bekanntesten Kirchenlieder der Kasia sind die drei
Idiomela auf Christi Geburt, auf die Geburt Johannes' des Täufers
und den Charmittwoch; das letztere ist identisch mit dem oben
erwähnten Liede auf die Buhlerin (*Κύριε, ἡ ἐν πολλαῖς ἁμαρτίαις*).[1] Im ersten Idiomelon vergleicht Kasia Augustus und
Christus; durch Augustus habe die Vielherrschaft der Menschen
ein Ende genommen, durch Christus sei die Vielgötterei abgeschafft worden; durch ihn haben sich die Völker vom Dogma
des Kaisers abgewandt und sich dem menschgewordenen Gotte
zugewandt. Im Idiomelon auf Johannes den Täufer weist Kasia
zuerst darauf hin, dass das Wort des Propheten Esaias jetzt
durch die Geburt eines grösseren Propheten erfüllt worden sei,
und schildert dann die Thätigkeit des Johannes als Vorläufers
Christi und als Heiligen. Hier hält sie sich nicht frei von
Gemeinplätzen der Legenden- und Hymnensprache (*ἁγνείαν γὰρ
παντελῆ καὶ σωφροσύνην ἀσπασάμενος*) und operiert sogar mit
rhetorischen Antithesen, die dem Hymnus schlecht anstehen
(*εἶχε μὲν τὸ κατὰ φύσιν, ἔφυγε δὲ τὸ παρὰ φύσιν, ὑπὲρ φύσιν
ἀγωνισάμενος*). Weit glücklicher ist das Gedicht auf den Charmittwoch, das ins Triodion Aufnahme gefunden hat. Kasia
malt hier die tiefe Zerknirschung der Buhlerin, die zur Bestattung Christi Salböl spendete. Dieses Lied wird bei den
Chronisten und in der Patria ausdrücklich als Werk der Kasia
erwähnt. Dagegen ist in einem Typikon der Kirche von Jerusalem der Patriarch Photios als Verfasser genannt;[2] doch ist
diese Zuteilung wegen der grossen Anziehungskraft des Namens
Photios an sich verdächtig und steht so vereinzelt, dass sie
keinen Glauben verdient. Vielleicht ist der Name der Kasia
hier aus dem Grunde ausgemerzt worden, den Prodromos in
seinem Kommentar[3] andeutet, nämlich, weil man kein Weiber-
werk in liturgischen Büchern haben wollte. Das Lied *Εἰς τὸ
μύρον* habe ich noch nicht gefunden; vielleicht ist es identisch

[1] Alle drei bei Christ a. a. O. S. 103 f.
[2] A. Papadopulos Kerameus, *Ἀνάλεκτα Ἱεροσολυμιτικῆς σταχυο-
λογίας* 2 (1894) 78; vgl. seine Vorrede S. ζʹ
[3] S. Christ a. a. O. S. XLIX.

mit dem auf die Buhlerin; auch das Tetraodion auf den Charsamstag ('Ἀφρων γηραλέε) habe ich im Triodion (Venedig 1538)
vergeblich gesucht.

Endlich werden der Kasia zugeteilt ein Sticheron auf
die Märtyrer Gurias, Samonas und Abibos und zwei
Stichera auf die Märtyrer Eustratios, Auxentios und
Genossen.[1])

Völlig unbekannt war bisher ein Grabgesang der Kasia,
der unten aus Codex Cryptoferratensis Γ. β. V. s. XI zum erstenmale veröffentlicht wird.   Er bildet bezüglich des Stoffes ein
Seitenstück zu dem berühmten Liede des Romanos bei der
Leichenfeier eines Mönches: Ὡς ἀγαπητὰ τὰ σκηνώματά σου.[2])
Doch sind beide Werke grundverschieden.   Romanos hebt an
mit einem stimmungsvollen, düsteren Blick auf die Vergänglichkeit aller irdischen Dinge und versenkt sich dann mit
warmer Begeisterung in die ernsten Forderungen des Lebens
der Weltabgeschiedenheit, für das er, ähnlich wie Theodoros
von Studion in seinen Epigrammen, eine Reihe allgemeiner
und spezieller Vorschriften erteilt.   Es verrät den erfahrenen
Menschenkenner und feinen Psychologen, dass Romanos den
grössten Nachdruck auf die Bekämpfung des auch unter der
Mönchskutte nicht ersterbenden Lasters der Selbstüberhebung
und Eitelkeit legt.   Die Unabhängigkeit und Tiefe seines Geistes
offenbart sich in der geringen Beachtung der dogmatischen
und schriftgelehrten Grundlagen.   Das meiste, was Romanos
über die Vergänglichkeit und Wertlosigkeit des Irdischen, über
die Anfechtungen des bösen Feindes und über das Klosterleben
sagt, könnte man mit geringen Aenderungen auch dem Propheten irgend einer anderen Religionsgenossenschaft in den
Mund legen.   Trotz dieses Verzichtes auf dogmatisches Bei-
werk und auf reichlichere Verwertung von Stoffen aus der
hl. Schrift versteht es Romanos, mit unnachahmlicher Kunst

---

[1]) Die Texte stehen in den gedruckten Menaeen am 15. Nov. und
13. Des. mit dem Autorenvermerk „Ἰκασίας".

[2]) Veröffentlicht von Pitra, Analecta Sacra 1 (1876) 44 ff.

durch 30 Strophen hindurch sein Thema, ohne zu ermüden,
fortzuführen.

Kasia bleibt hinter ihrem Vorbilde weit zurück. Das liegt
zum Teil an ihrem Stoffe. Sie wollte ein allgemein giltiges
Requiemlied verfassen. Die Beziehung auf eine bestimmte
Menschenklasse und ihre speziellen sittlichen Ziele, durch die
Romanos seine Darstellung so reichlich befruchten und indivi-
dualisieren konnte, musste hier wegfallen. Die Dichterin beschränkt sich demgemäss auf allgemeine Bitten um Gnade für
den Hingeschiedenen, für den das Totenamt gefeiert wird.
Aber auch hierin verfährt sie weniger frei als Romanos.
Während bei diesem das Theologische zurücktritt und das
allgemein Menschliche dominiert, schliesst sich Kasia ziemlich
eng an die heiligen Schriften an und entnimmt ihnen das
Detail ihrer poetischen Gebete. Romanos benützt die Gelegenheit des Totenamtes zu eindringlichen und mannigfaltigen Mah-
nungen an die Lebenden, Kasia erhebt sich nicht über den
engen Kreis der Fürbitten für den Toten und der Betrachtungen über das letzte Gericht. So konnte sie denn auch eine
gewisse Eintönigkeit nicht vermeiden. Am lästigsten wirkt
die Wiederholung des an das bekannte Schriftwort anknüpfen-
den Gedankens „Stelle den Hingeschiedenen auf die rechte Seite
zu den Schafen“ in den ersten Strophen der 4. und 5. Ode: τοὺς
πρὸς σὲ μεταστάντας δεξιοῖς σου προβάτοις κατάταξον (V. 64 f.)
und: δεξιοῖς προβάτοις τοὺς ἐξ ἡμῶν συναριθμήσας μεταστάντας
(V. 93 ff.). Erst am Schlusse des Kanons im letzten Theotokion erscheint ein individueller Zug: Die Dichterin wendet
sich an den Gottessohn mit der Bitte, den gläubigen Kaiser
zu krönen und seine Feinde durch die Gottesmutter[1] zu ver-
nichten. An Originalität der Gedanken und an Tiefe der
poetischen Auffassung steht das Gedicht der Kasia zweifellos
tief unter dem Hymnus des Romanos.

---

[1] Das letztere Motiv erklärt sich aus der grossen Rolle, welche die
Gottesmutter in der byzantinischen Geschichte als Erretterin der Hauptstadt und anderer Städte aus Feindeshand spielt. Vgl. meine Gesch. d.

Was den Bau des Gedichtes der Kasia anlangt, so besteht
es als regelrechter Kanon aus 9 Oden. Jede Ode hat ihren
eigenen Hirmus und besteht aus drei Strophen, denen ein
Theotokion angehängt ist; die drei Strophen und das Theotokion sind unter sich gleich gebaut. Inhaltlich bilden die
Theotokien eine Art Ergänzung zu den Odenstrophen. Im
letzten Theotokion wird, unabhängig von dem Inhalt des Kanon
selbst, für den Kaiser gebetet. Dem losen Zusammenhange
der Theotokien mit den Oden entspricht es auch, dass sie
ausserhalb des verknüpfenden Bandes der Akrostichis stehen,
die allein durch die Initialen der Odenstrophen gebildet wird.[1])
Leider ist die Akrostichis, wie oben bemerkt, durch den Ausfall der 3 Strophen der zweiten Ode[2]) verstümmelt: υπε + + +
οντοναμαχριστωκασσιας. Eine sichere Ergänzung der drei fehlenden Buchstaben weiss ich nicht vorzulegen; es scheint, dass
eine 1. oder 3. Pers. Pl. Imperf. oder Aoristi eines Verbums
(z. B. ὑπέλαβον) dastand.

Sehr bezeichnend für die Kluft, die zwischen der alten
Hymnendichtung und der späteren Kanonenpoesie besteht, ist
die Thatsache, dass man unter den von Kasia gewählten Hirmen
keinen einzigen der in der alten Hymnendichtung geläufigen
findet.[3]) Es sind lauter neue, spätere Melodien. Im Bau der
einzelnen Strophen scheint sich Kasia grosse Freiheiten erlaubt
und häufig, ohne Beachtung der Accente, nur die Silben ge-

---

[1]) W. Christ, Carmina Christiana S. LXI nimmt an, dass die Stellung der Theotokien ausserhalb der Akrostichis eine spätere Interpolation
dieser Strophen beweise. Doch dürfte das wohl nicht ohne weiteres als
allgemeine sichere Regel gelten. Es ist schwer zu glauben, dass die
Frau Kasia, in deren Zeitalter die Marienverehrung schon eine hohe
Blüte erreicht hatte, die Zufügung der Theotokien einer späteren Interpolation überlassen habe. Jedenfalls bedarf dieser Punkt noch einer
umfassenden Untersuchung.

[2]) Wie in dem Kanon des Joseph, den Christ a. a. O. S. LXIV
bespricht, ist die zweite Ode hier, wie die Lücke in der Akrostichis
zeigt, von einem Abschreiber weggelassen worden, nicht, wie in den
meisten Kanones, vom Autor selbst.

[3]) Vgl. Pitra, Analecta Sacra 1 (1876) LIV f.

zählt zu haben. **Nicht** selten sind auch überschüssige Silben,
besonders am Schlusse der Verse.[1]) Manche Fehler scheinen
allerdings auf Kosten späterer Umarbeitung und schlechter
Ueberlieferung zu kommen; aber alle Unebenheiten lassen sich
unmöglich auf solche Weise erklären; es hat daher auch keinen
Zweck, durch kühne Textänderungen die wirklichen oder schein-
baren Forderungen der Metrik zu befriedigen; denn diese
Aenderungen kämen einer vollständigen Umdichtung gleich,
die natürlich nur den Wert einer rein subjektiven Leistung
beanspruchen und bald durch eine neue Handschrift gründlich
umgestossen werden könnte.

Da ich vor Jahren aus der Handschrift von Grotta Ferrata, welche den Kanon der Kasia enthält, aus Mangel an Zeit
nur einige Notizen genommen hatte, wandte ich mich an Professor Graf E. Piccolomini mit der Bitte, mir eine genaue
Abschrift des Kanon zu vermitteln. Einer seiner Schüler,
Herr G. Pierleoni, unterzog sich der Mühe, nach Grotta
Ferrata zu reisen und das Gedicht zu kopieren. Es ist mir
eine erfreuliche Pflicht, beiden Herren auch an dieser Stelle
meinen innigen Dank auszusprechen. Ueber die Handschrift,
die den Kanon bewahrt, den Cod. Cryptoferr. *Γ. β.* V
s. XI macht Pierleoni in Ergänzung der Beschreibung von
A. Rocchi, Codices Cryptenses, Romae 1882, S. 253 ff., folgende Mitteilungen: „Nella indicazione delle pagine ho con-
servato la antica numerazione quale è nel catalogo del Rocchi;
ora però il Canone di Cassia non è più a pag. 1' e segg.,
giacchè il padre Rocchi ha ritrovato, posteriormente alla pub-
blicazione del suo catalogo, altri fogli che fin ad ora aveano
fatto parte a sè come un codice distinto, ma che appartene-
vano al codice *Γ. β.* V e precedevano immediatamente il foglio 1,
e li ha fatti rilegare insieme al resto del codice *Γ. β.* V.

---

[1]) Ueber die Eigentümlichkeit der überzähligen Silben und andere
Freiheiten der rythmischen Poesie vgl. die eingehenden Darlegungen von
W. Christ a. a. O. S. LXXV und XCVIII ff., und W. Meyer, Anfang
und Ursprung der lateinischen und griechischen rythmischen Dichtung,
Abhandl. d. k. bayer. Akad. d. Wiss., 17. Bd, 2. Abteil. (1884) S. 345 ff.

Ma nemmeno ora il codice è integro al principio. Nel Canone
di Cassia si nota una seconda mano che però poco si differenzia
dalla prima, tanto per il tempo che per la forma, e di inchiostro
quasi identico. Questa seconda mano ha corretto quasi
tutte le forme di plurale che occorrevano nel Canone,
adattando questo per una sola persona!" Ich habe mich
bei der Herstellung des Textes genau an die Kopie des Herrn
Pierleoni gehalten und die erheblichen Varianten unter dem
Text notiert; unbeachtet liess ich die in der Handschrift ziemlich häufigen, belanglosen Accentfehler (wie δικαῖω).

2. Profanpoesien (Epigramme).

So gut wie unbekannt war bis vor kurzem die Thatsache,
dass Kasia auch Profanpoesien abgefasst hat. Dass die
Chronisten von ihnen nichts erwähnen, ist bei ihrer einseitig
kirchlichen Richtung natürlich. Aber auch in der neueren
Zeit hat man sie wenig beachtet. Zwar hat schon Bandini[1])
aus dem unten zu erwähnenden Codex Laurentianus das Epigramm auf die Armenier veröffentlicht; doch wurde sein Hinweis nicht einmal von den Gelehrten bemerkt, die sich speziell
mit der Sentenzen- und Epigrammenlitteratur beschäftigen.

A. Die Handschriften der Epigramme.

1. Erst vor drei Jahren hat Sp. Lampros aus der Handschrift des British Museum Addit. 10072 s. 15, fol. 93
eine kleine Sammlung von Gnomen der Kasia ediert.[2]) Es sind
20 Sentenzen, von denen 12 aus je zwei jambischen Versen,
8 aus je einem Verse bestehen, also zusammen 32 Verse.
Sämmtliche Sentenzen ausser V. 30 behandeln das Thema der
Freundschaft.

Da ich über einige Lesarten in der Ausgabe von Lampros

---

[1]) Catalogus codicum mss bibliothecae Mediceae Laurentianae 3
(1770) 402.

[2]) Δελτίον τῆς ἱστορ. καὶ ἐθνολογ. ἑταιρίας τῆς Ἑλλάδος 4 (1894) 533 f.
Ueber den sonstigen Inhalt der Hs vgl. List of additions to the Manu-
scripts in the British Museum in the years 1836—1840, London 1843 8. 6.

Bedenken hegte, bat ich Herrn E. W. Brooks in London um
eine Nachvergleichung der Handschrift und schickte ihm zugleich meine Abschriften der zwei italienischen Codices (s. u.)
mit der Bitte, nachzusehen, ob nicht auch in der Londoner
Handschrift Stücke aus ihnen vorkommen. Dieser vorsichtige
Schritt wurde glänzend belohnt. Die Kollation des von Lampros edierten Stückes lieferte zwar wenig Ergebnisse; um so
wichtiger aber erwiesen sich die Mitteilungen, welche Brooks
an seine Kollation knüpfte: Der (bei Lampros weggelassene)
Titel *Γνῶμαι Κασίας* steht über einem Texte von 113 Zeilen.
Mehrere Verse des Codex Marcianus und des Codex Lauren-
tianus kehren in der von Lampros weggelassenen Partie des
Londinensis wieder. Völlige Klarheit brachte eine Photographie
der vier in Rede stehenden Seiten (fol. 93—94ʳ), für deren
Anfertigung Herr Brooks mit grösster Liebenswürdigkeit Sorge
trug. Es zeigte sich, dass die metrische Sammlung, von der
Lampros die ersten 32 Verse mitgeteilt hat, sich bis an den
Schluss von fol. 94ʳ erstreckt; erst fol. 94ᵛ kommt etwas Neues:
eine ganz verschiedenartige, grösstenteils aus Prosa bestehende
Gnomensammlung. Alles Vorhergehende aber, d. h. der Inhalt
von fol. 93ʳ, 93ᵛ, 94ʳ zeigt nach Inhalt, Darstellung und Metrik
die grösste Verwandtschaft mit dem von Lampros edierten Stück
und den unten zum ersten male veröffentlichten Epigrammen
und Sentenzen der Kasia. Hier wie dort herrscht dieselbe tiefe
Religiosität, dasselbe innige Gottvertrauen, dieselbe rücksichts-
lose Schärfe der Anschauung, dieselbe Derbheit des Ausdrucks;
das mit Ἐφέσσον eingeführte Antithesenmotiv des Laurentianus
(V. 11 ff.) kehrt hier öfter wieder (V. 60; 77 ff.); die Steigerung
V. 130 ff. beruht auf demselben Gedanken, den Kasia im Epigramm auf die Armenier (Laur. V. 38 ff.) verwendet hat; auch
die eigentümliche Einführung selbständiger Sentenzen mit δὲ
kehrt in dieser Partie wieder (V. 64; 112); endlich zeigt der
Versbau hier wie dort dieselbe Ungezwungenheit. Dazu kommt,
dass das von Lampros edierte Stück und die folgenden Teile
auch inhaltlich zusammenhängen: In dem von Lampros mitgeteilten Texte wird das Thema der Freundschaft behandelt,

im folgenden allerlei Gegenstücke, wie der Neid, der Zorn, die Unversöhnlichkeit u. s. w.

Den Ausschlag gibt ein äusseres Argument: Sechzehn Verse der erwähnten Textpartien sind identisch mit Versen, die im Marcianus und im Laurentianus in dem durch die Ueberschriften sicher bezeugten Gute der Kasia vorkommen. Noch könnte jemand einwenden, der Umstand, dass einige Themen der Londoner Sammlung (z. B. der Reichtum) mit Themen der Florentiner identisch sind, spreche gegen die Annahme desselben Autors. Mit nichten; denn das ist gerade eine Eigentümlichkeit der Kasia, dass sie ein ihr zusagendes Thema in mehrfachen Variationen behandelt; vergl. die Sammlung des Laurentianus V. 4 ff. mit V. 8 ff., 20 ff. und 23 ff. oder V. 43 ff. mit V. 55 ff. und 59 ff. Auch die anaphorischen Sentenzen des Marcianus und Laurentianus (Μισῶ etc., Μοναχός etc.) beruhen auf der Neigung, ein gefundenes Motiv weiterzuspinnen.

Warum hat nun Lampros nur die ersten 23 Verse der ganzen Sammlung als Werk der Kasia veröffentlicht und alles Uebrige weggelassen? Wegen einiger Randnotizen. Auf fol. 93′ steht am rechten Rande neben V. 34 bezw. neben der V. 33 und V. 34 umfassenden Zeile, soweit ich nach der Photographie urteilen kann, von erster Hand die Abbreviatur μιχαήλ; sie wiederholt sich auf fol. 94′ am rechten Rande neben V. 113 und V. 121. Lampros hat offenbar angenommen, durch dieses Wort, von dem er übrigens in seiner Einleitung nichts erwähnt, werde ein neuer Autor eingeführt und das Eigentum der Kasia schliesse mit dem Verse vor der Zeile, welcher die Abkürzung beigesetzt ist. Allerdings bezeichnet die Notiz wohl einen Autor Namens Michael; aber Lampros hat übersehen, dass sie sich nach der ganzen Anlage der Handschrift nur auf den Vers oder den Doppelvers beziehen kann, neben welchem sie steht. Hätte der Vermerk, wie offenbar Lampros meinte, Bezug auf die ganze folgende Partie, so müsste er, wie die Aufschrift Γνῶμαι Κασίας, in der Mitte der Zeile stehen; ferner hätte dann die zweimalige Wiederholung desselben Namens am Rande von fol. 94′ keinen Sinn. Endlich zeigen die Autoren-

vermerke auf fol. 94ᵛ deutlich, dass der Schreiber, wenn es
sich um die Autorangabe für eine einzelne Gnome handelte,
den Namen zu der betroffenen Zeile an den Rand notierte.
Wie die Namen auf fol. 94ᵛ, so haben auch die Randnotizen
fol. 93ʳ und fol. 94ʳ nur Geltung für die auf gleicher Höhe
stehende Zeile, vielleicht sogar nur für einen Vers derselben.
So erklärt sich wohl das mit Punkten eingefasste Kreuz vor V. 113,
d. h. der Schreiber wollte damit andeuten, dass dieser Vers von
Michael zugesetzt worden sei. Vgl. die zwei Facsimiletafeln.

Ueber die Person dieses Dichters Michael ist nicht das
Mindeste bekannt; an Michael Psellos ist sicher nicht zu denken;
wahrscheinlich handelt es sich um einen sonst unbekannten
Mann, der zu den Versen der Kasia Ergänzungen lieferte.
Ich habe in der Ausgabe die durch die Randnotizen als dem
Michael gehörig bezeichneten Verse in [ ] eingeschlossen.

Das echte Gut der Kasia umfasst also in der Londoner
Sammlung 153 Verse. 8 derselben sind identisch mit Versen
der Sammlung des Marcianus, 8 mit Versen der des Laurentianus; neu d. h. sonst nirgends überliefert sind 137 Verse.

Ganz für sich stehen die Texte auf fol. 94ᵛ; der Schreiber
hat sie von dem Vorhergehenden wohl nur deshalb nicht durch
einen leeren Raum oder eine Wellenlinie getrennt, weil sie
eine neue Seite beginnen. Es ist eine kleine Auslese antiker
Sentenzen, denen achtmal ein Autorname beigesetzt ist. Vom
Vorhergehenden unterscheiden sie sich schon völlig durch ihre
Form. Mit Ausnahme von 4 eingestreuten Trimetern sind alle
in Prosa abgefasst. Um den Forschern auf dem weiten Gebiete
der griechisch-byzantinischen Florilegienlitteratur die Beurteilung und Benützung der kleinen Sammlung zu ermöglichen,
möge sie unten Platz finden.

Noch sei zum Aeussern der Handschrift bemerkt, dass die
Anfänge der einzelnen Sentenzen graphisch angedeutet sind,
auf fol. 93ʳ durch rote, der Zeile vorgesetzte Punkte, auf fol. 93ᵛ,
94ʳ, 94ᵛ durch rote Anfangsbuchstaben (wie im Codex Laurentianus); doch hat der Schreiber die Punkte und Initialen zuweilen irrtümlich gesetzt.

Gnomensammlung des Londin. Addit. 10072:

Fol. 94ʳ Ἵππου μὲν ἀρετὴν ἐν πολέμῳ, φίλου δὲ πίστιν ἐν δυστυχίᾳ κρίνομεν.

Ἡ τῶν περιστάσεων ἀνάγκη τοὺς μὲν φίλους δοκιμάζει, τοὺς δὲ συγγενεῖς ἐλέγχει.

5   Παρόντας μὲν εὖ ποιεῖν χρὴ τοὺς φίλους, ἀπόντας δὲ εὖ λέγειν.

Εἴπερ ἀσφαλέστατα βιοῦν ἐθέλεις, τοὺς μὲν ἐχθροὺς φίλους ποίει, τοὺς δὲ φίλους εὐεργέτει.

Μὴ τοῖς χρήμασι φίλους κτῶ, ἀλλὰ τοῖς ἤθεσιν· οἱ μὲν γὰρ κέρδους εἰσὶ φίλοι, οἱ δὲ ψυχῆς.

10   Δημοσθένους. Τὸν μὲν εὖ παθόντα δεῖ μεμνῆσθαι πάντα τὸν χρόνον, τὸν δὲ εὖ ποιήσαντα εὐθέως ἐπιλελῆσθαι· τὸ δὲ τὰς ἰδίας εὐεργεσίας ὑπομιμνήσκειν καὶ λέγειν μικροῦ δεῖν ὅμοιόν ἐστι τῷ ὀνειδίζειν.

Δημοκρίτου. Μηδένα ποιοῦ φίλον, πρὶν ἐξετάσῃς, πῶς κέχρηται τοῖς πρώτοις φίλοις.

15   Εὐριπίδης. Συννοεῖν χρὴ τοῖς φίλοισι τοὺς φίλους καὶ πρὸς μὲν τὰς εὐπραξίας ἀπαντᾶν κεκλημένους, πρὸς δὲ τὰς ἀτυχίας ἀκλήτους τοὺς ἀληθεῖς φίλους.

Πλάτων (Abbrev.). Ἀρχὴ πίστεως ἀλήθεια, φιλίας δὲ πίστις.

Ἀπόλλων (?). Οὐ παρὰ πολλοῖς ἡ χάρις τίκτει χάριν.

20   Ξενοφῶντος. Ἀχάριστον εὐεργετεῖν καὶ νεκρὸν μυρίζειν ἐν ἴσῳ κεῖται.

Δημοκρίτου. Ὄφιν δ' ἐκτρέφειν καὶ πονηρὸν εὐεργετεῖν ταὐτόν ἐστιν.

Μενάνδρου. Κακοὺς εὖ ποιῶν μετανοήσεις· οὐ γὰρ ἀμοιβὴν, ἀλλὰ μῖσος ἀντιλήψῃ.

Μὴ ζήτει παρὰ κακοῦ πάσχειν καλῶς· οἷον γὰρ τὸ ἦθος ἑκάστου, τοῖος
25   καὶ ὁ βίος καὶ αἱ δόσεις καὶ αἱ λήψεις· ψυχὴ μὲν γάρ ἐστι ταμεῖον, ἀγαθοῦ μὲν ἀγαθῶν, κακοῦ δὲ κακῶν.

Τοὺς πονηροὺς οὐ χρὴ εὖ ποιεῖν οὔτε παρ' αὐτῶν εὐεργετεῖσθαι· κακοῦ δ' ὑπ' ἀνδρὸς εὖ παθεῖν τινα ὄνειδος, οὐκ ἔπαινον [ἡ χάρις] φέρει.

Ὅτι οὐ χρὴ πολυπραγμονεῖν· φθόνου γὰρ καὶ διαβολῆς αἴτιον γίνεται.

30   Τί τἀλλότριον κακὸν ὀξυδερκεῖς, ὦ βασκανώτατε, τὸ δ' ἴδιον παραβλέπεις; μετάστρεψον εἴσω τὴν φιλοπραγμοσύνην.

Κωμῳδεῖσθαι τοὺς πολίτας οὐ χρὴ πλὴν μοιχοῦ καὶ φιλοπράγμονος· καὶ γὰρ ἡ μοιχεία ἔοικε πολυπραγμοσύνη τις εἶναι.

Λόγος γάρ ἐστιν οὐκ ἐμός, σοφῶν δ' ἔπος.

35   Δεινῆς ἀνάγκης οὐδὲν ἰσχύει πλέον.

Τὸ δὲ βίαιον πανταχοῦ λύπην φέρει.

Abweichende Lesung der Hs   12 τὸ ὀνειδίζειν   23 ἀντιλήψαι
25 ἀγαθοῦ μὲν ἀγαθὸν, κακοῦ δὲ κακὸν   27 κακοῦ δ' ὕπανδρος   34 Ψόγος]
em. E. Kurtz (Em. Hel. 513)

2. Der Codex Marcianus gr. 408 s. 14, eine interessante byzantinische Miszellanhandschrift, enthält fol. 144ʳ eine Sentenzensammlung unter dem offenbar in dieser Fassung vom Redakteur des Miszellanbandes oder vom Schreiber herrührenden Titel: *Μέτρον Ἰκασίας διὰ στίχων Ἰάμβων.* Es sind 27 Trimeter, die sämtlich mit dem Worte *Μισῶ* beginnen.

3. Eine grössere Sammlung von Sentenzen und Epigrammen bewahrt der Codex Laurentianus 87, 16, eine wertvolle, wahrscheinlich gegen das Ende des 13. Jahrhunderts geschriebene Sammelhandschrift, auf fol. 353—353ʳ. Der rot geschriebene Titel lautet: *κασσίας*. Die Verse sind fortlaufend wie Prosa geschrieben; doch ist der Anfang jeder Sentenz durch eine rote Initiale bezeichnet; zuweilen stehen diese Initialen aber an unrechter Stelle. Ich habe diese Handschrift vor Jahren in Florenz selbst kopiert; da mir jedoch nachträglich über einige Stellen Zweifel aufstiegen, bat ich Herrn Prof. G. Vitelli, meine Abschrift noch einmal mit der Handschrift zu vergleichen, eine Bitte, welche der berühmte Palaeograph mit gewohnter Liebenswürdigkeit und nicht ohne Nutzen für die Genauigkeit des Textes erfüllte. Ein dürftiges und textkritisch völlig wertloses, offenbar aus dem Cod. Laurentianus selbst geflossenes Exzerpt dieser Sammlung steht, mit der Ueberschrift *κασσίας*, im Cod. Paris. Bibl. Mazarine P. 1231 s. 15 fol. 222. Eine Kollation dieses Codex verdanke ich der Liebenswürdigkeit meines Freundes J. Psichari. Die Sammlung des Laurentianus besteht aus 97 Trimetern, die sich auf verschiedene von einander unabhängige Gnomen und Epigramme verteilen.

B. Inhalt und Charakter der Epigramme.

Aus der vorstehenden Beschreibung der Hss ergibt sich, dass uns die Profanpoesien der Kasia in drei nach Umfang und Inhalt verschiedenen Gruppen überliefert sind. Die erste (Londinensis) umfasst 153, die zweite (Marcianus) 27, die dritte (Laurentianus) 97 Verse. Da jedoch 8 Verse des Londinensis im Marcianus und weitere 8 im Laurentianus wiederkehren, so bleibt als Gesamtsumme der erhaltenen Profanpoesien der Kasia

nur $137 + 27 + 97 = 261$ Verse übrig. Völlig sicher kann
diese Zahl nicht gestellt werden, weil im Londoner Codex bei
einigen Versen Kasia mit dem unbekannten Michael um die
Autorschaft streitet. Doch kann es sich in jedem Falle nur
um ein Plus oder Minus von einigen Versen handeln.

Wie die Ueberlieferung dieser Epigramme in drei unter
sich verschiedenen, aber doch auf kleine Strecken identischen
Sammlungen erklärt werden muss, ist eine schwer mit völliger
Sicherheit zu beantwortende Frage. Höchst wahrscheinlich
aber gehen unsere drei Sammlungen nicht etwa auf die subjektive Auswahl späterer Redaktionen zurück, sondern auf verschiedene von Kasia selbst zu verschiedenen Zeiten an Freunde
oder Gönner verteilte Blumenlesen ihrer epigrammatischen Kunst.
Ist diese Annahme richtig, so wird wohl die Londoner Sammlung zeitlich die erste sein; denn mehrere Motive, die hier nur
in wenigen Versen behandelt sind, erscheinen im Marcianus
und Laurentianus reichlicher ausgearbeitet und in einer grösseren Zahl von Versen durchgeführt. Völlig deutlich zeigt
sich die umarbeitende Hand in dem Distichon des Londinensis
V. 134 f. = Laurentianus V. 23 f. Im Londinensis sind
die Vernünftigen zu den Reichen, Dummen und Ungebildeten
in Gegensatz gestellt:

> Αἱρετώτερον φρονίμοις συνδιάγειν
> ἥπερ πλουσίοις μωροῖς καὶ ἀπαιδεύτοις.

Im Laurentianus ist dieser verschwommene und wenig
epigrammatische Gedanke zu einer scharfen Pointe ausgearbeitet:

> Αἱρετώτερον φρονίμοις συμπτωχεύειν
> ἥπερ συμπλουτεῖν μωροῖς καὶ ἀπαιδεύτοις.

Ebenfalls auf Umarbeitung weist der Umstand, dass das
Distichon auf den Dummen im Londinensis V. 146 f. im
Laurentianus V. 8—10 zu einem Tristichon erweitert ist.

Für die Lösung der weiteren Frage, welche von den zwei
späteren Sammlungen (Laur. und Marc.) zeitlich früher anzusetzen sei, finde ich keinen brauchbaren Anhalt.

Der Inhalt der drei Sammlungen ist ziemlich mannigfaltig und verschiedenartig, mehr als man es von den Erzeugnissen einer auf den engen Lebenskreis eines Klosters beschränkten Nonne erwarten sollte.

In der Londoner Sammlung behandelt Kasia sittliche Verhältnisse, Eigenschaften und Charaktertypen. Eine ganze Reihe von Sentenzen widmet sie dem, ähnlich der Liebe, alten und ewig neuen Thema der Freundschaft. In sechs an Umfang ungleichen Gnomen handelt sie über ein Gegenstück der Freundschaft, den Neid. Selten in der Fassung ist das vorletzte Neidepigramm, das ein Zwiegespräch mit dem Neide enthält. Den Beschluss dieser Gruppe bildet ein Tristichon, in welchem Kasia zu Christus fleht, er möge sie bis zur Todesstunde vor dem Laster des Neides bewahren, sie selbst aber in göttlichen Dingen andern neidenswert machen. Weniger lange verweilt sie beim Zorne und der Rachsucht. In vier Epigrammen behandelt sie ein Thema, das auch im Laurentianus wiederkehrt, den Reichtum und die Armut. Es folgen Sentenzen über Glück und Unglück, über Steigerung des Schmerzes, der allein getragen werden muss, und Milderung des Leids durch Mitgefühl, über Charakterstärke und nutzlosen Widerstand gegen das Unglück, über die Symmetrie, den Tadel, den Eidschwur, die Streitsucht, die Vorsicht im Urteil über unsichere Dinge, den Geiz, die Klugheit, über die Erlangung des Guten und Bösen, das ewige Pech des Unglücklichen, die Standhaftigkeit im Unglück, die Geduld gegen Schimpfreden, die Ueberlegenheit des Vernünftigen, den Hochmut, die Vorlautheit, den Nutzen des Unglücks u. s. w.

In diese Reihe von Einzelsentenzen sind einige Gruppen grössere Stücke eingefügt. Zwei Gruppen sind wie ein Teil der die Sammlung eröffnenden Freundschaftssentenzen anaphorisch gebaut; sie beginnen mit Κρεῖσσον und mit Μισῶ. Die mit Κρεῖσσον anhebenden antithetisch gebauten vergleichen die Einsamkeit mit schlechter Gesellschaft, die Krankheit mit schlechtem Wohlbefinden,

das Schweigen mit dem Schwätzen. Die Hasssentenzen
werden unten im Zusammenhange des Marcianus zu betrachten
sein. Ganz eigenartig ist das Epigramm V. 93—103, das in
der Form einer kleinen Erzählung unverschuldete körperliche Fehler und Mängel den verschuldeten Sünden
und Lastern gegenüber stellt. Aehnlich ist das Epigramm
auf den Geizigen in die Form der Erzählung gekleidet: Ein
Geiziger, der einen Freund (kommen) sah, versteckte sich und
hiess die Diener lügen.[1]) Auch das wahrscheinlich dem Michael
gehörende Epigramm über das den Unglücklichen stets ver-
folgende Ungemach (V. 120—124) zeigt die erzählende Form.
Man erinnert sich bei dieser Art von Einkleidung des Gedankens
an die Vorliebe des mittel- und neugriechischen Sprich-
wortes für die erzählende, anekdotenhafte, epilogische Form
statt der abstrakten.[2]) Der Gedankengang unserer Sentenzen-
anekdote (V. 93—103) erinnert an einige der Hasssentenzen
des Marcianus, wo in ähnlicher Weise gegensätzliche Typen
zusammengestellt werden (der Buhler und der Hurer; der
Mörder und der Zornige).

Ein Lieblingsthema der Kasia sind die Dummköpfe. In
einer ganzen Reihe von Epigrammen bekommen sie die Bitter-
keit ihres Ingrimms zu fühlen. In einem sechszeiligen Ge-
dichtchen verdammt sie die Dummen als unheilbar und rettungs-
los verloren, als aufgeblasen und frech. In anderen Sinngedichten verbietet sie den Umgang mit geistig Schwachen,
vergleicht die Einsicht der Dummen mit einer Schelle am Rüssel
eines Schweines und tadelt den Dummen, der sich gescheit
dünkt und vielgeschäftig ist. Ein scharfes Tetrastichon verdammt die armen Dummen in einer dreifachen Steigerung des
Gedankens, die ähnlich im Epigramm auf die Armenier wiederkehrt. Ein Distichon endlich enthält die eigentümliche Um-

---

[1]) Das Präsens „διδάσκει" statt des zu erwartenden Aorists ist nur
des Metrums halber gewählt.

[2]) Vgl. K. Krumbacher, Mittelgriechische Sprichwörter, Sitzungsberichte der k. bayer. Ak. d. Wiss., philos.-philol. und histor. Cl. 1893,
Bd II S. 22 ff.

änderung des Sophokleischen Satzes: Besser wäre es für den
Dummkopf, gar nicht geboren zu werden oder wenigstens die
Erde nicht zu betreten, sondern gleich wieder in den Hades
zu fahren (der dritte Vers nur im Laur. V. 10).

In der Sammlung des Marcianus tritt der energische und
polemische Charakter der Kasia ähnlich hervor wie in einzelnen
Epigrammen des Londinensis. Indem Kasia alles aufzählt, was
sie hassen zu müssen glaubt, entwickelt sie manche feinere
Züge ihrer Lebens- und Weltanschauung. Sie hasst z. B. den
Buhler, wenn er den Hurer richtet, den Dummen, der sich
gescheit dünkt, den Richter, der auf Personen achtet, den
Schuldner, der sorglos schläft u. s. w. Die schon oben (S. 321)
in einem Kirchenliede bemerkte Vorliebe für rhetorische Kunst-
mittel zeigt sich auch hier nicht bloss in der anaphorischen
Form der ganzen Sammlung, sondern auch in einzelnen Antithesen; Kasia hasst z. B. den Kleingewachsenen, der einen
Langen verachtet, aber auch den Langen, wenn er ungeheuer-
lich ist; sie hasst den Greis, der mit jungen Leuten scherzt,
den unzeitigen Schwätzer, aber auch das Schweigen, wenn
Reden not thut u. s. w.

Die eigentümliche Schärfe, die in mehreren Epigrammen
der Londoner Sammlung und in der ganzen Sammlung des
Marcianus herrscht, kehrt auch in der Sammlung des Laurentianus wieder und steigert sich hier zuweilen zu einer pessi-
mistischen, mit der christlichen Liebe kaum noch vereinbaren
Härte. Vor allem sind es die unseligen Dummköpfe, auf die
Kasia auch hier die Schale ihres Zornes ausgiesst, zum Teil
mit Wiederholung einiger Epigramme der Londoner Sammlung.
Kasia fleht hier sogar zu Christus, er möge ihr lieber ein müh-
seliges Leben in Gesellschaft weiser Männer als Freude im
Verein mit Dummköpfen gewähren. Wie tief in Kasia die
auffallende Feindseligkeit gegen die Geistesschwachen gewurzelt
war, zeigt sich selbst in ihren Freundschaftsepigrammen; V. 12
der Londoner Sammlung erteilt sie den Rat: „Einen gescheiten
Freund hege wie Gold am Busen, einen dummen aber fliehe
wie eine Schlange:" Auch in den Hasssentenzen des Mar-

cianus erhalten die Dummen einen Hieb (V. 4). Diese stark
ausgeprägte Abneigung gegen die Borniertheit ist offenbar die
Frucht einer reichen Lebenserfahrung und — eines kräftigen
Selbstbewusstseins.

Noch galliger als gegen die Dummen äussert sich Kasia
gegen die Armenier. Sie sind ihr ein ganz entsetzliches Volk,
tückisch, völlig bösartig, toll, wankelmütig und neidisch, aufgeblasen und voll Hinterlist; ganz treffend habe ein weiser
Mann von ihnen gesagt: Die Armenier sind bösartig, so lange
sie in niedriger Stellung sind; noch bösartiger werden sie,
wenn sie zu Ehren gelangen; durch und durch böse, wenn sie
wohlhabend werden; wenn sie aber grossen Reichtum und hohe
Ehrenstellen erreichen, zeigen sie sich gegen jedermann als
Ausbund aller Bosheit. In der unbarmherzigen Härte, mit
welcher hier ein fremdes Volk samt und sonders in den Ab-
grund der Verdammnis gestürzt wird, klingt etwas von der
altgriechischen Ausschliesslichkeit nach, die ausser Hellenen
nur Barbaren kennt, und die christliche Lehre von der Gleichheit der Völker und Menschen hat hier die fromme Nonne
offenbar vergessen. Der schlechte Ruf, den die Armenier in
der byzantinischen Zeit genossen, wird übrigens auch durch
mittelgriechische Sprichwörter bezeugt: Ἀρμένιον ἔχεις φίλον,
χεῖρον᾽ ἐχϑρὸν μὴ ϑέλε. „Armenischer Freund, der ärgste Feind“
(Usener).[1] Gegen die Armenier richtet sich wahrscheinlich
auch das Sprichwort: Ἐν τῇ λείψει τῶν ἀγγέλων καὶ ὁ Μάρ-
δαρις ἄγγελος. „Wo keine Engel sind, da ist auch ein Mann
aus (der armenischen Stadt) Mardara ein Engel“, d. h. wo
keine braven Leute sind, gilt auch der armenische Schuft für
einen braven Mann.[2] Heimtückisch und bösartig heissen die
Armenier auch in der von dem Skeuophylax Nikephoros

---

[1] Ed. Kurtz, Die Sprichwörtersammlung des Maximus Planudes,
Leipzig 1886 S. 20 Nr. 53. Vgl. K. Krumbacher, Mittelgriechische
Sprichwörter, Sitzungsberichte d. k. bayer. Akad. d. Wiss., philos.-philol.
u. histor. Cl. 1893 Bd II S. 246 f.

[2] Ed. Kurtz, a. a. O. S. 41 Nr. 225. Dazu die Erklärung von
O. Crusius, Rhein. Mus. 42 (1887) 418.

verfassten Vita des Theophancs.[1]) Das ungünstige Leumunds-
zeugnis, das die Byzantiner den Armeniern ausstellten, erklärt
sich wohl vornehmlich aus der starken Konkurrenz, welche
die Griechen im Handel und Verkehr und bei der Besetzung
der Hof- und Staatsämter von den Armeniern auszuhalten hatten.
Bekanntlich stehen die Armenier auch heutigen Tages in einem
sehr üblen Rufe. Ein erfahrener Orientreisender, Alfred
Körte, meint sogar,[2]) fast jeder, der in den Provinzen mit
dem Kerne des Volkes in Berührung komme, lerne die Türken
achten und lieben, die Griechen gering schätzen, die Armenier
hassen und verachten. In ähnlicher Weise äussern sich auch
andere Zeugen. Es ist hier nicht der Ort, zu untersuchen,
ob diese Urteile begründet sind und in wie weit für die angebliche sittliche Minderwertigkeit der Armenier die politische
Geschichte des Volkes verantwortlich zu machen ist. Darf
man aber den erwähnten byzantinischen Zeugnissen trauen,
so waren die Armenier schon verrufen, noch ehe die Trüb-
salen der grossen Völkerstürme und der Druck des türkischen
Joches die Sittlichkeit der christlichen Orientalen ungünstig
beeinflussten.

In mehreren Epigrammen des Laurentianus betrachtet Kasia
eigenes Geschlecht. Einmal stellt sie wie einst Simonides und wie später Pediasimos das fleissige und kluge Weib
dem faulen und schlechten gegenüber. Dann betont sie unter
Berufung auf Esdras die Ueberlegenheit des weiblichen Geschlechtes. Höchst seltsam klingt im Munde einer Nonne der
Satz, ein Uebel sei auch ein schönes Weib, doch gewähre die
Schönheit einen Trost; doppelt aber sei das Unglück und völlig
trostlos, wenn ein Weib hässlich und zugleich bösartig sei.
Diese wohl nicht ganz ernst gemeinte Selbstanklage hat Kasia
so entzückt, dass sie ihr in zwei Epigrammen Ausdruck verlieh.

[1]) Λέοντα δὲ λέγουσιν, ὃς Ἀρμενίοις τε καὶ Ἀσσυρίοις ἐπαναφέρων
τὸ γένος τῶν μὲν ἐκλούει τὸ ὕπουλον καὶ κακόηθες etc. Theophanes ed.
C. de Boor II 22, 35 ff.

[2]) Anatolische Skizzen, Berlin 1896 S. 52.

Uebrigens durfte sich die einstige Siegerin in der byzantinischen
Schönheitskonkurrenz wohl zu der ersten Gruppe der in ihren
Epigrammen mitgenommenen Frauen rechnen.

Andere Epigramme des Laurentianus handeln über die
Anmut, den Begriff der menschlichen Schönheit, die richtige
Anwendung des Reichtums u. s. w. Den Schluss der Sammlung bildet eine Reihe von Sentenzen, die ähnlich wie einige
Gruppen des Londinensis und die Sammlung des Codex Marcianus eine anaphorische Spielerei enthalten. Am Rande
steht die Ueberschrift τῆς αὐτῆς περὶ μοναχῶν. Es folgen
19 Sentenzen über den Mönch und das Mönchsleben; die
ersten 14 beginnen mit Μοναχός oder Μοναχοῦ βίος, die letzten
5 mit Βίος μοναστοῦ. Zwei Sentenzen bestehen aus je zwei
Versen, die übrigen aus je einem Verse. Am Schlusse folgt
ein aus drei Versen bestehender Epilog. Inhaltlich mögen
diese Sentenzen mit den Epigrammen verglichen werden, in
denen etwa ein Menschenalter vor Kasia der edle Theodoros
Studites das Klosterleben verherrlichte.

Die Form der Epigramme Kasias ist die denkbar einfachste. Dass sie das heroische Mass und die epische Diction,
die in der alten christlichen Epigrammatik (z. B. im ersten
Buche der Anthologie, bei Gregor von Nazianz u s. w.) vor-
herrschen, nicht wählte, erklärt sich ohne weiteres aus ihrer
litteraturhistorischen Stellung. Der byzantinische Dichter, an
den die im 9. Jahrhundert wieder auflebende Epigrammatik
zunächst anknüpfte, Georgios Pisides, hat sich fast ausschliesslich des byzantinischen Trimeters bedient. Dass die
Dichter, dem Pisides folgend, auf das heroische Mass und die
epische Sprachform verzichteten, war ein grosses Glück; denn
nur dadurch konnte die Epigrammatik aus der Gelehrtenstube
wieder in weitere Kreise der Gebildeten eingeführt werden.
So erscheint denn die sprachliche Darstellung der Kasia, wenn
man sie mit der der christlichen Epigrammatik vor Pisides
vergleicht, einfach, leichtverständlich und frei von gelehrtem
Prunk. Weniger lobenswert ist, dass die wackere Nonne ihre
Gleichgiltigkeit gegen die Schulgelehrsamkeit auch auf das

Gebiet der Metrik ausgedehnt hat. Entweder hat sie, was bei einer Dame ja nicht auffallend wäre, keinen ordentlichen Unterricht in der antiken Metrik genossen oder sie hat sich mit weiblichem Eigensinn um die Regeln der Schule nicht gekümmert; jedenfalls sind ihre Trimeter mit souveräner Missachtung der alten Quantität gebaut. Im 9. Jahrhundert ist eine solche Ungebundenheit allerdings unerhört; aber man darf nicht vergessen, dass man es mit einer Dame zu thun hat, die den grössten Teil ihres Lebens in den männerscheuen Gemächern ihres Frauenklosters zubrachte und daher wohl ausserhalb der strengen Schultradition stand. Wenn man schliesslich bedenkt, dass die Beobachtung der alten metrischen Gesetze infolge des Obsiegens der vokalischen Isochronie zu einer für den poetischen Wohlklang bedeutungslosen Spielerei herabgesunken war, darf man der kühnen Neuerin, die sich der Gefahr aussetzte, von Isidor Hilberg den Stümpern beigesellt zu werden, nicht einmal ernstlich böse sein. Später behalfen sich die Dichter, denen der alte Quantitätstrimeter zu unbequem war, mit dem accentuierenden politischen Verse; aber auf diesen Ausweg konnte Kasia nicht verfallen; denn zu ihrer Zeit war das politische Mass noch nicht im eigentlichen Sinne litterarisch verwendet. Aus dem Gesagten ergibt sich auch, dass es nicht angeht, die metrischen Unebenheiten der Epigramme Kasias durch tiefer eingreifende Aenderungen systematisch zu beseitigen. Das wäre der gleiche Fehler, der leider in den meisten Ausgaben byzantinischer Texte bezüglich der sprachlichen Form begangen worden ist und der uns jetzt verhindert, auf grund des gedruckten Materials die feineren Details der Sprachgeschichte mit Sicherheit zu studieren.

C. Verhältnis zur älteren und späteren Epigrammatik und Gnomologie.

Zuletzt erhebt sich die Frage, ob und in wie weit diese Sentenzen Anspruch auf Originalität haben. Die Ansicht, dass alles byzantinische Schrifttum mit Ausnahme der rein zeitgeschichtlichen Werke auf einer sklavischen Nachahmung der Alten beruhe, ist so weit verbreitet, dass manchem die Begriffe originell und byzantinisch unvereinbar erscheinen. Noch vor kurzem richtete ein hochangesehener Gelehrter die überraschende Frage an mich, ob die Byzantiner überhaupt jemals einen eigenen Gedanken gehabt haben. So völlig vertrocknet war denn doch das Gehirn der Byzantiner nicht. Wie die Verdammung der byzantinischen Litteratur im allgemeinen, so hat auch die schlechte Zensur bezüglich ihrer Selbständigkeit weit über das Ziel hinaus geschossen. Zu den byzantinischen Menschen, die ihre eigenen Wege gingen, gehört die Dichterin **Kasia**. Trotz der grossen Vorräte alter Erzeugnisse, die gerade auf dem Gebiete der gnomischen und epigrammatischen Weisheit die byzantinischen Epigonen niederdrückten und ihnen den Mut und die Freude originellen Schaffens verkümmern mussten, hat sie frisch und fröhlich es gewagt, eigene Sinnsprüche zu gestalten, in denen sie ihren Hass und ihre Liebe, ihre persönliche Erfahrung und ihre individuelle Anschauung über manche Dinge der Welt unerschrocken zum Ausdrucke brachte. Damit soll nicht gesagt sein, dass Kasia die alte epigrammatische und gnomische Litteratur völlig ignoriert habe. Einzelne Anregungen verdankt sie ihr thatsächlich; namentlich hat sie mehrfach die pointierte Form alter Epigramme und Sentenzen in freier Nachbildung zum Ausdruck ihrer eigenen Gedanken verwertet. Wie sie dabei verfuhr, zeigt am besten das Epigramm auf die Armenier. Sein Vorbild ist ohne Zweifel das boshafte Sinngedicht des alten Demodokos aus **Leros auf die Kappadokier (Anthol. Pal. XI 238):**

Καππαδόκαι φαῦλοι μὲν ἀεί, ζώνης δὲ τυχόντες
φαυλότεροι, κέρδους δ' εἵνεκα φαυλότατοι.
Ἢν δ' ἄρα δὶς καὶ τρὶς μεγάλης δράξωνται ἀπήνης,
δή ῥα τότ' εἰς ὥρας φαυλεπιφαυλότατοι.
Μὴ, λίτομαι, βασιλεῦ, μὴ τετράκις, ὄφρα μὴ αὐτὸς
Κόσμος ὀλισθήσῃ καππαδοκιζόμενος.

Kasia hat dem alten Epigramm nur den allgemeinen Gedanken von der proportionellen Zunahme der Schlechtigkeit mit Reichtum und Ehren, von Einzelheiten nur den Superlativ φαυλεπιφαυλότατοι entnommen.

So deutliche Entlehnungen sind aber, wie es scheint, gering an Zahl. Völlige Sicherheit hierüber lässt sich in folge der grossen Zerstreutheit der Sentenzenlitteratur und des Mangels einer zusammenfassenden Ausgabe schwer erlangen, und die Spezialisten der Florilegienlitteratur werden sicher noch manche Nachträge beibringen, und namentlich wird die Zahl der nur allgemein verwandten Parallelen sich leicht verzehnfachen lassen; trotzdem wird das oben ausgesprochene Gesamturteil schwerlich eine wesentliche Veränderung erleiden. In den Sentenzen der Kasia, welche allgemein menschliche und in der gnomischen Litteratur sehr beliebte Themen, wie die Freundschaft, den Reichtum, die Tugend, behandeln, finden sich natürlich vielfach Anklänge an alte Aussprüche; doch kommt es in der Sentenzenlitteratur bei der Quellenuntersuchung nicht auf die allgemeinen Gedanken, sondern auf das Detail der Fassung an, und nur, wenn dieses übereinstimmt, kann von einer Entlehnung gesprochen werden; das gilt sogar für Fälle, wo der Gedanke verschieden ist. So ist zu V. 20 der Londoner Sammlung: *Φίλος τὸν φίλον καὶ χώρα χώραν σῴζει* das Vorbild offenbar die Menandersentenz: *Ἀνὴρ τὸν ἄνδρα καὶ πόλις σῴζει πόλιν.*[1] Solche Fälle sind aber selten, und meist beschränkt sich die Uebereinstimmung auf eine gewisse Aehnlichkeit des Gedankens. Von einer systematischen Ausbeutung älterer Epigramme, wie sie z. B. in Lessings Sinngedichten vorliegt, ist bei Kasia keine Rede.

Zu den Freundschaftsgnomen der Londoner Sammlung findet man natürlich zahlreiche Parallelen in profanen wie in heiligen Florilegien. Vgl. z. B. Maximus, Migne, Patrol. gr. 91, 754 f.; Pseudo-Johannes, Migne, Patrol. gr. 96, 404 ff. u. s. w. Zu V. 9 f. der Londoner Sammlung vgl. speziell die Sentenz des Demokritos: *Οἱ ἀληθινοὶ φίλοι*

---

[1] Menandri et Philemonis reliquiae ed. A. Meineke, Berlin 1823 S. 313 V. 20.

καὶ τὰς φιλίας ἡδείας καὶ τὰς συμφορὰς ἐλαφροτέρας ποιοῦσιν, ὧν μὲν συναπολαύοντες, ὧν δὲ μεταλαμβάνοντες.[1]) Eine entfernte Verwandtschaft mit V. 18 Φραγμὸς πέφυκεν ἡ τῶν φίλων ἀγάπη und V. 11 Φρόνιμον φίλον ὡς χρυσὸν κόλπῳ βάλλε hat der Spruch des Sirach bei Maximus, Migne, Patrol. gr. 91, 755 B: Φίλος πιστὸς σκέπη κραταιά· ὁ δὲ εὑρὼν αὐτὸν εὗρε θησαυρόν. Vgl. auch den Menanderspruch: Φίλους ἔχων νόμιζε θησαυροὺς ἔχειν.[2])

Für das Schema der mit Μισῶ beginnenden Sentenzen dienten als Vorbilder Menanderverse, wie: Μισῶ πένητα πλουσίῳ δωρούμενον[3]) (zum Gedanken vgl. speziell V. 7 des Marcianus) und: Μισῶ πονηρὸν χρηστὸν ὅταν εἴπῃ λόγον[4]) (zum Gedanken vgl. V. 1 des Laurentianus).

Auch für das Schema der mit Κρεῖσσον beginnenden Komparativsentenzen (V. 60; 77—80 des Londinensis; V. 11, 12 f., 28 des Laurentianus) konnten einige Menanderverse, in denen jedoch der Komparativ nicht an der Spitze steht, als Vorbild dienen, z. B. V. 370: Νόον γάρ ἐστι κρεῖττον ἢ σιγὴν ἔχειν, V. 383: Νόσον δὲ κρεῖττόν ἐστιν ἢ λύπην φέρειν, V. 387: Νέοις τὸ σιγᾶν κρεῖττόν ἐστι τοῦ λαλεῖν, V. 401: Ξένῳ δὲ σιγᾶν κρεῖττόν ἢ κεκραγέναι.[5]) Speziell zur Komparativsentenz V. 80 des Londinensis vgl. die Menandersprüche V. 221: Ἡδὺ σιωπᾶν ἢ λαλεῖν ἃ μὴ πρέπει, V. 290: Κρεῖττον σιωπᾶν ἐστιν ἢ λαλεῖν μάτην, und V. 484: Σιγᾶν ἄμεινον ἢ λαλεῖν ἃ μὴ πρέπει.[6])

Zur Idee der anaphorischen Spielerei überhaupt (vgl. oben S. 338), vgl. z. B. das Epigramm auf Lukian, dessen 5 erste Verse mit Ῥήτωρ beginnen,[7]) das Epigramm, dessen 5 erste Verse mit Φιλῶ beginnen,[8]) die Prosasentenzen des Nilos, die

---

[1]) L. Sternbach, Photii P. opusculum paraeneticum etc., Diss. classis philol. Acad. Litt. Cracoviensis 20 (1893) S. 75 Nr. VI 9.

[2]) Men. et Phil. rel. ed. Meineke S. 333 V. 520.

[3]) Ebenda S. 327 V. 360.

[4]) Ebenda S. 326 V. 352.

[5]) Ebenda S. 327 f.

[6]) Ebenda S. 321 ff.

[7]) Anthol. graecae appendix III 224 (Ed. Didot vol. III S. 328).

[8]) Ebenda IV 91 (Ed. Didot vol. III S. 416).

alle mit *Μακάριος* beginnen,[1]) und die Verse des Theodoros
Studites auf die Kreuze der Mönche:

Εἰς σταυροὺς μοναστῶν.

Σταυρὸς βλεπόντων ἀστραπηφόρον σέλας.

Σταυρὸς μοναστῶν εὔδρομος σωτηρία.

Σταυρὸς φιλούντων ἐνθέως πορνοκτόνος.

Σταυρὸς κλαόντων ἐξαλείπτωρ πταισμάτων.

Σταυρὸς φιλάγνων ἀσφαλέστατος φύλαξ.[2])

Zu V. 70 der Londoner Sammlung: „Zur Qual wird das
Leben dem von Schmerz Geplagten", vgl. die Menanderverse:
Λῦπαι γὰρ ἀνθρώποισιν τίκτουσιν νόσον,[3]) und: *Οὐκ ἔστι λύπης
χεῖρον ἀνθρώποις κακόν.*[4])

Zum Verse über die Vorlautheit (παῤῥησία) vgl. den
Vers des Menander: *Ἀνουθέτητόν ἐστιν ἡ παῤῥησία.*[5])

Die auffallende Einführung selbständiger Gnomen mit *δέ*,
die (nur!) im Londinensis V. 15, 16, 19, 27, 64, 112 beobachtet wird, beruht vielleicht auf einer missverständlichen Nachahmung älterer Sammlungen, wo aus dem Zusammenhange eines
dramatischen Werkes gerissene Stellen mit *δέ* verkommen,
z. B. V. 147 der Menandersammlung: *Ἐν τοῖς κακοῖσι δὲ τοὺς
φίλους εὐεργέτει.*[6])

Nur als ein entferntes und ziemlich lendenlahmes Seitenstück zu den geharnischten Epigrammen der Kasia gegen die
Dummen erscheint der Menandervers: *Ἡ μωρία δίδωσιν ἀνθρώποις κακά.*[7]) Vgl. die Sprüche des Sirach: *Ἐξήγησις μωροῦ
ὡς ἐν ὁδῷ φορτίον,* und: *Ἄμμον καὶ ἅλας καὶ βῶλον σιδηροῦν
εὐκοπώτερον ὑπενεγκεῖν ἢ ἄνθρωπον ἄφρονα.*[8])

---

[1]) Migne, Patrol. gr. 79, 1248 f.

[2]) Migne, Patrol. gr. 99, 1796.

[3]) Men. et Phil. rel. ed. Meineke S. 325 V. 316.

[4]) Ebenda S. 329 V. 414.

[5]) Ebenda S. 313 V. 49.

[6]) Ebenda S. 318; vgl. ebenda S. 336 V. 6.

[7]) Ebenda S. 321 V. 224.

[8]) Bei Maximus, Migne, Patrol. gr. 91, 813 A und 981 C. Vgl. auch
Antonius Melissa, Migne, Patrol. gr. 136, 797 ff.

Ebenso vermochte ich zu den zwei Epigrammen gegen das
Weib, Laur. V. 55 ff., 59 ff., nur entfernte Verwandte aufzufinden, z. B. die Antwort des Diogenes: Ὁ αὐτὸς ἐρωτηθείς,
τί κακὸν ἐν βίῳ, ἔφη· Γυνὴ καλὴ τῷ εἴδει[1]) und die zahlreichen gegen die Weiber überhaupt gerichteten Aussprüche,
wie die des Menander[2]) und Secundus.[3]) Der den Epigrammen der Kasia entgegengesetzte Gedanke, dass körperliche Hässlichkeit durch geistige und moralische Vorzüge ge-
mildert werde, findet sich öfter, z. B. in dem Ausspruche des
Plutarch: Εἰς τὸ κάτοπτρον κύψας θεώρει καί, εἰ μὲν καλὸς
φαίνῃ, ἄξια τούτου πρᾶττε· εἰ δὲ αἰσχρός, τὸ τῆς ὄψεως ἐλλιπὲς
ὡράϊζε καλοκαγαθίᾳ,[4]) und in Aussprüchen des Bias und
Thales.[5])

Sehr alt und oft ausgesprochen ist der im Laurentianus
V. 63 ff. enthaltene Gedanke, dass die Tugend einem Wege
bergauf, das Laster einem Wege bergab vergleichbar ist. Er
ist z. B. enthalten in dem Zwiegespräche zwischen Sokrates
und der Hetäre Kallisto: Καλλιστὼ ἡ ἑταίρα ἔλεγε τῷ Σωκράτει
ὅτι ,κρείττων σοῦ εἰμι ἐγώ· ἐγὼ γὰρ δύναμαι τοὺς σοὺς πάντας
ἀποσπάσαι, σὺ δὲ οὐδένα τῶν ἐμῶν· ὁ δέ ,καὶ μάλα γ' εἰκότως' εἶπε· ,σὺ μὲν γὰρ ἐπὶ τὸ κάταντες αὐτοὺς ἄγεις, ἐγὼ δ' ἐπὶ
τὴν ἀρετήν· ὀρθία δ' εἰς αὐτὴν οἶμος καὶ οὐκ ἔθιμος τοῖς πολλοῖς'.[6])
Vgl. auch Basilios bei Georgides:[7]) Ἀνσάγωγόν ἐστιν πρὸς
ἀρετὴν τὸ γένος τῶν ἀνθρώπων, διὰ τὸ πρὸς ἡδονὴν πολλάκις
ἐπιρρεπές.

---

[1]) L. Sternbach, Photii Patriarchae opusculum paraeneticum etc.. Dissert. classis philol. acad. litt. Cracov. 20 (1893) S. 36 Nr. 40.
[2]) Ed. Fr. Boissonade, An. gr. 1 (1829) 159 f.
[3]) Z. B. bei Sternbach a. a. O. S. 43 Nr. 96 und mehrere Epigramme in der Anthologie.
[4]) L. Sternbach, Photii Patriarchae opusc. par. (s. o.) S. 75 Nr. 90.
[5]) Ed. Wölfflin, Sprüche der sieben Weisen, Sitzungsber. d. k. bayer. Akad. d. Wiss., philos.-philol. u. hist. Cl. 1886 S. 295 V. 152 ff. und S. 296 V. 177 ff.
[6]) L. Sternbach, Gnomologium Parisin., Dissert. classis philol. acad. litt. Cracov. 20 (1893) 140 Nr. 39.
[7]) Ed. Fr. Boissonade, An. gr. 1 (1829) 30.

Manche Parallelen finden sich zu V. 60 des Londinensis
und V. 12 f. des Laurentianus, z. B. Menandersentenzen V. 300:
Καλῶς πένεσθαι μᾶλλον ἢ πλουτεῖν κακῶς.[1]) Aehnlich: *Κρεῖσσον πενία μὴ δικαίας κτήσεως.*[2]) Auch zu dem Epigramm über
Reichtum und Armut im Laurentianus V. 69 ff. findet man
entfernte Verwandte. Vgl. z. B. die Sentenzen des Photios:
*Ὃς τοὺς ἐνδεεῖς καὶ πενομένους παρορῶν τρυφᾷ, πλουτεῖ, μεθύει
μέθην τῆς ἀπληστίας, ἀνάξιον ἑαυτὸν θείας εὐμενείας εἰργάσατο,*[3])
und des Chilon: *Τὸ μὴ κεκτῆσθαι πλοῦτον βλάβην οὐ κομίζει
τοσαύτην· τὸ δὲ τοῖς οὖσι κακῶς χρῆσθαι ἀπόλλυσι τὸν οὕτως,
φασί, κεχρημένον βίον.*[4])

Der letzte Vers des Laurentianus: *θεὸν ποιεῖσθαι τὴν ἀρχὴν
καὶ τὸ τέλος* ist eine Nachbildung des ersten Verses des erbau-
lichen Alphabets des Gregor von Nazianz: *Ἀρχὴν ἁπάντων
καὶ τέλος ποιοῦ θεόν.*[5])

Von Nachahmungen der Kasia in der späteren Litteratur
habe ich bis jetzt nichts zu entdecken vermocht. Am nächsten
liegt es, Spuren der in ihren Sinngedichten enthaltenen Gedanken und Ausdrücke zu suchen in der Sammlung breiter,
pointearmer und rhetorisch übertreibender Epigramme, die dem
Konstantinos Manasses zugeschrieben wird.[6]) Doch wird
diese Erwartung getäuscht; zwar behandelt Manasses zum Teil
dieselben Themen wie Kasia, z. B. den Eid, den Zorn, den
Neid, die Rachsucht, das Weib, die Freundschaft, den Tadel,
den Reichtum u. s. w.; aber er hat die Epigramme seiner Vor-
gängerin sicher nicht benützt, wahrscheinlich nicht einmal gekannt. In den 916 Versen, welche die Sammlung des Manasses
umfasst, findet sich nur eine Stelle, die mit einer Stelle der

---

[1]) Men. et Phil. rel. ed. Meineke S. 324 V. 300.
[2]) Antonius Melissa, Migne, Patrol. gr. 136, 892 A.
[3]) L. Sternbach, Photii Patriarchae op. par. (s. o.) S. 7 Nr. 52.
[4]) Bei Maximus, Migne, Patrol. gr. 91, 985 D. Eine andere Fassung,
auf die mich E. Kurtz hinwies, bei Orelli, Opusc. sentent. I 170, 9.
[5]) Migne, Patrol. gr. 37, 908.
[6]) Ediert von E. Miller, Annuaire de l'assoc. pour l'encouragement

Kasia enger verwandt ist. Das Epigramm über den Neid schliesst V. 158 f. mit dem Gedanken, den Kasia in der Londoner Sammlung V. 40 ff. ausgedrückt hat:

Καὶ γὰρ δεκάκις πέφυκε χείρων ὁ φθόνος φόνου,[1]
ὡς λέγουσι τὰ γράμματα, μόνης μιᾶς λειπούσης.

Allein an eine direkte Entlehnung dieses ziemlich nahe liegenden Wortspiels ist kaum zu denken; hätte Manasses die Verse der Kasia wirklich benützt, so müssten sich auch andere Anklänge finden.

---

[1] E. Miller schreibt irrtümlich: *ὁ φθόνος φθόνου.*

III.

Texte.

1. Der Totenkanon.

(Nach Cod. Crypt. *Γ. β.* **V** fol. 1ᵛ.—6.)

Κανὼν ἀναπαύσιμος εἰς κοίμησιν. Πλάγιος δ'.

Ὠιδὴ ⟨α'⟩. ⟨Πρὸς τὸ⟩ Ἁρματηλάτην.

Ὕψος καὶ βάθος τίς ἐκφράσαι δύναται
τῆς σῆς σοφίας, Χριστέ,
καὶ τῆς δυνάμεώς σου
τὸ ἄπειρον πέλαγος,
5 πῶς ἐκ μὴ ὄντων ἅπαντα
τῇ βουλῇ καὶ τῷ λόγῳ
τῷ σῷ παρήγαγες, δέσποτα;
ὅθεν σε ἀπαύστως δοξάζωμεν.

Πέπονθεν πρὶν ἐπιβουλὴν τὸ πλάσμα σου
10 ἐν τῇ Ἐδέμ, λυτρωτά,
καὶ τὸ Εἰς γῆν αὖθις
ἀπελεύσει ἤκουσεν
ὡς ἐκ τῆς γῆς γενόμενον·
οὐκ ἐνέγκας πλὴν τοῦτο
15 ὑπὸ τοῦ Ἅιδου κρατούμενον
ἦλθες, ὁ σωτήρ μου, καὶ ἔσωσας.

---

11 Gen. 3, 19 (Die Nachweise der Schriftstellen verdanke ich meinem Freunde Dr. C. Weyman)

Abweichende Lesung der Hs (Cod. Crypt. *Γ. β.* **V**): α' (nach Ὠιδὴ) om Das in der Hs stets fehlende *Πρὸς τὸ* habe ich der Deutlichkeit halber eingesetzt 5 ἐκ μηόντων 11 καὶ τὼ 14 τοῦτω 15 ἄδου

Ἐπὶ τῆς γῆς ὁ ἐν ὑψίστοις γέγονας
σαρκὸς θνητῆς μετασχών,
ἵνα θνητοὺς πάντας,
20 ἀφθαρσίας δέσποτα,
καὶ εἰς τὴν πρὶν ἀπάθειαν
μεταστήσας ζωώσῃς·
διὸ καὶ νῦν, οὓς μετέστησας,
τάξον ἐν σκηναῖς τῶν δικαίων σου.

Θεοτοκίον.

25 Δεδοξασμένα περὶ σοῦ λελάληται
ἐν γενεαῖς γενεῶν,
ἡ τὸν θεὸν λόγον
ἐν γαστρὶ χωρέσασα,
ἁγνὴ δὲ διαμείνασα,
30 Θεοτόκε Μαρία·
διὸ πρεσβείαις σου λύτρωσαι
τοὺς προκοιμηθέντας τῆς κρίσεως.

Ὠιδὴ β΄.
deest

Θεοτοκίον.
deest

Ὠιδὴ γ΄. (Πρὸς τὸ) Ὁ στερεώσας κατ' ⟨ἀρχάς⟩.

Ὅταν ἐλεύσῃ, ὁ θεός,
ἐπὶ τῆς γῆς μετὰ δόξης
35 καὶ ὡς μέλλεις τὰ πρακτέα ἑκάστου
μέχρι λόγου παριστᾶν
ἀργοῦ τε ἐννοίας ψιλῆς,
τῶν μεταστάντων φεῖσαι
καὶ ῥῦσαι τούτους τῆς κρίσεως.

---

24 Psalm. 117, 15   37 vgl. ῥῆμα ἀργόν Matth. 12, 36

23 ὃν μετέστησας: Ueber die von zweiter Hand herrührende Ersetzung
der Pluralformen durch den Singular s. oben S. 326   25 Δεδοξασμένας
λελαίληται   26 ἐν   32 τοὺς] τοῦ in ras. Die zweite Ode mit dem
zugehörigen Theotokion fehlt in der Hs, ohne dass durch einen leeren
Raum eine Lücke angedeutet ist   35 μέλλῃς τὰ πρακταῖα   36 παρεσταν
37 ψηλῆς   38 τὸν μεταστάντα φῆσαι   39 τοῦτον

40 ▮▮▮▮▮▮▮▮ ▮▮▮▮▮ καὶ σπουδῇ
▮▮▮▮▮▮▮, ἀποτρεχόντων
▮▮▮ ▮▮▮ σάλπιγγος ἠχούσης, σωτήρ μου,
▮▮▮ ▮▮▮▮▮ φοβερῶν
σου προστρεχόντων, κύριε,
45 ▮▮▮ μεταστάντων φεῖσαι
καὶ τάξον τούτους ἐν χώρᾳ ζωῆς.

Τοῦ οὐρανοῦ τε καὶ τῆς γῆς
σαλευομένων, οἰκτίρμων,
καὶ στοιχείων λυομένων ἐν φόβῳ
50 πρὸς οἰκέτας σου φαιδρῶς
πρὸς ὑπάντησιν ποίησον,
ὅτι ἐκτός σου ἄλλον,
δέσποτα, θεὸν οὐκ ἔγνωσαν.

Θεοτοκίον.

Τῶν Χερουβὶμ καὶ Σεραφὶμ
55 ἐδείχθης ὑψηλοτέρα,
Θεοτόκε· σὺ γὰρ μόνη ἐδέξω
τὸν ἀχώρητον θεὸν
ἐν σῇ γαστρὶ χωρήσασα·
ᾧ αὐτὸν δυσώπει,
60 ▮▮▮▮▮ ῥῦσαι τοὺς δούλους σου.

Ὠιδὴ δ'. ⟨Πρὸς τὸ⟩ Σύ μου ἰσχύς, κύριε.

Ὁ τῆς ζωῆς | κύριος καὶ τοῦ θανάτου, Χριστέ,
▮ σωμάτων | καὶ ψυχῶν ταμίας τε,
▮▮▮ ▮▮▮▮▮ | μέλλῃς ἐπὶ γῆς
▮▮▮▮ ▮▮▮ ἀγγέλων | τῶν σῶν ἐν δόξῃ ἐλεύσεσθαι

---

ff. I Thess. 4, 16   48 Matth. 24, 29   49 II Petr. 3, 10
z. B. Deut. 32, 39

43 εἰς τῆς σάλπιγγος   44 vielleicht προτρεχόντων   45 τῶ μετα-
στάντι als Korrektur zweiter Hand; ursprünglich stand τῶν μεταστάντων
ἢ τούτων   50 τὸν οἰκέτην, aber ον und ιν von anderer Hand auf
ασυr; ursprünglich stand τοὺς οἰκέτας   E. Kurtz vermutet φαιδροὺς
ἔγνωσιν   58 ἐν σοὶ γαστρὶ χωρίσασα   Hirmus] σὺ μονοχὴς. κύρις

65 καὶ κρῖναι πᾶσαν κτίσιν,
τοὺς πρὸς σὲ μεταστάντας
δεξιοῖς σου προβάτοις κατάταξον.

Νεῦσον, Χριστὲ | κύριε, πρὸς ἱκεσίαν ἡμῶν
καὶ τῆς ἄνω | θείας κληρουχίας σου
70 τοὺς ἐξ ἡμῶν | πίστει τῇ εἰς σὲ
προκεκοιμημένους | ἀξίωσον ὡς φιλάνθρωπος
φωνῆς τέ σου ἀκοῦσαι
τῆς γλυκείας καλούσης
εἰς ἀνάπαυσιν τούτους, δεόμεθα.

75 Ἅπας βροτὸς | οἴχεται· γῆ γάρ ἐστιν καὶ σποδός
σὺ δὲ μόνος | μένεις εἰς αἰῶνας, Χριστέ,
ἀνελλιπής· | μένεις γὰρ θεός·
διό σοι βοῶμεν· | Τῆς σῆς ἀλήκτου ἀξίωσον
χαρᾶς τοὺς σοὺς οἰκέτας
80 τοῦ βοᾶν εὐχαρίστως·
Τῇ δυνάμει σου δόξα, φιλάνθρωπε.

Θεοτοκίον.

Σὺ τῶν πιστῶν | καύχημα πέλεις, ἀνύμφευτε,
σὺ προστάτις, σὺ καὶ καταφύγιον,
χριστιανῶν τεῖχος καὶ λιμήν·
85 πρὸς γὰρ τὸν υἱόν σου ἐντεύξεις φέρεις, πανάμωμε·
αὐτὸν καὶ νῦν δυσώπει,
τοὺς προτελειωθέντας
τῆς κολάσεως ῥύσασθαι, πάναγνε.

Ὠιδὴ ς΄. ⟨Πρὸς τὸ⟩ Ἵνα τί με ἀπώσω ἀπό.

Μετὰ δόξης, οἰκτίρμων, | ὅταν ἥξεις τοῦ κρῖναι
90 δικαίως πᾶσαν [τὴν] γῆν
καὶ διαχωρίσεις

---

67 Matth. 25, 33   75 Gen. 18, 27   76 Joh. 12, 34

66 τον προς σε μεταστανταϲ   70 τὸν ἐξ ἡμῶν   71 προκεκοιμημένον   74 τοῦτον   76 σοί δε μόνος   77 ἀνελλειπεῖς   79 τὸν σοῦ οἰκέτιν auf Rasur; ursprünglich stand τοὺς σοῦ (σοὺς?) οἰκέτας   82 ἀνύμφευται   83 προστάτης   89 ὅτ' ἂν ἥξεις   91 διαχωρήσεις

ἐξ ἀδίκων δικαίους, ὡς γέγραπται,
δεξιοῖς προβάτοις
τοὺς ἐξ ἡμῶν συναριθμήσας
95 μεταστάντας, οἰκτίρμων, ἀνάπαυσον.

Ἀτελεύτητος ὄντως | τοῖς ἀσώτως ζήσασιν
ἔστιν ἡ κόλασις,
ὁ βρυγμὸς καὶ σκώληξ
καὶ κλαυθμὸς ἀπαράκλητος, κύριε,
100 καὶ τὸ πῦρ ἐκεῖνο
τὸ ἀφεγγές, τὸ σκότος πάλιν,
ἐξ ὧν ῥῦσαι τοὺς δούλους σου, εὔσπλαγχνε.

Χαρᾶς τῆς ἀπεράντου | καὶ ἀφθόρου τρυφῆς σου,
Χριστέ, σωτὴρ ἡμῶν,
105 τοὺς προκοιμηθέντας
καταξίωσον ὡς εὐδιάλλακτος
τῶν ἐν βίῳ πάντων
ἀμνημονῶν ἁμαρτημάτων·
οὐ γὰρ ἔσχον ἐκτός σου θεόν, ἀγαθέ.

Θεοτοκίον.

110 Ἐν δυσὶ τελείαις ἕνα σε γινώσκομεν
φύσεσι κύριον,
ἐνεργείαις ἄμφω
καὶ θελήσεσιν ὄντα ἀσύγχυτον,
τὸν υἱὸν τοῦ θεοῦ,
115 ἐκ γυναικὸς λαβόντα σάρκα,
ἧς τὴν θέαν τιμῶμεν τοῖς πίναξιν.

tth. 25, 33   98 Is. 66, 24 und Matth. 8, 12

94 τὸν auf Rasur; früher stand τούς   95 μεταστάντα
00 ἐκεῖνο   102 τὸν δοῦλον korr. aus τοὺς δούλους   108 ἀδιαφθόρου
06 τὸν προκοιμηθέντας korr. aus τοὺς προκοιμηθέντας   109 ἔσχεν korr.
aus ἔσχον ἀγαθέ] zur Herstellung des Metrums vermutet E. Kurtz ἄλλον.
10 Ἐνδύσιτε τελείαις · 112 ἐνεργείαις

'Ωιδὴ ς'. (Πρὸς τὸ) 'Ιλάσθητι μοι, σωτήρ, πολλαὶ γάρ.

Ῥευστοὶ τεχθέντες βροτοὶ
ἄρευστοι ἀναστησόμεθα
καθὼς ἐξ ὕπνου, φησὶν
120 ὡς Παῦλος ὁ πάνσοφος,
βροντώσης τῆς σάλπιγγος·
ἀλλὰ τότε ῥῦσαι
κατακρίσεως τοὺς δούλους σου.

'Ιλάσθητι ὁ θεὸς
125 τοῖς δούλοις σου ἐν ἡμέρᾳ ὀργῆς,
ὅταν γυμνοὶ ἐπὶ σοῦ
παραστῆναι μέλλωσιν·
τούτους, σῶτερ, λύτρωσαι
τῆς φωνῆς ἐκείνης
130 τῆς εἰς πῦρ ἀποπεμπούσης, θεέ.

Συγκλείσεις ὅτε, Χριστέ,
ἐνταῦθα βίον καὶ πρᾶξιν ἡμῶν
καὶ στήσεις πάντων ἡμῶν
τῶν ἔργων ἐξέτασιν,
135 μὴ ἐλέγξῃς, κύριε,
ὧνπερ προσελάβου,
ἀναμάρτητε, τὰ πταίσματα.

Θεοτοκίον.
Ῥυσθείημεν τῶν δεινῶν
πταισμάτων ταῖς ἱκεσίαις σου,
140 θεογεννήτωρ ἁγνή,
καὶ τύχοιμεν, πάναγνε,
τῆς θείας ἐλλάμψεως
τοῦ ἐκ σοῦ ἀφράστως
σαρκωθέντος υἱοῦ τοῦ θεοῦ.

---

119 Rom. 13, 11   125 Sophom. 1, 15; Apocal. 6, 17

---

119 ἐξῦπνον   123 τὸν δοῦλον σου   125 τῷ δούλῳ auf Rasur; früher
stand τοῖς δούλοις   130 θεέ] κύριος· σωτήρ   131 Συγκλείσης
135 ἐλλέξης   136 ὄνπερ   139 παισμάτων   141 τύχημεν

Ὠιδὴ ζ. ⟨Πρὸς τὸ⟩ Θεοῦ συγκατάβασιν, τὸ πῦρ.

145 Τὸ ἄστεκτον, κύριε,
τῆς σῆς φρικώδους
ἐπαγωγῆς ἐννοῶν,
ὅπως μέλλεις δικαίως
κατὰ ⟨τὰ⟩ ἔργα κρῖναι ἑκάστου ἡμῶν,
150 στένων βοῶ σοι·
Τῶν δούλων σου πάριδε
τὰ ἐν ἀγνοίᾳ, σωτήρ,
καὶ γνώσει πταίσματα.

Ὡς ἔχων, μακρόθυμε,
155 φιλανθρωπίας
ἄπλετον πέλαγος,
τῶν πρὸς σὲ μεταστάντων
μὴ στήσῃς ὅλως τὰ παραπτώματα
ἐν τῇ ἐτάσει
160 αὐτῶν κατὰ πρόσωπον,
ἀλλὰ συγχώρησον καὶ
σῶσον τούτους, Χριστέ.

Κριτὰ δικαιότατε,
ὅτε τὰς πράξεις
165 ζυγοστατήσεις ἡμῶν,
μὴ δικάσῃς δικαίως,
ἀλλὰ νικήσοι ἡ ἀγαθότης σου
ὑπερσταθμῶσα
τὴν πλάστιγγα, κύριε,
170 ἥνπερ τὰ φαῦλα, σωτήρ,
ἔργα βαρύνουσιν.

---

149 τὰ habe ich ergänzt   151 τῷ δούλῳ auf Rasur von anderer
Hand; ursprünglich stand, wie es scheint, τῶν δούλων   157 μεταστάντα;
doch steht das letzte α auf Rasur und früher scheint μεταστάντας
gestanden zu sein   160 αὐτὸν aus αὐτῶν korrigiert   162 τοῦτον
166 δικάσεις   167 νικήσει

Θεοτοκίον.

Θαυμάτων ἐπέκεινα
τὸ μέγα θαῦμα
τῆς σῆς κυήσεως·
175 διὰ τοῦτο βοῶμεν·
Ἀγνὴ παρθένε, θεογεννήτρια,
τὰ σὰ ἐλέη
ἐμοὶ θαυμάστωσον
καὶ τῆς μελλούσης ὀργῆς
180 ῥῦσαι καὶ σῶσόν με.

Ὠιδὴ η'. ⟨Πρὸς τὸ⟩ Ἑπταπλασίως κάμινος.

Ἀπαγωγῆς, φιλάνθρωπε,
τοῦ προσώπου σου λύτρωσαι
καὶ τῆς φοβερᾶς σου ἀπειλῆς τοὺς δούλους σου
καὶ τούτους ἀξίωσον
185 τοῦ φωτισμοῦ τῆς γνώσεως
καὶ τῆς συνουσίας σου βοᾶν σοι ἀπαύστως·
Οἱ παῖδες εὐλογεῖτε
⟨ἱερεῖς ἀνυμνεῖτε⟩
. . . .
190 . . . .
Σοῦ ὁ θυμός, φιλάνθρωπε,
ἐκχυθήτω, δεόμεθα,
ἐπὶ τοὺς ἐν σοὶ μὴ ἠλπικότας ὅλως, Χριστέ,
ὁ οἶκτος δὲ ἅμα τε
195 καὶ ἡ πλουσία χάρις σου
ἐπὶ τοὺς εἰς σὲ πεπιστευκότας δοθήτω.
λαός σου γὰρ καὶ ποίμνη
καὶ πρόβατα νομῆς σου·
καὶ σὲ ὑπερυψοῦμεν
200 εἰς πάντας ⟨τοὺς αἰῶνας⟩.

---

178 Psalm. 16, 7   179 Matth. 3, 7   185 II Cor. 4,6   187 Vgl.
Psalm. 112, 1   191 Vgl. Jer. 10, 25   197 Psalm. 78, 13 und 99, 3
199 Vgl. Dan. 3, 28 u. ö.

182 λιτρωσαι   183 τὸν δοῦλον] Beide ον auf Rasur von anderer
Hand   184 τοῦτον   193 ἠλπικῶτας   196 πεπιστευκῶτας

Σὺ τὸ φρικτὸν ποτήριον
τοῦ ἀκράτου κεράσματος
τὸ ἐν τῇ χειρί σου, λυτρωτά, δεόμεθα,
πραΰτητι σύμμιξον

205 καὶ τῆς τρυγίας τούτους τοὺς σοὺς
λύτρωσαι οἰκέτας, οὓς ἐκ γῆς προσελάβου,
καὶ τάξον ἐν τῇ χώρᾳ
τῶν πραέων, οἰκτίρμων,
ὑμνεῖν καὶ εὐλογεῖν σε

210 εἰς πάντας τοὺς αἰῶνας.

                    Θεοτοκίον.

Ἱκετικῶς βοῶμέν σοι,
θεοτόκε πανύμνητε,
μετὰ τῶν ἀπείρων νοερῶν δυνάμεων,
μαρτύρων ὁσίων τε

215 καὶ ἀποστόλων καὶ προφητῶν
ποίησον πρεσβείαν ὑπὲρ τῶν μεταστάντων,
χορεύειν σὺν ἀγγέλοις,
ψάλλειν δὲ τῷ υἱῷ σου·
λαός, ὅτι ⟨ἐ⟩ρυψοῦτε

220 εἰς πάντας τοὺς αἰῶνας⟩.

        Ὠιδὴ θ'. ⟨Πρὸς τὸ⟩ Ἐξέστη ⟨ἐπὶ τοῦτο οὐρανός⟩.

Ἱστῶντός σου, οἰκτίρμων, τὸ φοβερὸν
δικαστήριον, ὅτε ἡ γῆ καὶ ὑγρὰ
φόβῳ πολλῷ | κτήνη καὶ θηρία καὶ ἑρπετὰ
καὶ τοὺς νεκροὺς τοὺς ἑαυτῶν

225 [ἐν] τρόμῳ [σου, σῶτερ] ἀποπέμπουσιν πρὸς τὴν σὴν
ὑπάντησιν σπουδαίως,
τοὺς πίστει μεταστάντας
μὴ καταισχύνῃς, ὑπεράγαθε.

201 Apocal. 14, 10   222 Apocal. 20, 13

201 Καὶ   206 οἰκέτας ἂν korrigiert aus οἰκέτας οὓς   208 πραέων
216 μεταστάντων] μετάντων   225 ἐν τρόμῳ σου σῶτερ. Zur Herstellung
des Verses ist die oben vorgenommene Streichung erforderlich   227 τόν —
μεταστάντας] -ον und -ε auf Rasur von anderer Hand

Ἀείμνηστοι πατέρες καὶ ἀδελφοί,
230 συγγενεῖς τε καὶ φίλοι καὶ σύμψυχοί ⟨μου⟩,
οἱ τὴν ὁδὸν | προκαταλαβόντες τὴν φοβεράν,
ἀντὶ μερίδος δέξασθε
δῶρον τὸ ἐφύμνιον παρ' ἐμοῦ·
καὶ ὅσοι παρρησίας
235 ἐτύχετε, τὸν κτίστην
ὑπὲρ ἐμοῦ καθικετεύσατε.

Σωτὴρ ἀπελπισμένων, σου τὴν φρικτήν,
ὥσπερ εἶπας, θυσίαν τελοῦντες φρικτῶς
καὶ τὴν φρικτὴν | ἑκούσιον ἀγγέλλοντες [τὴν] σφαγὴν
240 εἰς ἱκεσίαν ἅπαντες
ταύτην σοι προσφέρωμεν ἐκτενῶς
ὑπὲρ τῶν μεταστάντων
πρὸς σὲ τὸν ζωοδότην,
οὓς σὺν ἁγίοις σου ἀνάπαυσον.

Θεοτοκίον.
245 Υἱὲ θεοῦ καὶ λόγε μονογενῆ
τὸν πιστὸν βασιλέα στεφάνωσον
τῇ πανσθενεῖ, δέσποτα, χειρί σου, ὡς ἀγαθός·
καὶ δυσμενῶν τὸ κράτος νῦν
ὄλεσον τῷ ὅπλῳ τῷ τοῦ στρατοῦ
250 διὰ τῆς Θεοτόκου
καὶ σῶσον τὸν λαόν σου
ἐν τῇ ἀγήρῳ βασιλείᾳ σου.

---

237 Judith 9, 11   239 I Cor. 11, 26

---

230 μου supplev. E. Kurtz   232 δέξασθαι   233 ἐφ' ἥμνιον
235 κτίστιν   236 ὑπὲρ μου; letzteres auf Rasur; früher stand ἡμῶν
241 προσφέρω μὲν   242 τοῦ μεταστάντος; aber -οῦ und -ος auf Rasur
von anderer Hand   244 ὃν   245 λογομονογενῇ   246 τῶν πιστὸν
247 πανσθενῇ   249 ὄλεσον στρατοῖ] σταυροῦ vermutet Weyman
252 ἀγήρῳ βασιλείας

2. Epigramme der Kasia.

A. Sammlung des Cod. Brit. Mus. Addit. 10072.

Fol. 93.   *Γνῶμαι Κασίας.*

Δύο φιλούντων τὴν ἐν Χριστῷ φιλίαν
ἰσασμὸς οὐκ ἔνεστιν, ἀλλ᾽ ἔρις μᾶλλον.

Φίλῳ φιλοῦντι χαρίζου τὸ φιλεῖσθαι,
τῷ δ᾽ ἀγνώμονι εἰς κενὸν τὸ φιλεῖσθαι.

5 Μέγα τὸ μικρόν, ἂν ὁ φίλος εὐγνώμων ·
τῷ δ᾽ ἀχαρίστῳ σμικρότατον τὸ μέγα.

Εἰ θέλεις πάντως καὶ φιλεῖν καὶ φιλεῖσθαι,
τῶν ψιθυριστῶν καὶ φθονερῶν ἀπέχου.

Φίλος ἐν λύπαις συνὼν τοῖς φιλεστάτοις
10 θρσῶν εὗρε τῶν σφοδρῶν ἀλγηδόνων.

Φρόνιμον φίλον, ὡς χρυσὸν κόλπῳ βάλλε,
τὸν δ᾽ αὖ γε μωρὸν φεῦγε καθάπερ ὄφιν.

Φίλον φιλητὸς φιλοῦντα συναντήσας
γέγηθε λαμπρῶς ὥσπερ ὄγκον εὑρὼν χρυσίου.

15 Φίλος δ᾽ ὑψωθεὶς συνυψώσει τοὺς φίλους.

Κρεῖσσον δὲ πάντως καὶ χρυσοῦ καὶ μαργάρων
ἑσμὸς φιλούντων πρὸς φιλοῦντας γνησίως.

Φραγμὸς πέφυκεν ἡ τῶν φίλων ἀγάπη.

Πλοῦτος δ᾽ ἄχρηστος, ἐὰν μὴ φίλον ἔχῃ.

20 Φίλος τὸν φίλον καὶ χώρα χώραν σῴζει.

Φίλων φιλούντων ἐν λύπαις ὁμιλίαι
ἡδύτεραι μέλιτος παντὸς καὶ ὄψου.

Φίλον γνήσιον δ᾽ ἡ περίστασις δείξει ·
οὐ γὰρ ἀποστήσεται τοῦ φιλουμένου.

Abweichende Lesung der Handschrift: 2 ἰσασμός   5 εὐγνώμον
7 πάντως em. Lampros] πάντας. 8 ψιθυριστῶν καὶ φθορέων (em. Lampros)
9 ἵλαος 13 φιλοῦντα em. Lampros] φιλοῦντι   14 λαμπρός Die überzähligen Füsse kommen wohl auf Rechnung der Verfasserin; vgl. Sammlung des Cod. Laur. V. 36.   17 ἑσμός (auch Lampros)   19 ἔχει
1901. Sitzungsb. d. phil. u. hist. Cl. 4   24

25 Φίλος λεγέσθω ὁ φιλῶν ἄνευ δόλου,
    ὁ δ' αὖ σὺν δόλῳ οὐ φίλος, ἀλλ' ἐχθρός σοι.
    Πάντας δ' ἀγάπα· μὴ θάρρει δὲ τοῖς πᾶσιν.
    Γάλα καὶ μέλι συγγενῶν ὁμιλίαι.
    Σύνεσις παίδων γερόντων ὁμιλίαι.
30 Ἀσκανδάλιστος βίος ἢ πλοῦτος μέγας.
    Ὥσπερ σκοτεινὸς οἶκος οὐκ ἔχει τέρψιν,
    οὕτως πέφυκεν ὁ πλοῦτος ἄνευ φίλων.
    [Στοργὴ κολάκων ὡς γραπτὴ πανοπλία·
    πλανῶσιν [γὰρ] ὑμᾶς ἡδοναῖς ἐπαινέται.]
35 Ὥσπερ ἔχιδνα ῥήσσει τὴν τετοκυῖαν,
    οὕτως ὁ φθόνος τὸν φθονοῦντα ῥηγνύει.
    Ἀρχὴ τοῦ φθόνου τῶν καλῶν εὐτυχία·
    μηδὲν κερδαίνων ὁ φθόνος ⟨ἀποκάμνει⟩.
    Ἀνδρὸς φθονεροῦ μέμηνεν ἡ καρδία.
40 Ἔξελε πᾶς τις τοῦ φθόνου τὸ στοιχεῖον·
    [τὸν] θάνατόν φημι· καὶ φέρει τοῦτον φθόνος·
    πολλοῖς γὰρ συμβέβηκεν ἐκ φθόνου φόνος.
    Φθόνε κάκιστε, τίς ὁ τεκών σε, φράσον,
    καὶ τίς ὁ πατάσσων σε καὶ διαρρήσσων;
45 Ἐμὲ τέτοκε πάντως κενοδοξία,
    πατάσσει δέ με φιλαδελφία δῆλον,
    διχάζει δέ με θεοῦ φόβος εἰς τέλος
    καὶ διαρρήσσει ταπείνωσις εἰς ἅπαν.

---

26 συνδόλῳ   27 Πάντας] πάντα schreibt Lampros, ohne die Lesung
der Hs (πάντας) anzugeben   30 ἢ πλοῦτος μέγα: ἢ πλοῦτος μέγας vermutete Lampros, ohne es in den Text zu setzen   31 σκοτινὸς οἶκος]
βίος schreibt Lampros, ohne die Lesart der Hs (οἶκος) anzugeben
34 am Rande von erster Hand μι˙ˣ, wodurch V. 34 und wohl auch der
auf derselben Zeile stehende V. 33 dem Michael zugeschrieben ist
35 ῥύσσει   38 Die Lücke der Hs habe ich durch ἀποκάμνει ergänzt
Wenn der Neid nichts gewinnt (d. h. kein reiches Objekt hat), ermattet er
40 στιχίον Nach der Abteilung der Hs würde V. 40 mit V. 39 zu verbinden sein, was unmöglich angeht   41 τοῦτον] τοῦτο

Φθονεῖν μὴ δῶς μοι, Χριστέ, μέχρι θανάτου,
50 τὸ δὲ φθονεῖσθαι δός μοι· ποθῶ γὰρ τοῦτο,
τὸ δὲ φθονεῖσθαι πάντως ἐν ἔργοις θείοις.

Θυμὸς πέφυκε τῶν κακίστων τὸ πέρας·
θυμὸς οὐ τιμᾷ φιλίαν, οὐκ αἰδεῖται.

Πᾶς μνησίκακος καὶ φθονερὸς προδήλως·
55 γεννήτρια γὰρ μνησικακία φθόνου.

Fol. 93ʳ. Πλουτῶν πλήθυνον τοὺς φίλους ἐκ τοῦ πλούτου,
ἵνα σου πτωχεύσαντος μὴ ἐκσπασθῶσιν.

Πλοῦτος ἐπικάλυμμα κακῶν μεγίστων,
ἡ δὲ πτωχεία πᾶσαν γυμνοῖ κακίαν.

60 Κρεῖσσον πτωχεύειν ἢ πλουτεῖν ἐξ ἀδίκων.

Πλοῦτον μὴ ζήτει, μηδ' αὖ πάλιν πενίαν·
ὁ μὲν γὰρ τὸν νοῦν φυσιοῖ καὶ τὴν γνῶσιν,
ἡ δὲ τὴν λύπην ἀκατάπαυστον ἔχει.

Εὐημερῶν δ' ἐκδέχου καὶ δυστυχίαν·
65 εἰς δυστυχίαν δ' ἐμπεσὼν γενναίως φέρε.

Μόνος μονωθεὶς ὁ τὰς ὀδύνας ἔχων
διπλῆν ἔχει σκότωσιν καὶ ῥᾳθυμίαν.

Μέγα φάρμακον τοῖς πενθοῦσιν ὑπάρχει
τῶν συναλγούντων τὸ δάκρυον καὶ ῥῆμα.

70 Βάσανον ἔχει τὴν ζωὴν ὁ ἐν λύπαις.

Εἰ τὸ φέρον σε φέρει, φέρου καὶ φέρε·
εἰ δὲ τὸ φέρον σε φέρει καὶ σὺ οὐ φέρεις,
σαυτὸν κακώσεις καὶ τὸ φέρον σε φέρει.

---

49 μὴ δῶς] μηδαμῶς; em. E. Kurtz   53 Die Hs interpungiert
τιμᾷ   54 προδήλος Am unteren Rande von fol. 93ʳ steht von
einer späteren Hand in archaisierender Schrift der Doppelvers:

Τῶν εὐτυχούντων πάντες ἄνθρωποι φίλοι,
τῶν δὲ δυστυχούντων οὐδ' αὐτός ὁ γεννήτωρ (so!).

58 ἐπικάλυμμα Vor V. 65 ein Kreuz mit vier Punkten wie vor V. 113

24*

Πρὸς κέντρα μὴ λάκτιζε γυμνοῖς ποσί σου·
75 ἐπεὶ τὰ κέντρα μηδαμῶς καταβλάψας
σαυτὸν τρώσειας καὶ πόνον ὑποστήσῃ.

Κρεῖσσον μόνωσις τῆς κακῆς συνουσίας.

Κρεῖσσον καὶ νόσος τῆς κακῆς εὐεξίας.
Κρεῖσσον ἀσθενεῖν ἢ κακῶς ὑγιαίνειν.
80 Κρεῖσσον σιωπᾶν ἢ λαλεῖν ἃ μὴ θέμις.
ἐκ σιωπῆς γὰρ οὐ κίνδυνος, οὐ μῶμος,
οὐ μετάμελος, οὐκ ἔγκλησις, οὐχ ὅρκος.

Μέγα τὸ κέρδος τῆς καλῆς συμμετρίας.

Εἰ μισεῖς τὸ ψέγεσθαι, τινὰ μὴ ψέξῃς.
85 Μισῶ φονέα κρίνοντα τὸν θυμώδη. (= Marc. 1)

Μισῶ τὸν μοιχόν, ὅταν κρίνῃ τὸν πόρνον. (= Marc. 2)

Μισῶ τὸν μωρὸν φιλοσοφεῖν δοκοῦντα. (= Marc. 4)

Μισῶ χρεώστην ἀμερίμνως ὑπνοῦντα. (= Marc. 8)

Μισῶ κολοβὸν μακρὸν ἐξουθενοῦντα. (= Marc. 9)
90 Μισῶ σιωπήν, ὅτε καιρὸς τοῦ λέγειν. (= Marc. 18)

Μισῶ μὴ ζητούμενον καὶ προσμολοῦντα. (= Marc. 22)

Μισῶ τὸν διδάσκοντα μηδὲν εἰδότα. (= Marc. 23)

Ἀνὴρ φαλακρὸς καὶ κωφὸς καὶ μονόχειρ,
μογγίλαλός τε καὶ κολοβὸς καὶ μέλας,
95 λοξὸς τοῖς ποσὶ καὶ τοῖς ὄμμασιν ἅμα
ὑβρισθεὶς παρά τινος μοιχοῦ καὶ πόρνου,

---

76 σαυτὸν τρώσιας καὶ πόνον ὑπεστήσῃ (der Buchstabe nach π ist undeutlich, vielleicht ist es ein verwischtes o mit Akut, also ὑπόστήσῃ): τρώσειας em. E. Kurtz   82 οὐκ' ὅρκος   83 σνμμητρίας   89 κολωβὸν 91 προσμολοῦντα hat präsentischen Sinn; ebenso steht μολῶ als Präsens bei Konstantin Sikeliotes, Matranga, An. gr. 2, 689; im Χριστὸς πάσχων (ed. Brambs) V. 215, 1872, 1877, 2202 u. s. w. Vgl. Krumbacher, Ein irrat. Spirant im Griechischen, Sitzungsber. d. philos.-philol. u. histor. Cl. d. k. b. Akad. 1886 S. 417   94 μογγύλαλός τε κωλοβὸς

μισθωτοῦ, κλέπτου καὶ ψεύστου καὶ φονέως
περὶ τῶν αὐτῷ συμβεβηκότων ἔφη·
Ἐγὼ μὲν οὐκ ἄξιος τῶν συμβαμάτων·
100 οὐ γὰρ θέλων πέφυκα τοιοῦτος ὅλως·
σὺ δὲ τῶν σαυτοῦ παραίτιος πταισμάτων·
ἅπερ γὰρ οὐκ ἔλαβες παρὰ τοῦ πλάστου,
ταῦτα καὶ ποιεῖς καὶ φέρεις καὶ βαστάζεις.

Ἀνὴρ ἀληθὴς ἐκφεύγει πάντως ὅρκον.

105 Ἀνδρὸς ἀληθοῦς ὁ λόγος ὥσπερ ὅρκος·
ἀνδρὸς δὲ φαύλου καὶ τὸ ψεῦδος μεθ' ὅρκου.

Πᾶς πολύορκος εἰς ψευδορκίαν πίπτει.

94. Κακὸν ὀμόσαι, χεῖρον ἐπιορκῆσαι.

Χρὴ παντάπασι φυλάττεσθαι τὸν ὅρκον.

110 Πᾶς φιλόνεικος πληθύνει καὶ τοὺς ὅρκους·
πᾶς φιλόνεικος καὶ θυμὸν συνεισφέρει.

Ἐν δ' ἀμφιβόλοις νεύει πᾶς τις ἐχέφρων.
[καὶ φεύγει πάμπαν τοὺς ἐχθραίνοντας μάτους.]

Φειδωλὸς ἰδὼν τὸν φίλον ἀπεκρύβη
115 καὶ τοὺς οἰκέτας τὸ ψεύδεσθαι διδάσκει.

Φεύγει φειδωλὸς συμπόσια τῶν φίλων.

Φειδωλὸς ἅπας φίλους πτωχοὺς βαρεῖται.

Ἀνὴρ στοχαστὴς μάντις ἄριστός ἐστιν·
ἐκμαίρεται κινδύνους ἐκ τῶν πραγμάτων.

Ἀνὴρ δυστυχὴς χρυσίον εἷλε τοῦτο
καὶ γέγονε κίνδυνος ἐκ τούτου τούτῳ·

98 αὑτῷ] αὑτῶν   104 ἐκφεύγῃ πᾶν γὰρ ὅρκον   108 ἐκὼν ὀμῶσαι
Am Rande ὅρα   110 Ὁ πᾶς φιλόνεικος   113 Vor diesem Verse
Kreuz mit Punkten wie bei V. 65; am Rande von erster Hand μι²;
V. 34 und 121 ἐχθραίνοντας μάτους] μάτην vermutet E. Kurtz (nach
64, 27)   118 ἄριστος ἐστιν·   121 Am Rande von erster Hand μι²,
sich wohl auf das ganze Epigramm (V. 120—128) bezieht

ὁ δ' εὐτυχής, κἂν ὄφιν εὔρῃ ζῶντα,
εἰς ὄφελος γίνεται τούτῳ καὶ κέρδος.]

Σπάνιόν ἐστι τοῦ ἀγαθοῦ ἡ κτῆσις,
125 τοῦ δ' αὖ γε κακοῦ λίαν εὐχερεστάτη.

Δυστυχὴς ἅπας ἐν πᾶσι κονδυλίζει,
τῷ δ' εὐτυχεῖ πέφυκεν εὐθὺ τὰ πάντα.

Οὐκ ἔστι μωρῷ φάρμακον τὸ καθόλου
οὐδὲ ⟨καὶ⟩ βοήθεια πλὴν τοῦ θανάτου.
130 μωρὸς τιμηθεὶς κατεπαίρεται πάντων,
ἐπαινεθεὶς δὲ θρασύνεται ⟨καὶ⟩ πλέον.
ὡς γὰρ ἄπορον κάμψαι κίονα μέγαν,
οὕτως οὐδ' ἄνθρωπον μωρὸν μεταποιεῖς.

Αἱρετώτερον φρονίμοις συνδιάγειν (= Laur. 23)
135 ἤπερ πλουσίοις μωροῖς καὶ ἀπαιδεύτοις. (= Laur. 24)

Γνῶσις ἐν μωρῷ πάλιν ἄλλη μωρία·
γνῶσις ἐν μωρῷ κώδων ἐν ῥινὶ χοίρου.

Δεινὸν τὸν μωρὸν γνώσεώς τι μετέχειν· (= Laur. 4—7)
ἦν ⟨δὲ⟩ καὶ δόξης, δεινότατον εἰς ἅπαν·
140 ἦν δὲ καὶ νέος ὁ μωρὸς καὶ δυνάστης,
παπαῖ καὶ ἰώ, φεῦ καὶ οὐαὶ καὶ πόποι.

Οἴμοι, κύριε, μωροῦ σοφιζομένου·
ποῦ τις τράποιτο; ποῦ βλέψοι; πῶς ὑποίσοι;

Μωρὸς πάντως πέφυκε περισσοπράκτωρ·
145 μωρὸς βαλὼν πέδιλα πανταχοῦ τρέχει.

Κρεῖσσόν σοι, μωρέ, πάμπαν μὴ γεννηθῆναι (= Laur. 8—9)
ἢ γεννηθέντα τῇ γῇ μὴ βηματίσαι.

Περιστάσεσιν ἐμπίπτων μὴ ἐκλύου·
πάντως γὰρ οὐδὲν θεοῦ πάθοιμεν δίχα.

---

124 κτῆσις] κτίσις   127 τῶ δεὺτυχῆ   129 καὶ habe ich ergänzt
131 Auch hier fehlt eine Silbe, für die ich καὶ eingesetzt habe   132 μέγα
133 μεταποιῆσαι] em. E. Kurtz   135 εἴπερ   138 τὸ μωρὸν   139 δὲ
habe ich ergänzt   141 πώποι   142 Οἴμοι   143 βλέψει ὑποίσει

150 Ὑβριζόμενος καὶ τὰ ἴσα μὴ λέγων
σοφὸς δειχθήσῃ καὶ φρόνιμος εἰς ἄγαν.

Ἀνὴρ φρόνιμος ἐπικρατὴς ἀφρόνων,
αὐτοκράτωρ δὲ τῶν παθῶν ὁ τοιοῦτος.

Ἀνὴρ ὑψαύχην μισητὸς τοῖς ὁρῶσιν,
155 ἐπέραστος δὲ τοῖς πᾶσι ταπεινόφρων.

Ἀπαιδευσίας μήτηρ ἡ παρρησία·
παρρησία λέγεται παρὰ τὸ ἴσον·
πέρα γάρ ἐστι τοῦ ἴσου καὶ τοῦ μέτρου.

Ἤνεγκέ μοί τι κέρδος ἡ δυσπραξία,
160 ὥσπερ τὸν χρυσὸν ἐν πυρὶ δοκιμάζεις.

B. Sammlung des Cod. Marc. gr. 408.

ol. 144ᵛ. *Μέτρον Ἰκασίας διὰ στίχων ἰάμβων.*

Μισῶ φονέα κρίνοντα τὸν θυμώδη.

Μισῶ τὸν μοιχόν, ὅταν κρίνῃ τὸν πόρνον.

Μισῶ κελεφὸν τὸν λεπρὸν ἐξωθοῦντα.

Μισῶ τὸν μωρὸν φιλοσοφεῖν δοκοῦντα.

5 Μισῶ δικαστὴν προσέχοντα προσώποις.

Μισῶ πλούσιον ὡς πτωχὸν θρηνωδοῦντα.

Μισῶ τὸν πτωχὸν καυχώμενον ἐν πλούτῳ.

Μισῶ χρεώστην ἀμερίμνως ὑπνοῦντα.

Μισῶ κολοβὸν μακρὸν ἐξουθενοῦντα.

10 Μισῶ τὸν μακρόν, ἂν πελωλὸς τυγχάνῃ.

Μισῶ τὸν ψεύστην σεμνυνόμενον λόγοις.

Μισῶ μέθυσον πίνοντα καὶ διψῶντα.

---

152 ἐπικρατῆς   160 δοκιμάζομεν

Abweichende Lesart der Handschriften M (Marc. 408) und B (Brit.
us. Addit. 10072; s. o.), von denen B nur Vers 1, 2, 4, 8, 9, 18, 22,
f enthält: 9 κόλαφὸν M B   10 πελωλὸς τυγχάνει M

Μισῶ τὸν λίχνον ὡς ὀλιγοψιχοῦντα.

Μισῶ γέροντα παίζοντα μετὰ νέων.

15 Μισῶ ῥάθυμον καὶ τὸν ὑπνώδη μᾶλλον.

Μισῶ τὸν ἀναίσχυντον ἐν παρρησίᾳ.

Μισῶ τὸν πολυλόγον ἐν ἀκαιρίᾳ.

Μισῶ σιωπήν, ὅτε καιρὸς τοῦ λέγειν.

Μισῶ τὸν πᾶσι συμμορφούμενον τρόποις.

20 Μισῶ τὸν δόξης χάριν ποιοῦντα πάντα.

Μισῶ τὸν λόγοις οὐκ ἀλείφοντα πάντας (?).

Μισῶ μὴ ζητούμενον καὶ προσλαλοῦντα.

Μισῶ τὸν διδάσκοντα μηδὲν εἰδότα.

Μισῶ φίλεχθρον· οὐ γὰρ φιλεῖ τὸ θεῖον.

25 Μισῶ φειδωλὸν καὶ μάλιστα πλουτοῦντα.

Μισῶ τὸν ἀγνώμονα καθὼς Ἰούδαν.

Μισῶ τὸν μάτην συκοφαντοῦντα φίλους.

C. Sammlung des Cod. Laur. 87, 16.

Fol. 353. *Κασσίας.*

Φύσις πονηρὰ χρηστὸν ἦθος οὐ τίκτει.

Κρεῖσσον ἀληθῶς ἐπιφυλλὶς δικαίου
ἤπερ τρυγητὸς ἀσεβῶν παρανόμων.

Δεινὸν τὸν μωρὸν γνώσεως συμμετέχειν·
5 ἂν δὲ καὶ δόξης, δεινότατον εἰς ἅπαν·

---

13 ὀλιγοψυχοῦντα: em. E. Kurtz 17 πολύλογον M 22 προσμολοῦντα B

Abweichende Lesart der Hss L (Laur. 87, 16), P (Paris. Bibl. Mazarine P. 1231) und B (Brit. Mus. Addit. 10072; s. o.), von denen P nur Vers 2, 4—7, 12—13, 23—24, 31—32, 55—68, 69—70, B nur V. 23, 24, 4—7, 8—9 enthält: 2 ἐπιφυλὶς L 4 τὸ μωρὸν B γνώσεώς τι B 5 ἦν καὶ δόξης B ἐὰν P εἰσάπαν L

ἂν δὲ καὶ νέος καὶ μωρὸς καὶ δυνάστης,
τί̅σ̅τ̅ε̅̅ καὶ ἰού, φεῦ καὶ οὐαὶ καὶ πόποι.

Ἔ̅δ̅ε̅ι̅ τῷ μωρῷ πάμπαν μὴ γεγεννῆσθαι
ἢ γεννηθέντα τῇ γῇ μὴ βηματίσαι,
ἀλλὰ συντόμως Ἅιδη παραπεμφθῆναι.

Κρεῖσσον ἡττᾶσθαι τοῦ νικᾶν ἀπεικότως.

Κρεῖσσον ὀλίγον καλὸν ἐξ εὐνομίας
ἢ τὸ πολλοστὸν ἀπὸ παρανομίας.

Κακοῖς συνεῖναι πάμπαν οὐκ ἐξισχύει
ὁ κεκτημένος μισοπόνηρον γνώμην.

Ἐνεργείᾳ μὲν τῶν πονηρῶν δαιμόνων,
τῇ τοῦ θεοῦ δὲ πάντως παραχωρήσει
κακοποιοῦσιν οἱ κακοὶ τοὺς βελτίους
πρὸς τὸ δειχθῆναι τούτους εὐριζοτέρους.

Μωροῖς φρόνιμος συνδιάγειν οὐ σθένει·
ἀτονήσει γὰρ τῇ τούτων ἀντιθέσει,
ἢ πῶς τὴν τούτων θρασύτητα νικήσοι;
Αἱρετώτερον φρονίμοις συμπτωχεύειν
ἤπερ συμπλουτεῖν μωροῖς καὶ ἀπαιδεύτοις.
καὶ μοι δοίη γε Χριστὸς συγκακουχεῖσθαι
φρονίμοις ἀνδράσι τε καὶ σοφωτάτοις
ἤπερ συνευφραίνεσθαι μωροῖς ἀλόγοις.

Τῆς λ(αθροβού)λ(ου) κρείττων ἀγάπης μάχη·
φυλάττεται γὰρ πᾶς τις ἐκ τῆς δευτέρας,
εἰς δὲ τὴν πρώτην πλανηθεὶς † * οι *.

ὶ ἦν δὲ B ὁ μωρὸς B δυνάστις P 7 ἰὼ B 8 Κρεῖσσον ποι
B γεννηθῆναι B 10 ᾅδη L 12 ἐξινομίας P 13 ἐξανομίας P
ρι̅ζ̅οτέρους L 23 συνδιάγειν B 24 ἤπερ πλουσίοις μωροῖς B
ί μοι L 28 λαθροβούλου] λ ••• λου Das Wort ist durch ein
im Papier verstümmelt. E. Kurtz vermutet statt des von mir in
xt gesetzten λαθροβούλου, das allerdings nicht belegt ist, λυκοφίλου
ου] κρεῖττον 30 Das Metrum liesse sich, wie E. Kurtz bemerkte,
die Umstellung: εἰς τὴν δὲ bessern; doch scheint es mir bei den
llos höchst lockeren metrischen Grundsätzen der Kasia bedenklich.

Fol. 353ʳ Πᾶν τὸ βιασθὲν τάχος ἐκκλίνει πάλιν,
τὸ δ' αὖ φυσικὸν καὶ μόνιμον ὑπάρχει.

Τῶν Ἀρμενίων τὸ δεινότατον γένος
ὕπουλόν ἐστι καὶ φαυλῶδες εἰς ἄγαν,
35 μανιῶδές τε καὶ τρεπτὸν καὶ βασκαῖνον,
πεφυσιωμένον πάμπλειστα καὶ δόλου πλῆρες·
εἰπέ τις σοφὸς περὶ τούτων εἰκότως·
Ἀρμένιοι φαῦλοι μὲν, κἂν ἀδοξῶσι,
φαυλότεροι δὲ γίνονται δοξασθέντες,
40 πλουτήσαντες δὲ φαυλότατοι καθόλου,
ὑπερπλουτισθέντες ⟨δὲ⟩ καὶ τιμηθέντες
φαυλεπιφαυλότατοι δείκνυνται πᾶσι.

Γυνὴ μοχθηρὰ καὶ φίλεργος καὶ σώφρων
τὴν δυστυχίαν νενίκηκε προδήλως·
45 γυνὴ δὲ νωθρὰ καὶ μίσεργος καὶ φαύλη
τὴν κακὴν ὄντως ἐπεσπάσατο μοῖραν.

Ῥανίδα τύχης εἰκότως αἱρετέον
ἢ κάλλος μορφῆς ἄγαν ἐξῃρημένον.

Χάριν κεκτῆσθαι κρεῖττον παρὰ κυρίου
50 ἤπερ ἀχαρίτωτον κάλλος καὶ πλοῦτον.

Κάλλος πέφυκεν εὔχροια πρὸ τῶν ὅλων,
ἔπειτα μερῶν καὶ μελῶν συμμετρία.

Φῦλον γυναικῶν ὑπερισχύει πάντων·
καὶ μάρτυς Ἔσδρας μετὰ τῆς ἀληθείας.

55 Κακὸν ἡ γυνὴ κἂν ὡραία τῷ κάλλει·
τὸ γὰρ κάλλος κέκτηται παραμυθίαν·

---

die Aenderung in den Text zu setzen. Das letzte Wort ist durch Löcher
im Papier am Anfang und am Ende verstümmelt, so dass nur * σι *
übrig geblieben ist; eine passende Ergänzung ist weder E. Kurtz noch
mir gelungen 31 τάχος] ταχέως P 34 εἰσάγαν L 36 Der über-
zählige Fuss kommt wohl auf Rechnung der Verfasserin 41 δὲ hat
schon Bandini ergänzt, ohne zu bemerken, dass das Wort in der Handschrift fehlt 43 φιλεργὸς L 45 μισεργὸς L 49 κεκτῆσθαι bis
(priore loco rubro deletum) 56 κέκτιται P

εἰ δ' αὖ δυσειδὴς καὶ κακότροπος εἴη,
~~δειλὸν τὸ κακὸν παραμυθίας ἄτερ.~~

~~Μέγιστον κακὸν~~ γυνὴ φαιδρὰ τῇ θέᾳ,
ὅμως παρηγόρημα τὸ κάλλος ἔχει·
εἰ δ' αὖ καὶ γυνὴ καὶ δύσμορφος ὑπάρχοι,
φεῦ τῆς συμφορᾶς, φεῦ κακῆς εἱμαρμένης.

~~Ῥᾴδιόν~~ ἐστι τὸ ~~κακὸν~~ τοῦ βελτίον·
τὸ γὰρ ἀγαθὸν ἔοικεν ἀναφόρῳ,
τὸ δ' αὖ πονηρὸν οἷον τῷ κατηφόρῳ·
καὶ πᾶς τις οἶδε, πόσον κατωφορίζειν
~~εὐκοπώτερον~~ ἤπερ ἀναφορίζειν.

Ποθεῖς ἐπαίνους· ἐπαινετέα πρᾶττε!

Ὁ πλοῦτον ἔχων καὶ μὴ διδοὺς ἑτέρῳ,
~~ἐν οἷς εὐτυχεῖ,~~ δυστυχεῖ δηλονότι
~~εἰς ψυχικὸν φυλάττων~~ ὄλεθρον τοῦτον.
ὁ δ' αὖ πενίαν εὐχαριστίᾳ φέρων
~~δυστυχῶν εὐτύχησεν~~ εἰς τὸν αἰῶνα.

   Τῆς αὐτῆς περὶ μοναχῶν.

Μοναχός ἐστιν ἑαυτὸν μόνον ἔχων.

Μοναχός ἐστι μονολόγιστος βίος.

Μοναχὸς ἔχων βιωτικὰς φροντίδας
οὗτος πολλοστός, οὐ μοναχὸς κεκλήσθω.

Μοναχοῦ βίος κουφότερος ὀρνέου.

Μοναχοῦ βίος περιεργίας ἄνευ.

Μοναχοῦ βίος εἰρηνικὸς διόλου.

Μοναχοῦ βίος ἀτάραχος καθάπαξ.

---

61 ὑπάρχη L P 63 ἐστι om P 65 καταφόρω L 68 πρᾶττε L
πυχῇ P, der mit diesem Worte schliesst 74—75 statt ἐστιν und
:eht die gewöhnliche Abkürzung, die von den Schreibern sowohl für
ıls für ἐστι gebraucht wird. Ebenso V. 83 ff. Vgl. O. Lehmann,
ιchygraphischen Abkürzungen der griechischen Handschriften, Leip-
l80 S. 102 f. 76 βιωτικάς L

Μοναχοῦ βίος ἡσύχιος διόλου.

Μοναχός ἐστι πεπαιδευμένη γλῶττα.

Μοναχός ἐστι μὴ πλανώμενον ὄμμα.

85 Μοναχός ἐστι νοῦς κατεστηριγμένος.

Μοναχός ἐστιν ἀπαράνοικτος θύρα.

Μοναχός ἐστι στηριγμὸς ἀστηρίκτων.

Μοναχός ἐστι καθίστορον βιβλίον
δεικνύον ὁμοῦ τοὺς τύπους καὶ διδάσκον.

90 Βίος μοναστοῦ λύχνος φαίνων τοῖς πᾶσι.

Βίος ⟨μονα⟩στοῦ ὁδηγὸς πλανωμένων.

Βίος μοναστοῦ φυγαδευτὴς δαιμόνων.

Βίος μοναστοῦ θερα⟨π⟩ευτὴς ἀγγέλων.

Βίος μοναστοῦ πρὸς δόξαν θεοῦ μόνου.

95 Τάξις ἀρίστη τοῦ παντὸς ἀρχομένου
⟨καὶ⟩ τελειοῦντος πᾶν ἔργον τε καὶ ῥῆμα
θεὸν ποιεῖσθαι τὴν ἀρχὴν καὶ τὸ τέλος.

---

96 * τελειοῦντος Von dem Vorhergehenden ist wegen eines Loches
im Papier nur noch ein undeutlicher Strich (Accent?) sichtbar. Nach
Vitelli deuten die Spuren auf das Kompendium von καὶ τε] τὲ.

Nachträge.

1. Zu den S. 308 ff. genannten byzantinischen Schrift-
stellerinnen kommt noch die wegen ihrer Gelehrsamkeit von
Gregor von Cypern und Nikephoros Gregoras gefeierte Theodora Rhaulaena Kantakuzene Palaeologina († 1301),
die eine Lebensbeschreibung der zwei Gezeichneten (Γραπτοί)
Theophanes und Theodoros verfasst hat. Diese Schrift ist vor
kurzem von A. Papadopulos Kerameus in seinen Ἀνάλεκτα
Ἱεροσολυμιτικῆς Σταχνολογίας 3 (1897) 185—223 herausgegeben
worden. Ueber das Leben der Verfasserin vgl. die sorgfältigen
Nachweise von M. Treu, Maximi monachi Planudis epistulae,
Breslau 1890 S. 245—247.

2. Mein Freund E. Kurtz in Riga hat mir ausser den
schon oben mitgeteilten Emendationen noch folgende Notizen
überlassen, für die ich ihm auch hier von Herzen danke:
S. 320 Mitte: St. ἁγιασάμενοι l. vielleicht ἀγασάμενοι, st. ἐγχειρήσαντες l. ἐγχειρίσαντες, st. τούτῳ μόνῳ l. τούτῳ μόνον. —
S. 342: Zur anaphorischen Spielerei vgl. auch die mit Φοβοῦ
beginnenden Trimeter, die H. Schenkl, Wiener Studien 11
(1889) 41 ediert hat. — S. 357, 7 f.: Beide Emendationen von
Lampros sind überflüssig. — S. 357, 13 f.: Vielleicht: φίλος
φίλος φιλοῦντι und: ὡς ὄγκον εὑρὼν χρυσοῦ. — S. 358, 34:
Ist wohl selbständig und zu schreiben: Πλανῶσιν ἡμᾶς ἡδονῆς
ἐπαινέται. — S. 358, 38: Ist selbständig und von V. 37 zu
trennen; am Schlusse vielleicht: αὐτὸν τήκει; vgl. Anth. Pal. XI,
193. — S. 358, 40: Vielleicht: Ἐξελέτω τις; V. 41 ist τὸν zu
streichen. — S. 359, 49 ff.: Vgl. Eurip. fr. 814. — S. 359, 51:
Vielleicht: τὸ δή. — S. 359 Vers im Apparat: Wörtlich bei
Phrantzes ed. Bonn. 262, 1; vgl. Apostol. 15, 7. — S. 360, 93 ff.:
Offenbar Aesop. — S. 361, 118 f.: Vgl. Otto, Sprichwörter
S. 362. — S. 362, 122: Vielleicht: ⟨τὸν⟩ ὄφιν. — S. 362, 129:
Vielleicht: οὐδὲ ⟨γάρ⟩ oder οὐδέ ⟨γε⟩. — S. 362, 137: Vgl.
Prov. 11, 22. — S. 365, 28 ff.: Vgl. Anth. Pal. X, 121;
XI, 390. — S. 367, 64 und 67: L. ἀνηφόρῳ und ἀνηφορίζειν

INHALT.

neue Vita des Theophanes Confessor.

Von K. Krumbacher.

agen in der philos.-philol. Classe am 1. Mai 1897.)

Abhandlung „Ein Dithyrambus auf Theophanes
) habe ich auf zwei noch unedierte Lebensbeschrei-
Chronisten Theophanes hingewiesen, von denen die
triarchen Methodios, die andere einen Anonymus
ser hat. Meine Absicht war, als Ergänzung zu
de, Boor herausgegebenen Biographien und dem
m Schlusse der erwähnten Abhandlung edierten
s auch diese Biographien, m. W. die einzigen, die
aunt geblieben sind, der Oeffentlichkeit zu über-
se Absicht kann ich gegenwärtig leider nur zum
ren.

n Methodios verfasste Biographie steht, wie aus
ge von Vladimir²) ersichtlich ist, im Cod. Mosq.
), Perg., s. XII, fol. 114—126. Diese Angabe ist
ichtig; Vladimir hat aber nicht angemerkt, dass
g verstümmelt ist. Ueber den Umfang der Lücken
ine Randnotiz der Hs selbst genauen Aufschluss.
ält es sich also: Der Codex 159 ist ein aus ver-
leften zusammengesetzter Sammelband. Ein Leser
cht der Mann, welcher die einzelnen Hefte zuerst

agaber. d. philos.-philol. und d. hist. Cl. d. k. bayer. Akad.
; S. 585 und 593.

nat. Beschreibung der Handschriften der Moskauer Synodal-
Teil: Griechische Handschriften, Moskau 1894 (russ.) S. 587.

in einem Bande vereinigte, hat auf der ersten Seite jedes
Heftes die Reihennummern, nach welchen die Hefte zusammen-
gebunden wurden, und dazu die Blätterzahl des Heftes notiert.
Am unteren Rande von fol. 114, mit welchem die Biographie
des Theophanes beginnt, lesen wir die Notiz: φύλλα κθ'.
Nun reicht aber die Vita nach der jetzigen Foliation der Hs
von fol. 114—126ᵛ, umfasst also nur noch 13 Blätter; es sind
mithin nicht weniger als 16 Blätter, mehr als die Hälfte des
ganzen Textes, verloren gegangen. Diese aus der Randnotiz
zu erschliessende Thatsache wird auch durch die Einsicht in
den Text selbst bestätigt. Die grosse Lücke kommt schon
nach fol. 117. Hier ist noch von der erzwungenen Vermählung
des jungen Theophanes die Rede; auf fol. 118 aber lesen wir
schon die Geschichte von dem seltenen Fische (ὕσκα), die in
das spätere Klosterleben des Heiligen fällt. Vgl. unten S. 377.
Auch sonst bietet der Codex 159 wenig Erfreuliches. Er gehört zu den fehlerhaftesten, die mir auf dem Litteraturgebiete
der Hagiographie bekannt sind. Der Text wimmelt von den
gröbsten Fehlern und Missverständnissen des Schreibers, der
offenbar ganz gedankenlos nach einem Diktate arbeitete. Es
wäre traurig, wenn wir genötigt wären, diese verstümmelte und
fehlerhafte Hs einer Ausgabe des Werkes zu grunde zu legen.[1]

Zum Glück scheint aber noch ein zweiter Codex dieser
Vita zu existieren im Ibererkloster auf dem Athos. Im
Συναξαριστής[2]) findet sich folgende Notiz, auf die schon Sergius[3]) hingewiesen hat: Σημείωσαι, ὅτι τὸν ἑλληνικὸν βίον τοῦ
ἁγίου τούτου Θεοφάνους συνέγραψε Μιχαὴλ ὁ πατριάρχης, οὗ
ἡ ἀρχή· Ἔμπρακτον κάλλος, σώζεται δὲ ἐν τῇ ἱερᾷ Μονῇ τῶν
Ἰβήρων, ἔνθα σώζεται καὶ ἕτερος λόγος εἰς τὸν αὐτόν, οὗ ἡ

---

[1] Die Stellung der Hs in der Ueberlieferung der Hagiographie ist
inzwischen genauer bestimmt worden von A. Ehrhard, Röm. Quartal-
schrift 11 (1897) 148 ff.

[2] Συναξαριστής τῶν δώδεκα μηνῶν τοῦ ἐνιαυτοῦ πάλαι μὲν ἑλληνιστὶ
συγγραφεὶς ὑπὸ Μαυρικίου etc., μεταφρασθεὶς δὲ ὑπὸ τοῦ ἀοιδίμου μοναχοῦ
Νικοδήμου Ἁγιορείτου, II. Bd, Zante 1868 S. 197 Anm.

[3] In der 2. Anm. seiner Abhandlung „Der selige Theophanes von
Sigriane, der Bekenner", in der „Dušepoleznoe čtenie" 1893 No. 3.

ἀρχή· Ὥσπερ λειμὼν εὐανθής. Die erste Vita ist dem Incipit
zufolge identisch mit der in der Moskauer Hs unter dem Namen
des Patriarchen Methodios überlieferten, die zweite mit dem
von C. de Boor an erster Stelle edierten anonymen Texte.
Der Name Michael beruht entweder auf einem Irrtum der
Hs — denn kein Patriarch dieses Namens kann als Verfasser
in Betracht kommen — oder er ist, worauf mich A. Ehrhard
aufmerksam machte, durch die Annahme zu erklären, dass
Methodios früher (als Mönch) Michael hiess; denn auch andere
Schriften des Methodios gehen in einzelnen Hss unter dem
Namen des Μιχαὴλ ἀρχιμανδρίτης, wie mir A. Ehrhard brieflich
bemerkt hat. Jedenfalls aber ist die Vita des Ibererklosters
identisch mit der Moskauer. Ich fürchte nur, dass sie allzu
identisch, d. h. dass sie aus dem Moskauer Codex abgeschrieben
ist; denn dieser stammt gerade aus dem Ibererkloster.[1]) Gegen
diese Annahme spricht allerdings die erwähnte Verschiedenheit
des Autornamens in der Ueberschrift. Sicherheit hierüber kann
ich gegenwärtig nicht erlangen. Vielleicht bringt der zweite
Band des Katalogs der Athosbibliotheken von Lampros, dessen
Erscheinen demnächst zu erwarten steht, den erwünschten Aufschluss. Wenn nicht, so werde ich nach Beruhigung der politischen Verhältnisse versuchen, vom Ibererkloster selbst eine genauere Beschreibung bezw. eine Abschrift des Codex zu erhalten.

Glücklicher war ich bez. der zweiten Vita, die ebenfalls
in einer Moskauer Hs, dem Cod. Synod. 183, Perg., s. XI,
aufbewahrt ist. Diese Hs enthält eine Sammlung mässig verkürzter Heiligenleben; sie bildet eine Mittelstufe zwischen den
Sammlungen grosser, völlig intakter Viten und jenen Menologien,
in denen jede Vita nur 1—2 Seiten einnimmt. Jeder Vita im
Codex 183 ist ein Miniaturbild des Heiligen vorausgeschickt.
Die Biographie des Theophanes steht auf fol. 189ᵛ—196. Ueber
dem Titel befindet sich eine Miniatur: In der Mitte Theophanes,
stehend, zu beiden Seiten je ein Gebäude mit Säulendach. Der
Text ist in zwei Kolumnen geschrieben. Ueber den sonstigen

Inhalt und das Format der Hs vgl. Vladimir a. a. O. S. 561—566,
über die allgemeine Stellung der Hs in der hagiographischen
Ueberlieferung A. Ehrhard a. a. O. S. 113 ff.

Die anonyme Vita des Theophanes ist, wie höchst wahrscheinlich auch die · übrigen Texte der Sammlung. eine ver-
kürzte Bearbeitung einer ausführlicheren Darstellung. Das
Original bildete — das lässt sich schon jetzt so gut wie
sicher sagen — die oben erwähnte noch unedierte Vita
des Methodios. Gleich im Anfang wird ein Name erwähnt,
der in den übrigen Biographien fehlt und nur in der des
Methodios — in der Moskauer Hs derselben allerdings in einer
etwas abweichenden Form — vorkommt. Von dem Jugend-
freunde des Theophanes, der ihn zur Weltentsagung aufforderte,
heisst es bei unserem Anonymus (s. u. S. 390, 7): φίλος οὖν τις
ἐς τὰ μάλιστα τούτῳ τιμώμενος — Πραδίων ἡ κλῆσις αὐτῷ —
τὴν ἀργυροκοπικὴν μετιών, ἀνὴρ ἀγαθὸς καὶ θεῷ φίλος, ὑποτίθεται τούτῳ τὰ κάλλιστα, ὡς εἴη μηδὲν ὁ βίος καὶ τὰ τοῦ βίου
καὶ ὡς μόνα καλὸν τὰ μέλλοντα καὶ μένοντα κτᾶσθαι, καὶ ἕτερα
τοιουτότροπα. Die entsprechende Stelle in der Schrift des
Methodios lautet (Cod. Mosq. Syn. 159 fol. 115ʳ): χρυσοχόον
τινὰ οἰκέτην, Πράνδιον προσαγορευόμενον, εἰς φίλον ἐκτήσατο,
εὐνούστατόν τε αὐτῷ καὶ διὰ συνηθείας τὸ θαρρεῖν ἔχοντα, ὃς
εὐθὺς ἤδη δεικνύει τὰ τῆς εὐνοίας καὶ ὑποτίθεται λέγων αὐτῷ·
Τί σοι καὶ ὁ κόσμος οὗτος, κύρι Ἰσαάκιε; τούτῳ γὰρ μᾶλλον
τῷ ἐπιθέτῳ ἢ τῷ κυρίῳ τῆς Θεοφανείας ἐπωνυμήματι τοῖς πᾶσι
σχεδὸν ἐπεκέκλητο. προσετίθει γοῦν ὁ ἐν φίλοις πιστότατος μετ'
ἄλλων πολλῶν καὶ τάδε πρὸς τὸν φιλούμενον· Εἰς τί δέ σοι ὁ
περισπασμὸς τοῦ βίου καὶ ὁ πολὺς πλοῦτος καὶ ἀνόνητος εἰδότι
καὶ μᾶλλον, ἤπερ ἐγὼ φθέγγομαι, ὡς αὔριον ἀποθνῄσκεις, καθάπερ
πάντες ἄλλοι καὶ ὁ γεννήσας σε u. s. w. Es folgen noch weitere
Ausführungen über die Vergänglichkeit des Irdischen. Der
Vergleich beider Stellen mag zugleich zeigen, in welcher Weise
der Anonymus seine Vorlage bearbeitet hat. Er hat sie durch
Weglassung der breiten rhetorischen und katechetischen Ausführungen so bedeutend verkürzt, dass ihr Umfang auf etwa
¹/₇ zusammenschmolz. Der Text des Methodios umfasste im

Moskauer Codex 29 Blätter mit je etwa 700 Wörtern, der des
Anonymus steht auf 7½ Blättern mit je etwa 420 Wörtern.
Um nun das Verhältnis dieses Auszuges bezw. seiner Vorlage, der Schrift des Methodios, zu den übrigen Viten des
Theophanes klar zu machen, mögen hier die Hauptpunkte
seines Inhalts in Tabellenform aufgezählt werden. Die zu
jedem einzelnen Punkte beigesetzten grossen Buchstaben deuten
an, in welchen anderen Viten sich der Punkt ebenfalls vor-
findet. Das Fehlen eines Buchstaben bedeutet also, dass der
Punkt in dem durch den Buchstaben bezeichneten Texte fehlt.
Für die Punkte 7—16 und 103—114 kommt B nicht in Frage,
weil diese Partien hier durch Lücken der Hs ausgefallen sind.
In der Tabelle kommen folgende Siglen zur Anwendung:

A = Der von de Boor S. 3—12 edierte Anonymus.

B = Die Schrift des Nikephoros, bei de Boor S. 13—27.

C = Der Auszug des Menologions, bei de Boor S. 28—30.

D = Der kleinere Menologientext, bei de Boor S. 30.

Inhalt der Theophanesvita des Cod. Mosq. Synod. 183.

1. Theophanes stammt aus dem Aegaeon Pelagos,
2. aus Parthenios Kolpos.
3. Sein Vater hiess Isaak, B C D
4. seine Mutter Theodote. B C D
5. Der Vater war Gouverneur des Aegaeon Pelagos. C D
6. Als Theophanes 3 Jahre alt war, starb sein Vater. B
7. Er wurde von Kaiser Leon, dem Sohne Konstantins, nach
   seinem Vater Isaak zubenannt.
8. Zehnjährig wurde er von der Mutter verlobt C D (aber
   bei beiden zwölfjährig)
9. mit Megalo,
10. die 8 Jahre alt war.
11. Pradion;
12. ein Silberarbeiter, Freund des Theophanes, belehrt ihn über
    die Nichtigkeit des Lebens. C
13. Achtzehnjährig wird Th. von der Mutter zur Heirat auf-

14. doch starb die Mutter vor der Ausführung der Ehe.

15. Zum Trost ernannte ihn Kaiser Leon zum Strator. A (aber an anderer Stelle)

16. Auf Drängen des Schwiegervaters findet die Hochzeit statt. ACD

17. Beschluss der Neuvermählten, keusch zu bleiben. ABCD

18. Ihre Spenden an die Armen. AB

19. Kaiser Leon sucht sie daran zu hindern. CD

20. Er droht den Th. zu blenden. B

21. Auch der Schwiegervater steht dem Kaiser bei. AC

22. Die Neuvermählten sinnen auf Flucht. B

23. Doch wird Th. vom Kaiser bei Bauten in der Stadt Kyzikos beschäftigt. ABCD

24. Dort traf Th. einen Mönch vom Berge Sigriane, A (eine Lichterscheinung) B

25. Gregorios mit Namen. B

26. Dieser kündet ihm, sein Schwiegervater und der Kaiser werden bald sterben. AB

27. Zu andern sagt der Mönch, Th. werde s. Z. für Christus Zeugnis ablegen. B

28. Auf dem Rückweg verirrte sich Theophanes in der Wüste, B

29. litt stark an Durst, betete und sofort quoll Wasser aus dem Boden. B

30. Einundzwanzigjährig B (nach 3 Jahren) C

31. sah Theophanes die Worte des Mönches sich erfüllen, AB

32. sowohl der Schwiegervater als der Kaiser starben. ABCD

33. Irene bestieg den Thron. A (hier an anderer Stelle) BCD

34. Nun konnten Th. und seine Gattin ungehindert ihr Vermögen den Armen spenden ABCD

35. und ihre Sklaven befreien. AC

36. Th. ging als Mönch auf den Berg Sigriane ABCD.

37. in das Kloster τοῦ Πολιχνίου, B (etwas anders) C (Name verschieden)

38. das einst seinem Vater gehörte. B (etwas anders)

39. Seine Gattin ging ins Frauenkloster auf Prinkipos. ABCD

40. Statt Megalo nannte sie sich Irene. C

41. Die Ehegatten beschlossen, sich nie mehr im Leben zu sehen. A

42. Nach längerer Zeit übergab Th. seinem geistlichen Vater Strategios das Kloster, B

43. ging selbst auf die Insel Kalonymos B C

44. und gründete dort ein neues Kloster; B C

45. denn auch dort hatte er ein väterliches Gut, B

46. dort sammelte er Mönche B

47. aus dem Kloster des Theodoros Monocheir; B

48. den besten machte er zum Vorstand. B

49. Als dieser starb, sollte Theophanes Abt werden; B C

50. er lehnte aber ab B C

51. und zog sich in eine Zelle zurück; C

52. hier kopierte er Hss B (? S. 19, 16) C

53. und blieb 6 Jahre. C

54. Dann verliess er dieses Kloster wieder, B C

55. kehrte nach dem Berge Sigriane zurück B C

56. und ging ins Kloster des Christophoros. A

57. Zu jener Zeit war die 2. (7. allgemeine) Synode zu Nikaea. A B

58. Auch Th. nahm an ihr Teil und wurde hochgeehrt. A B

59. Dann kehrte er wieder ins Kloster zurück. A B

60. Das Kloster vergrösserte sich so,

61. dass es alle Klöster in Bithynien und am Hellespont übertraf.

62. Aus Neid darüber greift den Th. der böse Feind an. B

63. Ein Dämon beisst ihn des Nachts in den Finger. B

64. Die Brüder heilen ihn. B (doch heilt er hier sich selbst)

65. Ein anderes Mal schlagen ihn nachts die Dämonen.

66. Nun erhält Th. die Gabe der Wunder.

67. Wunder bei der Hungersnot. B (in anderer Folge)

68. Wunder mit dem Armen und dem Geldstück im leeren

69. Heilung des Besessenen. B

70. Wunder mit den Fröschen.

71. Wunder mit der Hyska.

72. Rettung eines Schiffes mit 53 Reisenden.
73. Rettung des Th. selbst, als er zur See vom Kloster Polichnion nach seinem eigenen Kloster reiste. B
74. Solche Wunder that Th. von der Regierung der Kaiserin Irene bis zur Zeit Michaels des Gläubigen.
75. Als Th. 50 Jahre alt war, C
76. befiel ihn die Steinkrankheit. B C
77. Im 53. Jahre des Th.
78. wurde Leon der Armenier Kaiser. A B C D
79. Er schrieb an Th.: A B C
80. Komm und bete für mich. B C
81. Th. fuhr auf einem Wagen zum Meere, C
82. dann zu Schiffe nach Kpel; B C
83. zu Gesichte bekam er den Kaiser nicht, A B C
84. erhielt aber häufig Drohungen; B C
85. Th. antwortet freimütig. B C
86. Nun schickt der Kaiser einen Vertrauten zu Th. A B C
87. namens Joannes, C
88. einen Zauberwahrsager. B C
89. Dieser bringt den Th. ins Kloster des Sergios und Bakchos. C
90. Er wird von Th. widerlegt B C
91. und berichtet darüber dem Kaiser. B C
92. Th. wird im Palaste des Eleutherios eingesperrt. B C D (D ohne Angabe des Ortes)
93. Zwei Jahre verbleibt er hier. B C
94. Tröstung durch seinen Diener.
95. Voraussagung des Th., dass er auf eine Insel geschickt und dort von einem Greise aufgenommen werden werde. B
96. Der Kaiser verbannt den Th. nach Samothrake. A B C D
97. Er wird dort von einem Greise aufgenommen.
98. Er lebt dort noch 23 Tage. B C
99. Er starb dort A B C D
100. am 12. März.
101. Er wird dort begraben B
102. und wirkt dort viele Wunder. B C
103. Als Leon der Armenier starb B

104. und Michael zur Regierung kam,
105. brachten die Schüler des Th. den Leichnam auf das Klostergut Hiereia. B
106. Das war am Weihnachtsfeste.
107. Am Ostersonntage brachten sie ihn nach dem Kloster selbst.
108. Viele Wunder geschahen an seinem Grabe. B
109. Endlich brachte man den Leichnam in das von Th. selbst gegründete Kloster Agros. B
110. In der rechten Seite der Kirche wurde er niedergelegt.
111. Hier geschahen wieder viele Wunder durch das Myron des Heiligen.
112. Ein Bauer wird von der Heuschreckenplage befreit,
113. ein anderer Bauer von Getreidewürmern;
114. eine Jungfrau wird von einem in ihrem Kopfe hausenden Wurme befreit.
115. Gebet an Th. für den Kaiser.
116. Schlussformel. A B

Die von C. de Boor an erster Stelle edierte Vita des
Anonymus (A), die ich schon früher[1]) als einen rhetorischen,
erbaulich gestimmten, aber um die Thatsachen sehr wenig bekümmerten Panegyrikus charakterisiert hatte, erscheint jetzt,
nachdem sie mit dem Auszuge des Methodios verglichen werden
kann, noch deutlicher in ihrer Armut und Oberflächlichkeit in
sachlicher Beziehung. Wir sehen jetzt noch klarer, dass der
Verfasser ausschliesslich auf schönrednerischen Putz und katechetische Nutzanwendung bedacht war, das historische und
thatsächliche Material dagegen mit souveräner Verachtung
straffe. Von den 116 konkreten Punkten, in die ich oben
die Erzählung des Moskauer Auszuges zerlegt habe, finden
sich in A nur 27 wieder, also weniger als ¼. Aber auch
diese sind mehrfach verdreht und mit unwahrscheinlichen Uebertreibungen ausgestattet. Der Schwiegervater des Theophanes
erscheint hier als ein vertierter Barbar (S. 4, 29); der Mönch,

der dem jungen Theophanes bei Sigriane begegnet, ist hier
ganz unnötiger Weise zu einer Lichterscheinung gesteigert
(S. 8, 6); an Stelle der Disputation, die Theophanes mit dem
Vertrauten des Kaisers zu bestehen hat, setzt der Anonymus,
um den Kaiser möglichst schwarz zu schildern, eine Tracht
von 300 Stockprügeln (S. 12, 8 ff.) u. s. w. Zuweilen hat man
den Eindruck, als habe der Verfasser seine Quellen nur aus
dem Gedächtnis benützt, ohne sich um die Genauigkeit des
Details zu kümmern; so erklärt sich wohl seine auffallende
Bemerkung über die Heldenthaten der Gattin des Theophanes
auf den Inseln Prinkipos und Kalonymos (S. 8, 31); denn
diese Angabe beruht offenbar auf einer Konfusion der von
Methodios bezw. seinem Excerptor berichteten Thatsache, dass
die Gattin in Prinkipos, Theophanes selbst (wenigstens eine
Zeitlang) in Kalonymos der Welt entsagte (s. unten S. 392, 13).
Dass der Anonymus de Boors die Vita des Methodios kannte,
bezeugt er selbst (S. 8, 33). Der grossen Zahl von Thatsachen
des Moskauer Auszuges, die in A fehlen, steht nur ein ver-
schwindendes Plus von konkreten Punkten gegenüber, die A
verglichen mit dem Moskauer Texte aufweist, z. B. die Angabe, dass Theophanes später noch Spatharios geworden sei
(S. 8, 17), dass man ihn zum Patriarchen vorgeschlagen habe
(S. 9, 19), einige Details über die Synode von Nikaea (S. 9, 24 ff.)
u. s. w. In wieweit diese Punkte glaubwürdig sind, lässt sich
erst nach Veröffentlichung der Vita des Methodios unter Bei-
ziehung der sonstigen Quellen mit Erfolg untersuchen.

Günstiger fällt der Vergleich mit der Vita des Nikephoros
(B) aus. Obschon auch hier der rhetorisch-katechetische Grundton vorherrscht, findet man von den 116 Punkten des Moskauer
Textes doch 68 wieder; dazu kommen aber sicher noch mehrere Punkte, die durch die zwei oben erwähnten Lücken der
einzigen Hs des Nikephoros ausgefallen sind. Hier war also
mehr als die Hälfte der Thatsachen gerettet. Uebrigens hat
der Verfasser selbst gefühlt, dass das Thatsächliche in seiner
Darstellung etwas zu kurz kam; er entschuldigt sich dafür
ausdrücklich mit dem Hinweise auf die technischen Gründe

des Enkomions (21, 23 ff.): εἰ μὲν οὖν πάντα λέγειν ἐθελήσω ὅσα θεία χάρις τούτῳ δεδώρητο τὴν ἐνοικίαν ἀσπασαμένη τούς τε τῶν ἐγκωμίων ἐπιλυμανοῦμαι νόμους, καὶ ὁ λόγος διαλυθεὶς ὡς ἐν μεγάλῳ πελάγει πλοῖον οἰχήσεται. εἰ δὲ τὰ πλείω παρεὶς ὀλίγων ἐπιμνησθήσομαι, καὶ ὁ λόγος ἕξει τὸ ἀσφαλὲς ὥσπερ ἐπὶ ἀγκύρας ἐρηρεισμένος κἀκ τῶν ῥηθέντων ἀκριβεστάτην ἕξει καὶ τὰ ὑπολειφθέντα τὴν δήλωσιν. Auch religiöse Gründe haben bei der Verkürzung der Erzählung vielleicht mitgewirkt. Die etwas frivole Anwendung der Wunderkraft beim Fange des seltenen Fisches und beim Quos ego an die quakenden Frösche dürfte bei ernsteren Gemütern Anstoss erregt haben. In der Erzählung bietet Nikephoros einige Abweichungen von Methodios bezw. seinem Auszuge. Recht zweifelhaft ist seine Angabe, Theophanes sei in Konstantinopel geboren (S. 14, 29 ff.), während er nach Methodios aus dem Aegaeon Pelagos stammte. Man hat den Eindruck, Nikephoros habe Konstantinopel nur deshalb bevorzugt, um Gelegenheit zu einem kleinen Panegyrikus auf diese herrliche Stadt zu gewinnen. Im übrigen lässt sich auch hier wie bei den Abweichungen des Anonymus kein sicheres Urteil gewinnen, ehe der vollständige Text des Methodios publiziert ist.

Was endlich die zwei kleinen Legendenauszüge der Menologien betrifft (CD), so ist zunächst klar, dass D einfach aus C geflossen ist; er hat nichts Thatsächliches, was sich nicht auch in C fände, und im Passus über die Thronbesteigung der Irene bemerkt man einen wörtlichen Anklang. Aber auch die Quelle des grösseren Auszuges (C) ist leicht zu erkennen; wie sich aus der obigen Tabelle ergibt, enthält er mehrere Thatsachen, die in AB fehlen, dagegen im Moskauer Auszuge und demnach auch bei Methodios stehen. Ob nun aber der Verfasser des Menologiens aus Methodios selbst oder aus dem Moskauer oder einem ähnlichen Auszuge geschöpft hat, lässt sich vor der Publikation der Schrift des Methodios nicht bestimmen, ist übrigens auch ohne Interesse. Sicher ist, dass er flüchtig oder ungeschickt gearbeitet hat. Das beweist die Konfusion, die er in der Erzählung von dem Aufenthalte

des Theophanes in Sigriane und Kalonymos angerichtet hat
(S. 29, 3 ff.): αὐτὸς δὲ τῷ κυρίῳ ἑαυτὸν προσφέρων ἱερουργεῖ
ἐν τῇ ἐν τῷ τῶν Σιγγριανιαίων ὄρει κειμένῃ μονῇ, Πολυ-
χρονίᾳ λεγομένῃ. μοναχοῦ δὲ αὐτοῦ γενομένου, οὐδ' ὅλως τὸ
ἄρχειν κατεδέξατο, ἀλλ' ἐν τῇ κέλλῃ καθεζόμενος ἐξ οἰκείων
χειρῶν τὴν τροφὴν ἐπορίζετο καλλιγραφῶν ἑξαετῆ χρόνον διη-
νεκῶς ἐν τῇ καλουμένῃ νήσῳ τῆς Καλωνύμου, ἐν ᾗ συνεστή-
σατο αὐτὸς μονῇ· καὶ πάλιν ἔρχεται ἐν τῷ τῆς Σιγγριανῆς
ὄρει. Wie Theophanes auf einmal von Sigriane nach Kalonymos kommt, versteht man erst, wenn man die ausführlichere
Erzählung im Auszuge des Methodios nachliest. Ein anderer
dunkler Punkt in dieser Stelle lässt sich vorerst nicht mit
völliger Sicherheit aufklären, der Name des Klosters: Poly-
chronia. Der Moskauer Auszug bietet an dieser Stelle: ὁ μὲν
τῇ κατὰ τὸ ὄρος Σιγριανὸν μονῇ, τοῦ Πολιχνίου λεγομένῃ,
πρόσεισι (s. S. 392, 7). Derselbe Name kommt im Moskauer Texte
noch einmal vor (S. 395, 28): ἀπὸ τῆς τοῦ Πολιχνίου μονῆς. Dieselbe Form bietet auch die Schrift des Nikephoros an zwei
Stellen; doch ist hier das Wort, wie es scheint, als Appellativ
gefasst: ὁ δὲ πρὸς τὸν μέγαν ἐπανατρέχει Στρατήγιον ἐν τῷ
κατὰ τὴν Σιγριανὴν πολιχνίῳ τυγχάνοντα (S. 18, 37) und:
χρεία τις ἐκάλει τὸν ὅσιον πορευθῆναι πρὸς τὸ πολίχνιον (S. 21,
37). Da hier der Auszug des Methodios und die Schrift des
Nikephoros, die sonst mehrfach auseinander gehen, übereinstimmen, so ist wohl mit Sicherheit anzunehmen, dass die seltsame Abweichung des Menologions auf einem Irrtum beruht.
Die endgiltige Entscheidung ist von der Schrift des Methodios
zu erwarten, die uns wohl auch darüber belehren wird, ob das
Wort als Appellativ oder als Nomen proprium zu fassen ist.
Dass in dem kleinen Texte des Menologions trotz der Sach-
lichkeit, deren sich diese Auszüge in der Regel befleissigen,
nicht alle Details gewahrt werden konnten, ist natürlich; immerhin sind von den erwähnten 116 Punkten im grösseren
Menologiontexte 50 erhalten, also fast doppelt so viel als in
dem ungefähr fünfmal so umfangreichen Panegyrikus des Anonymus (A). Der kleine Auszug (D) hat 17 Punkte bewahrt.

8. Somit lässt sich das gegenseitige Verhältnis und die sachliche Bedeutung sämtlicher Viten und Enkomien des Theophanes schon jetzt mit genügender Sicherheit bestimmen: Die
wichtigste Grundlage ist die Schrift des Methodios; aus ihr
stammt, wohl direkt, der Moskauer Auszug; aus ihr oder
aus diesem Auszug floss der Text des Menologions (C), der
in anderen Menologien noch weiter verkürzt wurde (D).
Benützt wurde Methodios auch von dem Anonymus de Boors
(A), der ihn ausdrücklich zitiert (S. 8, 33). Daneben scheint
der Anonymus (A) aber auch andere Quellen gekannt zu haben,
auf die wohl seine oben (S. 380) erwähnten bei Nikephoros
und im Auszuge des Methodios fehlenden Angaben zurückgehen;
doch bleibt die Möglichkeit offen, dass sie im vollständigen
Werke des Methodios standen.

Neben diesen Texten, die man als Methodiosgruppe bezeichnen könnte, steht das Werk des Nikephoros Skeuophylax (B), das einige Selbständigkeit besitzt, obschon es
wenig enthält, was, nach dem Moskauer Auszuge zu schliessen,
nicht auch bei Methodios gestanden haben kann.

Was endlich den Münchener Dithyrambus des Proto-
sekretarios Theodoros betrifft, so enthält er so wenig Thatsächliches, dass die Quellenfrage für ihn gar nicht in Betracht
kommt. In einem Punkte stimmt er mit Nikephoros Skeuophylax gegen den Anonymus, wie ich früher gezeigt habe;[1]
aber dieser Punkt findet sich nun auch im Auszuge des Methodios, und der Verfasser kann ihn also auch aus diesem bezw.
aus Methodios selbst entnommen haben.

Das Hauptwerk über das Leben des Theophanes bleibt
also die Schrift des Patriarchen Methodios. Der Verfasser
berichtet als Zeitgenosse und zum Teil als Ohren- und Augen-
zeuge mit einer Wärme und Ausführlichkeit, von welcher der
dürre Moskauer Auszug keine genügende Vorstellung geben
kann. Neben Methodios erscheinen die übrigen Texte als ver-
wässerte und getrübte Aufgüsse. Es ist sehr zu bedauern,

dass gerade dieses Grundwerk noch unediert ist und dass noch
nicht einmal sicher ist, ob es sich vollständig erhalten hat. Erst
wenn die Schrift des Methodios bekannt ist, wird es möglich
sein, eine kritische Biographie des berühmten Chronisten zu
schreiben. Sergius hat in seiner Schrift[1] kaum den Versuch
gemacht, die Quellen zu prüfen und gegen einander abzuwägen.
Zunächst aber sei es gestattet, faute de mieux den Moskauer
Auszug vorzulegen.

Zuletzt ist noch eine Eigentümlichkeit des Moskauer
Codex 183 zu untersuchen, die er mit der den Dithyrambus
enthaltenden Münchener Hs gemeinsam hat. In beiden Hss
ist der Text von zahlreichen, graphisch stark hervorgehobenen
Lesepunkten durchsetzt. Ich habe die Punkte der Münchener
Hs mit Rücksicht auf das von W. Meyer aufgestellte Satz-
schlussgesetz untersucht,[2] und es hat sich ergeben, dass die
Punkte in den allermeisten Fällen eine Meyersche Pause bezeichnen.

Dass mit den Punkten etwas Besonderes und Wichtiges
bezweckt ist, wird in der Moskauer Hs noch deutlicher als in
der Münchener. Die Punkte sind hier bedeutend dicker ausgeführt als im Cod. Monac. und meist über der Zeile angebracht. Neben diesen Hochpunkten kommen auch Punkte in
der Mitte der Zeile vor; sie scheinen aber keine andere Bedeutung zu haben als die Hochpunkte, und zuweilen sieht man
sogar deutlich, dass ein Punkt nur deshalb etwas niedriger
oder in die Mitte gesetzt ist, weil oben durch ein Buchstaben-
ende der Raum versperrt war. Ausser den Punkten kommen
auch in der Moskauer Hs wie in der Münchener[3] Kommata
vor; doch sind sie nachlässiger und weniger in die Augen
fallend ausgeführt, als in der Münchener Hs. Sie haben offenbar für den Vortrag keine Bedeutung; denn sonst wäre es
unerklärlich, dass sie so wenig hervorgehoben sind, während

---

[1] Der selige Theophanes, Dušepoleznoe čtenie 1893 Nr. 3 und 5.
[2] A. a. O. S. 598—607.
[3] A. a. O. S. 600 f., 605 f.

die Punkte gerade in dieser Hs so deutlich markiert sind.
In den meisten Fällen trennen die Kommata einzelne Satz-
glieder und Sätze und haben also die Bedeutung einer syn-
taktischen Interpunktion. Sie werden daher bei der folgenden
Untersuchung nicht weiter berücksichtigt. In der Ausgabe
des Moskauer Textes (S. 389 ff.) sind die Punkte wie in der
Ausgabe des Dithyrambus durch ‡, die Kommata durch *
bezeichnet.

So deutlich und schön ausgeführt nun in der Moskauer
Hs die Lesepunkte sind, so bereiten sie doch eine starke Ent-
täuschung, wenn man sie mit dem Meyerschen Gesetze zu-
sammenbringt. Das Ergebnis ist hier weit weniger günstig
als beim Münchener Codex. Der ganze Text zählt 330 Punkte.
Wenn wir nun nach der richtigen Bemerkung Meyers (S. 10)
von den kleinen abgerissenen Sätzen, wo die Beobachtung des
rythmischen Schlusses unmöglich oder überflüssig ist, von
vorneherein absehen, so finden wir in den 330 durch Punkt
bezeichneten Stellen 286 richtige, 44 unrichtige Schlüsse. Im
Münchener Dithyrambus fanden sich unter 256 durch Punkt
bezeichneten Schlüssen nur 17 inkorrekte; aber von diesen 17
mussten 9 abgezogen werden, da sie in dem von lebhaften
Aeusserungen und Einwendungen durchsetzten Zwiegespräche
stehen, wo das Gesetz nicht beobachtet zu werden braucht; es
stehen also in Wirklichkeit hier 248 korrekte Schlüsse neben
nur 8 inkorrekten, selbst wenn man keine einzige der a. a. O.
von mir vorgeschlagenen Aenderungen vornimmt. Wenn es
nun schon bei jenem Dithyrambus, der offenbar in der Beobachtung des Meyerschen Gesetzes ziemlich streng ist, gewagt
schien, die vorgeschlagenen Aenderungen wirklich in den
Text zu setzen, so ist beim Moskauer Werke zweifellos dieselbe Zurückhaltung notwendig. Hier haben wir eine so grosse
Zahl offenbarer Verletzungen des Gesetzes, dass es der Gipfel
der Unmethode wäre, durch Umstellungen oder sonstige Aenderungen korrigierend einzugreifen.

Dagegen könnte die grosse Zahl unrichtiger Schlüsse durch
ein anderes Mittel etwas reduziert werden. Man könnte sagen,

der Schreiber des Codex sei in der Andeutung von Pausen
nach unseren Begriffen von den Regeln des Vortrages zu weit
gegangen. Er habe zuweilen Punkte gesetzt, wo wir mit
einer ganz schwachen Pause zufrieden wären. Um hierüber
völlige Klarheit zu schaffen, seien die erwähnten 44 inkorrekten
Schlüsse in der Reihenfolge des Textes aufgezählt. Die Fälle,
in welchen die starke Interpunktion nach unseren Vortrags-
gewohnheiten nicht notwendig scheint, sind durch ein bei-
gesetztes † bezeichnet.

1. φρονοῦντες λέγουσιν. S. 389, 9.
2. καὶ τελεῖ τούτους. S. 390, 20.
3. θερμοῖς τοῖς δάκρυσιν. S. 390, 32.
4. ἐκεῖνος Λέων, S. 391, 6. †
5. ὀφθαλμοὺς ἐκκόψαι. S. 391, 7.
6. ἐνασκουμένῳ ὄρει — S. 391, 14.
7. ἀνακοινοῦται τούτῳ. S. 391, 15.
8. μικρὸν ὅσον S. 391, 17. †
9. πενθερὸς ὁ σὸς S. 391, 17. †
10. ἀνηρεύνα γέροντας S. 391, 24. †
11. τοῦ ἡλίου φλέγοντος· S. 391, 26.
12. δυνατῶς ὁδεύειν — S. 391, 28.
13. λυθείσης ἔρχεται. S. 391, 31.
14. τὸ καλὸν ζεῦγος S. 392, 3. †
15. λεγομένη πρόσεισι S. 392, 8. †
16. παρῆλθε χρόνος S. 392, 12. † (?)
17. μονὴν δὴ ταύτην S. 392, 24. †
18. ἀσκητικοῖς ἐκδίδωσιν. S. 392, 27. †
19. συγκροτεῖται σύνοδος. S. 392, 32.
20. πονηρῶν πνευμάτων S. 393, 14. †
21. εὑρηκότος ἐν S. 394, 15. †
22. καταδαπανᾶν ἐποίει, S. 394, 22.
23. τὸ ἀκούειν ἔχοντες. S. 395, 11.
24. πρὸς αὐτὸν ἐκεῖνος S. 395, 15. †
25. φαγεῖν ἐθέλω. S. 395, 18.
26. τῶν μαθητῶν ἑνί· S. 395, 19.
27. Πορευθείς, εἶπε, S. 395, 20.

28. θαλάσσης δοκαν. S. 395, 21.

29. τῇ νόσῳ κάτοχος. S. 396, 12.

30. δυσσεβής Ἀρμένιος S. 396, 14. †

31. ἐφ' ἁμάξης τίθεται — S. 396, 21.

32. τῷ αἰγιαλῷ κατάγεται. S. 396, 22.

33. τῇ Κωνσταντίνου δίδοται. S. 396, 23.

34. αὐτῷ παιδός S. 397, 14. †

35. αὐτὸν καὶ λέγοντος, S. 397, 14.

36. ἰδεῖν βλέποντας, S. 398, 9.

37. ἀποσφραγίσας εὗρεν. S. 398, 15.

38. καταθέσει τούτου. S. 398. 21.

39. λόγος λέγειν S. 398, 23. †

40. τῇ χώρᾳ βροῦχος. S. 398, 26.

41. θήκης ἔλαβε, S. 398, 27.

42. ἐδαπάνα δὲ S. 399, 3. †

43. ἄγγελος δὲ οὗτος ἦν — S. 399, 10.

44. τὸν κόλπον κείμενον S. 399, 13. †

Es zeigt sich, dass auch diese äusserste Konzession zu
gunsten des Meyerschen Gesetzes über die Thatsache einer
erheblichen Zahl falscher Schlüsse nicht weghilft. Es bleiben
von 44 inkorrekten Schlüssen immer noch 27 übrig, bei denen
das angewandte Mittel nicht wirkt; die Punkte stehen hier an
Stellen, wo jeder logisch denkende Mensch beim Vortrage mit
der Stimme absetzt. Es muss aber ausdrücklich betont werden,
dass die Zulässigkeit des angewandten Mittels starken Zweifeln
unterliegt. Nach unseren Vortragsprinzipien mögen allerdings
an den markierten 17 Stellen starke Pausen überflüssig sein.
Es ist aber bedenklich, unsere Vortragsweise ohne weiteres
den Byzantinern zu oktroieren. Die Punkte sind doch von
einem Manne gesetzt, der mit der byzantinischen Weise vorzulesen genau vertraut war und wissen musste, wo der Vorleser zur Erleichterung seiner Aufgabe ein sichtbares Pause-
zeichen wünschte. Wie vorsichtig wir in der Beurteilung der
Punkte sein müssen, zeigen verschiedene Stellen des Textes.
S. 394, 28 ff. stehen bei der Erzählung des dritten Wunders auf
einmal unerwartet viele Punkte. Warum? Offenbar, damit der

Vorleser nicht übersehe, die kleinen Absätze, welche die Neu-
gierde und Bewunderung der Hörer stetig steigern sollen, langsam und stossweise vorzutragen. Aehnlich sind S. 398, 8 ff. die
kurzen asyndetischen Glieder durch Punkte abgetrennt. Damit
ist die Stelle im Dithyrambus S. 613, 28 ff. zu vergleichen.
Es ist ja möglich, dass der Schreiber da und dort irrtümlich einen Punkt zu viel oder zu wenig setzte, aber unmöglich kann ihm der Vorwurf gemacht werden, er habe seine
Punkte willkürlich und ohne Rücksicht auf die Forderungen
des wirklichen Vortrags gesetzt. Aus diesen Gründen ist die
Ausscheidung, die oben versuchsweise vorgenommen wurde, vor
dem Richterstuhle einer strengen Kritik höchstens zu einem
geringen Teile zu rechtfertigen; im grossen und ganzen muss
es bei der ursprünglich gefundenen Zahl inkorrekter Schlüsse
sein Bewenden haben.

Noch ist ein letzter Einwand vorweg zu nehmen: Man
könnte sagen, der vorliegende Text sei ja kein Originalwerk,
sondern nur ein Exzerpt aus einem andern, also ein litterarisch
untergeordnetes Produkt; bei einem solchen könne man die
strenge Beobachtung der Regel nicht verlangen. Aber dann
muss ein grosser Teil der gesamten byzantinischen Litteratur
ausgenommen werden; denn auch zahllose andere byzantinische
Schriften sind nichts als Auszüge, verkürzende Umarbeitungen
und Kompilationen aus älteren Werken.

Es wird also durch den Moskauer Text, der zum Vorlesen
bestimmt war und daher die genaue Beobachtung des Meyerschen
Gesetzes erwarten lässt, meine früher[1]) ausgesprochene Behauptung bestätigt, dass es sich bei diesem „Gesetze" mehr um
eine Gewohnheit, eine Neigung handelt, als um ein Gesetz im
Sinne metrischer Gesetze, und dass in der Anwendung des
rythmischen Schlusses vielfach Ungleichheit herrschte. Die
ganze Theorie bedarf einer umfassenden Revision, die sich auf
zahlreiche Einzeluntersuchungen stützen muss. Vorher kann
sie auch für die Kritik der Texte nicht in dem Masse

---

[1]) A. a. O. S. 598 f.

brauchbar gemacht werden, wie Meyer will. Es wird sich empfehlen, bei der Untersuchung von nun an, so weit als möglich, nicht gedruckte Texte, sondern Hss und in erster Linie Hss mit alten Punkten zugrunde zu legen. Bemerkenswert ist, dass sich Lesepunkte auch in Texten finden, die vor dem Auftreten des Gesetzes liegen, z. B. im Codex Bezae des neuen Testaments und anderen Hss des neuen Testaments.[1])

Leben des Theophanes Confessor
im Cod. Mosq. Syn. 163 fol. 189ᵛ—196.

$Βίος$ καὶ πολιτεία τοῦ ὁσίου πατρὸς ἡμῶν Θεοφάνους
τοῦ ὁμολογητοῦ.

Ὁ μέγας οὗτος καὶ σοφὸς Θεοφάνης, ‡ ὁ τῆς Χριστοῦ
θεοφανείας διαπρύσιος κῆρυξ, ‡ χώρας μὲν ἐξέφυ τοῦ Αἰγαίου
Πελάγους, ‡ ὃ καὶ Παρθένιον οἱ πολλοὶ λέγουσι Κόλπον, ‡ 5
πατρὸς δὲ Ἰσαακίου * καὶ μητρὸς Θεοδότης, ‡ εὐγενῶν μὲν τὸ
κατὰ σάρκα ‡ — καὶ γὰρ ἄρχων ὁ Ἰσαάκιος τοῦ Αἰγαίου
Πελάγους — ‡ εὐγενῶν δὲ καὶ τὸ κατὰ πνεῦμα, ‡ ὃ δὴ καὶ
ἀληθεστάτην εὐγένειαν καλῶς * οἱ καλῶς φρονοῦντες λέγουσιν. ‡
οὗτος τοίνυν τοῦ πατρὸς Ἰσαακίου ‡ τὸν βίον ἀπομετρήσαντος * 10
τριέτης παρὰ τῇ μητρὶ καταλέλειπτο ‡ καὶ Ἰσαάκιος ὑπὸ Λέοντος

---

[1]) Vgl. Fr. H. Scrivener, Bezae Codex Cantabrigiensis, Cambridge 1864 S. XVIII f. Ein schönes punktiertes Exemplar ist der Cod. Petropol. 80 (Evangelium).

Abweichende Lesart der Handschrift und Bemerkungen: 5 Ueber den seltenen geographischen Namen Παρθένιος Κόλπος bemerkt mein Freund Prof. E. Oberhummer Folgendes: „Eustathios ad Dionysium Periegetem 112: Ἰστέον δὲ, ὅτι τὴν Φαρίαν ταύτην θάλασσαν, ἥτις μετὰ τὸ Κρητικόν ἐστιν, ὡς εἴρηται, πέλαγος καὶ Παρθένιον Κόλπον ἐκάλουν οἱ παλαιοί (hier das Meer bei Aegypten). Weitere Stellen wie Orph. Argon. 85 ff.; 265 f.; Ammian. Marc. XIV 8, 10; XXII 15, 2; 16, 9 beweisen, dass im späteren Altertum der östliche Teil des Mittelmeeres Parthenisches Meer hiess, wenn auch diese Bezeichnung wenig gebraucht gewesen zu sein scheint. Die Auffassung des Aegaeischen Meeres als Παρθένιος Κόλπος ist hiernach wohl möglich, sei es als Teil des Parthenischen Meeres, sei es infolge von Wanderung des Namens" 6 Ἰσαακίου

υίοῦ Κωνσταντίνου τοῦ κακῶς τὴν βασίλειον ἀρχὴν διαζωσα-
μένου * κατωνομάζετο ‡ τὴν πατρικὴν κλῆσιν ἐπίθετον ὄνομα
τούτῳ ποιήσαντος. ‡

90ʳ   Δεκαέτης δὲ γεγονὼς ‡ μνηστεύεται παρὰ τῆς μητρὸς γαμε-
5 τὴν ‡ Μεγαλὼ καλουμένην ‡ τὸν ὄγδοον ἄρτι τῆς ἡλικίας ἐπανα-
βαίνουσαν χρόνον. ‡ καὶ ἦν οὕτω τὸν μετέπειτα χρόνον * σωφρο-
σύνῃ συζῶν * καὶ πᾶσαν ὄρεξιν παθῶν χαλινῶν. ‡ φίλος οὖν
τις ἐς τὰ μάλιστα τούτῳ τιμώμενος ‡ — Πραδίων ἡ κλῆσις
αὐτῷ — ‡ τὴν ἀργυροκοπικὴν μετιὼν, ‡ ἀνὴρ ἀγαθὸς καὶ θεῷ
10 φίλος, * ὑποτίθεται τούτῳ τὰ κάλλιστα, ‡ ὡς εἴη μηδὲν ὁ βίος
καὶ τὰ τοῦ βίου καὶ ὡς μόνα ‡ καλὸν τὰ μέλλοντα καὶ μένοντα
κτᾶσθαι, * καὶ ἕτερα τοι(ου)τότροπα. ‡ ἃ δὴ καὶ τῇ ἑαυτοῦ
ψυχῇ καλῶς ὁ καλὸς Θεοφάνης ἐνθέμενος * τῆς ἀρετῆς ἐπε-
μέλετο. ‡ Ἄρτι δὲ τὸν ὀκτωκαιδέκατον ἀνύοντα χρόνον ‡ ἡ
15 μήτηρ παραλαβοῦσα * τοὺς γάμους τελέσειν ἠπείγετο. ‡ μήπω
δὲ τούτων τελεσθέντων * τὸν βίον ἀπέλιπε. ‡ καὶ δὴ στράτωρα
τοῦτον * ὁ μὴ καλῶς βασιλεύων Λέων τιμᾷ ‡ τὴν μητρικὴν
ὥσπερ διὰ τούτου παραμυθούμενος αὐτῷ τελευτήν. ‡ χρόνος
παρῆλθεν οὐχὶ συχνὸς ‡ καὶ ὁ πενθερὸς * κατεπείγει τοὺς
20 γάμους ‡ καὶ μέντοι δὴ * καὶ τελεῖ τούτους. ‡ θεία δέ τις ἐπι-
λάμψασα δύναμις τῇ Θεοφάνους ψυχῇ, ‡ μεθ' ὃ τέλος ἔσχε τὰ
τῆς τύρβης ἐκείνης τῆς γαμικῆς, * ἰδιαζόντως τὴν νύμφην ὁ
νυμφίος ἀπολαβὼν * τὸ τοῦ κόσμου μάταιον καὶ ἄστατον ‡
προσηκόντως ἐδίδασκε ‡ καὶ ὡς οὐδὲν ἄρα τὸ ἐντεῦθέν ἐστι
25 κέρδος, * εἰ μὴ καὶ μᾶλλον βλάβη σαφής. ‡ εἶτα καὶ εἰκόνα
90ᵛ τῶν συμβαινόντων ὥσπερ ποιούμενος * πάντα προε|τίθει ‡ καὶ
πάντα τῷ λόγῳ διήλεγχε ‡ μηδὲν ἀγαθὸν ἀποτέλεσμα τὸ σύνολον
ἔχοντα. ‡ οἷς ἡ νύμφη * πρὸς rd καλὰ τὴν ψυχὴν πιερωθεῖσα
καὶ τὴν διδαχὴν ἀπεδέξατο * καὶ ἑτοίμην ἑαυτὴν ἐδίδου πρὸς
30 ἅπαν τὸ μελετώμενον τῷ ἀνδρί. ‡ πίπτει τοίνυν ἐκεῖνος ἐπὶ
γῆς * καὶ προσκυνεῖ τῷ θεῷ ‡ καὶ εὐχαριστίας ἀναφέρει
τούτῳ ἐν θερμοῖς τοῖς δάκρυσιν. ‡ ἔνθεν τοι καὶ εἰς ὀσμὴν

---

28 πιερωθεῖσα: ein sonst, soweit ich sehe, nicht belegtes Verbum
(von πιερός = π(ων)   32 Vgl. die Vita des Nikephoros Skeuophylax ed.
de Boor S. 16, 34 ff.

θραμαν μίσου τοῦ θείου * τῷ κάλλει τρωθέντες τῆς δόξης
Χριστοῦ. ‡

— Ἔκτοτε οὖν νηστείαις ἐσχόλαζον καὶ δεήσεσιν ἐν ἁγνείᾳ· ‡
τοῖς πενομένοις ἐχορήγουν τὰ πρὸς τὴν χρείαν καὶ ὅλον θεο-
φιλῶς τὸν βίον διῆγον. ‡ ὃ δὴ μαθὼν ‡ ὁ δύστροπος ἐκεῖνος 5
Λέων, ‡ ὁ θὴρ καὶ οὐκ ἄνθρωπος, ‡ ὁ τοῦ Κωνσταντίνου
υἱός, * ἠπείλει τοῦ νέου τοὺς ὀφθαλμοὺς ἐκκόψαι. ‡ προσέτι
γε μὴν καὶ ὁ τούτου πενθερὸς συνέτρεχε τῷ τοῦ βασιλέως
σκοπῷ· ‡ καὶ διακωλύσειν ἔσπευδε τοὺς νέους * τῆς ἐνθέου
βουλῆς. ‡ διά τοι τοῦτο καὶ φυγὴν ἐβουλεύσαντο ‡ καὶ μέντοι 10
δὴ καὶ συνετέλεσαν τὴν βουλήν, * εἰ μὴ ταῖς οἰκοδομαῖς τῆς
πόλεως Κυζίκου τὸν Θεοφάνην ὁ βασιλεὺς ἐνησχόλησεν. ‡ τηνικαῦτα γὰρ κατά τινα πάροδον * γέροντί τινι παραβάλλει τῶν
μεγάλων τῷ τῆς Σιγριανῆς ἐνασκουμένῳ ὄρει ‡ — Γρηγόριος
ἡ κλῆσις αὐτῷ — * καὶ τὰ τῆς γνώμης ἀνακοινοῦται τούτῳ. ‡ 15
καὶ ὃς πρὸς αὐτόν· ‡ Οὐ χρεία σοί, φησι, τούτου, νεώτερε, τό
γε νῦν ἔχον· ‡ καὶ γὰρ μικρὸν ὅσον ‡ καὶ πενθερὸς ὁ σὸς ‡
καὶ βασιλεὺς αὐτὸς * τῶν τῇδε μεθίσταται ‡ καὶ | τότε τελέσεις f.
τὸ σοι παριστάμενον. ‡ καὶ ταῦτα μὲν πρὸς αὐτὸν ὁ διορατικὸς
γέρων ἐκεῖνος, ‡ πρὸς ἑτέρους δέ τινας * καί· Ὅτι καὶ διὰ 20
Χριστὸν ὁ νεανίας οὗτος, ἔφησε, μαρτυρήσει κατὰ τὸν καιρὸν
τὸν προσήκοντα. ‡ τούτων ἀκούσας * πρὸς τὰ οἰκεῖα τὴν πορείαν
ὁ θαυμαστὸς ἐποιεῖτο. ‡ καὶ ἐπεὶ καί τινας ἑτέρους ἀνηρεύνα
γέροντας ‡ τῶν μεγάλων, * τὴν ὁδὸν ἐπλανήθη ‡ καὶ διὰ
πάσης ὁδεύων ἡμέρας τὴν ἔρημον * δίψει συνεσχέθη δεινῶς 25
τοῦ ἡλίου φλέγοντος· ‡ θέρους γὰρ ἦν ἀκμή. ‡ ἔνθεν τοι καὶ
ἐκλιπόντων ἤδη τῶν σὺν αὐτῷ ‡ καὶ τῇ γῇ δόντων ἑαυτούς ‡
— οὐδὲ γὰρ εἶχον δυνατῶς ὁδεύειν — ‡ ὁ μέγας οὗτος καὶ
καλὸς Θεοφάνης ‡ κλίνας τὰ γόνατα * θερμῶς ἐδέετο τοῦ
θεοῦ, ‡ καὶ εὐθὺς ὕδωρ ἔβλυσε κατ' ἐκεῖνον τὸν τόπον * ἡδύ 30
τε καὶ καθαρὸν ‡ καὶ οἷον ἀπὸ χιόνος ἄρτι λυθείσης ἔρχεται. ‡
οὗ καὶ μετασχόντες * ἀνεκτήθησαν ἅπαντες καὶ δόξαν ἀπεδίδουν θεῷ. ‡

Κατὰ γοῦν τὸν πρῶτον καὶ εἰκοστὸν χρόνον τῆς αὐτοῦ
ἡλικίας ‡ ἡ τοῦ μεγάλου γέροντος ἐκείνου πρόρρησις * εἰς ἔργον 35
ἔβη. ‡ καὶ θνήσκει μὲν ὁ τούτου πενθερός, ‡ θνήσκει δὲ καὶ

26*

βασιλεὺς ὁ ἀνόσιος * καὶ εἰρήνη βαθεῖα τὴν ἐκκλησίαν κατέλαβε ⸸
τῆς Εἰρήνης ἄρτι μόνης τὰ σκῆπτρα τῆς βασιλείας ἐχούσης. ⸸
ἔνθεν τοι καὶ τὸ καλὸν ζεῦγος ⸸ τῆς τυραννούσης αὐτοὺς μανίας
τοῦ βασιλέως ἐλευθεριάσαντες * ἀμφοτέραις ἤντλουν χερσὶ τοῖς
5 πενομένοις τὸν πλοῦτον. ⸸ καὶ ἐπεὶ καλῶς εἶχεν αὐτοῖς τοῦτο
91ʳ καὶ θεοφιλῶς, ⸸ ἐλευθερίᾳ καὶ τοὺς οἰ | κέτας τιμήσαντες ⸸ ὁ
μὲν τῇ κατὰ τὸ ὄρος Σιγριανὸν μονῇ * τοῦ Πολιχνίου λεγομένη
πρόσεισι ⸸ κτῆμα τούτου πατρικὸν γεγενημένη ποτέ· ἡ δὲ *
τῷ ἐν Πριγκήπῳ παρθενῶνι φέρουσα δίδωσιν ἑαυτήν, ⸸ Εἰρήνη
10 ἀντὶ Μεγαλοῦς αἱρετισαμένη καλεῖσθαι, ⸸ συνθήκας θέμενοι μὴ
κατὰ ζωὴν ἀλλήλους τὴν παροῦσαν ἰδεῖν. ⸸ οὐκ ὀλίγος παρῆλθε
χρόνος ⸸ καὶ Στρατηγίῳ μὲν τῷ κατὰ πνεῦμα πατρὶ * τὴν
μονὴν ἀποδίδωσι, ⸸ τὴν Καλώνυμον δὲ ⸸ — νῆσος δὲ αὕτη — *
καταλαμβάνει ⸸ καὶ μοναστήριον ἐν αὐτῇ βάθρων ἐξ αὐτῶν
15 ἀνεγείρει ⸸ — καὶ γὰρ εἶχέ τι κἂν ταύτῃ γῄδιον πατρικόν —, ⸸
ἐν ᾧ καὶ μονάζοντας συναθροίσας ⸸ ἐκ τῆς τοῦ Θεοδώρου
μονῆς, ⸸ ὃν Μονόχειρα κατωνόμαζον, * τὸν ἐπισημότερον αὐτῶν * προεστάναι τούτων πεποίηκεν ⸸ αὐτὸς ὑπήκοος ἐν παντὶ
τούτῳ γενόμενος. ⸸ ἐπεὶ δὲ τοῦτον ἡ πρόνοια τῶν τῇδε μετε-
20 καλέσατο, * τὸν μέγαν προστῆναι τῆς ἀδελφότητος καθικέτευον
ἅπαντες. ⸸ ὁ δὲ ταπεινόφρων ὢν εἴπερ τις ἄλλος * τοῦτο μὲν
παρῃτήσατο, ⸸ πρός τι δὲ κελλίον ἑαυτὸν ἀποκλείσας * καλλιγραφῶν διετέλει ⸸ καὶ πᾶσαν ἄλλην ἀρετὴν μετιὼν ⸸ ἐξ οὕτω
διετέλεσεν ἔτη. ⸸ καὶ τὴν μονὴν δὴ ταύτην ⸸ ἀπολιπὼν * τὸ
25 τῆς Σιγριανῆς αὖθις ὄρος καταλαμβάνει ⸸ καὶ τῇ τοῦ ὁσίου
πατρὸς ἡμῶν Χριστοφόρου μονῇ ⸸ καλῶς ἐμφιλοχωρεῖ ⸸ καὶ
πόνοις ἑαυτὸν ἀσκητικοῖς ἐκδίδωσιν · οἷάπερ ἀρχὴν ποιού-
μενος τῶν ἀγώνων ⸸ ἀναβάσεις τε τῶν ἀρετῶν πασῶν ἐν καρδίᾳ
92ʳ διατίθεται ⸸ καὶ ὅλος | δοχεῖον γίνεται * θείων ἐννοιῶν τῶν
30 τοῦ πνεύματος. ⸸

Κατ' ἐκεῖνο τοίνυν καιροῦ ⸸ ἡ ἐν Νικαίᾳ τὸ δεύτερον
ἑβδόμη καὶ οἰκουμενικὴ συγκροτεῖται σύνοδος. ⸸ ἀθροίζεται σὺν

---

8 Die Konstruktion κτῆμα — πατρικὸν stammt wohl von dem stilistisch etwas ungewandten Autor 12 Zu Strategios vgl. Nikephoros Skeuophylax ed. de Boor S. 18, 37 20 προστῆναι] προστὴν: em. E. Kurtz 32 συμπᾶσι

πᾶσι καὶ οὗτος * καὶ τῷ ὑπερβάλλοντι τῆς ἀρετῆς ‡ καὶ τῷ
ταπεινῷ τῆς καταστολῆς * πολλὴν ἑαυτῷ τὴν τιμητικὴν σχέσιν
παρὰ τῆς συνόδου συνῆξε ‡ καὶ ὅλος ἦν ὑπερθαύμαστος * κἂν
τοῖς ἁπάντων ἔκειτο στόμασι. ‡ τῆς αἱρέσεως οὖν ἐκποδὼν
γενομένης ‡ ταῖς τῶν θεοπνεύστων λόγων προτάσεσί τε καὶ ἀντι-   5
θέσεσι, * τὸ ὄρος ὁ μέγας αὖθις κατέλαβε * καὶ τῶν ἀσκητι-
κῶν εἴχετο δρόμων. ‡ εἰς τοσοῦτον οὖν ἐπλατύνθη τὰ τῆς
μονῆς * καὶ πρὸς ἐπίδοσιν ἦλθε ‡ τῇ τε ἄλλῃ κατασκευῇ καὶ
προσεπικτήσει, ‡ ναὶ δὴ καὶ τῷ πλήθει τῶν ἀδελφῶν, * ὡς
πάντων τῶν τε κατὰ Βιθυνίαν καὶ τὸν Ἑλλήσποντον ἀσκητηρίων *   10
τὸ πρωτεῖον αὐτὴν ἀπενέγκασθαι. ‡ ἐφ' οἷς φθονήσας τῷ ἁγίῳ
τῶν δαιμόνων ὁ ἄρχων * ἐπιτίθεται τούτῳ κοιμωμένῳ ποτὲ
νυκτὸς μετ' αὐτῶν * καὶ κακῶς αὐτῷ διατίθεται. ‡ εἶτα καί τινος
τῶν πονηρῶν πνευμάτων ‡ τὸν τῆς χειρὸς τοῦ μεγάλου δάκτυλον
ἐνδακόντος ‡ — τοσοῦτον γὰρ ἔβρυξεν ἐπ' αὐτῷ τοὺς ὀδόντας — ‡   15
ὀδύνης οὗτος ᾔσθετο * καὶ βοῆς ἐπλήρου τὸ μοναστήριον. ‡
συναχθέντων οὖν τῶν ἀδελφῶν * ὁ μέγας ἐπεδείκνυ τὸν δάκτυλον ‡ τὰς ἐμβολὰς τῶν ὀδόντων ἐμφαίνοντα. ‡ ὃν ἁγιάσματι
διαβρέξαντες οὗτοι ‡ καὶ τὸ πολὺ τῆς ὀδύνης κουφίσαντες ὑγιᾶ
πεποι | ήκασι ‡ τῶν δηγμάτων ἐπὶ πολλαῖς ταῖς ἡμέραις ἐμφαι-   20
νομένων. ‡ πάλιν δὲ καὶ πολλάκις ὑπνοῦντα τὸν μέγαν * ἐρρά-
πιζον ‡ καὶ διεγρηγορότα * πτοεῖν ἐπεχείρουν * καὶ φόβοις
ἐκπλήττειν· ‡ ἀλλ' οὐδὲν ταῦτα πρὸς τὴν μεγάλην ἐκείνην καὶ
οὐρανομήκη ψυχήν. ‡ διὸ καὶ σημείοις ἄρχεται τοῦτον στέφειν
ἡ χάρις τοῦ πνεύματος * καὶ τὴν κατ' αὐτὰ ἐξουσίαν χαρί-   25
ζεσθαι. ‡ λιμοῦ γάρ ποτε γενομένου ‡ καὶ τῷ κακῷ τούτῳ
πάντων πιεζομένων * ἤνοιξε μὲν πρῶτον οὗτος τὰ οἰκεῖα σπλάγχνα
καλῶς, ‡ ἤνοιξε δὲ καὶ χεῖρα * καὶ αὐτὸν τὸν τῆς μονῆς σιτῶνα *
καὶ τὰς τῶν πενήτων γαστέρας ἐνέπλησε. ‡ καὶ ἦν ἄλλος Μωϋ-
σῆς * ἐν ἐρήμῳ διατρέφων λαόν. ‡ ὁ τοίνυν ταμίας τοῦ σίτου ‡   30
προσιὼν τῷ μεγάλῳ· ‡ Λογίζομαί, φησι, πάτερ, ὡς οὐδὲ μέχρι
τοῦ ἡμίσους ἔτους * ἡ τοῦ ὅλου χρόνου τοῦ σίτου ἀπόθεσις

---

15 ἔβρυξαν, aber -αν auf Rasur. Der ganze Schaltsatz soll wohl das
folgende ὀδύνης ᾔσθετο begründen; man würde ihn dann aber nach
ᾔσθετο erwarten   25 τὴν κατ' αὐτῶν   29 ἄλλος] ἄλλως

ἐξαρκέσει ‡ τῷ πλήθει τῆς ἐξόδου μεγάλως ἐκλείπουσα. ‡ πρὸς
ὃν ὁ θαυμάσιος· Ἵνα τί μικρόψυχος, ὦ τέκνον, ἐφάνης, ἔφη, μὴ
πρὸς θεὸν τὰς ἐλπίδας τιθέμενος; ‡ πιστεύω γάρ, * ὡς εἰ μέτρῳ
τὸν σῖτον ὑποβάλῃς, * ὄψει τὴν δύναμιν τοῦ θεοῦ. ‡ μετρεῖ
5 τοῦτον ὁ ἀδελφὸς * καὶ κατ' οὐδὲν ἐλλείποντα τοῦ τεθέντος
εὑρίσκει ‡ μηνῶν τριῶν μετὰ τὴν ἀπόθεσιν παρῳχηκότων ‡
καὶ μήτε τῆς ἐν τούτοις ἐξόδου * μήτε τοῦ χορηγηθέντος τοῖς
δεομένοις τὸ σύνολον λείψαντος. ‡
    Ἄλλοτέ ποτε * πένητί τινι προσιόντι ‡ νόμισμα ἐν τῷ ἐπὶ
10 τῆς διακο | νίας τεταγμένῳ δοῦναι τούτῳ κελεύει· ‡ τοῦ δὲ μηδὲν
προσεῖναι τῷ κιβωτίῳ τὸ σύνολον εἰπόντος * ὁ μέγας ‡ τῷ ἔργῳ
προσκείμενος ἐπιμελῶς τῆς γραφῆς· ‡ Ἄπελθε, λέγει· ‡ δὸς τῷ
πένητι τὸ αἰτούμενον. ‡ τοῦ δὲ καὶ πάλιν τὸ κιβώτιον ἀνεῴξαντος * — μεγάλα σου, κύριε, τὰ θαυμάσια — ‡ καὶ νόμισμα
15 παρ' ἐλπίδας εὑρηκότος ἐν ‡ καὶ τῷ ἁγίῳ κομίσαντος μετ' ἐκπλή-
ξεως ‡ καὶ διαβεβαιουμένου ‡ μηδὲν τὸ πρότερον εὑρηκέναι· *
Ὕπαγέ, ‡ φησι πρὸς αὐτὸν ὁ μέγας, * δίδου τοῦτο τῷ πένητι ‡
καὶ μὴ προστίθει λόγους πολλούς. ‡
    Ἀνὴρ οὖν τῶν οἰκοδομούντων τὸ τῆς μονῆς εὐκτήριον εἰς *
20 πλήττεταί ποτε πνεύματος μάστιγι πονηροῦ. ‡ ἐπεὶ οὖν ἀκρατῶς
αὐτὸν ἤλαυνε τὸ δαιμόνιον ‡ καὶ τὰς ἰδίας σάρκας καταδαπανᾶν
ἐποίει, ‡ δεσμοῖς ἀρρήκτοις χεῖρας αὐτοῦ περιβαλόντες οἱ σὺν
αὐτῷ καὶ πόδας * ἔν τινι καθεῖρξαν οἰκίσκῳ. ‡ καὶ δὴ μιᾷ τῶν
νυκτῶν ‡ τοῦ ἁγίου δεήσεις πρὸς θεὸν ὑπὲρ αὐτοῦ ποιουμένου *
25 τὰ δεσμὰ διελύθη τῶν τε χειρῶν ἐκείνου καὶ τῶν ποδῶν ‡ καὶ
ὅλως ἦν ὁ ἄνθρωπος σωφρονῶν * καὶ εὐσταθῶς πορευόμενος. ‡
οἱ φυλάσσοντες οὖν * τοῦτο δὴ τὸ παράδοξον θεασάμενοι,
πῶς τε λυθείη τῶν δεσμῶν διηρώτων ‡ καὶ παρὰ τίνος ‡ καὶ
τί γένοιτο ‡ καὶ ποῦ πορεύοιτο. ‡ κἀκεῖνος ‡ τὸν τοῦτο δια-
30 πραξάμενον ὑπεδείκνυ· Οὗτός ἐστι, λέγων, ὁ μοναχός, ‡ ὁρῶν
αὐτὸν μὴ παρ' ἄλλου βλεπόμενον, * ὅς μέ, φησι, καὶ πρὸς τὴν
93ᵛ ἐκκλησίαν καλεῖ. ‡ θείαν οὖν τὸ | πρᾶγμα νομίσαντες δυναστείαν *
τὰ δεσμὰ περισκοποῦσι ‡ καὶ κατά τι τῆς στρωμνῆς αὐτοῦ
μέρος * συνηγμένα καθορῶσιν αὐτά, ‡ πρᾶγμα θαυμάσιον. ‡

---

13 Zu ἀνεῴξαντος vgl. Hatzidakis, Einleitung in die neugr. Gr. S. 68 f.

ἔνθεν τοι καὶ τὴν ἐκκλησίαν τάχος κατειλήφασι σὺν αὐτῷ * καὶ
τῷ θεῷ τὴν εὐχαριστίαν προσῆγον. ‡

Ἐντεῦθεν ἡ πρὸς τὸν μέγαν πίστις ἐπηύξει τοῖς μαθηταῖς. ‡
καὶ γάρ ποτε τοῖς θερμοῖς ὕδασι διὰ μακροῦ τοῦ χρόνου προσ-
βαλόντος αὐτοῦ σὺν αὐτοῖς ‡ μικρᾶς θεραπείας ἕνεκα * βατρά- 5
χων ἦν πλήρης ὁ τόπος, ἐν ᾧπερ κατέλυσαν· ‡ ὧν ταῖς κραυ-
γαῖς * τὸ ἥσυχον ὑπετέμνετο τούτοις. ‡ τὶς οὖν αὐτῶν ‡ προσ-
ήκων κατὰ γένος τῷ γέροντι ‡ πίστιν ὥσπερ ἀναλαβών· *
Ὁ καλόγηρος, ἔφη, ‡ παύσατέ, φησι, καὶ μὴ κράζετε. ‡ παύουσιν
οὖν ἐκεῖνοι τῆς φυσικῆς καὶ συνήθους κραυγῆς * οἱ ἀσυνήθως καὶ 10
φύσεως ἐκτὸς τὸ ἀκούειν ἔχοντες. ‡ καὶ μεθ' ἡμέρας δύο * τῷ
ἁγίῳ τὸ πρᾶγμα προσαγγέλλει * ὁ τὴν σιωπὴν τοῖς βατράχοις
προστεταχώς· ‡ ἐκεῖνος δὲ λύει τούτοις αὐτὴν δι' αὐτοῦ ‡ πλεῖστα
ταύτῳ προσεπιτιμήσας διὰ τὴν πρᾶξιν. ‡

Παραβαλόντων δέ τινων πρὸς αὐτὸν * ἐκεῖνος ‡ φιλάδελφος 15
ὢν καὶ θερμὸς πρὸς δεξίωσιν * ἰχθύας πέμψας κομίζει. ‡ τῶν
δὲ πατέρων τις * χαριέστατά φησι πρὸς τὸν ὅσιον· Ὕσκαν βού-
λομαι, πάτερ, * ὕσκαν φαγεῖν ἐθέλω. ‡ τοῦτο τῆς ἀγάπης ὁ φίλος
ἐνωτισάμενος ‡ ἀδιστάκτως τῇ πίστει τῶν μαθητῶν ἑνί· ‡ Πορευθείς, εἶπε, ‡ χάριν τῶν ἀδελφῶν * κόμισον ἡμῖν ἐκ τῆς θαλάσσης 20
ὕσκαν. ‡ ὃς πο | ρευθεὶς καὶ τὰ δίκτυα τῆς θαλάσσης χαλάσας * f.
ἀγρεύει παρευθὺς τὸ ὀψάριον ‡ καὶ κομίζει τοῦτο παρὰ πᾶσαν
ἐλπίδα· ‡ οἱ δὲ ἰδόντες ἐξεπλάγησαν * καὶ δόξαν ἀπεδίδουν θεῷ. ‡

Ἄλλοτε πλοίου μέσον κινδυνεύοντος τῆς θαλάσσης * ὁ μέγας
ἄνωθεν εὐξάμενος ‡ ἤδη μέλλοντος τῷ βυθῷ παραπέμπεσθαι * 25
κατεύνασέ τε τὸν κλύδωνα * καὶ σέσωκε τοὺς πλωτῆρας ‡ ἄνδρας
ὄντας τρεῖς καὶ πεντήκοντα. ‡

Καὶ αὐτοῦ δὲ τούτου μέλλοντος ἀπὸ τῆς τοῦ Πολιχνίου μονῆς
ποτε διὰ τῆς θαλάσσης ‡ πρὸς τὸ ἴδιον ἀπελθεῖν μοναστήριον ‡
ἐν ταύτῃ γὰρ ἔτυχεν ἀπιὼν — ‡ τὸ ταύτης ἀγριαῖνον * (ἦν 30
δὲ μέγα καὶ φοβερόν) * διά τινος τῶν μαθητῶν καταστέλλει ‡
πορευθέντος πρὸς τὸν αἰγιαλὸν ‡ καὶ ταύτῃ κατὰ τὸν τοῦ μεγάλου
λόγον ἐπιτιμήσαντος, * ὡς εὐθὺς γαλήνης ὁρᾶσθαι μεστὴν *

---

19 Der Punkt nach δι' αὐτοῦ ist nicht ganz deutlich   16 θερμᾶς
24 ff. Die freie Partizipialkonstruktion kommt auf Rechnung des Autors

τὴν ἴσα καὶ ὄρεσι τὰ κύματα διεγείρουσαν * καὶ αὐτοὺς τὸν πλοῦν εὐόρμως ποιήσασθαι καὶ καλῶς. ‡

Τοιούτοις καὶ μείζοσι τοῖς θαυμασίοις ἐνδιαπρέπων ἔργοις ὁ Θεοφάνης ‡ ἀπό γε τῆς βασιλείας Εἰρήνης τῆς εὐσεβοῦς ‡
5 καὶ μέχρι τῶν χρόνων Μιχαὴλ τοῦ πιστοῦ ‡ τὸν ἀσκητικὸν ἐπανελόμενος βίον ‡ ἐν τῷ πεντηκοστῷ τῆς ζωῆς αὐτοῦ χρόνῳ ἀσθενείᾳ περιπίπτει δεινῇ. ‡ σύμπτωσις δὲ αὕτη νεφρῶν ἦν * καὶ λιθίωσις κύστεως ‡ δυσχερῆ καὶ ὀδυνηρὰν αὐτῷ ποιοῦσα τὴν τοῦ ὕδατος ἔκκρισιν· ‡ λίθοι γάρ τινες τοῦ αἰδοίου πωρώδεις
10 ἀπέπιπτον ‡ καὶ ἡ ὀδύνη τηνικαῦτα δριμεῖα * καὶ ἄλλως ἀφό-
94ʳ ρητος. ‡ ἔμεινεν οὖν ὁ τρισόλβιος | μέχρι παντὸς τοῦ βίου ταύτῃ τῇ νόσῳ κάτοχος. ‡

Τῷ δὲ πεντηκοστῷ καὶ τρίτῳ ἔτει τῆς αὐτοῦ ἡλικίας ‡ Λέων ὁ δυσσεβὴς Ἀρμένιος ‡ τῶν τῆς βασιλείας σκήπτρων ἐπιλαβό-
15 μενος, ὡς μὴ ὤφελεν, * δεινῶς τὴν ἐκκλησίαν ἐτάραξε. ‡ καὶ ἐπεὶ πάντων κατέδραμε τῶν ὀρθοδόξων πατέρων ‡ καὶ τὰ τῆς αἱρέσεως ἐνέσπειρε δόγματα τοῖς ἀφελέσι καὶ πρὸς κόσμον ζῶσιν ἀνδράσι, * γράφει καὶ πρὸς τὸν μέγαν τοῦτον καὶ σοφὸν Θεο-φάνην· ‡ Ἐλθέ, λέγων, * εὐξόμενος ὑπὲρ ἡμῶν, ‡ ὅτι κατὰ
20 βαρβάρων ἀπέρχομαι. ‡ ταῦτα δεξάμενος ὁ μέγας τὰ γράμματα * ἐφ' ἁμάξης τίθεται ‡ — οὐδὲ γὰρ βαδίζειν διὰ τὴν δηλωθεῖσαν νόσον ἠδύνατο — * κἂν τῷ αἰγιαλῷ κατάγεται. ‡ εἶτα καὶ πλοίῳ ἐμβάλλεται * καὶ τῇ Κωνσταντίνου δίδοται. ‡ καὶ κατ' ὄψιν μὲν οὐκ ἔρχεται τοῦ τυράννου, ‡ δέχεται δὲ μηνύματα συνεχῶς ‡
25 ὡς ἢ πεισθέντα τοῖς αὐτοῦ δόγμασι δηλοῦντα * πολλῶν ἀγαθῶν αὐτὸν ἀπολαύσειν καὶ τὴν ἰδίαν μονήν, ‡ εἰ δ' οὖν ἀλλὰ ξύλῳ ἀγχόνης τὴν ζωὴν ἀπορρῆξαι· ‡ τούτων τῶν ἀγγελμάτων ὁ μέγας ἀκούσας· ‡ Οὔτε σου τῶν δωρεῶν, ἀντεδήλωσε, βασιλεῦ, χρῄζω τὸ σύνολον * οὔτε τῶν ἀπειλῶν λόγον τὸ παράπαν ποιοῦμαι. ‡
30 χαίρω γὰρ εἰς πεῖραν αὐτῶν * ὑπὲρ τοῦ ἐμοῦ Χριστοῦ καθιστά-μενος καὶ τῆς εἰκόνος αὐτοῦ, ‡ κἂν δέῃ με δὲ ἀποθανεῖν, * οὐδαμῶς τὴν αὐτῆς προσκύνησιν ἀπαρνήσομαι. ‡ ἤκουσε τούτων

---

6 αὐτοῦ   8 λιθίωσις wollte ich nicht ändern, obschon sonst nur λιθίασις bezeugt zu sein scheint   9 πορώδεις   31 κἀνδήημαι δὲ: em. E. Kurtz

ὁ δυσσεβής, ⁑ μαίνεται ⁑ καί τινι Ἰαννῇ καλουμένῳ καὶ μαγο-
μάται ματονο|μαζομένῳ * πρὸς διάλογον τὸν δίκαιον παρα- f.
δίδωσιν. ⁑ ἄγει τοίνυν τοῦτον ἐκεῖνος * πρὸς τὴν τῶν Χριστοῦ
μαρτύρων Σεργίου τέ φημι καὶ Βάκχου μονήν· ⁑ καὶ ἐπεὶ τὰ
πυναρά τούτου προβλήματα ταῖς τῶν θεοπνεύστων τοῦ Θεοφάνους 5
λόγων ἀντιθέσεσι διελύοντο ⁑ καὶ αἱ προτεινόμεναι παρ' ἐκείνου
κολάσεις ⁑ τρυφαὶ τούτῳ καὶ δόξαι καὶ πλοῦτος ἡγοῦντο, ⁑ καὶ
ταύτας ἐπόθει διὰ Χριστόν, * ὁ μάγος τῷ δυσσεβεῖ προσελθών· *
Σίδηρον, ἔφη, βασιλεῦ, μαλάξαι ῥάδιον * ἢ τὸν ἄνδρα τοῦτον
ἑλεῖν. ⁑ τότε δὴ μετάγει τὸν μέγαν ὁ παράνομος * εἰς τὰ Ἐλευ- 10
θερίου ἀνάκτορα ⁑ καὶ σκοτεινῷ, φεῦ, τοῦτον οἰκίσκῳ καθείρ-
γνυσι ⁑ καὶ φρουροὺς ἐπ' αὐτῷ καθιστᾷ ⁑ καὶ χρόνον ἐπὶ διετῇ
ταλαιπωρεῖν οὗτω καταλιμπάνει. ⁑ καί ποτε τοῦ συνόντος αὐτῷ
παιδὸς ⁑ οἷα παρηγοροῦντος αὐτὸν καὶ λέγοντος, ⁑ ὡς ἴσως
μαλαχθείη τὸ σκληρὸν τοῦ Λέοντος διὰ τὴν ἐνοῦσάν σοι, πάτερ, 15
ἀσθένειαν ⁑ καὶ τὸν πολὺν τῆς καθειρξεως χρόνον ⁑ καί σε
τῇ ἰδίῃ παραπέμψοι μονῇ, ⁑ ὅπως ἐν αὐτῇ τὸν βίον ἀλλάξῃς, *
ἐκεῖνος· Οὐχί, τέκνον, προφητικῶς εἶπεν, * οὐχί· ⁑ οὐκ ἴδῃς
τοῦτο ποτέ· ⁑ ἀλλ' εἰς νῆσον ἐκπέμπει με * σκληρὰν καὶ ἀπα-
ραμύθητον, ⁑ ἐν ᾗ τις ἡμᾶς ξεναγήσει πρεσβύτης, ⁑ ἐν ᾗ καὶ 20
τὸν βίον ἀλλάξω * καὶ πρὸς τὸν ποθούμενον πορεύσομαι βασιλέα
Χριστόν. ⁑ οὐ πολὺ τὸ ἐν μέσῳ ⁑ καὶ ὁ Ἀρμένιος * ἐν τῇ
Σαμοθράκῃ τὸν μέγαν ἐκπέμπει ⁑ καὶ ξενίζει τοῦτον ὁ πρε| f.
σβύτης κατὰ τὴν πρόρρησιν, ⁑ καὶ τὸ τέλος αὐτὸν ἐν αὐτῇ κατὰ
τὴν προφητείαν κατέλαβεν ⁑ ἡμέρας ἐν αὐτῇ τρεῖς πρὸς ταῖς 25
εἴκοσιν ἐπιζήσαντα μόνας * καὶ τὴν δωδεκάτην τοῦ Μαρτίου·
τὸ τούτου τέλος ἰδεῖν προειπόντα. ⁑ θάπτεται τοίνυν ἐν αὐτῇ
φιλοτίμως ὁ φιλότιμος * καὶ θαύματα πλεῖστα τελεῖ. ⁑ Λέοντος
δὲ τοῦ δυσσεβοῦς ⁑ τὸν βίον κακῶς ἐκμετρήσαντος ⁑ καὶ τοῦ

---

1 *Ἰαννῇ* Man erwartete *Ἰάννῃ*; doch wollte ich den Accent nicht
ändern *μαγομάντη* 4 *μονῇ* 7 *ἡγοῦντο* Der Autor gebraucht *ἡγεῖσθαι*
= gelten! 9 Zu dem statt eines Komparativs gebrauchten Positiv vgl.
Ein Dithyrambus auf Theophanes Confessor S. 624 und Lamberti Bos
Ellips. gr. ed. Schäfer S. 769 ff. 10 Ueber den Palast des Eleutherios
vgl. Jean Paul Richter, Quellen der byz. Kunstgeschichte, Wien 1897
S. 382 27 *τούτου*: Man erwartet *αὐτοῦ*

Μιχαὴλ τὴν βασιλείαν παραλαβόντος ‡ καὶ μικρόν τι τοῦ διωγ-
μοῦ παυσαμένου, ‡ εἰ καὶ μὴ τέλεον, * οἱ μαθηταὶ τὸν μέγαν
ἀπὸ Σαμοθράκης ἀράμενοι * πρῶτα μὲν εἰς τὸ τῆς μονῆς κτῆμα
τοῦτον, ὃ Ἱερεῖα λέγεται * κομίζουσιν ‡ — ἡ τῶν γενεθλίων ἦν
5 ἡμέρα τοῦ Χριστοῦ καὶ θεοῦ ἡμῶν — ‡ εἶτα ‡ κατὰ τὴν ἔνδοξον
καὶ κυρίαν τῆς ἀναστάσεως * τῇ μονῇ φέροντες τίθενται, ‡ ἐν
ᾗ πολὺ συνέδραμε πλῆθος ‡ καὶ πάντες, ὅσοι νοσήμασι χαλεποῖς
καὶ δαίμοσι προσεπάλαιον, * θεραπείας ἐτύγχανον. ‡ τυφλοὺς ἦν
ἰδεῖν βλέποντας, ‡ χωλοὺς περιπατοῦντας, ‡ λεπροὺς καθαιρο-
10 μένους μόνῃ τῇ προσψαύσει τοῦ τάφου. ‡ ναὶ δὴ καὶ κωφοὶ καὶ
ἄλαλοι * τὸ λαλεῖν καὶ ἀκούειν ἐλάμβανον ‡ καὶ θεῷ τῷ ἁγίῳ
τὴν εὐχαριστίαν ἅπαντες ἀπεδίδουν. ‡ ἐν οἷς καὶ γύναια τῇ
αἱμορροίᾳ δεινῶς πιεζόμενα * τῆς μάστιγος ἀπηλλάγησαν. ‡ καὶ
χειρόγραφον δὲ ἡμαρτημένων τῇ θήκῃ τεθὲν ἐσφραγισμένον ὑπό
15 τινος * ἄγραφον ὁ τεθεικὼς * ἀποσφραγίσας εὗρεν. ‡ ἡ γὰρ
ἀκένωτος πηγὴ τῶν χαρισμάτων * ἅπασι τὴν ἴασιν μετεδίδου
πλουσίως. ‡

96ʳ   Ἐκεῖθεν οὖν ἄραντες αὐτὸν οἱ κομίσαντες * εἰς τὴν ὑπ' αὐτοῦ
κτισθεῖσαν μονὴν Ἀγρὸν ἐπιλεγομένην * κατέθεντο * κατὰ τὸ
20 δεξιὸν τοῦ ναοῦ μέρος, * ἐν ᾧπερ οὗτος ᾠκοδόμησε τάφῳ. ‡
πολλῶν θαυμάτων ἐκεῖσε τελεσθέντων * τῇ καταθέσει τούτου ‡
δίκαιον οὖν τούτων ἀπομνημονεῦσαί τινα, ‡ ἵν' ἐξ αὐτῶν δια-
γνωσθῇ καὶ τὰ ὅλα. ‡ ποῦ γὰρ ἰσχύσει καὶ λόγος λέγειν ‡ καὶ
χεὶρ γράφειν * τὰ καθ' ἑκάστην πραχθέντα τε καὶ πραττόμενα ‡
25 ξένα καὶ ὑπὲρ λόγον τοῦ μεγάλου τερατουργήματα! ‡

Γεωργοῦ τινος ἐνέπεσε τῇ χώρᾳ βροῦχος. ‡ τὸ μύρον ἐκεῖνος
τῆς τοῦ ἁγίου θήκης ἔλαβε, ‡ διέρρανε τὴν χώραν ‡ καὶ τῷ
ῥαντισμῷ * τὸν βροῦχον ἀπέκτεινεν. ‡ ἄλλου γεωργοῦ τινος τῷ
σιτῶνι σκωλήκων γένος ἐνέσκηψε ‡ τὸν σῖτον αὐτοῦ * πάντῃ
30 φθεῖρον καὶ λυμαινόμενον. ‡ ὁ γεωργὸς τῷ σίτῳ διερράντισε τὸ
μύρον ‡ καὶ οὐ μόνον οἱ σκώληκες ἐτεθνήκεσαν, * ἀλλὰ δὴ καὶ
ὁ φθάσας σῖτος ποσῶς βρωθῆναι * σωζόμενος ὡρᾶτο * καὶ
ὅλως ἀκέραιος. ‡

---

9 καθαιρουμένους   26 Ueber βροῦχος vgl. H. Usener, Der hl. Theodosios S. 174 f.   33 ὅλος

Παρθένος δέ τις ⁑ τῶν εὖ γεγονότων καὶ περιωνύμων *
ἐγκρύφιον ἔσχε σκώληκα τῇ κεφαλῇ ⁑ καὶ ἄλγημα καὶ περιω-
δυνίαν ⁑ εἰκασμῷ * μηδ' ὅλως ὑποβαλλόμενα. ⁑ ἐδαπάνα δὲ ⁑
οὐχ ἧττον ὁ σκώληξ αὐτὴν * ἢ παῖδες ἰατρῶν αὐτῆς τὴν οὐσίαν. ⁑
ἦν δὲ τῆς τέχνης ἀπορία πολλὴ ⁑ καὶ τῆς ὀδύνης ἐπίστασις. ⁑ 5
γυναικὸς δέ τινος ἄλλης ⁑ μύρον τῆς σοροῦ τοῦ μεγάλου δια-
κονισαμένης ⁑ καὶ τοῖς μυκτῆρσιν αὐτῆς ἐμβαλούσης ⁑ καὶ τοῦ
ἁγίου κατ' ἐκείνην τὴν ἑσπέραν ἐπιφανέντος ⁑ καὶ σφρα | γῖδα f.
τῇ κεφαλῇ τῆς πασχούσης ἐμβαλόντος ⁑ καὶ τινος νεανίσκου
συμπαρόντος αὐτῷ ⁑ — ἄγγελος δὲ οὗτος ἦν — ⁑ καὶ τὸν τῆς 10
Σιγριανῆς Θεοφάνην λέγοντος εἶναι ⁑ τοῦ ὕπνου ἐκείνη διανα-
στᾶσα ⁑ καὶ τὰς ὀδύνας κοιμισθείσας εὑροῦσα ⁑ τὸν ὀλετῆρά τε
σκώληκα πρὸς τὸν κόλπον κείμενον ⁑ καὶ ἑαυτὴν ὑγιᾶ δι' ὅλου
κατανοήσασα ⁑ δόξαν ἀπεδίδου θεῷ καὶ τῷ ἁγίῳ. ⁑

Καὶ ταῦτα μὲν, πανθαύμαστε Θεόφανες, τὰ τοῦ βίου σου 15
παράδοξα, ⁑ τὰ ἆθλα, τὰ θαύματα * καὶ ἡ πρὸς θεὸν ἐκ τούτων οἰκείωσις. ⁑ καὶ νῦν τῷ δεσποτικῷ παριστάμενος θρόνῳ
νέμοις ταῖς εὐκτικαῖς πρὸς θεὸν ἱκεσίαις σου ⁑ καὶ βασιλεῖ τῷ
ὀρθοδόξῳ καὶ τὰ πάντα χρηστῷ ⁑ μακροῦ βίου εὐμάρειαν, ⁑
ἰσχὺν κατ' ἐναντίων καὶ τρόπαια, ⁑ χεῖρα τούτου κρατύνων κατ' 20
αὐτῶν, * τὰ στρατεύματα, ⁑ ἅπαν γένος ἀπαλείφουσαν αὐτῶν
καὶ ἐκτρέπουσαν ⁑ ἡμέρας αὐτὸν υἱὸν ἔργασαι καὶ φωτὸς
ἀνεσπέρου, ⁑ λαμπρὰν χάρισαι τούτῳ τὴν κατοικίαν, ⁑ πάντων
τῶν καλῶν τὴν μετάληψιν πᾶσαν * καὶ βασιλείας οὐρανῶν
μετουσίαν, ⁑ ὅτι Χριστῷ τῷ θεῷ ἡμῶν πρέπει ἡ δόξα καὶ τὸ 25
κράτος * νῦν καὶ ἀεὶ καὶ εἰς τοὺς αἰῶνας τῶν αἰώνων. Ἀμήν.

---

4 Zum Ausdrucke παῖδες ἰατρῶν vgl. G. Wartenberg, Das mittel-
griech. Heldenlied von Basileios Digenis Akutas, Progr. d. Lessing-Gymn.,
Berlin 1897 S. 16 und 23   6 διακονησαμένης zu ändern wäre unvor-
sichtig; vgl. Hatzidakis, Einleitung in die neugr. Grammatik S. 396 f.

Sogenanntes „Todtenmahl"-Relief mit Inschrift. — Zur Venus von Milo.

Von A. Furtwängler.

(Vorgetragen in der philos.-philol. Classe am 1. Mai 1897.)

1. Sog. „Todtenmahl"-Relief mit Inschrift.

Unter den neuen Erwerbungen der Glyptothek des Herrn Jacobsen in Kopenhagen befindet sich ein sog. „Todtenmahl"-Relief mit einer Weihinschrift, die ihm eine ungewöhnliche Bedeutung verleiht. Mit freundlicher Erlaubnis des Besitzers sowie im Einverständnis mit dem Herausgeber seiner Antikensammlung Dr. Arndt und der Verlagsanstalt Bruckmann in München wird hier umstehend eine nach Photographie gefertigte Abbildung des Reliefs mitgeteilt.

Bildwerk und Inschrift lassen in dem Relief mit Bestimmtheit eine attische Arbeit des vierten Jahrhunderts vor Chr. erkennen. Die Darstellung ist eine durchaus typische. Von links nahen die Stifter des Weihgeschenkes mit dem Gestus des Anbetens. Es ist ein bärtiger Mann, umgeben von zwei gleich grossen erwachsenen Frauen. Die darüber stehende Inschrift lehrt uns ihre Namen kennen: der Mann heisst Olympiodoros, die Frauen Aristomache und Theoris, Namen, die alle auch sonst auf attischen Inschriften, die beiden ersteren sogar häufig vorkommen; das folgende ἀνέθεσαν zeigt, dass alle alle drei als Stifter der Weihung anzusehen sind. Die in grösserer Proportion gehaltene Gruppe der verehrten Wesen folgt ebenfalls dem herkömmlichen Typus. Zunächst den Weihenden steht der Knabe Oinochoos, der aus dem Krater

zu schöpfen im Begriffe ist, während er die Phiale in der
Linken hält. Es folgt die wie üblich am Fussende der Kline
sitzende Frau, die in beiden Händen eine Binde oder wahrscheinlicher einen Blumenkranz, eine ὑποθυμίς hält, wie sie
bei den Symposien üblich war. Das gleiche Motiv kommt
auch auf anderen Exemplaren vor (vgl. Sammlg. Sabouroff,
Sculpt. Einl. S. 34, Anm. 1). Der Mann ist auf der Kline
gelagert; er hat einen bärtigen Kopf von idealem Typus mit
vollem Lockenhaare, die Rechte hält die Phiale; die Linke
aber hat ein ungewöhnliches Attribut: ein grosses Füllhorn,
aus welchem ein Kuchen hervorsieht. Vor der Kline steht wie
üblich die Trapeza, mit flachen und spitzen Kuchen (πυραμίδες)
bedeckt. Es ist, wie man richtig bemerkt hat (v. Fritze in
Athen. Mitth. 1896, S. 349 ff.), der im gewöhnlichen Leben
als δευτέρα τράπεζα bezeichnete Nachtisch gemeint, der aus
Kuchen und Früchten bestand und zum Symposion serviert
wurde, auf dessen Beginn auch der Oinochoos am Krater deutet.

Den Namen des Dargestellten lehrt uns die Weihinschrift
kennen. Auf die Namen der Weihenden folgt dort ἀνέθεσαν
Διὶ Ἐπιτελείῳ Φιλίῳ καὶ τῇ μητρὶ τοῦ θεοῦ Φιλίᾳ καὶ Τύχῃ
Ἀγαθῇ τοῦ θεοῦ γυναικί. Der Gelagerte ist also Zeus mit
den Beinamen Epiteleios und Philios. Der erstere ist neu;
allein es kann kein Zweifel sein, dass Epiteleios hier nur den
gewöhnlichen Beinamen Teleios vertritt, unter dem Zeus auch
in Athen Kult genoss. Eine Sesselinschrift des athenischen
Theaters lehrt uns einen Priester des Zeus Teleios kennen
(CIA III 294); das Priestertum war im erblichen Besitze des
Geschlechtes der Buzygen (vgl. Töpffer, Attische Genealogie,
S. 146). Zeus Teleios ist (vgl. Preller-Robert, Gr. Myth. 1,
147, 2) der Gott der Ehe, mit Hera Teleia der Beschirmer der
ehelichen Gemeinschaft und ihres Zieles, der Kindererzeugung.
Dem Geschlechte des Buzyges, des ältesten Pflügers fiel das
Priestertum dieses Gottes zu, weil der attische Glaube die Ein-
führung des geregelten Ackerbaues und die der geregelten
bürgerlichen Ehe in die engste Verbindung brachte. ἐπιτελείωσις
τῶν παίδων hiessen in Athen, wie aus Platon, leg. 6, p. 784 D

hervorgeht, den Hochzeiten analoge Familienopferfeste, die sich auf die Kinder, wahrscheinlich deren Geburt bezogen; gewiss galten sie vor allem dem Zeus Epiteleios oder Teleios.[1])

Bekannt ist der zweite Beiname des Zeus der Inschrift, Philios. Auch Zeus Philios hatte einen Priester mit Theatersitz in Athen (CIA III 285). Von seinem Kulte in der Stadt zeugt ein am Nymphenhügel gefundenes Votivrelief mit der Inschrift Ἐρανισταὶ Διὶ Φιλίῳ ἀνέθεσαν ἐφ' Ἡγησίου ἄρχοντος (324/3 v. Chr.), CIA II 1330. Das fragmentierte Relief (in Photographie beim athenischen Institut, Athen, Varia 30) zeigt den Zeus Philios im gewöhnlichen Zeustypus thronend, in der Linken mit der Schale; unter dem Throne der Adler. Das Opfertier aber ist ein Schwein wie bei den unterirdischen Göttern. Die Vereinsmitglieder, die sich hier als Eranistai bezeichnen (vgl. Ziebarth, das griechische Vereinswesen S. 135), werden dem Zeus Philios als Beschützer des den Verein zusammenhaltenden Bandes, der φιλία, das Opfer und Weihgeschenk dargebracht haben. Wie populär der Zeus Philios als Beschützer der Freundschaft in Athen war, lehren Stellen der Komiker, wo νὴ τὸν Φίλιον geschworen oder der Gott zum Zeugen angerufen wird (Pherekrates, Meineke 2, 293; Menander, Mein. 4, 85). Besonders interessant ist aber eine Stelle des Komikers Diodoros (Mein. 3, 543—545), wo der Zeus Philios in humoristischer Weise als Erfinder des παρασιτεῖν geschildert wird. Zeus Philios, so heisst es hier, ist ja anerkanntermassen der grösste von allen Göttern; wo der nun irgendwo in einem Hause, nicht nur des Reichen, auch des Armen, eine ordentlich hergerichtete Kline und eine wohlbesetzte Trapeza davor bemerkt, da geht er hinein, legt sich nieder, schmaust und trinkt und geht wieder heim ohne was zu zahlen. Es ist klar und man hat es längst bemerkt (vgl. Deneken, de theoxeniis, p. 25),

---

[1]) Bei Hesych wird ἐπιτελείωσις mit αὔξησις erklärt, ἐπιτελεῶσαι mit ἀφιερῶσαι, ἐπιτελέωμα bei Hesych und Suidas als Nachopfer. Bei Josephos, Ant. Iud. 16, 2, 4 werden τέλεια θύματα und ἐπιτέλειαι εὐχαί zusammen als die dem Gotte der Juden gebührenden Ehren genannt (fälschlich hat man gemeint τιμῶν αὐτὸν ἐπὶ τελείαις εὐχαῖς statt ἐπιτελείαις lesen zu müssen).

dass diese ergötzliche Ausführung einen populären Kultusbrauch in Athen zur Grundlage haben muss: Arm und Reich verehrte den Zeus Philios in den Häusern durch Lektisternien, d. h. indem man ihm Kline und Trapeza hinsetzte. Dies war offenbar so recht ein häuslicher attischer Kult, obwohl derselbe Kultgebrauch in Athen auch bei einem Staatsfeste des Zeus, und zwar des Heilsgottes, Zeus Soter bezeugt ist (CIA II 305). Das Herrichten von Kline und Trapeza war aber nur im Kulte derjenigen Götter üblich, die einen mehr oder weniger chthonischen Charakter hatten und deren Kult deshalb dem Seelenkulte nahe blieb (vgl. Samml. Sabouroff, Sculpt. Einl. S. 26. 29. 30; Milchhöfer im Jahrb. d. Inst. 1887, S. 31).

Das ernste religiöse Bild, das der Travestie des Komikers zu Grunde liegt, der Zeus Philios, der sich in einem Hause auf der Kline niedergelassen, die man für ihn hergerichtet, und der von dem Speisetisch und Krater geniesst, die man ihm hingestellt — dies Bild stellt unser Relief dar. War der Zeus Philios ein häuslicher Gott, der die Bande beschützte, welche die Familie zusammenhielten, so verstehen wir, dass er hier mit dem Epiteleios kombiniert erscheint. Das Füllhorn, das ihm das Relief gibt, ist ein Attribut, das er mit Pluton und mit dem Agathos Daimon (vgl. Schöne, Griech. Rel. 108; Samml. Sabouroff, Taf. 27; Athen. Mittheil. 1891, S. 25) teilt; es charakterisiert ihn als den Gott, der Fülle und Segen spendet. Sein chthonischer Charakter aber, der auch in diesem Attribute sich offenbart, und sein damit wieder zusammenhängender Charakter als Heilgott wird noch besonders deutlich durch das, was wir über seinen Kultus im Piräus wissen.

Am östlichen Ufer des Zeahafens gegen den Munichia-Hügel hin hat man zu verschiedenen Zeiten Funde gemacht, die, wie sich allmählich gezeigt hat, einem grossen Asklepios-Heiligtume angehörten, in welchem aber eine ganze Anzahl verwandter Gottheiten mit verehrt wurde. Von Asklepiosstatuen rührten mehrere Torse her (*Δελτίον* 1888, S. 132 ff.), vor Allem ein sehr schöner mit Kopf, der Athen. Mitth. 1892, Taf. 4 abgebildet ist; Wolters (S. 10) weist mit Hilfe der In-

schrift Bull. corr. hell. XIV, 649 *Μουνίχιος Ἀσκληπιός* als den
antiken Namen desselben nach.   Eine Stele (*Ἐφημ. ἀρχ.* 1885,
S. 87. CIA II 1651), auf welcher ein Priester des Asklepios
genannt ist, enthält merkwürdige Opfervorschriften für verschiedene göttliche und dämonische Wesen, Maleates, Apollon,
Hermes, Jaso, Akeso, Panakeia (vgl. Blinkenberg, Asklepios
og hans fränder, 1893, S. 23 ff.) und endlich für die „Hunde"
und für die „Jäger". Wie ich in Sammlung Sabouroff, Sculpt.
Einl. S. 25 bemerkt habe, müssen diese Hunde und Jäger
einen ziemlich populären Kult in Attica gehabt haben; denn
sie werden auch in der köstlichen Opfervorschrift im Phaon
des Komikers Platon (Meineke 2, 674. 675) erwähnt (*κυσί τε
καὶ κυνηγέταις* ganz wie in der Inschrift), wo sie neben Dämonen
des Beischlafs erscheinen, so wie dort neben Heildämonen. Der
Segen chthonischer Wesen, zu denen sie gehören, erstreckt
sich eben auch auf jenes Gebiet; unser Epiteleios und Philios
lehrt dasselbe, nur aus höherer Sphäre.   Eben in diesem Asklepiosheiligtum des Piräus nun ward auch ein Votivrelief an
Zeus Philios gefunden (*Ἑρμαῖος Διὶ Φιλίῳ, Ἐφημ. ἀρχ.* 1885,
S. 90. CIA II 1572b) mit einem Reste des Zeus, der mit der
Linken das Scepter aufstützt; vor ihm zwei Adoranten. In
derselben Gegend, also aus demselben Heiligtume stammend,
ward schon früher das Relief Schöne, Griech. Rel. Nr. 105;
CIA II 1572 gefunden, das Zeus Philios in gewöhnlichem Zeustypus thronend zeigt und von einer Frau Mynnion geweiht
ist, der im Bilde noch ein Kind beigegeben ist.

Interessanter ist uns aber eine andere Bildungsweise des
Zeus Philios, in welcher er in demselben Asklepios-Heiligtum
erscheint.   Er ward nämlich hier ganz wie Asklepios selbst
in Gestalt einer grossen Schlange gebildet und verehrt. Eine
ganze Reihe von Votivplatten aus diesem Heiligtume, alle wie
es scheint aus dem vierten Jahrhundert, die zu verschiedenen
Zeiten gefunden und weit zerstreut worden sind, stellt nichts
anderes als eine grosse Schlange in Relief dar, zu welcher nur
zuweilen ein Adorant gefügt ist.   Manche der Platten waren
ohne Inschrift, andere waren durch die Inschrift dem Asklepios

geweiht (Dragatsis erwähnt zwei solche ᾿Εφημ. ἀρχ. 1885, S. 90);
andere aber dem Zeus Philios (zwei erwähnt Dragatsis Δελτίον
1888, S. 135; das eine auch CIA IV, 2, 1572c).

Indes wieder **andere dieser** Schlangenreliefs der Funde im
Heiligtum des **Munichischen** Asklepios[1]) und zwar die grösste
Anzahl derselben war den Inschriften **nach** einem an eren Zeus,
dem Zeus Meilichios geweiht (᾿Εφημ. ἀρχ. 1886, S.^{d} 50, 2. 3;
Δελτίον 1888, S. 135; CIA II, 1578. 1580—1582; dazu **noch**
Bull. corr. hell. 1883, S. 510, Nr. 9). Ein gewisser Herakleides
weihte sein Schlangenrelief einfach τῷ θεῷ (Bull. corr. hell. 1883,
S. 510; CIA II 1583), womit nach Lage der Umstände sowohl
Asklepios als Zeus Philios als Zeus Meilichios gemeint sein konnte;
vermutlich wollte der Weihende selbst keine Entscheidung treffen.

Die Gleichartigkeit des Zeus Philios und des Zeus Meilichios und der chthonische Charakter auch des ersteren ist
durch diese Funde ganz evident geworden, die in erwünschtester
Weise bestätigten, was ich früher (in einer Anzeige von Deneken,
de theoxeniis, Deutsche Literatur-Zeitung 1882, S. 1045) vermutet hatte.[2])

Doch jene Gleichartigkeit zeigte sich noch in anderen
Votivbildern aus demselben Heiligtume. Wie der Zeus Philios
so erscheint auch der Meilichios in gewöhnlicher menschlicher
Bildung als Zeus auf dem Throne, mit Szepter und Schale;

---

[1]) Wachsmuth, Stadt Athen II, 147 hat richtig den Zeus Philios
den im Asklepiosheiligtum verehrten Wesen angereiht, aber wohl irrig
S. 146 eine getrennte Kults
berichte weisen für alle diese Reliefs auf dieselbe Oertlichkeit, wie denn

Felswand wird zu dem Heiligtume des Asklepios gehört haben. — Ob
von hier auch das Relief in Athen, Nationalmus. Nr. 1407 stammt, wo
hinter dem auf einen Stock gelehnten Gotte eine riesige Schlange von
gleicher Höhe gebildet ist? Das Opfertier ist ein Schaf.

[2]) Die nahe Berührung des Philios und des Meilichios heben auch
Milchhöfer, Karten von Attika 1, 60 und Töpffer, Att. Genealogie, 1889,
S. 250, 2 hervor.

so auf dem Relief jenes Fundortes im Bull. corr. hell. 1883,
pl. 18; CIA II, 1579. Besonders interessant ist das von Dragatsis in der 'Εφημ. ἀρχ. 1886, S. 49 beschriebene Relief (CIA II
1579 b), wo Zeus Meilichios ebenfalls thronend erscheint, aber
in der Linken ein grosses Horn trägt: es ist das Füllhorn,
das wir als Attribut des Philios auf unserem neuen Relief
kennen lernten, das ächte Attribut der chthonischen Segens-
gottheit und des Agathos Daimon, dem Zeus Philios und Meilichios völlig gleichartig sind. Ein Votivrelief aus Thespiä
(Athen. Mittheil. 1891, S. 25) stellt den durch die Inschrift
als Agathos Daimon bezeichneten Gott ganz im Typus des
Zeus dar; sogar der Adler ist neben den Thron gestellt; die
Rechte hält das Szepter, die Linke aber das grosse Füllhorn.
Das Opfertier, das dem Meilichios auf jenem Votive aus dem
Piräus von einer Familie, von Mann, Frau und Kindern dargebracht wird, ist ein Schwein, also wieder jenes selbe Opfertier der Unterweltlichen, das wir schon bei Zeus Philios fanden.
Durch Xenophon (Anab. 7, 8, 3) wissen wir, dass es alter väter-
licher Brauch in Athen war, dem Zeus Meilichios das Opfer-
schwein ganz zu verbrennen: natürlich, weil er einer der Unterirdischen ist, in deren Kultus die Vernichtung des Opfertieres
herkömmlich war, welche die ursprüngliche Idee des Opfers
am reinsten ausdrückt. Wir dürfen jetzt denselben Kultgebrauch auch für Zeus Philios annehmen.

Das Asklepiosheiligtum im Piräus ist nicht das einzige,
in dem wir den Zeus Philios verehrt finden; auch im Hieron
des Asklepios bei Epidauros hat sich eine Weihinschrift an
ihn gefunden, die allerdings späterer Zeit angehört ('Εφημ.
ἀρχ. 1883, S. 31, 12).

Es ist nun klar, dass der Name Philios ganz in dieselbe
Reihe gehört wie Meilichios[1]): er ist nichts als einer der

---

[1]) Zum Meilichios vgl. noch Samml. Sabouroff, Sc. Einl. S. 22;
Rohde, Psyche S. 249, 1; Töpffer, Att. Geneal. S. 248 ff.; Kumanudes
'Εφημ. ἀρχ. 1889, S. 51 ff.; M. Mayer in Roschers Lexikon II 1519.
Phönikischen Ursprung anzunehmen, wie Foucart gewollt hatte, fehlt
jede Berechtigung.

Schmeichel- und Kosenamen, die man den gefürchteten Unter-
irdischen gab, um ja ihre gute milde freundliche wohlwollende
Seite zu betonen; man hoffte, dass sie dann nur von dieser
ihrer segenspendenden Kraft Gebrauch machen würden (vgl.
Samml. Sabouroff, Sc. Einl. S. 19 f.; Rohde, Psyche S. 192).
Ein anderer gleichartiger Zeus ausserhalb Attikas ist der Zeus
Eubuleus (vgl. Kern in Athen. Mitth. 1891, S. 10).

Alle chthonischen Götter und Heroen sind auch mehr oder
weniger Heildämonen; so kommt es, dass wir Zeus Philios
und Zeus Meilichios im Heiligtum des munichischen Asklepios,
mit welchem sie auch die gemeinsame Schlangengestalt verband, verehrt finden. Es ist schade, dass der Fundort unseres
Reliefs nicht näher bekannt ist; möglicherweise stammt es aus
eben diesem Heiligtum, das mit Votiven offenbar so reich ausgestattet war.

Nachdem wir das Wesen des Zeus Philios und Epiteleios
näher kennen gelernt, verstehen wir ohne weiteres, dass für
sein Votivbild hier das Schema des sog. „Todtenmahles" verwendet wurde. Denn dies war eben ein besonders beliebter
charakteristischer Bildtypus für alle chthonischen Gottheiten
und Heroen mit Beziehung auf den Gebrauch von Kline und
Trapeza in ihrem Kulte. Ueber den Ursprung, Bedeutung und
Verwendung des Typus darf ich auf meine ausführlichen Darlegungen in Sammlung Sabouroff, Sculpt. Einl. S. 26 ff. verweisen.

Das neue Relief fügt sich vortrefflich in den dort dar-
gelegten Zusammenhang. Es stellt sich als neues gesichertes
Beispiel neben die dort S. 29 f. (vgl. auch Deneken in Roschers
Lexikon I, 2378) gesammelten Stücke mit Weihinschriften an
Gottheiten. Ferner sei hier noch einmal daran erinnert, dass
sich mehrere Votivreliefs dieses Typus ohne Inschrift im städti-
schen Asklepieion zu Athen (a. a. O. S. 30, A. 2), ferner im
Heiligtum des Amynos ebenda (A. Körte, Athen. Mitth. 1896,
S. 290, 2) und im Amphiaraeion zu Oropos wie in dem zu
Rhamnus gefunden haben. Sie können Asklepios, Amynos,
Amphiaraos oder auch Zeus als Philios oder Meilichios darstellen;
doch, wie sie auch hiessen, ihr Wesen war das gleiche.

Die oben in einem Heiligtum des Asklepios nachgewiesene
Verehrung des Zeus Philios, der, wie wir sahen, auch im sog.
Todtenmahltypus dargestellt werden konnte, wirft ein neues Licht
auf das längst bekannte kleine Votivrelief, wo Asklepios und
Hygieia in ihrem gewöhnlichen Typus stehend und daneben
ein zweites Götterpaar im „Todtenmahl"-Typus erscheint (vgl.
Samml. Sabouroff, Sc. Einl. S. 29. 30, A. 1).

Zu diesem Typus gehört aber als integrierender Bestandteil die Frau; denn die chthonischen Gottheiten wurden in der
Regel als Paar von Gott und Göttin verehrt, wozu die Wurzel
im Kulte des Ahnenpaares lag; vgl. Samml. Sabouroff, Sc. Einl.
S. 22, wo an die Paare Pluton Persephone, ὁ θεός und ἡ θεά
in Eleusis, Neleus Basile, Dionysos Basilinna in Athen, Kly-
menos Chthonia, Trophonios Herkyna und endlich das später
diese älteren Paare zurückdrängende Paar Isis Sarapis erinnert
ist. In all diesen Beispielen ist der Name der weiblichen Figur
von anderem Stamme als der der männlichen, was durch die
von Usener, Götternamen S. 35 ff. nachgewiesene Tendenz seine
Erklärung findet, wonach die entwickelte griechische Religion
die ursprünglichen geschlechtlichen Gegenstücke in den Namen
unterdrückte. Eine Ausnahme bildet das durch eine thespische
Inschrift bezeugte chthonische Paar des Zeus Meilichos und der
Meiliche (Samml. Sabouroff a. a. O.; Usener a. a. O. 36). Hier
ist die Meiliche offenbar aus dem noch adjektivisch empfundenen
Meilichos entwickelt (vgl. die θεοὶ μειλίχιοι zu Myonia Paus. 10,
38, 8 mit nächtlichen Fleischopfern, die vernichtet sein mussten,
bevor die Sonne aufging). Ganz analog ist es, wenn in der Inschrift auf unserem Relief zu dem Philios eine Philia tritt.
Von der Philia als Wesen eines Kultes wissen wir nichts; nur
als bakchische Nymphe ist sie aus Diodor (5, 52) und von
einer attischen Vase (Wiener Vorlegeblätter Serie E, 11) bekannt. Unsere Inschrift ist ein in der griechischen Religion sel-
tenes Zeugnis begrifflicher Götterbildung. Indes der Weihende
hat doch nicht gewagt, die Philia als die eigentliche Genossin
des Zeus Philios in dem Relief zu bezeichnen; er machte sie
nur zu seiner Mutter; dagegen hat er als seine Gattin — und

diese ist dem herrschenden Brauche nach ohne Zweifel in der sitzenden Frau des Reliefbildes zu sehen — die Agathe Tyche genannt. Diese war eine in Athen populäre Figur des Kultus, die in der Stadt wie im Piräus Temene hatte (vgl. Wachsmuth, Stadt Athen S. 148). Sie war gewöhnlich Genossin des Agathos Daimon, passte aber natürlich ebensogut zu einem anderen männlichen Gotte des gleichen chthonischen und Segen spendenden Wesens, als welchen wir den Zeus Philios kennen gelernt haben. Auf die durch ein thespisches Relief bezeugte Gleichheit des chthonischen Zeus und des Agathos Daimon ward oben schon hingewiesen (S. 408). Interessant ist auch, dass im Asklepieion zu Pergamon Agathe Tyche und Agathos Daimon verehrt wurden, wie aus Aristides 1, 276 hervorgeht. Auch im Asklepieion des Piräus mag Agathe Tyche verehrt und dort leicht mit Zeus Philios vereint worden sein. Mit dem Kulte des Heilgottes Trophonios war gleichfalls der von Agathe Tyche und Agathos Daimon verbunden (Paus. 9, 39, 5).

Ganz einzig steht die Inschrift unseres Reliefs wohl durch die Freiheit da, mit der sie einen grossen Gott mit Mutter und Gemahlin ausstattet, die doch offenbar als solche nicht allgemein anerkannt waren. Es war aber zunächst nur die Konsequenz des hier für den Zeus Philios gewählten Bildtypus, dass ihm eine Frau beigegeben werden musste, die sonst vermutlich gar keine wesentliche Rolle in dem Kulte spielte.

Die Votive an den Philios und Meilichios im piräischen Asklepieion sind den Inschriften nach besonders von Frauen gestiftet worden. Auch als Stifter unseres Reliefs nennen sich zwei Frauen neben einem Manne. Sie wenden sich an einen Haus-, Ehe- und Segensgott. Dass diesem hier die Liebe als Mutter, das gute Glück als Gattin zugeteilt sind, wird immer ein besonders schöner Zug von attischer Frömmigkeit bleiben.

Manchem wird bei der Philia unserer Inschrift wohl schon die „Paideia" eingefallen sein, deren Name Robert auf einem vielbesprochenen Relief im Piräus las, das ebenfalls dem sog.

Todtenmahltypus angehört.[1] Schuchhardt hat statt dessen
allerdings „Paralia" gelesen. Allein Roberts Lesung schien
mir vor dem Originale die wahrscheinlichere; die Zerstörung
ist aber zu stark, um volle Sicherheit zu erzielen. Ganz sicher
ist nur das, dass Robert Recht hatte, wenn er die Inschriften
als eine bedeutend spätere Zuthat zu dem Relief erklärte.
Darüber kann bei Niemandem, der attische Inschriften und
attischen Reliefstil kennt, auch nur der geringste Zweifel sein.
Es ist erstaunlich, dass Schuchhardt eben dies in Abrede stellen
wollte. Das Relief gehört nach den untrüglichen Anzeichen
seiner Arbeit in die letzten Dezennien des fünften Jahrhunderts
oder allerspätestens in den ersten Anfang des vierten und ist
als eine aus Euripides' Zeit stammende authentische Darstellung
tragischer Schauspieler mit Masken ja besonders interessant.
Die schlechte Inschrift ist ein paar Jahrhunderte später. Sie
kann für die ursprüngliche Bedeutung der Figuren nicht massgebend sein. Der kraftvolle Jüngling mit dem ganz kurzen
Haare kann auch in phidiasischer Zeit kaum Dionysos bedeutet
haben, obwohl der Gott damals mit relativ kurzem, indes doch
voller lockigem Haare gebildet ward (vgl. Meisterwerke d.
griech. Plastik S. 249); es wird ursprünglich ein lokaler Heros
und seine Genossin gemeint gewesen sein; man könnte an
Paralos denken, der ein Heiligtum im Piräus hatte (Wachsmuth, Stadt Athen II, 149) und dem sich eine Paralia wohl
gesellen konnte, wobei dann Schuchhardt doch das Ursprüngliche getroffen hätte. Die Beziehung des heroischen Paares
zu den dionysischen Spielen wäre als eine ganz lokale und
zufällige zu denken.

Ich habe in den bisherigen Betrachtungen jener Anschauung keinerlei Erwähnung gethan, welche in der Reliefklasse,

---

[1] Athen. Mitth. 1882, Taf. 14; S. 389. Samml. Sabouroff, Sc.
Einl. S. 31, Anm. 7. Hermes 1887, 336 (Robert). Athen. Mitth. 1888,
221 (Schuchhardt). Reisch, Weihgeschenke S. 23 f. Wachsmuth, Stadt
Athen II, 149, 1. Deneken in Roschers Lexikon I, 2573 ff. Jahrbuch
d. Inst. 1896, S. 104 (Maass). Athen. Mitth. 1896, S. 362 (v. Fritze).
Dieterich, Pulcinella S. 197 f. 200.

zu welcher das hier veröffentlichte Stück gehört, statt chthonischer Gottheiten und Heroen vielmehr Verstorbene dargestellt
sah, ja sie zu den Grabdenkmälern rechnete. Denn dieser Irrtum ist längst widerlegt (vgl. Samml. Sabouroff, Sc. Einl.
S. 29 ff. und Milchhöfer im Jahrb. d. Inst. 1887, S. 25 ff.),
wenn er auch freilich noch in manchen neueren und neuesten
Arbeiten nachklingt. So in dem jüngst erschienenen Aufsatz
Athen. Mittheil. 1896, S. 347 ff., v. Fritze, „Zu den griechischen Todtenmahl-Reliefs“, in welchem wirklich immer noch
von dem „Todten“ die Rede ist, der auf diesen Reliefs dargestellt sein soll, ja wo gar schliesslich behauptet wird (S. 355),
diese Reliefs fielen „nicht aus dem Rahmen der anderen Grab-
darstellungen heraus“, die Frau und der Oinochooknabe seien
die überlebenden Familienmitglieder! Es ist seltsam, dass dergleichen noch jetzt gesagt werden kann; vielleicht wirkten
dabei indes die Unterschriften mit, die den aus der Sabouroff-
schen Sammlung stammenden Stücken dieser Reliefklasse im
Berliner Museum unter Kekule von Stradonitz' Leitung gegeben
worden sind, und die sie bis in die neueste Zeit, vielleicht
jetzt noch, als „Grabreliefs“ bezeichneten — als ein betrüben-
des Zeichen der Unwissenheit ihres Urhebers.

Die Möglichkeit, die ich in Samml. Sabouroff, a. a. O.
S. 29 ff. und Milchhöfer a. a. O. S. 26 noch offen liessen, dass
Reliefs dieser Klasse als Votive auch in Grabbezirken als den
Heiligtümern der Todten aufgestellt worden wären, hat sich
meines Wissens auch seitdem durch keinen einzigen Fund be-
wahrheitet. Dagegen haben sich die Beispiele gemehrt, wo
diese Reliefs in Heiligthümern chthonischer Heilgötter gefunden
worden sind (Amphiaraos, Amynos, Asklepios); jene Möglichkeit verliert damit immer mehr an Wahrscheinlichkeit: nicht
nur sind diese Reliefs sicher niemals Grabdenkmäler gewesen,
es waren solche wahrscheinlich auch als Votive niemals an
menschlichen Grabstätten aufgestellt; sie werden alle aus den
Heiligtümern der Heroen und chthonischen Gottheiten stammen.

Die Namen derer, denen sie geweiht waren, schwankten
in bunter Manchfaltigkeit, je nach den örtlichen Bedingungen.

Aber fest war der ihnen zu Grunde liegende Begriff eines
milden heilenden segenspendenden Wesens der Unterwelt, das
man durch Aufstellen von Kline und Trapeza ehrte. Und
ebenso fest war der künstlerische Typus, der dies Wesen im
Genusse des ihm vom Kultus Gebotenen zeigt und ihm die
Gattin und den Mundschenk zur Bedienung beigab. In diesen
festen Rahmen gefügt zeigt unser neues Relief selbst die Gestalt des höchsten griechischen Gottes, des Zeus.

2. Zur Venus von Milo.

In der Frage über die Venus von Milo spielt eine Zeichnung eine Rolle, die Voutier als „élève de premier classe" an
Bord der Estafette vor der Verschiffung der Figur auf Melos
selbst gemacht hat und die bei Ravaisson, la Vénus de Milo,
Mém. de l'Acad des inscr. Bd. 34, 1, 1892, pl. II reproduziert
ist (danach umstehend, die Hermen wegen der Schrift etwas
vergrössert, die Venus verkleinert.) Ich habe die Kritik dieser
Zeichnung in meiner Abhandlung über die Venus von Milo
mit dem Satze geschlossen (Meisterwerke S. 613): „Voutier's
Zeichnung ist also nur als Zeugnis für die Auffindung der
Künstlerinschrift mit der Statue zusammen zu benutzen; seine
Zusammensetzungen von Inschriften und Hermen sind willkürliche Kombinationen." Dieses Resultat hat neuerdings eine treffliche Bestätigung gefunden, die es über jeden Zweifel erhebt.

Und zwar durch eine gute Beobachtung von Salomon
Reinach, deren richtige Bedeutung dieser allerdings nicht erkannt hat.

In verschiedenen Artikeln in der Zeitschrift La Chronique
des Arts (1897, p. 16 ff., 24 ff., 42 ff.) und — mit verschiedenen wichtigen Modifikationen — in The Nation, March 25,
1897, p. 222 hat Salomon Reinach zunächst in sorgfältiger
exakter Darlegung die absolute Wertlosigkeit der angeblichen
durch alle populären Blätter gegangenen neuen die Venus von
Milo betreffenden Enthüllungen des Herrn von Trogoff erwiesen.
Dann aber kommt Sal. Reinach auf die Zeichnung Voutiers.

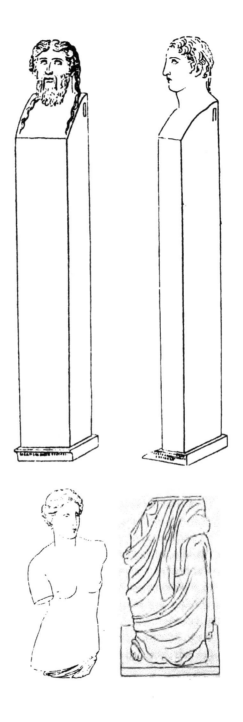

Diese gibt die Venus-Statue noch unzusammengesetzt, den Ober-
und den Unterkörper getrennt. Daneben zwei Hermen, die
mit in den Louvre kamen, zugleich mit einer dritten, die nachträglich gefunden sein muss (vgl. Meisterwerke S. 614, Anm. 2;
616). Unter die beiden Hermen zeichnet Voutier niedere
Plinthen mit Inschriften. Die eine der Inschriften ist die
bekannte mit dem Namen des Künstlers von Antiochien, die,
wie ich in meiner Abhandlung bewiesen zu haben glaube, zur
Venus-Statue gehörte. Voutiers Zeichnung ist wichtig als
Beweis dafür, dass die Inschrift wirklich mit der Statue zusammen gefunden ist (vgl. Meisterw. S. 612). Voutier zeichnet
ganz richtig die eigentümliche spitz zulaufende schräge Anschlussfläche am linken Ende der Inschrift, die durch Debays
Zeichnung derselben bezeugt ist. Diese schräge Anschlussfläche ist völlig unsinnig und unerklärlich an dem Sockel einer
alleinstehenden Herme (ganz abgesehen davon, dass eine so
stattliche ausführliche Künstlerinschrift an der Basis einer so
unbedeutenden kleinen dekorativ flüchtigen Herme ohne jede
Analogie wäre). Aber eine genau zu jener passende schräge
Anschlussfläche besitzt die Plinthe der Venusstatue an ihrem
rechten Ende! Diese Abschrägung der Venus-Plinthe hat
Voutier in seiner Zeichnung weggelassen und die Plinthe „ganz
willkürlich ergänzt, indem er sie in Gestalt eines vollkommenen
Rechteckes ringsherum führte" (Meisterw. S. 612). Ich habe
daraus schon a. a. O. geschlossen, dass hiernach die Zusammensetzung der einen Herme mit jener Inschrift in Voutiers Zeichnung nicht die Spur von Glaubwürdigkeit beanspruchen kann.

Es kommt nun als Bestätigung die Zeichnung der zweiten
Herme hinzu. Auch unter diese setzt Voutier eine Inschrift-
basis. Weder Ravaisson noch ich haben die Inschrift, die
sinnlos schien, zu lesen versucht. Es ist das Verdienst von
Sal. Reinach, sie entziffert zu haben. Er gibt an, dass er
dazu eine Photographie der Originalzeichnung Voutiers benutzt
habe und dass Ravaissons Publikation nicht genau sei (Chronique des arts 1897, p. 26). Dagegen muss ich letztere aber
in Schutz nehmen; ich lese auf Ravaissons Tafel mit der Loupe

genau dieselben Buchstaben, die Reinach gibt; nur am Schlusse noch ein wenig, eine Hasta und ein Punkt, mehr, nämlich ΕοΔΩΡΙΣΑΣ·ΑΛΙΣΙΣΤΡΑΤοΖΙ. Reinach liest die Inschrift mit Hilfe eines Hinweises Hiller von Gärtringens ohne Zweifel richtig Θ]εοδωρίδας Δαιστράτου. Hiller von Gärtringen verwies nämlich auf die Inschrift einer ebenfalls von Melos stammenden Statuenbasis mit Θεοδωρίδας Δαιστράτο Ποσειδᾶνι, die offenbar dieselbe Person nennt. Wahrscheinlich war auch in Voutiers Inschrift der Genetiv des Vaternamens mit ο statt οΥ geschrieben und das ΖΙ. der Voutierschen Abschrift gehört zu einem dritten auf den Vatersnamen folgenden Worte (das Ζ wohl verlesen). Jedenfalls zeigt aber die Form des von Voutier gezeichneten — sonst ganz verschollenen — Inschriftstücks, dass es nicht vollständig ist, sondern sich einst nach rechts wie nach links fortsetzte. An der vorderen Kante ist ein vorspringendes Profil gezeichnet, das um die Nebenseiten nicht umbiegt, sondern an den Enden vorne abbricht. Es ist das Gezeichnete also nur das Bruchstück eines grösseren Postamentes und zwar ein Stück des oberen Teiles mit dem oben abschliessenden Profil. Dass dieses Stück ganz unmöglich jemals die Basis der Herme gebildet haben kann, als welche es Voutier zeichnet, ist evident und ist von mir schon a. a. O. S. 612 f. bemerkt worden. Durch die Lesung der Inschrift wird es vollends bestätigt.

Der Theodoridas der Sohn des Daistratos nämlich ist, wie jene andere im Museum zu Athen erhaltene Inschrift von Melos (Bull. corr. hell. II p. 522; Kabbadias, ἐθν. μουσ. No. 237) durch ihre Schriftformen lehrt, ein Mann der ersten Hälfte des vierten Jahrhunderts. Auch die Form der niederen Basis mit ihrem einfachen Kymation oben und unten ist dieser Zeit angemessen. Das Voutier'sche Bruchstück ist nun ebenso zu datieren. Damit wird aber bestätigt, was wir oben schon bemerkten: dieses Basisfragment kann unmöglich zu der Herme gehört haben, unter die es Voutier zeichnet. Die zwei Inschriftstücke, die Voutier mit den beiden Hermen vereinigt, haben nicht nur ganz verschiedene Form, sondern gehörten ganz verschiedenen

Zeiten an. Die Hermen selbst sind . in Marmor und Arbeit
und in den Hauptverhältnissen so übereinstimmend, dass sie
nur als gleichzeitig angesehen werden können; sie sind jedenfalls später als Theodoridas. Vgl. Meisterw. S. 616 f. Auf die
Kombination der zwei Inschriftstücke mit den zwei Hermen
ward Voutier offenbar durch die Einlassungen geführt, welche
beide Fragmente auf ihrer oberen Fläche zeigten. Für das
mit der Antiochener-Inschrift ist eine solche Einlassung durch
Debay's Zeichnung bezeugt, bei der Theodoridas-Basis wird
die Annahme einer ähnlichen Einlassung durch die Analogie
des anderen Theodoridas-Postamentes in Athen bestätigt, auf
dem sich eine ovale Einlassung für eine Statue befindet.

Die Statue, die jetzt im Athenischen Museum auf jener
Basis eingelassen ist, der Torso eines Mannes im Mantel, ist
indes nicht die ursprüngliche. Die Basis lag ohne Statue „au vieux
port", wo ihre Inschrift 1877 kopiert wurde (Bull. corr. hell. II
p. 522); die Statue muss erst später zugefügt worden sein, als
ein Teil des an dem Klima genannten Orte gemachten Statuen-
fundes mit dem grossen Poseidon nach Athen verkauft ward.
In Athen sah und skizzierte ich mir die Statue mit der Basis
zuerst 1882; die Figur schien mir dem grossen Poseidon gleichzeitig, während die Inschrift auf wesentlich ältere Zeit weist
und, wie oben bemerkt, in die erste Hälfte des 4. Jahrhunderts
zu setzen ist. Den grossen Poseidon möchte Sal. Reinach gern
in Verbindung mit Theodoridas bringen, da dieser nach der
Inschrift in Athen dem Poseidon eine Statue gestiftet hat.
Allein in dem Poseidonheiligtum zu Melos hat es natürlich
auch Stiftungen aus ganz verschiedenen Zeiten gegeben. Der
Poseidon ist nun aber, wenn man nicht allen kunstgeschicht-
lichen Thatsachen widersprechen will, unmöglich in die Zeit
vor Alexander zu datieren, wie auch allgemein angenommen
ist (nur Reinach möchte ihn seiner Voraussetzung zu liebe in
die Zeit des Theodoridas setzen).[1]) Der Poseidon ist nun aber

---

[1]) Ueber das Original, das dem Poseidon zu Grunde liegt, haben
neuerdings Schiff und Arndt in Arndt-Bruckmann's Einzelverkauf Nr. 737
einige Vermutungen geäussert. Zum Apoll von Belvedere

ferner durch die Technik der Marmorarbeit und Details im
Gewande der Venus überaus verwandt.

Auf die Datierung dieser zielt auch Reinach. Der fromme
Wunsch, die Venus von Milo in die Zeiten des Phidias oder
des Praxiteles setzen zu dürfen, ist in Paris immer noch lebendig. Reinach hoffte zuerst, in der von ihm gelesenen Theodoridas-Inschrift unter der Herme bei Voutier einen Anhalt
für jene Datierung zu finden; allein dem stand die andere
Herme mit der Inschrift des Antiocheners, die nach 280 v. Chr.
fallen muss, entgegen. So will er nun die Hermen, von denen
die eine vor 350, die andere nach 280 entstanden sei (! er hat
die Originale im Louvre wohl kaum betrachtet!) ganz von der
Venus trennen und diese frei, jenem frommen Wunsche folgend,
der Schule des Phidias zuschreiben (The Nation a. a. O.).

Die Basis der Ausführungen Reinachs ist ein blinder
Glaube an die Richtigkeit der Voutierschen Zeichnung, der
keiner kritischen Erwägung Raum geben will. Jede nähere
Ueberlegung muss aber zu dem Resultate führen, dass die Inschriftstücke nicht zu den Hermen gehört haben können und von
Voutier mit derselben freien Willkür an die Hermen angefügt
gezeichnet worden sind, wie er die Plinthe der Venus selbst
ergänzt und als volles Rechteck wiedergegeben hat. Die Lesung
der Theodoridas-Inschrift, die wir Reinach verdanken, hat uns

---

keine Beziehung, wohl aber zu einer Zeusstatue, deren beste Kopie das
Relief im Louvre, catal. sommaire Nr. 1365, Photogr. Giraudon Nr. 1015
ist. Das Original möchte ich Lysipp zuschreiben. Das melische Relief
Einzelverk. Nr. 737 steht dieser Statue näher als dem melischen Poseidon,
der nicht linkes sondern rechtes Standbein und etwas anders angeord-
netes Gewand hat. Jenes melische Relief ist übrigens, wie Ross, Insel-
reisen III, 5 natürlich richtig bemerkt hat, ein Grabrelief, und zwar von
ganz gewöhnlich hellenistischem Typus mit dem Verstorbenen in hero-
ischer Grösse und dem kleinen Sklavenknaben daneben, der die typische
Bewegung der Sklaven auf diesen Grabreliefs macht und den Kopf auf
die rechte Hand stützt. Ich verstehe nicht, wie Schiff und Arndt diese
Figur für einen Adoranten ansehen und das Relief für ein Votiv halten
konnten! Analoge hellenistische Grabreliefs sind ja gar nicht selten
(vgl. z. B. Clarac pl. 155, 269).

nur eine neue Bestätigung dafür gegeben. Der einzige Ausweg für Reinach wäre, anzunehmen, nur die Theodoridas-Basis
sei fremd und die andere mit der Antiochener-Inschrift sei zugehörig. Allein wenn Voutier bei der einen Herme willkürlich kombiniert hat, so ist es um seine Fides geschehen und
wenn wir sehen, dass das Antiochener-Fragment wegen seiner
schrägen Anschlussfläche, die den Augenzeugen zufolge evident
an die entsprechende Anschlussfläche der Venus angepasst haben
muss (Meisterw. S. 603), zur Basis der Venus gehört hat und
doch die kleine Herme fraglos unter den hoch erhobenen Arm
der Göttin nicht passt (wie sich jeder an Tarrals Ergänzung
überzeugen kann), so dürfen wir die Zeichnung des Voutier,
der durch die andere Hermenzeichnung und auch schon durch
die Zeichnung der Venusplinthe die Glaubwürdigkeit verloren
hat, natürlich nicht zur Basis einer Restauration der Statue
nehmen. Für diese sehe ich nach wie vor keinen anderen
Weg, als den ich in meiner früheren Abhandlung (Meisterw.
S. 618 ff., mit verschiedenen Zusätzen und Verbesserungen in
der englischen Ausgabe Masterpieces p. 378 ff.) eingeschlagen
habe.

Sitzung vom 2. Juni 1897.

Philosophisch-philologische Classe.

Herr N. WECKLEIN hält einen Vortrag:

Beiträge zur Kritik des Euripides III.

erscheint in den Sitzungsberichten.

Historische Classe.

Herr SIGM. RIEZLER hält einen Vortrag:

Der Karmeliter P. Dominikus a Jesu Maria und
der Kriegsrath vor der Schlacht am Weissen
Berge,

erscheint in den Sitzungsberichten.

Herr H. SIMONSFELD hält einen Vortrag:

Historisch-diplomatische Forschungen zur Geschichte des Mittelalters.

I. Zur Kritik Obos von Ravenna.
II. Der grosse Ablass für San Marco,

erscheint in den Sitzungsberichten.

Der Karmeliter P. Dominikus a Jesu Maria und der Kriegsrat vor der Schlacht am Weissen Berge.

Von Sigm. Riezler.

(Vorgetragen in der histor. Classe am 2. Juni 1897.)

Bevor der Sieg am Weissen Berge, der über Böhmens Geschick auf Jahrhunderte entschied, errungen wurde, musste der Entschluss, eine Schlacht zu liefern, dem widerstrebenden Bucqoy und den von ihm abhängigen kaiserlichen Generalen und Obersten erst abgerungen werden. Während des ganzen böhmischen Feldzugs standen Tilly und Herzog Maximilian dem nach den Traditionen der spanischen Schule vorsichtig zögernden, auch durch die schlechte Ordnung des Verpflegungswesens im kaiserlichen Heere öfter in seinen Bewegungen gehemmten Bucqoy als die vorwärts treibenden und angriffslustigen Elemente des Hauptquartiers gegenüber. Schon am 7. November, da Maximilian von einer Anhöhe aus plötzlich das gesammte böhmische Heer in Schlachtordnung vor sich aufgestellt erblickt, ordnen sich auch die Bayern zur ersehnten Schlacht; an Bucqoy ergeht die Mahnung, sich anzuschliessen; da er aber nicht rechtzeitig eintrifft, muss man sich die Gelegenheit zum Kampfe für diesmal entgehen lassen. Wie der Jesuit Drechsel berichtet, rief der Herzog damals seine Begleiter zu Zeugen auf, dass nicht er die Schuld dieser Versäumnis trug. Die Böhmen verdeckten dann geschickt ihren Abmarsch, erreichten um 1 Uhr morgens am 8. November

den Weissen Berg vor Prag und begannen sich dort in sehr
günstiger Stellung zu verschanzen. Nach Mitternacht brachen
auf Befehl des Herzogs auch die Verbündeten auf und sicherten
sich durch einen ermüdenden Nachtmarsch die Fühlung mit
dem Feinde. Drechsel schreibt es allein diesem Befehle des
Herzogs zu, dass man am folgenden Tag schlagen konnte.[1])

Da aber die Verteidigungsstellung der Böhmen auf dem
Weissen Berge eine sehr feste war — hätte man an einen zur
Schlachtordnung bequemen Ort vom Himmel fallen können,
urteilte Graf Thun, es hätte nirgend besser geschehen können
als hier — stellten sich dem Entschlusse zur Schlacht im
Hauptquartier der Verbündeten auch jetzt wieder Schwierigkeiten entgegen. Bucqoy hatte zwar noch in der Nacht durch
einen glücklichen Ueberfall auf die im Dorfe Rusin am Fusse
des Weissen Bergs lagernde ungarische Reiterei eine nicht zu
unterschätzende Vorbereitung für den Erfolg des nächsten
Tages herbeigeführt. Der Gedanke einer förmlichen Feld-
schlacht aber stiess bei ihm auf Widerstreben.

Die historisch wichtige Frage, wie der Entschluss zur
Schlacht gleichwohl zustande kam, hat die Forschung wiederholt beschäftigt. Die Untersuchung wird vor allem nach einem
Protokoll des Kriegsrates zu fahnden haben. Während nun
über den nächtlichen Kriegsrat, der im böhmischen Lager
nach der Schlacht abgehalten wurde,[2]) und sonst über manche
historisch weit unwichtigere militärische Beratungen im grossen
Kriege Protokolle erhalten, auch veröffentlicht sind,[3]) scheint
eine offizielle Aufzeichnung aus der Mitte dieses folgenschweren
Kriegsrats selbst nicht zu existieren. In den bayerischen Archiven wenigstens habe ich vergebens nach einer solchen gefragt. Da diese Protokolle sonst hauptsächlich dazu dienten,

---

[1]) Reichsarchiv, 30jähr. Krieg, Fasz. VI, Nr. 82, S. 136—138.

[2]) Gedruckt in „Consultationes oder unterschiedliche Ratschläge"
(1624), p. 177 flgd.

[3]) U. a. vom Kriegsrat im bayerischen Hauptquartier zu Hemmen-
dorf am 16. Juni 1643; gedruckt bei Heilmann, Die Feldzüge der Bayern
unter Mercy, S. 33—36.

den abwesenden fürstlichen Oberfeldherrn zu unterrichten, mag
die Protokollierung diesmal unterlassen worden sein, weil man
sie bei der persönlichen Anwesenheit des Herzogs als überflüssig betrachtete. Für diese Unterlassung spricht auch der
improvisierte Charakter des Kriegsrates und dessen Abhaltung
unter freiem Himmel, die nach der Schilderung Fitzsimons wie
des P. Buslidius und nach der ganzen Sachlage als wahrscheinlich gelten darf. Fitzsimon[1]) berichtet, er überliefere Bucqoys
Eröffnungsrede im Kriegsrat Wort für Wort nach dem Auto-
gramm eines im Rate anwesenden Obersten, der ihm seine
Aufzeichnung gütig mitgeteilt habe. Hier handelt es sich
offenbar nicht um ein amtliches Protokoll, sondern um eine
Niederschrift privaten Charakters.

Den Mangel eines Protokolls ersetzt jedoch einigermassen
eine Quelle ersten Rangs, die von Tilly verfasste Druckschrift
Dicchiaratione et Aggiunta di molte particolarità. Alla Relatione del Seguito contra il Palatino et Rotta d' esso, con la
Presa di Praga, inuiata dal Conte di Buquoi alla M^tà dell'
Imperatore in lingua Spagnuola, mà tradotta poi nell' Italiana,
et stampata in Milano per Marco Tullio Malatesta. Messa in
luce per migliore intelligenza de successi etc. 1621. Die
Schrift ist in der Absicht verfasst, die offenen und versteckten
Angriffe, die Bucqoy in seiner „Relatione del Seguito contra
il Palatino" u. s. w. gegen Tilly und die Ligisten gerichtet
hatte, zurückzuweisen, die hier zutage tretende Unterschätzung
des ligistischen Anteils am Erfolg aufzudecken und auf die
anmassenden Entstellungen des kaiserlichen Feldherrn mit einem
wahrheitsgetreuen Bericht zu antworten.

Ein Punkt dieser Polemik nun gilt dem Kriegsrate vor
der Entscheidungsschlacht. Bucqoy hatte in seiner Relation
Tilly vorgeworfen, dieser habe bei der Verfolgung des böhmischen Heeres Fehler begangen, welche die Verbündeten zwangen,
den Feind unter nachteiligen Umständen (con nostro disavantaggio) anzugreifen. Daher habe er, Bucqoy, sich entschlossen,

---

[1]) Gindely, Die Berichte über die Schlacht auf dem Weissen Berge

die Schlacht anders, als er vorher geplant hatte, zu liefern. Bucquoys Worte: mi risolsi a combattere rufen nun Tillys nachdrücklichen Widerspruch hervor und geben ihm Anlass zu der Erzählung, wie es im Kriegsrate hergegangen. Der Graf, sagt er, wollte sich für seine Person nie zur Schlacht entschliessen, weder auf die eine noch auf die andere Art, sondern war immer nur bedacht bald diese bald jene Schwierigkeit zu erheben. Während nun schon alles zur Schlacht und zum Angriff vorbereitet war, berief der Herzog von Bayern alle höheren Offiziere (capi) des kaiserlichen Heeres und dazu vom bayerischen Tilly und Anholt zu einer Versammlung. Hier vertrat Bucqoy die Meinung, um kein Wagnis auf sich zu nehmen, sei es besser, den Feind zur Linken in seiner Stellung zu lassen und sich rechts gegen die Stadt Prag zu wenden, um zu sehen, ob man nicht auf diese Weise den Feind aus seinem Vorteil herauslocken könnte. Einige der kaiserlichen Obersten, besonders solche, die von Bucqoy abhängig waren und ihm zu gefallen suchten (che dipendevano da lui per compiacerlo), suchten nachzuweisen, dass dieser Plan gut sei. Und wiewohl von anderen kaiserlichen Offizieren, die grössere Erfahrung im Kriegswesen hatten, und dazu von den Bayern die gegenteilige Ansicht verfochten wurde, blieb Bucqoy hartnäckig auf seinem Vorschlag. Da trat unter den anderen der Oberstlieutenant Lamotte mit der Erklärung hervor, dass er das feindliche Heer, seine Stellungen und Verschanzungen recognosziert habe und sie doch nicht so stark (di tale importanza) finde, dass man den Entschluss eine Schlacht zu liefern aufzugeben brauche; die feindliche Artillerie würde den Unseren, wenn sie vorrückten, nur geringen Schaden zufügen können; dagegen wäre der Vorschlag Bucqoys, sich rechts gegen die Stadt hin zu halten, unausführbar, da die beiden katholischen Heere beim Marschieren dem Feinde die Flanke bieten müssten und im Schussbereich seiner Geschütze wären (bisognava passare alla misericordia del suo cannone). Kurz: man habe nur die Wahl zwischen zwei Dingen: vorzurücken und mit dem Feinde handgemein zu werden oder angegriffen des Feindes den Rückzug anzutreten. Dasselbe erwiderte Tilly, indem er nachwies, wie schwierig es sein würde, sich vor einem an Reiterei so starken Feinde zurückzuziehen. Aber diese Ueberredungsgründe reichten nicht aus, Bucqoy zu einem Entschlusse zu bringen. Mittlerweile verlor man die Zeit, der Feind arbeitete (an seinen Verschanzungen) und Tilly wie die anderen wurden unruhig, dass man dem Herzog und ihnen selbst mit derartigen Weiterungen einen so schönen Sieg entriss. Endlich schlug der Feldmarschall[1]) Carlo Spinelli vor, ein grosses Scharmützel zu eröffnen und da sich dieser Plan in der Mitte zwischen Schlacht und Rückzug hielt, ward es nach einiger Zeit auch vom Grafen gebilligt, dass man lieber auf diese Weise angreifen als sich zurückziehen solle; nichts desto weniger machte er gleichzeitig und vor allen dem General der kaiserlichen Artillerie (Maximilian v. Liechtenstein) wiederholt harte Vorwürfe, dass er das kaiserliche Heer so weit vorrücken liess. Nachdem man also endlich beschlossen hatte, in der angegebenen Weise zum Angriff zu schreiten, fand man auch nützlich und beschloss, jedes Heer in zwei zu teilen, im ganzen also vier grosse Schlachthaufen (battaglioni) Fussvolk zu bilden, begleitet von der ausreichenden und nötigen Zahl Reiterei; dazwischen waren die 15 von der Relation erwähnten Geschütze des kaiserlichen Heeres .... und drei andere, schwere Geschütze des bayerischen Heeres. Nachdem also der Herzog Tilly den Befehl erteilt hatte, diese Beschlüsse zu vollziehen, wurden sie von diesem sogleich und wie jedermann weiss, erfolgreich ausgeführt. Aber es ist klar, dass weder der Entschluss noch der Befehl zur Schlacht von Bucqoy rührte, da es Sache des Herzogs war, sich zu entschliessen und Bucqoy Befehle zu erteilen, dessen Sache aber zu gehorchen, wie es am Schlusse auch geschah. Und so darf der Verfasser der Relation den Entschluss zur Schlacht nicht unmittelbar Bucqoy zuschreiben, da ja dieser nur gezwungen und nichts weniger als gern (*non punto di buona voglia*) zustimmte. Bezeugen

---

[1]) So Tilly; nach Krebs war er Oberst.

können das alle Generale und Offiziere der beiden Heere und
selbst die gemeinen Soldaten, welche den Hergang wohl kennen
und bis heute sehr wohl zu sagen wissen, wie die Dinge verlaufen sind und wer Lust zum Schlagen gehabt hat oder nicht.

So Tilly, dessen Darstellung unanfechtbar erscheint, die
auch Krebs in seinem trefflichen Buche über die Schlacht am
Weissen Berge[1]) mit Recht der Erzählung des Kriegsrates zugrunde gelegt hat. Nur bestand kein so klares Abhängigkeits-
verhältnis Bucqoys von Maximilian, wie man nach Tillys Schilderung annehmen müsste. Der Herzog hatte ein solches wohl
vom Kaiser begehrt,[2]) aber nicht durchgesetzt, da Bucqoy nicht
gewillt war, ihm zuliebe seine Selbständigkeit aufzugeben und
sich auf den Wortlaut seines Anstellungspatentes berufen konnte,
laut dessen ihm der Oberbefehl nur zugunsten eines Erzherzogs
abgenommen werden durfte. Von Wien aus ward Bucqoy
zwar das beste Einvernehmen mit dem Oberhaupte der Liga
empfohlen,[3]) aber die beiden Hauptquartiere blieben auch in
der Zeit ihrer gemeinsamen Operation selbständig und die
Einigung über diese musste von Fall zu Fall im Kriegsrate
erzielt werden.

Das klassische Zeugnis Tillys beweist, dass nur rein militärische Erwägungen den Ausschlag zum Entschlusse der Schlacht
gaben, der von den Bayern und einem Teile der Kaiserlichen
von Anfang an gewünscht wurde, während Bucqoy ihm wider-
strebte. Die Gründe dieses Widerstrebens, eine weitere Ausführung des von ihm ausgesprochenen Urteils: „con nostro
disavantaggio", hat Bucqoy in seinem Bericht an den Kaiser
dargelegt. Der vermittelnde Vorschlag eines grossen Scharmützels

---

[1]) Krebs, Die Schlacht am weissen Berge bei Prag (8. Nov. 1620)
im Zusammenhange der kriegerischen Ereignisse (Breslau 1879), S. 81 f.
95 f. Arnold Freiherr v. Weyhe-Eimke, Graf v. Buqoy, Retter der
habsburgisch-österr. Monarchie (1876), S. 65, 66 will einen zweimaligen
Zusammentritt des Kriegsrates unterscheiden, was mit den Quellen unvereinbar ist.

[2]) Gindely, Gesch. d. 30jähr. Krieges I, 204.

[3]) A. a. O. III, 235.

ward von den Anhängern des Schlachtplanes wohl mit dem
unausgesprochenen Hintergedanken angenommen, dass dieses
von selbst in die förmliche Schlacht übergehen würde, wie es
denn auch in der That geschehen ist.

Dass der spanische Karmeliter P. Dominikus a Jesu Maria,[1])
der den Feldzug in Maximilians Hauptquartier mitmachte,
durch seine zündenden Worte im Kriegsrate den Entschluss
zur Schlacht herbeigeführt habe, ist mit Tillys Zeugnis nicht
wohl vereinbar und dürfte durch dieses widerlegt sein. Eine
andere Frage aber ist, ob dieser Mönch nicht doch am Kriegsrate teilgenommen und seine Stimme zugunsten einer Schlacht
erhoben hat. Auch dies wird von mehreren Historikern in
Zweifel gezogen, von einigen ausdrücklich bestritten. Die ein-
gehendste Untersuchung hat Krebs in einer besonderen Beilage seines oben erwähnten Buches (S. 209 flgd.) der Frage
gewidmet mit dem Ergebnis, dass dieselbe so entschieden als
nur möglich verneint wird. Krebs nimmt, wie er sich ausdrückt, „den Totengräberspaten zur Hand“ und glaubt „das
nicht besonders geschickt erfundene, aber trotzdem bis auf
unsere Tage gläubig nacherzählte Märchen zur letzten Ruhe
gebracht zu haben“.

Für seine Auffassung scheint nun allerdings zu sprechen,
dass, wie Tilly in der Dicchiaratione, auch der offiziöse
bayerische Bericht über den Feldzug, das „Ober und Nider
Enserisch wie auch Böhemisch Journal“ (München in Verlegung
Raphael Sadelers, f. Kupferstechers 1621, S. 75 f.) aus den
Verhandlungen des Kriegsrates nur die Meinung Bucqoys und
die Einwände des Obersten Lamotte anführt und an die letzteren den Schluss knüpft: „Dannenhero die Hauptresolution

---

[1]) Die Bezeichnung bei Krebs, S. 209: „Der Karmelitermönch Pater
Dominicus Scalzo da Jesu Maria“ legt das Missverständnis nahe, als ob
Scalzo Familienname sei. Scalzi, Discalceati, Unbeschuhte, Karmeliter-
barfüsser, hiessen jene Karmeliter, die sich der von der hl. Teresia seit
1593 durchgeführten Reform des Ordens angeschlossen hatten. Seit
1593 hatten dieselben einen eigenen General. Vgl. Wetzer und Welte,
Kirchenlexikon³, II, c. 1970 flgd. Der Familienname des P. Dominicus

endlich dahin gefallen, dass in Gottes Namen man den Feind angreifen solle." Des Karmeliters wird hier mit keinem Worte erwähnt.

Indessen ist das „Journal" doch erst eine abgeleitete Quelle. Seine Hauptgrundlage bildet, wie eine Vergleichung ergibt, das zum grösseren Teil unedierte Diurnale rerum in bello catholicae unionis a Maximiliano I . . . gestarum, coeptum die 22. Junii 1620. Das Original dieses Tagebuchs ist im B. Geh. Staatsarchiv,[1]) eine Kopie in einer Handschrift des B. Reichsarchivs, betitelt Ephemerides anni 1620,[2]) erhalten. Das Original, in lateinischer Sprache abgefasst, reicht bis zum 29. Oktober. In der Kopie im Reichsarchiv knüpft sich daran eine vom 30. Oktober bis 21. November reichende deutsche Fortsetzung und dieser, die Entscheidungsschlacht enthaltende, also wichtigere, deutsche Teil ist — aber nur bis zum Tage nach der Schlacht, 9. November — wörtlich gedruckt unter dem Titel: „Relation Was massen den 9. tag diss Monats Nouembris, lauffenden Jahrs 1620. Ihr Fürstl. Durchl. Hertzog Maximilian in Bayern, die Königliche Hauptstatt Prag in Böheimb widerumben erobert, vnd in Nammen Kay. Mt. eingenommen. Getruckt im Jahr Christi MDCXX."[3]) Dass die Verfasser beider Teile dem bayerischen Hauptquartier angehörten, ist ebenso zweifellos wie der offiziöse Charakter ihrer Aufzeichnungen. Wir werden in ihnen das Tagebuch zu suchen haben, das im Auftrage Herzog Maximilians dessen Geheimsekretär und Archivar Dr. Johann Mändl, der spätere Kammerpräsident, und nach dessen Erkrankung, die ihn zur Rückkehr nach Straubing veranlasste, Dr. Leuker, der spätere Gesandte in Madrid und Wien, führte. Mandl selbst berichtet in seiner 1655 verfassten Autobiographie (cod. germ. Monac. 3321,

---

[1]) K. schw. 416'6.

[2]) 30jähriger Krieg, Faszikel VI, Nr. 82.

[3]) Das bei Gindely, Die Berichte über die Schlacht auf dem Weissen Berge, als Nr. VII, S. 16—20 unter dem Titel: Gantzer Verlauf wie es mit Einnehmung Prags zugangen ist" aus dem Wiener Staatsarchiv abgedruckte Stück ist nichts anderes als eine Abschrift dieses Druckes.

S. 22 flgd.): Anno 1620 in Junio bin ich mit Ihre Churfrstl.
Drlt. in Behömischen Krieg verraist und darin also tödtlich
erkrankt, das Mäniglich mich für todt gehalten, wie dan fast
der gantze Hofstat ausser wenig Personhen aussgebliben. In
selbiger Kriegs Expedition hab ich das Diarium, so hernach
teutsch und lateinisch getruckt worden,[1] gehalten, ligt das
Original in Churfrstl. Archiv." Nach einer von Breyer[2] citierten
handschriftlichen Quelle, auf die ich in den Archiven wie in
der Staatsbibliothek bisher vergebens fahndete (Breyer nennt
sie Historia Bavarica mspta), soll Mändl am 9. Oktober 1620
erkrankt sein. Dagegen enthält das Original unseres Diurnale
unter dem 28. September den Eintrag: Hic ego coepi morbo
Hungarico seu Cephalico in nostris castris passim grassante
aegrotare. Zweifellos beruht die Differenz dieser Zeitangaben
nur auf der Verschiedenheit des alten und neuen Kalenders.
Da aber das Tagebuch erst am 29. Oktober in andere Hand
übergeht, drängt sich die Vermutung auf, ob nicht die Krankheit des Berichterstatters erst an diesem Tage einen solchen
Höhepunkt erreichte, dass sie ihn zwang, die Feder niederzu-
legen. Jedenfalls ist der uns hier berührende Eintrag zum
8. November nicht mehr von Mändl, sondern von dessen Nachfolger im Sekretariatsdienste des Hauptquartiers, als welcher
Dr. Leuker bezeichnet wird, niedergeschrieben. Welch hohen
Rang diese Relation unter unseren Quellen beansprucht, bedarf
nach dem Gesagten keines weiteren Nachweises mehr. Ist
auch die Ueberschrift, die ihr auf dem ersten Blatte der Handschrift des Reichsarchivs als „Ephemerides Serenissimi Principis
Maximiliani I." gegeben wird, nicht so zu verstehen, als ob
der Herzog selbst der Verfasser sei, so ist doch zweifellos, dass
diese Aufzeichnung in der nächsten Umgebung, im Auftrage

---

[1] Die lateinische, nur durch rhetorische Zuthaten von der deutschen
etwas abweichende Bearbeitung erschien ebenfalls 1621 unter dem Titel:
Expeditionis in utramque Austriam et Bohemiam Ephemeris.

[2] Peter Philipp Wolf, Maximilian I., fortgesetzt von Breyer,

und unter der Ueberwachung des Herzogs[1]) entstand, der auf
diese Weise für eine authentische und offiziöse Darstellung des
Feldzuges sorgte. Und zwar hat, wie aus einem im Geh.
Hausarchive bewahrten Schreiben H. Maximilians an seinen
Vater, den Altherzog Wilhelm V., erhellt, ein Wunsch des
letzteren den Anstoss hiezu gegeben. Am 27. Juli 1620
schreibt nämlich Maximilian aus Schärding an seinen Vater,
er habe dessen Erinnerung, dass bei den jetzigen Kriegsläufen
eine gewisse Person zur Haltung eines ordentlichen Diurnals
und Beschreibung aller von Tag zu Tag vorgehenden denkwürdigen Sachen deputirt und angeordnet werde, „unter-
thänigst vernommen". Er dankt für diesen Rat, hält die Befolgung aus hochvernünftigen Ursachen für nützlich und notwendig und hat seinen Rat und Geheimsekretär Dr. Mändl
hierzu deputirt. Mändl hat damit, wie ein dem Schreiben
aufgeklebter Zettel von seiner Hand berichtet, seit dem Auf-
bruch des Fürsten bereits einen Anfang gemacht und bisher
continuirt. Dem Herzoge Wilhelm — so schliesst das Schreiben
des Sohnes — werden alle Begebenheiten zu öftermalen, wie
diese Woche durch Maximilians hinterlassene Geheimräte bereits
geschehen, berichtet werden. Maximilian hat wenigstens den
ersten, bis zum 29. Oktober reichenden Teil dieses Tagebuchs
selbst revidirt. Denn die Ergänzungen, genaueren Fassungen
und Weisungen an den Autor (die ersteren in lateinischer, die
letzteren in deutscher Sprache), die an mehreren Stellen am
Rande des Originals beigefügt sind, erweisen sich sowohl durch die
Hand, als durch den Inhalt[2]) als vom Herzoge selbst geschrieben.

---

[1]) In dem Sammelband des Reichsarchivs (am Schlusse, p. 205)
findet sich zu dem beschreibenden Texte der dem Drucke beigegebenen
Abbildungen (Delineationis aciei et pugnae ad Pragam Bohemiae Metro-
polim factae Tabulae) die Bemerkung: Ex correctione Serenissimi.

[2]) Besonders deutlich spricht die Bemerkung zum 27. August: Die
Ordnung (des Heeres beim Abmarsch von Freistadt) ist nit recht und
soll seiner Zeit schon hergeben werden. Dass Maximilian in einigen
dieser Einträge von sich selbst als Serenissimus und Sua Serenitas spricht,
kann seine Handschrift nicht widerlegen; es geschieht, um sich der Ausdrucksweise des Verfassers anzupassen.

In diesem Tagebuche nun lautet der Bericht über den Kriegsrat (p. 26): „Als nun solches (das ganze kayserliche Volk) zu dem Bayrischen und beederseits armaden in bataglien gestellt worden, hat man von den modo die schlacht zelifern deliberirt, bei welcher consultation allerlei bedenken in partem contrariam eingefallen, also das man stark im Zweifel gestanden, ob man schlagen oder auf Prag neben zue rucken und dardurch den feind auss seinem Vortl, so er gehabt, bringen möchte. Es ist doch die Hauptresolution dahin gefallen,[1]) das man in Gottes namen, als dessen sach und ehr es berühre, demselben wie auch der billichen sach man trauen und aller lieben heiligen Fürbitt, als dero Octav man eben celebrire, sich getrosten, den Feind mit Ernst und resolut angreiffen solle. Und hat sonderlich P. Dominicus de Jeso (sic) Maria Carmelitanus (so proprio motu hinzue getretten und das er non rogatus sein Mainung sage, sich modeste entschuldigt) mit grosser efficacia urgirt, das man das Vertrauen auf Gott setzen und dapfer angreiffen solle."

Schon Gindely[2]) hat sich gegen die Annahme erklärt, dass das Auftreten des Karmeliters im Kriegsrate als Fabel zu verwerfen sei, und hat zwei wichtige neue Zeugnisse dafür beigebracht. Das erste rührt von einem Ordensgenossen des P. Dominikus her, dem P. Dr. Annibale Angelini, der mit diesem am 19. Juli 1620 im ligistischen Lager in Schärding eintraf, und ein jetzt in der K. Bibliothek zu Stuttgart (4°. Nr. 82) verwahrtes Tagebuch über den Feldzug hinterlassen hat. Ich trage zu Gindelys Mitteilungen nach, dass Angelini für seinen Bericht über den Kriegsrat als Hauptquelle zweifellos Tillys Dichiaratione benutzt hat, wie er denn auch (f. 3) verschiedene Relationen anderer „Autori" und Berichte von Augenzeugen als seine Quellen nennt. Seine Darstellung weicht aber

---

[1]) In der Abschrift des Reichsarchivs sind hier die vorausgegangenen vier Zeilen irrig wiederholt.

[2]) Ein Beitrag zur Biographie des P. Dominikus a Jesu Maria; Archiv für Oesterreichische Geschichte LXV (1883), I, 187 flgd.

von Tilly darin ab, dass sie auch den P. Dominikus im Kriegsrate auftreten und mit feuriger Beredsamkeit zum Schlagen
ermuntern lässt: Da der wahre Glaube Berge versetzen könne,
könne er auch diese Laufgräben, deren Höhe und Stärke allein
von dem Entschlusse zur Schlacht zurückhalte, einebnen und
alle Schwierigkeiten leicht machen. Nach Angelinis Erzählung
erfolgte dieses Auftreten des Karmeliters erst, nachdem Bucqoys
Widerstreben durch das Gutachten Lamottes, die Ansicht
Tillys und den Vermittelungsvorschlag Spinellis bereits überwunden war.

Noch bedeutungsvoller als diese von keinem unmittelbaren
Zeugen rührende Erzählung ist ein vom 10. August 1631
datirtes Zeugnis des Herzogs Maximilian selbst, das sich in
den Kanonisationsakten über P. Dominikus findet und ebenfalls von Gindely (S. 143 flgd.) zuerst hervorgezogen wurde.
Einige Generale, sagt hier der Herzog, widerstrebten stark
einer Schlacht, deren widriger Ausgang den Kaiser seine Lande
kosten könnte, und die Meinungen waren geteilt. „Quo cog-
nito Pater (Dominicus) accedit consilium magnaque rogat humilitate et modestia, sibi quamvis non vocato pauca liceat
loqui; facta dicendi potestate ingenti spiritu et ardore animi
duces ad fiduciam in Deum et iustam causam hortatur et ex-
citat atque, ut confidant firmiter, non defore sperantibus Dei
gratiam ad consequendam victoriam (sic).[1] His verbis commoti
sententiae contrariae auctores reliquis accesserunt hostemque
coniunctis viribus ac copiis invaserunt. Cum vero primus con-
gressus anceps esset et dextrum nostrorum cornu iam cedere
coepisset, illico Pater intimo cordis fervore inter uberrimas
lacrymas Deum implorat, quo favente demum factum est, ut
hoste repulso integra tandem obtenta fuerit victoria.“

Hier wird also dem Eingreifen des Paters sogar entschei-
dendes Gewicht beigemessen: his verbis commoti sententiae
contrariae auctores reliquis accesserunt. In diesem Widerstreit
gegen Tilly wird man jedoch unbedenklich die Autorität des

---

[1] Asserit oder ein ähnliches Verbum wird zu ergänzen sein.

Feldherrn, der seinen Bericht bald nach dem Vorgange veröffentlichte, höher stellen als die des Herzogs, der erst nahezu
elf Jahre später und in der Absicht, die Verdienste des Karmeliters recht nachdrücklich herauszustreichen, seine Erzählung
niederschrieb. Bei anderen Anlässen hat auch Maximilian selbst
nur dem Gebete des Karmeliters einen Anteil an dem er-
fochtenen Siege zugeschrieben.[1]   Für das Eingreifen des
P. Dominikus im Kriegsrate bietet dagegen das Zeugnis des
Herzogs einen unanfechtbaren Beweis.

Für diese Thatsache bin ich nun in der Lage, noch weitere Beweise anführen zu können. Derselbe Band des Münchener Reichsarchivs, der das von den herzoglichen Sekretären geführte Diurnale
enthält, enthält zwei andere bisher unbeachtet gebliebene Kriegs-
tagebücher von Teilnehmern des Feldzuges aus dem bayerischen
Hauptquartier. Ich hoffe die beiden Schriften, welche sich als nicht
unwichtige Ergänzungen zu unserem reichen Quellenmaterial zur
Geschichte dieses Feldzugs erweisen, demnächst in den Schriften
unserer Akademie der Oeffentlichkeit übergeben zu können.
Das erste dieser Tagebücher ist betitelt: Diarium castrense
R. P. J. Buslidii anno 1620.   Das zweite: Diarium castrense
R. P. H. Drexelii: Res Bohemicae anno 1620, Iter in Ried et
inde Expeditio Serenissimi principis Maximiliani in Austriam
superiorem, inferiorem, Bohemiam.   Der Jesuit P. Buslidius
war Herzog Maximilians Beichtvater, der Jesuit P. Jeremias
Drexel, der Träger eines in der Geschichte der theologischen
Literatur klangvollen Namens, sein Hofprediger.[1] Buslidius
nun berichtet (p. 5 flgd.): Quo facto dominus Tili iudicavit
procedendum statim esse et cum toto exercitu illius (hostis)
confligendum.   Retulit ad Serenissimum, qui ad radicem prioris
montis erat cum comite de Buquoi, ubi duo aut tres globi ex
tormento bellico non ita magno super caput meum, utcunque
tamen alte transierunt, similiter aliquot super Serenissimi caput

---

[1] S. unten gegen den Schluss.
[2] Vgl. über Drexel oder Drechsel bes. Backer, Bibliothèque des
Ecrivains de la Compagnie de Jésus I, c. 1646 flgd.

aut non longe, etsi paulo altius. Consultatum fuit, an iusto praelio esset cum hoste configendum, qui instructa acie in loco sibi admodum convenienti et septem bellicis tormentis idonee constitutis expectabat. Comes Buquoi negabat id faciendum, sed relicto illic hoste esse circumeundo montem Pragam versus tentendum (sic). Serenissimo magis probabatur contrarium, nihil tamen volebat concludere et decernere nisi ex sententia plurium belli ducum minorum, qui in consilium vocati erant, et nisi etiam Buquoi probaret. Itaque dum consultatio protraheretur, P. Dominicus de Jesu Maria, Carmelita reformatus, qui non longe aberat, non vocatus accessit ad consilium et in hanc sententiam locutus: Ego non vocatus accedo ad consilium et pronuncio esse omnino statim cum hoste configendum in Deoque et D. Virgine et omnibus Sanctis, quorum octavam celebramus, confidendum esse, nos potituros victoria etc. Quae tanto spiritu et vultus oculorumque immutatione dixit, ut statim omnes concluserint configendum. Buslidius befand sich also selbst in der Nähe des Kriegsrates, der, wie es nach seiner Darstellung scheint, unter freiem Himmel abgehalten wurde, so dass die unaufgeforderte Einmischung des Karmeliters um so glaubwürdiger erscheint. Auch als die Schlacht begann, blieb Buslidius auf dem Schlachtfelde. Er erzählt (p. 89), dass er beim ersten Weichen des Feindes gleichzeitig mit seinem Fürsten zu Pferd stieg, vorwärts ritt und bald unter schwer verwundete ligistische Soldaten geriet, denen er dann die Beichte abnahm.

Der Bericht des P. Drechsel (p. 138 flgd.) lautet: Ideo Serenissimus noster cum ducibus deliberare coepit, num hostis[1] hic loci et temporis aggrediendus, in qua consultatione variae occurrebant caussae non esse pugnandum, sed potius Pragam recta tendendum. Tandem tamen conclusum est certandum esse in nomine domini et praesertim in octava Sanctorum omnium, quorum praesidio et suffragiis et cumprimis optimo Deo fidendum. Consultationis conclusionem confirmavit P. Dominicus

---

[1] Hdschr.: hostes.

de Jesu Maria Carmelita, qui non vocatus consultationem hanc accessit et, quod non rogatus venisset, modeste excusavit; dein Deo, inquit, fidendum et hostis audacter invadendus. Ita coepit velitatio etc.

Dass die Zeugnisse der beiden Jesuiten und des herzoglichen Sekretärs über das Auftreten des Karmeliters im Kriegsrate[1]) auf einen und denselben Gewährsmann zurückzuführen sind, wird durch ihre ziemlich übereinstimmende Fassung nahe gelegt, aber ebenso wahrscheinlich wie diese Einheitlichkeit des Ursprungs ist es, dass wir diesen Gewährsmann in einem Teilnehmer des Kriegsrates aus dem bayrischen Lager, im P. Dominikus selbst, im Herzog oder in Tilly zu suchen haben. Am nächsten liegt es, an den Karmeliter selbst zu denken, auf den auch ziemlich deutlich hinzuweisen scheint, dass Buslidius dessen Rede, wiewohl er sie ganz kurz zusammendrängt, in der ersten Person wiedergibt. Dass die geistlichen Herren in Maximilians Hauptquartier, der spanische Karmeliter, der jesuitische Beichtvater und der jesuitische Hofprediger, im Lager in engem täglichen Verkehr standen, und über die wichtigeren Vorgänge sich fortwährend unter einander aussprachen, ist ja eine unabweisbare Annahme. Sollten unsere Berichterstatter ihre Nachricht nicht von P. Dominikus selbst erhalten haben, muss sie ihnen doch aus dessen Munde bestätigt worden sein. Den heiligmässigen Mann einer Lüge zu zeihen, liegt kein Grund vor; derartiges darf man nicht unter die Verirrungen rechnen, zu denen fanatischer Glaubenseifer diese frommen Herren hinriss.

Mit Tillys Bericht stimmen die drei neuen Zeugnisse, abgesehen von dem Auftreten des Karmeliters, wohl überein. Dass sie hinsichtlich des letzteren Punktes durch Tillys Schweigen nicht entkräftet werden, bedarf, seit Maximilians Zeugnis bekannt geworden, keines weiteren Beweises. Dagegen verdient noch die Frage, wie Tillys Schweigen zu erklären ist,

[1]) Die Sammlung der Berichte von Gindely und die Erörterung bei Krebs S. 211 f. überhebt uns der Mühe, auf die weiteren Zeugnisse, die für unsere Frage nicht mehr in erster Reihe stehen, einzugehen.

ins Auge gefasst zu werden. Die Aufklärung ergibt sich sofort, wenn wir die Dicchiaratione als das auffassen, was sie ist. So hoher Quellenwert dieser Verteidigungsschrift Tillys auch beizulegen ist, dürfen wir in ihr doch nicht mehr suchen, als was der Verfasser selbst laut des Titels bieten wollte: eine Erläuterung der Bucqoyschen Relation. Sie setzt an jenen Punkten ein, wo Bucqoy die Wahrheit entstellte, hat daher einen polemischen Charakter. Wie von der ganzen Schrift, gilt dies von dem Abschnitte über den Kriegsrat vor der Entscheidungsschlacht. Es kommt Tilly nicht darauf an, den ganzen Vorgang erschöpfend oder auch nur mit allen wichtigen Umständen darzustellen, sondern er will nur nachweisen, dass Bucqoys Worte: mi resolsi a combattere unberechtigt seien. Diesen Nachweis hat er durch die Wiedergabe der im Kriegsrate ausgesprochenen militärischen Meinungen Bucqoys, Lamottes, Spinellis sowie seiner eigenen erbracht, weil nach seiner wohl richtigen Auffassung nur diese militärischen Ewägungen ausschlaggebend auf den endgiltigen Beschluss einwirkten. Des Paters Eingreifen in die Verhandlungen wäre von ihm nur dann zu erwähnen gewesen, wenn dasselbe ebenfalls entscheidenden Einfluss geübt hätte. Unsere beiden jesuitischen Berichterstatter gehen (ebenso wie zehn Jahre später der Herzog) nur darin zu weit, dass sie der Rede des Karmeliters derartige Wirkung zuschreiben. Diese Uebertreibung vermag jedoch ihre Glaubwürdigkeit in der Hauptsache nicht zu entkräften. Denn es ist sehr wohl möglich, dass P. Dominikus nach seinem Auftreten im Kriegsrate selbst bona fide der Ueberzeugung war, dass seine geistliche Beredsamkeit viel zum Entschlusse der Schlacht beigetragen habe. Wenn in einer Versammlung mehrere Redner dieselbe Ansicht vertreten, wird auch bei den Anwesenden das Urteil darüber, welcher dieser Redner den Ausschlag zum endgiltigen Beschlusse gab, in vielen Fällen nur Sache des subjektiven Empfindens sein. Die Rede des gefeierten Mönches wird von den Versammelten mit solchen Zeichen verehrungsvoller Zustimmung angehört worden sein, dass der Redner sich selbst wohl als den eigentlichen Urheber des Beschlusses betrachten konnte. Besonders, wenn sein Erscheinen im Kriegsrate, wie Angelini berichtet, erst in die Zeit nach den Reden Lamottes, Spinellis und Tillys fiel. Die versammelten Generäle und Obersten wussten wohl, dass nur militärische Erwägungen den Entschluss herbeigeführt hatten; aus dieser, der massgebenden Auffassung heraus ist die Dicchiaratione geschrieben. Der Karmeliter aber konnte glauben, dass er durch seine geistliche Ermunterung zum mindesten zu dem Entschlusse beigetragen habe; diese, das geistliche Moment überschätzende Auffassung kommt in den Tagebüchern der beiden geistlichen Verfasser zum Ausdruck.

Unter dem Pseudonym Constantinus Peregrinus hat Bucqoys irischer Beichtvater Fitzsimon in einer Schrift, die betitelt ist Quadrimestre iter progressusque etc.,[1] die Verteidigung der Bocqoyschen Relatione gegen Tillys Dicchiaratione unternommen. Fitzsimons Darstellung sticht von vornherein durch geschmacklose Deklamation, Schwulst und Unklarheit unvorteilhaft von Tillys Klarheit und Einfachheit ab. Gindely betont,[2] dass er falsche Angaben in derselben nicht entdeckt habe, indessen gibt die hier gebotene Erzählung des Kriegsrates, auch wenn sie nichts direkt Falsches enthalten sollte, auf alle Fälle ein sehr schiefes Bild, da sie alles, was nicht Bucqoy selbst berührt, verschweigt. Auf den Umstand, dass auch das Quadrimestre iter über den Karmeliter im Kriegsrate schweigt, kann schon aus diesem Grunde kein Gewicht gelegt werden; denn nicht einmal die Reden Tillys, Lamottes, Spinellis werden hier erwähnt. Das Quatrimestre iter leidet an Unvollständigkeit, nicht, wie Gindely meint, infolge mangelnder schriftstellerischer Begabung des Verfassers — eine Quelle, aus der allerdings zum Teil seine Unklarheit entspringt — sondern vor allem infolge seiner ausgeprägten Parteilichkeit für Bucqoy.

Wie erklärt sich aber das Schweigen des offiziösen bayerischen „Journals" über den Karmeliter? Da die Hauptvorlage

---

[1] Den uns berührenden Abschnitt dieser Schrift, c. 109—118, s. bei Gindely, Berichte S. 94 f.

[2] A. a. O. S. 26.

dieser Schrift, die Relation des herzoglichen Sekretärs, das Auftreten des P. Dominikus im Kriegsrate erwähnt, liegt es nahe, in dem Schweigen der für die Veröffentlichung bestimmten Redaktion geradezu demonstrative Absicht zu erblicken. Sollte nicht der Herzog trotz aller Verehrung für den heiligmässigen Mann durch die umlaufenden Uebertreibungen, die dem Eingreifen des Mönches im Kriegsrat grösseren Erfolg beimassen als den militärischen Gründen Tillys und anderer Kriegsmänner, etwas verstimmt worden sein und darum vorgezogen haben, dass sein Auftreten in der Versammlung gar nicht erwähnt werde? Selbst durch die Thatsache, dass der Herzog selbst ein Jahrzehnt später die Beredsamkeit des Karmeliters als eine erfolggekrönte schildert, dürfte diese Möglichkeit nicht gänzlich ausgeschlossen werden. An seinen Bruder, den Kurfürsten von Köln, schrieb Maximilian, es werde wohl das Gebet vieler Frommen, insonderheit die praesentia des heiligen P. Dominikus viel zu dem Siege gewirkt haben. Wer in Rom das Siegesdenkmal der Prager Schlacht, Madernas stukkaturüberladene Kirche S. Maria della Vittoria betritt, dessen Augen fallen zunächst auf die weisse Gestalt des Karmeliters, die in dem Hauptbilde am Hochaltar hoch zu Ross als Mittelpunkt in dem Einzuge der Sieger erscheint. Die Darstellung des Vorgangs mag genau der historischen Wirklichkeit entsprechen und entsprach jedenfalls der römischen Auffassung, aber ein Maler, der dem Wesen des geschichtlichen Ereignisses, nicht seiner zufälligen augenblicklichen Erscheinung gerecht werden wollte, musste Maximilian und Tilly als die Hauptpersonen hervorspringen lassen. Auf einem von Lukas oder Wolfgang Kilian gestochenen Bildnisse des Paters Dominikus verkündet die Aufschrift, dass derselbe „den Obersten des Kriegsvolks, welche sich aus Forcht mit dem Feinde nit schlagen wollten, ein Herz und Muth gemacht habe". Derartige Kundgebungen verraten, was damals erzählt und geglaubt wurde, dürften aber beim Herzoge und bei Tilly keine Freude geweckt haben.

Wahrscheinlich ist immerhin für das Schweigen des Journals nichts anderes massgebend, als dass für den Bericht über den Kriegsrat hier nicht die Relation, sondern nur Tillys Dicchiaratione benutzt wurde. Man braucht Journal und Dicchiaratione nur nebeneinander zu halten, um zu bemerken, dass das Journal an dieser Stelle im wesentlichen nur ein gedrängter Auszug aus Tillys Verteidigungsschrift ist, aus der einzelne Wendungen wörtlich herübergenommen werden. Beide Schriften sind 1621 im Druck erschienen, dass aber jene Tillys, ob bereits gedruckt oder erst handschriftlich vorliegend, die Quelle für das Journal ist und nicht etwa das umgekehrte Verhältnis obwaltet, bedarf keines Beweises. Bei diesem Sachverhalt wird man also auf das Schweigen des Journals über den Karmeliter im Kriegsrate kein Gewicht legen dürfen. Der Redakteur des Journals folgte anstatt seiner gewöhnlichen Quelle, Mändl und dessen Fortsetzer, hier der Darstellung Tillys, weil er dieser mit Recht höhere Autorität beimass, und kümmerte sich nicht darum, dass Tilly keinen erschöpfenden Bericht des Vorgangs bieten will, sondern in erster Reihe einem polemischen Zwecke dient.

Krebs findet „das Märchen von der Anwesenheit des Dominikus im Kriegsrate" „nicht besonders appetitlich" (S. 212). Man darf sich durch diesen subjektiven Erguss nicht verleiten lassen, den Ernst seiner Forschung zu unterschätzen, anderseits aber kann derselbe nicht beanspruchen, bei einer sachlichen Erörterung des Für und Wider mit in Betracht gezogen zu werden. Eine innere Unwahrscheinlichkeit aber wird niemand, der den im ligistischen Lager herrschenden Geist kennt, in dem Vorgange finden. P. Dominikus, der auf Maximilians Wunsch aus Rom in das bayerische Lager vor Schärding geeilt war, vertrat dort gewissermassen die Autorität, den Beistand und Segen des Papstes. Aus seinen Händen empfing der Herzog am 22. Juli im Lager das Abendmahl. Am 1. August weihte der Pater im Lager bei Grieskirchen die herzogliche Hauptfahne, die das Bild der hl. Jungfrau trug.[1] Am 16. August reichte er, nachdem er in italienischer Sprache gepredigt, ein

---

[1] Tagebuch des P. Buslidius.

von ihm geweihtes Skapulier seines Ordens dem Herzoge und
den vornehmen Herren seines Gefolges, die dasselbe nach dem
„lobenswerten Vorgang" des Herzogs mit devoter Ehrerbietung
empfingen.[1]) Am 26. Oktober entsandte ihn der Herzog zu
Bucqoy, um diesem den Entschluss seiner Heimkehr anzu-
zeigen,[2]) den das tägliche Sterben in seiner Umgebung, die un-
ablässigen Reibereien mit dem kaiserlichen Hauptquartier und
die vergebens bekämpften Greuelthaten des kaiserlichen Kriegsvolks in einem Augenblick der Verstimmung gezeitigt hatten.
Die Mission lässt deutlich erkennen, dass der Karmeliter im
ligistischen Hauptquartier mehr als Prediger und Seelsorger
war, wie er auch später, gleich so vielen Kapuzinern und
Jesuiten, als Diplomat im Dienste der katholischen Sache wirkte.
Nach erfochtenem Siege theilte er in Prag mit dem Herzoge
das Quartier bei der „Frau Popplin, gewesten Obersthof-
meisterin".[3]) Für die hohe Verehrung, die er in weiten katholischen und besonders fürstlichen Kreisen genoss, bedarf es
angesichts der vorliegenden Literatur kaum eines neuen Nachweises. Nur ein bisher nicht bekannter Zug sei in dieser
Hinsicht noch erwähnt. Als P. Dominikus im Sommer 1621
in Brüssel weilte, liess dort die Regentin der spanischen Nieder-

---

[1]) Diurnale rerum in bello catholicae unionis . . gestarum (Staatsarchiv) zum 16. August: „Hoc die sub vesperum P. Dominicus ordinis
B. Virg. de Monte Carmelo, via pietate et vitae sanctimonia praeclarus
et ob id nuper a Serenissimo Roma evocatus, ut suam Serenitatem et
castra sequeretur, habita oratione in Italico idiomate habitum dicti ordinis sive scapulare laicis distribui solitum benedixit. Tum Serenissimus
sumpto cum singulari devotione habitu aulicos suos et tres principes
ibidem praesentes exemplo suo laudabili et tali principe ac belli duce
digno praeivit, secuti suam Serenitatem tres principes ... atque magnus
primatum in aula numerus, qui omnes dictum habitum reverenter et
devote receperunt.‘ Ueber die besondere Bedeutung des Karmeliter-
skapuliers s. Wetzer u. Welte, Kirchenlexikon [2], II, c. 1968.

[2]) Buslidius.

[3]) Die Quartierliste vom 9. Nov. (in Akten des 30jährigen Kriegs,
Fasz. VII. Nr. 84, Reichsarchiv) verzeichnet dort ausser dem Herzoge
P. Dominikus, Herrn Cribell (Crivelli), Herrn Lorenz samt einem Pater
und Dienerschaft.

lande, die Infantin Isabella Clara Eugenie, trotz seines Widerstrebens durch den gefeiertsten Maler der Zeit, durch Rubens,
sein Bildnis für sich malen.[1]) Mit dem Münchener Hofe begegnet P. Dominikus auch in der Folge in freundschaftlichem
Verkehr. Am 16. Dezember 1627 liess ihm die Kurfürstin
Elisabeth durch Kaufleute von Rom eine cassa mit dem Wappen
ihres Gemahls zustellen.[2]) Als die Lage bald darauf durch die
Gewaltthaten und den Druck des wallensteinischen Heeres sich
bedrohlich gestaltete, richtete P. Dominikus aus Rom an den
Kurfürsten Maximilian die Aufforderung, Bitttage zu veran-
stalten.[3]) Am 17. November 1629 schrieb Papst Urban VIII.
an den Kurfürsten, er werde sicher den „sacerdotem Discal-
ceatum" Dominikus a Jesu Maria freundlich aufnehmen. Wir
und der römische Erdkreis, fährt der Papst nach hohem Lobe
seiner Verdienste fort, wissen, wie hoch Du den Ruhm dieses
ausgezeichneten Mönches schätzest . . . . „nobilitatem tuam,
quae clarissimas victorias acceptas referre vult non minus
orationibus justorum quam gladiis legionum".[4]) In München

---

[1]) Am 6. August 1621 schreibt Morreus aus Brüssel an Herzog
Maximilian: Der ehrwürdige P. Dominicus von Jesu Maria wollte, nachdem er in näher bezeichneten politischen Geschäften die erspriesslichsten
Dienste geleistet, heute durch Frankreich nach Italien abreisen, wird
jedoch von der Infantin bis zum Montag zurückgehalten, „a quo licet
invito et reluctante effigiem per Apellem Antwerpiensem Rubens depingi
in usum Suae Serenitatis obtinuit". Reichsarchiv, 30jähr. Krieg, Fasz. XII,
Nr. 125. Das Bild scheint noch heute in Privatbesitz zu existieren. Wenigstens verzeichnet Max Rooses, L'Oeuvre de P. P. Rubens IV, p. 268 ein
im J. 1840 für $150 fr. nach London verkauftes, von Rubens gemaltes
Bildnis des Karmeliters Dominikus Ruzzola, zweifellos dasselbe, das in
dem Schreiben des Morreus erwähnt wird. Einen Stich nach diesem
Bilde, der im Hintergrunde die Prager Schlacht zeigt, ohne Angabe des
Malers und Stechers, findet man nach Rooses in dem Buche: De straelen
van den hl. vader Elias von P. Jacobus a Passione Domini (1681), das
mir nicht zugänglich war.

[2]) Geh. Staatsarchiv. Crivelli, Corrispondenze, 1624—27.

[3]) M. Mayr-Adlwang in Mitteilungen des Instituts für österreich.
Geschichtsforschung, V. Ergänzungsband (1896), S. 166.

[4]) Geh. Staatsarchiv. K. schw. 312/19: Päpstliche Breven für Maxi-

sorgte für das Fortleben dieses Ruhmes ein **Bilderzyklus** in
der von Maximilian gegründeten Karmeliterkirche, der die
Thaten des **Paters** im Feldzuge von 1620, darunter auch sein
Auftreten im Kriegsrate vor der Entscheidungsschlacht schildert.[1]) Sogleich nach dem Tode des Dominikus (16. Februar
1630) hatte sich Kaiser Ferdinand II. um seine Heiligsprechung
bemüht, doch ward der darauf abzielende Prozess erst 1670
begonnen und ist, wiewohl er 1840 neu aufgenommen wurde,
bis heute noch nicht beendigt.[2])

---

[1]) Die jetzt im k. Zentraltaubstummeninstitut befindlichen Bilder
stellen dar: 1. des Paters Abschiedsaudienz bei Papst Paul V. Dieser
überreicht ihm ein Schreiben an H. Maximilian und dessen Gemahlin.
2. Der Pater wird vor der Stadt München von Hofherren und Volk empfangen. 3. Er weiht bei der Feldmesse im Lager vor Grieskirchen zwei
Fahnen. 4. Er hängt vor dem Zelte dem Herzoge und Generalen das
Skapulier vom Berge Carmel um. 5. Einzug in Linz. 6. Der Pater
wehrt mit dem Kreuze einem Lagerbrande bei Oberndorf nahe der
böhmischen Gränze. 7. Er überredet den Herzog zum Angriffe auf Pisek
und Pilsen. 8. Er rettet bei der Plünderung der Klosterkirche von
Straschitz ein auf Gips gemaltes Krippenbild. 9. u. 10. Vor dem herzoglichen Zelt, neben Maximilian und den Generalen stehend, hält er
eine Ansprache und erhebt das Kreuz. Die Ueberschriften dieser beiden
Bilder lassen keinen Zweifel, dass sie den Kriegsrat vor der Entscheidungsschlacht darstellen wollen. 11. Schlacht am Weissen Berge. 12. Einzug
des Paters im Gefolge des Herzogs in München. Als geschichtliche
Quellen sind diese Bilder nicht zu verwerten. Auf Nr. 2 lässt die Ansicht Münchens von der Flussseite bereits die Theatinerkirche erkennen,
deren Bau erst in die Jahre 1663—1676 fiel. Ausser diesem Zuge verrät
auch die Ungenauigkeit in einigen Darstellungen und deren Ueberschriften, dass die Bilder erst geraume Zeit nach der Erbauung der
Karmeliterkirche, zu deren Schmuck sie dienten, und nach dem Tode
des Kurfürsten Maximilian entstanden.

[2]) Gindely a. a. O. S. 152.

Beiträge zur Kritik des Euripides.

Von N. Wecklein.

(Vorgetragen in der philos.-philol. Classe am 2. Juni 1897.)

III.

I. Für die Chortechnik des Euripides oder, allgemeiner gesagt, für die Responsion der Gesangspartien hat die Monodie der Elektra El. 112—166 besondere Bedeutung. Freilich bietet diese Partie der Feststellung des Textes merkliche Schwierigkeiten, weshalb wir zuerst hiermit uns beschäftigen müssen. Mit dem cod. Laur. 172 (G) schien eine neue Quelle für den Text der Elektra wie anderer Stücke, die man bisher nur aus dem cod. Laur. 32,2 (L) gekannt hatte, entdeckt zu sein und Schenkl, welcher in der Zeitschrift f. österr. Gymn. 25 S. 82 ff. eine von Piccolomini angefertigte Kollation der Handschrift veröffentlicht hat, zählt eine Reihe richtiger Lesarten auf, welche nach seiner Ansicht dieser Handschrift verdankt werden. Aber Schenkl konnte sein Urteil nur auf eine mangelhafte Kollation von L stützen. Die von ihm hervorgehobenen Lesarten wie πατρῴαις 133 [1]), ὅρμοις ἐκπεπόταμαι 177, ἐπεί νυν 408, OP. nicht HA. 583 f., κοινῇ (ohne τὸ) 607, ἀγόρους 723, ἐν φόνιον 752, HA. 769, ποίῳ τρόπῳ δὲ καὶ τίνι 772, τούσδ' ἀδίκους 878, ἀεὶ 889, σοι 903, ἐξήσκεις 1071, μέλεον 1156, τοι δίκαν 1169, δακρύτ' ἄγαν 1182, ἰώ 1190, φόνια 1192,

---

[1]) Uebrigens ist das von Victorius gesetzte πατρῴοις gewiss richtig, da der Zusammenhang nur die Beziehung zu θαλάμοις gestattet.

τίνα γάμον 1199, φρονοῦσα 1203, γένυν 1214, *OP*. 1295 finden sich als Lesarten der ersten oder zweiten Hand bereits in L. woraus Schenkl nur die willkürlichen Aenderungen jüngerer Hand (l) vorlagen. Bemerkenswert scheint die Lesart παρθέ-ρους 311, welche Kirchhoff nach Konjektur hergestellt hat und Piccolomini aus G beibringt. Aber G hat παρθένος wie L. Ebenso haben beide Handschriften 412 πόλεως, 644 ξυνῆx'. V. 607 ist τὸ in L nur zur Erklärung über κοινῇ geschrieben. V. 707 soll auch noch nach den Angaben von Keene eine auffallende Abweichung sich finden: ἰάχει βάθροις L, ἴαχεν βαράθροις G. Aber L hat ἰάχει βα^θροισ, wo ohne Zweifel ρα ausradiert ist, G ἴαχει βαράθροις.[1]) V. 889 gibt L ἀεί, L² αἰεί, G αἰεί, nicht ἀεί. V. 903 gibt G von erster Hand σε wie L, ebenso 1071 ἐξήσκει, 1295 *OP*. Ob 1192 φόνια (G) besser ist als φοίνια (L), muss zweifelhaft sein; wahrscheinlich ist keine von beiden Lesarten ursprünglich (vgl. I S. 518). In der Meinung, dass 484 G θανάτοις habe, will Schenkl θανάτοις· ἢ σὰν schreiben; aber auch G hat θανάτοισϊ. V. 1216 hat G richtig παρηΐδων τ', aber auch L bietet von erster Hand nicht παρηΐδων τέ γ', sondern παρηΐδων τ'. Für die Herkunft dieser Handschrift aus

---

[1]) Auch sonst sind die Angaben von Keene nicht genau; z. B. rührt in L 435 nur φιλα von erster Hand her, υίος ist von dem corrector geschrieben und steht auf einer Rasur; also hatte auch L von erster Hand φιλάδελφος wie G. In 593 rührt ἴει von l her, aber diese Hand hat nur ἴει am Schlusse der vorigen Zeile radiert und an den Anfang dieser Zeile gesetzt, wie es häufig geschehen. Dagegen ist τούς die Erfindung von l, wie es in G fehlt. Interessant ist die Angabe zu 1191: „ἐξέπραξας LV (= Victorius). ἐξεπράξω G. In L ἐξέπραξας originally ended a line. The letters ξας, however, have been erased and transferred to the beginning of the next line, where as being an afterthought they could not find space within the column, but are written before it where the names of the actors usually stand". Oft ist in solcher Weise die Abteilung der Zeilen von dem corrector geändert worden. Die Abweichung ἐξεπράξω ist auffallend. Aber in L ist von erster Hand noch ἐξεπρά übrig, diese hatte also auch ἐξεπράξω wie G. Soll also das richtige ἐξέπραξας dem corrector angehören? Das scharfe Auge von Prinz hat über der Rasur von ξω noch den Rest einer Ueberschrift, augenscheinlich ασ, entdeckt.

L lassen sich bestimmte Wahrzeichen anführen: 95 hat ν in
ἁμίλλαιν eine etwas sonderbare Form, so dass es leicht mit σ
vertauscht werden kann; G bietet infolge dessen ἁμίλλαις, ebenso
hat 134 ε vor δν in ἀδελφεὰν ein solches Aussehen, dass es
jemand leicht für ein ι halten kann; richtig hat G ἀδελφιὰν;
363 haben beide τὸ γῆϑος für τό γ᾽ ἦϑος, 407 ist ὁμῶς in L
so geschrieben, dass man auch ὁμᾶς lesen kann, G ὃμως; 589
hat L ἔβας mit α über ας d. i. ἔβα, G ἔβασ⁰; 633 war δούλων
in L so geschrieben, dass es auch λέξων gelesen werden konnte,
G λέξων, δουλ hat l deutlich geschrieben. 1235 fehlt γ᾽ wohl
nur deshalb in G, weil es in L am Anfang der folgenden Zeile
steht.

Hiernach hat, wie es von Vitelli schon für die Helena
nachgewiesen worden ist, G nur den Wert, dass wir mit Hilfe
dieser Handschrift, für welche die Abschrift von L vor den
Correcturen von l genommen worden ist, die Unterscheidung der
Hände sicherstellen können. Um gleich die Anwendung auf
unsere Partie zu machen, wird das über der Linie stehende
τῶν bei σχετλίων sowohl von Wilamowitz wie in der mir vorliegenden Kollation l zugewiesen; Keene dagegen bemerkt:
τῶν is added in L by original hand above line. Da es in G
fehlt, ist sicher die erstere Angabe richtig. In φεῦ φεῦ σχετλίων πόνων καὶ στυγερᾶς ζόας würde τῶν lästig sein, weil der
Artikel bei ζόας fehlt. Mit Recht also hat Hermann im antistr.
Vers 135 δὲ für τῶνδε geschrieben.

In 115 ἐγενόμαν Ἀγαμέμνονος κούρα καὶ μ᾽ ἔτεκε Κλυταιμνήστρα, στυγνὰ Τυνδάρεω κόρα muss man entweder mit
Bothe κούρα oder mit Nauck Κλυταιμνήστρα als erklärenden
Zusatz betrachten. Mehr Wahrscheinlichkeit hat das erstere
wegen des folgenden κόρα. Schreibt man aber dann einfach
mit Seidler καὶ τέκεν με (oder κἄτεκέν με) Κλυταιμνήστρα,
so ist die Responsion mit τλᾶμον σύγγον᾽, ἀλατεύεις (so Hartung
für σύγγονε, λατρεύεις) mangelhaft. Nach ἐγενόμαν setzte man
καὶ μ᾽ ἔτεκε für καὶ τίκτει με. Die Umstellung wie Rhes. 51
τίνα μέμψιν εἰς ἔμ᾽ für τιν᾽ ἐς ἐμὲ μέμψιν. V. 123 hält Keene
immer noch πληγείς fest und vergleicht wieder μητέρων τε-

θραμμέναι oder πατρὸς τραφείς. Aesch. Cho. 634 ist βροτῶν natür-
lich nicht von ἀτιμωθέν abhängig. V. 158 hat ϑροίᾳ vor mir
(Stud. z. Eur. S. 374) schon Burges (class. journ. 1814 vol.
IX nr. 18 p. 303) gefunden. Die folgende Partie

> ἰώ μοί μοι
> πικρᾶς μὲν πελέκεως τομᾶς σᾶς, πάτερ,
> πικρᾶς δ' ἐκ Τροίας ὁδοῦ βουλᾶς
> οὐ μίτραις σε γυνὴ
> δέξατ' οὐδ' ἐπὶ στεφάνοις,
> ξίφεσι δ' ἀμφιτόμοις λυγρὰν
> Αἰγίσθου λώβαν θεμένα
> δόλιον ἔσχεν ἀκοίταν

ist augenscheinlich durch Glosseme entstellt. Ich habe schon
früher bemerkt, dass Αἰγίσθου wahrscheinlich aus dem zur
Erklärung von δόλιον ἔσχεν ἀκοίταν beigesetzten Αἰγισθον hervorgegangen ist und das, was der Sinn fordert, σοῦ, πάτερ,
verdrängt hat. Aus diesem σοῦ πάτερ ist nach τομᾶς oben
das an unpassender Stelle stehende σᾶς πάτερ entstanden.
Ferner ist ὁδοῦ βουλᾶς unverständlich. Hermann hat ὁδίου
βουλᾶς vermutet; aber ὁδίου βουλᾶς kann sich kaum auf Klytämestra beziehen. Hartung hat βουλᾶς beseitigt, aber wie sollte
man dazu kommen, βουλᾶς hinzuzufügen? Dagegen ergänzte
sich ὁδοῦ so zu sagen von selbst, wenn man nicht daran dachte,
ἐκ Τροίας mit dem folgenden δέξατο zu verbinden, und nach
πικρᾶς μὲν .. τομᾶς musste es naheliegen, πικρᾶς βουλᾶς für
πικραῖς βουλαῖς zu setzen. Mit πικραῖς δ' ἐκ Τροίας βουλαῖς
οὐ μίτραισι γυνή σε (μίτραισι γυνή σε Seidler) δέξατ' gewinnen
wir auch eine Verbindung der Sätze. Schwierigkeit bereitet
auch die entsprechende strophische Partie (140 ff.):

> Θὲς τόδε τεῦχος ἐμῆς ἀπὸ κρατὸς ἑ-
> λοῦσ', ἵνα πατρὶ γόους νυχίους
> ἐπορθοβοάσω,
> ἰαχὰν ἀοιδὰν μέλος Ἀΐδα,
> πάτερ, σοὶ κατὰ γᾶς ἐννέπω γόους,
> οἷς ἀεὶ τὸ κατ' ἦμαρ
> διέπομαι κτἑ.

Nicht ohne Grund hat man an *νυχίους* Anstoss genommen und *στυγίους, λιγυροὺς, ἐνέπουσ'* vermutet. V. 54 ist es allerdings noch Nacht, aber bei 102 fängt es an Tag zu werden. Da auch anderswo *νύχιος* und *χθόνιος* vertauscht sind (z. B. Hel. 345, Aesch. Cho. 723 f.) und Soph. El. 1066 *χθονία φάμα* den Ruf bedeutet, welcher in die Unterwelt hinabdringt, so scheint *χθονίους* den bei solcher Anrufung der Toten beliebten Gedanken anzudeuten, vgl. Aesch. Cho. 328 *πατέρων δὲ καὶ τακέντων γόος ἔνδικος ματεύει κτέ.* Für *ἐπορθοβόασω* hat L von erster Hand wie es scheint *ἐπορθροβόασω*, daraus ist von l *ἐπορθυβόασω* gemacht. Dem antistr. *ἰὼ μοί μοι* würde am besten das von Dindorf gefundene *ἐπορθρεύσω* entsprechen, aber dann müsste man mit Hartung auch *γόους* in *γόοις* ändern, womit wieder die Konstruktion für *ἰαχάν* verloren ginge. Drum hat das von F. W. Schmidt vermutete *ἐπορθιάζω* mehr Wahrscheinlichkeit, wenn man dem zuliebe auch in der Antistrophe *ἰὼ ἰώ μοι* schreiben muss. Es stehen dann *χθονίους* und *ἐπορθιάζω* in causalem Verhältnis; der Ruf muss laut sein, damit er in die Tiefe dringt.

Sehr gut hat im folgenden Reiske *ἀοιδὰν* aus *'Αΐδα* abgeleitet, es ist also *ἀοιδάν* nicht einfach nach Matthiäs Vermutung zu tilgen, sondern das folgende *'Αΐδα* dafür einzusetzen. Das nach *γόους ἐπορθίαζω* ganz matte *ἐννέπω γόους* nimmt sich wie eine Erklärung aus; für *γόους* erwartet man eine nähere Bestimmung zu *μέλος*, welche wegen des folgenden Relativsatzes kaum eine andere sein kann als *θρήνων*. Vgl. *μέλος βοᾷς* El. 756. Für *διέπομαι* habe ich A. Soph. em. 1859 p. 184 und ziemlich gleichzeitig Herwerden stud. Thuc. 1859 p. 162 *λείβομαι* vermutet. V. 150 gibt *δρύπτε κάρα* den gleichen Gedanken wie das Vorausgehende, weshalb ich schon früher *δρύπτε παρειάν* vorgeschlagen habe; 153 hat Hartung mit *ἀγκαλεῖ* das entsprechende Versmass hergestellt. Hiernach ergibt sich für die ganze Monodie folgender Text:

σύντειν', ὦρα, ποδὸς ὁρμάν·   stroph.
ἃ ἔμβα ἔμβα κατακλαίουσι.
ἰώ μοι μοι

ἐγενόμαν Ἀγαμέμνονος   115
καὶ τίκτει με Κλυταιμήστρα,
στυγνὰ Τυνδάρεω κόρα,
κικλήσκουσι δέ μ' ἀθλίαν
Ἠλέκτραν πολιῆται.
· φεῦ φεῦ σχετλίων πόνων   120
καὶ στυγερᾶς ζόας.
ὦ πάτερ, σὺ δ' ἐν Ἅιδα
κεῖσαι σᾶς ἀλόχου σφαγαῖς
Αἰγίσθου τ', Ἀγάμεμνον.

ἴθι τὸν αὐτὸν ἔγειρε γόον,   125
ἄναγε πολύδακρυν ἁδονάν.

σύντειν', ὥρα, ποδὸς ὁρμάν ·   antistr.
ὦ ἔμβα ἔμβα κατακλαίουσα.
ἰώ μοι μοι.
      τίνα πόλιν, τίνα δ' οἶκον, ὦ   130
τλᾶμον σύγγον', ἀλατεύεις
οἰκτρὰν ἐν θαλάμοις λιπὼν
πατρῴοις ἐπὶ συμφοραῖς
ἀλγίσταισιν ἀδελφάν;
ἔλθοις δὲ πόνων ἐμοὶ   135
τᾷ μελέᾳ λυτήρ,
ὦ Ζεῦ Ζεῦ, πατρὶ δ' αἱμάτων
αἰσχίστων ἐπίκουρος, Ἄρ-
γει κέλσας πόδ' ἀλάταν.

θὲς τόδε τεῦχος ἐμῆς ἀπὸ κρατὸς ἑ-   stroph.
λοῦσ', ἵνα πατρὶ γόους χθονίους   141
ἐπορθιάζω,
ἰαχὰν Ἅιδα, μέλος,
πάτερ, σοὶ κατὰ γᾶς θρήνων,
οἷς ἀεὶ τὸ κατ' ἦμαρ   145
λείβομαι, κατὰ μὲν φίλαν
ὄνυχι τεμνομένα δέραν,
χέρι τε κρᾶτ' ἐπὶ κούριμον

εὐριπίδου Φαυάκων σοῦ.

150

οἷα δέ τις κύκνος ἀχέτας | ποταμίοις παρὰ χεύμασιν
πατέρα φίλτατον ἀγκαλεῖ, | ὀλόμενον δολίοις βρόχων
ἕρκεσιν, ὡς σὲ τὸν ἄθλιον, | πάτερ, ἐγὼ κατακλαίομαι,   155 f.

λουτρὰ πανύσταθ' ὑδρανάμενον χροΐ   antistr.
θροεῖς ἐν οἰκτροτάτῳ θανάτου.
ἰὼ ἰώ μοι
πικρᾶς μὲν πελέκεως τομᾶς,   160
πικραῖς δ' ἐκ Τροίας βουλαῖς
οὐ μίτραισι γυνή σε
δέξατ' οὐδ' ἐπὶ στεφάνοις,
ξίφεσι δ' ἀμφιτόμοις λυγρὰν
σοῦ, πάτερ, λώβαν θεμένα   165
δόλιον ἔσχεν ἀκοίταν.

Wir erhalten also in dieser Monodie zwei Mesoden, 125 f.
μεσ. α', 150—6 μεσ. β', wie noch in der neuesten Ausgabe des
Stückes die Bezeichnung lautet. In meiner Abhandlung über
die Technik und den Vortrag der Chorgesänge des Aeschylos
(XIII. Suppl. der Jahrb. f. cl. Philol. S. 238) wurde als Er-
gebnis festgestellt, dass sich bei Aeschylos die Annahme von
Prooden, Mesoden und von künstlicher Verflechtung der Strophen
und Antistrophen als irrig erweist und dass Einfachheit und
Ordnung das Gesetz der chorischen Technik dieses Dichters ist.
Das gleiche Gesetz gilt bei Sophokles, wo von Prooden oder Mesoden keine Rede ist und immer die Antistrophe auf die Strophe folgt, ohne dass eine neue
Strophe dazwischentritt. Soll Euripides von diesem
Brauche merklich abgewichen sein? Vor allem wird die
künstliche Verflechtung von Strophen und Antistrophen auch von Euripides abzulehnen sein.[1]   Eine

_____

[1] Schon Schöne bemerkt im Philol. X S. 397, dass die durch-
einanderflechtende Anordnung von Chor- oder lyrischen Bühnengesängen
in den meisten Fällen die Befürchtung erwecke, dass der nachconstru-

einzige Stelle scheint eine Ausnahme zu machen, Androm.
1197—1225, wo sich folgende Anordnung findet:

Str.1	Ant.1	Strophe 2	Str.3	Ant.3	Ant. 2
Chor Peleus	Chor Peleus	Chor Peleus	Chor	Peleus	Chor Peleus Chor Peleus

Hier unterbricht also das dritte Strophenpaar das zweite. Da
dieser Fall vereinzelt steht, kann man geneigt sein, der Annahme von Kirchhoff beizupflichten, dass die zweite Antistrophe
(V. 1218—25) vor die dritte Strophe (V. 1213) umzustellen
sei. Der Zusammenhang würde sich nicht gerade dagegen
sträuben, obwohl man sagen muss, dass die Klage des Peleus

> οὔτε μοι πόλις πόλις,
>
> σκῆπτρα τάδ' ἐρρέτω πέδοι,
>
> σύ τ', ὦ κατ' ἄντρα βρύχια Νηρέως κόρη,
>
> πανώλεθρόν μ' ὄψεαι πίτνοντα

das Ganze am kräftigsten abschliesst und dass nach diesen
Worten die Frage des Chors

> ὦ κακὰ παθὼν ἰδών τε δυστυχῆ γέρον,
>
> τίν' αἰῶν' ἐς τὸ λοιπὸν ἕξεις;

sich als matt und überflüssig ausnimmt. Wenn wir genauer
zusehen, finden wir hier einen ganz ähnlichen Fall wie bei
Aeschylos Cho. 422—53:

Strophe 1	Str. 2	Ant. 2	Ant. 1
Chor Elektra	Orestes	Chor	El. Chor

Auch bei Aeschylos steht dieser Fall vereinzelt und man hat
auch hier daran gedacht eine Umstellung vorzunehmen. Ich
habe a. O. S. 237 die Unregelmässigkeit der Strophenordnung
mit der Aenderung, welche in den Personen der Vortragenden
eintritt, gerechtfertigt und dieser Grund wird um so mehr Bedeutung haben, als er auch für die vorliegende Stelle des
Euripides gilt. Während beim ersten und dritten Strophenpaar der Chor die Strophe, Peleus die Antistrophe hat, sind
bei dem zweiten Strophe und Antistrophe unter Chor und

---

ierende Metriker künstlicher verfahre, als der Dichter selbst je habe sein
wollen. Er selbst aber schlägt für Phön. 1485 ff. folgende Anordnung
vor: α β β' μεσῳδός γ γ' δ ε ε' ς ς' ἐπῳδός δ' ζ η η' ζ ϑ ϑ' ι ι' κ κ' α'.

Peleus geteilt. Man muss hiernach für Aeschylos und Euripides das Gesetz in folgender Weise beschränken: Wer zu einer Strophe die Antistrophe allein zu singen hat, beginnt nicht vorher eine neue Strophe. Dass also im Hippolytos zwischen Strophe 362—72 und Antistrophe 668—79 das Stasimon des Chors liegt, könnte nur dann auffallen, wenn die Antistrophe vom Chor, nicht von Phädra gesungen würde. Orest. 1353 und 1537 liegen zwischen Strophe und Antistrophe des Chors nur Trimeter des Chorführers. Rhes. 454 und 820 sind zwar die dazwischen liegenden Strophenpaare zwischen Chor und Halbchöre geteilt, doch scheint diese Anordnung dem Euripides fremd zu sein.

In unserer Monodie der Elektra nimmt Nauck nach 139 den Ausfall von 9 Versen an, von denen die zwei ersten mit 125 f., die sieben anderen mit 150—6 respondieren sollen. Man erhält dann zwei grosse Strophenpaare, welche regelrecht aufeinander folgen. Aber es muss überraschen, dass eine so ausgedehnte Lücke den Sinn und Zusammenhang in keiner Weise angegriffen hat. Auch gibt sich das vorliegende Ende von Strophe und Antistrophe als metrischer Abschluss zu erkennen und können die Verse 125 f.

$$\textit{ἴθι τὸν αὐτὸν ἔγειρε γόον,}$$
$$\textit{ἄναγε πολύδακρυν ἁδονάν}$$

weder dem Versmass noch dem Sinne nach zur Strophe gerechnet werden, wie Seidler richtig bemerkt: male hic uterque versus vulgo ad stropham trahitur. Aperte mesodum faciunt ipsa etiam sententia significante. Die Erfahrung, welche man bei Aeschylos gemacht hat, muss uns gegen die Annahme grosser Lücken in den Chorgesängen misstrauisch machen, besonders wenn der Sinn und der Zusammenhang der Gedanken gar nicht in Mitleidenschaft gezogen sind und der Ausfall sich so hübsch wie hier einem inhaltlichen wie metrischen Absatz anschliesst. Die mit 150—156 respondierenden Verse können ebenso wie vor 140 nach 166 fehlen und auch hier finden wir Abschluss des Sinnes wie des Versmasses. Der Dichter hat

uns mit ἴθι τὸν αὐτὸν ἔγειρε γόον den Sachverhalt angedeutet:
wie am Anfang des ersten Strophenpaares die Klage
wiederholt wird, so geschieht dies auch am Schlusse
des zweiten Strophenpaares. Es eignen sich die Verse
ἒ ἔ, δρύπτε παρειάν . . πάτερ, ἐγὼ κατακλαίομαι vorzüglich als
ἐφύμνιον. Wie also bei Aeschylos durch die Annahme von
Ephymnien die grossen Lücken in den Chorgesängen verschwunden sind, so scheint dieses Mittel auch für den Text
des Euripides anwendbar zu sein.

Sophokles hat sich in den erhaltenen Stücken der
Ephymnien nirgends bedient, scheint also überhaupt davon
keinen Gebrauch gemacht zu haben.

Die Verspottung der Ephymnien des Aeschylos in den
Fröschen des Aristophanes (1261—80) lässt erkennen, dass
manche in diesem Brauch etwas Altväterisches sahen. Bei
Euripides, welcher auch in manchen anderen Formen zu
Aeschylos zurückkehrte, finden sich Ephymnien öfters. Eine
treffliche Wirkung hat das Ephymnion Bakch. 877—81 =
897—901

> τί τὸ σοφὸν ἢ τί τὸ κάλλιον
> παρὰ θεῶν γέρας ἐν βροτοῖς
> ἢ χεῖρ' ὑπὲρ κορυφᾶς
> τῶν ἐχθρῶν κρείσσω κατέχειν;
> ὅ τι καλὸν φίλον αἰεί.

Ein zweites Ephymnion schliesst sich ebd. 992—6 und 1012—6
an Strophe und Antistrophe an, obwohl noch eine Epodos
folgt, und wenn etwa jemand in dem fraglichen Ephymnion
der Elektra bei πάτερ, ἐγὼ κατακλαίομαι den metrischen Abschluss vermisst, so möge er dieses Ephymnion vergleichen:

> ἴτω δίκα φανερὸς ἴτω ξιφηφόρος
> φονεύουσα λαιμῶν διαμπὰξ
> τὸν ἄθεον ἄνομον ἄδικον Ἐχίονος
> τόκον γηγενῆ.

Was ich in der erwähnten Abhandlung S. 220 über die
Ephymnien des Aeschylos bemerkt habe, dass ein solches μέλος

sich immer in der Strophe, nicht aber immer in der Antistrophe eng und innig an das Vorausgehende anschliesst und dabei das musikalische Moment über das inhaltliche das Uebergewicht hat, das gilt auch von den beiden Ephymnien der Bakchen, wie sich mit der Fortsetzung unseres Ephymnion in der Antistrophe πάτερ, ἐγὼ κατακλαίομαι | λουτρὰ πανύσταθ' ὑδραινάμενον χροΐ Eum. 355 δωμάτων γὰρ εἱλόμην | ἀνατροπὰς vergleichen lässt. Damit widerlegt sich der Einwand, welchen neuerdings W. Schmid Philol. 55 S. 46 f. erhoben hat gegen die Annahme von Kirchhoff, dass im Kyklops die V. 49—54 nach 62 als Ephymnion zu wiederholen seien. Man kann sich die ausserordentlich komische Wirkung eines solchen Ephymnion vorstellen, welche der Kontrast zu den Ephymnien der Tragödie hervorrufen musste:

> ψύττα, σὺ τᾷδ' οὔ, σὺ δὲ τᾷδε νεμῇ
> κλιτὺν δροσεράν κτἑ.

Mehr an den Inhalt der Strophe als den der Antistrophe schliesst sich auch das kleine Ephymnion Jon 125—7 = 141—3 an:

> ὦ Παιάν, ὦ Παιάν,
> εὐαίων εὐαίων
> εἴης, ὦ Λατοῦς παῖ.

Von besonderem Interesse ist die Wiederholung von Rhes. 542—5 bei 562. In der Strophe lautet der Text:

> ΗΜ. οὔκουν Λυκίους (vielmehr Λυκίων) πέμπτην φυλακὴν
> βάντας ἐγείρειν
> καιρὸς κλήρου κατὰ μοῖραν;

In der Antistrophe tritt αὐδῶ an die Stelle von οὔκουν und ἡμᾶς an die von καιρός. Uebrigens haben wir hier kein eigentliches Ephymnion, sondern eine Wiederholung nach der Weise wie in den Eumeniden ganze Strophen (781 und 811, 840 und 872) wiederholt werden. Diese Wahrnehmung, dass in der Antistrophe der Konstruktion zuliebe einzelne Ausdrücke geändert werden, verschafft uns die Möglichkeit, einen arg zerrütteten Chorgesang des Kyklops 356 der ursprünglichen

Gestalt näher zu bringen. Die Strophe lautet nach Vornahme einiger Aenderungen:

εὐρείας τᾶς φάρυγγος, Κύκλωψ,   356
ἀναστόμου τὸ χεῖλος ὡς ἕτοιμά σοι
ἑφθὰ καὶ ὀπτὰ κρέ' ἀνθρακιᾶς ἄπο θερμά
χναύειν βρύκειν,
κρεοκοπεῖν μέλη ξένων,
δασυμάλλῳ ἐν αἰγίδι κλινομένῳ.   360
μή μοι μὴ προσδίδου·
μόνος μόνῳ γέμιζε πορθμίδος σκάφος.
χαιρέτω μὲν αὖλις ἄδε,
χαιρέτω δὲ θυμάτων
ἀποβώμιον ἂν ἀνέχει θαλίαν   365
Κύκλωψ Αἰτναῖος ξενικῶν
κρεῶν κεχαρμένος βορᾷ.

Nach εὐρείας habe ich τᾶς (Kirchhoff σᾶς) eingesetzt und vor Κύκλωψ mit Hartung ὦ getilgt, beides um der Responsion willen. In 358 hat κρέ' für καὶ J. Krause hergestellt, θερμά, welches in den Handschriften fehlt, hat Hermann eingesetzt nach 374 θέρμ' ἀπ' ἀνθράκων κρέα, in 362 habe ich γέμιζε für κόμιζε geschrieben nach 505 σκάφος ὁλκὰς ὡς (vielmehr ὁλκάδος) γεμισθεὶς ποτὶ σέλμα γαστρὸς ἄκρας. In 365 ist ἀποβώμιος ἂν ἔχει θυσίαν überliefert. Da θυμάτων θυσίαν als unmöglicher Ausdruck erscheint, habe ich θαλίαν für θυσίαν gesetzt und ἀποβώμιος erhält erst seine Pointe, wenn es mit θαλίαν verbunden den in θυμάτων θαλίαν liegenden Begriff verneint (ein Opfer das kein heiliges Opfer ist). Durch Wiederholung von αν hat ἂν ἀνέχει L. Spengel gewonnen. Von der Antistrophe lassen sich die fünf ersten Verse nach Kirchhoff in folgender Weise herstellen:

νηλής, ὦ τλᾶμον, ὅστις δόμων
ἐφεστίους ἱκτῆρας ἐκθύεις ξένους
ἑφθά τε δαινύμενος μυσαροῖσί τ' ὀδοῦσιν
χναύων βρύκων
θέρμ' ἀπ' ἀνθράκων κρέα.

Für ὅστις δόμων . . ξένους geben die Handschriften ὅστις δωμάτων ἐγχωρίους ξενικοὺς ἰατῆρας ἐκθύει δόμων. Es ist also δόμων an die Stelle von δωμάτων gesetzt, ξένους für ξενικούς hat schon Bothe gefordert; ἐκθύεις hat Hermann für ἐκθύει geschrieben; dieser hat auch unter Anleitung der Strophe 373 vor 372 umgestellt. Unter gleicher Anleitung habe ich χναύων βρύκων für κόπτων βρύκων geschrieben, vor θέρμ' steht ἀνθρώπων in den Handschriften, welches sich als Dittographie zu ἀνθράκων zu erkennen gibt. Nun bleibt noch eine Lücke von acht Versen. Kirchhoff hat erkannt, dass die Verse χαιρέτω μὲν αὖλις ἅδε κτέ. sich vorzüglich für ein Ephymnion eignen. Er nimmt deshalb nach 374 eine Lücke von 3 Versen = 360—62 an und lässt dieser Lücke das Ephymnion 363—67 folgen. Wenn wir aber die gleichen Ausdrücke ἐφθὰ θέρμ' ἀπ' ἀνθράκων κρέα in Strophe wie Antistrophe beachten, wird sich uns die Wahrscheinlichkeit ergeben, dass auch die V. 360—62 in der Antistrophe zu wiederholen sind, indem hier κλινόμενος für κλινομένῳ gesetzt wird.

So füllt sich also hier wieder eine grosse Lücke und wie bei Sophokles, welcher keine Ephymnien hat, in den Chorgesängen keine grösseren Lücken zutage treten, so kommen wir zu dem Ergebnis, dass wie bei Aeschylos, so auch bei Euripides die grösseren Lücken in den Chorgesängen davon herrühren, dass die Ephymnien nur einmal geschrieben wurden. Wir haben noch einen Fall der Art El. 1154 und 1181; sowohl der ersten wie der zweiten Strophe fehlen am Schlusse zwei Verse; es werden also jedesmal die zwei letzten Verse der Antistrophe anzufügen sein und der Inhalt sowohl von

> ὀρεία τις ὣς λέαιν' ὀργάδων
> δρύοχα νεμομένα, τάδε κατήνυσεν

wie von

> τίς εὐσεβὴς ἐμὸν κάρα
> προσόψεται ματέρα κτανόντος

gut in den Zusammenhang. Durch Anfügung der beiden ersten Verse erhält κάρα in 1155 seine Beziehung.

Ausser den eigentlichen Ephymnien habe ich a. O. S. 295
bei Aeschylos noch rhythmische Ephymnien, wie ich sie bezeichnet habe, gefunden. Für die Chortechnik des Euripides
ist es von Interesse, dass solche rhythmische Ephymnien auch
bei diesem Dichter vorkommen, wenn auch nur in einem einzigen Chorgesange Herakl. 348 ff., nämlich 359—63 = 375—79
und 389—93 = 403—7. In der letzten Strophe treten an
die Stelle der fünf Verse sechs von dem gleichen Metrum
Interessant ist es auch, dass alle diese Ephymnien aus Pherekrateen mit einem Glykoneus an vorletzter Stelle bestehen,
in den sechs Strophenpaaren des Aeschylos (Hik. 630—97,
Ag. 367—474) aus drei Pherekrateen und einem Glykoneus:

$$— \smile — \smile\smile — \smile$$
$$— \smile — \smile\smile — \smile$$
$$— \smile — \smile\smile — \smile —$$
$$— \smile — \smile\smile — \smile$$

bei Euripides aus 4 bez. 5 Pherekrateen und einem Glykoneus:

$$— \smile — \smile\smile — \smile \qquad\qquad — \smile — \smile\smile — \smile$$
$$\smile — — \smile\smile — \smile \qquad\qquad \smile\smile\smile — \smile\smile — —$$
$$— — — \smile\smile — — \qquad\qquad — — — \smile\smile — —$$
$$— — — \smile\smile — \smile — \qquad\qquad \smile\smile\smile — \smile\smile — —$$
$$— — — \smile\smile — \smile \qquad\qquad — \smile — \smile\smile — \smile —$$
$$\qquad\qquad\qquad\qquad\qquad — \smile — \smile\smile — —$$

Nebenbei bemerkt wird durch diese Uebereinstimmung
unsere Emendation von 422 βέλεσι τ' ἀμφέβαλ' ἰόν (= 438
τέκεσιν ἂν προπαρέσταν) bestätigt. Wir sehen also, dass sich
in Bezug auf den Gebrauch von Ephymnien Euripides
durchgehends dem Gebrauch des Aeschylos angeschlossen hat im Gegensatz zu Sophokles.

Wir kehren zu der Monodie der Elektra zurück. Noch
sind uns die zwei Zeilen 125 f. übrig, denen nichts respondiert.
Es wäre verkehrt, diese Verse nach 139 zu wiederholen, da sie
dort ganz ohne Sinn und Zweck stünden. Bleibt uns also
doch eine Mesodos? Wir dürfen nur den Inhalt der Verse
genauer ansehen, um eines Besseren belehrt zu werden. Die
Strophe, welche den Tod des Vaters beklagt, ist abgeschlossen.

Zwischen Strophe und Antistrophe, welche die Klage wiederholt, stehen die Verse

ἴθι τὸν αὐτὸν ἔγειρε γόον,
ἄναγε πολύδακρυν ἀδονάν,

sie fordern also zu dem auf, was die Antistrophe thut. Augenscheinlich können diese nicht auf die gleiche Weise vorgetragen
werden wie die in Strophe und Antistrophe enthaltene Klage;
da sie aber melisches Versmass haben, bleibt nur die Vortragsweise übrig, welche als παρακαταλογή bezeichnet
wurde. Einen ganz ähnlichen Fall haben wir in Hel. 164

ὦ μεγάλων ἀχέων καταβαλλομένα μέγαν οἶκτον [1])
ποῖον ἁμιλλαθῶ γόον; ἢ τίνα μοῦσαν ἐπέλθω
δάκρυσιν ἢ θρήνοις ἢ πένθεσιν; ἒ ἔ.

Helena besinnt sich erst auf die Weise ihrer Klage, dann
stimmt sie in Strophe und Antistrophe die Klage an. Diese
s. g. Proodos wird also auch eine parakatalogische Partie sein.
Ebenso wird sich der Vortrag des Chorführers in Med. 131—138,
worin der Anlass für das Auftreten des Chores dargelegt wird,
von dem folgenden antistrophischen Gesang des Chores abheben.
An der angeführten Stelle der Helena folgen der einleitenden
Partie der Helena zwei Strophenpaare, bei denen Helena die
Strophe, der Chor die Antistrophe hat; das Ganze wird mit einer
längeren Partie der Helena abgeschlossen. Ebenso folgt in
der Medea auf das angeführte Strophenpaar eine Chorpartie.
Es fragt sich, ob nicht wie die s. g. Proodos, so auch die
s. g. Epodos als parakatalogische Partie zu betrachten ist.
Hel. 632 ff. will Reisig Coni. p. 280 zwei Strophenpaare
herstellen: 632—5 = 636—40, 643—9 = 650—5. Die
V. 641 f. sollen eine Mesodos bilden. Die Herstellung der
Responsion erfordert gewaltsame Aenderungen und die Trennung
von 641 und 642 wird kaum möglich sein. Ausserdem lassen

---

[1]) In diesen Worten einen Sinn zu finden ist schwer. Wenn man
Iph. T. 1004 ἐγὼ καὶ παραβάλλομαι θρήνους vergleicht, wird man geneigt
sein τῶν παραβαλλομένα zu schreiben.

sich auch die folgenden Partien, welche ähnlichen metrischen
Charakter haben, nicht in Responsion bringen. Solche Partien
ohne antistrophische Responsion finden sich ziemlich häufig
bei Euripides, z. B. Hel. 330—85 in der Unterredung der
Helena mit dem Chor, Jon 1445—1509 in der Unterredung
des Jon und der Kreusa, Or. 1369—1502 in der Unterredung
des Sklaven und des Chors, Phoen. 103—192 in der Unterredung der Antigone und des Pädagogen, 291—354 in der
Unterredung der Jokaste und des Chors, 1485—1581 in der
Monodie der Antigone und dem sich daran knüpfenden Gespräch
der Antigone und des Oedipus, 1710 ff. in dem Zwiegespräch
der Antigone und des Oedipus, dessen Echtheit freilich zweifelhaft ist, Herakl. 875—921 in der Klage des Chors und dem
sich anschliessenden Gespräch des Chors mit Amphitryon und
dem Boten, 1016—85 in der Klage des Chors und der damit
verbundenen Unterredung desselben mit Amphitryon, 1178—1213
im Gespräch des Theseus und Amphitryon, Iph. A. 1283—1335
in der Klage der Iphigenie in Gegenwart der Mutter, 1475—1509
in einem Erguss von Empfindungen, an welchem sich der Chor
beteiligt, Iph. T. 827—99 in den Gefühlsäusserungen der Iphigenie, an denen Orestes teilnimmt. Die Parodos dieses Stücks
und das darauffolgende Wechselgespräch des Chors und der
Iphigenie besteht durchweg aus reinen Anapästen. Man wird
nicht fehlgehen, wenn man für alle diese Partien
παρακαταλογή annimmt, eine Art des Vortrags, welche
sich für das Gespräch eignet. Die grosse Zahl solcher ἀν-
ομοιόστροφα bei Euripides kann uns warnen, den Versuchen
in solchen Partien ganz oder teilweise Responsion herzustellen
beizupflichten. Die oben behandelte Partie Hel. 632 ff., in
welcher trotz der Responsion der drei Verse 632—4 = 636—8
sich keine Strophenpaare herstellen lassen, muss uns auch zur
Lehre dienen, dass trotz einzelner sich entsprechender Verse
nicht an antistrophische Anordnung zu denken ist. So stellt
Hermann zwischen Tro. 1216—8 und 1226—8 antistrophische
Responsion her, indem er hier für αἰαῖ αἰαῖ, πικρὸν ὄψει
γαῖά σ', ὦ τέκνον, δέξεται schreibt: αἰαῖ ⏑ —, παρθ...

γᾶ πικρὸν ὀδυρμά σ', ὦ τέκνον, δέξεται. Im folgenden haben wir fünfmal das gleiche Versmass

$$\smile - \smile - \smile - \smile$$

ohne dass von Strophe und Antistrophe die Rede sein kann. Das gleiche Versmass findet sich auch zweimal nach einander in einer ähnlichen Partie Androm. 847 f. Hier gewinnt man zwei Strophenpaare 825—8 = 829—32 und 833—6 = 837—40, wenn man mit Nauck in

EP. τί δέ με δεῖ [στέρνα] καλύπτειν πέπλοις δῆλα καί ἀμφιφανῆ καί ἄκρυπτα [δεδράκαμεν πόσιν]

TP. ἀλγεῖς, φόνον ῥάψασα συγγάμῳ σέθεν;

EP. κατά μὲν οὖν στένω δαίας [τόλμας, ἂν ἔρεξ'] ἀ κατάρατος ἐγώ κατάρατος [ἀνθρώποις].

die eingeklammerten Worte streicht. Die Aenderungen in den drei ersten Versen werden durch den Sinn, welcher gewonnen wird, durchaus empfohlen. Dagegen erscheint nach δαίας (oder δαίαν) der Nom. ἀ κατάρατος nicht als stilgerecht[1]. Wenn also auch die beiden ersten Partien gleich sind, wird doch wohl auf die Herstellung von Strophen und Antistrophen verzichtet werden müssen.

Eine ähnliche Partie findet sich bei Sophokles im Philoktet, das Gespräch zwischen Chor und Philoktet 1169—1217. Die Klage des Herakles in den Trachinierinnen 1004—1043 ist anderer Art. Dagegen kann noch das Gespräch des Oedipus mit Antigone, nachher mit dem Chor in Oed. a. K. 179—236 hieher gehören, wenn man die Herstellung antistrophischer Responsion, welche durch Annahme verschiedener Lücken erzielt wird, aufgibt. Der Umstand, dass solche Partien erst in den jüngsten Stücken des Sophokles vorkommen, weist auf

---

[1] Uebrigens ist δαίας τόλμας καταστένω eine grammatische Unmöglichkeit. Wenn für καταστένειν τινός auf Soph. El. 874 verwiesen wird, so beruht das auf einem Missverständnis der Attraktion beim Relativ. Androm. 443 ist σ' οὗ καταστένω für ὅσ' οὗ καταστένω hergestellt. Burges hat δαίαν τόλμαν vermutet, womit der Dochmius zerstört wird. Es muss wohl δαίαν τόλμας geschrieben werden.

Euripideischen Einfluss hin. Im Philoktet finden wir auch
die Erscheinung, dass zwischen Strophe und Antistrophe grosse
Partien liegen (391—402 = 507—518), in gleicher Weise
wie bei Euripides: Hipp. 362—72 = 668—79, Or. 1353—65
= 1537—48, (Rhes. 454—66 = 820—32).

Im Anschluss an das Dargelegte wollen wir noch die
daktylische Chorpartie Hik. 271—85 besprechen. Hermann
betrachtet 271—4 als Strophe und 282—5 als Antistrophe
und das Dazwischenliegende als Mesodos. Diese letzte Partie
hat eine auffällige Gestalt:

> ἰώ μοι· λάβετε φέρετε πέμπετε κρίνετε
> ταλαίνας χέρας γεραιάς.
> πρός σε γενειάδος, ὦ φίλος, ὦ δοκιμώτατος Ἑλλάδι,
> ἄντομαι ἀμφιπίτνουσα τὸ σὸν γόνυ καὶ χέρα δειλαίαν
> οἴκτισαι ἀμφὶ τέκνων μ᾽ ἱκέτην ἤ τιν᾽ ἀλάταν
> οἰκτρὸν ἰήλεμον οἰκτρὸν ἰεῖσαν.

Zunächst also werden die Hexameter durch zwei fremdartige Verse unterbrochen. Aber diese zwei Verse stammen
aus Hek. 62 f. und sind von Dindorf hier beseitigt worden.
Die folgenden zwei akatalektischen Hexameter sind schon von
Markland und Elmsley beanstandet worden. Für Ἑλλάδι scheint
auch der Sinn von δόκιμος (erprobt) ein anderes Wort und
zwar ἀλκᾷ zu verlangen. Noch weniger entspricht δειλαίαν
dem Sinn. Hermann schreibt dafür δειλαία. Aber wenn einmal geändert werden muss, wird auch der regelrechte Hexameter herzustellen sein mit ἀμφιπίτνουσα τὸ σὸν γόνυ καὶ
χέρ᾽ ἑλοῦσα. Hiernach muss die Annahme volle Wahrscheinlichkeit gewinnen, dass wir in der ganzen Partie nur Hexameter vor uns haben (wie Androm. 103—16 Hexameter und
Pentameter) und dass also auch der Text der zwei folgenden
Verse nicht in Ordnung ist. Deshalb kann es nicht gebilligt
werden, wenn Nauck und Kirchhoff ἤ einfach streichen. Wahrscheinlich lautete der Hexameter οἴκτισαι ἀμφὶ τέκνων μ᾽ ἱκέταν
ὡς εἴ τιν᾽ ἀλάταν. Inbetreff des folgenden Verses kann nur
das Lückenhafte konstatiert werden. Doch ist durch das wieder-

holte οἰκτρόν auch eine Wiederholung von ἰήλεμον (Dindorf
ἰάλεμον) angezeigt, also οἰκτρὸν ἰάλεμον οἰκτρὸν ἰάλεμον — ◡
ἴσαν.

Wir haben gesehen, dass in Partien, in denen der Chor
sich mit dem Schauspieler unterredet, der Mangel der Responsion
die Symmetrie einzelner Gruppen nicht ausschliesst. So ist
Androm. 825—8 = 829—32, Hel. 632—4 = 636—8. In der
Partie des Herakles, in welcher die Klage des Chors durch
Rufe des Amphitryon unterbrochen wird (875 ff.), muss der
erste Ruf des Amphitryon 887 ἰώ μοι μέλεος vor ἰώ στέγαι,
κατάρχεται χορεύματ' ἄτερ τυπάνων eingesetzt werden, denn
dieser Weheruf kann nur durch einen unmittelbar vorhergehenden Ruf des Amphitryon veranlasst sein, wie nachher
noch zweimal an Rufe des Amphitryon φυγῇ, τέκν', ἐξορμᾶτε
896 und αἰαῖ κακῶν 900 die Gefühlsäusserungen des Chors
anknüpfen. Wenn diese Umstellung vollzogen wird, so erhält
man 875—79 = 885—90, wenn man für κακοῖσιν ἐκπετάσουσιν
schreibt κακοῖς ἐκπετῶσιν (= χορευθέντ' ἀναύλοις). Ferner
macht das sich gegenüberstehende ἰώ στέγαι — ἰώ δόμοι wahrscheinlich, dass durch die zwei Aenderungen von Hermann
χορεύματ' ἄτερ τυπάνων 891 und Pflugk τᾶς βοτρύων 895 die
Symmetrie von 890—92 und 893—95 herzustellen ist. Diese
Partien mag der Chor, das übrige der Chorführer vorgetragen
haben.

Ein Analogon für die Unterbrechung der Responsion bietet
die Stelle in dem Kommos Soph. El. 1398 ff., wo der plötzliche
Aufschrei der Klytämestra, welcher aus dem Innern des Hauses
ertönt, und die in freudigster Ueberraschung dem Chor zuge-
rufene Erwiderung desselben von Seite der Elektra

   ΚΛ. αἰαῖ· ἰώ στέγαι

—. (φίλων ἔρημοι, τῶν δ' ἀπολλύντων πλέαι.

   ΗΛ. βοᾷ τις ἔνδον· οὐκ ἀκούετ', ὦ φίλαι;

   ΚΛ. οἴμοι τάλαιν'· Αἴγισθε, ποῦ ποτ' ὢν κυρεῖς;

ausserhalb der Responsion stehen. Die weiteren Rufe der
Klytämestra sind gewissermassen in die Unterredung aufge-

ΚΛ. ὦ τέκνον τέκνον

οἴκτειρε τὴν τεκοῦσαν. ΗΛ. ἀλλ' οὐκ ἐκ σέθεν

ᾠκτείρεθ' οὗτος οὐδ' ὁ γεννήσας πατήρ.

ΚΛ. ὤμοι πέπληγμαι. ΗΛ. παῖσον, εἰ σθένεις, διπλῆν.

und nehmen deshalb auch an der Responsion teil. Schwerlich
also sind mit Erfurdt und Seidler in der Antistrophe Lücken
anzunehmen, zumal da im Inhalte nichts fehlt und die Aufforderung der Elektra ὦ παῖδες, οὐκ ἀψορρον; unmittelbar
auf 1429 folgen muss.

2. An den Chorgesang Hel. 1301—68 knüpft sich eine
interessante Frage. Nach Aristot. Poet. 18, 1456a 26 καὶ τὸν
χορὸν δὲ ἕνα δεῖ ὑπολαβεῖν τῶν ὑποκριτῶν καὶ μόριον εἶναι
τοῦ ὅλου καὶ συναγωνίζεσθαι μὴ ὥσπερ Εὐριπίδῃ ἀλλ' ὥσπερ
Σοφοκλεῖ. τοῖς δὲ λοιποῖς τὰ ᾀδόμενα οὐδὲν μᾶλλον τοῦ μύθου
ἢ ἄλλης τραγῳδίας ἐστίν· διὸ ἐμβόλιμα ᾄδουσιν πρῶτον ἄρξαντος
Ἀγάθωνος τοῦ τοιούτου scheinen Gesänge, welche mit dem
Inhalt des Dramas und dem Gang der Handlung in keinem
Zusammenhang stehen, auch bei Euripides in Gebrauch gewesen
zu sein. Es fragt sich, ob solche Schaltlieder in den
vorhandenen Tragödien desselben vorkommen. Hermann
glaubt ein solches in dem genannten Chorgesang entdeckt zu
haben; doch lässt er auch die Möglichkeit offen, dass Schauspieler für den vom Dichter herrührenden Chorgesang einen
anderen eingelegt haben, den sie nur soweit änderten, dass er
einige Beziehung zur Tragödie Helena erhielt.

In der That scheint der Inhalt des Chorgesangs der Handlung sehr fremd zu sein. In der ersten Strophe werden die
Mühsale der ihre geraubte Tochter suchenden Göttermutter
Rhea, welche mit Demeter identificiert ist, beschrieben. Die
bakchischen Schallwerkzeuge werden zuhülfe genommen. Artemis
und Athena nehmen an der Arbeit teil. In dem überlieferten
Texte

κρόταλα δὲ βρόμια διαπρύσιον
ἱέντα κέλαδον ἀναβόα,
θηρῶν ὅτε ζυγίους
ζεύξασα θεὰ σατίναν

τὰν ἁρπασθεῖσαν κυκλίων
χορῶν ἔξω παρθενίων
μετὰ κουρᾶν δ' ἀελλόποδες,
ἃ μὲν τόξοις Ἄρτεμις, ἃ δ' κτέ.

weist das Versmass auf die Verbesserung von Heath und
Pflugk μέτα κοῦραι ἀελλόποδες, das Versmass und die im
Nom. folgende Apposition ἃ μὲν κτέ. auf die Emendation von
Badham ζεύξασαι θεαί, endlich ζυγίους auf das von Musgrave
hergestellte σατίνας hin. Noch fehlt im Satze θηρῶν ὅτε κτέ.
das verb. fin., denn es ist unmöglich ἐσύθησαν aus ἐσύθη
1302 zu ergänzen. Da die Strophe einen Vers zu wenig hat,
nahm Hermann die Lücke nach 1316 an, ergänzte προυξωρ-
μῶντο· Ζεὺς δ' ἑδράνων und beseitigte δ' im folgenden Vers.
Aber eben dieses δ' muss uns ein Wahrzeichen sein, dass die
Lücke nach 1317 anzusetzen ist (etwa Ζεὺς θείους μόχθους
ἑδράνων oder δαπέδων). Gröppel will μετὰ κουρᾶν δ' in
μετῆξαν verwandeln, was sehr unwahrscheinlich ist. Man könnte
im vorhergehenden Verse χορῶν ἦξαν für χορῶν ἔξω oder
wenn man an παρθένια denkt, ὥρμων ἔξω vermuten. Allein
das Verbum ist noch vorhanden und wird durch eine andere
Verbindung der Buchstaben gewonnen. Es muss θηρῶν ζυγίους
σατίνας überraschen, noch mehr die Anknüpfung mit ὅτε, kurz
θηρῶν ὅτε ist nichts anderes als θηρῶντό τε („es jagten
hinter der Geraubten her“). Vgl. Aesch. Ag. 697 πολύανδροί
τε φεράσπιδες κυναγοὶ κατ' ἴχνος πλατᾶν ἄφαντον. Ich möchte
übrigens μέτα nicht mit dem Acc. τὰν ἁρπασθεῖσαν verbinden,
sondern mit θηρῶντο und μεταθηρᾶσθαι wie μεταδιώκειν gebraucht ansehen. Vgl. 1156 λείψει κατ' = καταλείψει, Hipp. 770
ἅψεται ἀμφί = ἀμφάψεται. Die erste Antistrophe schildert die
Wut der Göttin, nachdem alle Mühe des Suchens erfolglos
geblieben ist. Der erste Satz δρομαίων δ' ὅτε πολυπλανήτων
μάτηρ ἔπαυσε πόνους, ματεύουσα φίλας θυγατρὸς ἁρπαγὰς δολίους
fasst den Inhalt der Strophe zusammen; ebenso wird im An-
zweiten Strophe mit ἐπεὶ δ' ἔπαυσ' ειλαπίνας θεοῖς
βροτείῳ τε γένει des Inhalt der ersten Antistrophe angegeben.
Götter und Menschen also müssen den Grimm der Göttin fühlen.

Damit erhalten wir einen Fingerzeig für die Auffassung der
V. 1323 ff. Bei

χιονοθρέμμονάς γ' ἐπέρασ'
Ἰδαιᾶν Νυμφᾶν σκοπιάς,
ῥίπτει δ' ἐν πένθει πέτρινα κατὰ δρία πολυνιφέα

muss die Beschreibung des Zornes der Göttin beginnen. Ueberhaupt ist, wenn man wie gewöhnlich mit Elmsley *χιονοθρέμμο-*
νάς τ' schreibt, die Angabe des Ortes ganz zwecklos. Was
hat Rhea jenseit der schneeigen Warten des Ida oder über denselben zu schaffen? Der neueste Herausgeber, Herwerden, bemerkt
zu der Stelle: non recte Hermann *διέπερσ'*, Hartung *μὲν ἑπερσ'*.
Im folgenden erklärt man *ῥίπτει* mit Heath im Sinne von
ῥίπτει ἑαυτήν nach Kykl. 166 und Alk. 897 *τί μ' ἐκώλυσας*
ῥῖψαι τύμβου τάφρον ἐς κοίλην. An der letzten Stelle ergänzt
sich nach *μέ* das Objekt von selbst, an der ersten ist wahrscheinlich nach einer Vermutung Hartungs *πέτρας μ'* zu schreiben.
Abgesehen davon erscheint die Vorstellung, dass die Göttin
sich in den Bergwäldern hinstürzt, als sonderbar. Alle Zweifel
beseitigt der Blick auf die beiden Epitheta *χιονοθρέμμονας* —
πολυνιφέα, welche auf das causale Verhältnis zu dem folgenden
Satze hinweisen: weil die Quellen der Feuchtigkeit zerstört werden, entsteht Trockenheit und Misswachs
auf der Erde. Wir haben also *κάτα* für *κατά* zu schreiben
und wieder wie in den kurz vorher angeführten Beispielen
Tmesis mit Nachstellung der Präposition anzunehmen. Folglich kann vorher nur die Wahl zwischen *διέπερσ'* oder *μὲν*
ἑπερσ' sein; da *δ'* von l herrührend keine Gewähr mehr hat,
wird *μὲν ἑπερσ'*, welches auch Dindorf in den Text gesetzt
hat, das Ursprüngliche sein.

Die zweite Strophe gibt an, wie der Groll der Rhea be-
sänftigt wurde. Die Grazien und Musen erhielten von Zeus
den Auftrag die Göttin mit Gesang und Reigentänzen zu erfreuen und Kypris nahm damals zuerst[1]) die dumpfhallende

---

[1]) In 1348 hat Matthiae dem Versmass zuliebe *κάλλιστα . . πρῶτα*
für *κάλλιστα . . πρῶτα* geschrieben. Der Sinn verlangt *πρῶτον τότε*

Trommel in die Hand. Der Rhea wurde wieder ein Lächeln
entlockt und sie nahm die Flöte entgegen und erfreute sich
der lauten Musik. Soweit reicht die Erzählung. Den Zusammenhang derselben mit dem Mythus des Stücks hat die zweite
Antistrophe zu bringen, wie häufig der Schluss des Chorgesangs
die Vermittlung nachholt. Aber hierin liegt die eigentliche
Schwierigkeit dieses Chorgesangs, besonders in den ersten Versen:

$$\mathring{\omega}\nu \; (\mathring{\omega}\nu \text{ Canter}) \; o\mathring{v} \; \vartheta\acute{\epsilon}\mu\iota\varsigma \; o\mathring{v}\vartheta' \; \acute{o}\sigma\acute{\iota}\alpha$$
$$\grave{\epsilon}\pi\acute{v}\varrho\omega\sigma\alpha\varsigma \; \grave{\epsilon}\nu \; \vartheta\alpha\lambda\acute{\alpha}\mu\iota\iota\varsigma.$$

Diese Worte haben schon Heath zu der Meinung gebracht,
dass diese Antistrophe einer anderen Tragödie, etwa dem
Αἴολος zugehöre, weil darin eher von der sündhaften Liebe
eines Vaters oder Bruders als von der Liebe des Paris oder
Theoklymenos die Rede zu sein scheine. Hermann vermutet:
$\mathring{\omega}\nu \; o\mathring{v} \; \vartheta\acute{\epsilon}\mu\iota\varsigma \; \sigma' \; o\mathring{v}\vartheta' \; \acute{o}\sigma\acute{\iota}\alpha, \; '\pi\acute{v}\varrho\omega\sigma\alpha\varsigma \; \mathring{\alpha}\nu\delta\varrho' \; \grave{\epsilon}\nu \; \vartheta\alpha\lambda\acute{\alpha}\mu\iota\iota\varsigma$ oder
$\pi\acute{v}\varrho\omega\sigma\alpha\varsigma \; \grave{\epsilon}\nu \; o\acute{\iota}\varsigma \; \vartheta\alpha\lambda\acute{\alpha}\mu\iota\iota\varsigma.$ Damit soll eine Beziehung auf
das Stück gewonnen sein. Ursprünglich habe es wohl geheissen
$\mathring{\omega}\nu \; o\mathring{v} \; \vartheta\acute{\epsilon}\mu\iota\varsigma \; \sigma' \; o\mathring{v}\vartheta' \; \acute{o}\sigma\acute{\iota}\alpha, \; '\pi\acute{v}\varrho\omega\sigma\alpha\varsigma \; \grave{\epsilon}\nu \; \gamma\tilde{\alpha}\varsigma \; \vartheta\alpha\lambda\acute{\alpha}\mu\iota\iota\varsigma$, was sich
auf den Gott der Unterwelt bezogen habe, der von Kypris
unberechtigter Weise zur Liebe entflammt worden sei. Die
ganze Verwirrung der Stelle scheint sich zu lösen durch eine
andere Auffassung des Wortes $\grave{\epsilon}\pi\acute{v}\varrho\omega\sigma\alpha\varsigma$, welches andere ändern
(in $\grave{\epsilon}\pi\acute{\eta}\nu\varrho\omega$, $\grave{\epsilon}\pi\tilde{\omega}\varrho\sigma\alpha\varsigma$, $\mathring{v}\pi\nu\omega\sigma\epsilon\varsigma$, $\mathring{\iota}\kappa\nu\varrho\sigma\alpha\varsigma$), weil die alte Erklärung *amore inflammasti* ihnen unbrauchbar scheint. Man
braucht nur an Ausdrücke wie $\pi\alpha\iota\delta\iota\kappa o\acute{\iota} \; \vartheta' \; \mathring{v}\mu\nu o\iota \; \varphi\lambda\acute{\epsilon}\gamma o\nu\tau\iota$
(Bakchyl. 13, 12), $\sigma\acute{\alpha}\lambda\pi\iota\gamma\xi$ . . $\mathring{v}\pi\acute{\epsilon}\varrho\tau o\nu o\nu \; \gamma\acute{\eta}\varrho v\mu\alpha \; \varphi\alpha\iota\nu\acute{\epsilon}\tau\omega \; \sigma\tau\varrho\alpha\tau\tilde{\omega}$
(Aesch. Eum. 572), $\pi\alpha\iota\grave{\alpha}\nu \; \delta\grave{\epsilon} \; \lambda\acute{\alpha}\mu\pi\epsilon\iota$ (Soph. O. T. 186), $\mathring{\epsilon}\lambda\alpha\mu\psi\epsilon$
$\varphi\acute{\alpha}\mu\alpha$ (ebd. 473) zu denken, um zu erkennen, dass $\grave{\epsilon}\pi\acute{v}\varrho\omega\sigma\alpha\varsigma$
sich ebenso wie etwa $\mathring{\epsilon}\varphi\lambda\epsilon\xi\alpha\varsigma$ auf den hellen Schall,
den man ertönen lässt, beziehen kann. So erhält $\mathring{\omega}\nu$
$\grave{\epsilon}\pi\acute{v}\varrho\omega\sigma\alpha\varsigma$ die passende Beziehung auf das unmittelbar vorhergehende $\mathring{\alpha}\lambda\alpha\lambda\alpha\gamma\mu\tilde{\omega}$ (nämlich *αὐλοῦ*). Nun entsteht die Forderung,
für den angeführten Text die richtige grammatische und metrische

$\pi\varrho\tilde{\omega}\tau o\nu$, damals zuerst); $\grave{\epsilon}\gamma\acute{\omega}\tau\alpha$ scheint unter dem Einfluss von $\kappa\acute{\alpha}\lambda\lambda\iota\sigma\tau\alpha$

Form zu finden. Ich dachte zuerst an ὅν, ἃ θέμις (oder ᾗ θέμις) σ' ἠδ' ὁσία, πύρωσας οὐκ ἐν θαλάμοις („welchen Jubelschall du nicht, wie es recht und billig von dir gewesen wäre, in deinen Gemächern hast ertönen lassen"); aber der Ueberlieferung dürfte näher liegen:

$$\text{ὅν οὐ θεμιστῶς ὁσίᾳ}$$
$$\text{πύρωσας ἐν σοῖς θαλάμοις,}$$

(„nach Gebühr mit Frömmigkeit").

Jedenfalls wird uns jetzt der Zusammenhang des ganzen Chorgesangs klar. In den drei vorausgehenden Partien wird erzählt, wie sich der den bakchischen Orgien verwandte Kult der Kybele gebildet hat. Vgl. Bakch. 126 ἀνὰ δὲ βάκχια συντόνῳ (ἀνὰ δ' ἀράγματα τυμπάνων Sandys) κέρασαν ἡδυβοᾶν Φρυγίων αὐλῶν πνεύματι ματρός τε Ῥέας ἐς χέρα θῆκαν, κτύπον εὐάσμασι Βακχᾶν. Dieser Erzählung schliesst sich der Gedanke an: „Diesen Kult hast du nicht gepflegt und zogst dir deshalb den Groll der Göttin zu, weil du ihr keine Opfer brachtest. Von grosser Heiligkeit ja ist die Festfeier der Göttin. Diese beachtetest du nicht, weil du nur auf deine Schönheit pochtest." So ist der Inhalt im besten Zusammenhang und von den fremdartigen Zusätzen, welche Hermann zu entdecken glaubte, keine Spur zu finden. Zum Text bemerke ich noch folgendes. V. 1360 hat in κισσῷ τε στεφθεῖσα χλόα Musgrave κισσῷ in κισσοῦ verbessert. Der Fehler ist durch die falsche Auffassung „das mit Epheu bekränzte Grün" entstanden. Ebenso ist im folgenden ῥόμβῳ θ' εἱλισσομένα κύκλιος ἔνοσις αἰθερία die falsche Vorstellung „mit dem Rhombus gedreht" an der Textverderbnis schuld gewesen. In Erinnerung an die in II 1 dargelegte Methode der Emendation werden wir deshalb nicht, wie es gewöhnlich geschieht, mit Musgrave ῥόμβων, sondern mit Heath ῥόμβου schreiben; aber auch εἱλισσομένου, worauf schon die beiden Epitheta von ἔνοσις führen können. Unsicher ist im ganzen Chorgesang allein die Emendation von 1366 f. εὖ δέ νιν ἅμασιν ὑπέρβαλε σελάνα. Doch hat die Vermutung von Canter εὖτέ νιν ηὔγασεν ὕπερθε σελάνα einige Wahrschein-

lichkeit für sich. Eine Folge der unrichtigen Vorstellung,
welche Hermann befangen machte, war es, dass er die für den
Zusammenhang notwendigen Worte μορφᾷ μόνον ηὔχεις tilgte.

Der Inhalt des Chorgesanges ist nicht als etwas anderes
aufzufassen denn als eine Vermutung: „Dein Unglück, Helena,
musst du wohl dem Groll der Kybele zuschreiben, weil du
wahrscheinlich deren Kult vernachlässigtest im Vertrauen bei
deiner Schönheit seiner entraten zu können." Wir dürfen
mit dem Dichter nicht so peinlich verfahren, dass wir etwa
mit Heath sagen: Quae in hac antistropha leguntur, de Helena
non videntur dici potuisse. Neque enim unquam infortunia
sua adscripsit Cybeles irae, sed tribus deabus, de pulchritudine
certantibus. In ähnlicher Weise wird Hipp. 141 ff. das uner-
klärliche Benehmen der Phädra auf eine Einwirkung des Pan,
der Hekate, der Kybele oder der Jagdgöttin, der nicht der
nötige Tribut von der Beute der Jagd gezollt worden, ver-
mutungsweise zurückgeführt. Ebenso vermutet Soph. Ai. 172 ff.
der Chor, der Irrsinn des Aias rühre von dem Einfluss einer
vernachlässigten Gottheit her. Um diese Vermutung des Chors
als zureichenden Inhalt zu erachten, müssen wir bedenken,
dass dieser Gesang an einer Stelle steht, wo eben die
Intrigue gegen den König angezettelt ist und der Chor,
welcher auf Seite der Helena und des Menelaos steht, sich
hüten muss etwas zu verraten. Also ist es gewissermassen
im Gange der Handlung begründet, dass der Chor ein zwar
mit dem Mythus in Verbindung stehendes, aber sonst indiffe-
rentes Lied singt, und der Zusammenhang mit der Handlung liegt gerade darin, dass von den Vorgängen absichtlich geschwiegen wird. Einen ganz gleichen Fall
haben wir Iph. T. 1234 ff., wo der Chor die Besitzergreifung des
delphischen Orakels und das Ansehen der pythischen Weis-
sagungen feiert. Auch hier ist vorher die List gegen Thoas
vorbereitet worden. Diese Motivierung genügt dem Dichter,
welcher vor allem einen geeigneten Stoff für ein schönes Lied
sucht. Die Schönheit wird man weder dem einen noch dem
anderen Chorgesang absprechen wollen.

Hiernach glauben wir behaupten zu dürfen, dass sich eigentliche ἐμβόλιμα in den erhaltenen Tragödien des Euripides nicht finden, wenn auch der Zusammenhang mit der Handlung öfters als ziemlich locker erscheiut.

Nachträge zu I und II.

Zu I S. 517. Wie eine unscheinbare Angabe über die handschriftliche Ueberlieferung manchmal Bedeutung gewinnt, will ich an einem weiteren Beispiel zeigen. In den vier neuen Kollationen, welche wir vom cod. Laur. 32, 2 für die Elektra erhalten haben, wird zu V. 967 nichts bemerkt. Erst in der Kollation von Prinz finde ich die Angabe, dass μητέρ'. auf einer Rasur steht und nicht von erster Hand herrührt. Nun erst werden wir bedenklich werden, in

OP. τί δῆτα δρῶμεν μητέρ'; ἢ φονεύσομεν;
ΗΛ. μῶν σ' οἶκτος εἷλε, μητρὸς ὡς εἶδες δέμας;

das stilwidrige τί δῆτα δρῶμεν μητέρα; oder wenn man stilgerecht schreibt τί δῆτα δρῶμεν; μητέρ' ἢ die ungewöhnliche Stellung von ἢ und die Wiederholung μητέρ' — μητρός ohne weiters anzunehmen. Hek. 1018 ποῦ δῆτα; πέπλων ἐντὸς ἢ κρύψασ' ἔχεις; ist nicht ἢ zu schreiben, sondern der Sinn anzunehmen: „Hast du das Gold in der Tasche oder in einem Versteck?" Soph. Ant. 1281 wird die Verbesserung von Brunck κάκιον ἐκ κακῶν richtig sein. Die Wiederholung von μήτηρ könnte man durch μαστόν beseitigen (vgl. Aesch. Cho. 895 ἐπίσχες, ὦ παῖ, τόνδε δ' αἴδεσαι, τέκνον, μαστόν), aber seine richtige Stellung erhält ἢ, wenn wir μητέρα als nachträgliche Ergänzung annehmen. Wahrscheinlich wurde μητέρα ergänzt, als φόνον vor φονεύσομεν ausgefallen war:

τί δῆτα δρῶμεν; ἢ φόνον φονεύσομεν;

Der Gedanke, welcher in dem Beisatz von μητέρα liegt, kommt zu früh, weil es nachher heisst φεῦ· πῶς γὰρ κτάνω νιν, ἢ μ' ἔθρεψε κάτεχεν· Vgl. 973. Auch für die Verbesserung von Hek. 1236

αὐτὸν δὲ χαίρειν τοῖς κακοῖς σε φήσομεν
τοιοῦτον ὄντα· δεσπότας δ' οὐ λοιδορῶ

bietet eine Handschrift einen Anhaltspunkt. Die Worte δεσπότας δ' οὐ λοιδορῶ sind zwecklos, da die Worte χαίρειν τοῖς κακοῖσι eine Schmähung enthalten. Nun bietet die Handschrift B τοῖς κακοῖσι σὲ φήσομεν und in A ist σε von zweiter Hand nachgeschrieben. Deshalb hat Heimsoeth (de interpol. comm. tertia. Bonn 1871 p. XXIV) τοῖς κακοῖσι φήσομεν τὸν τοῦτο δρῶντα vermutet. Aber wozu die Aenderung, da τοιοῦτον ὄντα (einer, der sich so benimmt) in dem Sinne von τὸν τοῦτο δρῶντα gefasst werden kann? Der Beisatz von τινά ist unnötig.

Zu I S. 529. Wie Aesch. Hik. 844 der Mediceus αἱρεσθαι gibt, so bietet das von U. Wilcken Sitzungsb. d. preuss. Ak. d. W. 1887 II S. 813 ff. veröffentlichte Papyrusfragment aus Achmim, welches Rhes. 48—96 enthält, V. 54 αιρεισθαι. Damit erhalten wir einen neuen Beleg für unsere Beobachtung. Denn αιρεισθαι ist nicht, wie Wilcken meint, Schreibfehler für αἴρεσθαι (so geben die Handschriften), sondern steht für ἀρεῖσθαι (ἀρεῖσθαι φυγὴν μέλλουσι). Ebenso ist ebd. 451 αἵρηται für das von L. Dindorf hergestellte ἄρηται überliefert, 126 αἵρωνται für ἄρωνται, 143 ἀπαίρωσ' für ἀπάρωσ', Kykl. 131 ἀπαίρωμεν für ἀπάρωμεν. Zugleich gewinnen wir eine Bestätigung für die ebd. S. 526 besprochene Herstellung der Futurform bei μέλλω. Mit Recht hat frg. 451 Nauck ἔμελλεν . . κτενεῖν (für κτείνειν) verlangt. Frg. 67 ὁ φόβος, ὅταν τις αἵματος μέλλῃ πέρι λέγειν καταστὰς εἰς ἀγῶν' ἐναντίον hat Nauck ἐρεῖν vermutet: nach der ebd. S. 522 dargelegten Beobachtung werden wir eher λέξειν zu setzen haben. Aus dem gleichen Grunde ist es Alk. 1106 οὖ γε μὴ μέλλοντος ὀργαίνειν ἐμοί gestattet ὀργανεῖν herzustellen. Denn was ist gewöhnlicher als die Vertauschung von σημαίνω und σημανῶ. Nur um des Versmasses willen gebrauchen die Tragiker, wie es scheint, bei μέλλω in der Bedeutung „ich mache Miene, ich bin im Begriff" den Infin. Präs. oder Aor. Aesch. Prom. 652 kann man für μήτοι με κρύψῃς τοῦθ' ὅπερ μέλλω παθεῖν vermuten: ὅπερ με χρὴ παθεῖν.[1]) Denn der Aor. ist noch weniger gebräuchlich als das Präsens. Vgl. Phrynich. p. 336 Lob. ἔμελλον γράψαι· ἐσχάτως βάρβαρος ἡ σύνταξις· ἀορίστῳ γὰρ χρόνῳ τὸ ἔμελλον οὐ συντάττουσιν οἱ Ἀθηναῖοι, ἀλλ' ἤτοι ἐνεστῶτι, οἷον ἔμελλον γράφειν, ἢ μέλλοντι, ἔμελλον γράψειν. Ausserdem findet sich bei Aesch. nur noch Hik. 1068 τί δὲ μέλλω φρένα Δίαν καθορᾶν, sonst überall das Futurum. Bei Sophokles kommen vier Fälle vor: Trach. 756 μέλλοντι δ' αὐτῷ τεύχειν σφαγάς, O. K. 1774 μέλλω πράσσειν, Phil. 409 ἀφ' ἧς μηδὲν δίκαιον ἐς τέλος μέλλοι ποιεῖν, O. T. 1385 ἔμελλον δρᾶν. Ai. 443 ist κρινεῖν (für κρίνειν) ἔμελλε, O. T. 967 κτενεῖν für κτανεῖν nach geringeren Handschriften zu schreiben. Wahrscheinlich sind die zwei ersten Fälle mit τεύξειν, πράξειν zu beseitigen. Bei Euripides findet sich μέλλων (μέλλουσι) τυχεῖν Frgm. 115 und 878 augenscheinlich nur dem Versmass zuliebe. El. 17, wo μέλλοντα . . θανεῖν vorkommt, ist von Nauck getilgt. Hek. 1178

> εἴ τις γυναῖκας τῶν πρὶν εἴρηκεν κακῶς
> ἢ νῦν λέγων ἔστιν τις ἢ μέλλει λέγειν

würde sich nach πρίν und νῦν ein die Zukunft hervorhebendes Adverbium gut ausnehmen. Da nun Stob. flor. 73, 9 ἢ νῦν λέγει τις ἢ πάλιν μέλλει λέγειν gibt, kann man ἢ νῦν λέγων ἔστιν τις ἢ μέλλει πάλιν vermuten. Vgl. Soph. Trach. 75 ἐπιστρατεύειν αὐτὸν ἢ μέλλειν ἔτι. Für die häufige Vertauschung der Präsens- und Futurformen führe ich noch einen Beleg an, Rhes. 874, wo die Handschriften geben:

> HN. καὶ πῶς με κηδεύσουσιν αὐθεντῶν χέρες;
> EK. ὅδ' αὖ τὸν αὐτὸν μῦθον οὐ λήξει λέγων.

---

[1]) In ähnlicher Weise ist Kykl. 701, wo δέδραχ' ὅπερ λέγω nicht besagt, zu verbessern; denn der Sinn erfordert δέδραχ' ὅπερ σε χρῆν (d. i. ὅπερ σε δρᾶσαι χρῆν).

Der Gedanke „dieser bringt immer wieder denselben Einwand vor" verlangt das Präsens, während das Futur zu αὖ nicht passt; es muss also *λήγει* geheissen haben.

Zu I S. 589. Wegen der Vertauschung von *εἰσβαλών* und *ἐμβαλών* verweise ich auf Alk. 1055, wo die Handschrift a *θάλαμον εἰσβήσας*, die übrigen *εἰς θάλαμον βήσας* bieten und F. W. Schmidt *θάλαμον ἐμβήσας* hergestellt hat. Bakch. 650 geben die Handschriften LP

   τίς; τοὺς λόγους γὰρ εἰσφέρεις καινοὺς ἀεί.

Den richtigen Ausdruck lehrt uns Soph. O. K. 989 *οὓς αἰὲν ἐμφέρεις* (L bietet von erster Hand *ἐμφερεῖς*, ο über ε von alter Hand) *σύ μοι φόνους πατρῴους ἐξονειδίζων πικρῶς.* So ist auch an unserer Stelle *ἐμφέρεις* oder vielmehr *ἐμφορεῖς* zu setzen.[1]) Alk. 1000 *καί τις δοχμίαν κέλευθον ἐμβαίνων τόδ' ἐρεῖ* hat die andere Handschriftenklasse *ἐκβαίνων*. Auch Prinz hat trotz seiner richtigen Vorstellung von dem Werte der beiden Handschriftenklassen *ἐμβαίνων* aufgenommen. Dass *ἐκβαίνων* richtig ist, kann Rhes. 881 *θάπτειν . . λεωφόρου πρὸς ἐκτροπάς* und El. 509 *ἦλθον γὰρ αὐτοῦ πρὸς τάφον πάρεργ' (παρὲξ?) ὁδοῦ* zeigen. Jon 300, wo L *σηκοὺς δ' εὖ στρέφει* (mit dem Scholion *ἐνστρέφεται τῷ τοῦ Τροφωνίου σηκῷ*), P *σηκὸς δ' εὖ στρέφει*, eine Pariser Abschrift *σηκοὺς δ' ἐνστρέφει* gibt, wird von Dindorf, Kirchhoff, Nauck nach der Vermutung von Scaliger *σηκοῖς δ' ἐνστρέφει* aufgenommen und die Emendation von Reiske *σηκοὺς δ' ἐκστρέφει* nicht einmal erwähnt, obwohl der Gedanke „auf dem Weg von Athen nach Delphi machte Xuthos einen Abstecher zum Heiligtum des

---

   [1]) Es fragt sich nur, ob nicht an beiden Stellen *ἐμφρῇς* oder vielmehr *ἐμφρεῖς* (ingeris) herzustellen ist. Die von Dindorf, Cobet, Nauck erkannten Formen des Verbums *φρῆμι* haben gewöhnlich in den Handschriften eine Alteration erlitten. Wie Nauck Tro. 652 *εἰσφρείμην* für *εἰσφροίμην* hergestellt hat, so ist sowohl des Sinnes wie des kurz vorhergehenden *ἐφρ ... * wegen Kykl. 234 *ἐξεφρίεντο* für *ἐξεφοροῦντο* zu schreiben. Vgl. Cobet Mnemos. XI (1862) p. 441 „Musgravius reponebat *φεῤῥοῦντο*, emittebant forte, recte ut opinor".

Trophonios" der Absicht des Dichters, die frühere Ankunft
der Kreusa zu motivieren, am besten entspricht und die handschriftliche Ueberlieferung diese Emendation am meisten empfiehlt. Zu dem Gebrauche von στρέφειν vgl. Aesch. Prom. 731
ἡλίου πρὸς ἀντολὰς στρέψασα σαυτήν.

Zu I S. 540. Kykl. 74·

ὦ φίλος, ὦ φίλε Βακχεῖε, ποῖ οἰοπολεῖς
ξανθὰν χαίταν σείεις;

In L hat erst eine jüngere Hand σείεις in σείων verwandelt.
Die Wertlosigkeit dieser Aenderung steht also fest. Mit Recht
hat Nauck οἰοπολῶν verlangt. Ausserdem verlangt der Sinn
ποῦ für ποῖ ("wo einsam wandelnd schüttelst du die blonden
Locken").

Zu I S. 541. Eine Vertauschung des Komparativs und
Superlativs (βέλτιον — βέλτιστον) liegt auch Kykl. 583 vor.
Der trunkene Polyphem, welcher den Silen im Arme hat, bildet
sich ein, die Grazien wollten sich an ihn heranmachen:

οὐκ ἂν φιλήσαιμ'· αἱ Χάριτες πειρῶσί με.
ἅλις Γανυμήδην τόνδ' ἔχων ἀναπαύσομαι
κάλλιστα νὴ τὰς Χάριτας. ἥδομαι δέ πως
τοῖς παιδικοῖσι μᾶλλον ἢ τοῖς θήλεσιν.

Ganz ungeschickt ist die Versicherung νὴ τὰς Χάριτας, da
der Kyklope die Liebe der Grazien ablehnt. Es muss geheissen
haben: κάλλιον ἢ τὰς Χάριτας. Nach ἅλις ist zu interpungieren
wie Soph. Ai. 1402: "genug d. i. ich mag nicht mehr. Mit
diesem Ganymedes zusammen ruhe ich besser, als mit den
Grazien im Arm". Dem Sinne würde das Präsens ἀναπαύο-
μαι mehr entsprechen als das Fut.

Unter den Wörtern, welche leicht vertauscht werden konnten,
sind auch σοφός und σαφής zu erwähnen. Rhes. 837 bezichtigt
der Wagenlenker des Rhesos den Hektor, selber den Rhesos
getötet zu haben, um dessen Gespann sich anzueignen:

μακροῦ γε δεῖ σε καὶ σοφοῦ λόγου,
ὅτῳ με πείσεις μὴ φίλους κατακτανεῖν.

Nicht mit einem σοφὸς λόγος, sondern nur mit einem Nachweis, welcher auf überzeugenden Gründen und feststehenden Thatsachen beruht, wird sich der Wagenlenker zufrieden geben, also muss es σαφοῦς λόγου heissen.

Wie wichtig es ist, der II S. 449 ff. behandelten Art von Corruptelen besondere Aufmerksamkeit zu schenken, mag Rhes. 236

> Φθιάδων δ' ἵππων ποτ' ἐπ' ἄντυγι βαίη
> δεσπότου πέρσαντος Ἀχαιὸν Ἄρη.

darthun. Die meisten schliessen sich der Erklärung von Barnes an: δεσπότου ἡμῶν Ἕκτορος πέρσαντος, auch Hermann („qui statim dicitur δεσπότης, Hector est"). Von Hektor kann keine Rede sein. Einmal nimmt sich im Munde der Soldaten (des Chors) δεσπότης anders aus als im Munde des Hirten 267, worauf man zu verweisen pflegt. Dann ist die Beziehung unklar. Und was als Hauptsache erscheint, nicht die Thätigkeit des Hektor, sondern nur die des Dolon (vgl. 219 ff.) steht in Zusammenhang mit dem Ziele, das Dolon erreichen will (ἐπ' ἄντυγι βαίη κτέ.). Badham (Philol. X p. 336) hat πέρσας τὸν Ἀχαιὸν Ἄρη vermutet. Schenkl billigt diese Aenderung und es ist eine so einleuchtende Emendation, dass die Verschweigung derselben bei Dindorf und Kirchhoff wundernehmen muss und darauf zurückzuführen ist, dass die in Rede stehende Art der Verderbnisse nicht gewürdigt wird. Aber schon Canter hat diese Emendation vorgeschlagen. Aus πέρσας τὸν ist wegen δεσπότου begreiflicher Weise πέρσαντος geworden. Diese Erklärung würde wegfallen, wenn man mit Schenkl δεσπότης schriebe. Allein jede weitere Aenderung ist überflüssig, wenn man die Worte richtig verbindet und in

> Φθιάδων δ' ἵππων ποτ' ἐπ' ἄντυγι βαίη
> δεσπότου, πέρσας τὸν Ἀχαιὸν Ἄρη

den Gen. Φθιάδων ἵππων von δεσπότου abhängig sein lässt. So erhält man auch den richtigen Ausdruck „den Wagen des Besitzers der Phthiischen Rosse". Infolge falscher Beziehung ist Soph. Ant. 1258 μνῆμ' ἐπίσημον διὰ χειρὸς ἔχων, εἰ θέμις εἰπεῖν, οὐκ ἀλλοτρίας ἄτης, ἀλλ' αὐτὸς ἁμαρτὼν der von Musgrave hergestellte Gen. ἀλλοτρίας ἄτης zum Acc. ἀλλοτρίαν ἄτην geworden. Ebd. 1199 αἰτήσαντες ἐνοδίαν θεὸν Πλούτωνά τ' ὀργὰς εὐμενεῖς κατασχεθεῖν kann man nicht umhin ὀργὰς εὐμενεῖς zu verbinden, während natürlicher Weise doch εὐμενεῖς auf θεὸν Πλούτωνά τε bezogen wird. Dazu kommt, dass der Plural ὀργαί von Sophokles nur in der Bedeutung „Triebe" gebraucht wird, Ai. 640 συντρόφοις ὀργαῖς, Ant. 957 κερτομίοις ὀργαῖς. Hieber würde auch ἀστυνόμους ὀργάς Ant. 356 gehören, wenn nicht die Emendation von Mekler ἀγοράς dem Sinne wie dem Versmasse am besten entspräche. An den übrigen (22) Stellen steht ὀργή im Singular. Hiernach wird die Zweideutigkeit zu beseitigen und anzunehmen sein, dass ὀργήν nur wegen εὐμενεῖς zu ὀργάς wurde. Als Soph. El. 900 aus ἐσχάρᾳ (πυρᾶς) ἐσχάτῳ geworden war, musste dieses wegen πυρᾶς in ἐσχάτης übergehen. — Die Regel, die sich uns inbetreff der Beibehaltung des Numerus ergeben hat, gewährt uns die Sicherheit für die Emendation von Kykl. 245, wo L δαῖτα τῷ κρεανόμῳ bietet. Es ist mit Musgrave und Dindorf δαῖτ' ἄτερ κρεανόμου, nicht mit Dobree, wie Kirchhoff und Nauck gethan haben, ἄτερ κρεανόμων zu schreiben. — Ebd. 317 hat Nauck mit Recht τὰ δ' ἄλλα κόμποι καὶ λόγων εὐμορφία geschrieben, der Plural εὐμορφίαι ist unter dem Einfluss von κόμποι entstanden; diesem Plural entspricht λόγων. — Da Rhes. 601 οὔτ' ἂν σφ' Ἀχιλλέως οὔτ' ἂν Αἴαντος δόρυ die eine Klasse der Handschriften (B) Ἀχιλλεύς bietet (was bisher nicht bekannt war), ist augenscheinlich dem Αἴαντος δόρυ zuliebe Ἀχιλλέως gesetzt worden, während der Dichter mit dem Ausdruck wechselt. — Plat. Symp. p. 215 D ἐπειδὰν δὲ σοῦ τις ἀκούῃ ἢ τῶν σῶν λόγων ἄλλου λέγοντος scheint auch wie in der II S. 450 erwähnten Stelle des Demosthenes der erste Teil den zweiten beeinflusst zu haben. Unwillkürlich setzte man nach σοῦ ἢ den Gen. τῶν σῶν λόγων, während τοὺς σοὺς λόγους richtiger ist, abhängig von λέγοντος wie vorher: ὅταν μέν του ἄλλου ἀκούωμεν λέγοντος καὶ πάνυ ἀγαθοῦ ῥήτορος ἄλλους λόγους.

Hik. 78

τὰ γὰρ φϑιτῶν τοῖς δρῶσι κόσμος.

Im Vorhergehenden fordern die Mütter ihre Dienerinnen zur Totenklage auf: *διὰ παρῆδος ὄνυχα λευκὸν αἱματοῦτε χρῶτά τε φόνιον*. Die Aufforderung wird begründet mit dem Gedanken: „Denn solches ziemt sich beim Anblick von Toten". Vgl. Thuk. I 5 *οἷς κόσμος καλῶς τοῦτο δρᾶν*. Es muss also heissen: *τὰ γὰρ φϑιτοὺς τοῖς δρῶσι κόσμος*. Weil man nicht erkannte, dass *τὰ γὰρ* = *ταῦτα γάρ* ist, verband man den Artikel mit dem folgenden und schrieb *τὰ γὰρ φϑιτῶν*. Wollte man den überlieferten Text im Sinne von *ταῦτα γὰρ κοσμεῖ φϑιτούς* auffassen, so wäre *τοῖς δρῶσι* zwecklos. — Iph. A. 1214

νῦν δὲ τἀπ' ἐμοῦ σοφά,
δάκρυα παρέξω· ταῦτα γὰρ δυναίμεϑ' ἄν.

ist es an und für sich klar und braucht nur bemerkt zu werden, dass der Sinn *σοφόν* erfordert, mag nun unrichtige Auffassung von *τἀπό* (*τὰ ἀπό* statt *τὸ ἀπό*) oder das folgende *δάκρυα* die falsche Endung veranlasst haben. Auch für *ταῦτα* d. i. *δάκρυα γὰρ δυναίμεϑ' ἄν* scheint *τοῦτο* d. i. *δάκρυα παρέχειν δυναίμεϑ' ἄν* weit geeigneter zu sein.

Oft hat ein Wortbild, welches noch in der Erinnerung des Abschreibers haftete, auf ein folgendes Wort Einfluss geübt. Ebd. 531

ὃς ξυναρπάσας στρατόν,
σὲ κἄμ' ἀποκτείναντας Ἀργείους κόρην
σφάξαι κελεύσει. κἂν πρὸς Ἄργος ἐκφύγω,
ἐλϑόντες αὐτοῖς τείχεσιν Κυκλωπίοις
ξυναρπάσουσι καὶ κατασκάψουσι γῆν

ist *ξυναρπάσας στρατόν* ein geeigneter Ausdruck, nicht aber *ξυναρπάσουσι γῆν*. Schon Markland hat des Wechsels halber *ἀνασπάσουσι* oder *ἀναρπάσουσι* vorgeschlagen. Allein die Verbindung *ἀνασπάσουσι καὶ κατασκάψουσι* ist auch nicht stilgerecht: es fehlt ein zweites Objekt: *ἔμ' ἀντρέψουσι* (oder *ἀνατρέψουσι*) *καὶ κατασκάψουσι γῆν*. Mehrere solche Fehler habe ich schon früher, Jahrb. f. class. Philol. 1882 S. 93, im Texte des Platon

aufgedeckt. Auch Phaed. 61 B μετὰ δὲ τὸν θεὸν ἐννόησας,
ὅτι τὸν ποιητὴν δέοι, εἴπερ μέλλοι ποιητὴς εἶναι, ποιεῖν μύθους,
ἀλλ' οὐ λόγους, καὶ αὐτὸς οὐκ ἦ μυθολογικὸς, διὰ ταῦτα δὴ
οὓς προχείρους εἶχον μύθους καὶ ἠπιστάμην τοὺς Αἰσώπου,
τούτους ἐποίησα οἷς πρώτοις ἐνέτυχον verlangt der Sinn ἐνέ-
τ ε ι ν α für ἐποίησα wie vorher ἐντείνας τοὺς τοῦ Αἰσώπου λόγους,
denn das ποιεῖν hat in diesem Falle zum grossen Teil Aesop
besorgt. Die Lesart ἐποίησα wurde durch das oftmalige Vorkommen dieses Wortes im Vorhergehenden veranlasst.

Zu II S. 451. Missverständnis des Sinnes scheint Rhes. 200

τὰ θεόθεν ἐπιδέτω Δίκα,

τὰ δὲ παρ' ἀνδράσιν τέλειά σοι φαίνεται

einen falschen Casus veranlasst zu haben. Der Sinn ist:
„Was von Seite der Gottheit gefügt wird, möge Ausfluss
höherer Gerechtigkeit sein; was von menschlicher Seite geschehen kann, ist in vollem Masse gethan." Dieser Sinn erfordert den Genetiv: τὰ δὲ παρ' ἀνέρων (vgl. ἀνέρι 229).
Infolge eines Missverständnisses hat sich wahrscheinlich auch
in Rhes. 424

ἐγὼ δὲ μεῖζον ἢ σὺ τῆσδ' ἀπὼν χθονὸς

λύπῃ πρὸς ἧπαρ δυσφορῶν ἐτειρόμην

ein Fehler eingeschlichen. Es ist verzeihlich, dass Reiske das
fehlerhafte μεῖζον' = μείζονι (λύπῃ) vorschlug. Nicht μεῖζον,
sondern μᾶλλον fordert der Sinn. Die falsche Beziehung zu
ἀπὼν χθονός scheint den Uebergang von μᾶλλον in μεῖζον
veranlasst zu haben. Nebenbei bemerkt, ist in dieser Stelle
auch die Konstruktion von πρὸς ἧπαρ unklar. Nur ἐχριόμην
macht eine passende Verbindung möglich, vgl. Aesch. Ag. 440
πολλὰ γοῦν θιγγάνει (χρίμπτεται?) πρὸς ἧπαρ.

Zu II S. 481. Die handschriftliche Ueberlieferung des
Rhesos ist wesentlich die gleiche wie die der Troades. Für
das Verhältnis des cod. Havniensis 417 (C) zu dem cod. Vat.
909 (B) sind folgende Stellen besonders charakteristisch: 234
sind die Worte ἑλληνικῆς ἑλλάδος διόπτας am Ende der Seite

ausgelassen, aber auf der folgenden Seite oben dem Worte
ϑυμέλας des folgenden Verses als Scholion übergeschrieben.
Diese Worte fehlen in C. Ebenso sind am Ende der Seite
die Worte πώλοις ἐρεθίζων (πώλους ἐρεθίζων Reiske) 373 in B
ausgelassen und fehlen auch in C; die Worte ὃν ναῶν 557,
οὐκ 565 fehlen in C in gleicher Weise wie in der hier ersatz-
weise eintretenden Abschrift von B, dem Vat. 98 (B²). In B
ist φής οὐ 512 in φής σύ verschrieben; da die Negation sinn-
widrig ist, gibt C φής γε. 544 haben BC μάντας für βάντας.
In 776 bietet B πλάθειν für πελάζεσθαι (μὴ πελάζεσθαι
στρατῷ), indem das Auge des Schreibers in die folgende
Zeile abirrte. In C ist das Versmass mit μὴ πελάθειν
τῷ στρατῷ in byzantinischer Weise ausgefüllt. In 929
geben B²C δρυμὸν für Στρυμών. Für die 8 V. 775—82
ist in B durch vorgeschriebene Buchstaben α—η folgende
Ordnung angezeigt: 76. 75. 80. 81. 77. 78. 79. 82. Die
gleiche Hand, wahrscheinlich die des Scholienschreibers,
von welcher diese Buchstaben herrühren, hat den V. 781,
welchen die erste Hand ausgelassen hatte, nicht ohne Raum
für denselben freizulassen, nachgetragen. In C ist die durch
die Buchstaben angedeutete Ordnung hergestellt, nur hat 779
seinen Platz vor 780 behalten. Da die in B von erster Hand
stammende Ordnung augenscheinlich die richtige ist, so kann
ich mir nur folgende Erklärung denken. Die Buchstaben
standen in der Vorlage von B, in welcher eine falsche Ordnung dadurch berichtigt war, und der Schreiber von B hat
den Buchstaben entsprechend die richtige Ordnung hergestellt.
Der Scholienschreiber hat aus dem gleichen Original die Buchstaben am Rande nachgetragen, obwohl sie jetzt unnütz waren.
Sie verführten nun denjenigen, welcher B abschrieb, eine falsche
Ordnung einzuführen. Ein ähnlicher Vorgang scheint der Grund
zu sein, dass in B und C nach 940 ein leerer Raum für
19 Verse gelassen ist, obwohl der Sinn und Zusammenhang

Die Ueberlieferung LP[1]) bietet auch im Rhesos an mehreren Stellen das Richtige gegenüber den Handschriften BC. V. 261 haben LP nicht πόλον, sondern πῶλον, welches auf das von Scaliger hergestellte μῶλον führt; BC geben πόλιν, wie in P. der corr. πῶλον in πόλιν verändert hat. V. 138 bieten B²C σκόπει, LP κόσμει, welches, wie Pierson gesehen hat, auf κοίμα führt, da auch 662 LP κοσμήσων für κοιμήσων bieten. V. 506 geben LP mit Christ. P. richtig πυλῶν, in BC steht Φρυγῶν, welches jetzt auch von Kirchhoff nicht mehr in den Text gesetzt wird. Gewöhnlich wird 166 οὐ σῆς ἐρῶμεν πολυόχου τυραννίδος aus BC πολιόχου aufgenommen, sehr mit Unrecht, da ein tadelndes Epitheton den Grund angeben muss, warum Dolon kein Verlangen nach der Stellung des Hektor trägt. Mit Unrecht auch schreibt Dindorf mit Reiske πολυόχλου. Interessant ist die Lesart von LP 32 ὡς ἄν τις αὐτῶν καὶ νεὼς θρῴσκων ἐπὶ νῶτον χαραχθεὶς κλίμακας ῥάνῃ φόνῳ. Fast allgemein wird aus BC νεῶν aufgenommen, aber durch κλίμακας ῥάνῃ φόνῳ wird der Plural unnatürlich, da einer nicht die Leitern mehrerer Schiffe mit seinem Blute bespritzen kann. Richtig gibt auch das oben S. 471 erwähnte Papyrusfragment νεώς, wie dieses auch die richtige Lesart ἔπεισαν 66 mit LP gemein hat (ἔφησαν B, ἔφασαν C). Die Lesart ἀλκῆς 276, welche Kirchhoff nach seinen Kollationen auf Musurus glaubt zurückführen zu müssen, steht in LP und entspricht dem Sinne weit besser als ἀρχῆς (ἀνὴρ γὰρ ἀλκῆς μυρίας στρατηλατῶν. V. 142

---

[1]) Die Angabe von Kirchhoff „librum Palatinum (P) expressit Aldina" beruht auf den Mängeln der Kollation, welche Kirchhoff zugebote stand. Die Aldina stammt vielmehr aus dem Laur. Das zeigt z. B. 537, wo L ἀστήρ wie die anderen Handschriften gibt, aber der corr. ν' über ρ gesetzt hat und die Aldina ἀνήρ bietet. Die gleiche Hand des corr. hat 549 ἀ und 561 μοι getilgt, nicht erst Musurus wie Kirchhoff meint; von ihr, nicht von Musurus rührt auch 737 ὄλοιτο δ' ὄλοιτο her. Die Interjektionen ἀ ἀ ἀ ἀ fehlen 749 in der Aldina, weil sie in L von der gleichen Hand eingeschlossen und mit dem Vermerk περισσόν versehen sind. Dieselbe Hand hat 910 προ über λιποῦσα geschrieben, weshalb die Aldina προλιποῦσα hat. Hiernach musste die Schlussfolgerung Kirchhoffs zu 749 unrichtig sein; P hat τορῶς wie L.

verbindet sich λόγον (LP) gut mit πάντ᾽ (οὐ πάντ᾽ ἀκούσῃ καὶ παρὼν εἴσῃ λόγον) wie Aesch. Pro. 209 πάντ᾽ ἐκκάλυψον καὶ γέγων᾽ ἡμῖν λόγον. BC haben λόγους. V. 403 f. ist ποῖον dem poetischen Sprachgebrauche und βαρβάρους dem Sinne entsprechender als ποῖων und βαρβάρου. V. 149 erscheint λόχῳ geeigneter als λόγῳ, weil οἱ πάρεισιν ἐν λόχῳ eine Motivierung für die Anwesenheit des Dolon enthält. Nebenbei bemerkt bieten 270 alle massgebenden Handschriften (BC LP) ποίμνια, 431 φόνῳ. Die Lesarten ποιμνίων und φόνος stammen aus dem Flor. 31, 10. An der ersten Stelle wird ποίμνια richtig sein (οἱ χρῆν γεγώνειν σ᾽ εὐτυχοῦντα ποίμνια), indem γεγώνειν wie ἀγγέλλειν mit dem Particip verbunden ist,[1]) an der anderen Stelle gewinnt die Aenderung von Matthiä Θρῃκὶ ὀυμμιγὴς φόνῳ an Wahrscheinlichkeit.

In den Troades war uns der Unterschied der beiden Handschriftenklassen von Wichtigkeit besonders für die Synonyma. Es ist auffällig und auch für die Frage nach dem Autor dieses Stückes nicht ohne Bedeutung, dass hier die synonymen Wendungen weit weniger zahlreich sind. V. 5 φυλακὴν BC — φρουρὰν LP, 17 λόχος BC — δόλος LP, 90 σέθεν BC — τὸ σόν LP, 305 δίφροις BC — τύποις LP, 341 παρέσται BC — παρέστω LP, 359 ἰδεῖν BC — εἰπεῖν LP, 517 πότμῳ BC — μόρῳ LP, 607 ἥξει (ἥκει) BC — ἔσται LP, 812 δώσει δίκην BC — τίσει δίκην LP. Augenscheinlich richtig ist die Lesart von LP 305, wo Nauck χρυσοκόλλητος τύπος hergestellt hat, 359, wo das Versmass einen Spondeus fordert — es bedarf der Aenderung von Musgrave πάρεστι μέλπειν nicht —, 517, 607, wohl auch 812, wie 894 τίσει δίκην die allgemeine Ueberlieferung ist. V. 341 hängt παρέσται mit der unrichtigen Ueberlieferung ὁ χρυσοτευχὴς οὕνεκ᾽ ἀγγέλου λόγων zusammen; setzt man dem Sinne entsprechend ὁ χρυσοτευχὴς οὖν κατ᾽ ἀγγέλου λόγον, worin sich κατ᾽ ἀγγέλου λόγον eng mit χρυσο-

---

[1]) Scharfsinnig hat F. W. Schmidt εὐτυχεῖν τὰ ποιμνίων vermutet, aber der Gen. scheint davon herzurühren, dass man εὐτυχοῦντά σε

τευχὴς verbindet (in goldener Rüstung nach der Aussage des
Boten), so ergibt sich παρέστω als das Richtige. Es bleiben
also ausser 5 für BC nur zwei Stellen übrig, 17 und 90. Die
Variante δόλος — λόχος kehrt wieder 92, wo die Handschriften
μῶν τις πολεμίων ἀγγέλλεται δόλος κρυφαῖος ἑστάναι κατ᾽ εὐφρό-
νην bieten und nur in P von dritter Hand λόχος übergeschrieben
ist, wie auch Christ. P. 94 λόχος bietet. Dass λόχος als richtig
erklärt werden muss, beweist ἑστάναι und Androm. 1114 τῷ δὲ
ξιφήρης ἄρ᾽ ὑφειστήκει (Nauck κρύφιος εἱστήκει) λόχος[1]). An
der zweiten Stelle wird niemand dem σέθεν gegenüber τὸ σόν
bevorzugen wollen. Es wird auch σέθεν durch das oben erwähnte Aegyptische Papyrusfragment bestätigt. Diese Handschrift hat uns in den 49 Versen, welche sie enthält, drei gute
Lesarten überliefert, das oben S. 471 erwähnte αἱρεῖσϑαι
(ἀρεῖσϑαι), in V. 60 ουταν d. i. οὗτοι ἂν, 63 ἢ, welches einen
neuen Beleg für die II S. 517 ff. gegebene Ausführung abgibt.
Diese Handschrift hat also höheren Wert als LP, mit denen
sie in ἔπεισαν 66 übereinstimmt, und höheren als BC, vor
denen sie ausser den erwähnten Lesarten ἔπεισαν voraus hat.
Hiernach muss in 90, wo dieselbe

Αἰνέα]πύκαζε τεύχεσι δέμας σέθεν

gibt (τεύχεσι ebenso wie BC LP), πύκαζε, wie auch LP mit
Christ. P. 91 haben, der Lesart von BC πυκάζου vorgezogen
werden. In Verbindung mit δέμας σέθεν scheint ohnedies das
Aktiv geeigneter zu sein; anders Heraklid. 725 ἐν δὲ τάξεσιν
κόσμῳ πυκάζου τῷδ᾽ (lass dich wappnen).

Da V. 5 für φυλακήν oder φρουράν kein anderweitiges
Kriterium spricht, muss die nachgewiesene Eigentümlichkeit
von BC die Lesart von LP φρουράν empfehlen. Den Synonymen
gleich steht die Divergenz τῶνδε (BC) — τοῦδε (LP) 94

τί τῶνδ᾽ ἂν εἴποις ἀσφαλὲς τεκμήριον;

---

[1]) Ebd. 1064 κρυπτὸς κατασταὰς ἢ κατ᾽ ὄμμ᾽ ἐλϑὼν μάχῃ; wünscht
man statt κρυπτός zu κατασταὰς eine Bestimmung wie λόχῳ. Die Stelle
der Andromache lässt erkennen, dass auch El. 983 ἀλλ᾽ ἢ σὺ ἡμῖν τῷδ᾽
ὑποστήσω λόχον; (für δόλον) zu schreiben ist.

Da ohnedies der Plural leichter als der Singular eingetauscht wird, hat die Lesart τοῦδ' mehr Wahrscheinlichkeit für sich. Auch die Handschriften des Christ. P. schwanken zwischen τοῦδε und τῶνδε. V. 2193 lesen wir τί τ'ἄρ' ἐναργὲς τῶνδ' (in anderen Handschriften τοῦδ') ἐρεῖς τεκμήριον; 2345 τί γὰρ ἐναργὲς τοῦδ' ἐρεῖς τεκμήριον; Sehr ansprechend ist hier ἐναργές. Darauf hat schon Döring Philol. 23 S. 585 aufmerksam gemacht, welcher auch andere Lesarten, die Christ. P. mit L P gemeinsam hat, zur Geltung bringt. Aber was dieser vorschlägt: τί γὰρ ἂν ἐναργὲς τοῦδ' ἐρεῖς τεκμήριον; ist grammatisch fehlerhaft. Man kann an

$$\text{τί τοῦδ' ἐναργὲς ἐξερεῖς τεκμήριον;}$$

denken. Es ist ja schon bemerkt worden (II S. 477), dass auch die Handschriftenklasse L P nicht frei von dem Ersatz durch Synonymen ist. V. 285 liest man in allen vier Handschriften νυκτὸς γὰρ οὔτι φαῦλον ἐμβαλεῖν στρατόν. Der Sinn erfordert νυκτί und scharfsinnig hat Vater aus Christ. P. 2096 μορφῇ γὰρ οὔτι φαῦλον εἰσβαλεῖν τινά und 2452 μορφῇ γὰρ οὔτι φαῦλον εἰσβαλεῖν ἔφην die Emendation ὄρφνῃ entnommen. Ὄρφνη ist ein Lieblingswort des Verf. des Rhesos. So 570 κατ' ὄρφνην und gleich wieder 587 ἐν ὄρφνῃ. V. 52 geben die vier Handschriften εἰς καιρὸν ἦλθες. Da Christ. P. an drei Stellen εἰς καιρὸν ἥκεις bietet, wollte Vater ἥκεις „ut exquisitius" bevorzugen. Dazu ist erst jetzt volle Berechtigung vorhanden, nachdem der genannte Papyrus gleichfalls ἥκεις hat, auch ein Beweis für die Richtigkeit des Nachweises, welchen A. Döring Philol. 25 S. 223 ff. geliefert hat, dass die vom Verfasser des Christ. P. benützte Handschrift zwar der Rezension von L P sehr nahe stand, aber doch nicht jeglichen selbständigen Wertes entbehrt. Uebrigens ist es bemerkenswert, dass die so alte ägyptische Handschrift gleichfalls 51 ὡς μήποτέ τινα μέμψιν εἰς ἐμ' εἴπῃς für ὡς μήποτέ τιν' ἐς ἐμὲ μέμψιν εἴπῃς und sogar 59

— 1. εἰ γὰρ φαεινοὶ μὴ ξυνέσχον ἥλιον
λαμπτῆρες, οὐδὰν ἔσχον εὐτυχοῦν δόρυ.

bietet (L P ουνέοχον). Vater will diese Ueberlieferung mit der
abstrusen Erklärung rechtfertigen: si lucidae solis faces non
cohibuissent, ubi occasus solis significatur. Doch versucht er
eine Verbesserung mit *εἰ γὰρ φαεννοί μοι ξυντόχον* (si solis
splendor me adiuvisset). Noch schlimmer steht es mit der von
Reiske vorgeschlagenen Aenderung *μὴ ξυντόχον ἥλιον*, si
lucidae faces (luna et astra nocturna) non corripuissent (obruissent) solem. Das Richtige hat Kirchhoff erkannt: *ουνέοχον*
corruptum videtur aberrante librarii oculo ad *ἔοχον* versus
sequentis. Der Vorschlag von Kirchhoff *μοι ουνῆλθον* bleibt
dieser Erkenntnis nicht ganz treu, weil *μὴ* beseitigt wird.
Man könnte nicht wagen die Lücke auszufüllen, wenn sich
nicht sagen liesse, dass es nur einen einzigen passenden Ausdruck gibt. Dieser ist nicht *μὴ 'φθόνησαν*, wie Herwerden,
nicht *μὴ 'ξανεῖσαν*, wie Heimsöth vermutet hat, sondern *μὴ
'ξέλειπον*. Das Auge des Schreibers ist also von *μηξ ελειπον*
auf *ανέοχον* abgeirrt. Dieser Textfehler war demnach bereits in
dem archetypus der beiden Handschriftenklassen vorhanden.
Zugleich zeigt sich hier wie sonst, dass die Handschriften
L P willkürlich *σύν* an die Stelle von *ξύν* setzen, dass also
in den Stücken, welche nur auf L P beruhen, *ξύν* gegen die
Handschriften herzustellen ist, wenn nicht das Versmass *σύν*
fordert. Ueberhaupt verdient abgesehen von den Synonyma
die Ueberlieferung B C grösseres Vertrauen als der Text von
L P. Z. B. Rhes. 707

> *HM. θρασὺς γοῦν ἐς ἡμᾶς.*
> *HM. τίν' ἀλκήν; τίν' αἰνεῖς; HM. 'Οδυσσῆ.*

geben L P *τίς* für *τίν'*. Hermann wollte dies aufnehmen mit
folgender Interpunktion: *τίς; ἀλκὴν τίν' αἰνεῖς;* Da aber *τίν'*
mit *'Οδυσσῆ* beantwortet wird, müsste es wenigstens *ἀλκῆς τίν'
αἰνεῖς;* heissen, vgl. Iph. A. 1371 *τὸν ξένον .. αἰνέσαι προθυμίας*. Aber Hermann hat den Zusammenhang nicht richtig
erkannt. Der Chor kann nicht *τίς;* fragen, weil er nach dem
Vorhergehenden die Person kennt. Er fasst vielmehr *θρασὺς*
in lobendem Sinne und erwidert vorwurfsvoll *τίνα ἀλκὴν θρασὺς*

ἐστι; „Wie ist in dem Thun des Odysseus eine ἀλκή zu erkennen?
Denkst du daran, welchen Menschen du lobst?" Da nun der
andere Halbchor τίν' αἰνεῖς; als wirkliche Frage beantwortet,
entgegnet der erste Halbchor: μὴ κλωπὸς αἴνει φωτὸς αἱμύλον
δόρυ. Auch ἐπεὶ τίν' 204 ist eine hervorragend gute Lesart,
die niemals hätte geändert werden sollen; L P haben εἶτ' ἢ
τίν'. Noch an einer anderen sehr bezeichnenden Stelle ist die
gute Ueberlieferung der einen Handschriftenklasse mehrfach
verkannt worden, Alk. 1045:

> γυναῖκα δ' εἴ πως ἔστιν, αἰτοῦμαί σ', ἄναξ,
> ἄλλον τιν' ὅστις μὴ πέπονθεν οἷ' ἐγὼ
> σῴζειν ἄνωχθι Θεσσαλῶν, πολλοὶ δέ σοι
> ξένοι Φεραίων, μή με μιμνῄσκεις κακῶν.

So gibt B. dafür L P μή μ' ἀναμνήσῃς κακῶν, scheinbar richtiger,
wie Dindorf und Prinz diese Lesart aufgenommen haben. Aber
augenscheinlich soll mit μή μ' ἀναμνήσῃς nur der grammatische
Fehler corrigiert werden. Den Uebergang zeigt die Lesart
von a μή με μιμνήσῃς. Mit μή 'μέ· μιμνῄσκεις κακῶν ist
alles in beste Ordnung gebracht.

Zu II S. 484. Für die Glossierung von αἰθέρος mit οὐρανοῦ findet sich ein schöner handschriftlicher Beleg Hek. 1099,
wo die Handschriften bieten:

> ποῖ τράπωμαι, ποῖ πορευθῶ;
> αἰθέρ' ἀμπτάμενος οὐράνιον
> ὑψιπετὲς ἐς μέλαθρον κτέ.

Nach dem Schol. ἔν τισι τὸ αἰθέρα οὐ φέρεται lässt man gewöhnlich
αἰθέρα weg. In richtigem Stilgefühle hat dann Gloël οὐράνιος gefordert. Die naheliegende Beziehung zu αἰθέρα oder zu μέλαθρον
hat die Aenderung veranlasst. Aber wie sich Euripides ausdrückt, ergibt sich aus Med. 440 αἰθερία δ' ἀνέπτα (nämlich αἰδώς),
Iph. T. 843 μὴ πρὸς αἰθέρα ἀμπτάμενος φύγῃ, Hek. 334 λόγοι
πρὸς αἰθέρα φροῦδοι, Herakl. 509 διέπταθ' ἡ τύχη ὥσπερ πτερὸν
πρὸς αἰθέρ' ἡμέρᾳ μιᾷ, 653 κατ' αἰθέρ' ἀεὶ πτεροῖσι φορείσθω,
vgl. ἀνέπτατ' ἐς αἰθέρα in der Parodie Euripideischer Monodien
Aristoph. Frö. 1352. Hiernach ist die Ueberlieferung anders

zu behandeln und αἰθέρ' auf αἰθέριον oder οὐράνιον d. h. auf
die Variante αἰθέριον zurückzuführen. Hiernach werden wir
also ἀμπτάμενος αἰθέριος zu schreiben haben. Dass ebenso
El. 860 θὲς ἐς χορὸν .. ἴχνος ὡς νεβρὸς οὐράνιον πήδημα
κουφίζουσα σὺν ἀγλαΐᾳ das hyperbolische οὐράνιον in αἰθέριον
zu verwandeln ist, zeigt Tro. 325 πάλλε πόδ' αἰθέριον, ἄναγε
χορόν.

II S. 487 haben wir die Vertauschung von εὐγενής, εὐκλεής, εὐπρεπής, εὐτυχής, εὐτυχεῖν, εὐστομεῖν u. a. kennen gelernt. Iph. A. 674 ἀλλὰ ξὺν ἱεροῖς χρὴ τό γ' εὐσεβὲς σκοπεῖν
ist, wie ich schon anderswo bemerkt habe, εὐσεβές an die
Stelle von αἴσιον getreten. Ebd. 1440

ΚΛΥΤ. τί δὴ τόδ' εἶπας, τέκνον; ἀπολέσασά σε

ΙΦΙΓ. οὐ σύ γε· σέσωμαι, κατ' ἐμὲ δ' εὐκλεὴς ἔσῃ

bildet εὐκλεής keinen Gegensatz zu dem ἀπολέσασά σε d. i.
ἀπολέσασα τέκνον. Klytämnestra sagt: „wenn ich dich, mein
Kind, verloren habe, soll ich nicht trauern?" Iphigenie erwidert: „Du hast mich nicht verloren, ich bin erhalten und
soviel es auf mich ankommt, wirst du als glückliche Mutter
erscheinen". Demnach erwartet man εὔτεκνος καλῇ. —
Rhes. 438 haben die Worte

οὐχ ὡς σὺ κομπεῖς τὰς ἐμὰς ἀμύστιδας
οὐδ' ἐν ζαχρύσοις δώμασιν κοιμώμενος

Bezug auf den Vorwurf des Hektor 418 οὐκ ἐν δεμνίοις πυκ-
νὴν ἄμυστιν ὡς σὺ δεξιούμενοι. Sehr passend hat deshalb
Herwerden für das unbrauchbare τὰς ἐμὰς vermutet: σπῶν
πυκνὰς ἀμύστιδας. Die Aenderung von Musgrave ἑλκύσας ist
wegen des ungeeigneten Tempus wenig wahrscheinlich. Ein
auffallendes Epitheton von δώμασιν ist ζαχρύσοις und die Beziehung auf die angeführten Worte macht es augenscheinlich,
dass δεμνίοις für δώμασιν geschrieben werden muss. Es ist
also ein im Wortbilde naheliegender Ausdruck für den anderen
gesetzt worden. Hipp. 916 hat für das wenig passende ὦ πόλλ'
ἁμαρτάνοντες Markland ὦ πολλὰ μανθάνοντες, Weil ὦ πολλὰ
μαστεύοντες, Naber ὦ πόλλ' ἀκοντίζοντες vermutet. Einen ent-

sprechenden Sinn gibt die einfachere Aenderung ὦ πολλά μωραίνοντες. Soph. El. 277 ἀλλ' ὥσπερ ἐγγελῶσα τοῖς ποιουμένοις scheint der Sinn ἐντρυφῶσα („wie wenn sie sich zu wohl fühlte), also ἐγχλίουσα besser zu passen als ἐγγελῶσα, welches 807 ganz an seiner Stelle ist. Vgl. Aesch. Cho. 137 ἐν τοῖσι σοῖς πόνοισι χλίουσιν μέγα. Auf ähnliche Weise scheint an zwei Stellen παντελῶς an die Stelle von πανδίκως getreten zu sein. Das Wort πανδίκως hat eine Bedeutung, welche in den Kommentaren nicht immer richtig erfasst wird; es heisst „in voller Wahrheit, in vollem Ernste, durchaus". So Aesch. Cho. 240 ἡ δὲ πανδίκως ἐχθαίρεται, Sieb. 657 πανδίκως ψευδώνυμος, Hik. 424 γενοῦ πανδίκως εὐσεβὴς πρόξενος u. a., Soph. Trach. 1247 πράσσειν ἄνωγας οὖν με πανδίκως τάδε; „in vollem Ernste". Die Erklärung „recte igitur factum, tua quidem sententia, erit" entspricht dem Zusammenhange sehr wenig. Ebenso bedeutet πανδίκῳ φρενί ebd. 294 πῶς δ' οὐκ ἐγὼ χαίροιμ' ἄν, ἀνδρὸς εὐτυχῆ κλύουσα πρᾶξιν τήνδε, πανδίκῳ φρενί; „in voller Aufrichtigkeit" und πανδίκως 611 οὕτω γὰρ ηὐγμην, εἴ ποτ' αὐτὸν ἐς δόμους ἴδοιμι σωθέντ' ἢ κλύοιμι πανδίκως, στελεῖν χιτῶνι τῷδε „in voller Wahrheit" (ἀνενδοιάστως Schol.). Die Verkennung dieses Sinnes hat zu der ganz verkehrten Verbindung πανδίκως στελεῖν geführt. O. K. 1305 ὅπως τὸν ἑπτάλογχον ἐς Θήβας στόλον ξὺν τοῖσδ' ἀγείρας ἢ θάνοιμι πανδίκως ἢ τοὺς τάδ' ἐκπράξαντας ἐκβάλοιμι γῆς bedeutet πανδίκως nicht „in ehrlichem Kampfe", sondern „in voller Wahrheit, vollends, ein für allemal". Denselben Sinn „vollends, gründlich" hat πανδίκως in ὄλοιτ' ὄλοιτο πανδίκως, πρὶν ἐπὶ γᾶν Φρυγῶν ποδὸς ἴχνος βαλεῖν Rhes. 720. Wie hier θανεῖν πανδίκως, ὀλέσθα πανδίκως gebraucht ist, so erwartet man auch O. T. 669

δ δ' οὖν ἴτω, κεἰ χρή με παντελῶς θανεῖν

ἢ γῆς ἄτιμον τῆσδ' ἀπωσθῆναι βίᾳ

πανδίκως θανεῖν „allen Ernstes sterben". Sehr überflüssig hiernach und matt und wahrscheinlich nach 659 ζητῶν ὄλεθρον ἢ φυγὴν ἐκ τῆσδε γῆς interpoliert ist der folgende Vers.

*καίτοι θεοῖσι τοῖς νέοις τούτοις γέρα
τίς ἄλλος ἢ 'γὼ παντελῶς διώρισα;*

erwartet man gleichfalls den Sinn „in voller Wahrheit, im Grund genommen" und wird es also ursprünglich *πανδίκως διώρισα* geheissen haben. — Herakl. 1070

ἀπόκρυφον δέμας ὑπὸ μέλαθρον κρύψω

ist der Ausdruck *ἀπόκρυφον κρύψω* nicht stilgerecht. Das Richtige lehrt Soph. Ant. 85 *κρυφῇ δὲ κεῦθε*, also *ἀπόκρυφον .. κεύσω*. — Kykl. 5

ἀμφὶ γηγενῆ μάχην δορός

passt *δορός* nicht zu *μάχην*. Den richtigen Ausdruck haben L P Heraklid. 59 *ἐς πάλην καθίσταται δορὸς τὸ πρᾶγμα* bewahrt, also *γηγενῆ πάλην δορός*. Dagegen macht der Sinn in dem *πρόλογος* eines Rhesos, welchen die Hypothesis des erhaltenen Rhesos überliefert,

*νῦν γὰρ κακῶς πράσσουσιν ἐν μάχῃ δορὸς
λόγχῃ βιαίως Ἕκτορος στροβούμενοι*

ἐν τροπῇ δορός wahrscheinlich. Vgl. Rhes. 82 *οὐχ ὧδέ γ' αἰσχρῶς ἔπεσον ἐν τροπῇ δορός*, Soph. Ai. 1275 *ἐν τροπῇ δορός*, Aesch. Ag. 1236 *ἐν μάχης τροπῇ*. — Iph. A. 370

*Ἑλλάδος μάλιστ' ἔγωγε τῆς ταλαιπώρου στένω,
ἣ θέλουσα δρᾶν τι κεδνόν, βαρβάρους τοὺς οὐδένας
καταγελῶντας ἐξανήσει διὰ σὲ καὶ τὴν σὴν κόρην*

sucht man den Gen. *Ἑλλάδος* bei *στένω* zu rechtfertigen mit Alk. 296 *κοὐκ ἂν μονωθεὶς σῆς δάμαρτος ἔστενες*, wo doch *σῆς δάμαρτος* augenscheinlich von *μονωθείς* abhängt. Dass Phoen. 1425 nicht *κακῶν σῶν, Οἰδίπους, ὅσον στένω*, sondern *κακῶν σῶν, Οἰδίπου, σ' ὅσον* (oder *Οἰδίπους, σ' ὅσον*) *στένω* geschrieben werden muss, haben Hermann und Elmsley gesehen. Die Handschriften geben *οἰδίπου σὸς ὢν* mit *γρ. ὅσον στένω*. Man kann neben *στένειν τινά* auch *στένειν ὑπέρ τινος, ἐπί τινι, περί τινα* sagen, undenkbar aber ist *στένειν τινός* rationell nur *στένειν τινός* (gen. poss.) *τι* oder *στένειν τινά τινος* (gen. rel.) oder *στένειν περί τινί τι*, z. B. Prom. 413 *στένω σε τᾶς οὐλο-*

μένας τύχας, 4**5** στένουσα τὰν σὰν ξυνομαιμόνων τε τιμάν,
Soph. El. 1190 ἀμφ' ἐμοὶ στένεις τάδε. Schon Reiske erkannte
das Missliche dieser Konstruktion und wollte Ἑλλάδος τύχην
ἔγωγε schreiben. Der Gen. wird durch die Parodie des Eubulos
(Athen. 569 A) sichergestellt: Ἑλλάδος ἔγωγε τῆς ταλαιπώρου
στένω (περιστένω A), ἣ Κυδίαν ναύαρχον ἐξεπέμψατο. Der
Fehler kann auf die leichteste Weise beseitigt werden, wenn
man εἰ θέλουσα für ἣ θέλουσα schreibt; denn nunmehr vertritt der Satz εἰ .. ἐξανήσει das Objekt. Vgl. z. B. οὐδὲν
παυόμεθα ἀγνοοῦντες ἀλλήλων ὅ τι λέγομεν, Krüger I § 47, 10, 8.
Es ist wohl auch in der Stelle des Eubulos, wo A ηκυδια
gibt, εἰ Κυδίαν zu schreiben. Leicht konnte die naheliegende
relative Wendung an die Stelle des hypothetischen Satzes
treten. El. 178

> οὐδ' ἱστᾶσα χοροὺς
> Ἀργείαις ἅμα νύμφαις
> εἱλικτὸν κρούσω πόδ' ἐμόν

ist der Ausdruck κρούειν πόδα ungewöhnlich. Der natürliche
Ausdruck ist κρούειν τοῖς ποσὶ τὴν γῆν (Arr. Anab. VII 1, 7).
Man darf nicht auf Iph. A. 1042 χρυσεοσάνδαλον ἴχνος ἐν γᾷ
κρούουσαι verweisen, da der Zusatz ἐν γᾷ den Ausdruck wesentlich ändert. Allerdings findet sich κρούειν πόδα auch Herakl.
1804 κρούουσ' Ὀλύμπου Ζηνὸς ἀρβύλῃ πόδα, aber mit Recht
hat schon Brodeau πέδον für πόδα gefordert und II S. 531
hat sich ergeben, dass es ursprünglich κρούουσ' Ὀλύμπου
δάπεδον ἀρβύλῃ ποδός geheissen hat. So erwartet man auch
hier εἱλικτοὺς κρούσω δάπεδον. — Wenn es ebd. 207 heisst

> αὐτὰ δ' ἐν χερνῆσι δόμοις
> ναίω ψυχὰν τακομένα
> δωμάτων πατρίων φυγάς,
> οὐρείας ἀν' ἐρίπνας,

so ist mit δωμάτων πατρίων φυγάς nichts Neues gesagt nach
ἐν χερνῆσι δόμοις ναίω. Die syllaba anc. in φυγάς ist verdächtig, weshalb Paley φυγαῖς schreiben wollte. Man erwartet
einen Gedanken, wie er durch Aesch. Cho. 941 ἐπολολύξατ'

ὦ δεσποσύνων δόμων ἀναφυγᾷ κακῶν καὶ κτεάνων τριβᾶς ὑπαὶ
δυοῖν μιαστόροιν, also κτημάτων πατρίων τριβαῖς. — Die
Stelle Androm. 861

> Φθιάδος ἐκ γᾶς (χθονὸς?)
> κυανόπτερος ὄρνις ἀερθείην
> ἢ πευκᾶεν σκάφος, ἢ
> διὰ Κυανέας ἐπέρασεν ἀκτὰς
> πρωτόπλοος πλάτα

muss anders behandelt werden, als ich früher glaubte. Bei
ἀερθείην οὗ πευκᾶεν σκάφος ἃ sieht man nicht recht ein, warum
Hermione an den Ort fliegen möchte, wo die Argo aufbewahrt
wird. Weit natürlicher ist der Wunsch soweit als möglich
weg zu fliegen, etwa zum Phasis, wie es ebd. 650 ἢν χρῆν
σ' ἐλαύνειν γῆν πρὸ γῆς Νείλου ῥοὰς ὑπέρ τε Φᾶσιν heisst, also
erhalten wir den richtigen Sinn mit ἀερθείην οἳ πευκᾶεν
σκάφος διὰ Κυανέας ἐπέρασεν ἀκτάς d. i. dahin wohin die
Argo vordrang. Die Einsetzung von ἢ ist begreiflich. —
Rhes. 785

> αἳ δ' ἔρρεγκον ἐξ ἀντηρίδων
> θυμὸν πνέουσαι κἀνεχαίτιζον φόβῳ

ist, wie schon Reiske wahrgenommen hat, das gewöhnliche
Wort φόβῳ an die Stelle von φόβην getreten. Das Wort
ἀντηρίδων, wofür Musgrave ἀρτηριῶν vermutet hat, ist vielleicht
in dem Sinne von „Nüstern“ nicht zu beanstanden. Unmöglich
aber kann θυμόν richtig sein; denn Begriffe wie „Leben, Mut,
Zorn, Stolz“ passen in keiner Weise für die ängstlich schnau-
benden Pferde. Wieder ist ein minder geläufiges Wort ἀτμόν
mit einem naheliegenden vertauscht worden.

II S. 497. Zu Rhes. 879

> ὑμᾶς δ' ἰόντας τοῖσιν ἐν τείχει χρεὼν
> Πριάμῳ τε καὶ γέρουσι σημῆναι νεκροὺς
> θάπτειν κελεύειν λεωφόρου πρὸς ἐκτροπάς

bemerkt Vater: abundantia quae est in verbis σημῆναι κελεύειν
defenditur loco alio Heracl. 488

χρησμῶν γὰρ ᾠδούς φησι σημαίνειν ὅδε,
οὐ ταῦρον οὐδὲ μόσχον, ἀλλὰ παρθένον
σφάξαι κελεύειν.

Die Stellen sind nicht gleich; denn an der ersteren kann man
die Worte in dem Sinne auffassen: „gebt den Greisen zu verstehen, dass sie den Auftrag zur Bestattung erteilen". Jedenfalls also wird die Ueberlieferung der zweiten Stelle nicht
durch den Text des Rhesos gerechtfertigt. Aber auch diese
Stelle ist nicht stilgerecht und so sicher an der anderen die
Emendation σφάξαι κόρη Δήμητρος ist, so sicher muss es hier
heissen: θάπτειν κελεύθου λεωφόρου πρὸς ἐκτροπάς. Denn
auch der Gebrauch von λεωφόρος ohne Artikel und ohne Substantiv ist bei einem älteren Dichter bedenklich. Vgl. Hom.
O. 682 λαοφόρον καθ' ὁδόν, auch Alk. 1000 καί τις δοχμίαν
κέλευθον ἐκβαίνων (zum Grabe der Alkestis). — Iph. A. 1398
ruft Iphigenie, nachdem sie sich freiwillig zum Opfertode hingegeben hat, aus:

θύετ', ἐκπορθεῖτε Τροίαν. ταῦτα γὰρ μνημεῖά μου
διὰ μακροῦ καὶ παῖδες οὗτοι καὶ γάμοι καὶ δόξ' ἐμή.

Hierin verdirbt δόξ' ἐμή nicht bloss die Form, wie Herwerden
glaubt, welcher κεὐδοξία verlangt, sondern vor allem den Gedanken. Sie will sagen: „Der Tod für das Vaterland ist ein blei-
bendes Denkmal für mich und bietet mir Ersatz für Ehe- und
Kinderfreuden". Wie es ursprünglich geheissen haben muss,
zeigt Or. 1050 τάδ' ἀντὶ παίδων καὶ γαμηλίου λέχους, also
παῖδες οὗτοι καὶ γαμήλιον λέχος (oder vielleicht τέλος und
Or. 1050 τέλους, wie Aesch. Eum. 838 θύη πρὸ παίδων καὶ
γαμηλίου τέλους). Demnach scheint δόξ' ἐμή als Erklärung
zu μνημεῖά μου beigeschrieben worden und in den Text ein-
gedrungen zu sein. — Ein ungewöhnlicher Ausdruck ist Soph.
O. T. 344

θυμοῦ δι' ὀργῆς ἥτις ἀγριωτάτη.

Die dem tragischen Stile geläufige Wendung ist ἐλθεῖν δι'
ὀργῆς oder γίγνεσθαι δι' ὀργῆς. Es dürfte also γίγνου δι'
ὀργῆς mit θυμοῦ erklärt worden und dieses an die Stelle von

γίγνου getreten sein. — Eine ähnliche **Entstellung** durch Glosseme
wie sie uns Or. 982 begegnet ist (II S. 496), scheint die Stelle
Iph. A. 1319 ff. erlitten zu haben:

> μή μοι ναῶν χαλκεμβολάδων
> πρύμνας ᾄδ᾽ Αὐλὶς δέξασθαι
> τούσδ᾽ εἰς ὅρμους εἰς Τροίαν
> ὤφελεν ἐλάταν πομπαίαν
> μηδ᾽ ἀνταίαν Εὐρίπῳ
> πνεῦσαι πομπὰν Ζεύς, μειλίσσων
> αὔραν ἄλλοις ἄλλαν θνατῶν
> λαίφεσι χαίρειν.

Die folgenden Verse 1327—29 sind bereits von Monk und
Hennig als unnütz und unecht bezeichnet worden. In den angeführten Worten wird nach ᾄδ᾽ *Αὐλὶς* die überflüssige Angabe
τούσδ᾽ εἰς ὅρμους besonders durch das doppelte deiktische
Pronomen als Interpolation erwiesen und wie schon Monk das
unbrauchbare εἰς Τροίαν beseitigt hat, so ist von Herwerden
mit Recht der ganze Vers getilgt worden. Im folgenden ist
πομπάν stilwidrig, zu ἀνταίαν ist aus πνεῦσαι nach gewöhnlicher Weise πνοήν zu ergänzen. Dass die Worte ἐλάταν
πομπαίαν ebenso ein nachträglicher Zusatz sind, ergibt
sich aus der Unmöglichkeit der Konstruktion. Für ὤφελε
bleibt nur eine einzige Stelle übrig, so dass wir den Text
erhalten:

> μή μοι ναῶν χαλκεμβολάδων
> πρύμνας ᾄδ᾽ Αὐλὶς δέξασθαι
> μηδ᾽ ἀνταίαν Εὐρίπῳ
> πνεῦσαι Ζεὺς ὤφελε, μειλίσσων κτέ.

Ebd. 378 beginnt Agamemnon seine Erwiderung auf die bitteren
Vorwürfe des Menelaos mit den Worten:

> βούλομαί σ᾽ εἰπεῖν κακῶς εὖ βραχέα, μὴ λίαν ἄνω
> βλέφαρα πρὸς τἀναιδὲς ἀγαγών, ἀλλὰ σωφρονεστέρως
> ὡς ἀδελφὸν ὄντα κτέ.

Da die Zusammenstellung κακῶς εὖ kaum erträglich ist, schreibt
man gewöhnlich mit Markland αὖ für εὖ und ebenso hat der

corrector von P am Rande angemerkt, wozu noch ϑις gefügt
worden ist (αϑϑις). Aber für αὖ würde man eher καὶ ἐγώ
erwarten und mit εἰπεῖν κακῶς wird Agamemnon seine zurecht-
weisende Rede nicht bezeichnen. Daher scheint αὖ wie εὖ
Flickwort zu sein, εἰπεῖν κακῶς aber von einem Glossem zu
νουϑετῆσαι herzustammen, also βούλομαί σε νουϑετῆσαι βρα-
χέα. Gut hat noch Naber ἀνάγων für ἀγαγών vermutet. Gleich
nachher geben die Handschriften des Euripides ἀνὴρ γὰρ αἰσ-
χρὸς οὐκ αἰδεῖσϑαι φιλεῖ für ἀνὴρ γὰρ χρηστὸς αἰδεῖσϑαι φιλεῖ.
Wieder zwei Verse weiter (382), wo die Handschriften

τίς ἀδικεῖ σε; τοῦ κέχρησαι; λέκτρ' ἐρᾷς χρηστὰ λαβεῖν

bieten und Reiske χρηστὰ λέκτρ' ἐρᾷς λαβεῖν, Heath λέκτρα
χρήστ' ἐρᾷς λαβεῖν vorgeschlagen hat — λέκτρα χρήστ' ἐρᾷς
hat Kirchhoff aufgenommen —, dürfte die einfachste Herstellung λέκτρ' ἐραστὰ χρῇς λαβεῖν sein, womit das passendste
Epitheton zu λέκτρα gewonnen wird.

II S. 506 haben wir ὕμνοιν Andr. 476 in ὕμνοιο verbessert
und auf φοινικολόφοιο Phoen. 820, ἀελίοιο Or. 822 und λίνοιο
Tro. 538 hingewiesen. Für das letzte bieten die Handschriften
λίνοισι und überhaupt ist eine gewisse Neigung die Form in
οιο zu beseitigen wahrnehmbar.[1]) Aesch. Pers. 868 ist ποτα-
μοῖο für ποταμοῦ erst von Burney hergestellt worden. Dagegen
hat sich ebd. 110 die Form εὐρυπόροιο erhalten. Rhes. 909
gibt die Aldina ἀριστοτόκοιο für ἀριστοτόκου und mit Unrecht
hat sich Hermann durch die Abneigung gegen diese Form
verleiten lassen in der Strophe (898) ποτὶ γᾶν für ποτὶ Τροίαν
zu setzen. Aber hier ist die ursprüngliche Lesart die von
Cobet gefundene ἀριστοτόκειαν. Iph. A. 1069 ist Πριάμοιο
richtig überliefert. Ebd. 764 gibt die Handschrift P

> ὅταν χάλκασπις Ἄρης
> πόντιος εὐπρῴροισι πλάταις
> εἰρεσίᾳ πελάζῃ
> Σιμουντίοις ὀχετοῖς.

___

[1]) Sehr wahrscheinlich ist deshalb die Verbesserung von Vitelli zu
Iph. A. 200 δίσκοιο κεχαρμένον für δίσκον κεχαρημένον.

Darin fällt der dreifache Dativ auf und *εὐπρῴροισι πλάταις*
εἰρεσίᾳ ist jedenfalls stilwidrig. Nun bietet L *εὐπρῴροισ⋆* und
wenn dieses die echtere Lesart ist, so fordert das Versmass
die Verwandlung des σ in ο, also *εὐπρῴροιο πλάτας εἰρεσίᾳ*,
womit der stilgerechte Ausdruck gewonnen ist. Diese Verbesserung muss uns eine gewisse Achtung vor L einflössen
und dieser Handschrift den Vorzug vor P zuerkennen. Doch
steht hierin diese Stelle nicht allein.

Zu II S. 527. Die Vernachlässigung der Krasis scheint
auch Rhes. 296

> στείχων δ' ἄνακτος προυξερευνητὰς ὁδοῦ
> ἀνιστόρησα Θρηκίοις προσφθέγμασι,
> τίς ὁ στρατηγὸς καὶ τίνος κεκλημένος
> στείχει πρὸς ἄστυ Πριαμίδαισι σύμμαχος.

einen Fehler verschuldet zu haben. Mit Recht verhöhnt Vater
die Uebersetzung von Lindemann „von wem gerufen". Und
doch kommt es darauf an, nicht wessen Sohn Rhesos heisst,
sondern auf wessen Ruf er nach Troia kommt, vgl. 399. Es
muss also *κἀκ τίνος κεκλημένος* geheissen haben. Die leichteste Verbesserung des unbrauchbaren *ἄνακτος* dürfte *ἀν'*
αὐτούς sein.

Zu II S. 529. Man hat auf verschiedene Weise versucht
für Rhes. 145

> ἀλλὰ προσμίξω νεῶν
> ὁλκοῖσι νυκτὸς τῇσδ' ἐπ' Ἀργείων στρατῷ

einen dem Gedanken entsprechenden Text zu gewinnen. Den
Gedanken hat Hartung richtig angegeben: „bei dem Flucht-
versuche, beim Hinablassen der Schiffe in die See will Hektor
die Griechen noch überfallen und niedermetzeln". Bothe hat
τῇσδ' ἔτ' Ἀργείων στρατόν, Hartung *προσμίξω 'ν νεῶν ὁλκοῖσι,*
νυκτὸς τῇσδ' ἔτ', Ἀργείων στρατῷ, F. W. Schmidt *προσμίξω·*
παρὼν ὁλκοῖσι νυκτὸς τῇσδ' ἔτ' Ἀργείων νεῶν, Schumacher
νυκτὸς τῇσδε κἀργείων στρατῷ vermutet. Den richtigen Sinn

erlangen wir mit der **Umstellung der Worte** προσμίξω und
ἐπ' Ἀργείων:

$$\text{ἀλλ' ἐπ' Ἀργείων νεῶν}$$
$$\text{ὁλκοῖσι νυκτὸς τῆσδε προσμίξω στρατῷ.}$$

Iph. A. 1111 ὡς χέρνιβες πάρεισιν ηὐτρεπισμέναι προχύται τε
βάλλειν πῦρ καθάρσιον χερῶν schreibt man gewöhnlich nach
der Vermutung von Musgrave χεροῖν, weil dieses dem überlieferten χερῶν am nächsten zu liegen scheint. Aber die Vorstellung von beiden Händen ist in diesem Zusammenhang
nahezu widersinnig und wie ich H S. 449 betont habe, muss
man bei der Textkritik nicht bloss auf die Buchstaben, sondern
auch auf die Umgebung Rücksicht nehmen. Hier ist χερῶν
unter dem Einfluss des darunter stehenden χρεών entstanden;
nichts also steht im Wege das natürliche χερί an die Stelle
von χερῶν zu setzen.

Ein lehrreiches Beispiel einer alten Corruptel bietet uns
Rhes. 546

$$\text{καὶ μὴν δίω Σιμόεντος}$$
$$\text{ἡμένα κοίτας}$$
$$\text{φοινίας ὑμνεῖ πολυχορδοτάτᾳ}$$
$$\text{γήρυϊ παιδολέτωρ}$$
$$\text{μελοποιὸς ἀηδονὶς μέριμνα.}$$

Diesen Text hatten bereits die Scholiasten vor sich, welche
die Erklärung geben: γράφεται καὶ θρηνεῖ καὶ ἔξωθεν λαμβά-
νεται ἡ ἐπί καὶ τὸ ὡς· ὡς ἐπὶ τοῦ Σιμόεντος ἐζομένη θρηνεῖ
τὰς φονίας κοίτας ἡ ἀηδών. Der Ergänzung von ὡς trägt die
Interpunktion Rechnung, welche seit Musgrave geläufig geworden ist: καὶ μὴν δίω· Σιμόεντος. Die Ergänzung von ἐπί
wird niemand mehr rechtfertigen wollen, wenn auch Vater sie
für möglich hält, welcher folgende Deutung gibt: sedens ad
Simoëntem luget cruentas nuptias luscinia. Barnes allerdings
war mit der Erläuterung des Gen. schnell bei der Hand: παρά
subaudi. Es kennzeichnet die oberflächliche Auffassung von
Vater, wenn er als Beleg für Σιμόεντος ἡμένα Thuk. I 36
τῆς τε γὰρ Ἰταλίας καὶ Σικελίας καλῶς παράπλου κεῖται bei-

bringt. Bothe macht Σιμόεντος von κοίτας abhängig: sedens
in Simoëntis cubilibus (i. e. ripis) sanguineis. Abgesehen davon,
dass κοῖται eines Flusses nirgends vorkommen, muss sich φοινίας
κοίτας, wie schon der Schol. bemerkt (διὰ τὰ τολμηθέντα ἐπὶ
τῷ Ἰτύλῳ), auf die Vergewaltigung der Philomele, welche
zum Tode des Itys führt, beziehen.   Auch Hermann pflichtet
dieser Auffassung bei (rectissime scholiastae κοίτας φοινίας de
violento Philomelae stupro dictum esse viderunt).   Dann aber
muss κοίτας φοινίας entweder als Acc. Plur. von ὑμνεῖ oder
als Gen. von dem folgenden μέριμνα abhängig sein, wenn es
nach Heaths Verbesserung μερίμνας oder μέριμναν geheissen
hat.   Hiernach kann es nicht zweifelhaft sein, dass Nauck
richtig gesehen hat: in verbis καὶ μὴν δίω latere videtur
substantivum, unde Σιμόεντος pendeat.   Da καὶ μὴν ganz an
seinem Platze ist, so wird das gesuchte Substantiv in δίω
enthalten sein.   Man könnte an das weniger passende ἀκταῖς
oder an das der Ueberlieferung ferner liegende ὄχθαις denken,
wie O. Goram κἀν' ἠόνας Σιμόεντος vermutet hat, worin schon
καί unbrauchbar ist.   Aber auf das hier notwendige Wort
führt die von der gleichen Sache handelnde Stelle Hel. 1107
σὲ τὰν ἐναυλείοις ὑπὸ δενδροκόμοις μουσεῖα καὶ θάμνους (so
Herwerden für θάκους) ἐνίζουσαν ἀναβοάσω κτέ.   Man kann
nur zweifeln, ob es ursprünglich θάμνῳ oder θάμνοις
Σιμόεντος geheissen hat.   An und für sich ist der Wegfall
von δίω ein grosser Vorteil und die von Musgrave eingeführte
Interpunktion nur ein Notbehelf.   Im übrigen ist es schwer
glaublich, dass ἀηδονίς als Adjektiv gebraucht sein soll, wie
Hermann mit Barnes annimmt.   Nauck vermutet μελοποιῷ
. . μερίμνᾳ und da B μέριμνα bietet, so darf μερίμνᾳ als überliefert betrachtet werden.   Aber der Gebrauch von μελοποιῷ
mit verkürzter Endsilbe ist hier bedenklich.   Zwischen μερίμνας
und μέριμναν — beides hat Heath vorgeschlagen — lässt sich
leicht wählen, da das Adjektiv μελοποιός zu μέριμνα gehört,
also μελοποιὸν . . μέριμναν.

Verzeichniss der eingelaufenen Druckschriften

Januar bis Juni 1897.

Die verehrlichen Gesellschaften und Institute, mit welchen unsere Akademie in Tauschverkehr steht, werden gebeten, nachstehendes Verzeichniss zugleich als Empfangs-bestätigung zu betrachten.

Von folgenden Gesellschaften und Instituten:

Geschichtsverein in Aachen:
Zeitschrift. 18. Band. 1896. 8⁰.

Royal Society of South-Australia in Adelaide:
Transactions. Vol. XX, part 2. 1896. 8⁰.

Südslavische Akademie der Wissenschaften in Agram:
Rad. Bd. 127—129. 1896. 8⁰.
Starine. Bd. 28. 1896. 8⁰.

Naturforschende Gesellschaft des Osterlandes in Altenburg:
Mittheilungen aus dem Osterlande. N. F. Band 7. 1896. 8⁰.

Johns Hopkins University in Baltimore:
Circulars. Vol. XVI, No. 128—130. 1897. 4⁰.
Bulletin of the Johns Hopkins Hospital. Vol. VII, No. 68—70; Vol. VIII, No. 71—74. 1896—97. 4⁰.

K. Bibliothek in Bamberg:
Katalog der Handschriften von Frd. Leitschuh. Bd. I, Abth. 2, Lfg. 2. 1897. 6⁰.

Historisch-antiquarische Gesellschaft in Basel:
20. u. 21. Jahresbericht f. d. J. 1894/95 u. 1895/96. 1895—96. 8⁰.
Beiträge zur vaterländischen Geschichte. N. F. Bd. V, Heft 1. 1897. 6⁰.

Bataviaasch Genootschap van Kunsten en Wetenschappen in Batavia:
Tijdschrift. Deel 39, afl. 8. 1896. 8⁰.
Notulen. Deel 34, afl. 1. 2. 1896. 8⁰.
Verhandelingen. Deel 49, stuk 1. 2; Deel 50, stuk 2. 1896. 4⁰.
Nederlandsch-Indisch-Plakaatboek. Deel XV. 1896. 8⁰.

K. natuurkundig Vereeniging van Nederlandsch Indië in Batavia:
Alphabetisch Register op Deel I—XXX u. XXXI—L van het Tijdschrift. Naamregister. s'Gravenhage 1871—91. 8⁰.

K. Serbische Akademie in Belgrad:
Srpski etnografski sbornik. Band II. 1896. 8⁰.
Glas. No. 51. 52. 1896. 8⁰.
Godischnijak 1895. 1896. 8⁰.

Museum in Bergen (Norwegen):

G. O. Sars, An Account of the Crustacea of Norway. Vol. I, part 3. 4.
1897. 4⁰.
Aarbog für 1896. 1897. 8⁰.

K. preussische Akademie der Wissenschaften in Berlin:

Corpus Inscriptionum Atticarum. Appendix. 1897. fol.
Politische Correspondenz Friedrichs des Grossen. Bd. XXIII. 1896. 8⁰.
Abhandlungen aus dem Jahre 1896. No. XL—LIII. gr. 8⁰.
Sitzungsberichte. 1897, No. I—XXV. gr. 8⁰.

K. geolog. Landesanstalt und Bergakademie in Berlin:

Jahrbuch für das Jahr 1895. Bd. XVI. 1896. 4⁰.

Deutsche chemische Gesellschaft in Berlin:

Berichte. 20. Jahrg., No. 18 u. 19; 30. Jahrg., No. 1—10. 1897. 8⁰.

Deutsche geologische Gesellschaft in Berlin:

Zeitschrift. Band 48, Heft 3. 4. 1896. 8⁰.

Medicinische Gesellschaft in Berlin:

Verhandlungen. Band 27. 1897. 8⁰.

Physikalische Gesellschaft in Berlin:

Die Fortschritte der Physik im Jahre 1895. Do. im Jahre 1890. 3 Bde.
Braunschweig 1896. 8⁰.
Verhandlungen. Jahrg. 15, No. 6. 7; Jahrg. 16, No. 1—7. 1896—97. 8⁰.

Physiologische Gesellschaft in Berlin:

Centralblatt für Physiologie. Bd. X, No. 20—26. Bd. XI, No. 1—6.
1896—97. 8⁰.
Verhandlungen. Jahrg. 1896—97, No. 1—4. 8⁰.

K. technische Hochschule in Berlin:

Guido Hauck, Ueber innere Anschauung und bildliches Denken. Rede.
1897. 4⁰.
Hermann Rietschel, Gedächtnissrede zur Feier des 100. Geburtstages des
Königs Wilhelm des Grossen. 1897. 4⁰.

Kaiserlich deutsches archäologisches Institut in Berlin:

Jahrbuch. Band XI, Heft 4. 1897. 4⁰.

K. preuss. meteorologisches Institut in Berlin:

Ergebnisse der Niederschlagsbeobachtungen im Jahre 1894. 1897. fol.
Ergebnisse der meteorolog. Beobachtungen in Potsdam im Jahre 1895.
1897. 4⁰.
Ergebnisse der Beobachtungen an den Stationen II. und III. Ordnung
im Jahre 1896. 1897. 4⁰.

Jahrbuch über die Fortschritte der Mathematik in Berlin:

Jahrbuch. Band XXV. Jahrg. 1893, No. 94, Heft 3. 1897. 8⁰.

Kommission für die wissenschaftlichen Sendungen aus den deutschen Schutzgebieten in Berlin:

Drittes Verzeichniss. 1897. fol.

K. Sternwarte in Berlin:

Beobachtungsergebnisse. Heft 7. 1897. 4⁰.

*Verein zur Beförderung des Gartenbaues in den preuss. Staaten
in Berlin:*
Gartenflora 1897. 46. Jahrg., No. 1—12. 1897. 8⁰.

Verein für Geschichte der Mark Brandenburg in Berlin:
Forschungen zur Brandenburgischen u. Preussischen Geschichte. Bd. IX,
2. Hälfte. Leipzig 1897. 8⁰.

Naturwissenschaftliche Wochenschrift in Berlin:
Wochenschrift. Band XII, Heft 1—6. 1897. fol.

Zeitschrift für Instrumentenkunde in Berlin:
Zeitschrift. 17. Jahrg., 1897. Heft 1—3. 5. 6. 4⁰.

R. Deputazione di storia patria in Bologna:
Atti e Memorie. III. Serie. Vol. 14, fasc. 4—6. 1896. 4⁰.

Universität in Bonn:
Verzeichniss der Bonner Universitäts-Schriften 1818—1885 von Fritz
Milkau. 1897. 8⁰.

Verein von Alterthumsfreunden im Rheinlande in Bonn:
Bonner Jahrbücher. Heft 100. 1896. 4⁰.

Société de géographie commerciale in Bordeaux:
Bulletin. 1896, No. 23—24; 1897, No. 1—11. 8⁰.

American Academy of Arts and Sciences in Boston:
Memoirs. Vol. XII, No. 2 u. 3. Cambridge 1896. 4⁰.
Proceedings. Vol. 31; Vol. 32, No. 1. 1896. 8⁰.

Boston Society of natural History in Boston:
Proceedings. Vol. 27, part 75—241. 1896. 8⁰.

Ortsverein für Geschichte und Alterthumskunde in Braunschweig:
Braunschweigisches Magazin. Band II. Jahrg. 1896. 4⁰.

Meteorologische Station in Bremen:
Ergebnisse der meteorolog. Beobachtungen im Jahre 1896. VII. Jahrg.
1897. 4⁰.

Naturwissenschaftlicher Verein in Bremen:
Abhandlungen. Band 14, Heft 2. 1897. 8⁰.

Verein für die Geschichte Mährens und Schlesiens in Brünn:
Zeitschrift. 1. Jahrg., 1. u. 2. Heft. 1897. gr. 8⁰.

Naturforschender Verein in Brünn:
Verhandlungen. Band 34, 1895. 1896. 8⁰.
XIV. Bericht der meteorol. Commission. 1896. 6⁰.

Académie Royale de médecine in Brüssel:
Bulletin. IV. Série. Tome X, No. 11. 1896. Tome 11, No. 1—5.
1897. 8⁰.

Académie Royale des sciences in Brüssel:
Bulletin. 3. Série. Tome 32, No. 12. 1896. Tome 33, No. 1—4. 1897. 8⁰.

Bibliothèque Royale in Brüssel:
Rapport sur les années 1894—95. 1896. 8⁰.

Société des Bollandistes in Brüssel:
Analecta Bollandiana. Tome XVI, fasc. 1 u. 2. 1897. 8⁰.

Société entomologique de Belgique in Brüssel:
Annales Tome 39. 1895   Tome 40. 1896.   8⁰.
Mémoires. Vol. III—V. 1895—96. 8⁰.

Société belge de géologie in Brüssel:
Bulletin. Tome 9, fasc. 1—4. 1895—97. 8⁰.

K. ungarische geologische Anstalt in Budapest:
Mittheilungen aus dem Jahrbuche.   Band XI, 1—3. 1897. 4⁰.
Földtani Közlöny. Bd. XXVI, Heft 11 u. 12. 1896. Bd. XXVII, 1—4.
1897. 4⁰.
Jahresbericht für 1894. 1897. 4⁰.

Botanischer Garten in Buitenzorg (Java):
Mededeelingen uit 's lands Plantentuin.   No. XVIII. XXI.   Batavia
1897. 4⁰.

Academia Romana in Bukarest:
Documente privitóre la istoria Românilor.   Vol. II, parte 5.   Vol. IX,
parte 1. 1897. 4⁰.

Rumänisches meteorologisches Institut in Bukarest:
Analele. Tom. XI, 1895. 1896. 4⁰.
Buletinul. Anul V, 1896. 1897. 4⁰.

Meteorological Department of the Government of India in Calcutta:
Monthly Weather Review. June—December 1896. 1896—97.   fol.
Indian Meteorological Memoirs.   Vol. VII, part 6; Vol. VIII, part 2;
Vol. IX, part 8. 9. 1896—97.   fol.

Asiatic Society of Bengal in Calcutta:
Journal. N. Ser. Vol. 65, No. 344. 355—358. 1896/97. 8.
Proceedings. 1896. No. VI—X. 1896. 8⁰.

Geological Survey of India in Calcutta:
Records. Vol. 30, part 1. 1897. 4⁰.

Museum of comparative Zoology in Cambridge, Mass.:
Annual Report for 1895—96. 1896. 8⁰.
Memoirs. Vol. XXII, Text und Atlas. 1896. 4⁰.
Bulletin. Vol. 28, 3; 30, 3—6. 1896/97. 8⁰.

Astronomical Observatory at Harvard College in Cambridge, Mass.:
51ᵗʰ annual Report 1895/96. 1896. 8⁰.
Annals. Vol. 30, part 4; Vol. 40, part 5; Vol. 41, No. 4. 1896. 4⁰.
Miscellaneous Papers 1888—1895. 1896. 8⁰.

Philosophical Society in Cambridge:
Proceedings. Vol. IX, part 4. 5. 1897. 8⁰.

Accademia Gioenia di scienze naturali in Catania:
Atti. Serie IV, Vol. 9. 1896. 4⁰.
Bullettino. Fasc. 44—46. 1896/97. 8⁰.

Field Columbian Museum in Chicago:
Publications. No. 14. 1896. 8⁰.

Zeitschrift „The Open Court" in Chicago:
The Open Court. Vol. X, No 52; Vol. XI, No. 1—6. 1896—97. 8⁰.

Zeitschrift „The Monist" in Chicago:
The Monist. Vol. 7, No. 2. 3. 1897. 8⁰.

Norsk Folkemuseum in Christiania:
Aarsberetning 1896. 4⁰.

K. Norwegische Universität in Christiania:
J. M. Norman, Norges arktiske Flora. Vol. I, 1; II, 1. 1894 95. 8⁰.
Aarsberetning 1894—95. 1896. 8⁰.
Jahrbuch des meteorologischen Instituts 1893. 1894. 1895. 1895—96. 4⁰.
Archiv for Mathematik. Bd. 18, 1—4; 19, 1. 2. 1896. 8⁰.
Magasin for Naturvidenskaberne. Bd. 34, 3. 4; 35, 1—3. 1893—95. 8⁰.
Annaler 1895. 1896. 1896—97. 8⁰.
Schjött, Samlede Philologiska Afhandlinger. 1896. 8⁰.
Sars, Fauna Norvegiae. Band I. 1896. 4⁰.
Barth, Norrönaskaller, crania antiqua Norvegiae. 1896. gr. 8⁰.
Seippel, Rerum Normannicarum fontes arabici. Fasc. I. 1896. 4⁰.

Editorial Committee of then Norske Nordhavs-Expedition 1876—1878
in Christiania:
XXIII. Zoologi. Tunicata. 1896. fol.

Historisch-antiquarische Gesellschaft für Graubünden in Chur:
Jahresbericht. Jahrg. 1896. 1897. 4⁰.

Chemiker-Zeitung in Cöthen:
Chemiker-Zeitung 1896. No. 86—91. 100—102. 1897. No. 1—46. fol.

Naturhistorische Gesellschaft in Colmar:
Mittheilungen. N. F. Band 3. Jahrgang 1895 u. 96. 1896. 8⁰.

Academia nacional de ciencias in Córdoba (Republ. Argent.):
Boletin. Tom. XV, No. 1. Buenos Aires 1896. 8⁰.

Franz-Josephs-Universität in Czernowitz:
Verzeichniss der Vorlesungen. Sommer-Semester 1897. 8⁰.
Die feierliche Inauguration des Rektors f. das Jahr 1896/97. 1896. 8⁰.

Colorado Scientific Society in Denver, Colorado:
3 kleine naturwissenschaftl. Abhandlungen. 1896. 8⁰.
G. M. Gouyard, Magnetic Concentration applied to sulphide ore. 1897. 8⁰.
2 Abhandlungen aus den Proceedings der Gesellschaft. 1897. 8⁰.

Verein für Anhaltische Geschichte in Dessau:
Mittheilungen. Band VII, 7. 1897. 8⁰.

Gelehrte estnische Gesellschaft in Dorpat:
Verhandlungen. Band 16, Heft 4; Band 17 u. 18. 1896. 8⁰.

Union géographique du Nord de la France in Douai:
Bulletin. Tome 17, Tome 18, trimestre 1 et 3. Paris 1896/97. 8⁰.

Royal Irish Academy in Dublin:
Proceedings. Ser. III, Vol. IV, No. 1. 1896. 8⁰.

American Chemical Society in Easton, Pa.:
The Journal. Vol. 19, No. 1—6. 1897. 8⁰.

Royal College of Physicians in Edinburgh:
Reports from the Laboratory. Vol. VI. 1897. 8⁰.

Royal Society in Edinburgh:
Proceedings. Vol. XXI, No. 3 u. 4. 1897. 8⁰.

Scottish Microscopical Society in Edinburgh:
Vol. 2, No. 1. 1896. 8⁰.

502

Karl Friedrichs-Gymnasium zu Eisenach:
Jahresbericht für 1896/97. 1897. 4⁰.

K. Akademie gemeinnütziger Wissenschaften in Erfurt:
Jahrbücher. N. F. Heft 23. 1897. 8⁰.

Reale Accademia dei Georgofili in Florenz:
Atti. 4. Ser. Vol. 19, disp. 3 e 4; Vol. 20, disp. 1. 1896—97. 8⁰.

Senckenbergische naturforschende Gesellschaft in Frankfurt a/M.:
Abhandlungen. Band XXIII, 1. 2. 1896. 4⁰.

Verein für Geschichte und Alterthumskunde in Frankfurt a/M.:
Das historische Archiv der Stadt Frankfurt a/M. 1896. 8⁰.

Universität Freiburg in der Schweiz:
Index lectionum. Sommer-Semester 1897 und Winter-Semester 1897/98.
    1897. 8⁰.
Collectanea Friburgensia. Fasc. VI. 1896. 4⁰.
Behörden, Lehrer und Studirende. Sommer-Semester 1897. 8⁰.

Observatoire in Genf:
Resumé météorologique de l'année 1896. 1897. 8⁰.
Nouvelles moyennes pour les principaux éléments météorologiques de
    Genève par Gautier. 1897. 8⁰.

Société d'histoire et d'archéologie in Genf:
Bulletin. Tome I, livr. 5. 1897. 8⁰.
Mémoires et Documents. IIe Série, Tome 6. 7. 1897. 8⁰.

Kruidkundig Genootschap Dodonaea in Gent:
Botanisch Jaarboek. 8. Jaarg. 1896. 6⁰.

Oberhessische Gesellschaft für Natur- und Heilkunde in Giessen:
31. Bericht. 1896. 8⁰.

Oberlausitzische Gesellschaft der Wissenschaften in Görlitz:
Neues Lausitzisches Magazin. Band 72, Heft 2. 1896. 8⁰.

K. Gesellschaft der Wissenschaften in Göttingen:
Göttingische gelehrte Anzeigen. 1897. No. I—VI. Berlin 1897. 4⁰.
Nachrichten. a) Mathem.-phys. Classe. 1896, Heft 4; 1897, Heft 1. 4⁰.
    b) Philol.-hist. Classe. 1896, Heft 4; 1897, Heft 1. 4⁰.
Geschäftliche Mittheilungen 1897. Heft 1. 1897. 4⁰.
Abhandlungen. N. F. Band I, No. 4. 5. Berlin 1897. 4⁰.

K. Gesellschaft der Wissenschaften in Gothenburg:
Handlingar. Ny Tidsföljd. 32. Häftet. 1897. 8⁰.

Universität in Gothenburg:
Göteborgs Högskolas Arsskrift. Tome 2. 1896. 6⁰.

Scientific Laboratories of Denison University in Granville, Ohio:
Bulletin. Vol. IX, 1. 1895. 8⁰.

Historischer Verein für Steiermark in Graz:
Mittheilungen. 44. Heft. 1896. 8⁰.

*Naturwissenschaftlicher Verein für Neu-Vorpommern und Rügen
    in Greifswald:*
Mittheilungen. 28. Jahrgang. 1896. Berlin 1897. 8⁰.

Fürsten- und Landesschule in Grimma:
Jahresbericht für das Jahr 1896—97. 1897. 4⁰.

Haagsche Genootschap tot verdediging van den christelijken godsdienst im Haag:
Werken. VI. Reeks. Deel 6. Leiden 1897. 8⁰.

K. Instituut voor de Taal, Land- en Volkenkunde van Nederlandsch-Indië im Haag:
H. Hendriks, Het Barusch van Musarète. 1897. 8⁰.
Bijdragen. Deel 47, afl. 1. VI. Reeks, Deel 3, afl. 2. 1897. 8⁰.
Naamlijst der leden op 1. April 1897. 8⁰.

Ministère des Colonies Néerlandaises im Haag:
Verbeek et Fennema, Description géologique de Java et Madoura. 2 Vols.
avec une Carte géologique. Amsterdam 1896.

Société Hollandaise des Sciences in Haarlem:
Archives Néerlandaises. Tome 30, livr. 4 u. 5. 1896/97. 8⁰.

Nova Scotian Institute of Science in Halifax:
The Proceedings and Transactions. Vol. IX, 2. 1896. 8⁰.

Kaiserl. Leopoldinisch-Carolinische Deutsche Akademie der Naturforscher in Halle:
Leopoldina. Heft 32, No. 12, 1896; Heft 33, No. 1—4, 1897. 4⁰.

Deutsche morgenländische Gesellschaft in Halle:
Zeitschrift. Band 50, Heft 4, 1896; Band 51, Heft 1, 1897. Leipzig. 8⁰.

Universität in Halle:
Verzeichniss der Vorlesungen. Sommer-Semester 1897. 1897. 8⁰.

Naturwissenschaftlicher Verein für Sachsen und Thüringen in Halle:
Zeitschrift für Naturwissenschaften. Bd. 69, Heft 5 u. 6. Leipzig 1897. 8⁰.

Thüringisch-sächsischer Verein zur Erforschung des vaterländischen Alterthums in Halle:
Neue Mittheilungen. Band XIX, 3. 1897. 8⁰.

Verein für Thüringische Geschichte und Alterthumskunde in Halle:
Regesta historiae Thuringiae. 2. Halbband. Jena 1896. 4⁰.

Naturwissenschaftlicher Verein in Hamburg:
Abhandlungen. Band XV. 1897. 4⁰.
Verhandlungen. 3. Folge, IV. 1897. 8⁰.

Geschichtsverein in Hanau:
Die Münzen der Grafen von Hanau von Reinhard Suchier. 1897. 4⁰.

Universität Heidelberg:
Kaiser Wilhelm I., Festrede von B. Erdmannsdörffer. 1897. 4⁰.

Historisch-philosophischer Verein in Heidelberg:
Neue Heidelberger Jahrbücher. Jahrg. VII, Heft 1. 1897. 8⁰.

Societas pro Fauna et Flora Fennica in Helsingfors:
Acta. Vol. XI. 1895. 8⁰.
Meddelanden. Heft 22. 1895. 8⁰.

Société de géographie de Finlande in Helsingfors:
Fennia. Vol. 12. 13. 1896. 8⁰.

Verein für siebenbürgische Landeskunde in Hermannstadt:
Archiv. N. F. Band 27, Heft 2. 1897. 8⁰.
Programm des evangelischen Gymnasiums in Hermannstadt für das
Jahr 1895/96. 1896. 4⁰.

33*

504   *Verzeichniss der eingelaufenen Druckschriften.*

Naturwissenschaftlich-medicinischer Verein in Innsbruck:
Berichte. XXII. Jahrg. 1893—96. 1896. 8⁰.

Journal of Physical Chemistry in Ithaca, N.Y.:
The Journal. Vol. I, No. 2—8. 1896—97. gr. 8⁰.

Verein für Thüringische Geschichte und Alterthumskunde in Jena:
Zeitschrift. N. F. Band X, 1—4. 1895—96. 8⁰.

Centralbureau für Meteorologie etc. in Karlsruhe:
Jahresbericht des Centralbureaus für das Jahr 1896. 1897. 4⁰.

Observatoire magnétique et météorologique de l'Université Impériale in Kasan:
Observations. Année 1895, IX; 1896, III. 1895—96. 8⁰.

Société physico-mathématique in Kasan:
Bulletin. II. Série, Tome VI, No. 1—4; VII, No. 1. 1896—97. 8⁰.

Universität Kasan:
Utschenia Sapiski. Band 64, No. 1—6. 1897. 8⁰.
2 medicinische Dissertationen. 1896. 8⁰.

Verein für hessische Geschichte und Landeskunde in Kassel:
Zeitschrift. N. F., Band XX, XXI u. Supplement XI. 1895—96. 8⁰.
Mittheilungen. Jahrg. 1894. 1895. 1895—96. 8⁰.

Société de médecine in Kharkow:
Travaux. 1896. No. 1. 1897. 8⁰.

Université Impériale in Kharkow:
Sapiski 1896. Tome 4; 1897, Heft 1. 4⁰.
Annales 1897, fasc. 2. 3. 8⁰.

Société mathématique in Kharkow:
Communications. 2⁰ Série, Tome VI, No. 1. 1897. 8⁰.

Gesellschaft für Schleswig-Holstein-Lauenburgische Geschichte in Kiel:
Schleswig-Holstein-Lauenburgische Regesten u. Urkunden v. P. Hasse.
Band III, 8. Hamburg 1896. 4⁰.

Kommission zur wissenschaftl. Untersuchung der deutschen Meere in Kiel:
Wissenschaftliche Meeresuntersuchungen. N. F. Bd. II, Heft 2. 1897. 4⁰.

Universität in Kiew:
Iswestija. Bd. 36, No. 11. 12. 1896. Bd. 37, No. 1—4. 1897. 8⁰.

Aerztlich-naturwissenschaftlicher Verein in Klausenburg:
Értesitö. 3 Hefte. 1896—97. 8⁰.

Physikalisch-ökonomische Gesellschaft in Königsberg:
Schriften. 37. Jahrgang. 1896. 4⁰.

K. Akademie der Wissenschaften in Kopenhagen:
Caspar Wessel, Essai sur la représentation analytique de la direction. 1897. 4⁰.
Oversigt. 1896, No. 6; 1897, No. 1. 1896—97. 8⁰.
Mémoires. 6⁰ Sér., Section des Lettres, t. IV, No. 3. 6⁰ Sér., Section des Sciences, t. VIII, No. 3. 1896. 4⁰.

Genealogisk Institut in Kopenhagen:
Döbte i St. Petri tydske Kirke i Kjöbenhavn för Ildebranden 1728. 1897. 8⁰.
Sofus Elvius, Bryllupper og dödsfeld i Danmark 1896. 1897. 4⁰.

Akademie der Wissenschaften in Krakau:
Anzeiger. 1896, December; 1897, Januar—März. 8⁰.
Monumenta medii aevi historica. 1896. 4⁰.
Bibliografia historyi Polskiej. Band II, 2. 1896. 8⁰.
Atlas geologiczny Galicyi. Zeszut VII. Text u. Atlas. 1895. 8⁰ u. fol.

Archiv der Stadt Kronstadt:
Quellen zur Geschichte der Stadt Kronstadt. Band III. 1896. gr. 8⁰.

Société Vaudoise des sciences naturelles in Lausanne:
Bulletin. IV. Sér. Vol. 32, No. 122; Vol. 33, No. 123. 1896/97. 8⁰.

Kansas University in Lawrence, Kansas:
The Kansas University Quarterly. Vol. V, No. 2. 1896. 8⁰.

Maatschappij der Nederlandsche Letterkunde in Leiden:
Tijdschrift. Deel XV, 4; Deel XVI, afl. 1. 1896/97. 8⁰.

Archiv der Mathematik und Physik in Leipzig:
Archiv. II. Reihe, Theil 15, Heft 2. 1896. 8⁰.

K. sächsische Gesellschaft der Wissenschaften in Leipzig:
Abhandlungen der philol.-hist. Classe. Bd. XVI. XVIII, No. 1. 1897. 4⁰.
Abhandlungen der math.-phys. Classe. Bd. XXIII, No. 6. 1897. 4⁰.
Berichte der philol.-hist. Classe. 1896. II. III. 1897. 8⁰.
Berichte der math.-phys. Classe. 1896. Heft IV. V. VI. 1897. I. II. 8⁰.

Fürstlich Jablonowski'sche Gesellschaft in Leipzig:
Preisschriften. No. XXXIV. 1896. gr. 8⁰.

Journal für praktische Chemie in Leipzig:
Journal. N. F. Bd. 54, Heft 10 - 12; Bd. 55, Heft 1—5. 1896/97. 8⁰.

Verein für Erdkunde in Leipzig:
Mittheilungen 1896. 1897. 8⁰.
Wissenschaftliche Veröffentlichungen. Band III, Heft 2. 1897. 8⁰.

Sociedade de geographia in Lissabon:
Boletin. 15ª Serie, No. 5—9. 1896. 8⁰.

Université catholique in Loewen:
Annuaire 1897. 8⁰.
Programme des cours de l'année académique 1896—97. 1896. 8⁰.
N. Physsenzidès, L'arbitrage international et l'établissement d'un empire
    grec. Bruxelles 1897. 8⁰.

Zeitschrift „La Cellule" in Loewen:
La Cellule. Tome XII, 1. 2. 1897. 4⁰.

Royal Institution of Great Britain in London:
Proceedings. Vol. XV, part I. 1897. 8⁰.

The English Historical Review in London:
Historical Review. Vol. XII, No. 45 January, No. 46 April. 1897. 8⁰.

Royal Society in London:
Proceedings. Vol. 60, No. 365—367; Vol. 61, No. 369—374. 1897. 8⁰.

R. Astronomical Society in London:
Monthly Notices. Vol. 57, No. 2—7. 1896—97. 8⁰.

Chemical Society in London:
Journal. No. 410—415. January—June 1897. 8⁰.
Proceedings. Session 1896—97. Vol. 12, No. 172—181. 8⁰.

506   *Verzeichniss der eingelaufenen Druckschriften.*

Geological Society in London:
The quarterly Journal. No. 205—208. 1896. 8⁰.
Royal Microscopical Society in London:
Journal. 1896, part 6; 1897, part 1—3. 8⁰.
Zoological Society in London:
Transactions. Vol. XIV, 3. 1897. 4⁰.
Proceedings. 1896, part IV; 1897, part I. 1897. 8⁰.
Zeitschrift „Nature" in London:
Nature. Vol. 55, No. 1412—1443. 1896—97. 4⁰.
Institut de physiologie de l'Université in Lüttich:
Travaux du Laboratoire de Léon Fredericq. Tome V. Paris 1896. 8⁰.
Société Royale des Sciences in Lüttich:
Mémoires. II. Série, Tome 19. Bruxelles 1897. 8⁰.
Universität in Lund:
Acta Universitatis Lundensis. Tom. XXXII, 1. 2. 1895/96. 4⁰.
Section historique de l'Institut Royal Grand-Ducal in Luxemburg:
Publications. Vol. 45. 1896. 8⁰.
Naturforschende Gesellschaft in Luzern:
Mittheilungen. 1. Heft. 1897. 8⁰.
Université in Lyon:
Annales. No. 25—28 u. 30. Paris 1896—97. 8⁰.
University of Wisconsin in Madison:
Bulletin. Science Series, Vol. I, 3. 1895. 8⁰.
Publications of the Washburn Observatory. Vol. X, 1. 1896. 4⁰.
Government Museum in Madras:
Bulletin. Vol. 2, No. 1. 1897. 8⁰.
R. Academia de ciencias exactas in Madrid:
Memorias. Anuario 1897. 8⁰.
R. Academia de la historia in Madrid:
Boletin. Tomo 30, cuad. 1—5. 1897. 8⁰.
Società Italiana di scienze naturali in Mailand:
Atti. Vol. 36, fasc. 3. 4. 1897. 8⁰.
Società Storica Lombarda in Mailand:
Archivio Storico Lombardo. Ser. III. Anno 24, fasc. 12 u. 13. 1896—97. 8⁰.
Literary and philosophical Society in Manchester:
Memoirs and Proceedings. Vol. 41, part 2. 3. 1897. 8⁰.
Faculté des sciences in Marseille:
Annales. Vol. 6, fasc. 4—6; Vol. 8, fasc. 1—4. 1897. 4⁰.
Rivista di Storia Antica in Messina:
Rivista. Anno II, fasc. 2. 1897. 8⁰.
Gesellschaft für lothringische Geschichte in Metz:
Jahrbuch. 8. Jahrgang 1896, 1. Hälfte. 4⁰.
Observatorio meteorológico-magnético central in México:
Boletin mensual. Noviembre—Diciembre 1896; Enero, Febrero, Marzo 1897. 4⁰.

Secretaria de fomento etc. in Mexico:
Boletin del Instituto geológico de México, No. 4—6. 1897. 4⁰.
Sociedad de historia natural in Mexico:
La Naturaleza. II. Serie, Tomo 2, No. 10—11. 1896. fol.
Public Museum of the city of Milwaukee:
14ᵗʰ annual Report. October 1896. 1897. 8⁰.
Internationales Tausch-Bureau der Republik Uruguay in Montevideo:
Anuario estadístico d'el Uruguay. Año 1895. 1896. 4⁰.
Musées public et Roumiantzew in Moskau:
Ottschet (Bericht) Jahr 1895 u. 1896. 1896—97. 8⁰.
Société Impériale des Naturalistes in Moskau:
Bulletin. Année 1896, No. 3. 1897. 8⁰.
Statistisches Amt der Stadt München:
a) Berof- und Gewerbezählung vom 14. Juni 1895. 1896—97. 4⁰.
b) Volkszählung vom 2. December 1895. 1896—97. 4⁰.
c) Anwesen- und Wohnungzählung vom 2. December 1895. 4⁰.

Deutsche Gesellschaft für Anthropologie in Berlin und München:
Correspondenzblatt 1896, No. 10—12; 1897, No. 1—4. 1897. 4⁰.

Direktion der k. b. Posten und Telegraphen in München:
Zeitungspreisverzeichniss u. Nachträge. 1897. 4⁰.

K. bayer. technische Hochschule in München:
Personalstand im Sommer-Semester 1897. 8⁰.

K. bayer. meteorologische Zentralstation in München:
Beobachtungen. Jahrgang 18, Heft 3. 1896. 4⁰.
Uebersicht über die Witterungsverhältnisse 1896 September—December;
    1897 Januar—April. 1897. 8⁰.

Metropolitan-Kapitel München-Freising in München:
Schematismus der Geistlichkeit für das Jahr 1897. 8⁰.

*Flurbereinigungs-Kommission im k. b. Staatsministerium des Innern
    in München:*
Die Flurbereinigung in Bayern. Geschäftsbericht f. d. Jahre 1887—1897.
    1897. 4⁰.

Universität in München:
Verzeichniss der Vorlesungen im Sommer-Semester 1897. 4⁰.

Bayer. Dampfkesselrevisions-Verein in München:
27. Jahresbericht 1896. 1897. 4⁰.

Historischer Verein in München:
Monatsschrift. 1897, No. 1—6. 8⁰.

Verlag der Hochschul-Nachrichten in München:
Hochschul-Nachrichten. Winter-Semester 1896/97, No. 73—75. 4⁰.

Verein für Geschichte und Alterthumskunde Westfalens in Münster:
Zeitschrift. Band 54. 1896. 8⁰.

Westphäl. Provinzial-Verein für Wissenschaft und Kunst in Münster:
24. Jahresbericht für 1895/96. 1896. 8⁰.

Reale Accademia di scienze morali et politiche in Neapel:
Atti. Vol. 28. 1897. 8⁰.
Rendiconto. Anno 35. 1896. 8⁰.

Accademia delle scienze fisiche e matematiche in Neapel:
Rendiconto. Ser. III, Vol. 2, fasc. 12; Vol. 3, fasc. 1—5. 1896—97. 8⁰.
Atti. Serie II, Vol. 8. 1897. 4⁰.

R. Istituto orientale in Neapel:
L' Oriente. Rivista trimestrale. Anno 2, No. 3, 4 (1895—96). 1897. 8⁰.

North of England Institute of Engineers in New-Castle (upon-Tyne):
Transactions. Vol. 45, part 4. 5; Vol. 46, part 1. 2. 3. 1896—97. 8⁰.
Annual Report for the year 1895/96. 1896. 8⁰.

The American Journal of Science in New-Haven:
Journal. IV. Serie, Vol. 3, No. 13—18. 1897. 8⁰.

American Oriental Society in New-Haven:
Journal. Vol. 18, part I. 1897. 8⁰.
A Report of that session of the first American congress of Philologists,
which was devoted to the Memory of W. Dwight Whitney. Boston
1897. 8⁰.

American Museum of Natural History in New-York:
Bulletin. Vol. VIII. 1896. 8⁰.

American Geographical Society in New-York:
Bulletin. Vol. 28, No. 4; Vol. 29, No. 1. 1896—97. 8⁰.

American Pharmaceutical Association in New-York:
Proceedings. 44th annual Meeting 1896. Baltimore 1896. 8⁰.

Verein für Geschichte und Landeskunde in Osnabrück:
Mittheilungen. 21. Band, 1896. 1897. 8⁰.

R. Accademia di scienze in Padua:
Atti e Memorie. Nuova Serie. Vol. XII. 1896. 8⁰.

Società Veneto-Trentina di scienze naturali in Padua:
Atti. Serie II, Vol. 3, fasc. 1. 1897. 8⁰.

Circolo matematico in Palermo:
Rendiconti. Tom. 10, fasc. 6; Tom. 11, fasc. 1—3. 1896—97. 4⁰.

R. Orto botanico in Palermo:
Bollettino. Anno I, fasc. 1 u. Appendice I. 1897. 8⁰.

Académie de médecine in Paris:
Bulletin. 1896, No. 51; 1897, No. 1—24. 8⁰.

Académie des sciences in Paris:
Comptes rendus. 1896, No. 26; 1897, No. 1—25. 4⁰.

Moniteur Scientifique in Paris:
Moniteur. Livr. 662—666. Février—Juin 1897. 4⁰.

Société des Études historiques in Paris:
Revue 1892—96 u. 63e année 1897, No. 1—4. 8⁰.

Société de géographie in Paris:
Comptes rendus. 1896, No. 17—19; 1897, No. 1—12. 8⁰.
Bulletin. VII. Série. Tome 17, 3e trim. 1896. 8⁰.

Société mathématique de France in Paris:
Bulletin. Tome 24, No. 8, 1896; Tome 25, No. 1—3, 1897. 8⁰.
Oeuvres mathématique d'Évariste Galois. 1897. 8⁰.

Société zoologique de France in Paris:
Bulletin. Tome 21. 1896. 8⁰.
Mémoires. Tome IX. 1896. 8⁰.

Académie Impériale des sciences in St. Petersburg:
Bulletin. 5° Série, tome 3, No. 2—5; tome 4, No. 1—5; tome 5, No. 1—5
—96. Tome 6, No. 1—3, 1897. 4⁰.

Annuaire du Musée zoologique 1896, No. 4; 1897, No. 1. 8⁰.
Byzantina Chronika. Tom. 3, Heft 2. 1896. 8⁰.
Comité géologique in St. Petersburg:
Bulletins. Vol. XV, 5 et Supplément au t. XV. 1896. 8⁰.
Mémoires. Vol. XIV, No. 2. 4. 1896. 4⁰.
Archäologische Gesellschaft in St. Petersburg:
Sapiski. Tom. VII, 3. 4. Sapiski (orientalische Abtheilung). Tom. IX,
1—4. 1896. 4⁰.
Russische astronomische Gesellschaft in St. Petersburg:
Iswestija. 1896. No. 7. 8. 8⁰.
Kaiserl. mineralogische Gesellschaft in St. Petersburg:
Verhandlungen. II. Serie, Bd. 32; Bd. 33, 2; Bd. 34, 1. 1895—96. 8⁰.
*Physikalisch-chemische Gesellschaft an der kaiserl. Universität
in St. Petersburg:*
Schurnal. Tom. 28, No. 9, 1896; tom. 29, No. 1—4, 1897. 8⁰.
Physikalisches Central-Observatorium in St. Petersburg:
Annalen. Jahrg. 1895, Theil I u. II. 1896. 4⁰.
Observatoire central Nicolas in St. Petersburg:
Publications. Série II, Vol. 2. 1896. 4⁰.
Kais. Universität in St. Petersburg:
Godischny Akt (Jahrbuch). 1897. 8⁰.
Sapiski istor.-filolog fakulteta. Bd. 39/40. 1896. 8⁰.
Travaux de la Société des Naturalistes. Vol. 21, fasc. 2; Vol. 25, fasc. 2;
Vol. 26, fasc. 1; Vol. 27, fasc. 1, No. 1—4. 1896. 8⁰.
Academy of natural Sciences in Philadelphia:
Journal. Second Series. Vol. X, part 4. 1896. fol.
Proceedings. 1896, part II. 1896. 8⁰.
Geographical-Club in Philadelphia:
Bulletin. Vol. II, No. 2. 1896. 8⁰.
Historical Society of Pennsylvania in Philadelphia:
The Pennsylvania Magazine of History. Vol. 20, No. 3. 1896. 8⁰.
Alumni Association of the College of Pharmacy in Philadelphia:
Alumni Report. Vol. 33, No. 4-9. 1897. 8⁰.
American Philosophical Society in Philadelphia:
Proceedings. Vol. 35, No. 151. 152. 1896. 8⁰.
Transactions. New Series. Vol. 19, part 1. 1896. 4⁰.
Società Toscana di scienze naturali in Pisa:
Atti. Processi verbali. Vol. X, p. 169—200. 1896. 4⁰.
K. Gymnasium in Plauen:
Jahresbericht für das Jahr 1896—97. 1897. 4⁰.
Historische Gesellschaft in Posen:
Zeitschrift. 11. Jahrg., Heft 3. 4, 1896; 12. Jahrg., Heft 1, 1897. 8⁰.

Central-Bureau der internationalen Erdmessung in Potsdam:
Verhandlungen der 1896 in Lausanne abgehaltenen Conferenz. Berlin
1897. 4⁰.

Böhmische Kaiser Franz-Joseph-Akademie in Prag:
Almanach. Ročník VII. 1897. 8⁰.

*Gesellschaft zur Förderung deutscher Wissenschaft, Kunst und Literatur
in Prag:*
Uebersicht der Leistungen der Deutschen Böhmens i. J. 1891. 1897. 4⁰.
Rechenschaftsbericht über das Jahr 1896. 1897. 8⁰.
Bibliothek deutscher Schriftsteller aus Böhmen. Bd. 6. 7. Wien 1897. 8⁰.
G. Biermann. Geschichte des Protestantismus in Oesterreichisch-Schlesien.
1897. 8⁰.
Geologische Karte des böhmischen Mittelgebirgs, Blatt III (Bensen).
Wien 1897. 8⁰.
Mittheilungen, No. VII. 1897. 8⁰.

K. böhmische Gesellschaft der Wissenschaften in Prag:
Jahresbericht für das Jahr 1896. 1897. 8⁰.
Sitzungsberichte. a) Classe für Philosophie. 1896.
            b) Mathem.-naturw. Classe. 1896. I. II. 1897. 8⁰.
Böhm. Preisschriften, No. VII. VIII. 1896—97. 4⁰.

Mathematisch-physikalische Gesellschaft in Prag:
Časopis. Band 26, No. 1—4. 1896—97. 8⁰.

Lese- und Redehalle der deutschen Studenten in Prag:
Bericht über das Jahr 1896. 1897. 8⁰.

Museum des Königreichs Böhmen in Prag:
Časopis. Jahrgang 1896, 4 Hefte. 8⁰.

K. k. Sternwarte in Prag:
Appendix zu: Astronomische Beobachtungen in den Jahren 1888—91.
Prag 1898. 1897. 4⁰.
Magnetische u. meteorologische Beobachtungen im Jahre 1896. 57. Jahr-
gang. 1897. 4⁰.

Deutsche Carl-Ferdinands-Universität in Prag:
Die feierliche Installation des Rectors für das Jahr 1896/97. 1896. 8⁰.
Ordnung der Vorlesungen. Sommer-Semester 1897. 8⁰.

Zeitschrift „Krok" in Prag:
„Krok". Band 11, Heft 1—7. 1897. 8⁰.

Observatorio astronómico y meteorológico in Quito:
Boletin. Año 1, No. 12. 1896. 8⁰.
Obsequio del Director del Observatorio astronómico Augusto N. Martínez.
1895—96. 4⁰.

K. botanische Gesellschaft in Regensburg:
Katalog der Bibliothek, Theil II. 1897. 8⁰.

Naturforscher-Verein in Riga:
Korrespondenzblatt No. 39. 1896. 8⁰.

Instituto historico e geographico e ethnographico in Rio de Janeiro:
Revista trimensal. Tomo 58, parte 1. 2. 1895. 8⁰.

Museu nacional in Rio de Janeiro:
Archivos. Vol. VIII. 1892. 4⁰.

R. Accademia dei Lincei in Rom:
Atti. Ser. V. Classe di scienze fisiche. Vol. 5, 2⁰ semestre, fasc. 12, 1896;
Vol. 6, 1⁰ semestre, fasc. 1—11. 1897. 4⁰.
Atti. Ser. V. Classe di scienze morali. Notizie degli scavi. Vol. 4,
parte 2, Novembre—Dicembre 1896 e Indice; Vol. V, parte 2, Gen-
naio—Marzo 1897. 4⁰.
Rendiconti. Classe di scienze morali. Serie V, Vol. 5, fasc. 11. 12, 1896;
Serie V, Vol. 6, fasc. 1—4, 1897. 8⁰.
Annuario 1897. 8⁰.

Accademia Pontificia de' Nuovi Lincei in Rom:
Atti. Anno 50, sess. 1—4. 1897. 4⁰.

R. Comitato geologico d'Italia in Rom:
Bollettino. Anno 1896, No. 4. 8⁰.

Kais. deutsches archäologisches Institut (röm. Abth.) in Rom:
Mittheilungen. Band XI, No. 4, 1896; Band XII, No. 1, 1897. 8⁰.

R. Ministero della Istruzione pubblica in Rom:
Indici e cataloghi. XII. fasc. 6. 1897. 8⁰. XIII. Codici corali e libri
a stampa miniati, 25 facs. 1897. fol. XI. Annali di Gabriel Giolito
de Ferrari. Vol. II, fasc. 3. 1897. 8⁰. XV. I manoscritti della R.
Biblioteca Riccardiana. Vol. I, fasc. 7. 1897. 8⁰.

R. Società Romana di storia patria in Rom:
Archivio. Vol. 19, fasc. 3. 4. 1896. 8⁰.

Accademia di scienze degli Agiati in Rovereto:
Atti. Serie III, Vol. 2, fasc. 4. 1897. 8⁰.
Commemorazione del primo centenario della nascità di Ant. Rosmini.
1897. 8⁰.

Gesellschaft für Salzburger Landeskunde in Salzburg:
Mittheilungen. 36. Vereinsjahr. 1896. 8⁰.

Naturwissenschaftliche Gesellschaft in St. Gallen:
Bericht 1894—95. 1896. 8⁰.

Instituto y Observatorio de marina de San Fernando (Cadis):
Anales. Seccion II. Observaciones meteorólogicas. Año 1894. 1895. fol.
Almanaque naútico. Año 1898. Madrid 1896. 8⁰.

Deutscher wissenschaftlicher Verein in Santiago de Chile:
Verhandlungen. Band 3, Heft 3 u. 4. Valparaiso 1896. 8⁰.

Bosnisch-Herzegovinisches Landesmuseum in Sarajevo:
Wissenschaftl. Mittheilungen. Band IV. Wien 1896. 4⁰.

Bosnisch-Herzegovinische Landesregierung in Sarajevo:
Ergebnisse der meteorologischen Beobachtungen im Jahre 1895. Wien
1896. 4⁰.

K. k. archäologisches Museum in Spalato:
Bullettino. Anno 19, No. 11-12; anno 20, No. 1—4. 1896—97. 8⁰.

Gesellschaft für Pommer'sche Geschichte in Stettin:
Baltische Studien. Jahrgang 46. 1896. 8⁰.

K. Vitterhets Historie och Antiquitets Akademie in Stockholm:
Månadsblad. 21. Jahrg. 1892. 1893—97. 6⁰.
Antiquarisk Tidskrift for Sverige. Deel 13, Heft 2. 3. Bd. XV, 1. 1897. 8⁰.

Geologiska Förening in Stockholm:
Förhandlingar. Band 18, Heft 7; Band 19, Heft 1—4. 1897. 8⁰.

Gesellschaft zur Förderung der Wissenschaften in Strassburg:
Monatsbericht. 30. Bd., 1896, No. 10; 31. Bd., 1897, No. 1. 2. 1896—97. 8⁰.

K. württemb. statistisches Landesamt in Stuttgart:
Württembergische Jahrbücher f. Statistik u. Landeskunde. Jahrg. 1896.
    1897. 4⁰.
Beschreibung des Oberamts Ulm. 1897. 2 Bde. 8⁰.

Württembergischer Alterthumsverein in Stuttgart:
Württemberg. Vierteljahrshefte für Landesgeschichte. N. F. 5. Jahrg.
    1896, Heft 1—4. 1896. 8⁰.

Geological Survey of New-South-Wales in Sydney:
Records. Vol. V, 2. 1897. 4⁰.

Department of Mines and Agriculture of New-South-Wales in Sydney:
The Australian Mining Standard. 1896. fol.
Silver Sulphides of Broken Hill. 1897. fol.

Physikalisches Observatorium in Tiflis:
Beobachtungen im Jahr 1895. 1897. fol.

Deutsche Gesellschaft für Natur- und Völkerkunde Ostasiens in Tokyo:
Mittheilungen. 58. u. 59. Heft. 1897. 4⁰.

Kaiserliche Universität Tokyo (Japan):
The Journal of the College of Science. Vol. IX, 2. 1897. 4⁰.

Caradian Institute in Torónto:
Transactions. No. 9 (Vol. V, part 1). 1896. gr. 8⁰.
Proceedings. Vol. 1, No. 1. 1897. gr. 8⁰.

Faculté des sciences in Toulouse:
Annales. Tom. I—X. Paris 1887—96. 4⁰.
Annales. Tom. XI, fasc. 1 u. 2. 1897. 4⁰.

R. Accademia delle scienze in Turin:
Atti. Vol. 32, disp. 1—12. 1896—97. 8⁰.
Osservazioni meteorologiche dell' anno 1896. 1897. 8⁰.

K. Gesellschaft der Wissenschaften in Upsala:
Nova Acta. Ser. III, Vol. 17, fasc. 1. 1896. 4⁰.

Meteorolog. Observatorium der Universität Upsala:
Bulletin mensuel de l'observatoire météorologique. Vol. 28. Année 1896.
    1896—97. fol.

K. Universität in Upsala:
Zoologiska Studier. Festskrift Wilhelm Lilljeborg tillegnad. 1896. 4⁰.

Physiologisch Laboratorium der Hoogeschool in Utrecht:
Onderzoekingen. IV. Reeks, Band 4, afl. 2. 1896. 8⁰.

Redaktion der mathemat.-physikal. Abhandlungen in Warschau:
Prace Matematyczno-Fizyczne. Tom. VIII. 1897. 4⁰.

Bureau of Education in Washington:
Annual Report of the Commissioner of Education for the year 1894—95.
    Part I. II. 1896. 8⁰.

U. S. Department of Agriculture in Washington:
Farmers Bulletin. No. 54. 1897. 8⁰.

Smithsonian Institution in Washington:
Report for the year 1894. 1896. 8⁰.

United States Geological Survey in Washington:
27ᵗʰ annual Report 1895/96. Part III in 2 vols. 1896. 4⁰.

Philosophical Society in Washington:
Bulletin. Vol. 12. 1892—94. 1895. 8⁰.

Deutsche Schillerstiftung in Weimar:
37. Jahresbericht. 1897. 4⁰.

Harzverein für Geschichte in Wernigerode:
Zeitschrift. 29. Jahrg. 1896 Schlussheft. 1896. 8⁰.

K. k. geologische Reichsanstalt in Wien:
Jahrbuch. Jahrg. 1896. Band 46, Heft 2. 1896. 4⁰.
Verhandlungen. 1896, No. 13—18; 1897, No. 1—8. 4⁰.

K. k. Gradmessungs-Commission in Wien:
Astronomische Arbeiten. Band 7 u. 8. 1895—96. 4⁰.

K. k. Gesellschaft der Aerzte in Wien:
Wiener klinische Wochenschrift. 1896, No. 53; 1897, No. 1—25. 4⁰.

Anthropologische Gesellschaft in Wien:
Mittheilungen. 26. Band, Heft 6, 1896; 27. Band, Heft 1, 1897. 4⁰.

Geographische Gesellschaft in Wien:
Mittheilungen. Band 39. 1896. 8⁰.

Zoologisch-botanische Gesellschaft in Wien:
Verhandlungen. Band 46, Heft 10; Band 47, Heft 1—4. 1897. 8⁰.

K. k. naturhistorisches Hofmuseum in Wien:
Annalen. Band XI, 3. 4. 1896. 4⁰.

Oriental Nobility Institute in Woking:
Vidyodaya. 1897, No. 1—5. 8⁰.

Physikalisch-medicinische Gesellschaft in Würzburg:
Verhandlungen. N. F., Band 31. No. 5. 1897. 8⁰.
Sitzungsberichte. Jahrg. 1896, No. 6—11. 8⁰.

Schweizerische meteorologische Centralanstalt in Zürich:
Annalen. 31. Jahrg. 1894. 4⁰.

Schweizerische geologische Kommission in Zürich:
Beiträge zur geologischen Karte der Schweiz. Liefg. 30 u. Neue Folge,
    Liefg. 6 u. 7. Bern 1896/97. 4⁰.

Antiquarische Gesellschaft in Zürich:
Mittheilungen. Band 24, 3. 4. 1896—97. 4⁰.

Naturforschende Gesellschaft in Zürich:
Neujahrsblatt auf das Jahr 1897. No. 99, 1896. 4⁰.
Vierteljahrsschrift. Jahrg. 41, 1896, Supplem.; Jahrg. 42, Heft 1, 1897. 8⁰.

Universität in Zürich:
Schriften aus dem Jahre 1896/97 in 4⁰ u. 8⁰.

Von folgenden Privatpersonen:

Le Prince Albert Ier de Monaco:
Résultats des campagnes scientifiques. Fasc. XI. Monaco 1896. fol.

Anton Balawelder in Wien:
Abstammung des Allseins. Wien 1894. 8⁰.

M. Berthelot in Paris:
Thermochimie. Données et lois numériques. 2 voll. Paris 1897. 8⁰.

Maurice Bloomfield in Baltimore:
Contributions to the Interpretation of the Veda. VIIth Series. Baltimore 1896. 8⁰.

Antonio Cabreira in Lissabon:
Sur la géométrie des courbes transcendantes. Lisbonne 1896. 8⁰.

W. Döllen in Dorpat:
Aufruf zur Umgestaltung der nautischen Astronomie. Dorpat 1896. fol.

Stephen H. Emmens in New-York:
The Argentaurum Papers. s. l. s. a. 8⁰.

S. F. Fisichella in Messina:
Lotta ed ethica. Discorso. Messina 1897. 4⁰.

G. B. Guccia in Palermo:
Notes et Mémoires de Mathématique, No. 1—31. Palerme in 4⁰ u. 8⁰.

Bernh. Heidhues in Köln:
Ueber die Wolken des Aristophanes. Programm. Köln 1897. 4⁰.

Houghton, Mifflin & Co., Verlagsbuchhandlung in Cambridge, Mass.:
The Semi-Centennial of Anaesthesia 1846—96. Boston 1897. 4⁰.

M. A. Lacroix in Paris:
7 mineralogische Abhandlungen in franzōs. Sprache aus Zeitschriften.

Guido Lamprecht in Bautzen:
Wetterperioden. Bautzen 1897. 4⁰.

Mrs. Carvill Lewis in London:
Papers and Notes on the Genesis and Matrix of the Diamond, by the late Henry Carvill Lewis. London 1897. 8⁰.

Gabriel Monod in Versailles:
Revue historique XXIIe année. Tom. 63, No. 2; Tom. 64, No. 1. Paris 1897. 8⁰.

V. Mortet in Paris:
Un nouveau texte des traités d'arpentage et de géométrie d'Epaphroditus. Paris 1896. 4⁰.

Fannie E. Newberry in Chicago:
The Wrestlar of Philippi, a tale of the early Christians. Chicago 1896. 4⁰.

Giovanni Omboni in Venedig:
Commemorazione del Barone Achille de Zigno. Venezia 1897. 8⁰.

J. A. C. Oudemans in Utrecht:
Die Triangulation von Java. V. Abth. Haag 1897. fol.

Ed. Piette in Rumigny (Ardennes):
Études d'ethnographie préhistorique. Paris 1897. 8⁰.
Fouilles faites à Brassempouy 1895. 1896. 8⁰.

Emanuel Pochmann in Linz:
Sämmtliche Bacterien der modernen Bacterienwissenschaft sind keine
Bacterien. Linz 1896. 8⁰.
Ueber zwei neue und zwar dynamicale Eigenschaften der atmosphärischen
Luft. Linz 1696. 8⁰.

Dietrich Reimer's Verlagsanstalt in Berlin:
Zeitschrift für afrikanische und oceanische Sprachen. 3. Jahrg., 1. Heft.
1897. 4⁰.

G. Scognamiglio in Neapel:
Su alcuni nuovi preparati di chinina. Napoli 1896. 8⁰.

T. J. J. See, Lowell Observatory in Mexico:
Researches on the Evolution of the stellar systems. Vol. I. Lynn,
Mass. 1896. 4⁰.

Michele Stossich in Triest:
Il genere Ascaris Linné. Trieste 1896. 8⁰.
Ricerche elmintologiche. Trieste 1896. 8⁰.
Elminti trovati in un Orthagoriscus mola. Trieste 1896. 8⁰.

De Toni e Venetiis in Venedig:
Petri Pasinii Adriades. 1897. 8⁰.

J. Vallot in Paris:
Annales de l'Observatoire météorologique du Mont-Blanc. Tom. II.
Paris 1896. 4⁰.

Eberhard Graf Zeppelin in Konstanz:
Zum sogenannten „Seeschiessen". 1897. 4⁰.

Čeněk Zíbrt in Prag:
O srovnávacím studiu lidového podání etc. Prag 1897. 8⁰.

518

Sach-Register.

" d. hist. Cl. d. kgl. bayer. Akad. d. Wiss. 1897.

STAMFORD

Sitzungsberichte

der

philosophisch-philologischen

und der

historischen Classe .

der

k. b. Akademie der Wissenschaften

zu München.

Jahrgang 1897.

Zweiter Band.

München
Verlag der k. Akademie
1898.

In Commission des G. Franz'schen Verlags (J. Roth).

Akademische Buchdruckerei von F. Straub in München.

Inhalts - Uebersicht.

Sitzungsberichte

der

königl. bayer. Akademie der Wissenschaften.

Sitzung vom 3. Juli 1897. ·

Philosophisch-philologische Classe.

Herr EBERS hält einen Vortrag:

Ueber Geheimnamen ägyptischer Medikamente

wird in die im Druck befindliche Abhandlung „Ueber die Körperteile und ihre Namen im Altägyptischen" verwoben werden.

Herr v. WÖLFFLIN hält einen Vortrag:

Zur Geschichte der Tonmalerei. I.

wird später zusammen mit dem 2. Teil veröffentlicht werden.

Herr KUHN legt eine Abhandlung vor von dem korrespondierenden Mitgliede Herrn GEIGER in Erlangen:

Etymologie des Singhalesischen

erscheint in den Abhandlungen.

Die Herren KRUMBACHER und v. MÜLLER legen eine Abhandlung vor von Herrn K. PRAECHTER in Bern:

Quellenkritische Studien zu Kedrenos (Cod. Paris. gr. 1712)

erscheint in den Sitzungsberichten.

Sitzung vom 3. Juli 1897.

Historische Classe.

Freiherr v. Oefele hält einen Vortrag:
Ueber die Herkunft einiger Bischöfe von Regensburg
wird an einem anderen Ort veröffentlicht werden.

Herr Stieve hält einen Vortrag über:
Wallensteins Uebertritt zum Katholicismus
erscheint in den Sitzungsberichten.

Quellenkritische Studien zu Kedrenos

(Cod. Paris. gr. 1712).

Von Karl Praechter.

(Vorgelegt in der philos.-philol. Classe am 3. Juli 1897.)

Mit dem Regierungsanfang Diokletians tritt in der Kompilation Kedrens Theophanes als Hauptquelle in den Vordergrund. Dass dieses Abhängigkeitsverhältuis ein vermitteltes und Kedrens nächste Vorlage die anonyme Chronik des Cod. Par. 1712 sein werde, war eine naheliegende Vermutung, seitdem feststand,[1] dass Kedren in seinen früheren Partien wesentlich auf diesem Werke fusst, welches er freilich durch mannigfachen, anderswoher zusammengetragenen Stoff ergänzt. Diese Vermutung ist mir durch eine eingehende Prüfung des Parisinus zur Gewissheit geworden. Damit war als Grundforderung der Quellenkritik Kedrens für den in Betracht kommenden Abschnitt eine genaue Aufnahme des Bestandes der Pariser Hs gegeben. An der Hand dieses Bestandes ist festzustellen, wie weit Kedren seinen Stoff bereits von fremder Hand kombiniert und verarbeitet vorfand, welche Aenderungen er an dieser überkommenen Darstellung vornahm und wie weit er sich zu ihrer Ergänzung nach anderweitiger historischer Litteratur umsah. Die Pariser Chronik dient so als Scheidemittel für die in der Kedrenschen Kompilation übereinander gelagerten Stoffschichten und bereichert durch den Einblick, den sie uns

---

[1] Vgl. Gelzer, Sext. Jul. Afrik. II S. 280 ff., 357 ff.; Praechter, Byz. Zeitschr. 5 (1896) S. 484 ff.

in Kedrens Verfahren gewährt, unser Wissen von der Arbeitsweise byzantinischer Chronisten überhaupt.

Damit ist aber die Bedeutung des Cod. Paris. 1712 noch nicht
erschöpft. Ein zweiter Punkt ist sein Wert für die Texteskritik
des Theophanes und der Theophanesabschnitte bei Kedren.

Die Forschungen de Boors[1]) haben ergeben, dass eine
stark verderbte Ueberlieferung des Theophanes schon sehr frühe
die bessere verdrängte und demgemäss nicht nur der weitaus
grösste Teil der Hss des Theophanes selbst, sondern auch die
indirekte Ueberlieferung bei späteren Chronisten einen arg
entstellten Text bieten. Von unseren Hss zeichnen sich nur
Vat. 154 (b) und der ihm nahe verwandte Barber. V 49 (a)
durch relative Reinheit aus, während alle anderen auf einen
schwer verderbten Archetypus zurückgehen, der seinerseits in
dem der lateinischen Uebersetzung des Anastasius (A) zugrunde
liegenden Exemplare eine bessere Reproduktion gefunden hat,
als in dem Stammvater unserer schlechteren griechischen Hss.[2])
Innerhalb der indirekten Ueberlieferung bieten nach de Boor[3])
nur Konstantinos Porphyrog. de adm. imp. und Georgios
Monachos Spuren eines besseren Textes. Zu diesen beiden
mittelbaren Textesquellen und dem später von de Boor Byz.
Z. 2 (1893) S. 567 f. gewürdigten Cod. Vat. 163 kommt nun
als vierte die anonyme Chronik des Cod. Paris. 1712, deren
Grundlage zwar eine Hs der geringeren Familie bildet, in der
aber zahlreiche Lesarten auf eine sehr gute Ueberlieferung
hinweisen, die nicht nur den gemeinsamen Archetypus der
Anastasius-Hs und unserer geringeren Exemplare, sondern selbst
a und b an Güte übertraf.[4]) Schon Tafel hat in seiner Probe

---

[1]) Vgl. die Abhandlung: „Ueber die kritischen Hülfsmittel zu einer
Ausgabe des Theophanes" in der Theophanesausgabe Bd. II S. 347 ff.

[2]) De Boor a. a. O. S. 516.

[3]) De Boor a. a. O. S. 552.

[4]) Nähere Berührungen zwischen Vat. 163 und Paris. 1712 sind,
soweit de Boors Mitteilungen aus ersterem reichen, nicht vorhanden
ausser 185, 23 τῶν εὑρεθέντων (das Stück 184, 19 καὶ — 27 κατηνέχθη
fehlt im Paris.).

einer Theophanesausgabe[1]) den von unserer Chronik abhängigen
Kedrenos für die Texteskritik des Theophanes verwertet. Da
ihm aber Kedren nur in der Bonner Ausgabe vorlag, stand
dies Unternehmen auf sehr schwankem Boden und führte, wie
de Boor gezeigt hat,[2]) zur Aufnahme unbeglaubigter Kedren-
lesarten in den Theophanestext. Die vermittelnde Stellung der
Chronik des Paris. 1712 zwischen Theophanes und Kedren war
Tafel noch unbekannt. Aus ihr ergiebt sich die Notwendigkeit,
die Theophanes näher stehende Mittelquelle für die Theophanes-
kritik an die Stelle Kedrens treten zu lassen. Hier erhebt
sich aber sofort eine Schwierigkeit. Paris. 1712 ist die einzig
bekannte vollständige Hs der anonymen Chronik.[3]) Schon Gelzer
hat erkannt, dass dieselbe vielfach einen entstellten Text aufweist, wo Kedren Ursprünglicheres gelesen hat. Insbesondere
wird sich für unseren Abschnitt später zeigen, dass eine nachträgliche Einfügung von Theophanesstücken stattgefunden hat.
Eine Prüfung des Theophanestextes in unserer Hs ergiebt nun
die auffallende Thatsache, dass ein Exemplar der Familie z
als Vorlage gedient hat, während nach de Boor[4]) Kedren
eine Theophanes-Hs der Klasse x vor sich gehabt hat.

----

[1]) Sitzungsber. d. Wiener Akad. d. Wiss., philos.-histor. Kl. IX,
1852, S. 21 ff.

[2]) A. a. O. S. 355.

[3]) Der Byz. Z. 5 (1896) S. 488 Anm. 1 erwähnte Vatic. giebt nur
den hier nicht in Betracht kommenden Anfangsteil der Chronik.

[4]) A. a. O. S. 357. Da mir keine Hss, sondern nur die unzuverlässigen Ausgaben Kedrens zur Verfügung stehen, vermag ich mir
kein eigenes Urteil zu bilden. Nach der Bonner Ausgabe mögen hier
nur folgende bemerkenswerte Lesartenverhältnisse einen Platz finden:
Theoph. 121, 14 de Boor Σαλοφακίουλος g Par. Σαλοφακίολος c Kedr. 617, 16 |
310, 11 συνεργείᾳ f h Par. συνεργίᾳ die übrig. Kedr. 723, 9 | 311, 5 συνέ-
βαλλον g (Korr. wie es scheint von 1. Hd.) Par. συνέβαλον die übrigen
Kedr. 724, 6 | 313. 3 ἐπιλογὴν y z Par. ἴλην c Kedr. 725, 17 alam A |
313, 4 ἀπέστειλε c Kedr. 725, 17 ἀπέλυσε die übr. Par. | 313, 6 Σαρβα-
ράζῳ h Par. βαρβάροις Kedr. 725, 19 βαρβάρῳ c | 313, 11 καὶ ἀκινδύνως
καὶ παραδόξως τοῦτον ἐπέρασε z Par. καὶ ἀκινδύνως τοῦτον ἐπέρασε παρα-
δόξως die übr. Kedr. 725, 23 | 313, 12 Σαμόσατα g Par. (Σαμωσάτα h y),
mit o in der zweiten Silbe die übr. Kedr. 725, 24 | 313, 19 αὐτῇ codd.
ausser c Par. αὐτῷ c Kedr. 726, 6 | 314, 5 προσέβαλλεν g Par. προσέβαλεν

Auf einer Seite, bei dem Anonymus oder bei Kedren, muss
also im Laufe der Weiterüberlieferung eine Ueberarbeitung
nach einer Theophanes-Hs einer andern Klasse erfolgt sein.
Man wird sich nach dem, was soeben über die Zuverlässigkeit
des Parisinus gesagt wurde, hüten, ohne Weiteres das Ursprünglichere bei ihm als dem Vertreter der Mittelquelle und
die Ueberarbeitung bei Kedren vorauszusetzen. In der Pariser
Chronik sowohl wie bei Kedren ist Theophanes nachträglich
zur Ergänzung herangezogen worden. Hier wie dort könnte
damit auch eine Revision des Textes der ursprünglichen Theophanespartien Hand in Hand gegangen sein.

Eine Lösung dieser Frage vermag ich vorläufig nicht zu
bieten. Sie hat eine eingehendere Kenntnis der Ueberlieferungs-
geschichte auch Kedrens zur Voraussetzung, als sie aus den
bis jetzt vorliegenden Ausgaben zu gewinnen ist. Wohl aber
wird das Gesagte genügen, um eine genauere Prüfung des
Parisinus auch in Rücksicht auf die Textesbeschaffenheit seines
Theophanesbestandes als notwendig zu erweisen. Auch die
Quellenkritik Kedrens, insofern sie es mit Scheidung des mittelbar und unmittelbar übernommenen Theophanesgutes zu thun
hat, darf sich von einer solchen Untersuchung Nutzen versprechen. Die Frucht wird freilich erst dann zu pflücken sein,
wann der authentische Text Kedrens festgestellt ist.

I. Die Theophanesüberlieferung in Cod. Paris. 1712.

Es wurde oben bemerkt, dass zu dem ursprünglichen,
Theophanes (T) entnommenen Stoffe der anonymen Chronik (P)
in dem durch den Parisinus 1712 vertretenen Ueberlieferungszweige (p) nachträglich weiteres Material aus der gleichen
Quelle hinzugefügt wurde. Ich muss dies durch einige Beispiele belegen. T 88, 34—89, 13 giebt p fol. 104 v in folgender

---

die übrigen (προέβαλεν y) Kedr. 726, 14 | 314, 15 Κοσμᾶ h Par. Κοσμᾶ
Kedr. 726, 20 mit der Mehrzahl der übr. | 86, 30 λείψανον x y z Par.
λείψανα b Niceph. Kedr. 592, 9 | 88, 19 βασιλίδος z Par. βασιλίσσης c f.
Kedr. 593, 7 | 110, 32 βάπτισμα y z Par. βαπτίσματα x Kedr. 608, 16.

Weise: τῷ κδ' ἔτη μαθὼν (sic) κύριλλος ὁ τῆς ἀλεξανδρέων ἐπίσκοπος καὶ κελλεστῖνος ῥώμης τὰς παρὰ τοῦ νεστορίου βλασφημίας γράφουσιν αὐτῷ παρακαλοῦντες καὶ νουθετοῦντες ἀπέχεσθαι τῶν διεστραμμένων αὐτοῦ δογμάτων καὶ τῆς ὀρθῆς πίστεως ἀντέχεσθαι. εἰ δὲ μή, μὴ εἶναι αὐτὸν κοινωνικὸν ἱερέα. ἀλλὰ καὶ ἄλλοι τινὲς αὐτῷ ἔγραψαν. αὐτὸς δὲ ὁ νεστόριος ἀντ'- ἀπέστειλεν ὑβρίζων καὶ βλασφημῶν. τότε κύριλλος κτλ. = T 89,3—7 μετανοήσῃ (mit belanglosen Abweichungen). ἐπιμένοντα δὲ τῇ κακοδοξία μηκέτι αὐτὸν εἶναι κοινωνόν. γράφουσι δὲ ὁμοίως κελεστῖνος καὶ κύριλλος ἰωάννῃ τῷ ἀρχιεπισκόπῳ ἀντιοχείας καὶ πραυλίῳ τῷ ἱεροσολύμῳ (sic) κτλ. = T 89, 10 ff. Der Anonymus hatte also die Nachrichten über die verschiedenen an Nestorios gerichteten Schreiben in zwei Sätze zusammengezogen (bis καὶ ἄλλοι τινὲς αὐτῷ ἔγραψαν), wobei er flüchtigerweise von ἄλλοι τινές redete, während thatsächlich nur der eine Johannes (T 89, 10) in Betracht kommt. Diese Sätze und nur diese hat auch Kedren 593, 22—594, 2. In der Weiterüberlieferung des Anonymus ist nun aber das vorher epitomierte Stück T 89, 3—13 nochmals dem vollen Wortlaute nach aus T eingefügt worden, so dass nun von dem Briefe des Kelestinos und seiner Drohung doppelt die Rede ist und neben den ἄλλοι τινές der darin begriffene Johannes besonders erwähnt wird. Ein ähnlicher Fall liegt T 436, 27—437, 9 vor. p fol. 214 v f. giebt hier: τῷ κε' αὐτοῦ ἔτει μηνὶ νοέμβρῳ κ' ἰνδ. δ', ἐμμανὴς γενόμενος ὁ δυσσεβὴς καὶ ἀνόσιος βασιλεὺς κατὰ παντὸς φοβουμένου τὸν θεόν, στέφανον τὸν νέον μάρτυρα (es war geschrieben πρωτομάρτυρα, πρωτο ist ausradiert) αἰδέσιμον ὄντα τοῖς πᾶσι διὰ τὸ ἐν ἀρεταῖς ποικίλαις ἐκλάμπειν συρθῆναι προσέταξεν ἐγκλειστὸν ὄντα κτλ. — 437, 7 χρημ. αἰδέσιμος γὰρ ὁ ἀνὴρ πᾶσιν ὑπῆρχε διὰ τὸ ξ χρόνους ποιῆσαι αὐτὸν ἐν τῇ ἐγκλείστρα καὶ ἀρεταῖς πολλαῖς διαλάμπειν. Auch hier wird durch Kedr. II 13, 14 ff. bestätigt, dass αἰδέσιμος γὰρ ὁ ἀνὴρ κτλ. ein späteres Einschiebsel ist. Vielleicht ist für den ganzen Abschnitt die kürzere Fassung Kedrens als die ursprüngliche von P anzusehen, die dann schon von 436, 28 an durch den vollständigen T-Text in p verdrängt worden wäre.

Die gleiche Sachlage treffen wir T 110, 24—32. Die Stelle, in die P das Stück T 109, 31—110, 4 hineingearbeitet hat, lautet in p fol. 110 v folgendermassen: τῶν[1]) δὲ τῆς οἰκουμένης ἐκκλησιῶν τὴν ἐν καλχηδόνι σύνοδον ἀποδεξαμένων ὁ μιαρὸς τιμόθεος ᾧ ἐπίκλην αἴλουρος τὴν ἀλεξάνδρειαν πόλιν διετάραττεν. μαγγανεία γὰρ χρησάμενος νυκτὸς ἐν τοῖς κελλήοις τῶν μοναχῶν περιήρχετο ἐξονόματος καλῶν ἕκαστον. τῶν δὲ ἀποκριναμένων ἔλεγεν· ἐγὼ ἄγγελος εἰμὶ καὶ ἀπεστάλην εἰπεῖν πᾶσιν ἀποστῆναι μὲν τῆς κοινωνίας πρωτερίου καὶ τῶν ἐν χαλκηδόνῃ, τιμόθεον δὲ τὸν αἴλουρον ἐπίσκοπον προχειρίσασθαι ἀλεξανδρείας. καὶ ταῦτα μὲν ἔπραττεν ἐν τοῖς μοναχοῖς, μετὰ δὲ τοῦτο πλήθη ἀνδρῶν ἀτάκτων ὠνησάμενος τυραννικῶς τὸν θρόνον ἀλεξανδρείας ἐκράτησε καὶ καθηραμένος ὢν ὑπὸ δύο καθηραμένων χειροτονεῖται. ἐντεῦθεν πάντα τὰ σκάνδαλα ἀνεφύει ἐν ἀλεξανδρεία. πάντων γὰρ τῶν τῆς οἰκουμένης ἱερέων τὸν ὅρον τῆς ἐν χαλκηδόνι συνόδου ἀποδεξαμένων οὗτος ὁ μιαρὸς μετα λύττης τινὸς ἀσχέτου ταύτην καθύβριζε καὶ χειροτονίας ἐπισκόπων ἐποίει ἀχειροτόνητος ὂν καὶ βάπτισμα ἐπετέλει πρεσβύτερος μη ὄν. Bei Kedren 608, 15 fehlen zunächst die Worte von ἐντεῦθεν πάντα τὰ σκάνδαλα bis ταύτην καθύβριζε, so dass auf καθηρημένος ὂν ὑπὸ δύο καθηρημένων χειροτονεῖται gut anschliessend folgt χειροτονίας τε ἐπισκόπων ἐποίει ἀχειροτόνητος ὢν κτλ. Von diesem hier fehlenden Stück finden sich nur die Worte μετὰ λύττης τινὸς ἀσχέτου ταύτην (scil. τὴν ἐν Χαλκηδόνι σύνοδον) καθύβριζε später hinter πρεσβύτερος μὴ ὢν Z. 17. Diese kedrenische Fassung der Stelle ist wohl die ursprüngliche von P. Erst im Laufe der weiteren hsl. Fortpflanzung der Chronik wurde aus T das Stück ἐντεῦθεν πάντα — ταύτην καθύβριζε eingefügt, so dass nun von der allseitigen Annahme der Konzilsbeschlüsse doppelt die Rede war. Die Bemerkung καὶ μετὰ λύττης ... ὕβριζε hinter πρεσβύτερος μὴ ὢν wurde nun, nachdem sie aus T vorher in den Text aufgenommen war, hier getilgt. Der gleiche Sachverhalt wird,

---

[1]) Die Worte schliessen an ὡς σχεδόν πᾶσαν τὴν πόλιν καταπτοεῖν = T 110, 23 unmittelbar an.

auch ohne dass uns hier eine Kontrolle durch Kedren[1]) möglich wäre, auch T 181, 31 ff. anzunehmen sein. Auf ὡς φασι
λε´ χιλιάδες, ἀπέθανον folgt hier (fol. 129 r): τῇ δὲ ἐπαύριον
καὶ αὐτὸς ὑπάτιος καὶ πομπήϊος ἐσφάγησαν καὶ ἐρρίφη τὰ σώματα
αὐτῶν ἐν τῇ θαλάσσῃ. Daran schliesst sich nach T 181, 32 ff.
(mit mehrfachen Auslassungen) die Erzählung des Nikaauf-
standes, innerhalb deren entsprechend T 185, 28 ff. die Nachricht vom Tode des Hypatios und Pompeios nochmals auftritt
(fol. 130 r): τῇ δὲ ἐπαύριον ἐσφάγησαν, ὡς εἴρηται, ὑπάτιος καὶ
πόμπηϊος ὁ ἀδελφὸς αὐτοῦ καὶ ἐρρίφησαν ἐν τῇ θαλάσσῃ.

Ich beschränke mich auf diese Belege. Weitere Fälle des
gleichen Sachverhaltes werden im zweiten Teile der Abhandlung an der Hand der Quellenanalyse Kedrens nachgewiesen
werden. Die Annahme liegt nahe, dass solche späteren Einschübe auch da stattgefunden haben, wo uns nicht in der
Wiederholung des gleichen Gedankens, in der andersartigen
Fassung eines Parallelabschnitts bei Kedren u. ä. ein entschei-
dendes Kriterium zu Gebote steht. Eine Bestätigung würde
diese Annahme erhalten, wenn sich in dem von p gebotenen
Theophanestexte Unterschiede derart vorfänden, dass gewisse
Partien (die ursprünglichen, P gehörigen) eine andere T - Hs
voraussetzten, als die übrigen (später eingefügten). Solche
Unterschiede sind mir in den umfangreichen Proben aus allen
Teilen der Hs, die ich auf diesen Punkt hin untersucht habe,
nirgends aufgefallen. Ein Gegengrund gegen jene Annahme
liegt darin selbstverständlich nicht. Der Interpolator kann die
gleiche Hs wie P oder eine mit ihr nahe verwandte benutzt,
er kann aber auch, wie wir oben schon sahen, nach seiner Hs
auch die ursprünglichen T - Abschnitte umgearbeitet haben.

Es ist nun zunächst der Vorlage von P bezw. p ihre
Stelle in dem Stammbaum der Hss des T anzuweisen. Letztere
bezeichne ich mit den Siglen de Boors. Mit voller Sicherheit
lässt sich feststellen, dass jene Vorlage mit z, dem Stammvater

---

[1]) Dieser geht (647, 17 ff.) eigene Wege und berichtet über die
Sache im Anschluss an die Epitome (vgl. Leo gramm. Cramer anecd.
Paris. II 330, 20 f.).

von g und h, aufs engste verwandt war. Die Uebereinstimmung von p mit z auch in eigentümlichen Lesarten bildet
weitaus die Regel. Die Vergleichung grösserer Abschnitte aus
allen Teilen der Hs ergab in dieser Hinsicht überall das gleiche
Resultat. So hat beispielsweise T 71, 2—85, 12 überall, wo
im de Boor'schen Apparat die Sigle z ausdrücklich erscheint,
p die betreffende Lesart mit Ausnahme folgender Abweichungen:[1])
71, 2 fehlt ὁ ἀπὸ γραμματ. | 4 ἀργαβάστου | 72, 23 ἐπάρχου
(aber gleich darauf mit x z ὕπαρχον) | 73, 13 κατακλύση | 74, 2
βεροίης fehlt mit dem ganzen Satzteil μεθ' ὧν — ἐστάλη | 74, 3
γινόμενα | μαγγιπίοις | 15 ἐπιούση fehlt mit dem ganzen Stück
'Ονώριον (12) — νυκτὶ (15) | 75, 13 πανὶ fehlt mit dem Schlusse
des Satzes von πρὸ ἓξ (12) an | 75, 17 'Αρκαδικούς fehlt mit
οὓς ἐκάλεσεν | 75, 20. 21 ἐσπούδαζε erscheint, nachdem der
Satz eine andere Formulierung erhalten, in der Form σπουδά-
ζοντος | 75, 23 Θεοδ. ὁ βασ. fehlt mit dem ganzen Satze ἡνίκα
(23) — ἐγχειρισθεὶς (24) | 76, 6—7 fehlt | 76, 10 γαῖνᾶς | 76, 22
ῥάβαιναν (also wie b z mit einem ν) | 77, 24 ἀρκάδιος τὸν κίονα
τοῦ ξηρολόφου ἔστησε | 78, 12 ἐπισκοπείω | 79, 18 πι τνοῦντα
(vor dem ersten τ Rasur) | 29 τελευτᾶ | 80, 6 στηλήχων | 81, 6
οὖσα | διώκει | 83, 24 καί] ἀπὸ | 83, 35 ἰωαννίτας | 84, 16
τούτου τελευτήσαντος fehlt | 84, 17 ὑπογραφέων. p hat also
insbesondere auch die folgenden z eigentümlichen Lesungen:
71, 5 ἰούστης | 72, 13 ἀπολύειν | 72, 21 μιτάτα τοῦ | 73, 30
χρηματισθέντα | 78, 7 μοναχῶν | 78, 8 πρὸς ἐπιφάνιον πεμ-
φθέντα γράμματα | 79, 24 ἀπέπλευσεν ἐπὶ κύπρον | 80, 18 ἀνα-
καινίση | 83, 1 κτενομένων. Uebereinstimmungen von p mit

---

[1]) Die bei de Boor durch kleineren Druck ausgezeichneten tabellarischen Stücke fehlen im allgemeinen. Vorhanden sind nur 74, 20 (in
der Form: κόσμου ἔτη ͵ϛωπη' τῆς θείας σαρκώσεως ἔτη τπη' ῥωμαίων βασι
λεὺς ἀρκάδιος ο υἱὸς τοῦ μεγάλου θεοδοσίου κρατήσας ἔτη ιδ'; ich komme
auf diese Stelle unten zurück); 76, 4 (am Rande, rot, aber, wie es scheint,
von erster Hd. in dem Wortlaut: ὁ τίμιος χρυσόστομος ἀρχιεπίσκοπος ἔτη ἕξ);
79, 30; 80, 25—27 die beiden ersten Ansätze bis υα'; 81, 28 (statt η' steht
πέντε); 83, 8 u. 9 (λγ' statt λβ' mit c y z); 83, 17 (der Name Πραΰλιος
fehlt); 83, 30—33 die Worte ἀντιοχείας ἐπίσκοπος θεόδοτος ἔτη τέσσαρα;
84, 5 (Τῷ δ' αὐτῷ ἔτη ῥώμης ἐπίσκοπος βονηφάτης ἐκράτησε ἔτη δ'); 85, 4.

anderen Hss gegen z finden sich in diesem Abschnitt ausser
den im Obigen bereits hervortretenden nur noch folgende:
71, 4 ὁ μικρὸς οὐαλ. (vgl. b) | 71, 12 εἰργάσαντο aber ν von
sp. Hd. über d. Zeile. (= b) | 71, 18 ἅπερ = b Exc. Barocc. |
73, 11 ἀποδεξάμενος = b Exc. Barocc. | 73, 32 ἐπίσκοπος
= A (aber 31 προσῆλθον) | 77, 8 μακεδόνιος = y | 79, 14 ἡρω-
δίας = b, doch kreuzt sich der Akzent mit einem Gravis über
α | 80, 14 τε fehlt (= x) | 83, 23 κωνσταντίνου = y | 84, 8
ἰνδῶν = b | 84, 9 σεπτεβρίου (σεπτεμβρίου b) | 85, 11 δαιμο-
νιῶντα = d. In dem Stücke 391, 5—395, 12 stimmt p mit z,
soweit dessen Sigle im Apparat bei de Boor erscheint, bis auf
folgende Abweichungen: 392, 10 ἀπολύομεν | 392, 22 αὐτῶν
fehlt. p hat also insbesondere auch folgende z eigentümlichen
Lesarten: 391, 29 ὁ fehlt | 391, 31 ἡμῶν ἀγάπη | 393, 1 καὶ
fehlt | 393, 8 ὅτι fehlt | 393, 12. 13 ἀποσπασθέντες δέ τινες ἐξ
| 393, 32—394, 1 ὑπὸ τὴν βασιλείαν ῥωμαίων | 394, 8 ἐπιπεσόν-
των. Mit anderen Hss gegen z steht p abgesehen von der
oben bereits angeführten Stelle 392, 10 nur in folgenden
Lesungen: 391, 27 καθ' ὑμῶν = x | 392, 1 οὐκ = y (p schreibt
οὐχ ἕνεκεν) | 392, 9 τροπευόμεθα = x y | 393, 12 τὴν τῶν
fehlt (= x y) | 394, 13 ἀψίλων = d | 394, 22 φαρισμάνης
(φαρασμάνης d A) | 395, 9 ἀρτάβασδον = e m. In dem Ab-
schnitt 454, 6—465, 26; 466, 18 συναχθ. — 468, 28 αὐτ. weicht
p von z an Stellen, an welchen der Apparat dessen Sigle aufweist, nur in folgenden Lesungen ab:[1]) 454, 16 ὁ λογοθέτης
τοῦ δρόμου | 457, 4 ἰαννουαρίω | 457, 18 an erster Stelle αὐτὸν
(αὐτοῦ fehlt infolge anderer Wendung des Satzes) | 460, 15
φράσατε fehlt | 463, 3 αὐτῶν | 463, 25 καρούλλου fehlt mit dem
Satzstück διὰ 25 — προμν. 26 | 464, 24 δαμιανῷ πατρικίω |
464, 26 φευρ.] σεπτε´ | 466, 19 ἐζήτησαν | (466, 25 εἰς βασιλέα)
| 466, 27. 28 σταυράκιον δείρας καὶ κουρεύσας ἐξώρισε | 467, 5
πατριάρχου | 467, 6 μιλίου | 467, 17 ἰαννουαρίου | 468, 18 ἀν-
εκδλκητον. p hat also auch die z eigentümlichen Lesarten:

---

[1]) Von den tabellarischen Stücken sind nur vorhanden 458, 7; 458, 8,
das aber seinen Platz zwischen 461, 6 u. 7 erhält; 461, 7; 465, 27—30
die drei ersten Ansätze bis ἔτη ζ´.

454, 25. 26 *προεβάλλετο* | 454, 27 *πρῶτον στρατηγήσαντα* | *τῶν*
fehlt | 455, 27 *προεβάλλετο* | 457, 1 *τῶν* fehlt | 457, 8 *ὄργανά*
τε καὶ μουσικά | 458, 13 *ἀρχιερωσύνης* | 459, 1 *τοῦ θεοῦ* |
459, 5 *βασιλεῦσι κατὰ πάντα οὖσιν ὀρθοδόξοις* | 460, 32 *ἐν* fehlt |
461, 1 *διαλυθεῖσα* | 462, 2 *ἀπῆλθον* | 463, 17 *κοπίναδον* | 464, 6
καί an zw. St. fehlt | 464, 11 *συνέβαλλον* | 465, 2 *τοῦ υἱοῦ*
αὐτῆς. Mit anderen gegen z geht p, von den im Obigen bereits enthaltenen Fällen abgesehen, nur in folgenden Lesarten:
454, 31 *ἐπέδωκαν* = x y | 455, 23 *κατέλιπεν* = f | 458, 11 *μα-*
γναύραν = d y | 462, 27 *πατριάρχης* = d | 463, 20 *ὁ διογ.* = y |
464, 15 *αὕτη* = d | 468, 24 *ἐφυλάκησαν* = d y. Aus dem Ab-
schnitte 186, 18—200, 7 notiere ich nur die z eigentümlichen
Lesarten, die sich in p wiederfinden: 186, 19 *οἱ γὰρ οὐανδ.* |
186, 23 *τὴν ἀρχὴν αὐτοῦ* | 187, 4 *γουνδαβοῦν* | 188, 15 *οὐαν-*
δήλων; das Gleiche 189, 8; 192, 24; 193, 4; 196, 9. 12 | 188, 26
κελεύων | 189, 3 *σαρδηνίαν* (p hat *σαρδηνείαν,* die übrigen
σαρδανίαν | 189, 8 *γογδάν* | 189, 13 *πολλοὺς τοὺς τὴν θρᾴκην*
οἰκοῦντας | 189, 15 *σισίνιος* | *μυριάδων* | 189, 19 *μονοκράτορα* |
189, 22 *τζάτζονα* | 189, 23 *σαρδῷ* | 190, 1 *τὴν* fehlt | 190, 4
u. 13 *καύχανα* (p *καυχάνα*) | 190, 6 *παρὰ ἀμαλασούνθης τῆς*
γυναικός | 190, 14 *καὶ ταῦτα μαθών* | (190, 26 *ἡμῖν* urspr. Les-
art = Proc.) | 191, 1 *θεραπεύσητε* | 191, 27 das erste *καὶ* fehlt |
192, 13 *ἐν καρχηδόνι* | 192, 27 *οὐανδῆλοι* (*ονανδήλοι* p, *οὐαν-*
δηλοί x y) | 193, 31 *τούτους* | 194, 15 *τειχέων* | 195, 8 *ἀπεδύ-*
ροντο | 195, 11 *καὶ τὸν* (*τῶν* p) *ῥωμαίων στρατόν* | *ἠσκεῖτο* (der
Akz. von z ist durch die Uebereinstimmung von g [*ἠσκεῖτο*]
und h [*ἠσκῆτο*] gesichert) | 195, 23 *ἐν τῷ τριχ.* | 195, 27 *πρὸς*
τὸν πόλ. | 195, 28 *ἐπιλεξάμενος* | 196, 11 *στρατοπέδῳ* | 196, 26
οὐανδῆλοι (*οὐκανδῆλοι* [sic] p *οὐανδηλοί* die übr.) | 197, 11
καταλιπών | 197, 12 *παποῦαν* | 197, 16 *τοιούτοις* | 197, 26 *ἔπεμ-*
ψεν | 198, 7 *τῶν κατὰ φύσιν φρενῶν* | 199, 17 *μέσῳ* | 199, 18
ἑαυτοῦ. Mit anderen gegen z geht p nur in folgenden Les-
arten: 186, 21 *γογδιγίσγλου* = c | 186, 23 u. 24 *γηζέριχος* = x |
186, 26 *ὀνώριχος* = em | 187, 18 *βασιλευόντων* = d | 187, 21
χαλεπῶς = d y | 187, 23 *ἀμεργούς* = em | 187, 24 *οὐανδηλῶν*
= d y; dasselbe 191, 20 (= x y); 193, 30 (= cem); 198, 14

(mit allen gegen f z); 198, 26 (mit allen gegen z); 200, 1 (mit allen gegen z) | 188, 31 σιτεία = y | 189, 13 αἴλουροι = d | 189, 14 φαρᾶς = f | 190, 1 ὁδηγήσαντας = y | 190, 24 ἐπεβίβασα = d | 191, 21 διειδέστατοι = d y | 191, 23. 24 ἀπολαβόντων = f | 192, 26 ἅματα = em | ἐπειδὴ ἐγγύς = c | 192, 27 φοβεροῖς = c | 193, 18 οὐανδηλοί mit den übr. geg. z | 193, 22. προσώρμησαν = x y | 193, 30 παθόντες mit den übr. geg. z | 195, 1 νουμηδεία = f x | 195, 16 ἐνέπεσον mit allen gegen z und y | 196, 16 οὐανδ. ohne Artikel (mit allen gegen z) | οὐανδιλοί (οὐανδηλοί die übr. geg. z) | 196, 17 ἐκώκνον mit den übr. gegen y z (dass z in der zweiten Silbe o hatte, zeigt die Uebereinstimmung von g und h) | 196, 28 ὁ πᾶς mit den übr. geg. d z | 197, 10 τε fehlt (= y) | 197, 13 τοῦτον = f | 198, 24 ἔστειλεν = x | 199, 7 οὐανδηλοῖς mit den übr. gegen z; dasselbe 199, 11 (gegen d z) | 199, 28 ἐπὶ τῶν ὤμων (ἐπὶ τῶν ὤμων alle gegen z) | 200, 5 τὸ fehlt (= y).

Das gleiche Verhältnis tritt, wie bemerkt, in dem ganzen von T abhängigen Bestande unserer Chronik zutage. Leidet es somit keinen Zweifel, dass die Vorlage mit z aufs engste verwandt war, so entsteht die weitere Frage, ob dieselbe eine Schwester-Hs von z oder ein Glied der von z begründeten Familie gewesen ist.[1]) Für ersteres scheint der Umstand zu sprechen, dass p von zahlreichen Fehlern von z frei ist. Beispiele dafür sind in den oben ausgeschriebenen Lesarten bereits enthalten. Ich verweise besonders auf T 74, 20 (oben S. 10 Anm. 1). g und h haben hier beide die gleiche Interpolation, die mithin schon in z gestanden haben muss (de Boor II S. 511); p kennt dieselbe nicht. Als weitere Beispiele notiere ich: 167, 19 ἦλθον | 167, 20 ὁ ἀντιοχ. | 171, 21 πλοῦτον αὐτῇ πολύν | 309, 7 σαραβλαγγᾶς (z hatte jedenfalls eine Form mit einem γ) | 312, 6 δεσμίους ἔλαβεν | 314, 21 εἰς τὰ ὀπίσω (Kedr.

---

[1]) Dass weder z aus der Vorlage von P, noch P direkt aus z geflossen ist, beweisen die in P auftretenden zahlreichen eigentümlichen Lesarten anderer Hss oder Hss-Klassen, für deren Aufnahme wir kein Recht haben, den Verfasser von P selbst oder die Abschreiber der Chronik und nicht das benutzte T-Exemplar verantwortlich zu machen.

hat nach d. Bonn. Ausg. 727, 1. 2 *εἰς τοὐπίσω*; *τὰ ὀπίσω* könnte
also p [nicht P] gehören). | 334, 10 *αὔτη*; das Gleiche 334, 14 |
334, 11 *φίλον αὐτῆς* ist vorhanden | 336, 16 *δὲ* vorh. | *ἐλθὼν* |
337, 11 *στρέφει* | 374, 24 *ἰουστινιανὸς πάλιν* | 392, 27 *Ἰταξῆ*
(z hatte jedenfalls *ζ* für *ξ*). Jeder Schluss hieraus wird aber
dadurch hinfällig, dass p an zahlreichen Stellen Ursprünglicheres bietet, als y z, x z, x y z, ja, wie sich später zeigen
wird, Lesarten enthält, die auf eine reinere Textesquelle als den
Archetypus nicht nur unserer geringeren Hss, sondern unserer
Ueberlieferung überhaupt zurückführen. Gleich an der oben
erwähnten Stelle T 74, 20 zeigt sich p nicht nur von z, sondern
auch von der y z gemeinsam zugrunde liegenden Ueberlieferung
unabhängig. Die Zahl der Regierungsjahre des Arkadios ist
vollkommen in Ordnung; statt der Weltjahrzahl *‚εωπζ* giebt
p *‚εωπη'* und fügt dazu die Zahl der Jahre von Christi Geburt
mit *τπη'*. Dass diese Weltjahrzahl nicht etwa aus *‚εωπζ* verschrieben ist, geht daraus hervor, dass dieselbe offenbar mit
einer tieferen Verwirrung in dem chronologischen Schematismus
in Zusammenhang steht. Das T 75, 11—12 Berichtete fand
nach p statt *τῷ β' αὐτοῦ καὶ τρίτῳ ἔτει*, das 75, 16 Erzählte
τῷ δ' καὶ ε' αὐτοῦ ἔτει. Das führt darauf, dass in den Tabellen
p. 74, 25—27, p. 75, 1—10, die P wie gewöhnlich nicht ausgeschrieben hat, p. 74, 27 ausgefallen und p. 75, 5 statt des
vierten Regierungsjahres des Arkadios das dritte gezählt war.
Der Verfasser rechnete dann, um den fehlenden Ansatz für
den Regierungsanfang des Arkadios zu gewinnen, zurück und
gelangte so auf das Jahr 5888, aus welchem sich auch das nach
dem üblichen Verfahren leicht zu berechnende Christusjahr
ergab. Von Stellen, an welchen p gegen y z das Richtige
giebt, notiere ich noch: 93, 31 *βρετανίαν* | 184, 6 *ἔπεσον* | 196, 17
ἐκώκνον (z y hatten *o* in der zweiten Silbe) | 312, 2 *καὶ χρονο.* |
312, 30 *πρὸς τὸ βυζ. ὁ βασ.* | 313, 14 *τὴν γέφυραν πάλιν* |
318, 22 *δέδωκεν* | 319, 10 *ἕως ὥρας ἑβδόμης*. Gegen x z ver-
tritt p das Ursprüngliche beispielsweise an folgenden Stellen:
115, 11 *ἐπάρχω*; ebenso 13 *ἔπαρχος* | 224, 20 *ἐτίθη* (sic) ohne
nachfolgendes *αὐτά* | 363, 21 *ζίαδον* (aber gleich darauf 23 mit

x z ζίανδος) 382, 29. 30 ἀναριθμήτων. Lesarten, in welchen
sich p von gemeinsamen Fehlern von x y z frei zeigt, werde
ich weiter unten zusammenstellen. Da nun nach dem, was
oben über das Verhältnis von p zu z beigebracht worden ist,
die Vorlage unserer Chronik in dem Stammbaum der T-Hss
auf keinen Fall hinter den Archetypus von x y z zurückverlegt
werden darf, so können auch jene Lesarten nur infolge von
Hss-Kreuzung und nicht auf dem Wege kontinuierlicher Weiterüberlieferung ihre Stelle in unserem Texte gefunden haben,
will man nicht annehmen, dass es sich in allen jenen Fällen
um Interlinear- oder Randkorrekturen in dem Archetypus von
x y z handele, die bald von einzelnen, bald von allen Vertretern
dieser Familie ausser der Vorlage von P vernachlässigt wurden.
Ist so zunächst die Möglichkeit festgestellt, dass auch die von
z allein abweichenden guten Lesarten auf dem Wege nachträglicher Kollation mit einem bessern Exemplare in die Vorlage von P Eingang fanden, so wird diese Möglichkeit dadurch
zur höchsten Wahrscheinlichkeit, dass p mit einem der beiden
Vertreter von z, gewöhnlich mit g, seltener mit h, auch in
eigentümlichen Lesarten und an Stellen übereinstimmt, an
welchen der andere Vertreter Ursprünglicheres bietet. Die
Annahme, dass die Vorlage von P eine Schwester-Hs von z
gewesen sei, würde also die Voraussetzung nötig machen, dass
an allen jenen Stellen die verderbte Lesart von g oder h auch die
von z war und die richtigere des anderen Vertreters auf nachträglicher Kollation beruht, oder dass z nach einem besseren
Exemplare durchkorrigiert wurde, g und h aber wechselsweise
bald die im Texte stehende Lesart, bald die am Rande oder
zwischen den Zeilen beigefügte Korrektur wählten.

Müssen wir mithin die Vorlage von P z subordinieren, so
ist zur Feststellung des Verhältnisses, in welchem nun wieder
jene Hs zu den einzelnen Gliedern der von z abhängigen
Familie stand, zunächst von Wichtigkeit, dass, wie schon angedeutet, p sich in der Regel mit g, stellenweise auch mit h
in eigentümlichen Lesarten begegnet. So treffen wir beispielsweise in dem Abschnitt 454, 6—465, 26; 466, 18—468, 28

folgende Uebereinstimmungen mit g in eigentümlichen Lesungen
des letzteren: 454, 18 ἐξουβίτων (offenbar verschrieben aus
ἐξκουβίτων; vgl. g hier und an den von de Boor II S. 788
angeführten Stellen 438, 11 und 491, 11) | 454, 26 σικελλία |
454, 31 σικελλοί | 455, 13 ὀρύσσων (ὀρύττων g ὀρύγων die übr.)
| (456, 6 νακωλείαν [νακώλειαν g — ursprüngl. Lesart] νακολίαν
die übrigen; ebenso 55, 29 νακώλειαν mit d g, 402, 17 νακωλείας
mit g) | 456, 27 σκλαβινῶν (σκλαβηνῶν g) | 457, 5 σκλαβινῶν
(σκλαβίνων g σκλανινῶν die übr.) | 457, 20 εἴθε | 458, 14 περι-
εβάλλετο | 458, 17. 18 ἀσηκρῆτις | 460, 14 ἡμῖν | 461, 5 τῆς fehlt |
465, 20 κιβυρραιωτῶν | 467, 5 κοιαιστώριον | (467, 10 δειλαν-
δρήσαντες [urspr. Lesart]). Eine eigentümliche Lesart von h
hat p auf der abgegrenzten Strecke nur zweimal: 454, 9
καθαιρεῖν | 467, 8 ῥυάκην. T 86, 26—95, 17 stimmt p mit
g überein in (86, 28) διαλίθων (διὰ λίθων g) | (89, 7 μετανοήσῃ
[richtige Lesart]) | (89, 13) γεννώμενον | (94, 12 u. 16) γήπεδες
| (94, 19) παννονίαν, mit h in (91, 28) μαργαριτούς | (91, 29)
οὕτως. Etwas zahlreicher sind die Uebereinstimmungen mit h
181, 24—200, 7.[1]) Mit g trifft hier p in folgenden Lesarten zusammen: 181, 33 καλλαπόδιον (καλαπόδιον g καλοπόδιον die übr.)
aber 182, 11 καλλοπόδιος p | 185, 13 ναρσής | (187, 1 οὐανδήλους,
richtige Lesart) | 187, 12 μαλαφρίδαν (μαλαφρῖδα g ἀμαλαφρίδα
die übr.) | (190, 27 οὐάνδηλοις urspr. Lesart) | 190, 29 μετα-
βάλλοιται (μεταβάλλητε g μεταβάλητε die übr.) | (191, 3 σύλλεκτον
richtige Lesart) | 191, 20 ἡ βασ. | 198, 16 σαρδῶ | 198, 24 ἀπολ-
λινάριον | 199, 5 διέβαλλον, mit h in folgenden: 188, 2 ἡλδερίχου
| 194, 17 βῆτα καὶ τὸ βῆτα διώξει τὸ γάμα | 195, 5 σαρδηνείας |
195, 28 ἀμφ' αὐτῶν | 196, 14 νουμηδείαν. Den Schluss dieser
Beispiele mögen die Uebereinstimmungen in dem Abschnitte
391, 5—395, 12 bilden. Mit g geht hier p in folgenden
Varianten: 391, 21 δαψίλειαν | 392, 10 ἅμα τοῖς (αὐτοῖς g) ἀν-
θρώποις ἡμῶν | 392, 16 λαβεῖν, mit h in diesen: 391, 22 ἀλανεία
(ἀλανεῖα h ἀλανία die übr.) | 395, 9 ἀρμενιακῶν.

---

[1]) Es fehlen aus diesem Abschnitte die Stücke 182, 26 οἱ πρασ. —
184, 1 θεωρ.; 184, 19 καὶ — 27 κατην.

Wollte man nun dieses wechselnde Uebereinstimmungs-
verhältnis von p zu g und h so erklären, dass die Vorlage
von P ein drittes, g und h gleichstehendes Glied der Familie
z gewesen und so durch die Uebereinstimmung von je zwei
dieser Hss die Lesart von z festgestellt sei, so müsste man annehmen, dass überall da, wo der dritte Vertreter mit der
ursprünglichen Lesart allein steht, er diese der Korrektur nach
einem besseren Exemplare — in vereinzelten Fällen auch glücklicher Konjektur — verdankt, oder dass z an allen jenen
Stellen Interlinear- und Randkorrekturen aufwies und P in
der Wahl zwischen diesen und den Texteslesarten abwechselnd
mit g und h zusammentraf. Eine weit einfachere Erklärung
ergiebt sich, wenn wir die Vorlage von P und g zu einer besonderen von z durch ein gemeinsames Mittelglied abhängigen
Gruppe vereinigen, der h als dritter isolierter Vertreter von z
gegenübersteht. Ausserhalb des Textes stehende Korrekturen in z
sind alsdann nur für die Fälle mit Notwendigkeit anzunehmen,
in welchen der richtigen Lesart in g ein gemeinsamer Fehler
in h p entspricht.[1] Allerdings müssten diese Doppellesarten,
wie dies de Boor für unsere T-Ueberlieferung in sehr weit-
gehendem Masse annimmt, aus einem Exemplare in das von
ihm abhängige verpflanzt und so aus z in die g und der Vorlage von P gemeinsame Quelle gelangt sein.[2] Auch der Ge-

---

[1] Richtige Lesarten in p gegenüber gemeinsamen Fehlern von g h
sind aufgrund des z. T. schon oben beigebrachten und in noch weiterem
Umfange unten vorzulegenden Materials auf Hss-Kreuzung zurückzuführen.

[2] Für solche Doppellesarten von z sprechen z. B. folgende Stellen:
461, 24 geben für das ursprüngliche βασιλείας h βασιλείσης p βασιλίσσης;
g hat βασιλείας und am Rande γρ. καὶ βασιλίσσης. Hier war offenbar in z zur
Andeutung der Lesart βασιλίσσης die Silbe σης über dem Schlusse des
Wortes βασιλείας eingefügt. h kopierte unter Aufnahme dieser Korrektur
buchstäblich; die Quelle von g und der P-Vorlage gab die Doppellesart
wieder; g nahm die eine Lesung in den Text, die andere als Randbemerkung auf, P entschied sich für die zweite. — Die Stelle p. 85, 3
hat de Boor II S. 536 Anm. bereits besprochen. Die Vorlage von P
hat wie h die Notiz in den Text aufgenommen, aber ihre Dürre etwas
maskiert: ἦν δὲ ὁ οὐαλεντινιανὸς ὅταν προεβλήθη καῖσαρ ὡσεὶ χρόνων ς'. —

danke an eine Kreuzung der Vorlage von P mit h oder einer
mit dieser nahe verwandten Hs ist bei dem Charakter der P-
Vorlage nicht durchaus abzuweisen (s. u.). In anderen Fällen
dürfte die falsche Lesung von p h die von z sein und die richtige von g auf Korrektur beruhen, wie mir dies z. B. 456, 9
wahrscheinlich ist, wo g mit δαϱηνῷ allein steht, während alle
anderen und p δαϱινῷ geben. Dass die P-Vorlage innerhalb
ihres Ueberlieferungszweiges zu g nur im Verhältnis einer
Schwester-Hs gestanden haben und weder von g abhängig noch
seine Quelle gewesen sein kann, lehren einerseits die zahlreichen Stellen, an welchen p von eigentümlichen Verderbnissen
von g frei erscheint,[1]) ohne dass wir Veranlassung hätten, eine

Ueber p. 173, 12 hat de Boor gleichfalls (II S. 542) gehandelt: von den
beiden Lesarten, welche z bot, wählte h die Interlinear- oder Randglosse:
die Quelle von g und der P-Vorlage gab beide in gleicher Form wie z;
g nahm beide neben einander in den Text auf, während die P-Vorlage
sich für die dritte Möglichkeit entschied und der Texteslesart Aufnahme
gewährte (καὶ τὸν ἔπαϱχον). — Der Zusatz 194, 17 καὶ (πάλιν) τὸ βῆτα
διώξει τὸ γάμμα muss — falls er nicht in der P-Vorlage zu den nach
einem bessern Exemplare vorgenommenen Korrekturen gehört — in z
am Rande oder zwischen den Zeilen gestanden haben; h fügte ihn in
den Text ein, die Quelle von g und der P-Vorlage brachte ihn in gleicher
Weise wie z; g liess ihn unbeachtet, während die für P verwertete Hs
ihm im Texte seine Stelle gab.

Ein interessantes Beispiel für die Wirkung der Fortpflanzung einer
Randglosse als solcher durch mehrere Hss-Generationen hindurch liegt
355, 25 vor. Die beste Ueberlieferung bietet dort: χρυσοῦ χιλιάδας τρεῖς
καὶ ἄνδρας αἰχμαλώτους ν΄ καὶ ἵππους εὐγενεῖς ν΄. Für τρεῖς geben em
τξε΄, und diese Variante hat p, der auch sonst Beziehungen zu em verrät.
Zugleich aber ersetzt er das erste ν΄ durch τριακοσίους ἑξηκοντάντε und
das zweite wieder durch τξε΄. Will man hier nicht zu der Annahme
einer Kreuzung mehrerer Hss, in welchen die ursprüngliche Randglosse
τξε΄ auf verschiedene Zahlen des Textes bezogen war, seine Zuflucht
nehmen, so erklärt sich der Sachverhalt am einfachsten so, dass das an
den Rand geschriebene τξε΄ zunächst die Aenderung der ersten Zahl zur
Folge hatte, dann aber — immer als Randglosse — in eine Tochter-
und Enkel-Hs fortgepflanzt wurde und hier jedesmal zur Korrektur einer
weiteren Zahl des Textes führte.

[1]) Ich notiere hier nur einige Beispiele: 196, 18—19 keine Aus-
lassung; ebenso 310, 7; 318, 15—16 | 196, 27 ἐν ἐκ. τῇ ἡμ. | 197; 5 συνη-

Korrektur in der P-Vorlage anzunehmen, andererseits die kaum minder häufige Einmengung eigentümlicher Lesarten anderer Exemplare, denen in g die ursprüngliche gegenübersteht.

Nach dieser Stellung in dem Stammbaum der T-Hss hat die P-Vorlage zunächst nur nach der Seite Kedrens hin für uns Interesse, nicht nach der des Theophanes, für dessen Herstellung sie kaum etwas bietet. Auch nach dieser Seite aber wird sie wichtig durch ihre auf Korrektur beruhenden Lesarten. Vereinzelte Uebereinstimmungen zeigt p mit sämtlichen von de Boor berücksichtigten T-Hss, ohne dass eine auffallend häufige Berührung mit der einen oder andern Hs zutage träte.[1] Ich stehe davon ab, hierfür Beispiele aufzuzählen, die doch keine weiteren Schlüsse ermöglichen würden, und beschränke mich darauf, solche Lesarten zu verzeichnen, in welchen p teils unsere sämtlichen schlechteren griechischen Hss, teils unsere geringeren Textesquellen (einschliesslich Anastasius) überhaupt, teils unsere gesamte T-Ueberlieferung an Reinheit übertrifft.[2]

Besseres als x y z bietet p, soweit ich denselben verglichen habe, in folgenden Lesarten: 9, 12 παρέλαβεν καὶ (= ab), vgl. de Boor II S. 442[3] | 58, 32 κακιδάζων p δακιδίζων b

ληφθῇ | 197, 6 μεμεθυσμένος | 197, 7 ἔβαλεν | 198, 13 τοῖς vorh. | 199, 20 ἤλθον | 204, 8 δὲ vorh. | 204, 24 εἰς καρχ. ἤλθον | 314, 10 τοὺς ῥωμαίους | 314, 11 γενναίως.

[1] Ziemlich zahlreich sind die Berührungen mit em teils in eigentümlichen, teils in solchen Lesarten, in welchen em mit einer oder der andern unter den übrigen Hss einig geht. Bemerkt seien noch einige Uebereinstimmungen in Fehlern mit b, die freilich in ihrer Vereinzelung wenig Bedeutung haben: (71, 12 εἰργάσατο, über d. End. ν von spät. Hd. p, εἰργάσαντο b) | 76, 28 Ἰταλίας p Ἰταλίας b | 79, 14 ἡρωδίας, d. Akz. von einem Gravis über α durchkreuzt p Ἡρωδίας b | 84, 9 σεπτεβρίου p σεπτεμβρίου b | 87, 11 ἡλίωνα | 159, 19 ἀλλὰ μουνδάρου p (der Kasus wie in x y z) ἀλλὰ Μουνδάρῳ b, vgl. übrigens auch m. Mit A stimmt p teilweise 78, 31 προσῆλθον (sic) αὐτῷ ἐπίσκοπος.

[2] Zum Folgenden sind auch die oben S. 10 f. gesperrt gedruckten Lesarten zu vergleichen.

[3] Die gleiche Lesart fand auch der von mir Byz. Z. IV (1895) S. 272 ff. (s. bes. S. 275) besprochene Vulgärchronist (Krumbacher, G. d. byz. L.[2] § 144, 4) in seinem im übrigen gleichfalls der schlechteren Klasse

2*

(Exc. Barocc.); in den übrigen fehlt die dritte Silbe, vgl. de Boor II 447 | 61, 33 τάσεως p διατάσεως b (Georg. Mon.. Soz.) διασπάσεως d διαστάσεως die übr. (in c m σ ausrad.), vgl. de Boor II 447; der Ursprung aus einer Korrektur liegt hier deutlich zutage, indem offenbar das über den drei letzten Silben stehende τάσεως als Ersatz für das ganze Wort angesehen wurde. | Ueber 71, 4; 71, 18; 73, 11; 81, 6; 84, 8 s. o. | 121, 5 τε für δέ p; so vermutete de Boor; que A | 121, 13 τὸν κναφέα; so de Boor | 160, 14 πλῆθος b p Malal. multitudinem A πλήθη (πλήθει f h) x y z (de Boor II 456) | 165, 2 καὶ ἔστεψεν αὐγούσταν· ἣν οἱ δῆμοι ἐκάλεσαν εὐφημίαν στεφανομένην αὐτήν p; p steht im Schlusse b (στεφθεῖσαν αὐτήν) jedenfalls näher als die übrigen | 168, 21 ἐγγόνην p = b, vgl. de Boor II 457 | 173, 10 ἀπέστηλεν ohne den Zusatz ὁ βασιλεὺς | 173, 11 τὸν = b, allerdings mit folgendem κρατερόν. | 197, 26. 27 ὅσα ἔχριζεν ὁ γελίμερ p quaecumque Gelimer egebat A, in den Zusammenhang besser passend als ὅσα ἔχρηζεν τῷ Γελίμερι, was alle griechischen Hss haben (vgl. auch Proc. bell. Vand. II 6 p 250 d ὅσων αὐτοῦ ἔχρηζε Γελίμερ) | 309, 24 τὴν χεῖρά σου, δέσποτα, ὄρεξον p manum tuam da, domine A; die griech. Hss lassen ὄρεξον aus | 311, 11 ηὐξεῖτο ὁ λαὸς αὐτοῦ p crevit populus eius A ἐπηύξει τὸν ἑαυτοῦ λαόν codd. | 313, 7 ἡ πλεκτή γέφυρα ... ἣν p ἣν πλεκτὴ γέφυρα Tafel u. de Boor nach A (erat pons nexus) τὴν πλεκτὴν γέφυραν codd. | 314, 24 πάντων (sic)[1]) τῶν ὑπὸ πέρσαις ἐκκλησιῶν cunctarum ecclesiarum regionis quae sub Persis est constituta A; von den griechischen Hss verbindet keine den Begriff des πᾶς mit ἐκκλησιῶν | 336, 21 τῷ αἰτῷ χρόνῳ p porro eodem anno A (seine Hs also wohl τῷ δ' αὐτῷ χρόνῳ) αὐτῷ δὲ τῷ χρόνῳ codd. | 420, 30 τυφθέντι p Zonar. percusso A τυφλωθέντι codd. Auch in dem gleich Folgenden stimmt der Text in wesentlichen Stücken mit dem

zugehörigen Exemplar vor. Er schreibt (Cod. Bern. 596 fol. 53 r): καὶ κατέσφαξεν ὅλον τὸ στρατόπαιδον καὶ ἀπῇρεν τὰς γυναῖκας καὶ τὰ παιδία, καὶ τὰς ἀδελφὰς τῶν ναρσῶν (s. Rde. τοῦ ναρσοῦ) τοῦ βασιλέως ἐπήρεντας καὶ τοὺς θησαυροὺς αὐτοῦ κτλ.

[1]) πασῶν τῶν ὑπὸ Πέρσας ἐκκλησιῶν Kedr. nach d. Bonn. Ausg. 727, 4.

von Anastasius übersetzten überein: οὓς καὶ ἐπόμπευσεν, ἀλλὰ πάλιν τὸν μὲν ἀναστάσιον ὡς ὁμόφρονα κτλ. | 457, 18 λυπουμένη καὶ φησὶ τί τοῦτο ἐποίησας p, tristis et clamans. „cur,“ inquit. „hoc fecisti“ A. λυπουμένη καὶ καταβοῶσα αὐτοῦ ὅτι „διὰ τί τοῦτο ἐποίησας“ codd.[1])

Ich füge hier einige Fälle an, in welchen p mit A übereinstimmt, ohne dass ich über die Richtigkeit der Lesart mit Sicherheit zu entscheiden wagte: 234, 25 καὶ βροχὴ - ἡμέρᾳ fehlt in p und A; ebenso 316, 7. 8 τοῦ Τιφιλιος | 311, 6 f. καὶ οἱ βάρβαροι πάλιν ὀπίσω αὐτοῦ ἠκολούθησαν ... προλαβεῖν βουλόμενοι ἐμπίπτουσι πλανόμενοι εἰς τόπους πελματιώδεις καὶ ἀναγκάζονται ἐξελθεῖν. ὁ δὲ βασιλεὺς διαβὰς κτλ. p barbari vero post eum iterum sequehantur (ἤλαυνον codd.) ... hunc praeoccupare volentes incidunt in loca palustria et oberrantes in magnum discrimen deveniunt A (καὶ πλανῶνται καὶ εἰς μέγαν κίνδυνον ἦλθον codd.). P und A fanden wohl πλανώμενοι an der von dem letzteren festgehaltenen Stelle vor; ersterer hat es bei der Umformung des Satzschlusses an einen anderen Platz gerückt | 320, 3. 4 fehlt ὁ βασιλεύς; vgl. A p. 199, 5 de Boor II, Tafel S. 110, 7 | 335, 2 τῇ δὲ αὐτῇ; vgl. A p 210, 3 Tafel S. 148, 13. | 454, 14 συμβούλιον ποιήσαντες τινὲς τῶν ἐν τέλει καὶ τῆς συγκλήτου p consilium facientes quidam senatorum A συμβ. ποιήσαντές τινες τῶν ἐν τέλει codd. τῆς συγκλήτου stand wohl als Korrektur ursprünglich über der Zeile oder am Rande | 464, 21 μηδ' ἑνὸς τολμῶντος πρὸς αὐτὸν συγχύσαι p neminem ad se frequentare audere A μηδ. τολμ. τῷ βασιλεῖ συγχύσαι codd.[2])

---

[1]) Mit Aem giebt p richtig 311, 5 οὐ συνέβ., mit Ac 818, 22 διεκώλυεν (prohibebat A), das in den Zusammenhang besser passt als διεκώλυσεν.

[2]) Auf verwandtschaftliche Beziehungen von p zu A weisen auch folgende übereinstimmenden Fehler: 311, 18 συντέροις cum aliis statt den τοῖς ἑτέροις | 396, 22 δόκητης docetes statt δοκήτης | 394, 22 φαρισμάνης Pharasmanes statt φαρασμάνιος. | 465, 3 hat p βαϊουλ. = baiulo in A βαγύλῳ codd. (96, 19 βάγυλον bfx βάγιλον em βαϊούλον κ βαϊούλιον p | 466, 24 βάγυλον alle ausser g, der βαγῦλον hat, baiulum A βαϊου⌢ p)

Gegen A x y z giebt p das Richtige 15, 32: χριστοῦ mit n b (θεοῦ A g x y) | 163, 16: τζουνδάδερ vgl. de Boor II 456 | 167, 9: ἀπῆλθε mit b (de Boor II 457) (ἀπέστειλε A x y z) | 79, 29: τελευτᾷ mit b (ἐτελεύτησε A x y z).

Ich wende mich nun denjenigen Fällen zu, in welchen p eine bessere Ueberlieferung bietet, ohne auch nur durch b oder A unterstützt zu werden. Hier ist nun freilich sofort ein Vorbehalt zu machen. In den meisten der anzuführenden Fälle muss die Uebereinstimmung mit einer Quelle des T das Kriterium für die Richtigkeit der Lesart bilden. Gegen dieses Kriterium wäre kaum etwas einzuwenden, wenn es sich um Beurteilung von Lesarten einer Hs des T handelte. Wir haben es aber mit einem neuen, wenn auch mechanisch kompilierten Werke zu thun, dessen Verfasser neben T weitere Litteratur herangezogen und dabei nachweislich vielfach aus den gleichen oder nahe verwandten Quellen wie T geschöpft hat. So ist von vornherein mit der Möglichkeit zu rechnen, dass T aus diesen Quellen nicht nur ergänzt, sondern auch korrigiert wurde, Korrekturen, die wir natürlich dem T-Texte fernzuhalten haben. Die wichtigste Ergänzungsquelle in diesen Abschnitten von P ist die für die frühere Kaiserzeit als Hauptquelle benutzte Epitome.[1]) die in kirchengeschichtlichen Stücken Beziehungen zu Theodoros Anagnostes verrät, dem auch Theophanes viele Notizen verdankt. In folgendem Falle z. B. lässt sich nun nachweisen, dass die vollständigere Wiedergabe des Theodoros durch P darauf zurückzuführen ist, dass P neben T die Theodorosstoff enthaltende Epitome vor Augen hatte. T 23, 30 ff. entsprechend schreibt p:

Ἐν τούτοις δὲ τοῖς καιροῖς ᾠκοδόμησεν ὁ φιλόχριστος βασιλεὺς κωνσταντῖνος τόν τε ναὸν τῆς ἁγίας σοφίας (dies gab die benutzte T-Hs; vgl. de Boors Apparat), *τῆς ἁγίας εἰρήνης, τῶν ἁγίων ἀποστόλων, τοῦ ἁγίου μωκίου, τοῦ ἁγίου ἀγαθονίκου, τοῦ ἀρχιστρατήγου τοῦ ἐν τῷ ἀνάπλῳ καὶ τοῦ σωσθενίου, ἔνθα καὶ θείας ὀμφὰς θαυμαστῶς ἤκουσέ τε καὶ ἐθεάσατο,* womit Cramer

---

[1]) Vgl. Byz. Z. 5 (1896) S. 485 f.

anccd. Par. II 92, 33—98, 2¹) (Poll. p. 274, 2 ff.) zu vergleichen
ist. Dass eine Ergänzung aus der Epitome vorliegt, lehrt der
übereinstimmende Wortlaut bei Leo gramm. 297, 2 ff. Cram.,
Theodos. Melit. p. 64, 7 ff. Taf. Nicht überall aber ist der
Verfasser unserer Chronik so leicht zu kontrollieren wie hier.
In manchen Fällen wird es sich kaum mit Sicherheit aus-
machen lassen, ob wir es mit der Spur einer verschollenen
besseren Theophanesüberlieferung oder mit einer Korrektur aus
der auch von T benutzten Quelle zu thun haben. Im allgemeinen wird man mit der Aufnahme solcher Lesarten in den
Text des T um so zurückhaltender sein, je mehr sich P auch
sonst mit der betreffenden Quelle vertraut zeigt, während eine
Vergewaltigung des T da weniger zu befürchten ist, wo es
sich um einen von P sonst gar nicht oder selten benutzten
Quellenschriftsteller handelt. Hier wird also die Entscheidung
von den Resultaten einer Untersuchung der Quellen von P
abhängen.

An T 13, 14 schliesst sich in p Folgendes: διὰ τοῦτο
ἀναγκασθέντες οἱ ῥωμαῖοι πρεσβείαν πρὸς κωνσταντῖνον ἐποίησαν
κατὰ τοῦ δυσσεβοῦς μαξεντίου. ὁ δὲ πρὸς ἄμυναν καὶ βοήθειαν
τούτων διηγέρθη καὶ κατάλυσιν τοῦ τυράννου. ὁ δὲ μαξέντιος
τὸν παραρέοντα (sic) κτλ. Von dieser Gesandtschaft der Römer,
welche T erst später (14, 11 f.) und nur beiläufig erwähnt,
erzählen an gleicher Stelle wie P (vor dem Berichte über die
Schlacht) Alex. Mon. p. 32, 34 ff. Grets., Poll. 254, 26 ff., Georg.
Mon. 384, 30 ff. (387, 17), Nic. Call. VII 29 p. 1272 a. Die
spätere Erwähnung der Sache T 14, 11 f. findet sich in p nicht.
Im weiteren Verlaufe der Erzählung sagt p entsprechend T 14, 5
χρῆσαι τῷ δειχθέντι σοι σημείῳ καὶ νίκα, womit Alex. Mon.
p. 34, 10 (Poll. p. 256, 17, Georg. Mon. p. 385, 14) zu vergleichen ist. Der Zusatz σημείῳ liegt hier allerdings so nahe,
dass ihn P oder einer seiner Abschreiber sehr wohl selbständig
gemacht haben könnte. T 14, 27 entsprechend schreibt p

---

¹) Ueber das Verhältnis dieser Eklogen zu Theodoros s. de Boors
Ausg. d. Theoph. I p. VIII.

προπάντων τὰ λείψανα τῶν ἁγίων μαρτύρων τῇ ὁσία ταφῇ παρέδωκε καὶ τοὺς ἐν ἐξορίᾳ ἀνεκαλέσατο. Man vergleiche damit folgende Stellen:

Socr. hist. eccl. I 2 a. E.	Alex. Mon. p. 34, 21 ff.	Poll. p. 258, 11 ff.
ταῦτα δὲ ἦν ἀνεῖναι τοὺς χριστιανοὺς τοῦ διώκεσθαι καὶ τοὺς ἐν ἐξορίᾳ ὄντας ἀνακαλεῖσθαι, τοὺς δὲ ἐν δεσμωτηρίῳ ἀφίεσθαι	τότε ὁ βασιλεὺς ἐκέλευσε συναχθῆναι τὰ λείψανα τῶν ἁγίων μαρτύρων καὶ ὁσίᾳ ταφῇ ταῦτα παραδοθῆναι.	τότε ὁ βασιλεὺς ἐκέλευσεν συναχθῆναι τὰ λείψανα τῶν ἁγίων μαρτύρων καὶ ὁσίᾳ ταφῇ παραδοθῆναι, τοὺς δὲ ἐν ἐξορίᾳ ἐκέλευσεν ἀνακληθῆναι
καὶ τοῖς δημευθεῖσιν αὐτῶν τὰς οὐσίας ἀποκαθίστασθαι.	καὶ τοῖς ἀδικηθεῖσιν τὰς οὐσίας αὐτῶν ἀποδοθῆναι (i. wesentlichen ebenso Georg. Mon. 386, 4 ff.).	καὶ τοῖς ἀδικηθεῖσιν τὰς οὐσίας ἀποδοθῆναι.

T 14, 26 ff.

Τούτῳ τῷ ἔτει κρατήσας τὴν Ῥώμην Κωνσταντῖνος ὁ θεοσυνέργητος πρὸ πάντων τὰ λείψανα τῶν ἁγίων μαρτύρων ἐκέλευσε συλλεγέντα ὁσίῃ ταφῇ παραδοθῆναι.

Nic. Call. hist. ecl. VII 30 p. 1276 a.

Τῆς δὲ Ῥώμης ἐγκρατὴς γεγονὼς πρῶτον πάντων τὰ τῶν ἁγίων συλλέγειν ἐκέλευε λείψανα καὶ ὁσίᾳ παραδοῦναι ταφῇ· εἶτα σπούδασμα ἐτίθει τοὺς ἐν ἐξορίαις ἀνακαλεῖσθαι. Ἔπειτα δόγμα ἐξῆγε Χριστιανοὺς μὴ διώκεσθαι ἀνίεσθαί τε τοὺς ἐν δεσμοῖς καὶ τοῖς δημοσιευθεῖσι τὰς οὐσίας ἀποκαθίστασθαι.

Aus dieser Zusammenstellung wird es sehr wahrscheinlich, dass p hier einen reineren Text von T wiederspiegelt und die Lesart unserer Hss durch Auslassung des Homoioteleuton καὶ τοὺς ἐν ἐξορίᾳ (ἐκέλευσεν) ἀνακληθῆναι entstanden ist; ja, erwägt man die Häufigkeit solcher Auslassungen, so ist es nicht unwahrscheinlich, dass auch das letzte der von Pollux (und Alex. Mon.) gebotenen Glieder καὶ τοῖς ἀδικηθεῖσιν τὰς οὐσίας ἀποδοθῆναι in T ursprünglich vorhanden war. Auffallend bleibt freilich, dass gerade bei Alexander (und Georgios Mon.) das Glied καὶ .. ἀνακληθῆναι gleichfalls fehlt; doch ist die Annahme eines zufälligen Zusammentreffens unserer und der von Georgios benutzten Alexander-Ueberlieferung einer- und unserer

T-Ueberlieferung andererseits in dem gleichen Fehler bei der
Leichtigkeit der Verderbnis gewiss nicht allzukühn.[1]) Eine
bestimmte Entscheidung wage ich auch hier nicht zu treffen.
— Für T 15, 6 ἐπεστρ. — 15 giebt p Folgendes: ἐπεστράτευσε
κατὰ μαξιμιανοῦ τοῦ γαλλερίου τὴν ἑῴαν διέποντος. καὶ τοῦτον
τρεψάμενος πάντας κατασφάττει. αὐτὸς δὲ ὁ γαλλέριος τὸ διάδημα ῥίψας καὶ μετ' ὀλίγων εὐνουστάτων διαδρὰς ἀπὸ κώμης
εἰς κώμην ᾤχετο καὶ τοὺς ἱερεῖς τῶν εἰδώλων καὶ μύστας προ-
φήτας τε καὶ μάντεις ὡς ἀπατεῶνας κατέσφαξεν. In den
gesperrt gedruckten Worten geht p mit Alex. Mon. 36, 1. 4,
Poll. 260, 8. 13, Georg. Mon. 386, 24 ff. gegen T.[2]) — Von
weiteren Uebereinstimmungen mit Alexander und Pollux sind
mir folgende aufgefallen: T 13, 4. 5 (nach g) τούτῳ οὖν θεία
δίκη ἐπῆλθε, p τ. οὖν ἡ θεία δ. ἐπ., Alex. 30, 30 Poll. 250, 15
ἡ θεία δ. (τοῦτον) ἀνεχαίτιζε | T 15, 30 ἀπαιτήσας αὐτόν, p
Alex. 36, 20 Poll. 262, 13 ἀπαιτήσας αὐτῷ | T 22, 18 Μελετίου,
p Poll. 282, 3 τοῦ μελετίου | T 26, 16 μετὰ φόβου καὶ πολλῆς
χαρᾶς, p μετὰ χαρᾶς πολλῆς καὶ φόβου, Alex. Mon. 40, 26. 27
Poll. 288, 21 μετὰ χαρᾶς μεγάλης καὶ φόβου | T 27, 11 ἐτῶν π΄,
p Alex. Mon. 42, 17. 18 ἐτῶν οὖσα π΄ (Poll. 292, 16. 17 ὀγδο-
ήκοντα δὲ ἐτῶν γενομένη). — T 6, 24 f. ist p in der Stellung,
wenn ein Schluss aus Hieronymus (187 n Schöne) erlaubt ist,
Eusebios getreuer: ἀποστατησάσας τῆς ῥωμαίων ἀρχῆς.[3]) —

---

1) In einigen Punkten steht auch unser T mit Poll. gegen Alex.,
freilich so, dass er durch Georg. unterstützt wird, und ohne dass die
betreffenden Lesarten sich durch Vergleichung mit der Originalquelle
als die richtigeren erweisen liessen: T 13, 31 παρετάξατο Poll. 258, 2
Georg. 385, 19 ἐξῆλθεν εἰς παράταξιν (τοῦ) πολέμου Alex. 34, 14 ἐξῆλθεν
εἰς πόλεμον | T 14, 5 Poll. 256, 17 Georg. 385, 14 δειχθέντι Alex. 34, 10
φανέντι | T 14, 9 καταποντίζεται Poll. 258, 6 Georg. 385, 23 κατεπόντισθη
Alex. 34, 17. 18 κατεποντίσθησαν | T 14, 13 τὴν πόλιν στεφανώσαντες Poll.
258, 8 Georg. 386, 1 στεφανώσαντες τὴν πόλιν Alex. 34, 19 στεφανώσαντες
αὐτόν.

2) Nikeph. VII 37 g. E. p. 1292 d schreibt: τὴν ἐσχάτην ἐσθῆτα ἀπο-
βαλὼν καὶ στρατιωτικὸν περιθέμενος σχῆμα (vgl. T). — Das Wort μύστας
könnte ex coniectura für μάντεις eingesetzt sein, da dieses nach seiner
Einfügung an der ursprünglichen Stelle zweimal vorkam.

3) T 26, 4 fügt p zu ὁρμώμενον noch die nähere Bestimmung τὸν ἐν

Nähere Berührung mit Malalas liegt an folgenden Stellen vor:
T 168, 25 στιχάριν, p Mal. 413, 15 στιχάριον | T 173, 4 προσ-
ελθὼν ἐν τῇ ἐκκλησίᾳ οὐ κατεδέξατο, p εἰσῆλθεν εἰς τὴν
ἐκκλησίαν μὴ καταδεξάμενος, Mal. 421, 19 εἰσῆλθεν ἐν τῇ ἐκ-
κλησίᾳ | 175, 5 Τζίταν, p τζίταν ὀνόματι, Mal. 429, 17 ὀνόματι
Ζίττας | T 224, 20 fehlt in p wie bei Mal. 453, 20 der Zusatz
χρυσᾶ—σιδηρᾶ, den aber Kedren 657, 7 hat. Am Schlusse des
Abschnittes (T 224, 26. 27) ist die Wortfolge die gleiche wie
bei Mal. 454, 4: πνεῦμα πύθωνος ἔχει. — Mit Theod. Anagn.
I 9 Cram. auecd. Paris. II 102, 19 ff. hat p an der T 110, 25
entsprechenden Stelle die Schreibung αἴλουρος (ebenda 33 αἰλ-
λούρου), T 121, 18 αἰλοῦρος (Cram. H 105, 10 Αἴλουρος) |
T 181, 27 stellt p ἀναπτασίου τοῦ βασιλέως (= Cramer 112,
21. 22). — T 192, 1 schreibt p für ἄχρις ἄν : ἄχρις οὖν, vielleicht eine Entstellung des von Proc. b. Vaud. I 17 p. 218 d
gebotenen ἄχρις οὖ | T 193, 3 giebt p ἐποιήσατο = Proc. b.
Vand. I 19 p. 222 b.[1]) — Das von de Boor nach Nik. Kall.
XIV 34 p. 1172 b getilgte καὶ τέταρτον T 90, 13 ist p unbekannt; ebenso fehlt 92, 16 f. der mir wegen seiner Stellung
verdächtige Zusatz ὁ Γάλλας Πλακιδίας καὶ Κωνσταντίου υἱός.
T 319, 25 fehlt das von de Boor getilgte τῆς Χαλκηδόνος, ein
Umstand, der allerdings durch die Umformung, die der Verfasser
mit dem Satzschlusse vorgenommen hat — er schreibt für T 319,
23 ff.: ὅπως τοῦτον ἐκφοβήσας πείσῃ ἀποστεῖλαι πρὸς σάρβαρον
καταλιπεῖν τὸ βυζάντιον καὶ ὑποστρέψαι — in seiner Bedeutung
abgeschwächt wird. — Richtig gegen alle Hss schreibt p T 186, 6
ἔτη γ; 234, 12 κουροπαλάτην; 394, 28 ϛαμιλίαι; 420, 17 μιλίω;
462, 15 φαμιλίας. An allen diesen Stellen war der Fehler freilich leicht zu bessern (186, 6 aus 216, 15). — T 239, 10 bietet
p εἰς τὰ λαύσου (so de Boor), 318, 13 τόπον ἐν ᾧ πολεμήσει

νικομηδεία. Hieron. 191 n Schöne hat Drepanam Bithyniae civitatem,
Chronic. pasch. 283 d Δρέπανον . . . ἐν Βιθυνίᾳ.

[1]) Von geringerem Gewichte, aber doch zu beachten ist, dass
T 194, 17 p für νυνὶ schreibt νῦν (Proc. b. Vand. I 21 p. 226 c νῦν δὲ
ἅπασιν ἄντικρυς φανερὸν εἶναι); 196, 24 hat p die Stellung χρήματα πολλὰ
εἰς λιβύην, Proc. b. Vand. II 3 p. 242 a συχνὰ χρήματα ἐς Λιβύην.

τὸν ῥάζατ πρὸ τοῦ ἐνωθῆναι αὐτῷ τοὺς τρισχιλίους (vgl.
Tafel p. 106, 2 f.); 333, 25 τῷ (Tafel p. 145, 8 und de Boor
n. 0.)[1].

II. Quellenanalyse der anonymen Chronik des Cod. Paris. 1712 und Kedrens für die Zeit vom Antritt Diokletians bis zum Ende Justinos' I.

Die successive Schichtung des bei Kedren vereinigten Ge-
schichtsstoffes soll im Folgenden in der Weise vor Augen geführt werden, dass für jede Kaiserbiographie des in der Ueberschrift umgrenzten Abschnittes zunächst Kedrens Hauptvorlage,
die Pariser Chronik, nach ihren Quellen zerlegt, und sodann
untersucht wird, mit welchen Hülfsmitteln Kedren das bei dem
Anonymus vorgefundene Material vermehrt hat. Zur besseren
Uebersicht teile ich jeweils den Bestand des Parisinus im Zusammenhange mit und lasse erst auf diese Aufnahme die Untersuchung folgen. Als Probe sind die Abschnitte über Diokletian
und Konstantin I. in genauer Kollation gegeben. Für die
Folgezeit konnte ich dieses Verfahren nicht fortsetzen, ohne
meine Arbeit übermässig anschwellen zu lassen. Es bedeutet
daher weiterhin das von mir angewandte Gleichheitszeichen
nur, dass die betreffenden Abschnitte des Parisinus und des
Theophanes im wesentlichen und abgesehen von für die Quellenfrage belanglosen Kleinigkeiten sich decken. Auslassungen und
Umstellungen einzelner Worte, kleinere Aenderungen der Konstruktion u. ä. Abweichungen sind im allgemeinen ausser Betracht gelassen. Hingegen ist für alle nicht aus Theophanes
stammenden Stücke eine genaue Kollation mitgeteilt, bei welcher

---

[1] Von sonstigen Lesarten, die Tafel ex coniectura nach „Kedren"
in den Text aufgenommen hat, habe ich mir als durch p bestätigt notiert:
319, 17 σκαραμάγκιον, Tafel 106, 12 σκαραμάγγιον. 334, 15 καὶ ἄλλαις
Tafel 146, 10. 336, 2 στόμιον οὖσαν Tafel 152, 1. Eine Berechtigung zur
Aufnahme dieser Lesarten in den Theophanestext ergiebt sich selbstverständlich aus dieser Uebereinstimmung nicht. — 35, 34 hat p δὲ
μαλλον; vgl. die Konjektur Goars nach Sozom. 5, 2. — 86, 21 hat p mit
Bm und dem Eklogarius bei Cramer ἐλευθερουπ., während die Exc. Barocc.
ἐλευθερόπ. geben; 73, 29 und 30, 31 hat auch p ἐλευθερόπ.

nur die gewöhnlichen Kopistenfehler in Orthographie und Accentuation unberücksichtigt geblieben sind.

Eine Schwierigkeit für die Feststellung des Textes lag in der von Krumbacher, Gesch. d. byz. Litt.[2], S. 320 und 362 treffend charakterisierten Mittelstellung dieser Chronisten zwischen mehr oder weniger selbständig arbeitenden Kompilatoren und einfachen Kopisten. Es wird sich zeigen, dass Theophanes in dem anonymen Werke teilweise in rein mechanischer Weise reproduciert ist, so dass grobe Flüchtigkeitsfehler der benutzten Hs, die aus dem de Boorschen Apparate zu ersehen sind, mitübernommen wurden. Ich habe in solchen Fällen meine Aufgabe darin gesehen, unsere Kompilation, nicht deren Quelle, in ihrer ursprünglichen Gestalt wiederzugeben und daher solche Fehler, welche nachweislich in der Hss-Klasse z des Theophanes bereits vorkommen, unkorrigiert gelassen und bin überhaupt, insbesondere auch in der Wiedergabe der Eigennamen, möglichst konservativ verfahren, so dass z. B. Ἐρχούλιον Diokl. Z. 3 neben Ἐρχουλλίου ebenda Z. 15 u. ö. (= b [a] vgl. de Boor zu T p. 6, 18) seinen Platz behalten hat. Ein solches Vorgehen erscheint mir bei Werken, die wie das unsere wesentlich nur Gegenstand eines quellenkritischen Interesses sind, doppelt unerlässlich.

Zur Erleichterung der Orientierung sind bereits im Texte zu jedem Abschnitt die dazu in Verwandtschaftsbeziehungen stehenden Parallelabschnitte des Theophanes, der Epitome, Kedrens u. s. w. angemerkt. Als Vertreter der Epitome sind dabei Leon Grammatikos und Theodosios Melitenos, nicht aber der erweiterte Georgios Monachos berücksichtigt.

Die anonyme Chronik bezeichne ich wie bisher mit P, ihren jüngeren durch Paris. 1712 vertretenen Ueberlieferungszweig mit p. Theophanes (T) citiere ich nach de Boor, Kedren (K) nach der Bonner Ausgabe, Leon Grammatikos (L) nach Cramer (Anecd. Paris. II 292 ff.), Theodosios Melitenos (TM) nach Tafel, Georgios Monachos (G) nach Muralt, Theodoros Anagnostes (TA) nach Valesius und Cramer (Anecd. Paris. II 90 ff.). Zu bemerken ist noch, dass alle dem chronologischen Schematismus zugehörigen bei de Boor in kleinerem Drucke wiedergegebenen Angaben des Theophanes fehlen, soweit nicht das Gegenteil ausdrücklich bemerkt ist. Der auf eine solche schematische Zusammenstellung folgende Abschnitt beginnt bei dem Anonymus regelmässig statt mit τούτῳ τῷ ἔτει mit τῷ πρώτῳ, δευτέρῳ u. s. w. ἔτει (αὐτοῦ).

Diokletian.

Διοκλητιανὸς τῷ γένει Δαλμάτιος υἱὸς ὑπογραφέως καὶ Διοκλίας ἐβασίλευσε χρόνους κ´ (L 292, 2) | *Οὗτος τῷ δ´ αὐτοῦ ἔτει Μαξιμιανὸν τὸν Ἐρκούλιον κοινωνὸν τῆς αὐτοῦ βασιλείας ἐποιήσατο* (T 6, 18 ff.) | *Τῷ δὲ ἕκτῳ αὐτοῦ ἔτει τὴν Ὀβούσιριν καὶ τὴν Κοπτὸν πόλεις ἐν Θήβαις τῆς Αἰγυπτίας ἀποστατησάσας* 5 *τῆς Ῥωμαίων ἀρχῆς εἰς ἔδαφος κατέσκαψεν* (T 6, 23 ff., K 467, 19 ff.)[1] |

Τῷ δὲ θ´ αὐτοῦ ἔτει Κωνστάντιον τὸν Χλωρὸν λεγόμενον καὶ Μαξιμιανὸν Γαλλέριον καίσαρας ἐποίησε. καὶ ὁ μὲν Διοκλητιανὸς δέδωκεν κτλ. = T 7, 3—6[2] (vgl. K 469, 20 ff.) | 10

Τῷ δεκάτῳ ἔτει Ἀλεξανδρεία σὺν τῇ Αἰγύπτῳ εἰς ἀποστασίαν ὑπὸ Ἀχιλέως ἀχθεῖσαι τῇ προσβολῇ τῶν Ῥωμαίων πλεῖστοι ἀπωλέσθησαν καὶ δίκην δεδώκασιν οἱ τῆς ἀποστασίας αἴτιοι (T 7, 19 f., K 470, 3 ff.) |

Τῷ ια´ ἔτει Διοκλητιανοῦ καὶ Μαξιμιανοῦ τοῦ Ἐρκουλλίου 15 *φρικτὸν διωγμὸν κατὰ τῶν Χριστιανῶν ἐξήγειραν καὶ πολλὰς μυριάδας μαρτύρων[3] ἐποίησαν κτλ.* = T 7, 17—19[4] (vgl. K 470, 6 f.) | *τοῦτο ἔτος ἦν κόσμου ͵εψπζ´* | *καί φησιν ὁ αὐτὸς Εὐσέβιος ὅτι ὁ μάγιστρος Ἄδακτος ἐμαρτύρει. τῆς δὲ γυναικὸς αὐτοῦ καὶ τῶν δύο θυγατέρων ζητουμένων παρὰ τῶν ἐχθρῶν φυγῇ ἐχρή-* 20 *σαντο διὰ τὸ μὴ φθαρῆναι τὴν αὐτῶν σωφροσύνην καὶ αὐτὰς κατὰ τοῦ ποταμοῦ ἔρριψαν. ζητεῖται οὖν εἰ ἀριθμοῦνται εἰς μάρ-*

---

[1] K 467, 19 beruht ζ auf Verschreibung für ς´. Während p in κατέσκαψεν mit den T - Hss d g y übereinstimmt, giebt K (nach der Bonner Ausg.) κατέσκαψαν mit den übrigen. Vgl. oben S. 5.

[2] 7, 4 ὁ — θυγατέρα | μαξιμιανὸς δὲ καὶ αὐτὸς τὴν θυγατέρα Θεοδώραν; vgl. die Hss d g y.

[3] So g. K μάρτυρας mit den übrigen.

[4] K τῷ δ´ 18. 19 ἐντάβιβλον mit allen Hss des T.

τυρας (T A Cram. an. Par. II 90, 20—26, L 292, 26-293, 1,
K 470, 8—11) |

25 Τῷ ιβ' ἔτει τῶν αὐτῶν νεωτερισμοῦ γεγονότος ἐν Γαλλίαις
παρ' Ἀμίνδου[1]) καὶ Αἰλλιανοῦ Μαξιμιανὸς ὁ Ἐρκούλλιος διαβὰς
Γαλλίας καὶ Βρεττανίαν κατέσχε, Κωνστάντιος δὲ Ἀλανίαν καὶ
Ἀφρικὴν ἐκράτησε. συνῆν δὲ καὶ Κωνσταντίνος ὁ υἱὸς Κωνσταντίου κομιδῇ νέος ὑπάρχων ἀριστεύων ἐν τοῖς πολέμοις
30 (T 7. 30 ff., K 470, 12 f.).

Τῷ ιγ' αὐτοῦ ἔτει τοὺς ἐν στρατείᾳ Χριστιανοὺς ἐξέβαλον
(T 8, 24 f., K 470, 14).

Τῷ ιζ' αὐτοῦ ἔτει Γαλλέριος καὶ Μαξιμιανὸς κατὰ Ναρσοῦ
τοῦ τῶν Περσῶν βασιλέως τὼ[2]) τηνικαῦτα τὴν Συρίαν κατα-
35 δραμόντος καὶ ληϊζομένου ἐξῇεσαν. καὶ τοῦτον μὲν ἐδίωξαν
μέχρι τῆς ἐνδοτέρας Περσίδος καὶ κατέσφαξαν πᾶν στρατόπεδον
καὶ τὰς τούτου γυναῖκας καὶ παῖδας καὶ ἀδελφὰς παρέλαβον[3])
καὶ πάντα ὅσα ἐκεῖνος ἐπεφέρετο, χρημάτων θησαυρούς. ἀφελό-
μενοι ὑπέστρεψαν πρὸς Διοκλητιανὸν ἐν Μεσοποταμίᾳ διάγοντα.[4])
40 οὓς καὶ ἀσμένως ὑπεδέξατο καὶ λαμπρῶς ἐτίμησε. ἀρθεὶς δὲ
ὑπὸ τῆς τῶν πραγμάτων εὐροίας Διοκλητιανὸς προσκυνεῖσθαι
ὑπὸ τῶν συγκλητικῶν καὶ οὐ προσαγορεύεσθαι ἀπῄτησεν. ἀλλὰ
μὴν καὶ πρῶτος τὸ βασιλικὸν ὑπόδημα χρυσίῳ καὶ λίθοις τιμίοις
καὶ μαρ (fol. 82 v) γαρίταις[5]) καλλωπίσας (T 9, 1—20, K 470.
45 15—18) | ἐθριάμβευσε. θρίαμβος δὲ ὠνομάσθη ἀπὸ τῶν ἐπῶν
τῶν[6]) εἰς τὸν Διόνυσον, θρίασιν γὰρ τὴν τῶν ποιητῶν μανίαν
λέγουσιν,[7]) ἢ ἀπὸ τοῦ θρία τὰ φύλλα τῆς συκῆς ἀνακειμένης τῷ
Διονύσῳ (L 292, 16—18; vgl. Exc. Salm. Cram. an. Par. II
398, 10—13; K 470, 22—471, 3) | Τότε καὶ ὁ μέγας ἐν ἁγίοις

---

1) παράμίνδου Ms.

2) Der Fehler ist nicht zu korrigieren, da die zugrunde liegende
T-Hs τῶ (oder τώ) gab; vgl. de Boors Apparat.

3) παρέλαβεν Ms., vielleicht, weil T gehörig, nicht zu ändern.

4) διάγοντος Ms.

5) μαργαρίτας Ms.

6) ἐπῶν τῶν| ἐπόντων Ms.

7) λέγει Ms.

Σίλβεστρος τῆς Ῥώμης ἐκκλησίας ἐκράτησε ἐπὶ χρόνους κη΄ 50
(Τ 8, 31, Κ 471, 3 f.) | Κωνσταντίνου¹) δὲ τοῦ υἱοῦ Κωνσταντίου²)
ἐν τῇ ἀνατολῇ κτλ. = Τ 9, 21 – 28,³) Κ 471, 5 – 12 |

Τῷ ιη΄ ἔτει Διοκλητιανοῦ Θεοτέκνῳ γόητι πειθόμενος Γαλλέριος ὁ Μαξιμιανὸς διωγμὸν κατὰ τῶν Χριστιανῶν ἤγειρεν
(Τ 9, 30 ff., Κ 471, 13 f.) | 55

Τῷ δὲ ιθ΄ αὐτοῦ ἔτει προστάγματα⁴) βασιλικὰ ἐδόθησαν
τὰς ἐκκλησίας τοῦ Χριστοῦ ἐξεδαφίζεσθαι καὶ τὰς θείους⁵)
βίβλους κατακαίεσθαι, ἱερεῖς δὲ καὶ πάντας Χριστιανοὺς ἢ θύειν
τοῖς εἰδώλοις ἢ ἐν βασάνοις ἀνυποστάτοις ἐναποθνήσκειν (Τ 10,
5 ff., Κ 471, 20 ff.) | 60

Τῷ εἰκοστῷ ἔτει Διοκλητιανὸς καὶ Μαξιμιανὸς ὁ Ἐρκούλλιος ἐξ
ἀνοίας⁶) τὴν βασιλείαν ἀπέθεντο ἰδιωτικὸν κτλ. = Τ 10, 12 – 14
Λυκ.⁷) (vgl. Κ 472, 1 f.) | καταστήσαντες ἀντ' αὐτῶν κτλ. = Τ 10,
18 – 24 Γάλλ.⁸) (Κ 472, 3 – 5) | καὶ ὡς δι' αὐτοῦ ἀπαλλαγέντες
τὸ πικρὸν Διοκλητιανοῦ καὶ τὸ φονικὸν Μαξιμιανοῦ (Τ 10, 25 f.) | 65
οὗτος τελευτᾷ κτλ. = Τ 10, 26 – 11, 4 Βαλ.⁹) (Κ 472, 13 τελ. δὲ ἐν
Βρ., 16 – 22) | ἦν δὲ τῇ ἰδέᾳ ὁ μέγας Κωνσταντῖνος τοιόσδε·
τὴν μὲν τοῦ σώματος ἀναδρομὴν ὡς μήτε μακρὸν εἰπεῖν μήτε
βραχύν, εὐρύτερος δὲ τοὺς ὤμους κτλ. = Κ 472, 24 – 473, 8¹⁰)

---

¹) κωνσταντῖνος Ms.
²) κωνσταντίνου, aber νου von spät. Hand.
³) 22 τῶν χριστιανῶν | γαλλέρι | 25 τῇ] τῆς | 24 καταλύτην | 28 τῶ
σώσωσι. εὐχαριστῶν χριστῷ.
⁴) Korr. aus προστάγματι.
⁵) So schon die T-Hs; daher ist nicht zu ändern.
⁶) So g. Κ mit den anderen ἀπονοίας.
⁷) 14 ὁ μαξιμ.
⁸) 19 μαξιμ. τὸν διοκλητιανοῦ γαμβρόν | κωνστ. τὸν ἐρκουλίου γαμβρόν |
21 τὸ fehlt | γὰρ] δὲ | 23 χρημάτων κτῆσιν] τὰ χρήματα | 24 τὸν γάλον.
⁹) 10, 28 αὐτοῦ υἱὸν | 10, 30 – 11, 1 καὶ Ἀναβ.-Ἐρκ.] τοῦ πατρὸς ἰου-
λιανοῦ καὶ γάλλου τοῦ καὶ δαλματίου τοῦ πατρὸς τοῦ νέου δαλματίου, μεθ'
ὧν καὶ θυγατέρα εἶχε, κωνσταντίαν τὴν λικιννίου γαμετήν, ἐκ θεοδώρας τῆς
θυγατρὸς ἐρκουλίου γεννηθῆσης | 4 διοκλητιανοῦ ἦν | βαλλερία.
¹⁰) 472, 24. ὅθεν δὴ καὶ τραχηλὰν | 478, 1 ἀπωνόμαζον fol. 83 r |
ἐρυθρὸς καὶ | 2 οὐλὴν | 3 φυεῖν | πολλαχόσε | τὴν δὲ | 4 λέοντος | χαρίεις δὲ |
παιδείαν | 5 μετρίως | ἐγκρατὴς (in der Bonner Ausg. verdruckt) | 6 εἰς

70 (vgl. L 294 not. 28) | *Γαλλέριος*[1]) τοίνυν ὁ καὶ *Μαξιμιανὸς* ἐπὶ
'Ιταλίαν ἐλθὼν ἐχειροτόνησε καίσαρας δύο καὶ ἐπέστησε Μαξι-
μῖνον μὲν τὸν ἴδιον υἱὸν κτλ. = K 473, 10—14[2]) (T 11' 4—8) |
ὅθεν ὁ 'Ερκούλιος[3]) εἰς ἐπιθυμίαν πάλιν τῆς βασιλείας ἀρθεὶς
ἐπεχείρησε μὲν ἀποδῦσαι τὸν ἴδιον υἱὸν *Μαξέντιον* τῆς ἀρχῆς,
75 τὸν δὲ γαμβρὸν *Κωνστάντιον* δόλῳ ἀνελεῖν κτλ. = T 11, 11—15
ἀνέλ.[4]) | καθὰ καὶ ὄπισθεν εἴρηται. καὶ ὁ μὲν *Διοκλητιανὸς* νόσῳ
μακρᾷ δαπανηθεὶς (T 11, 16. 17) | καὶ τῆς γλώσσης αὐτοῦ
σαπείσης μετὰ τοῦ φάρυγγος πληθὺ δὲ σκωλήκων[5]) ἀναβράσας
τὸ πνεῦμα αὐτοῦ βιαίως ἀπέρρηξεν (L 292, 21—22) | ὁ δὲ
80 'Ερκούλλιος ἀγχόνῃ τὸν βίον μετήλλαξεν (T 11, 16) | καὶ οὕτως
ἐκποδὼν γεγόνασιν οἱ δυσσεβεῖς καὶ ἀλιτήριοι (T 11, 19).

Es liegt also in der Hauptsache der stark gekürzte Bericht
von T vor. Die Einschiebsel sind z. T. gleichfalls aus T abgeleitet; so stammen die Zusätze zu T 10, 19 aus T 7, 3 ff.
(= P Z. 10), die Verwandtschaftsangaben zu 10, 30 aus der
genealogischen Tabelle T 19, 1 ff.; die Zeitangabe zu T 7, 19 war
aus dem bei T unmittelbar Folgenden leicht zu gewinnen; die
Notiz über Silvester Z. 49 f. ist aus T 8, 31 in die Jahreserzählung
hineingerückt. Hauptquelle für Ergänzungen ist die in dem
früher von mir behandelten Abschnitte (vgl. Byz. Z. 5 [1896]
S. 484 ff.) zugrunde gelegte Epitome. Aus dieser stammt der Eingang Z. 1 f. bis auf die Worte υἱὸς ὑπογραφέως καὶ Δ., die Erzählung von Adaktos und der Mutter mit ihren Töchtern Z. 18 ff.[6]),

---

fehlt | κεκοσμ.] κεκτημένος | ἐν τούτῳ] ὡς τοῦτο | τὰ πολλὰ | 7 τὰς τοῦσ. νόσ. |
αὐτῷ | 7. 8 ἀπειλοῦντος δὲ λώβ.

[1]) *Βαλλέριος* Ms., *B* (rot) mit der rechten Hälfte seines oberen Teiles
auf Rasur.

[2]) 11 ἐφ'| ἀφ' | 12 αὐτῶν | μακρίνοντες | ἐφυγάδευσαν | 13 σευθρον |
14 ἐρκουλλίου.

[3]) Ein zweites λ von spät. Hd.

[4]) 11 ἀνελθεῖν | 12 ἀπηλλάθι | ἐν δὲ τῇ] ἐκ δὲ τῆς | 14 καὶ fehlt |
15 ἐρκουλλίῳ | ἀποθέμενοι.

[5]) σκωλήκω Ms.

[6]) Auch hier, wie mehrfach in dem früher behandelten Abschnitte,
nennt P die Quelle, während L sie unterdrückt. Die Erzählung ist aus
T A entnommen, aus dessen von dem Eklogarius b. Cram. anecd. Par. II

die Angaben über Diokletians Triumph und die Herkunft des
Wortes θρίαμβος Z. 45 ff. (aus der gleichen Quelle im Vorhergehenden das Wort πρῶτος, vgl. L 292, 13)[1]), die Personalbe-
schreibung Konstantins Z. 67 ff.[2]) und die Schilderung von Diokletians Krankheit und Tod Z. 77 ff. Anderweitiger Herkunft
sind die Angabe über Diokletians Eltern Z. 1 f., der Zusatz τὸν
Χλωρὸν λεγόμενον Z. 8 (vgl. G 381, 13) und die Bemerkung über
die Vorfahren des Basileios Z. 72 = K 473, 11 f. (vgl. Nic.
Call. VII 17 p. 1241 b, wo ich das Quellenverhältnis dahingestellt sein lassen muss).

K hat neben P noch G und die Epitome herangezogen,
welch letztere also teils direkt teils indirekt zu seiner Kompilation beigesteuert hat. In diesen drei Quellen geht die
ganze Darstellung bis auf die eine Notiz καὶ Σαββάτιος . . .
ἐγνωρίζετο 464, 23 f. glatt auf. Zu 464, 14—17 ἐκιν. vgl.
L 292, 2—5; nur giebt K ἔτη κβ' statt ἔτη κ' als Regierungszeit. 464, 17—20 = G 371, 15—18[3]); 20—23 = G 372, 13
—15; 465, 1—466, 6 = G 373, 4—374, 11; 466, 7—24 = G
374, 13—375, 11; 467, 1—13 = G 375, 13—376, 4; 467, 14
—18 = G 376, 6—11. Es folgt die Notiz über die Zerstörung

90, 20 ff. (vgl. auch Georg. Mon. 372, 22 ff.) wiedergegebener Darstellung
auch das Missverständnis erklärlich wird, wonach bei P und L die drei
Frauen als Gattin und Töchter des Adaktos — auch diese Namensform
stimmt mit TA — bezeichnet werden. Bemerkenswert ist übrigens,
dass auch der Eklogarius Eusebios als Gewährsmann nicht nennt.

[1]) Die Salmasischen Exzerpte stehen hier im Wortlaute der Epitome
näher als dies bei L der Fall ist. Aber am Schlusse war wohl ἀπὸ τοῦ
θρία τὰ φύλλα τῆς συκῆς ἀνακειμένης Διονύσῳ ὀνομάζεσθαι, wie L mit Auslassung von ἀνακειμένης Διονύσῳ schreibt, das Ursprüngliche. Nachdem
durch Kopistenversehen ὀνομάζεσθαι ausgefallen war — diese Stufe vertreten P und Suid. s. v. θρίαμβος — wurde durch Einführung der Gene-
tive τῶν θρίων τῶν φύλλων eine Heilung versucht — so die Exc. Salm.

[2]) Es lag also wie früher, so auch jetzt eine Epitome der erweiterten
Fassung (Patzig Byz. Z. 3 [1894] 474 ff.) vor.

[3]) Im Mosquensis des Georgios (p. 371, 9—18 Mur.) sind die Epitome
und G in gleicher Weise kombiniert wie in K, der sonst nur die reine
Georgiosüberlieferung vertritt (de Boor Byz. Z. 2 [1893] S. 4). Das kann
sehr wohl auf Zufall beruhen, verdient aber doch bemerkt zu werden.

von Busiris und Koptos nach P.[1]) Das neunte Jahr beginnt
K noch nach P mit den Worten τῷ ϑ′ ἔτει, schliesst aber
daran sofort die Abschnitte aus G über die Pest und die
Hungersnot unter Maximian und den armenischen Krieg (467,
21—468, 3 = G 381, 5—9; 468, 3—469, 4 = G 380, 8—381, 3)
sowie über die Krankheit des Maximian (469, 4—19 = G 379,
3—19 mit Auslassung von 5—8 und 11—13 λαβροτέρως—
μορφῆς). Letzteren Bericht bezieht er aber irrtümlich, nachdem er im Eingange von οἱ τύραννοι gesprochen hat, auf
Diokletian: νόσῳ γὰρ δεινοτάτῃ ὁ Διοκλητιανὸς μετὰ τὴν
ἀπόθεσιν τῆς βασιλείας περιπεσὼν (das gesperrt Gedruckte
ist Zusatz von K). In dem Krankheitsberichte finden sich
zwei Einschübe: der eine (καὶ σὺν τούτοις ἐκτυφλοῦται καὶ
πηρὸς ὁ δείλαιος ἀποκαϑίσταται Z. 11 f.) lag K bereits vor;
denn sein Urheber weiss, dass es sich um Maximian handelt
und fügt ein Moment aus dessen letzter Krankheit (T 15, 23 f.
G 387, 11 f.) ein; der andere (κἀντεῦθεν ἐλεεινῶς διαφθειρόμενος
κτλ. Z. 12 ff.) rührt von K selbst her und giebt einen Zug aus
Diokletians Krankheit nach P Z. 77 ff. oder der Epitome
(L 292, 21 f.)

Am Ende dieses Passus leitet der Satz καὶ ταῦτα μὲν
ὕστερον συμβέβηκε τῷ ἀλιτηρίῳ wieder zur annalistischen Erzählung zurück. Die Schaffung eines neuen chronologischen
Gefachs (τῷ δὲ ϑ′ καὶ ι′ ἔτει; das Erzählte gehört nach P noch
ins achte Jahr) ist wohl eine Verlegenheitsauskunft, da der
Verfasser, nachdem er das achte Jahr mit einer längeren Abschweifung verlassen hatte, auf dieses nicht mehr zurückkommen mochte. In der Erzählung folgt K zunächst P,
fügt aber zu τὸν λεγόμενον Χλωρὸν nach G 381, 13 διὰ τὴν
ὠχρότητα τοῦ προσώπου αὐτοῦ. 469, 22 πεισ. — 470, 1 Γαλλ.
stammt aus der Epitome (= L 292, 7—9); der ungeschickte
Zusatz 470, 2 ἤτοι τοῦ Διοκλητιανοῦ θυγάτηρ, zu welchem
P Z. 10 = T 7, 3 das Material geliefert haben könnte, ist
wohl von späterer Hand gemacht. Im Folgenden (bis 473,

---

[1]) Nur ist ζ′ aus ϛ′ verschrieben.

14) sind der Epitome entnommen die Abschnitte 470, 18—22
= L 292, 12—16; 471, 14—19 = L 293, 1—6; 472, 2 ἐν μιᾷ
ἡμέρᾳ = L 292, 19—20; 472, 5—9 = L 292, 20—25; 472,
10—13 ἐπ. = L 293, 13—16 (vgl. auch TA Cram. an. Par. II
90, 31 ff.); 472, 13 βασ. —16 πόλ. = L 293, 9—10. Bei 470,
22 ὤν. —471, 3 Διον. ist zwischen P und der Epitome keine
Entscheidung möglich; im Anfange ist die Wortstellung die
von L; das Folgende stimmt bis auf den Schreibfehler Διονυσίῳ
genau mit P. 471, 6 ist μετὰ τοῦ Γαλλερίου Zuthat von K.
Alles Uebrige gehört P.[1])

Konstantin d. Gr.[2])

*Τῷ οὖν ͵ϛωιγ΄ ἔτει τοῦ κόσμου Κωνσταντῖνος ὁ θειότατος
καὶ χριστιανικώτατος Ῥωμαίων ἐβασίλευσεν ἐν Γαλλίαις*[3]*) καὶ
Βρεττανίᾳ, τῷ οὖν πρώτῳ αὐτοῦ ἔτει τῆς δὲ θείας σαρκώσεως
ᾷλζ΄ τέσσαρες κτλ.* = K 473, 18—474, 9 ἐπετ.[4]) (vgl. T 11, 33 ff.) |
τούτῳ οὖν ἡ θεία δίκη ἐπῆλθε διὰ κτλ. = T 13, 5—14 πράξ.[5]) | 5
*διὰ τοῦτο ἀναγκασθέντες οἱ Ῥωμαῖοι πρεσβείαν πρὸς Κωνσταν-
τῖνον ἐποίησαν κατὰ τοῦ δυσσεβοῦς Μαξεντίου* (K 474, 9 f.) | *ὁ δὲ
πρὸς ἄμυναν καὶ βοήθειαν τούτων διηγέρθη καὶ κατάλυσιν τοῦ*

---

   [1]) Eine Reihe von Lesarten, in welchen K von P resp. p abweichend
mit dessen Quelle übereinstimmt, führt auf Textesverderbnisse in p. So
hat p Z.19 ἐμαρτύρει, TA Cram. an. Par. II 90, 20, L 292, 26, K 470, 8
ἐμαρτύρησα; Z 22 ζητεῖται, TA 90, 25. L 292, 29. K 470, 11 ζητητέον. Die
Auflösung des Μαξιμιανὸς Γαλλέριος in zwei Personen p Z. 33 ist K
470, 15 fremd (vgl. auch in p das, wie es scheint, aus dem ursprünglichen Texte stehen gebliebene παρέλαβεν Z. 37). 471, 5 giebt K richtig
ἀντὶ τοῦ Κωνσταντίου (vgl. p Z. 51).
   [2]) Am oberen Rande rot: ῥωμαίων βασιλεὺς κωνσταντῖνος ὁ θειότατος
πολυχρονιώτατος ἔτη λβ΄.
   [3]) γαλλίαις Ma.
   [4]) 473, 19 στενήρω | μαξιμίνω | 20 ἐρκουλλήω | 21. 22 ὑπερβάλλειν ἔσπευ-
δον | 22 τῶν χριστ. | πόλεμον| διωγμόν | 23 ἀνατομάς | 474, 1 μαντεία | ἁρπαγάς |
φόνους; | ἐκτεμνόμενος | ἐκτίννυον | 5 ὑπακρινομένω | 6 εὐσέβιαν | 7 τὰς γυναῖκας |
8 δαίμοσι.
   [5]) 8 ἐτύγχανε | 9 πολύσαρκος fol. 83 v | οὗτος γὰρ | 11 πάντας | 18 ἀλλὰ
μήπω τοῦ τραύμ. | 14 ἐγρήγορεν ἀγόμενος.

τυράννου (T 13, 29 f.) | ὁ δὲ *Μαξέντιος* κτλ. = K 474, 11 – 475, 5
10 *ἀνεκ.*[1]) (T 13, 30 – 14, 28) | καὶ ὑπὸ *Σιλβέστρου* κτλ. = K 475, 6
—477, 4 *γέγ.*[2]) (zu K 476, 5 – 8 vgl. T 17, 28—31; zu 11—15
T 18, 8—13) | *Τούτῳ τῷ ἔτει* κτλ. = T 14, 33 —15, 3[3]) (K 477,
4 f.) |'*Ἐν δὲ τῷ δεκάτῳ ἔτει* κτλ. = K 477, 6 —17 *ψυχ.*[4]) (T 15,
5 –15, 19 —26) | *Τῷ αὐτῷ δὲ τρόπῳ* κτλ. = K 477, 17 —20.[5]) |
15	*Τῷ δωδεκάτῳ ἔτει* κτλ. = T 15, 28—32[6]) (K 477, 21
—478, 1 *διωγ.*) |

---

[1]) 474, 11 *παραρέοντα* | *πόλει ῥώμη* | 11. 12 *νηυσί* | 12 *ἀντεπαρετάξατο* |
13 *τοῦ* fehlt | 14 *διὰ τοῦτο φαίνεται αὐτῷ* | 15 *κατὰ σκευασμένος* | *δι᾿ ἀστέρων*
fehlt | 17 *νίκα· καὶ τῇ μητρί μου οἰκοδομήσεις πόλιν ἐν ᾧ τόπῳ σοι ὑπο-
δείξω* | 18 *ὅς ἐστι* | *προάγειν αὐτῷ ἐν* | 19 *τὸν μαξ.* | 20 *καὶ ... Μαξ.*] *ὧν οἱ
πλείους ἀνῃροῦντο μαξέντιος δὲ* | 20. 21 *φεύγων τῇ γεφύρᾳ ἐπέβη* | 22 *πάντας
κατεπ.*] *καταποντίζεται ὡς πάλαι καὶ φαραὼ πανστρατί* | 475, 2 *αὐτῷ* | 3. *αὐτοῦ
βασιλείας* | 3. 4 *τὴν ῥώμην* | *ἐξορία.*
[2]) 475, 7 *ἐλευθεροῦται* | 7. 8 *τὴν κατά* über d. Zeile | 10 *ἀπό*, o auf
Rasur | *αὐτῷ* | 11 *μετὰ τῶν μητέρων τὰ βρέφη* | 12. 13 *ὀδυρμοὺς πληγάς τε
στηθῶν καὶ τριχῶν ἐκκοπὰς καὶ ἄλλα ὅσα ὀδυνομένης ἐστὶ ψυχῆς* | 14 *γενό-
μενος μᾶλλον εἶπε καλόν ἐστιν ἐμέ* | 15 *τὰ ἐκτὸς αἰτίας βρ.* | 15. 16 *τὸ τέλος
τίς εἶδεν ὁποῖον* | 17 *εἰρήνη* fol. 84 r | hinter *τοι* über d. Z. v. spät. Hd.
ῥήκτη (= *νυκτί* vgl. G 382, 22) | 18. 19 *αὐτῷ* | 20 *σοι*] *αὐτῷ* | 21 *θεραπευθῆναι* |
21—23 *ὁ οὖν σιλβ. διὰ τοὺς ἐπικ. διωγμ. ἐν ψυγ. ὑπάρχων ἔρχεται πρὸς
αὐτὸν καὶ κατηχήσας καὶ τὰ νενομισμένα τελέσας βαπτίζει. καὶ εὐθέως ἀπό* |
23—476, 1 *ἀνερχόμενος ὁ μέγας κωνσταντῖνος* | 476, 2 *ἐκαθερίσθη* (sic) *καὶ
ἐγένετο ὅλως ὑγιὴς καὶ καθαρὸς ὡς παιδ.* | 3 *κρίσπος* | 6 *εὐσεβείου* | *τοῦ Ἀρ.*]
ἀρειανοῦ ὄντος | 7. 8 *γάρ τινες ὅτι διὰ τὸ ἐλπίζειν αὐτὸν βαπτ. ἐν τῷ ἰορδ.
ποταμῷ τούτου χάριν ἀνεβάλλετο τὸ βάπτ. τί γὰρ* | 8 *ἐμπόδιον* | 9 *τῷ γαλλερίω* |
9. 10 *πάλιν* fehlt | 11. 12 *ἀλλὰ τοῦτο* (sic) *οἱ πάσης κακίας ἀνάμεστοι ὡς
νόθον διαβάλλουσιν. ἡ γὰρ γενεαλογία αὐτοῦ βασιλικὴ* | 13 *θυγατρός* | 15
μέγα | *καθὼς λέλεκται* fehlt | 16 *τούτου οὖν* | *τοῦ οὖν κωνσταντίνου* | *θαύματα* |
17 *δὲ παρείς*] *γὰρ εἰς* | 18 *καπετωλίω* | *ἔχοντα* | 20 *εἰδῶν* | 21 *ἀλλ᾿* | *ἐπικύ-
πτων* | 477, 1 *τῇ ... Χριστοῦ*] *ἐν χριστῷ ἰησοῦ* | 1. 2 *ἀπέκτεινεν* | 3 *μητρογάντος* |
τέταρτος ἐπίσκοπος βυζαντίαι.
[3]) 14, 33 *ὁ* fehlt | 33. 34 *ἐπιπηδ ... ἐπιτρ.*] *τῆς βασιλείας ἐπιπηδήσας* |
35 *Μαξιμιανός*] *μαξιμίνος* | *ὁ* vor *Γαλλ.* fehlt | 15, 2 *κατεπνώθη καὶ ἠφανίσθη.*
[4]) 6 *ἐν δὲ* | *ὁ μέγ. Κωνστ.* fehlt | 6. 7 *λικιννίω* | 7 *κατά ... πολεμοι*
*ζήλω θεοῦ φερόμενος ἐπεστράτευσε κατὰ μαξιμιανοῦ τοῦ γαλλερίου τὴν ἰδίαν
διέποντος* | 9 *κώμης* fol. 84 v | 10. 11 *καὶ προφ.*] *προφήτας τε* | 14 *μυρίας*[...]
15 *πεποίηκε* | 16 *ὀστῶν.*
[5]) 17 *μαξιμίνος* | 18 *μιαρότατος.*
[6]) 28 *λικιννίω* | 30 *ἀπέν.*] *δίδωσιν αὐτῶ* | *αὐτὸν* fehlt | *καὶ βασ.* | *ἀπαι-*

Τῷ δὲ ιδ΄ αὐτοῦ ἔτει ὁ μέγας Κωνσταντῖνος κτλ. = Τ 16, 12—20 αὐτ.[1]) (Κ 478, 3—11) | *τὴν δὲ πῆχνν κτλ.* = Τ 16, 24—26 Ἑλλ.[2]) (Κ 478, 11—13) | *τούτων οὕτως ἐχόντων κτλ.* = Τ 16, 21 —24 συνθλ.[3]) | 20

Τῷ ιε΄ ἔτει τῆς βασιλείας Κωνσταντίνου Λικίννιος ἤρξατο κτλ. = Τ 16, 30—17, 5[4]) (Κ 495, 12—15). |

Τῷ ις΄ καὶ ιζ΄ καὶ ιη΄ ἔτει αὐτοῦ τὰ κατὰ Ἀρείου ἐπράχθη (Κ 495, 16 f.) | *οὗτος οὖν τὴν αἵρεσιν αὐτοῦ ἐπ' ἐκκλησίας κτλ.* = Τ 17, 9—12[5]) | *τοῦτο μαθὼν κτλ.* = Τ 17, 14—22[6]) (Κ 495, 25 19—22) | *ἐν ταύταις ταῖς ἡμέραις κτλ.* = Κ 495, 23—497, 2.[7]) |

Τῷ ιθ΄ τοίννν ἔτει τῆς αὐτοῦ βασιλείας θεωρῶν Λικίννιον ὁ μέγας καὶ εὐσεβὴς Κωνσταντῖνος μανικώτερον καὶ ἀπηνέστερον[8])

τήσας δὲ αὐτῶ | 31 *καὶ συνθ.* | *πράττεις* (sic) *κακόν* | 32 *καθ' ἡμῶν*] *κατὰ χριστιανῶν.*

[1]) 13 *πᾶσαν τὴν εὔνοιαν αὐτοῦ εἰς τὴν θείαν μετήγαγε φροντίδα* | 16 *ἀφιερωμένοις ναοῖς* | *συννενομοθέτει* , 18 *τε*] *δὲ.*

[2]) 26 *Ἕλλησι.*

[3]) 21—22 das Homoiotel. *εἰρήνη . . . προσερχόντων* fehlt | 23 *τοῦ χριστοῦ.*

[4]) 16, 33 *μέγα* | 17, 1. 2 *διὰ γραμμ. νουθετῶν ὁ θ. κωνστ. ἀποστ.* | 3 *βασίλειον* | *ἀμασίας* | 4 *τεσσαράκοντα* fehlt | *μεγαλομάρτυρας* | *βασάνων* fol. 85 r. Am Rande rot zu diesem und d. folgend. Abschn.: *ἣν ἔκπαλ ᾤδινεν ὁ κατάρατος μανίαν διὰ δὲ τὸν ἐν ἁγίοις μέγαν βασιλέα κωνσταντῖνων φόβον προφανῆ οὐκ ἐδείκνυ, νῦν εἰς τὸ ἐμφανὲς ἐνερρίπισε. πῶς ὁ μιαρὸς ἄρειος τὴν ἑαυτοῦ αἵρεσιν ἐφανέρωσε. ὅρα τὴν τοῦ θείου βασιλέως περὶ τὴν ἐκκλησίαν σπουδήν.*

[5]) 9 *εἰργάσατο μέγα* | 10 *βλέπειν* fehlt | 11 *τῆς τοῦ θεοῦ ἐκκλ.* | *λαβρώτατος* | 12 *ὀλέσθαι.*

[6]) 14, 15 *τὴν . . . λυπηθείς*] *ἐλυπήθη σφόδρα καὶ* | 17, 18 *τὸν ὅσιον ἐπίσκοπον κοδρούβης* | 18 *ἀλεξανδρία* | *διορθωσάμενος* | 21 *κώνσταντα* | 22 *προσήλλιισι.*

[7]) 495, 23 *πλησίον Ῥώμης* fehlt | 24—496, 1 *ὅπερ ἦν* fehlt | 496, 1 *οἰκοδομεῖν* | 2 *τὰ* fehlt | *χώρας* | 2. 3 *θεσσαλωνίκη* | 3 *ἐκεῖσε* | 4 *εἰσαγωγικὰς* | 5 *εἶδεν* | 6 *καταλιπάνει* | *βιθυνὸν χαλκηδόνος* | *ἔρχεται καὶ ταύτην* | 7 *ἀνοικοδομὴν* | *εὐθὺς* | 8 *λίθους* | *λίνους* | 9 *γενομένου καὶ* | 9. 10 *διαπορουμένων* | 12 *ἀπελθόντα φιλοτεχνῆσαι* | *τόπον* | 13 *τοῦ ἔργου ἐπιστάτην* | 14 *ὁ βασ.* | 15 *τοῦ θεοῦ* | *δραχμὴ ἀπεγράφε* | 17 *καν. ὑπογ.*] *καναλίους καράβους* | 18. 19 *ἤρξατο* | 19 *Ῥωμ.*] *ῥωμαίων* | 21 *δακτύλους* | 22 *οἴκους . . . περιφανεῖς* fehlt | 23 *αὐτοῖς* | 497, 2 *πάλιν* *αὖθις.*

[8]) *ἀπεινέστερον* Ms.

τῷ διωγμῷ κατὰ τῶν Χριστιανῶν χρώμενον καὶ ἐπιβουλὴν κτλ.

30 = Τ 19, 26—20, 8 πράγμ.[1]) (vgl. Κ 497, 3—14) | τότε καθιστᾷ
ὁ μέγας Κωνσταντῖνος[2]) τοὺς ἰδίους παῖδας καίσαρας (Τ 20, 11.
12, Κ 497, 14. 15) | καὶ κυριακὰ πρὸς ἐπιστροφὴν τῶν ἐθνῶν
κατὰ τόπους εἰς τιμὴν τοῦ θεοῦ πεποίηκε (Τ 20, 18—19, Κ 497,
15—16) | τῷ δ' αὐτῷ ἔτει καὶ Μαρτῖνος κτλ. = Τ 20, 20 - 26[3]) |

35 Τῷ εἰκοστῷ ἔτει τῆς Κωνσταντίνου Αὐγούστου βασιλείας τῇ
δὲ κβ' τοῦ Μαΐου μηνὸς ἰνδικτιῶνος δωδεκάτης (vgl. Τ 22,
14—15) | ἐγένετο ἡ ἐν Νικαίᾳ ἁγία κτλ. = Τ 21, 12—22, 13
ἐκοιμ.[4]) (Κ 497, 22) | τῷ αὐτῷ οὖν ἔτει, ὡς εἴρηται, συνέστη ἡ
ἁγία καὶ οἰκουμενικὴ πρώτη σύνοδος καὶ ἔγραψεν ἐπιστολὴν ἐν

40 Ἀλεξανδρείᾳ κτλ. = Τ 22, 16—23, 6 ἐξαπ.[5]) | τοῦ δὲ βασιλέως κτλ.
= Τ 23, 7—14 ἄλαλ. (Κ 498, 18—499, 1)[6]) | τῷ δὲ ἐπισκόπῳ
κτλ. = Τ 23, 14—18 ἔστεψε[7]) | καὶ δι' ὀπτασίας κτλ. = Κ 497,
23—498, 2 ἐκαλλ.[8]) (vgl. Τ 23, 19 f.) | πολυπραγμονήσασα δὲ

---

[1]) 20, 1 τε fehlt | 2 πολέμου δὴ fol. 85 v | συνλαμβάνεται | 3 τὰς fehlt |
5 ἐκπέμπον | 5. 6 φρουρ. ὡς δὲ καὶ ἐπεὶ μετ' οὐ π. βαρβ. | 6 ἔμελλεν | 6. 7
εἰ ... Κωνστ. fehlt | 8 κελεύει | γαλήνης ἀπήλαυσε.

[2]) κωνσταντίνος Ms.

[3]) 21 λικιαννός | λικιννίου | ὁ καῖσαρ | 22 σαρσῆς | ὁ fehlt | 23 ἄμμι-
δαν | 24 Κωνστάντιος ... παῖς] κωνστάντιος καῖσαρ ὁ υἱὸς κωνσταντίνου
(καῖσαρ ὁ υἱ auf Rasur) | 24—26 πταίσας ... Ναρσῆν] αὐτὸν ἀναιρεῖ.

[4]) 21, 13 θεοφόρων πατέρων κατὰ ἀρείου τοῦ δυσσεβοῦς | 14 περιφέροντες |
16 καὶ ὀνησιβῖνης καὶ ἰάκωβος | 18 ἐξῆρχεν | 19 βίτος | 20 ἀντιοχείας | 21
ἐκύρωσε | βεροίης | 24 ὁ παῦλος ὁ νέος καισαρείας | 26 τῶν] τῷ | 27 ὁ vor
Παμφ. fehlt | τὴν χρείαν | 29. 30 καθεῖλεν καὶ τὸν ὁμόφρονα αὐτοῦ, εὐσέβιον
τὸν νικομηδείας καὶ τοὺς περὶ αὐτῶν ἥγουν θεόγνην, μάρην, νάρκησον, θεό-
φαντον καὶ πατρόφιλον χωρὶς εὐσεβίου (vgl. Τ 22, 4 f.) | 22, 1 χειροτο fol. 86 r |
ἐκέλευσε] ἐποίησε | 2 ἀπαγγελομένην | 3 εὐσέβειος | 4. 5 Θέογνις ..., Πατρό-
φιλος] οἱ σὺν αὐτῷ ἀρειανόφρονες | 5 οἳ συντ.] οἱ καὶ συντ. | 9 πίστεως οἱ
θεοφόροι πατέρες | 10 ὑπογράψαντες αὐτῷ | πανευσ.] θεοφρουρήτῳ | 11 εὐφη-
μήσαντες οὕτως διελύθη ὁ σύλλογος | 12 κωνσταντίνου τοῦ βασιλέως.

[5]) 22, 18 θεωνᾶ καὶ τῶν λοιπῶν αἱρεσιαρχῶν | τοῦ μελετίου | 25 ἀπο-
κηρυττούσας | 26 συγγράμματα | 27 γίνεσθαι | 28 εἰκοσαετηρίδος | 30 κλη-
σθείς | 23, 3 ἐπιδεδώκασι | κατέκαυσαν | 6 ἐξαπέστειλε.

[6]) φιλοσόφων] σοφῶν | 8 πράττοι | 9 φιλοσόφων fol. 86 v | 12 ἐν τῇ ...
13 ἡμῶν θεοῦ.

[7]) 17 γολγοθᾶν.

[8]) 498, 1 πάντας | 2 αὐτῷ | ἐναλλάπισε.

περὶ τοὺς ἥλους εὗρεν αὐτούς (vgl. Τ 26, 8) | ἅπερ καὶ ἀναλα-
βοῦσα μετὰ χαρᾶς πολλῆς καὶ φόβου ἤγαγε πρὸς τὸν παῖδα 45
(Τ 26, 16 f.) | ὁ δὲ δεξάμενος αὐτὴν μετ᾽ εὐφροσύνης τὴν μὲν κτλ.
= Τ 26, 24—29 παντ.[1]) | ὁ δὲ βασιλεὺς φαιδρῶς ἦν ἑορτάζων
κτλ. = Τ 27, 3—8 διωγμῷ[2]) | κατ᾽ αὐτὸν τὸν καιρὸν κτλ.
= Τ 27, 10—15 τιμ.[3]) (Κ 517, 12 - 15) | ἐν τούτοις δὲ τοῖς
καιροῖς ᾠκοδόμησεν ὁ φιλόχριστος βασιλεὺς Κωνσταντῖνος τόν τε 50
ναὸν κτλ. = Κ 498, 3—7 ἰθ.[4]) (Τ 23, 30—24, 1 nach gxyA,
L 297, 2—6, ΤΜ 64, 7 ff.) |

Τῷ κβ´ ἔτει Κωνσταντῖνος ὁ εὐσεβέστατος κατὰ Γερμανῶν
κτλ. = Τ 27, 31—28, 4 κἑκλ.[5]) (Κ 517, 16—21) |

Τῷ κγ´ αὐτοῦ ἔτει τὸ ἐν Ἀντιοχείᾳ ὀκτάγωνον κτλ. = Τ 28, 55
16 - 17 (Κ 517, 22—23) |

Τῷ κδ´ αὐτοῦ ἔτει τὸν Δανούβην περάσας γέφυραν fol. 87 r
ἐν αὐτῷ λιθίνην πεποίηκε καὶ τοὺς Σκύθας ὑπέταξε (Τ 28, 19
—20, Κ 517, 23—24) |

Τῷ δὲ κε´ χρόνῳ αὐτοῦ κτίζων τὴν Κωνσταντινούπολιν νέαν 60
Ῥώμην ταύτην ὠνόμασεν καὶ σύγκλητον ἔχειν ἐκέλευσεν καὶ τὸν
πορφυροῦν κίονα τὸν ἐν τῷ φόρῳ μετὰ τοῦ ἑαυτοῦ ἀνδριάντος
ἔστησε, ἐν ᾧ καὶ γέγραπται· Κωνσταντίνου· ἔλαμψεν ἡλίου δίκην,
καὶ τὰς σπυρίδας καὶ τοὺς κοφίνους,[6]) ἐν οἷς Χριστὸς ὁ θεὸς
ἡμῶν ἐθαυματούργησεν, ὑπὸ τὴν βάσιν τοῦ κίονος ἔθετο (Τ 28, 65
23—25, L 296, 2—6, ΤΜ 63, 2—6, vgl. G 400, 10 f., Κ 518,
4—5 ἐν ... δίκην, 6—8 καὶ τὰς ... ἔθετο) | καὶ τὰ λείψανα τῶν
ἁγίων ἀποστόλων Ἀνδρέου, Λουκᾶ καὶ Τιμοθέου διὰ τοῦ ἁγίου
κτλ. = Κ 518, 9 - 10[7]) (L 296, 7 - 8, ΤΜ 63, 7 - 8; vgl. G 438,

---

[1]) 25 εἰς φυλακὴν καὶ τήρησιν | τοὺς δὲ ἥλους οὓς μὲν | 26 τούς] οὓς |
27 λέγοντος fehlt | 28 τό] τῷ | τοῦ χαλινοῦ | 29 παντοκράτορος.
[2]) 3 τῷ vor ποιήσ.] τό.
[3]) 11 ἐτῶν οὖσα κ´ | 13 ὅν] ὧ | 14 ἐν αὐτ´ ἐτάφη.
[4]) 3 καὶ fehlt | 4 und 5 καί fehlt überall | 5 ἀρχιστρατήγου τοῦ ἐν |
ᾗ ἀρχ. προσθείου.
[5]) 28, 1 τοῦ τιμίου σταυροῦ | 3 ἔτει] χρόνῳ | δρεπανὰν τὸν ἐν νικομηδείᾳ |

70   17 f.) | καὶ ἐν τῇ ἀνοικοδομῇ τῆς πόλεως ἀποκομίσας ἐν αὐτῇ κτλ.
      = T 28, 28—29 |

      Τῷ κς′ αὐτοῦ ἔτει καὶ τὸν ζ (sic) τὴν κατὰ τῶν εἰδώλων
      κτλ. = K 518, 11—14 (T 28, 32 - 34; 29, 11) |

      Τῷ κζ ἔτει αὐτοῦ ὁ δυσσεβὴς Ἄρειος κτλ. = K 518, 15
75   —519, 7 [1]) (vgl. T 29, 32 f.) |

      Εἴρηκέ τις σοφός, ὅτι δεῖ μετὰ ἀκριβείας τὰς κατηγορίας
      ἐρευνᾶν. καὶ εἰ μὲν ἀμφισβήτησις κτλ. = G 416, 11—15 [2]) | εἶπε
      πάλιν ὅτι τῶν ἀνθρώπων οἱ μὲν διὰ βραδυτῆτα νοῦ κτλ. = G
      420, 5—12 κρείττ. [3]) |

80   Τῷ κη′ ἔτει αὐτοῦ λιμὸς μέγας ἐγένετο κτλ. = T 29, 14
      —25 [4]) (K 519, 8—12) |

      Τῷ κθ′ ἔτει αὐτοῦ Δαλμάτιος κτλ. = T 29, 28—31 [4])
      (K 519, 13—15) |

      Τῷ λ′ αὐτοῦ ἔτει ἐφάνη ἀστὴρ κτλ. = T 29, 37—30, 2
85   πέμπ. |

      Τῷ λα′ αὐτοῦ ἔτει τὴν ἀγανάκτησιν κτλ. = T 30, 21—32, 12
      Γαλλ.[5]) |

      _____

      [1]) 518, 16 αὐτῶν | 16. 17 τοῦ γαλ. βασ. καταγ. τ. ἀκ. | 21 ᾗ | 22 δὴ
      fehlt | ἔγρᾳ | οὕτως | 23 τοῦ ἀρχ. ἀλεξ. | 519, 3 γαβριάματος | 4 ἐπεί | οινα′ |
      5 τοῖς δὲ | ἀποκεχωρηκότος | 6 αὐτῷ.

      [2]) 11 κρίσει ἀνηρτίσθω | 12 ἡ κρίσις δὲ ἐλέγχους | ἡ βάσανος δὲ | 13
      ὁ ὅρος δὲ | γεγράφθαι | τὰ γεγραμμένα δὲ | 13. 14 τὰ κυρωθέντα δὲ ἔργοις
      βεβ. καὶ οὕτω πᾶσα ἀγομαχία | 14 οἶχ.] λυέσθω | 15 πάλιν] πᾶσα.

      [3]) 6 ἐξικνοῦνται | 6. 7 φιλοχρηματίαν δὲ | 8 λήμμασι | σαλεύοντες | ἕτεροι
      fehlt | 9 φόβω πολλάκις | ἤ] καί | 9. 10 τοῦτο διαφθήροντες | 10 Διὰ .. χρὴ]
      δεῖ δὲ | καὶ συνετὸν | 10—12 ἀδέκ. — κρείττ.] τῶν εἰρημένων ἀνώτερον.

      [4]) 14 ἐπικρ. σφοδρ. fehlt | 15 κατὰ τὸ αὐτό] ἐπὶ τῶ δυ― | 16 Ἀντι-
      οχέων] τῆς ἀντιοχείας | 17 μὲν ὡς fehlt | ἡμέρα fol. 87 v | 18 ἐν fehlt | 19
      δὲ καί | 20 κωνσταντίνος | 21 διηνεκῆ | χῆρες καὶ ὀρφανοὺς | ξενοδ.] ξένοις |
      22 ἔλαβε | οἴτον | 23 μόδια | 24 ἐξακισχιλίους κατ' ἔτος | 24 δ' fehlt | λάβροω |
      25 σαλαμίνη ἡ π. | ἱκανὸν πλῆθος.

      [5]) 28 καῖσαρ | καλόκερος | 29. 30 οὐκ .. αἰτίοις fehlt.

      [6]) 30, 25 συνεσχ.] ἐοκέβαζον | 26. 27 καίπερ ... μαρτ. fehlt | 29 πολὺν |
      ἐπιβ.] ἐπιστολὴν | 31 ἀλεξάνδριαν | 32. 33 καὶ ... Μαρεώτῃ] ἡ ισχρα
      ἀθανασίου ἐπιβουλὴν ἐτύρευσεν ἐν τῶ μαρεώτῃ τοιάνδε | 34 παρουσίᾳ
      γῶν fehlt | ἐκώλυσεν | 31, 1 ἦλθεν | 4 τε] δὲ | 5 κατεγνεύσ.] ναν
      την | 6 διαβαλλόντες | 7 ἀνεψίω | 9 ὁ ἀθαν. | εὐσέβειον | 10 εὐσεβείου δὲ |
      10, 11 νινομήδου | 11 βασιλέα ὡς ἐπιθυμηδεία δῆθεν | 12 ἀγ.] αἴγλων | ἦν

Τῷ λβʹ ἔτει αὐτοῦ Εὐστάθιος κτλ. = Τ 33, 11—18 εἰρ. |
ζήσας τὰ ὅλα ἔτη ξεʹ, βασιλεύσας δὲ χρόνους λβʹ καὶ μῆνας δέκα
(Τ 33, 22 f., Κ 520, 13 f.) | καὶ ἐτέθη ἐν λάρνακι κτλ. = L 296, 90
14—17 Ἔρκ.[1]) | ἔγραψε δὲ καὶ διαθήκην καταλείψας τοῖς τρισὶ
υἱοῖς αὐτοῦ τὴν βασιλείαν, ἤγουν Κων fol. 88 v σταντίῳ, Κων-
σταντίνῳ καὶ Κώνσταντι εὐσεβῶς κτλ. = Τ 33, 25—34, 5[2]) |

Ἐπεὶ δὲ καὶ ἡ τοῦ θεοῦ μεγάλη ἐκκλησία μέχρις αὐτῶν τῶν
κατηχουμένων ᾠκοδομήθη[3]) ὁ δὲ Εὐφρατᾶς ὁ ταύτην κατασκευάζων 95
ἐτελεύτησεν ἐν τῷ ἰδίῳ οἴκῳ, ὅπερ νῦν γηροκομεῖόν ἐστι ἐν τῷ
λεγομένῳ διμακέλλῳ τὰ Εὐφρατᾶ ἰδιωτικῶς λεγόμενα, πᾶσα δὲ ἡ
ὕλη ἐναποκειμένη ἦν, ἐθέσπισε καὶ ὑπὲρ ταύτης ὁ μέγας Κωνσταντῖνος τοῖς υἱοῖς αὐτοῦ μὴ ἀτέλεστον διὰ τὸ μέγεθος καταλιπεῖν.

Auch hier ist das meiste T entnommen.[4]) Ein Zweifel
bleibt hinsichtlich der oben S. 23 f. besprochenen Punkte. Da
eine Benutzung des Alexandros Monachos sonst nirgends zutage
tritt, so ist auch für diese Punkte nicht wahrscheinlich, dass
P auf ihn zurückgegriffen habe. Die Gesandtschaft an Konstantin, σημείῳ und ῥίψας τὸ βασίλειον hat auch G 384, 30 ff.

καὶ fehlt | 14 οὕτως | 16 δὲ fehlt | 18 συκοφαν᾿ | 19 ψευδόμενοι fol. 88 r |
19. 20 τὸν γόητα τὸν φημώσαντα ἅπαντας | 26 μονομερίαν | ἀρειόφρονες | 30
εὐσέβειος | ἀληθείας | 31. 32. 32, 1 ἀσεβῶν | 32, 1 οὕτως | πάντα τὰ | 4 ἐκ
fehlt | 5 εὐσέβειος | θεόγνης | 7 προεβάλλοντο | 9 ἡκούσαμεν | ἀθανάσιον |
9. 10 σιτοπόμπον | 12 τίθεσιν.

[1]) 15. 16 αὐτός .... θανοῦσα] μετὰ τῆς μητρὸς αὐτοῦ τελευτησάσης πρὸ
ἐτῶν δώδεκα. μεθ᾿ ἃν ἐτέθη | 17 ἐρκουλίου.

[2]) 26 θεοῦ προν. χρημ. χριστ. | καὶ πολλῶν | 27 ἐκράτησε | 28 ὀλέσας |
29. 30 παρέθετο steht vor ἀρειανῷ | 31 ταύτην | 32 καὶ ἀθανάσιον | 32. 33
ἐκ τῆς ἰσας καταλ. | 33 ἁγίοις ἀποστόλοις | 34, 3 εὐσέβειον | 3. 4 τόν ...
ἐκκλησίαν fehlt | αὐτοῦ | 5 Ἀρ. fehlt.

[3]) οἰκοδομηθῆ Ms.

[4]) Das T 29, 11 Erzählte ist Z. 73 noch ins 26. Jahr Konstantins,
das 29, 32 Berichtete Z. 74 in dessen 27. Jahr verlegt; an ersterer Stelle
ist καὶ τὸν ζʹ offenbar späterer Zusatz, den aber K schon vorfand. Z. 1
weicht in dem Weltjahr von T 11, 25 ab. Z. 25 ist T 17, 14 mit τοῦτο
(d. h. die arianische Bewegung) μαθὼν ungeschickt an T 17, 12 angeschlossen, was aber noch kein ausreichender Grund ist, in dem T 17,
11—12 Entsprechenden etwa ein späteres Emblem aus T zu erblicken.
T 22, 15 steht Z. 86 κβʹ für κεʹ. Doch stammt der Satz ohne Zweifel aus
T und ist nur an eine andere Stelle gerückt.

(387, 17); 385, 14; 386, 24; doch kennt dieser, wenigstens nach dem Muralt'schen Texte, die Rückberufung der Verbannten nicht (386, 5). Eine Verschiebung in dem Berichte von T unter gleichzeitiger Einmengung von Fremdem, ohne dass dessen Quelle recht greifbar wäre, bieten die Angaben über die Thaten des Maxentius und Maximianus. Zunächst erhalten das T 12, 7 nur auf Maxentius bezogene φόνους καὶ ἀρπαγὰς καὶ ὅσα τούτοις ὅμοια die sämtlichen vorher aufgeführten Herrscher (Z. 4 K 474, 1). T an dieser Stelle fremd sind die Worte P = K 473, 22 ff. πάσῃ τε κακίᾳ καὶ θηλυμανίᾳ συζῶντες ἀνατομαῖς βρεφῶν τῶν ἐγκυμονουσῶν γυναικῶν ἐν μαντείαις ἐχρῶντο. Von Maxentius heisst es T 14, 1 βρέφη ἀνατεμόντος διὰ μαντείας,[1]) doch fehlen hier die ἐγκυμονοῦσαι γυναῖκες. Von dem Aufschneiden solcher Frauen und dem Durchsuchen der Eingeweide von Kindern reden Euseb. hist. eccl. VIII 14, 5 und nach ihm Nic. Call. VII 21 p. 1252 a Migne. Woher P das Seinige hat, ist mit Sicherheit nicht festzustellen. Maxentius allein behält von diesem Abschnitt nur das πάνδεινα εἰργάσατο κακά. Daran wird Z. 5 die T 13, 4 ff. von Maximianus Gallerius erzählte Bestrafung geknüpft. Das dazwischen Stehende (= K 474, 7—9) entspricht zwar im ganzen T 12, 26—13, 4, weicht aber im einzelnen mehrfach ab. τὰς οὐσίας .. διήρπαζεν sagen (von Maxentius wie P) G 384, 24, der als Quelle in erster Linie in Betracht käme, Alex. Mon. p. 32, 27 f. Gretser, Ps.-Poll. p. 254, 18 Hardt; von Bedrohung der Töchter (aber durch Maximian) sprechen G 378, 23, Alex. Mon. p. 30, 20 f., Ps.-Poll. p. 250, 2.[2]) Ein weiterer Zweifel bleibt bezüglich des Z. 10 = K 476, 8 ff. zu T 17, 28 ff. gegebenen Arguments. Ist dasselbe auch derart, dass P aufgrund seiner Erzählung der Thaten Konstantins sehr wohl selbst darauf verfallen konnte, so ist mir doch die Herleitung aus einer anderen Quelle wahrscheinlicher.

---

[1]) Dafür, dass P diese Stelle im Auge hat, scheint der Umstand zu sprechen, dass er die Worte an ihrem Orte fortlässt.

[2]) T, der Alex. Mon. folgt, hat nach unseren Hss dessen καὶ θυγατέρας getilgt. Möglich ist, dass uns auch hier in P die Spur einer besseren T-Ueberlieferung vorliegt.

Aus G stammt mit Sicherheit das mit ihm fast wörtlich übereinstimmende Emblem Z. 76—79, vielleicht auch die freilich mehrfach abweichenden Erzählungen von Silvester Z. 10 = K 475, 5—476, 4: 476, 16 – 477, 2, die (wohl nach G 386, 7 f.) unter dem 7. Jahre Konstantins eingeschaltet werden. Ueber die Abweichungen vom Muralt'schen Texte wird sich mit Sicherheit erst urteilen lassen, wann der authentische G vorliegt: auffallend bleiben immerhin die bedeutenden Unterschiede im Wortlaute in Verbindung mit einigen sachlichen Differenzen. Mit G einig geht P gegen die von Combefis (Paris 1659) herausgegebenen Acta Silvestri in folgenden Stücken: εἰς Ῥώμην εἰσελθὼν μετὰ τὴν κατὰ Μαξεντίου νίκην K 475, 7—8 vgl. G 382, 2 f.; συνάγονται 11 vgl. G 9; πληγάς τε στηθῶν zu 12. 13, offenbar = G 12 μαζῶν γεγυμνασμένων, wie G schreibt für das in den Act. Silv. p. 274 stehende μασθῶν γεγυμνωμένων; καλόν 14 vgl. G 15; ἐκτὸς αἰτίας zu 15 vgl. G 16 ἀναιτίων;[1] ὄναρ 17 vgl. G 22; ὑποδείξει ... δι' ἧς τῆς τε ψυχῆς τὰς νόσους καὶ τοῦ σώματος θεραπευθῆναι 20 f. vgl. G 383, 4; ἀπὸ τῆς θείας κολυμβήθρας 23 vgl. G 383, 23; καὶ Κρίσπος ὁ υἱὸς K 476, 3 vgl. G 384, 9. Die Bezwingung des Drachen ist wie bei G 384, 15 f., 390, 15 ff. der Taufe Konstantins nachgestellt, während sie in den Acta Silv. p. 269 ff. vorausgeht; im einzelnen vgl. m. K 476, 18 f. ἐν τῷ Καπετ. — καταδύσει, G 390, 15 ff. (nur sind bei P K die 365 Stufen dem Kapitol, nicht der Höhle gegeben); ἐπικύπτων zu K 476, 21, G 391, 1 und den Schluss der Erzählung K 476, 21 ff. mit G 391, 6 ff. und 384, 16 (hier die Wendung τοῦτον ἀπέκτεινεν). An den wenigen Stellen, an welchen P den Act. Silv. etwas näher steht als G, könnten zufälliges Zusammentreffen oder Varianten in G im Spiele sein. Von positiven Angaben der Acta, die bei G fehlen, hat P nur zwei: K 475, 21 f. διὰ τοὺς ἐπικειμένους διωγμοὺς ἐν φυγαδείᾳ τελῶν (vgl. Act. Silv. p. 276 τὸν διωγμὸν τὸν σὸν δεδοικὼς ... κρύπτεται) und K 475, 22 κατηχήσας (vgl. Act. Silv. 280 ποιήσας κατηχούμενον). Die erstere konnte ein mit der

---

[1] Wenn ἀποθνεῖν Act. Silv. 275, 10 das Ursprüngliche ist, so würde auch hier P mit G 382, 16 in der Aenderung in ἀποθανεῖν zusammentreffen.

Heiligengeschichte einigermassen vertrauter Kompilator sehr
wohl aus eigenem Wissen machen, die zweite ergab sich aus
der allgemeinen Uebung bei der Taufe, und auf diesen Ursprung
scheint auch der (bei K infolge des Homoioteleuton ausgefallene)
Zusatz καὶ τὰ νενομισμένα τελέσας zu deuten. Des weiteren
stimmt überein K 475, 10 f. λουσάμενον καθαρισθῆναι mit Act.
Silv. p. 273 gegen G 382, 8; K 475, 17 ταύτῃ τοι ⟨τῇ νυκτί⟩ …
ὁρᾷ mit Act. Silv. p. 276 gegen G 382, 22; K 475, 19 ἐπίσκοπον
mit Act. Silv. 276 gegen G 383, 2 (der auf die Act. Silv. zurückgehende Nic. Call. hat p. 1281 c Migne τὸν ἱερέα τῆς
πόλεως entsprechend P K τὸν ἐπίσκοπον τῆς πόλεως); zu K
476, 2 ἐγένετο ὅλως ὑγιὴς καὶ καθαρὸς mit Act. Silv. 282 gegen
G 383, 23. Allein steht P mit ζητεῖ — νόσου K 475, 8; Ἰουδαῖοι (für μάγοι u. a. G 382, 4 f. Act. Silv. 273) 9; ὑπομαζίων
10; τριχῶν ἐκκοπάς (G 382, 12 λελυμένων τῶν πλοκάμων Act.
Silv. 274 λυσίκομοι) καὶ ἄλλα ὅσα κτλ. 13.; ᾧ ἐθυσίαζον—ἀλλ'
K 476, 20 f.

Beachtung verdient die Verwandtschaft zwischen unserem
Berichte über die Taufe Konstantins und dem der von Sathas
herausgegebenen Synopsis.[1]) Auf die Beziehungen dieser
Chronik zu P hat bereits Patzig Byz. Z. 5 (1896) S. 29 f. hingewiesen. Der hier in Betracht kommende Abschnitt S. 44,
27—45, 23 stellt sich dar als Mosaik aus P und den Act.
Silv. P eigentümliche Stücke liegen in der Synopsis vor in
ἐξῄτει (wie wohl nach P für ἐξῄτει zu schreiben ist) τὸν ἰασό-
μενον und Ἰουδαῖοι (diese neben den μάγοι der Acta) 44, 28,
τὰς ἑαυτῶν τρίχας ἐκτίλλουσαι 45, 3—4. Für das Verfahren
des Kompilators möge als Beispiel dienen p. 45, 4 ff.: Ταῦτα
ἰδὼν ὁ βασιλεὺς καὶ σύνδακρυς γεγονὼς (fast wörtlich = P
[K 475, 13 f.]), Προκρίνω, ἔφη, τῆς ἐμαυτοῦ ὑγείας τὴν τῶν παίδων σωτηρίαν (wörtlich = Act. Silv. p. 274 unt.).[2]) Παραυτίκα
γοῦν ὑποστρέφει εἰς τὰ βασίλεια καὶ τὰ βρέφη ταῖς μητράσιν

---

[1]) Ἀνωνύμου σύνοψις χρονική. Ἐν Παρισίοις 1894. (Μεσαιωνικὴ
βιβλιοθ. τόμ. ζ').

[2]) Die unmittelbar folgenden Ausrufe waren ursprünglich Randbemerkung.

ἀποδοθῆναι ἐκέλευσε (nach Act. Silv. p. 275, 23 ff.) δώροις
μεγίστοις ἀυταῖς φιλοτιμησάμενος (nach P). Mit dem Schlusse
auf eine unmittelbare Benutzung von P durch den Verfasser
der Synopsis wird man übrigens, besonders nach der Bemerkung
von Patzig a. a. O. S. 30, bis zum Vorliegen umfassenderer
Quellenuntersuchungen zurückhalten müssen.

Aus der Epitome ist entnommen Z. 90 f. der Satz über
Konstantins Beisetzung und Z. 51 (K 498, 5 f.) der Zusatz über
weitere Tempel ausser den von T 23, 30 ff. genannten. Z. 68 f.
enthalten in διὰ τοῦ ἁγίου μάρτυρος Ἀρτεμίου eine Bemerkung,
die L, TM (und G, der die Sache 438, 17 f. unter Konstantius
berichtet) nicht kennen, die aber wohl in der unverkürzten,
bezw. erweiterten Epitome stand; vgl. auch Synops. 56, 3; Zon.
13, 11 p. 23 d. Stärkeren Zweifel erregt Z. 62 ff.; bis zu den
Worten ἡλίου δίκην findet sich alles, wenn auch in etwas abweichender Form, bei L und TM wieder; der Rest ist diesen
beiden Vertretern der Epitome fremd, dürfte aber wohl auch
kaum aus G 400, 10 f. stammen.

Hierzu kommt noch eine Reihe weiterer Einschübe, deren
Herkunft ich nicht festzustellen vermag. Ich teile dieselben in
zwei Gruppen:

A) Sakralgeschichtliche Zusätze: 1) die Bischofsnotiz (über
Metrophanes) Z. 10 (= K 477, 3—4); 2) die Angabe über die
μεγάλη ἐκκλησία Z. 94 ff.; zu 95 ff. vgl. Synops. 53, 14 ff.
(der ganze Passus fehlt bei K); 3) Z. 42 = K 498, 1 f. die
Worte πάντα (ms. πάντας) ἀνέστησε καὶ ναοὺς οἰκοδομήσασα ἐν
ἀυτοῖς περιφανῶς τούτους ἐκαλλώπισεν (vgl. Synops. 52, 24),
wohl kaum eine blosse Ausschmückung des Berichtes von T, der
von den Kirchengründungen erst an einer späteren Stelle seiner
Erzählung (26, 19 f.) spricht; 4) Z. 74 f. der an T 29, 33 ange-
knüpfte ausführliche Bericht über Areios' Ende, welcher zwar zu
den Erzählungen des Athanasios, Sokrates, Sozomenos, Theodoret
und ihrer Ausschreiber keine wesentlich neuen Züge hinzufügt,[1])

---

[1]) Genauer als in den anderen Berichten ist die Ortsangabe (K 519,
4) ἐν τῷ φόρῳ πλησίον τοῦ λεγομένου Σενάτου (σανσ´ Ms.), zu welcher Codin
de aedif. Const. p. 22 d zu vergleichen ist.

im Wortlaute aber doch so sehr abweicht,[1]) dass keiner von
ihnen unmittelbar vorgelegen haben kann.[2])

B) Profangeschichtliche Zusätze: 1) die Notiz über das
Ende Maximins Z. 14 (K 477, 17—20); 2) die Angaben zur
Gründungsgeschichte von Kpel Z. 9 zu K 474, 17 τῇ μητρί μου
οἰκοδομήσεις πόλιν ἐν ᾧ τόπῳ σοι ὑποδείξω und Z. 26 = K
495, 22 ff. Die Nachricht von dem Auftrage der Maria Z. 9
fehlt bei K an der betreffenden Stelle; sie gehört also nicht
zum ursprünglichen Bestande von P, sondern ist von einem
Leser aus dem späteren Berichte (= K 495, 23 f.) entnommen
und an der ersten Stelle wohl zunächst an den Rand geschrieben
worden; die Bemerkung πλησίον Ῥώμης konnte dann bei der
späteren Erwähnung wegfallen.[3]) Die hier vorliegende Version
der Gründungslegende, die sich von der durch Sokrates, Sozomenos und von ihnen abhängige Chronisten vertretenen wesentlich unterscheidet, findet sich (ausser bei K) noch Synops.
46, 21 ff., Zon. 13, 3 p. 6 b, Const. Man. 2337 ff., Glyc. 248 d
und in der von Kirpitschnikow besprochenen Vulgärchronik

---

[1]) An Uebereinstimmungen im einzelnen sind zu notieren: K 519, 1
δι' ὅλης τῆς νυκτός G 437, 3 f. (Soz. 2, 29 p. 86, 38 Vales. παννύχιος, Socr.
1, 37 p. 73, 50 Val.-Read. νύκτας τε πολλὰς ἐφεξῆς καὶ ἡμέρας); K 519, 2
εὐχῆς ἔργον αὐτὸν ἐποιήσατο Greg. Naz. or. 21, 13 p. 393 c. ed. Maur. a.
1778 Ἄρειος . . . εὐχῆς ἔργον οὐ νόσου γενόμενος, Nicet. Chon. bei Mai spic.
Rom. IV p. 402 καὶ οὕτως ἔργον ἐγένετο τῆς Ἀλεξάνδρου τοῦ ἱεροῦ προσ-
ευχῆς; K 519, 4 f. τῆς γαστρὸς νυξάσης αὐτὸν Synops. 54, 29 (G 415 u. d.
Text νυχθεὶς τὴν γαστέρα, Zon. 13, 11 p. 23 a νύττεται τὴν γαστέρα).

[2]) Der Zusatz zu T 21, 13 κατὰ Ἀρείου τοῦ δυσσεβοῦς ist wohl Eigentum des Kompilators und nötigt ebensowenig wie die Hinzufügung von
θεοφόρων zu πατέρων etwa an Benutzung von G (413, 22; 414, 4) zu
denken.

[3]) K 495, 23 scheint allerdings eine vorherige Erwähnung des Traum-
gesichtes vorauszusetzen; eine solche wird in dem Berichte, dem P das
ganze Stück entnommen hat, auch wohl vorausgegangen sein. Wichtig
für die Quellenfrage der Synopsis ist, dass dieselbe 42, 42
von dem Befehl zur Gründung einer der Maria geweihten
Stadt gleichfalls, wie p, bei Gelegenheit der Kreuzeserschei-
nung berichtet, und zwar im Anschluss an einen im wesentlichen mit
P übereinstimmenden Satz (Ἀλλὰ καὶ τῇ νυκτὶ κτλ.; auch das Vorhergehende stimmt mit P, enthält aber fremde Zusätze; 9. 10 δι' ἀστέρων

Byz. Z. 1 (1892) S. 309. Letztere hat das Stück wohl aus K,[1]) mischt aber (Z. 22 d. griech. Textes) und zwar, wie ich an anderem Orte zeigen werde, nach der von mir Byz. Z. 4 (1895) S. 272 ff. behandelten Vulgärchronik, die andere Version ein. nach welcher Konstantin die Stadt ursprünglich in der Ebene vor Ilion anzulegen beabsichtigte, und giebt am Schlusse Jahreszahl und Monat nach Zon. a. a. O. p. 6 c, dem auch unmittelbar vorher die Bemerkung εἰς τὸ ὄνομα αὐτοῦ entnommen sein wird. Auch Zon. a. a. O. c. 3 Anf. berücksichtigt die andere Version. Die Synopsis kennt den Passus über Thessalonike als den ursprünglichen Ort der Stadtgründung nicht, schliesst sich aber im übrigen bis 47, 2 eng an den von P gegebenen Bericht an, um sich dann in eine eingehende Erzählung der Errettung des Kaisers aus Persien zu verlieren, über welcher der Schluss des Abschnittes in Vergessenheit gerät.[2])

K schreibt neben P[3]) zunächst die beiden uns bereits be-

___

geht mit K gegen T P). Ist also die oben dargelegte Auffassung des Verhältnisses von P zu K in diesem Punkte richtig, so kann jedenfalls diese Stelle der Synopsis nur aus P selbst, und zwar dem durch Paris. 1712 vertretenen Ueberlieferungszweige (p) geschöpft sein.

[1]) P hat K 496, 8 λίνους (Zon. p. 6 b 180, 4 Dind. σπαρτία), K (wenn auf die Bonner Ausgabe Verlass ist) λίθους, die Vulgärchronik Z. 16 λίθους (λίθους auch Syn. 46, 26, Const. Man. 2341).

[2]) In eine weitere Untersuchung des gegenseitigen Verhältnisses der verschiedenen Berichte trete ich hier nicht ein. Die Vorlage von P ist mir unbekannt. Zu den Motiven und Elementen der Erzählung vgl. m. noch Hesych. bei Müller fr. h. gr. IV p. 147. 148, Codin de orig. Const. p. 1 a b 2 c, Kirpitschnikow a. a. O. S. 311, Codin p. 10 a ff. G p. 399 (wo aber die Geschichte von den Ringen fehlt). — Die Erzählung wird angeschlossen an die Notiz über die Ernennung des Konstans zum Cäsar; dazu vgl. G 399, der aber jene Ernennung in Konstantins zwölftes Regierungsjahr verlegt.

[3]) 473, 18 steht das Weltjahr von T: die Abweichung des Paris. 1712 wird also auf Rechnung unserer Ueberlieferung von P zu setzen sein. — Zu 474, 15 δι' ἀστέρων vgl. Zon. 13, 1 p. 2 a b, Nic. Call. VII 29 p. 1272 c, Syn. 42, 9. 10. — 477, 4 ff. ist durch Auslassung entstellt. — 495, 12 ist δ' καὶ Zusatz von K. — 518, 15 ändert derselbe dem 518, 11 nach P eingefügten κέ' κυλίεβε κέ' in κη', so dass dieses chronologische Gefach nun doppelt (hier und 519, 8) vorhanden ist.

kannten Ergänzungsquellen aus; zu diesen gesellen sich aber
hier noch die Acta Silvestri, T und eine mit Zonaras gemeinsam benutzte Quelle, über welche Patzig, Byz. Z. 6 (1897)
S. 330 ff. eingehend handelt.[1]) Drei Notizen vermag ich auf
keine bestimmte Quelle zurückzuführen. K 478, 15—491, 5 ist
aus Act. Silv. 293—307 Comb. (mit vielen Kürzungen), G 391.
22—395, 13, Act. Silv. 315—325 (mit zahlreichen Auslassungen,
so fehlt das ganze Stück 317 med. bis 319 med.) zusammengeflickt; die Nähte liegen 484, 16; 488, 10. Auch das Folgende
(bis 495, 11) ist aus G und den Act. Silv. kompiliert. 493,
6—11 fehlt bei beiden, gehört aber wohl einer ursprünglicheren Fassung der Acta Silv. an. K 495, 6 δι' εὐχῶν—9
αὐτ. könnte eine selbständige Erweiterung von Act. Silv. p. 336,
7—8 sein; wahrscheinlich lag aber auch hier ein vollständigerer
Text vor; 495, 9—11 scheint eine nochmalige Verwertung der
bereits 1 ff. verwendeten Stelle G 398, 16. Die Kompilation
ist in dieser ganzen Partie besonders nachlässig. Der Verfasser
macht sich nicht nur keine Skrupel darüber, dass die grossen
G und den Acta entnommenen Abschnitte nicht zu einander
passen, er unterlässt es auch, die kleineren Diskrepanzen
durch naheliegende Mittel auszugleichen. Die Acta nennen
jeweils den Namen des jüdischen Sprechers, G bezeichnet die
jüdischen Mitunterredner nur im allgemeinen. K schliesst sich
zunächst den Acta genau an. Erst in der Nähe seines grossen
Abschnittes aus G ersetzt er diesem zuliebe den Namen
des Benoem Act. Silv. 307 durch ὁ Ἰουδαῖος (484, 12). In
gleicher Weise führt er nach Beendigung des G-Abschnittes
zunächst fort (488, 19; 489, 2; 6), um dann von 489, 10 an
wieder die Namen aus den Acta zu übernehmen. Zambres ist
478, 18. 19 nach den Acta Silv. bereits genannt; das hindert

---

[1]) Patzigs Aufsatz erschien, als meine Abhandlung bereits abgeschlossen war. Ich konnte daher nur noch nachträglich kurze Hinweise auf die Arbeit einfügen. Herzlich freue ich mich, mit Patzig in
den Hauptergebnissen völlig zusammenzutreffen, besonders in der Erkenntnis, dass die „Zwillingsquelle", wie Patzig sie nennt, nicht nur
von P und durch seine Vermittelung von K, sondern auch ausserdem
von K direkt benutzt worden ist.

aber **nicht**, dass derselbe 491, 8 f. nach G mit τἰς. ἐξ αὐτῶν ἀνήμησε Ζαμβρῆς nochmals neu eingeführt wird.

Aus G stammt weiter K 499, 1—7 (G 403, 17—404, 6); 499, 8—20 (G 402, 13—403, 12); 499, 21—500, 7 (G 413, 21 —414, 10); 500, 8—505, 2 (G 404, 15—409, 15); 505, 2—506, 11 (G 414, 12—416, 15); 506, 11—507, 10 (G 416, 21—417, 26); 507, 10—15 (G 420, 13—18); 507, 16—514, 16 (G 430, 8—436, 12); 514, 18 τούτοις — 516, 11 (G 439, 13—440, 28; doch kennt dieser den Namen *Λαμπετιανοί* [514, 20] nicht; zu *Βογομίλων* s. Muralt u. d. Text).

Die Epitome hat folgende Stücke beigesteuert: 478, 1—2 (L 294, 22—23, TM 61, 27—28); 497, 6—7 ἔνδ. — ἴσταμ. (L 294, 23—24, TM 61, 29—30, aber beide ἔτεσι K μησί, L δέκα, TM ἐν δέκα, K ἔνδεκα); 497, 9—10 πρότ.— ἦττ. (L 294, 15, TM 61, 20—21); 497, 17—21 (L 297 not. 32 mit mehrfachen Abweichungen; das Regierungsjahr Konstantins giebt L nicht; vgl. jedoch TM 62, 21 ff.); 498, 9 ἐπὶ — 13 λαβ; 16 καὶ — 17 (L 297, 13—21, TM 64, 19—26); 516, 15—517, 11 (L 294, 24—295, 13, TM 61, 30—62, 17); 518, 1—4 αὐτ.; 5 δς — 6 Ἀθ. (das Zwischenstehende nach P) = L 296, 1—4. 6, TM 63, 2—5. 6 (zu μεγάλων vor ἐμβόλων vgl. G 400, 1—2); 519, 17—520, 4 Ἰλλ. (L 296, 9—21, TM 63, 10—19; mit letzterem stimmt K in der Reihenfolge der drei Söhne; vgl. auch Sym. (Venet.) bei Muralt in der Ausg. d. G 429 unter d. Text; der Satz καὶ ἀπεκομίσθη — ἁγ. ἀποστόλων ist vor καὶ ἀπετέθη als Homoioarkton ausgefallen; αὐτομάτοις 519, 17. 18 ist L und TM fremd).

Benutzung von T tritt hervor 498, 7 τοὺς — 9 δωρ. (T 24, 1—3) und 516, 12—15 (T 25, 11—21 in stark gekürzter und freier Wiedergabe).

Aus der mit Zonaras gemeinsamen Quelle stammt 520, 4—18 καὶ; vgl. Zon. 13, 4 p. 10c und Patzig a. a. O. 332.

Nach dieser Analyse verbleiben nur drei kleine Stücke als Rest. 495, 17 καὶ ἡ — 19 ἀνεθ. war wohl ursprünglich eine durch die Erwähnung des Areios veranlasste Randglosse, zu der das G-Stück K 499, 21 ff. (vgl. besonders 500, 5. 6

ἀνεθεμάτισε σὺν τοῖς ὁμόφροσιν αὐτοῦ) den **Stoff** geliefert hat.
514, 17—18 scheint aus K 500, 2 und der einige Zeilen tiefer
(514, 22) benutzten Stelle G 439, 16 kombiniert. Sicher aus
fremder Quelle ist nur die Notiz über Gregorios von Armenien
498, 13—16.

Konstantius.

Μετὰ δὲ τὴν κοίμησιν τοῦ ἁγίου καὶ μεγάλου Κωνσταντίνου
ἐκράτησε Κωνστάντιος τῆς ἑῷας ἔτη κδ′ (T 34, 16—18; 9) ἦν
δὲ τὴν ὅλην τοῦ σώματος ἀναδρομὴν κτλ. = K 521, 1—8.[1])
(L 297 not. 34) |

5 Τῷ πρώτῳ τούτου[2]) ἔτει, κόσμου δὲ ἦν ἔτος ͵εωμέ, τῆς θείας
σαρκώσεως ἔτος τκθ′, καὶ τῆς μὲν ἑῷας Κωνστάντιος, τῶν δὲ
Γαλλιῶν[3]) ἤγουν ἑσπερίων Κώνστας καὶ Κωνσταντῖνος τῆς
Ἰταλίας ἐκράτησαν.[4]) Κωνστάντιος δὲ Ἀθανάσιον κτλ. = T 34,
19—21 κλῆρος[5]) | Τῷ δ′ αὐτῷ ἔτει Σαβώριος κτλ. = T 34,
10 32—35, 10[6]) |

Τῷ β′ ἔτει Κωνσταντίου[7]) τοῦ νέου Δαλματίου ὑπὸ τῶν
στρατιωτῶν ἀναιρεθέντος ἔμελλον συναναιρεῖσθαι Γάλλος κτλ.
= T 35, 13—19[8]) (K 521, 11—17) |

Τῷ τρίτῳ ἔτει[9]) Κωνσταντῖνος[10]) υἱὸς κτλ. = T 35, 30—36, 8
15 (K 521, 18—522, 6) |

---

[1]) 1 εὐμήκης τε καὶ | χαρωπὸς | 2 εὐμετάβολος δὲ | σώφρον | ἀφροδίτην ,
3 εὐμενὴς δὲ | 4 ὑπηκόων γενόμενος | ὁπωρῶν δὲ | 5 ἀφεστήκει | ἡγεμονίων !
6 παιδίας | 7 μέτρα.

[2]) τούτω Ms.

[3]) γαλλίων Ms.

[4]) ἐκράτησ⁰ Ms.

[5]) 20 ἀπέλ.] ἀπέστειλε.

[6]) 35, 7 ἀντιλαμβάνοντες fol. 89 r.

[7]) κωνσταντ'' Ms.

[8]) 16 κωνστάντιος δὲ ὁ τοῦ μεγάλου κωνσταντίνου (am Rd. rot von
1. Hd. ἀδελφὸς) ἐγέννησεν γάλλον καὶ ἰουλιανὸν τὸν παραβάτην. ὁ δὲ κων-
στάντιος ὁ τοῦ μεγάλου (80) κωνσταντίνου υἱὸς πρότερον δεχόμενος | 18
νικομήδου.

[9]) τρίτον ἔτ Ms.

[10]) κωνσταντίνος Ms.

— *Τῷ δ' αὐτοῦ ἔτει Ἀμμιδὰν κτλ.* = Τ 36, 10—37, 14 ἐπόρθ.[1])
(Κ 522, 7—11) |

Τούτῳ τῷ ἔτει Δίδυμός τις κτλ. = Κ 522, 11—16[2]) |

Τῷ ζ ἔτει αὐτοῦ σεισμοῦ κτλ. = Τ 37, 18—38, 2[3]) (Κ 522,
17—523, 4) | *καὶ συντελεσθεῖσαν κτλ.* = Κ 523, 4—9 *Παυλ*[4]) | 20
οἱ δὲ Ἀλεξανδρεῖς κτλ. = Τ 37, 27—30 (Κ 523, 9—12) |

Τῷ δεκάτῳ ἔτει Κωνστάντιος κτλ. = Τ 38, 6—9 Ἀντ.
(Κ 523, 13—16) | *τῷ δ' αὐτῷ ἔτει ἔκλειψις ἡλίου* = Τ 38,
12—39, 7 ἐπαγγ. (Κ 523, 16—23) |

Τῷ ιγ' αὐτοῦ ἔτει Σαβώριος κτλ. = Τ 39, 13—40, 23[5]) 25
(Κ 524, 1—11) | *τῷ δ' αὐτῷ ἔτει καὶ Ἀθανάσιος ὑπὸ Κων-
σταντίου*[6]) *κατὰ τὴν Βρεττανίαν ἐξορίζεται καὶ Φίλιξ ἀντ' αὐτοῦ
χειροτονεῖται, ὃς διάκονος κτλ.* = Τ 40, 28—42, 1[7]) (Κ 528,
4—10) |

Τῷ κ' καὶ κα' ἔτει Κωνσταντίου Ἀθανάσιος καὶ Παῦλος κτλ. 30
= Τ 42, 19—43, 16 αὐτ.[8]) (Κ 528, 11—529, 6) | *Μαγνέντιον
(so) κτλ.* = Τ 43, 32—44, 13 Ἰτ.[9]) (Κ 529, 7—12) | *ὁ δὲ Κων-
στάντιος ὑποστρέψας κτλ.* = Τ 45, 5—9 (Κ 529, 12—15) | *τῷ
δ' αὐτῷ ἔτει καὶ Ἰούλιος κτλ.* = Τ 45, 10—14 (Κ 530, 1—4) |

*Κόσμου ἔτος ͵εωξς', τῆς θείας σαρκώσεως ἔτη (sic) τι', 35
Κωνσταντῖνος δὲ ἔτη (sic) κβ' σεισμοῦ κτλ.* = Τ 45, 25—27
(Κ 530, 4—6) |

---

[1]) 36, 29—31 ἐκινδύνευσεν. ἡ δὲ ἐγκαινισθεῖσα σφαιροειδὴς ἐκκλησία
παρ' εὐσεβίου καὶ τῶν λοιπῶν ἀρειανῶν ἥτις ὑπὸ μὲν κωνσταντίνου τοῦ
μεγάλου θεμελιωθεῖσα καὶ κτισθεῖσα ἐν ἓξ ἔτεσιν, ὑπὸ δὲ κωνσταντίου πληρω-
θέντα (so) καὶ ἀπαρτισθεῖσα καὶ ἐγκαινισθεῖσα.

[2]) 13 εἶπεν | 14 σε vor λείπ.| σοι | 15 μυία? | 16 ἔχοις | οὓς | βλέπουσι
fol. 89 v.

[3]) 37, 22 Τῷ δ' αὐτῷ ἔτει| τότε | 37, 27 οἱ — 30 Καππ. fehlt.

[4]) 5 μεγάλην | 6 ἐν διαθήκῃ | 7 ἐν αὐτῷ| ἐπ' αὐτῇ | 8 κατατίθησιν ἤτοι.

[5]) 39, 16 ἐκχωρήσειν fol. 90 r | 40, 4 στενούμενος καὶ ἐξαπορούμενος |
4 ἤτταται—12 αὐτὸς δὲ fehlt | 12 φυγῇ σὺν τοῖς ἰδίοις.

[6]) κωνστάντιον Ms.

[7]) 41, 13 εὐπραγίαν fol. 90 v.

[8]) 42, 22 ὁ ὀρθόδοξος λαός | 25 πόλεμον καὶ πολλοὶ ἀμφοτέρωθεν
πίπτουσιν | 43, 9 ἄκρα fol. 91 r | 43, 16 πόλεμον — αὐτοῦ| κατ αὐτοῦ ἐκστρατεῦσαι.

[9]) 44, 3 ἀναιρεῖται τῷ ἰδίῳ ὁμοφορίῳ ἀποπνιγείς | 44, 4 ἐπιλαμβάνεται
ὁ δὲ ἀθανάσιος πάλιν φυγῇ τὴν σωτηρίαν πραγματεύεται.

4*

Τῷ κγ´ ἔτει Κωνσταντίου[1]) *Μακεδονίου τυραννικῶς κτλ.*
= T 46, 1—8[2]) (K 530, 6—13) | *οὗτος ὁ Εὐδόξιος κτλ.* = K 530,
40 13—17 *Κωνσταντίου*[3]) | *ἐπὶ τούτου Φλαβιανὸς κτλ.* = K 530,
20—531, 4[4]) (vgl. G 438, 19—20; 514, 23—515, 2) |
     Ὁ δὲ Κωνστάντιος ἀκηκοὼς κτλ. = T 46, 10—16 *Ἀρ.*
(K 531, 5—10) | *τὸ δὲ σῶμα αὐτοῦ Ἰωβιανὸς κτλ.* = K 531,
10—13[5]) (L 298, 24—27, TM 65, 26—66, 2) |
45 *Ἅμα δὲ τῷ ἀναγορευθῆναι κτλ.* = K 531, 14—21.[6])

Als Quellen dienten neben T[7]) zunächst wieder G (Z. 40)
und die Epitome (Z. 2 f., 43). G 514, 23 ff. ist aus Flüchtigkeit
nach der Kapitelüberschrift auf Petros bezogen; K 531, 2
καὶ—ὄνομ ist im Muralt'schen G-Texte ausgefallen; vgl.
S. 1006 der Ausg. von Mur. Das mit dem Porträt des Konstantius eng verbundene Stück = K 521, 5—8 fehlt in der
Randbemerkung von L, wird aber doch zum Bestande der
Epitome B[8]) gehören.[9])

Hierzu kommen nun folgende Ergänzungsstücke aus mir
unbekannter Quelle: 1) Notizen aus dem Leben zweier Bischöfe
zu T 44, 3 und 4[10]); 2) Angaben über die *μεγάλη ἐκκλησία*

---

1) *κωνσταντιν*, über d. letzt. *ν* Rasur, das *ν* mit rotem *o* bedeckt,
darüber rot *o*.

2) 46, 6 *ὁ* fol. 91 v | 6—7 *ἠγανάκτησε* .. *κελεύσας*] *τοῦτον καθῄρησε καί.*

3) 13. 14 *ἀνεκαίνισε* | 15 *τὸν* fehlt | *διὰ εὐσεβείου τοῦ νικομηδείας γενό-
μενον* | 16. 17 *κωνσταντίνου.*

4) 530, 21 *δαυιτικὴν* | 22. 23 *τῷ θρόνῳ ἀντιοχείας τυραννικῶς* | 23
πρῶτος | 531, 1 *ἁγίοις* fehlt | 3 *πρώτερον.*

5) 11 *βασιλεύσας* | 12 *εὐσεβείας.*

6) 15 *τρούλα* | 16 *σουλίας* | *ονυχι' λίθων* | 17 *τοῦτον τὸν ναὸν*] *τοῦτο τὸ
ἔργον* | 18 *ἐκκλησίαν* | 19 *τὸ* | 20 *καὶ ἐκεῖθεν* | *στάυλους* | *ποιήσω* | *καὶ ἰδεῖν* |
21 *ἐλπίζουσι.*

7) Die Weltjahre Z. 5 und 35 weichen wieder von den bei T entsprechenden ab; die Differenz ist beide Male, wie bei Konstantin, 16
(K ermöglicht hier keine Kontrolle). Der Zusatz zu T 42, 25 *καὶ πολλοὶ
ἀμφοτέρωθεν πίπτουσιν* nötigt kaum, an eine fremde Quelle zu denken.

8) Vgl. Patzig Byz. Z. 3 (1894) S. 474.

9) Zu 521, 7 vgl. auch Zon. 13, 11 p. 24 a.

10) Die letztere Notiz deckt sich allerdings der Form nach fast ganz
mit T 45, 14, so dass sie aus dieser Stelle, bezw. der entsprechenden in
P, eingeschwärzt sein könnte.

Z. 20, 39, 45; 3) die Notiz über die Kirche in Antiochia
zu T 36, 29 (*παρ' εὐσεβίου καὶ τῶν λοιπῶν ἀρειανῶν*); 4) die
Erzählung von Didymos Z. 18, deren letzte Quelle Socr. 4,
25 [1]) ist.

Zu diesem Bestande [2]) gesellen sich in K Partien aus G,
der Epitome und der mit Zonaras gemeinsamen Quelle. G gehört an: 524, 21—525, 10 (G 437, 25—438, 11); 525, 11—21
(G 445, 4—14); 525, 21—526, 9 (G 447, 4—17); 526, 12—528,
1 (G 449, 15—451, 3); der Epitome entstammt 520, 15—23 *ἑση.*
(L 297, 24—298, 7, TM 65, 1—10); 530, 17—19 (L 299, 3—6,
TM 66, 14 f. [3]), vgl. Cramer an. Par. II 95, 1—2). Gleiche
Quelle mit Zonar. 13, 11 p. 23d liegt zugrunde 529, 15—24.
Vgl. Patzig a. a. O. 333. Es bleibt ausser den einer Erklärung
nicht bedürftigen eigenen Bemerkungen von K 526, 10—11;
527, 1—3 nur übrig der Zusatz *ὑποβολῇ τῶν Ἀρειανῶν* 523, 21,
der keine fremde Quelle voraussetzt.

Julian.

Τοῦ καθολικοῦ κόσμου ἔτους ͵εωνβ', τῆς δὲ ια' περιόδου
φλγ', τῆς θείας σαρκώσεως ἔτη (sic) *τνβ', ἀρχομένης τῆς δωδε-*
κάτης ἰνδικτιῶνος (T 46, 16 f.), *Ἰουλιανὸς ἀνεγιὸς μὲν Κωνσταν-*
τίνου τοῦ μεγάλου, ἐξάδελφος δὲ Κωνσταντίου (L 299, 16, TM
66, 23), *ἀδελφὸς δὲ Γάλλου τοῦ προαναιρεθέντος βασιλεὺς ἀνα-*   5
γορεύεται | Ἦν δὲ ὁ Ἰουλιανὸς βραχὺς τὸ σῶμα κτλ. = L 299,
17—20, [4]) TM 66, 24—26 (K 531, 22—532, 1) |

---

[1]) Dort (p. 245, 10 f. Val.-Read.) richtig *οἷς—βλάψαι* statt des unpas-
senden *οὓς—βλάψαι* P = K 522, 15. Doch war die Korruptel bereits bei
Sokrates vorhanden (vgl. die Anmerkung von Valesius); es ist daher in
P nicht zu ändern.

[2]) K hat 530, 1—4; 6—17 in das 12. Jahr verlegt, was T und P
teils dem 11., teils dem 13. zuweisen.

[3]) Die Notiz könnte in P vorhanden gewesen und infolge des
Homoioarkton *ἐπὶ τούτου τοῦ Εὐδοξίου — ἐπὶ τούτου Φλαβιανὸς* ausgefallen sein.

[4]) 18 *τιτανόθριξ* | *καὶ* vor *ἦττον* und *μὲν* fehlt | 19 *ἀφροδησίας* | 19
τῷ—20 πρός· φιλοδοξότατός τε καὶ τῷ ἄλλῳ τρόπῳ τῷ κατ'.

Οὗτος μονοκράτωρ γενόμενος κτλ. = Τ 46, 18—20 (Κ 532,
2—4) | πέμπει οὖν κτλ. = Κ 532, 4—10¹) |

10   Τῷ αὐτοῦ (1. αὐτῷ?) πρώτῳ ἔτει τῆς μοναρχίας ἐπαρθεὶς
ἐπὶ τῇ κτλ. = Τ 46, 32—48, 16²) (Κ 532, 11—533, 14) | καὶ
τί δεῖ³) λέγειν κτλ. = Κ 533, 14—19⁴) |
     Τῷ β' τούτου ἔτει ὁ δυσσεβὴς κτλ. = Τ 48, 18—49, 28
προσκ.⁵) (Κ 533, 20—534, 23) | οὗτος ὁ παραβάτης ἐν τῇ ἀνο-
15   σιουργῷ αὐτοῦ γνώμῃ τὴν τοῦ προδρόμου θήκην κτλ. = L 299,
23, 24 διελ. (ΤΜ 67, 1—2, Κ 534, 23—535, 2) | φασὶ δὲ κτλ.
= Κ 535, 3—11 θερ.⁶) (G 600, 5—11) |
     Ἰουλιανὸς διάγων ἐν Ἀντιοχείᾳ κτλ. = Τ 49, 29—50, 23⁷)
(Κ 536, 9—10 εἰδ., 12 παρ' — 537, 3) |

20   Τῷ τρίτῳ τούτου⁸) ἔτει πολλοὺς τιμωρησάμενος μάρτυρας
ἐποίησε ἐξ ὧν fol. 93ᵛ καὶ Οὐαλεντινιανὸς κτλ. = Τ 51, 8—52,
19 ἐμελ.⁹) (Κ 537, 4—7 πίστ; 9—538, 5) | Ἰουλιανὸς δὲ μαντείαις

---

¹) 4 ὀριβάσιον | κυέστορα | 6 αὐτὸς fehlt | 7 δαίμονος τοιόνδε | 8 πέσαι |
10 παγαλαλαίουσαν fol. 92 r | λάλων.
²) 46, 33 ἑαυτῷ — ἐπιστρέψας fehlt | 47, 2—5 ὅπερ — παντοδαποί] καὶ |
48, 14 Χαλκηδόνος fol. 92 v.
³) δὴ Ms.
⁴) 15 τὸν χρόνον ἐκεῖνον] τῶν χριστιανῶν | 18 ὁ σύρος σοφ. | Πρόκλος]
πρίσκος.
⁵) 48, 20 ὕλῃ χρησάμενος, πάντων δὲ ποιητῶν ἀρχαίων τοὺς χαρακτῆρας μιμησάμενος ἔγραψε παιδεύεσθαι τοὺς χριστιανῶν παῖδας (L 300, 21,
ΤΜ 68, 1) ἀλλὰ καὶ κατὰ ἰουλ. | 49, 10 ὅθεν — 19 ἀνδρ.] ἡ ὑπὸ τοῦ χῦ
θεραπευθεῖσα αἱμόρρους ἀνδρειάντα ἔστησε τῷ δεσπότῃ χῶ προτοῦ οἴκου
αὐτοῦ. καὶ βοτάνη ἐφύετο ὑπὸ τὴν βάσιν τοῦ ἀνδρειάντος πάσης νόσου ἀλεξη-
τήριον. τοῦτον κατενεχθῆναι προσέταξεν ὁ ἀσεβὴς καὶ ἀντ' αὐτοῦ ξόανον
ὀνόματι ἰουλιανοῦ ἔστησε κτλ. = Κ 534, 12—15 | 22 ταύτην fol. 93 r | 28
προσκυνήσεως ὅπερ ἀπέκοψε ὁ παράνομος.
⁶) 4 φλογοειδεῖ | 5 βατταρίτην | ἐξαστράπτων | 6 παρασκευάζει fehlt |
7 ἀποθν.] θανατοῦν | κυκλώθεν | 7, 8 περιδρύσσοντες | 10 παρ' αὐτά.
⁷) 50, 4 ἐλέγετο — ἑστηκέναι fehlt | 13 ὡς — 14 καταφερόμενον fehlt.
⁸) τρίτον τούτω Ms.
⁹) 51, 19 Θαλ. — 28 ἀποφ.] ἀλλὰ καὶ | 52, 6 · 10 ἐτόλμ | κύρ. ἀλεξ. καὶ
ἄλλοι φιλόχριστοι ἐπανορθώσαντες καὶ πᾶσαν δὲ ἄλλην γραφὴν αὐτός τε καὶ
οἱ ὅμοιοι αὐτῷ διέβαλον, ἀλλ' ὑπὸ τῶν ὀρθοδόξων ἀνετράπησαν καὶ τελείως
ἐξεβλήθησαν.

καὶ θυσίαις κτλ. = Κ 538, 6 - 10 Ἄρης¹) (L 300, 23—27, ΤΜ
68, 4 − 7) | τούτοις βεβαιωθεὶς κτλ. = Τ 52, 25—31 ἐπαγγ.²) |
ἐν δὲ τῷ κατὰ Περσῶν πολέμῳ τιτρώσκεται δόρατι κτλ. = L 300, 25
2 − 9 αὐτ.³) (ΤΜ 67. 11 − 14) | ζήσας τὰ πάντα ἔτη λα΄, βασι-
λεύσας ἔτη δύο καὶ μῆνας θ΄ (Τ 53, 2; 4) | τῆς δὲ ἐκκλησίας
ἐκράτει Εὐδόξιος ὁ Ἀρειανός (L 300, 9—11) |

Γέγονε δὲ καὶ σημεῖον ὄντος αὐτοῦ ἐν τῇ Περσίδι τοιόνδε.
φασὶ δὲ [ὅτι] ἐν τῷ εἰσιέναι αὐτὸν ὡς δεδήλωται ἐν Περσίδι ἐν 30
οἰκίᾳ τινὸς γυναικὸς ἀγροικίδος Χριστιανῆς τοιοῦτον σημεῖον
κατοφθῆναι. ἐν μεσημβρίᾳ μέσῃ ὑδρίσκην ὕδατος ἑστῶσαν πλήρη
ἀθρόως⁴) εἰς οἶνον γλυκὺν βράζοντα ὡς μοῦστον μεταβληθῆναι.⁵)
αὐτῇ δὲ τῇ ὥρᾳ τὸ ἀγγεῖον πεπληρωμένον προσήνεγκαν τῇ ἐκκλησίᾳ τοῦ χωρίου. ὁ δὲ κατὰ τὸν τόπον πρεσβύτερος ἐκόμισε 35
τῷ ἐπισκόπῳ Αὐγάρῳ (Τ 53, 4—10). ὁ δὲ θεασάμενος ἐξεῖπε,
ὅτι ἴσως τοῦτο σύμβολον ὦπται τῆς ἐπὶ τὸ ἥδιστον τῶν πραγμάτων μεταβολῆς διὰ τὴν τοῦ τυράννου μετὰ μικρὸν καταστροφήν
(Κ 538, 10—15).

Die grosse Masse des Stoffes gehört wieder T.⁶) Der

---

¹) ὁ δαιμόνων steht hinter θυσίαις | 8 ἔλαβεν] λέγεται λαβεῖν | 9 νίκην |
παραθῇρι | 10 δὲ] δ΄.

²) 25 ἀκλίζεται] ἐξῆλθε | 26 ἐν — 30 ποιήσας fehlt | 31 ἐπαγγειλ.]
ἐπαπειλησάμενος.

³) 2 διὰ fehlt | 3 ῥινῶν καὶ τὰς πλευρὰς | 3—5 λαμβάνων αὐτὸ ταῖς
οἰκείαις χερσὶν εἰς τ. ἀ. ἐλίκμα ὁ ἀλητήριος βοῶν· κυρέσθητι να fol. 94 r
ζαρηνὲ καὶ οὕτως ἀπέρριξε τὴν ἀθλίαν αὐτοῦ ψυχὴν· οὗ | 6. 7 ἐτάφη .. αὖθις]
ἀνηνέχθη | 8 ἔνθα . . . Ἰοβιανοῦ fehlt | πορφυρῷ | κυλινδροειδεῖ fehlt | 9
καὶ] τῆς.

⁴) ἀθρόος Ms.

⁵) μεταβληθὶν Ms.

⁶) Z. 5 ἀδελφὸς δὲ Γάλλου τοῦ προαναιρεθέντος war aus dem früher
Erzählten leicht abzuleiten. Die Zusätze Z. 12 = K 533, 14—16 und Z. 21
zu T 52, 6 = K 537, 16—19 konnte jeder christliche Bearbeiter aus seinem
eigenen Wissen heraus machen. Der Zusatz zu T 49, 28 (Z. 13) ὅπερ ἀπέκοψε ὁ παράνομος beruht auf einem Missverständnis des Bearbeiters, der
die Legende von dem Wunderbaum noch mit Julian in Verbindung
brachte. Dasselbe Missverständnis ist schon T bei der vorhergehenden
Erzählung von der Wunderquelle in Nikopolis begegnet, die er von
Julian zuschütten lässt 49, 22. 23. Der Sachverhalt ergiebt sich klar aus
Ps.-Poll. p. 502. 12 ff. Herdt. (Boz. 5, 21).

Epitome sind neben den gewöhnlichen Stücken, der Personal-
beschreibung (Z. 6) und der Bestattungsnotiz (Z. 25) noch
folgende Angaben entlehnt: Z. 4 ἐξάδελφος δὲ Κωνσταντίου,
Z. 13 zu T 48, 20 ἔγραψε παιδεύεσθαι τοὺς Χριστιανῶν παῖδας
(auch das unmittelbar Vorausgehende ist nach der Epitome
umgeändert), Z. 14 f. οὗτος ὁ παραβάτης ... τὴν τοῦ προδρόμου
θήκην κτλ., Z. 22 f. Ἰουλ. μαντείαις καὶ θυσίαις κτλ., wo sich
auch die in der verkürzten Epitomefassung (bei L und TM)
unterdrückte Quellenangabe findet, Z. 25 ἐν δὲ τῷ κατὰ Περσῶν
πολέμῳ τιτρώσκεται κτλ., Z. 27 f. τῆς δὲ ἐκκλησίας ἐκράτει κτλ.
Aus mir unbekannter Quelle stammen die Erzählung von der
Antwort des delphischen Orakels Z. 9 (K 532, 4 ff.) (s. den Nachtrag), von der Wunderwurzel in Kaisareia Z. 16 (K 535, 3 ff.) (aus
einer mit G 600, 5—11 gemeinsamen Quelle; in G fehlt, wenn
auf den Muralt'schen Text Verlass ist, die genauere Ortsbezeich-
nung), die Notiz über Basileios, Libanios u. s. w. Z. 12 (K 533,
16 ff.) und der Schluss des Ganzen Z. 36 ff. Letzterer enthält eine
Ergänzung von T 53, 4—10 offenbar aus der Quelle von T,
die vielleicht auch für den ersten Teil der Legende neben T
oder anstelle von T zu Rate gezogen ist.[1]

Die Analyse von K ergiebt neben dem P-Bestande[2]) Stücke
aus der Epitome und der mit Zonaras gemeinsamen Quelle,
vielleicht auch aus G. Zwei Stücke verbleiben als Rest von
vorläufig fraglicher Herkunft. Die Epitome-Partien 538, 15
—539, 4 und 539, 10—14 enthalten einiges, was den übrigen
Epitomevertretern (L 299, 29—300, 8; 300, 31—33; TM 67, 6
—14; 68, 9—12) fremd ist: 538, 20 περιερχ. ἀνὰ τὸ στρατ. καὶ
διατ.; 21—22 ἀφανῶς εἰς τὰ ὑποχ. ὥστε ἀνοιμ. αὐτόν; 539, 1—2

---

[1]) Für letzteres spricht neben dem Eingang φασὶ δὲ [ὅτι] ἐν τῷ
εἰσιέναι αὐτόν .. ἐν Περσίδι besonders das ἐν μεσημβρίᾳ μέσῃ verglichen
mit T 53, 7 κατὰ τὴν δειλινὴν ὥραν.

[2]) K 534, 11 τῇ οὖν βοτάνῃ φθονήσας giebt T 49, 17. 18 getreuer
wieder als es von P geschieht. Ob hier eine Aenderung nach T vorliegt
oder unser Text von P mangelhaft ist, lässt sich nicht entscheiden. Das
T 48, 22—26 entsprechende Stück in P (Z. 13) ist in K (536, 4 ff.) herab-
gerückt. 534, 22 καὶ σκιὰν αὐτῷ πεποίηκε ist Eigentum von K.

πολλὰ ...ἀποκαλῶν; 11—12 ἐν τῷ .. τόπον, 12—13 τὸ συμβὰν ...κρατήσειν. Man wird geneigt sein, dies wieder auf die unverkürzte Epitome zurückzuführen; dem steht aber entgegen, dass 538, 20 der Epitome nach L 300, 1—2, TM 67, 10 (τραπεὶς εἰς φυγήν) widerspricht. Es wird also eine fremde Quelle im Spiele sein,[1]) und zwar die Zonarasquelle, aus welcher das zwischen den beiden Epitomestücken Stehende (539, 4 ἐν ᾧ — 9) geschöpft ist (vgl. Zon. 13, 13 p. 27 c d); wenigstens finden sich die Zusätze des zweiten Stückes bei Zon. 13, 14 p. 29 b wieder in den Worten ἐν τόπῳ κατάντει προϊόντος und εἶτ᾽ ἐκ τούτου διάδοχον αὐτοῦ τὸν Ἰοβιανὸν ἐτεκμήρατο.[2]) Aus der Zonarasquelle stammt weiter K 537. 7 ὁμοίως — 8, vgl. Zon. 13, 12 p. 26 b. Mit G 600, 13—19 ist 535, 11—16 zu vergleichen: doch macht mir die starke Abweichung im Wortlaute eine direkte Benutzung zweifelhaft. Die Erzählung von Maris K 535, 17—536, 3 verhält sich zu derjenigen bei T 48, 13—16 ähnlich, wie die Legende von der Verwandlung des Wassers in Wein bei P zu T 53, 4 ff. (s. o. Z. 29 ff.), d. h. K giebt die volle Erzählung. von welcher T nur ein Stück mit Ausschluss der Pointe[3]) kennt. Hier liegt wieder die gleiche Quelle zugrunde. welche auch Zon. 13, 12 p. 25 b f. benutzt hat, wie eine Vergleichung von K mit dieser Stelle und den Darstellungen bei Socr. 3, 12, Soz. 5, 4, Nic. Call. 10, 20 p. 496 c d

---

[1]) Dass der Kaiser beim Abschreiten des Heeres verwundet worden sei, sagt Malal. p. 332, 6 (vgl. auch Zos. 3, 29 Anf.; entfernter Socr. 3, 21 p. 198, 10 Val.-Read).

[2]) Für χλαμύδα L 300, 31, TM 68, 10 hat K 539, 10 ἀλουργίδα, Zon. 218, 19 Dind. τὸ κράσπεδον τῆς πορφυρίδος αὐτοῦ. Die Schmähung der heidnischen Götter K 539, 1—2 hat ihre Parallele in der Klage gegen Helios Zon. p. 216, 14 f. Näher steht Nic. Call. 10, 35 p. 553 c: ὕβριζε δὲ καὶ τοὺς ἄλλους θεοὺς κακοὺς καὶ ὀλετῆρας ἀποκαλῶν. Vgl. zu der Stelle jetzt Patzig a. a. O. 334 f. (s. den Nachtrag).

[3]) Der unbefangene Leser muss, der Absicht der Legende ganz zuwider, den Helden der Erzählung in Julian erblicken, der als Philosoph die Schmähungen ruhig erträgt. T 53, 4 ff. weiss man, ohne den weggelassenen Schluss zu kennen, überhaupt kaum, was die ganze Erzählung hier soll und inwiefern die berichtete Begebenheit ein σημεῖον ist.

ergiebt. Vgl. auch Patzig a. a. O. 333. Der gleiche Grund-
bericht lag auch T (48, 13 ff.) vor,[1] mit welchem die Excerpte
des Baroccianus 142 übereinstimmen (vgl. de Boor am Rande
zu der a. St.), und dies berechtigt uns, unter Berücksichtigung
der von de Boor Theoph. I praef. VIII besprochenen Zusammenhänge die letzte Quelle dieser Fassung der Legende in TA zu
suchen. — Ebenfalls aus der Zonarasquelle stammt, wie Patzig
a. a. O. 334 zeigt, die Notiz über das Apollobild in Antiochia
K 536, 10 ἦν — 12 ἐκμ. und die unmittelbar folgende Bemerkung παρ' αὐτοῦ χρησμὸν ἐζήτει.

Jovian.

Κόσμου ἔτη ͵εωνς΄, τῆς θείας σαρκώσεως ἔτη τνς΄ Ἰωβιανὸς
ἔτος πρῶτον (T 53, 14 ff.) | οὗτος ὁ Ἰωβιανὸς χιλίαρχος ἦν ἀνὴρ
πρᾳότατος κτλ. = T 53, 24 — 31 ὑπάρχ.[2]) (K 539, 15 οὗτος — 18
ἀνήρ.) |

5 Ἦν δὲ τὴν ἡλικίαν Ἰωβιανὸς εὐμήκης, ὥστε μηδὲ ἓν τῶν
τοῦ Ἰουλιανοῦ βασιλικῶν ἱματίων ἁρμόζειν αὐτῷ (L 301, 10—12.
K 539, 18—19) |

Οὗτος νόμους ἐξέπεμψεν εἰς πᾶσαν τὴν ὑπὸ Ῥωμαίων γῆν
εἰς περιποίησιν τῶν τοῦ θεοῦ ἐκκλησιῶν καὶ τῶν Χριστιανῶν
10 τοὺς ἐν ἐξορίᾳ ἀνεκαλέσατο. τῷ ἱερῷ Ἀθανασίῳ τῆς ἀμωμήτου
πίστεως ἐγγράφως διετάξατο σημᾶναι αὐτῷ τὴν ἀκρίβειαν, ὅπερ
καὶ πέπραχεν. ἀφ' οὗ καὶ βεβαιότερος εἰς ὀρθοδοξίαν γεγονὼς[3])
(T 53, 33 — 54, 5, K 539, 24 — 540, 4) |

___

[1]) Vgl. die Uebereinstimmung im ersten Stücke der Erzählung
zwischen T und K. Ausgeschlossen ist es freilich nicht, dass der erste,
mit T parallel gehende Abschnitt bei K Mosaik aus P bezw. T (P hat
Z. 15 mit g ἀπιόντι θύσοντι) und der Zonarasquelle ist. In diesem Falle
wäre der Schluss auf einen Zusammenhang des ganzen Berichtes mit
TA hinfällig.

[2]) 28—29 εἰρήνη γέγονε καὶ ὡς (= g) ἀπὸ θ. σ. ἀν. ὑπό τε ῥωμ. κ. π.
καὶ ὡρίσθη ἡ συμφωνία αὕτη τῆς εἰρήνης ἔτη λ΄ | 29 ὁ — 31 ὂν] τούτου φασὶ
παραιτουμένου τὴν βασιλείαν διὰ τὸ ἑλληνίσαι τὸν λαὸν ἐπὶ ἰουλιανοῦ καὶ
μηδύνασθαι ἄρχειν τοῦ τοιούτου στρατοῦ.

[3]) γεγονὼς Ms. Damit bricht P mitten im Satze ab. (Eine Lücke
ist nicht angedeutet).

Οὗτο; *ἀποστρέψας ἀπὸ Περσίδος ἐν Ἀντιοχείᾳ κτλ.* = K 540, 5—15 *πραγμ.[1]*) (G 450, 15—24) |

Ἰωβιανὸς οὖν βασιλεύσας μῆνας θ' καὶ ἡμέρας ιε' (T 54, 19, K 539, 15) | *ἐπὶ Κωνσταντινούπολιν ἐρχόμενος* fol. 94 v *ἐν Ἀγκύρᾳ τῆς Γαλατείας τελευτᾷ μύκητα πεφαρμαγμένον φαγών* (L 301, 2—4, TM 68, 14—15, K 540, 20—21; vgl. auch T 54, 16) |

Τούτου γυνὴ Χαριτώ,[2]) *ἥτις οὐδὲ βασιλέα[3]*) *αὐτὸν ἐθεάσατο* (L 301, 12—13, K 540, 21—22) | *ἐτέθη δὲ τὸ σῶμα αὐτοῦ ἐν τῷ ναῷ τῶν ἁγίων ἀποστόλων ἐν λάρνακι πορφυρῷ* (L 301, 5—6) | *κατεῖχε δὲ τὴν ἐκκλησίαν Δημόφιλος Ἀρειανός* (L 301, 13—14).

Zu den wie gewöhnlich der Epitome entlehnten Angaben über das Aeussere des Kaisers (Z. 5 f.) und seine Beisetzung (Z. 22 f.) kommen hier noch der Name der Kaiserin (Z. 21) und des Patriarchen von Kpel (Z. 24), so dass diesmal die typischen Zusätze der Redaktion B der Epitome (vgl. Patzig B. Z. 3 [1894] S. 474) in P vollzählig vorhanden sind. Dazu gesellt sich die Notiz über Ort und Art des Todes (Z. 17 f.; für den Anfang schwebte vielleicht auch T 54, 16 vor). Aus G stammt Z. 14 f. bis ὁ *ἐνάγ. ἰθ.* K 540, 12. Für den Rest dieses Abschnittes (= K 540, 12—15) vermag ich die Quelle nicht anzugeben.[4]) Alles Uebrige gehört T.

K hat P eine Strecke weit durch T ersetzt, wie eine Vergleichung von 539, 19—24 mit P und T (53, 27—31) ergiebt.[5]) Aus letzterem stammt weiter 540, 15 *ἐξ* – 17 *πρ.* (= T 54,

---

[1]), 5 *πολλὰς μὲν* | 8. 9 *ἡπατοσκοπεῖτο* | 9 *δὴ*| *δὲ* | *κατασφάζων* | 9. 10 *ἡμῶσε* | 10 *δὲ τοῦτο ἐποίει ὁ ἀνόσιος* ; 12 *δαίμοσιν ἔθυεν*| *ἐσθίεν* | *οὐδὲ.*

— [2]) *χαριτῶ* Ms.

[3]) *βασιλ[...]*.

[4]) Für den Anfang ist zu vergleichen Greg. Naz. or. 21, 33 p. 407 c der Pariser Ausg. v. 1778 (citiert von G 449, 10, Nic. Call. 10, 37 p. 568 d).

[5]) Zu beachten ist, dass in den Worten *εἰρήνη γέγονεν καὶ ὡς* P wieder mit der Hs g des T stimmt, während K mit den übrigen geht. Die Belebung der Erzählung durch den Ausruf in direkter Rede 539, 23—24 ist wohl K's eigenes Werk.

15—17). Die Zonarasquelle lieferte 540, 17 φ.ϑ. — 20 καύσ. (vgl. Zon. 13, 14 p. 29 a, Patzig a. a. O. 327). Alles Weitere stammt aus P.[1])

Valentinian.

Ούαλεντινιανός[2]) ἀνηγορεύθη ἐν Νικαίᾳ κτλ. = L 301, 16—20 ὤρ.[3]) (K 540, 23—541, 7) |

Φθάσας τοίνυν τὴν βασιλίδα Ούάλεντα τὸν ἴδιον ἀδελφὸν κοινωνὸν ποιεῖται τῆς βασιλείας (T 54, 24—25). ἐβασίλευσε δὲ
5 ἔτη ια´ (T 54, 30) | οὗ καὶ τὸ αὐστηρὸν κτλ. = L 301, 27—31 ἐβ.[4]) (K 541, 7—10) |

Μετὰ δὲ τὸ εἰσελθεῖν εἰς τὸ Βυζάντιον κτλ. = K 541, 11—16 προσελ.[5]) (L 301, 32—302, 4, TM 69, 4—10) | καὶ κοινωνὸν ποιεῖται τῆς βασιλείας καθὼς ἀνωτέρω εἴρηται, ἀπονείμας αὐτῷ
10 τὰ ἀνατολικώτερα μέρη, αὐτὸς δὲ τὰ δυτικὰ κατέσχε (T 54, 24—26, K 541, 16—17) |

Τότε καὶ Βασίλειος καὶ Γρηγόριος ἐν ᾿Αθήναις ἦλθον παιδευόμενοι ὑπὸ τοῦ ᾿Ιμερίου καὶ Προαιρεσίου, εὐδοκίμοις σοφισταῖς (sic), ὕστερον δὲ καὶ παρὰ Λιβανίῳ τῷ ᾿Αντιοχεῖ σοφιστῇ ἐμαθη-
15 τεύθησαν (L 303, 3—6, TM 70, 21—23) |

Τῷ πρώτῳ αὐτοῦ ἔτει Ούαλεντινιανός[6]) ὁ Αὔγουστος Γρατιανὸν τὸν ἑαυτοῦ υἱὸν ἀνηγόρευσεν Αὔγουστον καὶ Ούάλεντα τὸν ἀδελφὸν βασιλέα[7]) κτλ. = T 55, 4—16.[8]) K 541, 18—24) |

---

[1]) Z. 16 ist an den Anfang des Ganzen gerückt (539, 15).

[2]) ούαλεντιανός Ms. Am Rande rot: ἀναγόρευσις ούαλεντινιανοῦ, ὡς καὶ ἐβασίλευσεν ἔτη ια´.

[3]) 16, 17 τῶν Βιθ. ἐπαρχ.] βιθυνίας | 17 στρατοῦ | 18 ἰουλιανοῦ καὶ ἐξορισθῆναι | δὲ ούαλεντινιανός | 18, 19 τὴν μ. τ. σώμ.] τῶ σώματι | 19 ἀτῆς fehlt | χωρὰν] χροιὰν | 20 ἐπίξανθος | ἔχων καὶ | ὡραίους μικρὸν ἐπικλασμ ζοντας ὡς λέγειν πολλοὺς παρόμοιος (sic) εἶναι τῷ δᾶδ.

[4]) 27 διὰ] καὶ | ἐπαινεῖτό | 29 ἤδεσαν | ἀλλὰ εἰ | παρεῖδεν (Druckfehler!) παρεῖχεν.

[5]) 12 ὃν θέλω (ἂν fehlt) | 13 δ´ ἀγλάϊφος | εἰ] εἰσ, aber σ ausrad. | 14 πολιτείαν] πόλιν | ὅτῳ] ᾧ τῷ.

[6]) ούάλεντιανός Ms.

[7]) βασιλείου Ms.

[8]) 14 παρέδωκε fol. 95 r.

Πρὶν ἢ βασιλεῦσαι Οὐαλεντινιανὸν παρὰ Σαλουστίου κτλ.
= K 542, 1—5 πολ.[1]) (L 302, 6—12, TM 69, 12—18) | 20

Τῷ πρώτῳ τούτῳ ἔτει παιδίον ἐγεννήθη θῆλυ ἐπταμηναῖον
ἔξω τῆς πόλεως Ἀντιοχείας ἔχων δύο κεφαλὰς διωρισμένας ἀπὸ
τοῦ τραχήλου ἑκάστης κεφαλῆς κεχωρισμένης. νεκρὸν δὲ τοῦτο
ἐτέχθη μηνὶ Δίῳ, ὅ ἐστι Νοέμβριος (K 542, 5—7) |

Τῷ β' ἔτει Λιβέριος ἐπίσκοπος κτλ. = T 55, 18—24 (K 542,   25
8—14) |

Τῷ γ' ἔτει αὐτοῦ Προκόπιος = T 55, 28—56, 2 Προκ.[2])
(K 542, 15—23) | καὶ εὑρέθη εἰς τὰ θεμέλια γεγραμμένος[3])
ἐπὶ πλακὸς ὁ χρησμὸς οὗτος κτλ. = K 543, 3—12 οὗτως[4]) |

Οὐάλης δὲ ἀνελὼν τὸν Προκόπιον κτλ. = T 56, 2—8   30
(K 543, 20—21) |

Τῷ δ' αὐτῷ χρόνῳ κτλ. = T 56, 9—21[5]) (K 543,
21—544, 3) |

Τῷ δ' ἔτει Οὐαλεντινιανὸς ὁ μέγας κτλ. = T 56, 23—57,
8 ἀνόσ.[6]) | 35

Τούτῳ τοίνυν τῷ Οὐαλεντινιανῷ γυνὴ προσῆλθε κτλ. = K
544, 5—12[7]) (L 302, 12—21, TM 69, 19—70, 4) |

---

[1]) 2 ἀποτεύξασθαι | δέοιντο | 3—4 γενόμενος δὲ βασιλεὺς καὶ ἀπαιτού-
μενος ὑπὸ σαλουστίου τὴν τοῦ ἐπάρχου ἀρχὴν ἔφη μὴ δεῖν | 4 ἐπαγγελειῶν
βλάβος | φέρει | τῇ fehlt | vor πολιτεία ist πολιτῇ ausgestrichen.

[2]) 55, 32—34 γόμαρις. καὶ τὸν μὲν προκόπιον εἰς δύο κληθέντα δένδρα
πρόσδησας βιαίως κατεμερίσαντο. τοὺς δὲ προδεδωκότας.

[3]) γεγραμμένα Ms.

[4]) 3 ἄλλοτε | χωρεῖν | 4 τερπόμενα | εὐστεφέας | καταγνιᾶς | 5 παλίστονον |
ἔσεται | 6 πολυσπορέων | 7 ἄγρα | 8 χειμερίοις | 10 μαινομένησι | 11 κεν|
κέη | βιότοιο | 12 δὴ .. ἅπαντα] τὰ μὲν τοῦ χρησμοῦ.

[5]) 10 γέγ. καθ' ὅλ. τ. γ. μέγας | 7] δεκάτη fol. 95 v | 11. 12 προσωρ-
μισμένη τῷ αἰγιαλῷ πλοῖα | 17. 18 ἄλλους .. διηγ] ναυτικοί δέ τινες ἐξηγή-
σαντο | 18 Ἀδρία] ἀνδρεία πελάγους | 19 καταλ.—πελάγει fehlt | 20 καθῆσθαι
τὰ πλοῖα | ἐξελθεῖν.

[6]) 56, 29—31 Θεοδ.—κωλ. fehlt.

[7]) ἄ. 6 Βερονίκη | 7 ἔκρινεν | 8 προσέταξε fehlt | 9 τοῦ ἱπποδρόμου |
..... προσαγγέλουσα | τῷ βασιλεῖ fehlt | 10 ἀναφθῆναι κα ἦναι (Lücke zw.
α und αι| 11 αὐτῷ | καὶ τῇ γυναικὶ (δὲ fehlt) | γυναικί—πᾶσ von 1. Hd.
auf Rasur.

Τῷ ε΄ ἔτει Οὐαλεντινιανοῦ σύνοδος κτλ. = Τ 57, ˊ28—˧
17¹) (Κ 544, 13—15) |

40   Τούτῳ δὲ τῷ χρόνῳ κτλ. = Τ 58, 18—25 |

Τῷ ς΄ αὐτοῦ ἔτει κτλ. = Τ 58, 28—32 (Κ 544, 16—1˧

Τῷ ζ΄ ἔτει Οὐάλεντος τοῦ μιαροῦ κτλ. = Τ 58, 34—59, ˧
(Κ 544, 20—23) | ὁμοίως δὲ καὶ τὴν Ἔδεσαν³) κτλ. = Τ
8—10 φον. |

45   Τῷ η΄ τούτου ἔτει Οὐάλης ἐν Ἀντιοχείᾳ⁴) κτλ. = Τ ˧
5—27⁵) (Κ 545, 1—13) |

Τῷ θ΄ ἔτει Οὐάλεντος τοῦ πολυάθλου κτλ. = Τ 60, 2—˧
ἔτελ. (Κ 545, 14—18) | τῷ δ΄ αὐτῷ ἔτει καὶ Βασίλειος ˧
= Τ 60, 11—12 (Κ 545, 18—20) |

50   Τῷ ι΄ τούτου ἔτει Ἀμβρόσιος μετὰ Εὐδόξιον τῆς ἐκκλησ
κτλ. = Τ 60, 24—61, 23⁷) (Κ 545, 21—546, 23) |

Τῷ ια΄ ἔτει Οὐαλεντινιανὸς ὁ μέγας κτλ. = Τ 61, 25—
3⁸) (Κ 547, 1—10) |

Τὴν δὲ ἐκκλησίαν κατεῖχεν (sic; vgl. L) Εὐδόξιος ˧
55 Δημόφιλος οἱ Ἀρειανοί (L 301, 25—26).

Neben Τ⁹), der Epitome¹⁰) und einer unbekannten Que

¹) 58, 3 μνη fol. 96 r | 8 μὴ —9 ἀποστρ. fehlt | 10 σοφ. —12 τόμ. fe
²) 58, 34.˝Ἕλληοι ἄδεια ἐδώθη | 59, 1 δὲ fehlt | 1. 2 ἔθαλπτε καὶ fe˧
μόνους δὲ | 8 ἦν δεινῶς.
³) αἴδεσαν Ms.
⁴) ἀντιοχείας Ms.
⁵) 6 πολλοὶς μὲν ἀ. μ. ἄλλους δὲ | 7 θρόντην | 7—10 ὡσαύτως—φο
σαι fehlt hier | 11 θάνατον καὶ βοῶσαν· δεῦρο τέκνον, καιρὸς μαρτυρίου, ˧
τυρήσωμεν ὑπὲρ τοῦ χριστοῦ | 13 εὐσ.—23 προεβ. fehlt.
⁶| 7 ἠκίσθησαν fol. 96 v.
⁷) 60, 26 στάσιν καὶ διαλῦσαι τῶν ἀμφισβητουμένων τὰς ἔριδας | 33-
ὅτι τῷδε τῷ ἀνδρὶ ἐγὼ μὲν σώματα, σὺ δὲ ψυχὰς ἀνθρώπων ἐνεχείρησας
ταύτῃ τὰς ἐμὰς ψήφους | 60, 34 Λούκ.—61, 5 ἀν. fehlt.
⁸) 62, 1 φλεβὸς fol. 97 r.
⁹) Ob die Umstellung von T 59, 7—10 der späteren Ueberliefer
(p) angehört und K 545, 4—5 die ursprüngliche Struktur von P z˧
oder ob K nach T geändert hat (mit diesem schreibt er ὡσαύτως, w
nach unserer Hs ὁμοίως bietet), wird sich schwerlich entscheiden las
Die Worte δεῦρο τέκνον κτλ. (zu T 59, 11) als Ausruf der zum Martyr
sich drängenden Frau habe ich sonst nirgends auffinden können. V
leicht sind sie eigene Erfindung von P.
¹⁰) Vgl. Z. 1, 5, 7, 12 ff., 19, 36, 54. An der ersten Stelle gehört µ˧

welcher die Erzählung von dem zweiköpfigen Kinde (Z. 21 ff.)
entnommen ist, findet sich hier in P zum ersten Male die
Zonarasquelle, deren Benutzung durch K wir schon mehrfach
feststellen konnten, verwendet; vgl. Z. 28 f. mit Zon. 13, 16
p. 32b f.[1]) Interessant ist, dass hier K nicht nur den folgenden
Abschnitt der gleichen Quelle angefügt (K 543, 12—20 vgl. mit
Zon. a. a O. p. 32cd; einzusehen sind wieder Socr. 4, 8 und
Nic. Call. 11, 4 p. 596 ab), sondern auch das vorhergehende
P-Stück[2]) nach derselben revidiert hat.   Aus ihr stammt
542, 15 ἀνεψιὸς Ἰουλιανοῦ (Zon. a. a. O. p. 223, 3. 4 Dind.),
22. 23 ὑπερασπιζομένων τῶν Χαλκηδονίων τ. Πρ. (Zon. 8. 9
τῶν αὐτῆς πολιτῶν τὰ Προκοπίου φρονούντων; P hat mit
T 56, 2 φόβῳ Προκοπίου) und 542, 23—543, 1 ὧνπερ κατα-
λυομένων (Zon. a. a. O. ὧν καθαιρουμένων; P knüpft statt
dessen mit καί an.[3])   Auch der Anfang der Erzählung von
Veronika Z. 36 scheint nach der Zonarasquelle gestaltet. Der
Name der Veronika ist der Epitome nach L und TM unbekannt; ausserdem berühren sich die Worte τούτῳ τοίνυν τῷ
Οὐαλ. γυνὴ προσῆλθε .. λέγουσα διαρπαγῆναι eng mit Zon. 13,
15 p. 30b.[4])

K hat abgesehen von dem soeben besprochenen Falle und

ἐπιγλαυκίζοντας κτλ. jedenfalls noch zum Bestande der in L verkürzten
Epitome. Z. 13 scheint ὑπὸ τοῦ Ἰμ. καὶ Πρ. für den bei TM 70, 22
infolge Auslassung von παρὰ vorliegenden vermeintlichen Dativ beim
Passiv eingesetzt zu sein; bei der Apposition hat der Korrektor zu ändern
vergessen. Ueber Z. 36 s. oben im Text.

1) Zur Sache vgl. noch Socr. 4, 8, Nic. Call. 11, 4 p. 598 d, 596 a.

2) Dass ein solches vorliegt, zeigt die Uebereinstimmung von 542,
19—20 mit P gegen T. 21 hat P mit g y (T 56. 1) ἀναξίας, K (nach der
Bonner Ausgabe) mit b ἀναξίῳ, doch ist dies vielleicht Korrektur des
Herausgebers.

3) K 542, 5 gehört P's πλεῖστον wohl nur der jüngeren Ueberlieferung (p) an. Vgl. zu der ganzen Stelle Pataig a. a. O. 341.

4) Zu der Erzählung vgl. noch Synops. 59, 6 ff., wo 9 λέγουσα διαρπαγῆναι ἀπὸ αὐτοῦ τὴν περιουσίαν αὐτῆς fast wörtlich mit P übereinstimmt, Malal. p. 340, Chron. pasch. p. 302 a, Eunap. frgm. 30 Müller,

dem kleinen Einschube aus der Epitome 541, 1 ὃς καὶ ἐβι
λευσεν ἔτη ιγ´ (TM 68, 21 [L 301, 27]) nur P zugrunde geleg

Valens.

Κόσμου ἔτος (sic) ,εωξη´, τῆς θείας σαρκώσεως ἔτη (
τξη´ Ῥωμαίων βασιλεὺς Οὐάλης ὁ ἀδελφὸς Οὐαλεντινιανοῦ
μεγάλου²) ἐβασίλευσεν ἔτη γ´ (T 63, 4 ff.)³) |

    Τούτου τὸ πρῶτον ἔτος (sic) ἡ τῶν Μεσαλινῶν αἵρεσις ;
5 = T 63, 14—65, 14 ἐπαν.⁴) (K 547, 20—548, 13; 5
23—549, 7) | πρὸ δὲ τῆς αὐτοῦ τελευτῆς ἐθεάσατο ἄνδρα ;
= K 549, 8—10 τάλαν⁵) | ὃ δὴ καὶ πέπονθε. παρὰ τῷ τά
γὰρ τοῦ Μίμαντος κατεκάη. ὡς γὰρ συμβαλὼν ἦν τοῖς Γότι
ἐν Ἀδριανουπόλει,⁶) ἡττηθεὶς φεύγει σὺν ὀλίγοις ἐν ἀχυρι
10 τοῦτον καταλαβόντες οἱ βάρβαροι τὸν ἀχυρῶνα κύκλωθεν ἀνῆ
καὶ ἐν αὐτῷ πάντας κατέκαυσαν | ὁ δὲ θεῖος Ἰσάκιος⁷) ἐν
φρουρᾷ ὢν κτλ. = K 550, 4—7 ἐβεβ.⁸) |

    Μετὰ δὲ τὴν ἧτταν κτλ. = T 65, 24—28 ἐδίωξεν |

    Ἦν δὲ Οὐάλης τὴν ἡλικίαν διμοιραίαν ἔχων, αὐθά
15 fol. 98r τὸν τρόπον κτλ. = K 550, 7—11⁹) (L 303 schol. Nᵒ·
L 303, 16—17) |

    Ὁ δὲ Γρατιανὸς Αὔγουστος ὢν καὶ ἐν τῇ Πανονίᾳ¹⁰) ;
ὃν Θεοδόσιον Αὔγουστον ἀνηγόρευσε βασιλέα καὶ εἰς τὸν κ

---

    ¹) In mehreren Fällen bleiben freilich wieder Zweifel, ob unser
Ueberlieferung in p entstellt ist oder K nach T bezw. der Epitome
rigiert hat. Vgl. die oben mitgeteilten Kollationen. 547, 5 hat P m
(T 61, 30) ἔχεις οὓς καί, während K mit den anderen T-Hss geht. —
6—7 ὀφθ. ist wohl Ergänzung K's oder eines bibelkundigen Lesers.

    ²) τῷ μεγάλω Ms.

    ³) Am Rande rot: ῥωμαίων βασιλεὺς οὐάλης.

    ⁴) 63. 20 ἀντιοχείας fol. 97 v | 64, 14 ἰοr. — 23 id. fehlt.

    ⁵) 8 ταχύ | 9 δεινῶς | ἁρπάζει.

    ⁶) αδριάνούπολι Ms.

    ⁷) Ἰσάκιος Ms.

    ⁸) 4 δυσωδείας | 5 οὐάλις.

    ⁹) 8. 9 ἑτοιμοτάτας | 9 δασυμπαθής | παντός| παντελῶς |
γυνή — Δομν.] ἦν δὲ καὶ ἡ γυνὴ αὐτοῦ.

    ¹⁰) παονία Ms.

τῶν Γότθων πόλεμον ἀπέστειλεν. Γότθους δὲ κτλ. = T 66,
2—5¹). 20

Die Zergliederung dieses Bestandes führt wieder auf T²),
die Epitome und die Zonarasquelle. Der Epitome gehört
Z. 14 f.²), der Zonarasquelle Z. 6 f. (vgl. Zon. 13, 16 p. 31 cd).
Das Folgende ist Mosaik aus allen drei Quellen. Aus der
Zonarasquelle stammen die Notiz über das Grab des Mimas
und am Schlusse des Abschnittes die Form der Aussage des
Isaak (= K 550, 5—6) und die Bemerkung über die Bestäti-
gung dieser Aussage (K 550, 6—7); vgl. Zon. a. a. O. 32 a. Die
Epitome (L 303, 16, TM 71, 3—4) lieferte die Bemerkung über
Adrianopel als Ort der Katastrophe und den Spreuhaufen als
Zufluchtsstätte. Der Rest ist T 65, 17 ff. entnommen.⁴)

K hat sich in dem zuletzt besprochenen Abschnitt für das
Anfangs- und das Schlussstück (549, 7—10 καλ.; 550, 4—7)
P angeschlossen, für das Zwischenstück aber die Zonarasquelle
selbst zur Hand genommen⁵) und sich nur in der Angabe,
dass der Kaiser in einem Spreuhaufen (nicht einem Hause) eine
Zuflucht gesucht habe (549, 19)⁶), P anbequemt, was ihn aber
nicht hindert, wenige Zeilen später (550, 2) doch wieder der
Zonarasquelle folgend von dem οἴκημα zu reden, in welchem
Valens sich verborgen hielt. Ein weiteres P fremdes Emblem
aus der Zonarasquelle ist 548, 13 Λιβ. — 23 ἀπέθ. (vgl. Zon.

---

¹) 2 ἐπιχ. — 4 ἀγ. fehlt im Texte u. ist rot am Rande nachgetragen.

²) Für den Zusatz Z. 2 f. ὁ ἀδελφὸς Οὐάλ. τ. μ. ist keine besondere
Quelle (etwa die Epitome vgl. L 303 schol. 38; im Texte 303, 7 auch das
bei P folgende ἐβασίλευσεν) anzusetzen, vgl. T 54, 24; 55, 3.

³) Der bei L fehlende Schluss der Charakteristik stand ohne Zweifel
gleichfalls in der unverkürzten Epitome.

⁴) Vgl. zu der Stelle Patzig a. a. O. S. 337 ff. Sehr beachtenswert
ist, dass die Synopsis p. 61, 10—12 fast wörtlich mit P in einem aus T
und der Zonarasquelle kombinierten Stücke übereinstimmt und auch 8 in
der Angabe ἐν ἀγρῶνι mit ihm zusammentrifft, woraus sich für diese
Stelle mit Sicherheit P als Quelle der Synopsis ergiebt.

⁵) 549, 16 τοῦτο — 17 ὕπειρος scheint eigene Zuthat von K.

⁶) 549, 18 ist das Zusammentreffen mit P in συμβαλών—ἡττηθείς
vielleicht Zufall; vgl. Zon. p. 222, 20 Dind.

13, 16 p. 32d f., Patzig a. a. O. 342 f.). 547, 11—20 stammt aus der Epitome (L 303, 7—15, TM 70, 24—71, 2); der Anfang ist von K wohl nach eigenem Gutdünken abgeändert. Alles übrige ist P entnommen.[1])

Gratianos. Theodosios.

Κόσμου ἔτη ͵εωυα΄, τῆς θείας σαρκώσεως τοα΄[2]), Ῥωμαίων βασιλεὺς Γρατιανός, ὃς κοινωνὸν τῆς βασιλείας Θεοδόσιον προεβάλλετο κτλ. = T 66, 17—67, 15 λέγ.[3]) |

Μαξιμιανὸς δέ τις Βρεττανὸς δυσαναοχετῶν ὅτι κτλ. = K 551,
5 3—10 διεχ.[4]) (L 304, 6—14, TM 71, 20—26) |

Μετετέθη δὲ ὑπὸ Θεοδοσίου εἰς τοὺς βασιλικοὺς τάφους (L 304, 14—15, TM 71, 26—27, K 551, 12—13) |

Ἐπὶ τούτου[5]) σεισμὸς κτλ. = K 550, 17—551, 2[6]) (G 462, 12—24) |

10 Τῷ δ΄ ἔτει Γρατιανὸς ὁ βασιλεὺς ἀνῃρέθη. ἐκράτησε δὲ τῆς βασιλείας Οὐαλεντινιανὸς ὁ ἀδελφὸς Γρατιανοῦ. ὁ δὲ μέγας Θεοδόσιος ἐν Θεσσαλονίκῃ ὢν νόσῳ περιπεσὼν ἐβαπτίσθη ὑπὸ Ἀχολίου ἐπισκόπου κτλ. = T 68, 5—13[7]) (K 552, 15—553, 2|) |

Τῷ ε΄ ἔτει Θεοδοσίου ἐν Ἀντιοχείᾳ τῆς Συρίας γυνὴ κτλ.
15 = T 68, 17—19[8]) (K 553, 3—5) |

Τῷ δὲ ἕκτῳ ἔτει Θεοδοσίου ἡ μεγάλη κτλ. = T 68, 21—28

---

[1]) Der Zusatz 547, 21 τῶν καὶ Βογομίλων nach 514, 20. K 550, 11 ist unser P-Text entstellt; andernfalls müsste K hier die Epitome direkt eingesehen haben.

[2]) o auf Rasur.

[3]) 66, 26 ἐν — 30 ἀποσχ. fehlt | 67, 11 περὶ - 12 γέφ. fehlt.

[4]) 4 τυχόντα | 6 εἰσελθὼν | φημίσας | 7 ἐκ] καὶ | 9 παρεσκ. ὄντων| πρεσβευσαμένων | 10 τούτω.

[5]) τούτω Ms.

[6]) 17 γέγονεν] ἐγένετο | 18 ἐπιπολλοῦ | 19 πλήθη | πολλὰ | 20 συνδέδρα fol. 98 v μικότι | ἀθρόων | 21 μυριάδας | κατεπόντισε | καὶ an letzt. St. fehlt | 22 σικελλίας | 551, 1 ἐπικλύσας | 2 ἑκατόν| ρ΄.

[7]) 7 δὲ καὶ αὐτός | ἐν Κωνστ. fehlt | 8 τῆς ἐκκλησίας | 13 μ΄ ἔτη καὶ μικρὸν πρὸς προκατασχόντων αὐτὰς τῶν ἀρειανῶν.

[8]) 18 ὁμοῦ κ. τ. αὐτὸ] ἐν ταύτῷ | ἀρρενικά | 19 ἐπίζησαν δὲ (καὶ fehlt) | ἐπὶ τῷ ἑνί.

Κωνστ. [1]) (Κ 553, 6 - 9) | *ἀναθεματίζεται δὲ παρ' αὐτῶν Ἄρειος, Εὐσέβιος* [2]) *ὁ Νικομηδείας, Εὐζώϊός τε καὶ Ἀκάκιος, Θεόγνις, Εὐφρόνιος καὶ οἱ λοιποί* (T 69, 19—21, K 553, 13—15) | *ἡ δὲ ἀγία σύνοδος Γρηγορίῳ κτλ.* = T 69, 4—27 *ἐπ.* [3]) (K 553, 20 16—554, 2) |

Τότε καὶ ἡ πάντιμος κεφαλὴ τοῦ ἀγίου προδρόμου κτλ. = K 554, 3—4 (L 305, 7—8; 306, 8; TM 72, 13—14; 73, 19; T 69, 30) |

Τῷ ζ΄ τούτου ἔτει Θεοδόσιος ὁ Αὔγουστος κτλ. = T 70, 25 3—8 (K 554, 5—7) |

Τῷ η΄ αὐτοῦ ἔτει ἐν Παλαιστίνῃ ἐν κώμῃ Ἐμμαοῦς λεγομένῃ κτλ. = T 70, 13—21 (K 554, 8—15) |

Κτίζει δὲ καὶ πόλιν ἐν Θρᾴκῃ Θεοδοσιούπολιν ὀνομάσας τὴν πρὶν λεγομένην Ἄπρον. κτίζει δὲ καὶ ἐτέραν πόλιν Ἀρκαδιού- 30 *πολιν ἐπ' ὀνόματι τοῦ υἱοῦ αὐτοῦ τὴν λεγομένην τὸ πρὶν Βεργούλην* [4]) (K 568, 3 - 7) |

Τῷ αὐτοῦ θ΄ ἔτει Τιμοθέου κτλ. = T 70, 23. 24 [5]) |

Τῷ ι΄ αὐτοῦ ἔτει ἦλθεν Θεοδόσιος κτλ. = T 70, 31—71, 7 αὐτ.[6]) (K 569, 1—2; 568, 8—11) | *ἐξιὼν δὲ κτλ.* = K 568, 12 35 —15 ἀν.[7]) |

Τῷ δωδεκάτῳ αὐτοῦ ἔτει Θεοδόσιος ὁ βασιλεὺς νικήσας Μάξιμον τὸν τύραννον ἀνεῖλε καὶ Ἀνδραγάθιον τὸν στρατηγὸν αὐτοῦ ὡς δολοφονήσαντα Γρατιανόν (T 70, 27—29, K 568, 21

---

[1]) 22—23 ὑπό ... μεγάλου fehlt | 24 δογματισθέντων | 25 ἐλεύσεως | ἀγίων ρν΄ | προηγούντων | 26. 27 ὁ ἱερώτατος fehlt beide Male | 27 γρηγόριος ὁ Κ.

[2]) εὐσέβιος Ms.

[3]) 5 καί — 6 ἐνιδρ. fehlt | 7 πόλιν] ἐκκλησίαν | 8 τά .. καὶ fehlt | 9 λόγον fehlt | 10 ὑπεχώρησε δύο χρόνους μόνον ταύτης ἐπισκοπίσας | 12 πραιτωρίου | τότε fehlt | διέποντος | 19 ἡ — 23 ἀπεκ. fehlt hier (s. o.) | 25 ἀντιόχειαν fol. 99 r | 26 βαβύλα.

[4]) υ über d. Zeile.

[5]) 24 μηνὶ .. ἔκτῃ fehlt | Θεόφιλος ὅστις καὶ ἐπισκόπευσεν ἔτη κη΄.

[6]) 32 ἐκάθισεν] ἀνηγόρευσαν | ἐν ... Ἰουνίου fehlt | 33 ἐπὶ] ἕως | 71, 4 ἀκούσας· ἐν ῥώμῃ ὁ μικρὸς Ο.

[7]) 12 εὐγενείου | ἰσχύϊ ἰδίᾳ | θαρρῶν | 14 νικᾷ κατα κρ. | 15 καὶ χει-

40 —22) | ὁ δὲ ἐπίσκοπος Ἀλεξανδρείας Θεόφιλος αἰτησάμενος
Θεοδόσιον κτλ. = T 71, 8—16 ἐκ.[1]) (K 569, 2—4) |

Τότε καὶ Μάρκελλος ἐπίσκοπος Ἀπαμείας κτλ. = T 71, 31
—33 Ἑλλ.[2]) (K 569, 4—6) |

Τοῦ δὲ ναοῦ τοῦ Σεράπιδος κτλ. = T 71, 17—20[3]) (K 569,
45 6—10) |

Ἰστέον ὅτι Χαλδαῖοι = K 570, 9—16[4]) (vgl. G 485, 1—23)|

Τῷ ιγ΄ τούτου ἔτει Νεκτάριος κτλ. = T 71, 33—73, 3
Ἀμβρ.[5]) (K 570, 17—571, 7) |

Ἐν Θεσσαλονίκῃ[6]) τῇ πόλει ὑπάρχοντος τοῦ βασιλέως Θεο-
50 δοσίου οἱ Ἰουδαῖοι ἐκ προστάξεως κτλ. = K 571, 17—572, 22[7])|

Τότε προσεδέξατο αὐτὸν ὁ μέγας Ἀμβρόσιος ἐν τῇ ἐκκλησίᾳ,
ἔξω μέντοι τοῦ θυσιαστηρίου κτλ. = T 73, 3—14 (K 571, 8—15)|

Τῷ ιε΄ αὐτοῦ ἔτει τὰ τῶν προφητῶν κτλ. = T 73, 28—74,
19[8]) (K 573, 20—23; 574, 1—2) |

---

[1]) 9—11 ἑλλήνων καὶ λαβὼν κατέλυ᾽ τοῦτο καὶ ἐδημοσίευσεν. ὅθεν τὸ
πλῆθος τῶν ἑλλήνων ὑπομανίας αἰσχυνθὲν | 15 ἱερὰ fol. 99 v.

[2]) 32 ζήλῳ ... κινούμενος fehlt | 32—33 τὰ — Ἑλλ.] ναοὺς εἰδωλικοὺς
καταστρέφων ὑπὸ ἑλλήνων ἀναιρεῖται.

[3]) 18—19 πιστ ... εἶπον] θεασάμενοι ἐπίστευσαν λέγοντες.

[4]) 9 τῷ πυρὶ | 10 καὶ fehlt | 11 τῷ τοῦ κανώπου | 12 κατασκεβάσας |
13 φράξας | χρώμασι | 14 ἐφαρμώσας.

[5]) 72, 17 ἐπεδείξατο] συνεγράψατο | 72, 29—73, 1 εἰσελθεῖν ἐν τῇ ἐκ-
κλησίᾳ. διὸ καὶ νόμον ἐκτίθεται τοὺς χα fol. 100 r ταδικαζομένους.

[6]) Θεσσαλωνήκη, das erste η mit rotem ι bedeckt.

[7]) 571, 17. 18 ὀνωράτου τοῦ ὑπάρχου | 18 χαλκοπρατίοις | 19 Χριστια-
νῶν] στρατιωτῶν | ὑπάρχου | 20 ἦν] ἦν | 21 ὕπαρχος | 572, 1 εἴσοδον — 3
βασ. fehlt im Texte und ist am Rande rot nachgetragen, davon einzelnes
beim Binden der Hs abgeschnitten; 572, 1 ποιήσασθαι] ποιεῖσθαι | 3 σφοδρῶς
καθαπτόμενος | 4 ὄντα καὶ προβατέα | 5 λογχενομένων γ von 1. Hd. über-
geschr. | 6 καὶ (an 2. St.) — 8 χρυσοπορφύρῳ fehlt | 11 ἐξήρτυσας | ι in καὶ
und ὁ auf Rasur | 12 κατὰ σοῦ | βασιλεῦς | ὑπὲρ σοῦ | 13 Ἰουδαίοι | 13. 14
ἀπαρτίσωσι | 14 ἐὰν fehlt | 15 βασιληκὴν πόλιν | κατεργάζεται | 16 τοῦτο εἰπέ
μοι, alles auf Rasur | βασιλεῦ | ἵνα | 16. 17 πόλιν βασιλεύουσαν | 17 ἀνα-
πέμπωσιν | τοῦτο | 20. 21 ἐπιτίμιον καὶ νόμον ἐξέθετο ἔγγραφον τοῦ μὴ
ἔχειν | 21 συναγωγὰς | 22 δημοσίως προσεύχεσθαι ἐν τούτοις.

[8]) 73, 34 παραινε fol. 100 v | ἐτῶν] ἡμερῶν ἀμφοτέρους | 73, 34 ἐκ
— 74, 1 ἀνατολῆς fehlt | 74, 1 μεθ᾽ — 2 ἐστάλη fehlt | 6 καὶ — 7 ἐλ. fehlt |

Τὴν δὲ τῆς ἀρχιερωσύνης καθέδραν[1]) *κατεῖχε Νεκτάριος* 55
(L 306, 29, K 574, 2—3).

Neben dem T-Bestande[2]) hat P wieder Stücke aus der
Epitome (Z. 4, 6, 22, 55)[3]), und G (Z. 8, 35 [vgl. G 487, 19 f.;
12 ff.][4]), 46). Nicht festzustellen vermag ich die Herkunft von
Z. 29 ff. (vgl. Malal. p. 345, 22 f.). Besonderes Interesse erregt
der aus der mit Zon. 35 b gemeinsamen Quelle eingefügte Abschnitt Z. 49 f.[5]), den wir im Zusammenhang mit seiner Parallele bei K (571, 16—572, 22) behandeln müssen. Zunächst
fällt auf, dass dieses Stück bei P in besonders gewaltsamer
Weise mitten in die Erzählung T 72, 27—73, 6 hineingezwängt
ist. Bei genauerem Zusehen zeigt sich aber, dass es der Redaktor
wegen der in beiden Erzählungen im Mittelpunkte stehenden
Beziehungen des Kaisers zu Ambrosius gerade hier untergebracht und mit dem Berichte von T nach Kräften zu verschmelzen versucht hat. Die Begebenheit, welche Ambrosius
Anlass zum Eingreifen giebt, wird, wie die bei T erzählte,

12—15 *καὶ ἀρρωστήσας ἐκοιμήθη* ('Ονώρ. - *νυκτὶ* fehlt) | 19 *κωνσταντινου-
πόλει θεὶς ἐν τῷ ναῷ τῶν ἁγίων ἀποστόλων.*

[1]) *καθέδρα* Ms.

[2]) Z. 2 setzt P Gratian an Stelle des Theodosios T 66, 8[2], behält
aber Z. 10 die Jahreszahl des letzteren (*τῷ δ´ ἔτει*) bei. Die Zusätze *ὁ
ἀδελφὸς Γρατιανοῦ* zu T 68, 3 und *ἐν 'Ρώμη* zu T 71, 4 setzen keine fremde
Quelle voraus (zu ersterem vgl. T 62, 5 ff., 61, 11); der Zusatz zu T 69, 10
stützt sich auf T 68, 15. — Z. 34 ist infolge eines leicht erklärlichen Ab-
schreibefehlers mit der Jahresangabe für das zehnte Regierungsjahr der
Inhalt des elften verbunden. Das fehlende zehnte Jahr wurde mit *τῷ
δὲ δεκάτῳ αὐτοῦ ἔτει Θεοδόσιος ὁ βασ. νικ.* ursprünglich am Rande nachgetragen, was dann mit dem Lesefehler *τῷ δωδεκάτῳ κτλ.*, in den Text
geriet (Z. 37), so dass nun das 12. Jahr doppelt vertreten ist. — T 73, 34
ist *ἡμερῶν* Konjektur eines Schreibers, der *διὰ* im Sinne von „während",
nicht in dem von „nach" verstand.

[3]) Ein Zweifel, ob T oder die Epitome vorgelegen hat, bleibt hinsichtlich der Notiz über Paulus Z. 22 (= K 554, 4).

[4]) Die Uebereinstimmung in der Form ist hier freilich so gering,
dass man versucht ist, nicht an Entlehnung, sondern an eine gemeinsame Quelle zu denken.

[5]) Vgl. auch Patzig a. a. O. S. 344.

nach Thessalonike verlegt,[1]) an die Stelle des Volkes (Zon.
p. 228, 7. 8 Dind. vgl. K 571, 19) treten dementsprechend die
Soldaten. Der Einlass in die Kirche in Mailand (T 73, 3 ff.)
erscheint nun auch zugleich als Antwort des Bischofs auf die
Nachgiebigkeit des Kaisers in der Synagogenangelegenheit.
Von einer solchen Verschmelzungstendenz ist die Darstellung
in K völlig frei. Der Eingang (571, 16 ἐν Μεδιολάνῳ ὑπάρχοντος τοῦ βασιλέως κτλ.) stimmt mit Zonaras p. 228, 3 f. vgl.
mit 16 überein; Gegner der Juden ist das christliche Volk (οἱ
Χριστιανοί), nicht das Heer (vgl. Zon. 228, 8), und von dem
Versuche, den Einlass in die Kirche in Mailand mit dem Verbot
des Synagogenbaues in Verbindung zu bringen, findet sich keine
Spur. Das klar zutage liegende Anordnungsprinzip in K ist
ein ganz anderes. Bis 571, 15 wird der P-Stoff soweit möglich
erledigt, zu welchem auch die in P den Ambrosiusgeschichten
erst folgende Erzählung vom Ausbleiben der Nilsteigung gehört.
Die später kommenden P-Stücke 573, 20 ἐν – 23 ἐση., 574, 1
μετ. — 2 ἀποσι. beziehen sich auf Theodosios' Ende, mussten
also aus chronologischen Gründen verspart werden: 574, 2 τὴν
— 3 Νεκτ. klebt wie bei P mit der Notiz über des Kaisers
Beisetzung zusammen. Von 571, 16 an wird zur Sache Gehöriges aus anderen Quellen nachgetragen. Soviel ist jedenfalls,
auch abgesehen von dem Anordnungsprinzip, sicher, dass die
ganze Erzählung von dem Synagogenbau 571, 16—572, 22
nicht aus P, wenigstens nicht aus der uns vorliegenden P-
Redaktion stammt.[2]) Der Vermutung aber, dass P die Sache

---

[1]) Vgl. den Eingang des Stückes in Verbindung mit dem Umstande,
dass K 571, 16. 17 ἐκ Κωνσταντινουπόλεως in P fehlt. Im Folgenden ist
freilich, abgesehen von 571, 19 στρατιωτῶν für Χριστιανῶν, die Verlegung
des Schauplatzes nicht weiter durchgeführt, wenn man nicht 572, 16 ἡ
ἐπὶ πόλιν βασιλεύουσαν für ἐπὶ πόλεως βασιλευούσης mit derselben in Verbindung bringen will (dagegen spricht das Vorhandensein der gleichen
Variante 572, 15). Zu der Variante ὑπάρχου bezw. ὕπαρχος 571, 17. 19. 21
ist zu bemerken, dass P auch T 72, 23 ὕπαρχον las (unmittelbar vorher
aber giebt P ἐπάρχου).

[2]) Fehler, die rein zufällige und individuelle Eigentümlichkeiten

ursprünglich in der bei K vorliegenden Form brachte und erst
in p der Verschmelzungsversuch unternommen wurde, steht
zweierlei entgegen: erstens, dass K 571, 2—7 nur das in P vor
dem Einschube stehende Stück der T entnommenen Ambrosius-
erzählung kennt, diese also offenbar bereits in seinem P-
Exemplare durch das Emblem unterbrochen war; zweitens die
höchst frappante Thatsache, dass die Worte ἐν τούτοις, mit
welchen in K der P fremde folgende Abschnitt beginnt (573, 1),
in P irrtümlicher Weise an das Ende unserer Erzählung gezogen sind. Das müsste zu dem Schlusse führen, dass wir es
in dem Abschnitte mit einem aus K in p eingedrungenen Einschube zu thun haben, bliebe nicht die Möglichkeit, dass das
mit ἐν τούτοις beginnende Stück auch in der Zonaras und K
bezw. P gemeinsamen Quelle folgte, oder dass dasselbe ursprünglich auch in P vorhanden war, aber bei der in p vorgenommenen Umstellung — wenn man zu dieser Annahme
trotz des oben angeführten ersten Gegengrundes greifen will —
wegfiel. Ich wage in dieser schwierigen Frage keine bestimmte
Entscheidung zu treffen. Welchen Ausweg man auch wählen
mag, die Rechnung geht nicht auf.

Wir wenden uns zur Analyse von K. Den Grundstock
bildet wieder P.[4]) Aus der Epitome stammen 550, 12—13 γ′

---

unserer Pariser Hs sein können, wie z. B. die Auslassung von K 572, 6 καί
— 8 χρυσοκορφύρῳ bleiben natürlich für die Quellenfrage ausser Betracht.

[1]) Die Notiz von dem Erdbeben unter Gratian 550, 17—551, 2 ist
aus chronologischen Rücksichten (bei P steht sie hinter der Angabe über
Gratians Beisetzung) hinaufgerückt. Da Gratian in einem in das Epitomestück 550, 12—13 gemachten Einschube als Häretiker bezeichnet wird,
konnte ihm das von P nach T 66, 20 ff. berichtete Wirken für die Recht-
gläubigkeit nicht gelassen werden. K hilft sich in der Weise aus der
Verlegenheit, dass er nach Gratians Tode diese Wirksamkeit von Valentinian allein (statt, wie P, von Gratian und Valentinian) berichtet
(K 551, 14 ff.). Dieser Notiz ist die bei P dem gleichen Abschnitt angehörige über Gregors Thätigkeit in Kpel nachgefolgt. Auch später ist
einiges umgeordnet. Die von P im gleichen Zusammenhange wie von
T überlieferte Notiz T 74, 3 ff. ist 568, 15—20 mit der Eugeniosgeschichte
verknüpft. Auch K 568, 21 ff. zeigt P gegenüber Aenderungen. K 570,
17 ff. ist ins 15. und 16. Jahr des Theodosios verlegt, was nach T und

(L 304, 2—3, TM 71, 16—17. αἱρετικός ist Zusatz); 551,
10—12 ἔχ. (L 304, 15—16, TM 71, 27—28); 551, 19. 20 ἔτι
μικρὸν τυγχάνον und 551, 22 διασ. — 552, 4 ἀναστ. (L 305, 25;
30 - 34; 27—29, TM 73, 7—9); 552, 10—15 (L 304, 22—28,
wo aber ἀπὸ ποδῶν ἕως κεφαλῆς [K 552, 11] fehlt; die Angabe der Abkunft hat K gestrichen, da er darüber unmittelbar
vorher nach P berichtet hatte; TM 72, 5—7); 553, 9 καὶ κατά
Μακεδ. — 13 Ἀπ. (L 305, 1—5); 553, 15 ἀπ. — 16 ξ´ (L 305,
5—6); 554, 23 δλ. — 555, 3 ὑπ. (L 306, 4—7, TM 73, 14—17);
573, 11—20 κατ. (L 305, 10—18, TM 72, 16—24; 573, 11. 12
ἐν ἀρχῇ τῆς βασ. αὐτοῦ ist Zusatz); 573, 23 σὺν Πλακ. — 574, 1
Ῥώμη (L 305, 20—22, TM 72, 25—73, 2). G hat Folgendes
beigesteuert: 552, 4 μικροῦ — 6 (G 473, 14—15); 554, 16—23
ὑπελ. (G 474, 11—18; das Jahr nach P); 555, 3 καὶ — 7 ἐμπλ.
(G 474, 5—9; der Wortlaut weicht stark ab); 555, 7 ἡ — 559.
16 καὶ. (G 474, 20—479, 3; 556, 16—17 ist ὡς δέ τινες πεντεκαίδεκα hinzugefügt nach P = T 72, 27; 559, 12—13 stammen
die Worte ἐν τῇ ἱερᾷ τραπέζῃ τὰ δῶρα προσενεγκὼν εὐθὺς
ἐξελήλυθεν aus Theodoret h. e. 5, 18 a. E.; ebendaher ist der
Schlusssatz des Ganzen 559, 16—17); 562, 16 - 563, 4 (G 481,
6—18; auf den Eingang hat K 554, 3 eingewirkt). K 569, 10
τοῦτον — 570, 2 deckt sich im wesentlichen mit G 482,
7—483, 12, enthält aber einiges G Fremde (569, 14. 15 καὶ
στήλην, 17. 18 μετων. — στήλην, 21 ἄλλος ναός); über die Herkunft dieser Zusätze vermag ich nichts festzustellen. Aus
Theodoret stammt neben dem soeben Bezeichneten (559, 12—13;

P ins 13. Jahr gehört, anscheinend um das chronologische Gerippe unversehrt zu erhalten (Theodosios regiert 16 Jahre nach P; vgl. freilich
K 550, 16), da hier die letzte Datierung nach Jahren des Theodosios gegeben wird. Das P-Stück 570, 18—571, 2 ist am Schlusse nach anderer
Quelle umgeformt; vgl. L 306, 26, TM 74, 10, Zon. p. 229, 19 Dind.
K 571, 2—7 giebt den T 72, 19—73, 2 entsprechenden P-Abschnitt in
starker Verkürzung, da die Sache vorher (556, 7—559, 17) ausführlich
nach anderer Quelle erzählt ist. 568, 4—5 ἀπὸ ... αὐτὸν ist wohl aus
einer Reminiscenz an das von P unter Karinus Ueberlieferte entstanden
(S. Byz. Z. 5 [1896] S. 532). Bemerkenswert ist, dass diese Fassung, nicht
die K 464, 9 f. gegebene, vorausgesetzt ist.

16—17) noch 559, 18—562, 15 (Theod. hist. e. 5, 19 und 20);
563, 5—13 (Theod. h. e. 5, 25). K 567, 15 - 568, 2 σταυρός
berührt sich am meisten mit Nic. Call. 12, 39 p. 884 a f.
(Theod. 5, 24 weiss nichts vom Uebergang der Feinde [K 567,
22 f., Nic. Call. a. a. O. 885 a]; diesen hat Sozomenos [7, 24],
der aber für den Anfang der Erzählung nicht in Betracht
kommen kann), und es ist sehr wohl möglich, dass der Kompilator diese uns unter Nikephoros' Namen vorliegende Kirchengeschichte vor Augen gehabt hat (vgl. de Boor Byz. Z. 5 [1896]
S. 19 f.). K 563, 18—567, 6 ist Konstantinos Rhodios in einer
ausführlicheren Redaktion, als sie uns erhalten ist, verarbeitet;
vgl. Preger Byz. Z. 6 (1897) S. 167 f. Es bleibt noch ein Rest
von Bestandteilen, deren Quellen ich bis jetzt vergeblich nach-
geforscht habe. Neben einigen im Bisherigen bereits angeführten
Stücken (550, 12 αἱρετικός; 569, 14—15, 17—18, 21) sind dies
folgende: 1) 550, 13 ἀπό — 17 δ'; P = T 65, 29 f. berührt sich
damit im Wortlaut, ist aber nicht die Quelle. Fast die gleiche
Regierungsdauer — es fehlen nur die Tage — giebt Zonar.
p. 232, 11 f. Dind., so dass vielleicht auch hier die Zonarasquelle als Vorlage anzusetzen ist; 2) 551, 20. 21 δέκα χρόνους ..
πεποιηκώς; 3) 563, 14—17; 4) 567, 7—14; 5) 570, 2—8.
Vgl. hierzu Suid. s. v. ἰνδάλματα· φαντάσματα, ὀνείρατα, ἅπερ
μὴ παρόντα ὑπονοεῖ τις, ὁμοιώματα, ἀπεικονίσματα κτλ.
(s. auch die Synag. lex. in Bachm. anecd. graec. 1 p. 262);
Zon. lexic. s. v. εἴδωλον· σκιοειδὲς ὁμοίωμα ἢ ἀνάπλασμα ἀν-
υπαρκτον καὶ εἶδος ἀνυπόστατον κτλ. 6) 573, 1—10. Abschaffung der Olympiadenrechnung durch Theodosios den
Jüngeren notiert Joh. Lyd. de mens. 4, 64. 573, 6 ἰνδι-
κτιών — 7 νίκη stimmt, wie schon Du Cange gloss. med. et inf.
graec. s. v. ἰνδικτ. und Müller fragm. hist. gr. zu Hesych. fr. 2
bemerkten, wörtlich mit der von Const. Porphyr. de them. p. 26
Bekk. überlieferten Hesychglosse.

Arkadios.

Κόσμου ἔτη ͵εωπη΄, τῆς θείας σαρκώσεως ἔτη τπη΄,]
μαίων βασιλεὺς Ἀρκάδιος ὁ υἱὸς τοῦ μεγάλου Θεοδοσίου κ
τήσας ἔτη ιδ΄ [1]) (Τ 74, 20, Κ 574, 3—5) | οὗτος αὐτοκρά
κτλ. = Τ 74, 23—24 (Κ 574, 6—7) | Ἦν δὲ Ἀρκάδιος τὴν θ.
5 *κτλ. = Κ 574, 7—10 ἐξεπ.[2]) |*

Τῷ β΄ αὐτοῦ καὶ τρίτῳ ἔτει μετετέθη τὰ λείψανα :
= Τ 75, 11—12 Ἀλ. (Κ 574, 10—11) |

Τῷ δὲ δ΄ καὶ ε΄ αὐτοῦ ἔτει ποιεῖ ἴδιον ἀριθμὸν ἐν Κ
σταντινουπόλει (Τ 75, 16, Κ 574, 11—12) | χειροτονεῖται δὲ
10 *αὐτοῦ Ἰωάννης ὁ Χρυσόστομος πολλὰ εἰς τοῦτο σπουδάζοι*
τοῦ Θεοφίλου Ἀλεξανδρείας[3]) κωλῦσαι τὴν ψῆφον κτλ. = Τ
21—34[4]) (Κ 574, 14—15 Κωνστ.) | τῷ δ΄ αὐτῷ ἔτει γεννᾶ
Ἀρκαδίῳ τῷ βασιλεῖ υἱὸς κτλ. = Τ 76, 1—3[5]) (Κ 574, 17—2

Τῷ η΄ ἔτει αὐτοῦ Γαϊνᾶς κτλ. = Τ 76, 10—18[6]) (Κ ε
15 *21—575, 4) |*

Τῷ θ΄ αὐτοῦ ἔτει Ὀνώριος κτλ. = Τ 76, 20—77, 18 ϙτ
(Κ 575, 5—15) |

Ἰστέον ὅτι Κύριλλος ὁ ἁγιώτατος ἐπίσκοπος Ἀλεξανδρ
ἀνεψιὸς μὲν Θεοφίλου κατὰ σάρκα ὢν καὶ ἕως[8]) χρόνων τι

---

[1]) Am Rande rot: *βασιλεὺς ῥωμαίων ἀρκάδιος ὁ υἱὸς τοῦ μεγ*
θεοδοσίου.

[2]) 7 *ἰδεχθέστατος* | 8 *μέλας μὲν* | *τὴν δὲ.*

[3]) *ἀλεξάνδροο,* von spät. Hd. das 1. o in *ει,* das 2. in *ας* korr.

[4]) 22 *ἐπίσκοπον*] *εἰς ἐπισκοπὴν* | 23 *αὐτῷ* — 24 *ἐγχ.* fehlt | 24 *d.*
βασ. | 25 *ἡ πόλις πᾶσα* | *ἀποδηνιόχειαν* | 25 *ὑπ΄* — 26 *προσκλ.* fehlt | 26 ‹
τὸν πάνυ περιφ. | 30 *περὶ τὸν θάνατον* fehlt | 31 *ἔφη* — *ἔλεγον*] *ἰῶ΄ ἔφη*
ἡμῶν fehlt | 34 *ἐγκύκλνα* | *λυβανίω.*

[5]) 2. 3 *ἰῶ΄ ὁ χρ. ἐν τῶ ἁγίω βαπτίσματι;* am Rande rot: *ὁ τίμιος*
σόστομος ἀρχιεπίσκοπος ἔτη ἑξ (Τ 76, 4).

[6]) 11 *ὅρκους* fol. 101 r | 15 *θράκης καὶ σχεδείας* | 15—16 *κατεσι*
διαπερ. fehlt | 16 *πρὸς τὰς ἀνατ. χώρας καὶ πόλεις* | *χειρώσηται*] *χωρεῖ*
γῆς | *θαλάσσης.*

[7]) 77, 9 *ἐκκλησία μετανοήσας* | 12 *χρυσοστόμω τοῦ μεταλαβεῖν*
αὐτὴν ὧ τοῦ θαύματος | 17 *εἰλικρινῶς μετανοοῦσα καὶ ὁλοψύχως.*

[8]) *ὡς* Ms.

καὶ αὐτὸς προ fol. 101 v λήψει κτλ. = K 575, 18 576, 7 πᾶσι¹) | 20
'Αρσένιος δὲ ὁ μέγας κτλ. = T 77, 20 - 23 (K 576, 10 – 13) |

Τῷ ί αὐτοῦ ἔτει 'Αρκάδιος τὸν κίονα τοῦ Ξηρολόφου ἔστησε
ἱδρύσας ἐν αὐτῷ τὸν²) ἑαυτοῦ ἀνδριάντα καὶ τὴν 'Αρκαδιού-
πολιν ἔκτισε τῆς Θρᾴκης (T 77, 24—25. L 307, 1—2, TM 74,
15 – 16) | 25

Τῷ αὐτῷ ἔτει ὁ ἐν ἁγίοις 'Ιωάννης κτλ. = T 77, 36—79,
19 κυρίῳ³) (K 576, 14—23; 585, 4 ἐν — 5 ἐνέπρ.; 6 καὶ — 7 ἐκ.)|
ζήσας τὰ πάντα ἔτη νβ´ (G 495, 7. K 585, 4) | ἐπεσκόπευσε δὲ
ἔτη ς´ (T 76, 4) | τούτου δὲ τελειωθέντος ἐν ἐξορίᾳ ἐχειροτονήθη
Αρσάκιος ὁ ἀδελφὸς κτλ. = T 79, 20—30 ἔτη β´, also mit Ein- 30
schluss der Bischofsnotiz (K 585, 7—8; 9) |

Τῷ ιγ´ τούτου ἔτει 'Αρκάδιος ὁ βασιλεὺς κτλ. = T 79,
32 – 80, 7 Σεπτ. (K 586, 3) | πάντας τοὺς κατ' αὐτὸν ὄντας
ἀρίστους προαποκτείνας διὰ τὸ μεῖζον εἶναι τὸ ἐκείνων φρόνημα
κτλ. = L 307, 15—18 'Ρωμ.⁴) (K 586, 7 – 11) | 35

Τὸν δὲ νέον Θεοδόσιον κτλ. = T 80, 8—23 χριστιαν.⁵)
(K 586, 12—19).

P zeigt zunächst wieder die gewöhnliche Zusammensetzung aus Elementen von T,⁶) der Epitome und G. Das
Porträt fehlt diesmal in L, und P (und nach ihm K) hat es
allein erhalten. Weitere Epitomestücke sind Z. 23 die Worte

---

¹) 575, 20 ἐπεί | καὶ εἰ | 22 εὐρ. — 576, 3 'Ιωάννου] ἑαυτὸν μὲν δρᾶν
τῶν ἁγίων ἐξωθούμενον ὑπὸ Ἰω´ | 576, 5 πεποιηκότος] πεπονηκότα | 7 τοῦ fehlt.

²) τὴν Ms.

³) 79, 5 τά fol. 102 r.

⁴) 17 μεσημβρινῇ | 18 ῥωμαίων.

⁵) 12 εἰρήνη — 13 χρησ. fehlt | 13 βασιλ. εἰρηνικῶς | 14 λογικώτατον |
τε fehlt | Neben dem Abschnitt am Rande rot: ῥωμαίων βασιλεὺς Θεοδόσιος
ὁ μικρὸς ἔτη μβ´ | 18 ἄσπονδον fol. 102 v.

⁶) Z. 1 sind die durch Zurückrechnen aus T 75, 1 ff. gewonnenen
Zahlen um 1 zu hoch, offenbar weil die zweite der beiden Reihen T 74,
26 und 27 von P übersehen wurde oder in seiner Hs fehlte. Das T 75,
1 ff. Berichtete setzt er dementsprechend ins 3. Jahr und schiebt dann
ein unbelegtes 4. Jahr ein, um mit dem T 75, 16 Erzählten das 5. Jahr
zu erreichen. Z. 9 ist, wie schon der Sinn zeigt, vor χειροτονεῖται in p
eine Lücke, die auch die Angabe des Regierungsjahres verschlungen hat
(K 574, 14 giebt, richtig das 6. Jahr).

ἱδρύσας ἐν αὐτῷ τὸν ἑαυτοῦ ἀνδριάντα; Z. 33—35. Aus G wird
die Zahl der Lebensjahre des Johannes Chrysostomos stammen
(Z. 28), die sich freilich auch anderwärts (Zon. 13, 20 p. 233,
32 Dind.) findet. Besondere Beachtung verdient nur die Legende
Z. 18 ff., die sich, wie Nic. Call. 14, 28 p. 1152b angiebt, u. a.
bei Niketas David[1]) vorfand. Eine Vergleichung dieser Erzählung bei P und K mit Nikephoros zeigt, dass das Stück,
soweit es von den beiden ersteren gemeinsam wiedergegeben
wird (bis K 576, 7 πᾶσι), von hsl. Varianten abgesehen, bei P
in der ursprünglicheren Form erscheint. Die Worte ἑαυτὸν
μὲν ὁρᾶν τῶν ἁγίων ἐξωθούμενον ὑπὸ Ἰωάννου finden sich
mit der einzigen Abweichung von ἱερῶν statt ἁγίων bei Nikephoros p. 1152a, während K hier 575, 22 εὑρ. — 576, 2 nach
eigener Phantasie die Scene ausgeschmückt hat.[2]) Schwerer
ist über K 576, 7—10 zu entscheiden. Was hier steht, findet
sich bei Nikephoros a. a. O. nicht, andererseits ist klar, dass
P mitten im Satze abbricht; wahrscheinlich giebt K den ursprünglichen in p verstümmelten P-Text und gehört auch
dieses Stück noch der gleichen Quelle wie das Vorausgehende.
Da Nikephoros später in anderem Zusammenhange (14, 35)
auf die Sache zu sprechen kommt, lag für ihn kein Grund
vor, auch diese Notiz jener apokryphen Darstellung zu entnehmen.

Was im übrigen das Verfahren von K betrifft, so hat er
in das ihm von P[3]) Gebotene aus der Epitome 574, 15 ᾧ — 17

---

[1]) Nikephoros hat die Sache ἐν ἀποκρύφῳ ἱστορίᾳ Νικήτα φιλοσόφου τοῦ καὶ Δαυὶδ καὶ ἄλλων gelesen. Damit kann, soweit Niketas in
Betracht kommt, sehr wohl eine der von Ehrhard bei Krumbacher Gesch.
d. byz. Litt.[2] S. 168 besprochenen Schriften, wahrscheinlich der noch
ungedruckte Panegyrikus auf Johannes Chrysostomos, bezeichnet sein.

[2]) Sehr entfernt erinnert an diese Scenerie Nic. p. 1152a τῇ περὶ
αὐτὸν (dagegen K παρειστήκεσαν τῇ θεομήτορι) πομπῇ καὶ θείᾳ δορυφορίᾳ.

[3]) K 574, 3. 4 ist natürlich zum Folgenden zu ziehen. Das Jahr
Christi ist um 6 zu hoch. In dem 576, 14 beginnenden Abschnitt hat
K mit den Jahresangaben seiner Quelle, offenbar aus rein redaktionellen
Rücksichten, sehr willkürlich geschaltet. Die Verbannungen und das
Ende des Johannes Chrysostomos, die P im Anschluss an T dem 11. und

Χριστ. (L 307, 21—23, TM 75, 2—5) und 585, 6 *πῦρ — κατέχ.*
(L 307, 7—8, TM 74, 21—22 mit einleitendem *ὡς δὲ ἄλλοι
φασίν,* [*ὅτι*]) eingefügt. Dazu kommen wieder grosse Abschnitte
aus G: 577, 4—581, 24 (G 490, 9—494, 15), 581, 24—585, 2
(G 495, 4—498, 2)[1]) und ein Passus aus der Zonarasquelle,
585, 18—586, 2 (vgl. Zon. 13, 20 p. 39 a, Patzig a. a. O. 344).
Aus einer auf Philostorg. 11, 6 zurückgehenden mit Nic. Call.
13, 4 p. 940d f. verwandten kirchengeschichtlichen Quelle
stammt 585, 9 *ἥτις* — 15 *βασ.*[2]) Flacilla (Z. 12) ist Philostorgios und Nikephoros fremd (vgl. Chron. pasch. 306 c).
Die Zusätze *αἵ — ἀπεβ.* (Z. 13) und *ὃς — βασ.* (Z. 14—15) macht
wohl K selbst nach den Angaben von P unter dem 1. Jahre
des Theodosios. Auch K 585, 15—17 ist einer kirchengeschichtlichen Schrift entnommen. Die Zahl *λε´* ist die von Socr. 7, 45,
TA bei Cram. II 100, 30, Nic. Call. 14, 43 p. 1209 d gegebene.
Möglich bleibt freilich, dass P ursprünglich an der T 93, 2
entsprechenden Stelle diese Zahl an den Platz von *λγ´* gesetzt
hatte; im Paris. steht *λγ´* von späterer Hand auf Rasur.

---

12. Jahre des Arkadios zuweist, verteilt er auf die Jahre 10—13. Dadurch erreicht er nach rückwärts den Zusammenschluss des chronologischen Schemas bis auf eine Lücke von einem Jahre, falls nicht ursprünglich P entsprechend vor 575, 5 das 9. Jahr bezeichnet war. Nach vorwärts ist der Zusammenschluss vollständig: das nächste bezeichnete Jahr
ist das 14. (586, 3). Die von P ohne Jahresangabe überlieferte Begebenheit 574, 6 weist K dem Jahre zu, welches dem nächsten bezeichneten
(574, 14) vorausgeht, wobei das nun nicht mehr passende *αὐτοκράτωρ
ἀναδειχθείς* fallen musste.

[1]) Das Epitome-Einschiebsel 495, 19—20 fand K nicht vor. K 584,
19 fehlt das Homoioteleuton G 497, 24 *Τί* — 25 *λέγει μοι,* umgekehrt G 497,
28 das Homoioteleuton K 584, 23 *Ἰωάννην* — 21 *λέγει μοι.* Das zwischen
den beiden G-Abschnitten liegende Stück G 494, 16—495, 3 ist von K
beiseite gelassen, da er vorher (575, 5—15) nach P über die Sache gehandelt hat.

[2]) Auch hier finden sich Spuren bei Zonaras, die auf eine mit K
gemeinsame Quelle führen; vgl. Zon. p. 288, 19 f. Dind. *ἑαυτῇ τὰς περὶ
.... διδασκαλίας προσαρμόττουσα* mit K 585, 10 f. *πολλῶν κακῶν αὐτῷ
...... ἐχομένη* und Zon. Z. 5 f. *γύναιον ἰταμὸν* mit K Z. 11 *γυνή ..
.............* S. den Nachtrag.

Nicht festzustellen vermag ich die Herkunft von 586, 3 *τελευ-*
τᾷ — 7 *δέκα*.[1])

Theodosios II.

Κόσμου ἔτη ‚εϡπα΄, τῆς θείας σαρκώσεως ἔτη[2]) να΄, Ἀρκαδίου
κτλ. = T 80, 35—81, 12 βασ.[3]) (K 586, 21 οὗ — 24 ἅπ.) |

Ἦν δὲ τῷ σώματι ὁ νέος Θεοδόσιος μέσος κτλ. = L 308,
21—28 κατεδ.[4]) (K 586, 24—587, 4 μετρ., 587, 6 μειλ. — 11 κατ.)|

5 πολλὰς δὲ ἐκκλησίας κτλ. = T 81, 12—15 (K 587, 12—15) |

Τῷ β΄ ἔτει αὐτοῦ Ἀττικός κτλ. = T 81, 17—82, 5[5]) (K 587,
16—18; 19 τῷ γ΄ ἔτει; 588, 1 παρελ... Ἀλαρ.; 589, 14—22) |
καὶ τῷ αὐτῷ ἔτει πάλιν ἀπὸ τοῦ ἐμπρησμοῦ ἐνεκαινίσθη ἡ με-
γάλη ἐκκλησία (K 590, 1—2) |

10 Τῷ ς΄ ἔτει αὐτοῦ Ὑπατίαν κτλ. = T 82, 16—83, 17[6])
(K 589, 22—590, 1; 590, 3—6) |

Τῷ θ΄ ι΄ καὶ ια΄ ἔτει τοῦ αὐτοῦ λιμὸς κτλ. = K 590, 7—8
πιπρ. | τῷ δ΄ αὐτῷ ἔτει Ἀττικὸς Ἀθηναΐδα τὴν θυγατέρα Λεοντίου
φιλοσόφου ἐβάπτισεν Εὐδοκίαν μετονομάσας κτλ. = T 83,
15 20—24[7]) (K 590, 8 τούτῳ — 18 γυν. teilweise, s. u.) |

Ἀντιοχείας ἐπίσκοπος Θεόδοτος ἔτη τέσσαρα (T 83,30[4]—33[4]) |

Τῷ ιβ΄ ἔτει Ἀττικὸς κτλ. = T 83, 35—84, 2 (K 590, 18—19)|

---

[1]) Die gleiche Zahl der Lebensjahre hat Malal. p. 349, 7.

[2]) Ueber dem η in der Hs ein o.

[3]) 81, 7 καὶ ταύτας] ἃς καὶ | 8 ἐπαίδ. — 10 εὐσ.] εἰς τὴν κατὰ θεὸν
εὐσέβειαν ἐξεπαίδευσε σοφωτάτη τυγχάνουσα καὶ θεῖον νοῦν κεκτημένη | 10
ἔπειτα δὲ ἐρίθμησεν αὐτὸν καὶ | 12 βασιλικήν.

[4]) 21 μέσος τοῦ εὐμήκους | 23 καὶ αὐτῆς ἀστρ. | 24 πέραν | 25 ὧν fehlt |
ἰσδγαν | 26 διαπεσεῖν | 26. 27 κρατηθέντας | 27 οἵτινες ... Καλοπ.] ἐπεὶ γὰρ
τοῦ πατρὸς ἐκπεσὼν παρὰ Ἰσδιγέρδου ἀντιόχου σταλέντος ὡς κηδευτῇ ἐθήτευσεν,
εἶτα εὐτρόπιον ἡγήσατο κύριον, μετ᾽ αὐτῶν λαβοῦν καὶ καλοπόδιον.

[5]) 81, 28 ist vorhanden (ζώσιμος ἐκράτησε), aber statt η΄ steht πίντι
(nach ἐκράτησε beginnt fol. 108 r) | 82, 4—5 wie K 589, 20—22, aber
ἐκράτησε und ἀντιοχείας.

[6]) 82, 23 ὑπὸ — 25 ἔτει fehlt | 83, 8 u. 9 sind vorhanden;
λγ΄ | 83, 17 ist vorhanden, aber der Name Πρ. fehlt.

[7]) 22 ψυχῆς fol. 108 v | 24 καὶ] ἀπό.

Τῷ δ' αὐτῷ ἔτει Ῥώμης ἐπίσκοπος Βονιφάτης[1]) ἐκράτησε
ἔτη δ' (Τ 84, 5) |

Τῷ ιγ' καὶ ιδ' ἔτει Κωνστάντιος κτλ. = Τ 84, 7—9 | ἐσφάγη 20
δὲ καὶ Κάλλιστος κτλ. = Τ 84, 11—12 |

Τῷ ιε' τούτου ἔτει ἐτελεύτησεν Ὀνώριος κτλ. = Τ 84,
14—15 μην. | καὶ Ἀττικὸς πατριάρχης,[2]) μεθ' ὃν[3]) χειροτονεῖται
Σισίννιος τοῦ αὐτοῦ μηνός | δηλωθέντος[4]) οὖν τούτου ἐν Κων-
σταντινουπόλει ἐκλείσθη ἡ πόλις ἡμέρας ζ'. Ἰωάννης δέ τις κτλ. 25
= Τ 84, 17—85, 12[5]) (Κ 590, 19—20; 589, 8—9?) |

Ἐν τῇ μεγάλῃ ἐκκλησίᾳ ἀπιόντος ποτὲ Θεοδοσίου τοῦ βασιλέως προσήγαγέ τις αὐτῷ πένης κτλ. = L 308, 6—20[6])
(ΤΜ 75, 17—76, 5, Κ 591, 3—20) |

Τῷ ιθ' ἔτει τοῦ αὐτοῦ τοῦ προφήτου Ζαχαρίου κτλ. = Τ 86, 30
20—24 (Κ 592, 1—2 bis auf καὶ Λαυρεντίου) | τότε πρῶτον
καὶ ἡ μνήμη τοῦ Χρυσοστόμου ἐπετελέσθη (Κ 592, 3—4) |

Τῷ κ' ἔτει Θεοδόσιος ὁ εὐσεβὴς βασιλεὺς κατὰ κτλ. = Τ 86,
26—89, 27[7]) (Κ 592, 5—594, 9) |

Τῷ κε' ἔτει τούτου ἡ ἐν Ἐφέσῳ κτλ. = Τ 89, 29—92, 4 35

---

[1]) βονηφάτης Ms.

[2]) πατριάρχου Ms.

[3]) οὖ Ms.

[4]) δηλωθέντα Ms.

[5]) 85, 2 μετὰ — 3 συναπ. fehlt | 3 ὡς ὀφείλοντα αὐτὸν ἀποκαταστῆσαι
καὶ βασιλ', ὃς καὶ ἐβασίλευσεν ἔτη λα'. ἦν δὲ ὀυαλεντινιανὸς ὅταν προεβλήθη
καῖσαρ ὡσεὶ χρόνων ς' (vgl. oben S. 17 Anm. 2) | 4 ist vorhanden.

[6]) 6. 7 ὑπερφυές | 7 ἰδὼν . . καὶ a. 2. St. fehlt | 8 ἀπέστ. τῇ αὐγ. δεδω-
κὼς τῷ πέν. || ' ρ' 9 αὐτῇ | τῷ] τότε , 10—11 πάλιν . . ἀπέστ.] ὁ δὲ παυλίνος
ἀπέστηλε τοῦτο τῷ βασιλεῖ | 11 ἀπέκρυψεν | 12 ἠρώτησεν | αὐγούσταν | 13
ὅρκωσι | αὐτὴν εἰς fehlt | 13. 14 μη ἄλλω τινὶ πέπομφε | 14 εἶπεν πάλιν |
ἐνεχθέντος fol. 104 r | 15 ἑαυτῶν | 15 τὸν — 16 νυκτ.] ἀποστείλας οὖν ὁ βασ.
τῇ νυκτὶ ἀποκτένει παυλ. | 16 καὶ γν. τοῦτο] ὅπερ γνοῦσα | 17 αὐγοῦστα καὶ
ἀπεφύλαξε ὡς ὕβρ. | 18 κἀκεῖ] καὶ | μέλλειν fehlt | τελ. αὐτὴν | 19 συν. τί
ἀφέιλετο κατηγορία ἕνεκεν παυλίνου.

[7]) 87, 6 ist vorhanden | 24—25 fehlt | 28 καθάπττεται fol. 104 v |
Ueber 88, 84—86, 13 s. oben S. 6 f. | 89, 15 παρεσκεύασε fol. 105 r | 16
στιγμάτων] Συμβάτων | 17 διασωθεὶς γὰρ] καὶ | 21 ὑπ' αὐτὸν fehlt.

διεφθ.¹) (K 594, 9—12; 21 καὶ — 22 ἐκκλ. [vgl. T 91, 10—11];
595, 16—21) |

Τῷ κς´ ἔτει ἦλθεν Οὐαλεντινιανὸς κτλ. = T 92, 16—31²)
(K 598, 19—22) |

40 Τῷ δ´ αὐτῷ καιρῷ Κῦρος ἔπαρχος τῆς πόλεως καὶ τῶν
πραιτωρίων, ἀνὴρ σοφώτατος καὶ ἱκανώτατος³), καταλύσας κτλ.
= K 598, 23—599, 5⁴) (T 96, 33—97, 6, L 309, 21—24;
310, 23—29, TM 77, 6—8; 78, 16—19) | ὁ δὲ βασιλεὺς σπλαγ-
χνισθεὶς κτλ. = T 97, 7—15⁵) |

45 Τῷ κη´ ἔτει σύμπτωσις ἐγένετο κτλ. = T 92, 33—34 φοβ´
(K 599, 14—15) |

Τῷ αὐτῷ καιρῷ κατὰ Περσῶν κτλ. = K 599, 6—13⁶)
(L 309, 8—21, TM 76, 12—77, 5) |

Τῷ κθ´ καὶ λ´ ⟨ἔτει⟩ Πρόκλος ὁ ἁγιώτατος κτλ. = T 92, 37
50 —93, 20⁷) (K 599, 15—600, 8) |

Τῷ λα´ καὶ λβ´ ἔτει ἠνέχθη ἀπὸ Πανεάδος κτλ. = K 600,
9—10 (vgl. L 311, 18—20, TM 79, 1—2 unter Markian) | ὁ δὲ
Θεοδόσιος ὁ βασιλεὺς κτλ. = T 96, 18—22⁸) (K 600, 11—15) |

---

¹) 89, 80 σ] σλ´ | συνηθροίσθη χρόνον ἄγουσα ἀπὸ μὲν τῆς β´ συνόδου
μα´, ἀπὸ δὲ κτίσεως κόσμου ,ϛϡμδ´ | 90, 29 ἁγίας fol. 105 v | 91, 26 κατά —
92, 1 δειν. fehlt hier | 92, 4 διεφθάρη ὡς καὶ ἄρειος ἐν ἀφεδρῶνι τὰ ἔνδον
ῥαγεὶς καὶ ὑποφωνῶν ὡς ἠδύνατο· ¹⁶ τέως οὐκεπείσθημεν τὴν μαρίαν θεο-
τόκον ὁμολογῆσαι. κατὰ τοῦτον δὲ τὸν χρόνον κτλ. = 91, 26—92, 1 δειν.

²) 19 ῥώμη fol. 106 r | 23 ist vorh. aber η´] τρία | 80 u. 81 sind vorh.

³) σοφότατος καὶ ἱκανότατος Ms.

⁴) 598, 24 δύο διαστήματα | οἰκοδόμησεν | 599, 2 τῷ vor κάλλει ⬛⬛⬛⬛
κτήσεως | 3 ἱππικῶ καὶ ἀκούοντος | κωνσταντῖνος | κύρος | 5 ⬛⬛⬛⬛
διαλεχθεὶς τῆς ἀρχῆς καὶ δημευθεὶς προσέφυγε τῇ ἐκκλησία καὶ ⬛⬛⬛⬛
παπὰς (vgl. T 97, 5 f.).

⁵) 8 πρὸ — 9 αὐτὸν fehlt | 10 αὐτὸν fehlt | ἀνελεῖν ἐν τῇ ἐκκλησία τ.
δ. εἰσελθ. ἐν τῇ ἐκκλησία.

⁶) 8 χρόνοις | 10 σώκιστον | 11 γέγοναν | μεταξὺ] μετὰ | 12 ἐν τῇ πόλει
ἀρεόβινδος | 13 ὑπὸ] παρά.

⁷) 93, 4 οὕτως fol. 106 v | 10 γῆς καὶ τοῦ πατριάρχου μετὰ τοῦ κλήρου
καὶ τοῦ λαοῦ ἐκεῖσε προσκαρτεροῦντος καὶ τοῦ λαοῦ | 17 ἢ — 18 ἀδελφ.]
ὅθεν ὁ βασιλεὺς θεοδόσιος καὶ ἡ μακαρία πουλχερία.

⁸) 19 βαιούλιον | 20 κατεπαιρόμενον mit den Hss des T | 20. 21 κατα-
φρονοῦντα mit xyz des T | 21 ἐξέθετο mit z | πατρίκιον.

Τῷ λγ΄ καὶ λδ΄ ἔτει Οὐαλεντινιανὸς κτλ. = T 93, 31—95, 17 Γιζ.[1]) | *τὸ μελετώμενον κτλ.* = T 99, 13—16 *ἐκκ.*[2]) | *ὁ δὲ* 55 *μνημονευθεὶς Εὐσέβιος κτλ.* = T 99, 28—100, 11[3]) |

Θεοδόσιος ὁ βασιλεὺς κτλ. = L 310, 13—18[4]) *ὠνειδ.* (TM 78, 3—8, K 600, 15—23) |

Τῷ μα΄ ἔτει αὐτοῦ κελεύσει κτλ. = T 100, 13—101, 13 *ἀπ.*[5]) (K 601, 11—14) | *καὶ τὰ μὲν τοῦ Οὐαλεντινιανοῦ τοιαῦτα, ὁ δὲ* 60 *Γιζέριχος κτλ.* = T 101, 18—26[6]) (K 602, 6—7?) |

Τῷ μβ΄ ἔτει γνοὺς ὁ μικρὸς Θεοδόσιος ὡς ἠπατήθη παρὰ τῆς τοῦ Χρυσαφίου πανουργίας κτλ. = T 101, 29—102, 12[7]) (K 601, 15—602, 6 |

Μετὰ βραχὺ οὖν τελευτᾷ Θεοδόσιος μηνὶ Ἰουλίῳ κ΄ ἰνδι- 65 *κτιῶνος τρίτης* (T 103, 7—8) | *καὶ τίθεται τὸ σῶμα αὐτοῦ ἐν τῷ ναῷ τῶν ἁγίων ἀποστόλων* (K 602, 15—16) | *ἡ δὲ μακαρία Πουλχερία κτλ.* = T 103, 8—16[8]) (K 602, 18—603, 3).

Der Epitome gehört in P Z. 3[9]), 27 f., 47, 51 (dieses unter Markian gehörige Stück ist irrtümlich hierher gebracht und dem chronologischen Schema des T eingegliedert), 57, 66 f. Für die letztgenannte Stelle lässt uns L im Stich, doch kann nach Analogie der entsprechenden Stücke anderer Kaiserbiographien über die Herkunft der Notiz kein Zweifel obwalten. Das Epitomestück 40 f. ist nach T umgearbeitet (aus diesem stammt *καὶ*

---

[1]) 94, 10 *ναβίου* fol. 107 r | 22 *διατρ.*] *διεπρίψαν* | 22 *Θευδ.* — 23 *ἐπιτρ.* fehlt | 23 *καὶ τῆς ἔσχ.*

[2]) 13 *τὸν μὲν πραιπόσιτον*] *ταμεν πραίποντα.*

[3]) 99, 29 *λαβόμενος προ* fehlt | 31 *αὐτὸν οὐκ ὀρθὰ φρονοῦντα* | 100, 1 *ἐκκλησι* fol. 107 v.

[4]) 14 *ἀπαναγνώστως*, letztes ω auf Rasur | 15 *αὐτοῦ*] *τούτου ; σοφῶς* | 16 *αὐτῷ* | *ὑποβαλλοῦσα* | *ἐχωροῦσαν* | 17 *γαμ. αὐτ.*] *αὐγουσταν | ἦρ*] *ἦν* | *ἐπίγραψεν* | 18 *πλουχερίας.*

[5]) 101, 7 *τῷ* fol. 108 r.

[6]) Die Bischofsnotizen 25 u. 26 sind vorhanden.

[7]) 102, 2 *αὐτήν, ὃ καὶ γέγονε.*

[8]) 103, 12 *ἐτελεύ* fol. 108 v.

[9]) Doch ist hier in der Notiz über Antiochos Fremdes, vielleicht aus der Zonarasquelle (vgl. Zon. 13, 22 p. 40 b, 23 p. 45 b) eingefügt, wenn nicht die Epitome in L verkürzt vorliegt.

τῶν πραιτωρίων, καὶ ἀκούοντος und die von L. abweichende
Fassung des Schlusses; s. u.). Für eine Anzahl von Notizen
kann ich den Ursprung nicht feststellen. Es sind dies die
Angaben Z. 12 über die Hungersnot in Pontos, 8 f. die μεγάλη
ἐκκλησία, 23 f. Sisinnios (nach T 87, 6 wird derselbe erst im
20. Jahre des Theodosios Bischof; L 310, 5 giebt kein bestimmtes
Jahr), 31 f. Chrysostomos, 35 (zu T 89, 30) den zeitlichen Abstand der dritten Synode von der zweiten und das Weltjahr
der ersteren,[1] ebenda (zu T 92, 4) das Ende des Nestorios.

K fügt dazu zunächst einiges weitere Material aus der
Epitome, nämlich 592, 2 καὶ Λαυρεντίου (L 308, 30—31, TM
76, 9); 601, 1 ἐπὶ — 3 (L 310, 20—22, TM 78, 11—12); 602,
8—15 (L 309, 25—32, TM 77, 9—15); 602, 16—17 (fehlt in
dieser Form bei L; vgl. L 308, 4—5, TM 75, 17); ferner aus
G die grösseren Stücke 594, 12 ἧς — 21 ἀνεθ. (G 499, 20
—500, 8); 594, 23—595, 16 (G 500, 8—26; diese beiden G-
Abschnitte sind getrennt durch das T 91, 10—11 entsprechende
P-Stück; an den letzten wird mit ἄλλοι δὲ γράφουσιν wieder
eine Version von P angefügt, vgl. zu T 92, 2 ff.; für Ὀάσει
T 91, 17 hat P θάσσω [xyz Θάσῳ]); 595, 22—596, 16 (G 501,
17—502, 8); 596, 17—598, 11 (G 507, 22—510, 16 mit starken
Kürzungen und Aenderungen). Eine innigere Verschmelzung
von P und G, bezw. P, G, T und einer fremden Quelle, zeigen
die beiden Abschnitte 590, 8 τούτῳ — 18 γυν. und 590, 23
—591, 24. In dem ersteren Passus bot von 12 ταύτην an G
503, 1—5 die Struktur der Erzählung; wörtlich aus ihm ist
θεασαμένη; wie bei G ist Pulcheria Subjekt des βαπτίζειν,
μετονομάζειν und συζευγνύναι (G συνάπτειν), die Uebereinstimmung mit P wird durch das eingeschobene πρὸς τὸν ... Ἀττικὸν
ἀποστείλασα erzielt; aus P stammt ferner 14—15 κάλλει—κέκοσμ.
Im Vorhergehenden gehört G das Citat aus Leontios' Testament 9 δς — 12 αὐτ., während der Name Leontios und die
Datierung τούτῳ τῷ ἔτει nach P gegeben werden (Z. 7 ist o

---

[1] Die Differenz gegenüber T könnte hier freilich auf einem blossen
Rechen- oder Schreibfehler beruhen.

verlesen aus *ια'*).[1]) In der 590, 21—591, 24 wiedergegebenen
Erzählung von Eudokia und Paulinos führt 591, 20 ff. auf G
504, 1—5 (im Wortlaute stehen weit ferner Mal. p. 357, 20 ff.,
Chron. pasch. p. 316 d), wenn auch der Gedanke von G mit
γράφουσι δέ τινες πληρωθῆναι nicht genau wiedergegeben ist.
(Der ungeschickt angefügte[2]) Zusatz *μετά Ἑλένην κτλ.* beruht
auf einer Reminiscenz K's selbst oder eines Schreibers. Ebenfalls K gehören der einführende Satz 590, 21—22 und die Bemerkung *ἀρραβῶνα τῆς αὐτοῦ τελευτῆς* 591, 6 f.)[3]). Ist hier
G benutzt, so wird man auf ihn (503, 11 *μῆλον Φρυγιατικόν*)[4])
auch 591, 4 *ἐξ Ἀσίας* zurückzuführen haben. Aus T 99, 18 ff.
entnommen ist 590, 23 *Παυλῖνός τις* — 591, 3 *θεοφανιῶν* (nur
ist hier das bei P etwas später folgende (*ὡς*) *συμπράξαντι τοῖς
γάμοις αὐτῆς* eingeschoben), 591, 7. 8 *ὁ δὲ Π.* — *τῷ βασιλεῖ* bis
auf das Wort *ἀγνοῶν*, welches K wohl in seinem P-Exemplar
L 308, 11 entsprechend las (T 99, 22—23). Der folgende Satz
ὁ δὲ βασιλεύς κτλ. führt jedenfalls in seinem Anfange auf
T 99, 23 f.; *εἰσελθών* gehört P; die Form der direkten Frage
hat K entsprechend einer Neigung, die wir schon oben an ihm
kennen lernten, wohl selbst, vielleicht unter dem Einfluss von
T 99, 24 ff., hergestellt. Sicher aus T (Z. 26) ist dann wieder
Z. 13 f. *τότε εἰς ὀργήν κινηθείς* — *εἰσενεχθῆναι*, woran wie bei
T, aber in einer P näher stehenden Form[5]) die Angabe über

---

[1]) Vgl. zu dem ganzen Berichte auch Zon. 13, 22 p. 40 e f.

[2]) Derselbe setzt ein vorausgehendes *πλεῖστα ἀγαθά* statt *πολλά ἀγαθά*
voraus. Kommt aber Eudokia erst in zweiter Linie, so versteht der
Leser, dem nur die *ἀγαθά* (nicht etwa der Mauerbau) als Argument für
die Beziehung der Weissagung auf Eudokia angegeben werden, durchaus
nicht, weshalb die Weissagung gerade an ihr, und nicht an Helena in
Erfüllung gegangen sein soll.

[3]) Zu beiden vgl. Const. Man. 2653 u. 2682. Const. Man. 2675 f.
ist mit der im Text sogleich zu berührenden Stelle K 591, 1—2 zu vergleichen. Die Manassesstelle wäre auch Byz. Z. 4 (1895) S. 283 zu erwähnen gewesen. S. auch Syn. Sath. p. 78, 2.

[4]) So, nicht *φρυγατικόν*, nach p. 1005 Mur.

[5]) *τόν δὲ Παυλῖνον ἀποστείλας* (Z. 14) stimmt mit L 308, 15. 16 gegen
P (in unserer Ueberlieferung) überein. Unser P-Text wird also hier eine
spätere Umgestaltung aufweisen.

das Ende des Paulinos unmittelbar angeknüpft wird. Aus einer nicht näher bestimmbaren Quelle ist die Bemerkung Z. 18 *καὶ θάπτεται ἐν τῷ ναῷ τοῦ ἁγίου Στεφάνου;* vgl. Euagr. h. e. 1, 22.

Einen weiteren Bestandteil von K bildet wieder eine Reihe von Angaben aus der mit Zonaras gemeinsamen Quelle. Zu 587, 4 *καὶ* — 6 *πλεῖστ.* ist Zon. 13, 23 p. 244, 18 ff. Dind. zu vergleichen. In dem 587, 19 beginnenden Abschnitt bildet die P (= T 81, 21) entnommene Notiz über die Einnahme Roms durch Alarich den Grundstock, der auch für die Verlegung des Ganzen ins dritte Jahr des Theodosios massgebend gewesen ist. Damit ist zunächst aus P (= T 80, 6) die ins 14. Jahr des Arkadios gehörige Ermordung Stilichos verbunden (587, 21 f.). Hierzu kommen nach der Zonarasquelle Angaben über Honorius als Herrscher von Westrom, seinen Aufenthalt in Ravenna, Stilicho, sein Verwandtschaftsverhältnis zu Honorius und seine Stellung (587, 19 f., 22; vgl. Zon. 13, 21 p. 234, 27 ff. Dind.). Im Folgenden deuten auf die nämliche Quelle 588, 2 die Worte *τοῦ Γότθου νοῦ τῶν Οὐαρδίλων ἐξάρχοντος* (Zon. 235, 7). Dann verschwinden die Spuren dieser Vorlage, um erst 588, 15 ff. (vgl. Zon. 235, 28 ff.) wieder hervorzutreten. Ob das Zwischenstück gleicher Herkunft ist,[1]) steht dahin. 588, 23 *τοσοῦτον* — 589, 5 *ἑσμός* kann eigene Reflexion K's sein. In dem Abschnitt 589, 6—13 tritt die Zonarasquelle zweimal zutage: in dem Eingangsstück bis *ἄσεμνον* (vgl. Zon. 236, 5—8, wo aber Honorius 30, nicht 31 Regierungsjahre erhält) und Z. 12 *συνεκύκα τὰ πράγματα* (Zon. 237, 17 *πάντα συνεκύκα*). 8 *δηλ.* — 9 *ϛ'* ist möglicherweise dem T 84, 15 f. entsprechenden P-Stücke entlehnt,[2]) könnte aber auch in der Zonarasquelle gestanden haben.[3]) An unbestimmbaren Stücken

---

[1]) Dies nimmt an Patzig a. a. O. 345.

[2]) Statt *ἐσείσθη* las K wohl *ἐκλείσθη*, statt *ϛ' : ζ'*. Auffallend ist, dass wie bei T Gegenstand des *δηλοῦν* nur der Tod des Honorius ist, während bei P die Notiz über den Patriarchenwechsel unmittelbar vorausgeht. Doch scheint K diese Notiz gekannt zu haben. Vgl. 590, 19—20, wo der Wortlaut sich enger mit P als mit L 310, 5—6 berührt.

[3]) Vgl. zu dem Abschnitt Kedrens jetzt auch Patzig a. a. O. 344.

enthält diese Kaiservita ausser den im Obigen schon berührten noch 586, 20—21 β′ (vgl. Niceph. brev. p. 97, 21 de Boor, TA 2, 64) und 598, 12—18.[1])

Einer Besprechung bedarf endlich noch das auffallende Verhältnis, welches K 598, 22—599, 5 und 600, 11 zwischen den in Betracht kommenden Berichten besteht. An ersterer Stelle bieten P und K die gleiche Redaktion der zugrunde liegenden Epitomenotiz und fügen dieselbe an gleicher Stelle in das chronologische Schema des T ein.[2]) Diese nämliche Redaktion aber ist in P nach T ergänzt und verändert. Da K gerade diese T-Elemente und nur diese nicht hat, so kann er das Stück in dieser Form nicht aus dem uns vorliegenden P-Texte entnommen, sondern muss eine ursprünglichere lediglich auf die Epitome zurückgehende Gestalt dieser P-Notiz vor sich gehabt haben, die dann in p nach T verändert wurde. An der zweiten Stelle hat K entsprechend T 96, 17 die Jahreszahl λϛ′, während dieselbe in P fehlt. Das ist offenbar kein Zufall. Bei K ist das nächstfolgende bezeichnete Jahr das 39. (601, 4); bei P folgen in unserer Ueberlieferung das 33. und 34. Jahr,[3]) zu welchen ein vorausgehendes 36. Jahr nicht passt. Auch hier wieder bietet K die Handhabe, eine ältere Ueberlieferung von P von der jüngeren uns vorliegenden (P) zu unterscheiden.

---

[1]) Inhaltlich giebt K an der letzteren Stelle nichts, was über T 114, 11 und 112, 15 (diese Stelle zeigt, dass K 598, 15 ff. Symeon gemeint ist) hinausginge; nur lässt er μετά τινα καιρόν geschehen, was nach T erst in Leons achtes Jahr gehört. Vgl. noch TA Cram. 103, 31 f., Nic. Call. 15, 22 p. 64 d, G 512, 18—19. — Einige Erweiterungen der Darstellung von P in dem Abschnitte K 600, 15 – 601, 1 ἐπ. kommen auf K's eigene Rechnung.

[2]) Nur fehlt in K das bei P unmittelbar vorher behandelte 27. Jahr.

[3]) Es waren wohl ursprünglich noch weitere Jahre bezeichnet, da die grosse jedenfalls durch Blattausfall hervorgerufene Lücke, infolge deren T 99, 13 an 95, 17 anschliesst, erst im Laufe der P-Fortpflanzung entstanden zu sein scheint. Wenigstens spricht dafür, dass in p der K 601, 4—10 zugrunde liegende P-Abschnitt getilgt wurde, wofür der .... darin gelegen haben kann, dass die Ereignisse des 39. Jahres .... besprochen waren. S. unten.

Der Abschnitt über die Jahre 33—40, der uns nur durch grosse Lücke entstellt vorliegt, gehört p. Diesem Emblen liebe wurden im Vorausgehenden (= K 600, 11) die Ja bezeichnung und im Folgenden der Absatz über das 39. (= K 601, 4—10 = T 97, 26—31; 98, 24), der im urspı lichen Texte auf das Epitomestück = K 600, 15—23 f unterdrückt.[1])

Markianos.

Κόσμου ἔτος, ͵ετͅμγ΄, τῆς θείας σαρκώσεως ἔτος υμγ΄, μαίων βασιλεὺς ἀναγορεύεται Μαρκιανὸς ὁ εὐσεβέστατος (T 17—20; 27) | *ἦν δὲ οὗτος πρεσβύτερος τὴν ἡλικίαν* κτλ. = I. 4—7 *ἑξ.*[2]) (K 603, 3—7) | *εὐθὺς οὖν τοὺς ἐν ἐξορίᾳ* π
5 *ἀνεκαλέσατο* κτλ. = T 103, 28—105, 16 *Μαρκ.*[3]) (K 7—604, 15) |

Τῷ β΄ αὐτοῦ ἔτει ἡ ἐν Χαλκηδόνι κτλ. = T 105, 21— 15[4]) (K 604, 16—17 *γέγ.*, 17 *ἐν* — 18 *Εὐφημ.*, 605, 3 *καθ.*

---

[1]) Bei der Aufnahme des Einschubes in den Text muss die v gebende Zahl λς΄ zunächst übersehen und erst, als das Emblem sein« Stelle erhalten, die chronologische Inkonvenienz bemerkt worden Sonst hätte eine Umstellung näher gelegen, als die Tilgung Zahl. — Ueber andere T-Einschübe in p s. oben S. 6 ff. Ein Bed bleibt allerdings gegen die oben gegebene Erklärung, nämlich « seiner Gewohnheit entgegen das chronologische Schema von T hi« sehr unvollständig wiedergegeben und eine verhältnismässig gross« von Jahren übergangen haben müsste. Will man diese Jahre für P missen, so bleibt nur der Ausweg übrig, den Passus über das 36 (= K 600, 11 ff.) im Zusammenhang mit dem unmittelbar Vorausgeh als eingeschoben zu betrachten, und eine Perspektive, die sich uns ; (S. 71) vorübergehend erschloss, dass nämlich p Einschübe aus fahren habe, wäre hier wieder ins Auge zu fassen.

[2]) 4 *ἱεροπρεπεῖς* | 5 *χάριτος* | 6 *τὸ θεῖον* | *πρός*] *περί* | 7 *ἀπ.ν παιδείας τῆς ἔξω ἄπειρος.*

[3]) 104, 25 *καθεύδοντα* fol. 109 r | 105, 4 *δ* — 9 *Μαρκ.*] *ἀλλὰ* κα

[4]) 106, 8 *καθεῖλαν ἐν ᾗ καὶ τελειοῦται* | 9 *ἐξωρίσας εἰς γάψ.* | 1 *ἀπάτη καὶ θεῷ* | 14 *ἀλ. ἀνὴρ συνέσει καὶ εὐλαβείᾳ κεκοσμημένος* | 26 : *χριστῷ ἐτῶν οὖσα ξ΄* | 27 *διέδωκε* fol. 109 v | 107, 4—5 fehlt | 108, vorh. | 5 *δ* — 12 *διαφθ.* fehlt | 15 *ἐπικεχυμένης* **fol. 110 r.**

Διοσκ.; 605, 13—15 mit Ausschluss von 14 *παρθένος καὶ μὴ
διαφθαρεῖσα*; 606, 21—22) | 10

*Τότε καὶ Συμεὼν ὁ ἐπὶ τοῦ κίονος βίῳ καὶ λόγῳ καὶ θαύ-
ματι διέπρεπεν*[1]) (K 606, 22—24; cf. G 507, 22) |

Τῷ εʹ αὐτοῦ ἔτει Οὐαλεντινιανὸς κτλ. = T 108, 17—109,
24 *Μαΐων*[2]) (K 605, 16—606, 21 bis auf 606, 12 *ἕως* — 14 *Γιζ.*;
607, 2—3; 6) | *ἐτέθη δὲ τὸ σῶμα αὐτοῦ ἐν τῷ ναῷ τῶν ἁγίων* 15
ἀποστόλων ἐν τῷ ἡρῴῳ (L 312, 7—8, K 607, 6—7) | *τὴν δὲ
τῆς ἀρχιερωσύνης διεῖπεν ἀρχὴν* fol. 110v *Ἀνατόλιος Ἀττικὸν
διαδεξάμενος* (K 607, 9—10).

In P erregen nur der Zusatz zu T 106, 26 *ἐτῶν οὖσα ξʹ*,
die Notiz über Symeon den Styliten (Z. 11 f.) und die Angabe
über den Patriarchenwechsel (Z. 16 f.) Zweifel bezüglich ihrer
Herkunft.[3]) In der letzteren steht Attikos als Vorgänger des
Anatolios im Widerspruch mit L 312, 5—6, TM 79, 21; die
Angabe wird aber doch mit Patzig Byz. Z. 3 (1894) S. 476
der Epitome, und zwar als Zusatz der erweiterten Fassung,
zuzuweisen sein. Alles andere stammt teils aus T, teils aus
der Epitome (aus der letzteren Z. 3, 15 f.).

Auch bei K ist der Sachverhalt sehr einfach. Zwei Zusätze zu P[4]) beruhen auf Reminiscenz an Früheres: 606, 12
ἕως — 14 *Γιζ.*, 607, 3 *καὶ* — 5. Auch für 606, 22—23 *ὁ τῆς
μάνδρας ἑστώς* wird man keine besondere Quelle (etwa T 112,
16) zu suchen haben; vielleicht gehören die Worte sogar P
und sind nur in p ausgefallen. K 604, 16—605, 12 ist ein
charakteristisches Beispiel von Mosaikarbeit. Die Berichte
von P, der Epitome und G über die vierte Synode sind in
der Weise miteinander vereinigt, dass P die Zeit- und Orts-

---

[1]) *διακρίπον* Ms. *διάκρικιν* K nach der Bonn. Ausg.

[2]) 109, 16 ist vorh.

[3]) Der Zusatz zu T 106, 14 scheint Eigentum von P zu sein.

[4]) 605, 16 f. sind die Ereignisse des fünften Jahres dem vierten zugeteilt, was sich aus dem ähnlich lautenden Eingang der beiden Jahres-
abschnitte bei P (vgl. T 108, 3 und 17) leicht erklärt. Aus dem vierten
Jahre ist das T 108, 12—15 entsprechende Stück 606, 21—22 nachgeholt;
die Symeonnotiz ist wie bei P daran angeschlossen.

bestimmung 604, 16—17 bis *γέγονεν* und 17—18 *ἐν τῇ*.
Εὐφημίας sowie der Satz 605, 3 *καθ.* — 5 *Διοσκ.* (= T 106,
8—9, 13—14), der Epitome die Worte *ὑπὸ πατέρων χλ* 604,
17 (= L 311, 11—12) und der ganze Passus 604, 18 *κατὰ* — 23
ἀπονεμ. (= L 311, 11—16), G endlich 604, 23 *ἡγοῦντο* — 605,
3 *Ἰερ.* (G 506, 25—507, 3) und 605, 5 *ἡ* — 12 (G 507, 14—21)
entnommen sind. Aus der Epitome ist im übrigen noch
605, 14 *παρθένος καὶ μὴ διαφθαρεῖσα* (= L 311, 9—10,
TM 78, 23), aus G 607, 1—2 *ἐπ.* (G 506, 22—23) eingeflochten.
Die letztere Notiz wird dem fünften Regierungsjahre zugeteilt,
dessen Inhalt infolge der irrtümlichen Verlegung seiner Haupt-
begebenheiten ins vierte Jahr etwas mager erschien. 607,
7 *γυνὴ* — 8 *αὐτῇ* scheint aus der Epitome (L 311, 7—10,
TM 78, 21—23) unter Berücksichtigung des T 103, 8—16 entsprechenden P-Abschnittes hergeleitet.

Leon I. und Leon II.

Κόσμου ἔτος ͵ϛϡν΄, τῆς θείας σαρκώσεως ἔτη νη΄, Ῥωμαίων
βασιλεὺς Λέων ὁ μέγας ὀρθόδοξος, ὃς καὶ ἐκράτησεν ἔτη ιζ΄.
στεφθεὶς ὑπὸ Ἀνατολίου τοῦ πατριάρχου[1]) (T 110, 9—12;
20—21. *ὀρθόδοξος* L 312, 11, TM 79, 23. — K 607, 10—12)|
5 *ἦν δὲ οὗτος τὸ σῶμα κάτισχνος, ὑπόσπανος κτλ.* = L 312,
20—22 *ἐκτός*[2]) (K 607, 12—13) | *τούτου γυνὴ Βηρίνα, ἀδελφὴ*
Βασιλίσκου (L 314, 6—7, K 607, 13—14) |

Ὁ δὲ τελευτήσας Μαρκιανὸς πάνυ εὐλαβὴς κτλ. = T 109,
26—30[3]) |

10 *Ὁ δὲ μέγας Λέων ἐβασίλευσε μηνὶ Φευρουαρίῳ, ἰνδι-*
κτιῶνος ι΄. ἦν δὲ Θρὰξ[4]) *τῷ γένει, τριβοῦνος τὴν ἀξίαν (T 110,*
19—20, K 608, 4—5) |

Τῷ πρώτῳ τούτου ἔτει[5]) *σεισμὸς φοβερὸς γέγονεν ἐν Ἀντιο-*

---

1) Am Rande rot: *λέων ῥωμαίων βασιλεὺς ὁ μέγας καὶ ὀρθόδοξος.*
2) 22 *sl καὶ* fehlt.
3) 27 *ὅστις καὶ* | 30 *πεζὸς συνεξήει τῷ χρηστῷ μαρκιανῷ.*
4) So schon die benutzte T-Hs; s. de Boor im Apparat.
5) So schon die T-Hs; s. de Boor.
6) *ἔτος* Ms.

χείᾳ ὡς σχεδὸν πᾶσαν τὴν πόλιν καταπεσεῖν (Τ 110, 22—23, K 608, 3—4) |

Τῶν δὲ τῆς οἰκουμένης ἐκκλησιῶν κτλ. = Κ 608, 6—13 Ἀλεξ.[1]) (Τ 109, 31—110, 4; 110, 29—30; 25) | καὶ ταῦτα μὲν ἔπραττεν ἐν τοῖς μοναχοῖς, μετὰ δὲ τοῦτο πλήθη ἀνδρῶν ἀτάκτων ὠνησάμενος κτλ. = Τ 110, 26—111, 6[2]) (Κ 608, 13—21) | τούτῳ τῷ ἔτει ἀνεκομίσθη τὸ λείψανον fol. 111r κτλ. = Τ 111, 7—9 ἐμβ. (Κ 608, 21—23) | Κωνσταντινουπόλεως κτλ. = Τ 111, 12—13[?]) |

Τῷ β΄ ἔτει Λέων ὁ βασιλεὺς κτλ. = Τ 111, 15—21[4]) (Κ 609, 1—6) |

Τῷ γ΄ αὐτοῦ ἔτει γράμματα κτλ. = Τ 111, 23—112, 17[5]) (Κ 609, 7—22) |

Τῷ ε΄ αὐτοῦ ἔτει ἐμπρησμὸς κτλ. = Τ 112, 19—21 Ἀμαντ. (Κ 609, 23—610, 2) | Μαρκιανὸς δὲ ὁ ὅσιος οἰκονόμος κτλ. = Κ 610, 2—9 κατελ.[6]) | ἐκεῖθεν δὲ πρὸς τὴν νοτίαν θάλασσαν ἐκδραμὼν ἀπὸ τῶν Ἀμαντίου fol. 111v ἤτοι τοῦ ναοῦ τοῦ ἁγίου ἀποστόλου Θωμᾶ καὶ μέχρι τῶν Ὁρμίσδου τὰ πρὸς ἀνατολήν[7]) | τουτέστι τοῦ ναοῦ τῶν ἁγίων Σεργίου καὶ Βάκχου, ὡσαύτως ἠφάνισε καὶ τὰ διὰ μέσου κάλλη τῆς πόλεως, ναούς τε καὶ οἰκήσεις καὶ στοὰς καὶ ἐμβόλους καὶ ἀγορὰς ἀπὸ θαλάσσης ἕως θαλάσσης πάντα εἰς ἔδαφος εἰργάσατο (Κ 611, 1—4) |

---

[1]) 6 χαλχηδόνι | 7 ὁ vor ἐπίχλ.] ὦ | 8 ἀλεξάνδρειαν | διετάραττεν | 9 ἐπ᾽ ὀν.] ἐξ ὀνόματος | 10 ἀποχριναμένων | 11 ἀποστῆναι μὲν | πρωτερίου.

[2]) 27 καθηραμένος | καθηραμένων | 28 ἀνεφύει | 32 ὧν an beiden Stellen] ὃν | βόπτιομα | 33 αἰλλούρου | 35 ἡμέρα ἤγουν τῷ μεγάλῳ σαββάτῳ | 111, 5 αὐτὸ fehlt.

[3]) 12 γενάδιος | ιγ΄] ιε΄, ε auf Rasur.

[4]) 16 τοῦ προτερίου | αἰλούρου | 17—18 ἐγλωσσ. τοὺς κοινωνήσαντας τ. φ. προτ. καὶ τούτους ἐξώρισε | 19 ἐπισκόπους | εἰπ. ἀρμ.] καταλιπών | 20—21 ζητ. ἀρ. τ. θ. λ. μίγνυται.

[5]) 111, 27 θαυματ. καὶ ἄλλοις πατράσιν ὁσίοις | 112, 11 ἀλεξανδρείας, ὃς καὶ ἐπεσκόπευσεν ἔτη ιε΄ (cf. Τ 112, 12) | 17 ἀρετὴν καὶ ἄσκησιν.

[6]) 2 ἐκκλησίας ὑπάρχων | 3 τὸν ναὸν τῆς ἁγίας ἀναστασίας κτίσας ἔτη νεωστὸν ὄντα | 4 τοὺς κεράμους | 5 καὶ ... ἐξιλ.] εὐχαῖς καὶ δάκρυσι τὸν θεὸν ἐξιλεωσάμενος ἀβλαβῆ τὸν οἶκον διεφύλαξεν (cf. Τ 112, 23—24) | 7 ἐπεκτεινόμενος nach στοχοῦ (sic) wiederholt | 8 μεσημβρία.

[7]) ἀνατόλιον Ms.

Τῷ ς' αὐτοῦ ἔτει ζωγράφου τινὸς κτλ. = T 112, 29—11
(K 611, 5—12) | *οὗτος ὁ Γεννάδιος κτλ.* = K 611, 12—17 κλη
(G 511, 16—19; cf. TA 1, 16 Cram. 103, 24—26, Nic. Call.
23 p. 68 ab) | *τῷ δ' αὐτῷ ἔτει καὶ Στούδιος κτλ.* = T 1
40 3—6²) (K 611, 17—19) |

Τῷ ζ' αὐτοῦ ἔτει Λέων ὁ βασιλεὺς Ζήνωνα κτλ. = T 1
17—114, 4³) (K 611, 20—612, 8) | *τῷ αὐτῷ⁴) ἔτει ὁ δ*
Γεράσιμος κτλ. = K 612, 9—12 ϱζ'⁵) | *μετετέθη καὶ ἐν Ἀλεξ*
δρείᾳ κτλ. = T 114, 5—7 (K 612, 11—14) |

45   *Τῷ η' ἔτει αὐτοῦ Δανιὴλ* = T 114, 11—12 *θαυμ.⁶*) (K 6
15—16) | *καὶ Ἄνθιμος κτλ.* = T 114, 19—20 (K 612, 16—1
τῷ αὐτῷ ἔτει κατὰ πρεσβείαν κτλ. = T 114, 21—24 |

Τῷ θ' ἔτει αὐτοῦ σημεῖον κτλ. = T 115, 1—19⁷) (K 6
18—613, 7) |

50   *Τῷ ιβ' ἔτει Λέων ὁ βασιλεὺς κατὰ Γιζερίχου⁸*) *τοῦ*
Ἄφρων κρατοῦντος καὶ πολλὰ τοῖς Ῥωμαίοις μετὰ θάνα
Μαρκιανοῦ λῃσαμένου καὶ αἰχμαλωτίσαντος πολλοὺς καὶ χώ
καὶ πόλεις κατασκάψαντος ϱ' χιλιάδας πλοίων⁹) *ἀθροίσας*
= T 115, 27—116, 19¹⁰) (K 613, 7—10) | *τῷ αὐτῷ¹¹*) *ἔτει ὁ*
55 *Ἄσπαρος υἱὸς πατρίκιος ὢν καίσαρα ὁ βασιλεὺς Λέων πεποι*
(sic) *καὶ ἐν Ἀλεξανδρείᾳ ἔπεμψε πρὸς τὸ ἑλκῦσαι τὸν Ἄσπ*
ἐκ τῆς Ἀρειανικῆς δόξης καὶ εὐνοεῖν τῷ βασιλεῖ. ὃς καὶ πε
γένετο ἐν Ἀλεξανδρείᾳ μετὰ μεγάλης φαντασίας (T 116, 20—
K 613, 18—21) |

---

[1] 13 ἐνουθέτη | 14. 15 ἐν τῷ ναῷ διά τινος τῶν αὐτοῦ ὑπηρετῶν εἰσ
15 μάρτυσ | 16 διόρθωσι | εὐθέως | 17 ὁ κληρικός fehlt.

[2] 5 γρατήσιμος.

[3] 113, 31 ὑποχωρήσαντος fol. 112 r.

[4] αὐτοῦ Ms.

[5] 10 ἐγένετο] ἐγνωρίζετο | 11 ὃς ... ϱζ'] ὄντος ἐτῶν ιη', ἔζησε δ
πάντα ἔτη ϱζ'.

[6] 12 θαυμάσιος καὶ πάσης χάριτος ἔμπλεως.

[7] Die Bischofsnotiz 19 ist vorh.

[8] γηζερίχου Ms.

[9] πλοῖα Ms.

[10] 115, 28 φασὶ – 29 στόλῳ fehlt | 30 ἀδελφὸν fol. 112 v.

[11] αὐτοῦ Ms.

Ῥώμης ἐπίσκοπος κτλ. = Τ 116, 24 | 60

Τῷ ιγ΄ ἔτει αὐτοῦ Λέων ὁ βασιλεὺς Ζήνωνα κτλ. = Τ 116,
26—117, 14¹) (Κ 614, 1—2) | τῷ αὐτῷ χρόνῳ ὁ ὅσιος καὶ
μέγας Εὐθύμιος ὁ τῆς ἐρήμου φωστὴρ ἐν Χριστῷ ἐκοιμήθη
ζήσας ἔτη ϟ΄ (Κ 613, 22—23) |

Τῷ ιε΄ ἔτει αὐτοῦ Ἄσπαρος κτλ. = Τ 117, 25—118,   65
18 ἀπεσ.²) (Κ 614, 1—2) |

Τῷ ις΄ ἔτει Λέων ὁ βασιλεὺς Λέοντα κτλ. = Τ 119,
11—13 ἀνηγ. (Κ 614, 3—5) | τότε καὶ ἡ ἐσθὴς κτλ. = Κ 614,
5—8 αὐτῆς³) (L 313, 1—4, TM 80, 7—10) | μετὰ δὲ τὸν Ὀλυ-
βρίου⁴) θάνατον κτλ. = Τ 119, 13—22 χρόν.⁵) (Κ 614, 8—13)| 70

Τῷ ιζ΄ ἔτει κόνις κατῆλθεν κτλ. = Τ 119, 29—120, 3 ιβ΄
(cf. Κ 614, 16—18; 615, 4—5 bis auf die Worte τοῦ πάππου
αὐτοῦ) | ἐτέθη τὸ σῶμα κτλ. = L 314, 5—6 Ἡρ. (Κ 615, 1—2)|

Οὗτος ὁ μικρὸς Λέων τῷ Φεβρουαρίῳ μηνὶ κτλ. = Τ 120,
4—9 τυρ. (Κ 615, 6 Βηρ. — 7 αὐτ.).   75

P enthält ausser Stücken aus T⁶) und der Epitome
(aus letzterer Z. 2 ὀρθ., 5, 6 f., 68 mit dem Zusatz ἀπὸ Νικομηδείας [νικομήδους p], 73) zunächst einige anderswoher entnommene Notizen aus der Heiligengeschichte: Z. 37, 42 f.
(Gerasimos und Kyriakos), 62 ff. Die erste, Gennadios betreffende Nachricht findet sich auch bei G, P hat sie aber
doch wohl der gleichen Quelle entlehnt, wie die übrigen
Heiligennotizen. Zu letzteren vgl. Nic. Call. 14, 52 p. 1248 d
(wonach die Zahl der Lebensjahre des Euthymios von K 613,
23 richtig erhalten ist), 1249 ab. Am meisten Interesse beansprucht wieder der jedenfalls der Hauptsache nach der Zo-

---

¹) 117, 11 πρὸ fol. 113 r.

²) 117, 30 ἐπανόδου σὺν τοῖς λυποῖς.

³) ὁ ὑπεραγίας δεσποίνης ἡμῶν θεοτόκου | 7 ἑβραία καὶ παρθένω | 8
νικομήδους | ἐτέθησαν.

⁴) ἀλυμβρίου Ms.

⁵) 15 ἀδόκιμος fol. 113 v.

⁶) Das Stück Z. 8 = T 109, 26—30, welches in auffallender Weise
aus der Markianbiographie hier nachgeholt wird, ist K unbekannt und
wird p gehören. Z. 43 steht K 612, 11 f. mit τῷ δ᾿ αὐτῷ ἔτει κτλ. T 114, 5
näher und bietet den ursprünglichen P-Text.

narasquelle entnommene Abschnitt Z. 28 ff., 32 ff.[1]) In unserer
P-Ueberlieferung verrät sich hier mit besonderer Deutlichkeit
die Hand dessen, der p aus T ergänzt hat. Die T 112, 23—24
entlehnten Worte ἀβλαβῆ τὸν οἶκον διεφύλαξεν wiederholen den
im Vorhergehenden durch διεσώσατο bereits ausgedrückten
Begriff und fallen völlig aus der Konstruktion des Satzes
heraus. K kennt sie nicht. Dieselbe Hand hat vorher das
K gleichfalls unbekannte εὐχαῖς aus T eingefügt und vielleicht
auch τὸ κεράμιον (K 610, 4) nach T 112, 22 in τοὺς κεράμους
geändert. Zu dem mit σφόδρα γὰρ ἐκράτει (= K 610, 5. 6)
beginnenden Abschnitte vgl. Zon. 14, 1 p. 50 a f. K hat 610, 9
nach κατελυμήνατο die Zon. p. 252, 20—22 Dind. entsprechenden
Worte von P zunächst ausgelassen und bis 611, 1 ein P unbekanntes Stück aus der gleichen Zonarasquelle (vgl. Zon.
p. 252, 30—253, 8 μέγιστον) eingefügt.[2]) 611, 1—4 trifft er
wieder mit P zusammen (vgl. Zon. 253, 8—9) und holt aus
dem übergangenen Stück die Worte ἄχρι τοῦ ναοῦ τῶν ἁγίων
μαρτύρων Σεργίου καὶ Βάκχου nach. Ein Zweifel bleibt bezüglich des K 610, 2—5 entsprechenden Satzes von P, der
aus T 112, 22—24 und einer fremden Quelle[3]) zusammengearbeitet oder ganz der letzteren entnommen sein kann.

K hat, abgesehen von dem soeben behandelten Passus aus
der Zonarasquelle, neben P[4]) wieder mehrfach die Epitome
direkt herangezogen: 607, 14—16 = L 312, 13—19, TM 80,
1—6; 607, 16—608, 2 = L 312, 22—33; 615, 2 = L 314,

---

[1]) Vgl. jetzt Patzig a. a. O. 845.

[2]) Die ausführliche Gebäudeschilderung 610, 18—22, vielleicht auch
11—12 ist freilich möglicherweise von K selbst anderswoher eingelegt.

[3]) Zur Sache vgl. G 473, 14 ff.

[4]) Die Angaben über Herkunft, Rang und Krönung Leons sind von
P abweichend unter dem ersten Regierungsjahre untergebracht (608, 4—5).
Die Bezeichnung des 10. Jahres ist durch Versehen mit dem Inhalte des
11. verbunden (612, 21). Eine chronologische Verschiebung ist ferner
613, 22; 614, 1. 3 eingetreten. 614, 10 hat P mit T richtig ατγ'. K hat
τγ in π verlesen. (607, 10 κόσμου κτλ. gehört natürlich zum Folgenden;
die Lostrennung hat die Einfügung von δὲ nach μετὰ herbeigeführt; das
Jahr Christi ist wieder um 6 zu hoch; vgl. 574, 4).

6—7;[1]) 615, 5 δς — 6 Ζήν., 7 ἐτελ. = L 314, 9—11 (TM 81, 20—21); auch 5 τοῦ πάππου αὐτοῦ scheint aus dem ἔγγονος bezw. ἔκγονος der Epitome abgeleitet. Es bleiben als einer weiteren mir nicht nachweisbaren Quelle entnommen zwei Abschnitte übrig: 613, 10 ‚αριγ' — 18 ἐλάφου; 614, 14—23 ἐτελ. (16 πεπ.—18 κόν.= P = T 119, 29—31). (Patzig a. a. O. 347 weist zu 613, 13—14 κακοβουλίαν auf Zon. 253, 22. 23, zu 614, 16 ὕσθη auf Zon. 253, 12 hin. An beiden Stellen kommt also wieder die Zonarasquelle in Sicht). 615, 3 ist Reminiscenz aus dem Vorausgehenden.

Zenon.

[2])Ἦν γὰρ ὁ Ζήνων οὗτος τῆς κακίστης κτλ. = L 314, 31—315, 5 μεστ.[3]) (K 615, 13—17) |

Τῷ α' ἔτει αὐτοῦ κακῶς ἐχρήσατο τῇ ἀρχῇ· ἐν προοιμίοις γὰρ Μεσοποταμίαν κτλ. = T 120, 10—12[4]) (K 615, 10—13) |

Οὕτως[5]) οὖν διαβιοῦντος Βασιλίσκος ὁ Βερίνης μὲν ἀδελφός, 5 θεῖος δὲ Ζήνωνος κτλ. = T 120, 27—122, 1 συνεχ.[6]) (K 615, 17—616, 2; 617, 4—618, 5) |

---

[1]) K hat diese Epitomenotiz doppelt, 607, 13—14 durch Vermittelung von P, hier direkt, aus der Epitome übernommen. Die Wortstellung stimmt jeweilen mit derjenigen der Quelle. Die Namensform Βερνίκη scheint L zu gehören.

[2]) Am obern Rande der Seite: κόσμου ἔτος ‚εϡϡξζ' τῆς θείας σαρκώσεως ἔτη νξζ' ῥωμαίων βασιλεὺς ζήνων ἔτη ιζ' (T 120, 13—15).

[3]) 315, 1 ἰοάβρων | ἠσαῦ | 2 δασοὺς τὰ γὰρ ἐκεῖνος καὶ πρὸς συνουσίας ἀκόρεστος· δασοὺς καὶ αὐτός | ὁ fehlt | 3 τραγοσκελῇ | 4 χροιᾶν | 5 μεστός.

[4]) 11 οὗτοι | κακῶς λυμαινομένου τ. β·

[5]) οὗτος Ms.

[6]) 120, 28 συν. — συγκλ. fehlt | 30 συρίαν | 31 οὐαρᾶ | εἴς τε Σβ.] εἰστεσαίδειν | 120, 31 ἐκεῖθεν — 121, 1 Βασιλίσκου fehlt | 5 τιμόθεόν τε | διὰ τύπου fehlt | 8 κατὰ fol. 114 r | ἀλλοῦρος | 9 ἐν | τῷ | λιτανεύων fehlt | 9—11 πρὸς τὴν ἐκκλησίαν ἦλθεν ἐπ. ὄν. καὶ τὴν ὀκτάγωνον καταλαβόντα πτωθείς | 11 ἀντέστρεψεν | 12 τοῦτον ὁ βασ. μετὰ τύπου εἰς δλ. | 13 καὶ — 18 αὐτόν fehlt hier (s. u.) | 18—20 ὃν ἰδόντες εἰσερχόμενον ἐν ἀλεξ. οἱ σπουδ. ἠρώτουν· αὐτόν | 20 ὁ κάτος] κάτα | 21 ναῇ καὶ | ἐρώμισα. καὶ πέτρον τὸν κναφέα κτλ. — 19—18: 13. 14 καὶ ἀμφοτέρους κ. τ. δλ. ἔνιος. ἀπέστειλεν | 14 σαλο-

Τῷ β' ἔτει ὁ Ζήνων εἰς τὰ μέρη τῆς Συρίας (Τ 120, 30, wo P
[s. oben Z. 6] mit allen T-Hss hat συρίαν) ὂν πάλιν πρὸς Κωνσταν-
10 τινούπολιν ἔρχεται καὶ παρὰ τῶν πολιτῶν ὑποδέχεται, ὁ δὲ Βα-
σιλίσκος τῇ ἐκκλησίᾳ προσφεύγει σὺν Ζηνωδίᾳ τῇ κακοδόξῳ
αὐτοῦ γυναικί. Ζήνων δὲ πρὸς τὴν ἐκκλησίαν ἀνελθὼν εἰσέρ-
χεται καὶ εἰς τὰ βασίλεια. λόγον[1]) δὲ δοὺς τῷ Βασιλίσκῳ ἐξορίζει εἰς Κουκουσὸν τῆς Καππαδοκίας ἀποκλείσας εἰς ἕνα πύρ-
15 γον σὺν γυναιξὶ καὶ τέκνοις ὡς λιμῷ διαφθαρῆναι (Τ 124,
24—125, 1; vgl. Κ 616, 24—617, 4) | Πέτρον δὲ τὸν Κναφέα
διὰ τὸ συνδραμεῖν Βασιλίσκῳ ψήφῳ τῆς ἀνατολικῆς συνόδου
καθαιρεῖ καὶ εἰς Πιτυοῦς ἐξορίζει. ὁ δὲ λαθὼν προσφεύγει τῷ
ἁγίῳ Θεοδώρῳ ἐν Εὐχαΐτοις. Τιμόθεος δὲ κτλ. = Τ 125,
20 19—25[2]) (Κ 618, 6—15) |

Τῷ γ' καὶ δ'[3]) ἔτει Ζήνωνος ἐγένετο σεισμὸς κτλ. = Τ 125,
29—126, 5 ἔπος. (Κ 618, 16—22) | τούτῳ τῷ χρόνῳ τὸ τοῦ
ἁγίου ἀποστόλου Βαρνάβα λείψανον κτλ. = Κ 618, 23—619, 6[4])
(L 315, 13—18, ΤΜ 82, 17—21) |

25 Ἀλεξανδρείας ἐπίσκοπος κτλ. = Τ 125, 26—27 |

Τῷ ε' ἔτει τούτου Μαρκιανὸς κτλ. = Τ 126, 30—127, 11[5]) |

Τῷ ς' τούτου ἔτει ἐβουλεύσατο Ἴλλος κτλ. = Τ 127, 13—128,
13[6]) |

Τῷ ζ' ἔτει αὐτοῦ Στεφάνου κτλ. = Τ 128, 17—129, 8[7]) |

φακίουλος | 15 τιμόθεον fehlt | αἰλοῦρον | 17 αἴλουρος, τιμόθεος | 18 αὐτόν
fehlt | 21 καὶ fehlt | 26 γεγόνασιν· αὐτὸς γὰρ πρόστέθηκεν τὸ ὁ σταυρωθεὶς
δι' ἡμᾶς | 27 καὶ ἀκάκ.] ἀκάκιον δὲ | ἐκέλευσε | 29 συνελθοῦσα] ἐλθόντος.

[1]) λόγων Μs.
[2]) 19 αἴλουρος | 20 ὁ fehlt | 21 προκαθηράμενος 22 αὐτοῦ] τούτου |
ζῇ fol. 114 v | 23 ἡμέρας μόνας.
[3]) τετάρτῳ Μs.
[4]) 619, 1 κερατίαν | 2 εὐαγγέλιον | ἰδιόγραφον | 3 γέγονεν | 4 τελεῖν |
ἀντιοχ | 5 εἰς τὸν ναὸν | 6 τὸν ἐν τ. Δ.
[5]) 127, 8 τὸ fol. 115 r.
[6]) 127, 25 κουβικουλαρίῳ] τῷ οἰκείῳ αὐτῆς ἀνθρώπῳ καὶ εὐνουστάτῳ
128, 9 καὶ — 11 πλείστην fehlt | 11 ἐν ἂν fol. 115 v | 128, 13 ist
14—15 am Rande oben rot nachgetragen.
[7]) 128, 28 ἔτει. — Ταβ. fehlt | 129, 4 καὶ πρὸς — 5 βασ. fehlt | Die
Bischofsnotizen 129, 7 u. 8 sind vorh.

Τῷ η´ ἔτει τούτου καταλαβ. κτλ. = T 129, 10—21 |　　　　30

Τῷ θ´ τούτου ἔτει Ἰλλὸς κτλ. = T 129, 23—26¹) |

Τῷ ί καὶ ια´ καὶ ιβ´ ἔτει αὐτοῦ οἱ τῆς ἀνατολῆς κτλ.
= T 131, 20—29²) (K 619, 7—10 bis auf *καὶ Παύλου*) |

Τῷ ιγ´ ἔτει αὐτοῦ τῶν ἀπὸ Ῥώμης πεμφθέντων κτλ.
= T 131, 31—132, 2 (K 619, 11—14) |　　　　35

Τῷ ιδ´ ἔτει αὐτοῦ Ἰλλὸς κτλ. = T 132, 13—133, 1³)
(K 619, 15—22 bis auf 16 *ὅπερ* — 17 *συντάξας*) |

Τῷ ιε´ ἔτει τούτου Καλανδίων κτλ. = T 133, 3—18 |

Τῷ ις´ ἔτει αὐτοῦ Πέτρος ὁ Μογγὸς κτλ. = T 133, 29—134,
28 *σιλεντ.*⁴) (K 619, 23—620, 19; 620, 20—621, 1) | *ἐμὲ δὲ*　40
ἀδίκως ἀποκτενεῖς· καὶ ἀμφότερα ἐν τοῖς καιροῖς τοῖς ἰδίοις
γεγόνασιν (K 621, 1—2) |

Τῷ ιζ´ ἔτει αὐτοῦ Πέτρος ὁ Κναφεὺς κτλ. = T 135,
21—33 *καταλ.*⁵) (K 621, 3—10) |

Ἐτέθη δὲ τὸ σῶμα αὐτοῦ ἐν τῷ ναῷ τῶν ἁγίων ἀποστόλων　45
ἐν λάρνακι πρασίνῃ (L 314, 17—18) | *ἦν δὲ τῆς τῶν ἀκεφάλων*
αἱρέσεως (L 315, 10—11) | *γυνὴ δὲ τούτου Ἀρειάδνη*⁶) | *ἥτις*
μετὰ βουλῆς τῆς συγκλήτου καὶ τοῦ στρατεύματος κτλ. = T 136,
4—13 *συνοικ.*⁷) (K 625, 20—22; 626, 2—9).

---

¹) 129, 27 ist am Rande rot nachgetragen.

²) 29 *ἀλεξανδρείας* fol. 116 r.

³) Die Bischofsnotiz 133, 1 ist also vorhanden.

⁴) 134, 1 *Νέστορα* — 6 *Κναφεὺς*] *ὃς καὶ* | 9 *τὰ* fol. 116 v.

⁵) 135, 25 *ἀπαρθεὶς ὑψηλοφροσύνῃ* | 27 *ὡς* — 28 *ἐπίθ.*] *διὰ τῆς οἱασοῦν*
αἰτίας | 28 *καὶ* — 29 *Λέοντι*] *ἐπὶ τούτοις* | 30 *ἀξιόλογον ἄνδρα καὶ σοφώτατον*
Πελ. | 31 *καὶ* — *τελευτᾷ*] *ἀλλὰ καὶ αὐτὸς ὁ* | 33 *τελευτᾷ παῖδα μὴ κατ.*.

⁶) *ἀρειάδνη* Ms.

⁷) 5 *ἀναγορεύουσι* | 5 *τῆς* — 6 *Ἀναστ.*] *ὃν καὶ* ; *ἐγγρ. ἀσφάλιαν ᾐτήθη*
καὶ ὁμολ. | 7 *εὐθυμίου* | 7. 8 *τι τῶν προνομίων τῆς ἐκκλ. καὶ τὸν τῆς πίστεως*
καὶ ἀνάξιον ἑαυτὸν δεικνύων τῆς τῶν χριστιανῶν βασιλείας | 9 *ἀριάδνης* |
10—11 *ἰδιόχειρον τῆς ὀρθῆς πίστεως καὶ τοῦ φυλάττειν τὰ δ. τ. ἐ. χ. σ.* |
11. 12 *αὕτης ἐστέφθη ὑπὸ τοῦ πατριάρχου, ἔλαβε δὲ εἰς γυναῖκα τὴν ἀριάδνην*
.... γ´. συν.

Ausser T-[1]) und Epitomestücken (letztere Z. 1,[2]) 22 f.,[3])
45 f., 46 f.; jedenfalls ebendaher auch die in L fehlende Angabe des Namens der Frau 47) enthält P nur eine für mich
ihrer Herkunft nach unbestimmbare Ergänzung, nämlich die
Erweiterung des Ausspruchs des Maurianos (T 134, 28) um die
Worte ἐμὲ δὲ ἀδίκως ἀποκτενεῖς und die Notiz über die Erfüllung der Prophezeiung. Die Bemerkung über den Zusatz
zum τρισάγιος ὕμνος (zu T 121, 26) kann aus T 134, 9—11
stammen; vgl. jedoch auch TA Cram. 105, 33—106, 2.

K hat jedenfalls 615, 9 ἐπὶ — 10 Ἀμμ. direkt aus der
Epitome (vgl. L 314, 13—14) eingefügt. Dass 615, 17 γυνὴ
δὲ τούτου Ἀριάδνη nicht P, sondern gleichfalls der Epitome
direkt entlehnt ist, macht der Platz dieser Notiz wahrscheinlich.
Die Zugehörigkeit des Kaisers zur Sekte der ἀκέφαλοι erwähnen die Epitome (L 315, 10—11, TM 82, 15) und P;
K 615, 8 αἱρ. — 9 ἀκ. stammt aber offenbar mit der unmittelbar
vorhergehenden Angabe über die Regierungsdauer aus gleicher
Quelle. Das Ganze ist eine versprengte Notiz, die unter Anastasios gehört, dessen Regierungszeit nach Niceph. brev. p. 66,
12 de Boor[4]) in der That 27 Jahre und 4 Monate beträgt, und
der gleichfalls von L 315, 33 (TM 83, 10—11) als Ἀκέφαλος,
von Zonaras 14, 3 p. 54 d als ἀποκλίνας εἰς τὴν τῶν Συγχυτικῶν
αἵρεσιν bezeichnet wird. K 622, 15—20 stimmt mit L 317,
12—17, TM 84, 22—26 überein, allein die enge Verknüpfung
mit dem Vorhergehenden legt die Vermutung nahe, dass K 622,
15—20 der gleichen Quelle, wie dieses, entnommen ist; be-

---

[1]) Die von T 124, 25—125, 25 unter dem 3. Jahre berichteten Ereignisse erzählt P unter dem 2. und bildet für die Begebenheiten des
4. Jahres (T 125, 29 ff.) ein neues mit dem 3. und 4. Jahr bezeichnetes
Gefach. K (618, 6; 16) giebt das Richtige; also ist entweder T zur Korrektur herangezogen worden, oder p weicht von P ab. — Die Bischofsnotizen T 125, 26. 27 sind zu spät eingereiht.

[2]) P giebt allein den vollständigen Text; in L fehlt ein Homoioarkton, auch K ist verstümmelt.

[3]) τὸν ἐν τῇ Δάφνῃ ist möglicherweise eigener Zusatz von P.

[4]) Mit dem die anonyme Chronik des cod. Brux. 11376
Anecd. Bruxell. Gand 1894 p. 24) übereinstimmt.

stätigt wird dies dadurch, dass die Epitome, wie auch G
(Muralt) 518, 26—519, 4 zeigt, die Sache von Anastasios erzählt, während K sie in Uebereinstimmung mit Zon. 14, 2
p. 53 c und Nic. Call. 16, 24 p. 160 c f. von Zenon berichtet.
Die Verwandtschaft mit der Epitome müsste in diesem Falle
eine vermittelte sein.[1]) Die Zonarasquelle liegt 616, 2—17
zugrunde (Zon. 14, 2 p. 52 c f., Patzig a. a. O. 349). Das
folgende Stück 616, 17—617, 4 vermag ich nicht zu verificieren;[2]) der Schluss berührt sich auch im Wortlaut nahe
mit P (= T 124, 32 f.), doch könnte dies aus entfernterer Verwandtschaft herrühren. Der ganze Passus 616, 2—617, 4 ist
merkwürdig rücksichtslos in die P-Erzählung an der T 121,
4—5 entsprechenden Stelle eingeschoben, insofern in dem
Einschube die Erzählung weit über den im Folgenden behandelten Punkt hinabgeführt und jeder Versuch unterlassen
ist, für 617, 4 f. die zerrissene Anknüpfung wiederherzustellen.
Ebenso muss ich die Quellenfrage — abgesehen von dem
bereits besprochenen Satze 615, 8—9 — unbeantwortet lassen
für 621, 10—622, 23 (zu 621, 13—16 vgl. P = T 135, 29—31,
Zon. 14, 2 p. 53 ab [Patzig a. a. O. 349], über 622, 15—20
s. o.), 623, 17—624, 19 (zur Sache vgl. Procop. bell. Pers. 1, 4
p. 13 a—14 a, der aber nicht die Quelle sein kann), 619, 16
ὅπερ — 17 συντ. (vielleicht nach T 130, 14—15?). 619, 8 ist
καὶ Παύλου wohl durch Irrtum des Verfassers oder eines
Kopisten, dem die Peters- und Paulskirche in Kpel vorschwebte, dem Πέτρου nachgesprungen. Aus T direkt entnommen ist 623, 1—625, 19 mit Ausschluss des schon berührten Emblems 623, 17—624, 19 (T 122, 31—124, 6).
Einige Aenderungen sind belanglos (so 623, 6 ἃ ... ὑπῆρχον,
die Umstellung 623, 14 f., die Namensform Βάλβην 625, 1);
auf Herbeiziehung einer weiteren Quelle deutet nur 624, 23
τὴν λεγομένην Λήθην (Procop. bell. Pers. 1, 5 p. 15 b) und 625,

---

1) Anders Patzig a. a. O. 350.
2) Patzig a. a. O. 349 giebt dasselbe bis etwa Z. 24 gleichfalls der
Zonarasquelle.

18—19 *καταλύσας ... προεξέθετο.* Alle im Bisherigen nicht berührten Stücke gehören P.[1])

Anastasios.

Κόσμου ἔτη[2]) *ἀπὸ Ἀδμ ͵εϡπε΄, τῆς θείας σαρκώσεως ἔτη*[2]) *υπε΄, ἀπὸ δὲ τῆς ἀρχῆς Διοκλητιανοῦ ἔτη*[2]) *οζ΄. ἀνηγορεύθη δὲ βασιλεὺς 'Ρωμαίων μετὰ τὴν τελευτὴν* fol. 117 r *Ζήνωνος Ἀναστάσιος ὁ σιλεντιάριος*[3]) (T 136, 19; 23—25) | *Ἦν δὲ τὸ σῶμα* 5 *μήκιστος κτλ.* = K 625, 28—24 *πολ.*[4]) (L 315, 34—316, 2) | *ἐκράτησε δὲ ἔτη κζ΄ μῆνας ζ* (T 164, 15) | *ἔλαβε δὲ γυναῖκα, ὡς εἴρηται, τὴν Ἀριάδνην* | *οὗτος μετατρέπεται ἐπὶ τὴν μοναρχίαν ὑπὸ*[5]) *τῶν ἀκεφάλων αἱρέσεως* (L 315, 33, TM 83, 10—11) *παρὰ Οὐρβικίου τότε μεγίστην περὶ τὰ βασίλεια ἐν τοῖς εὐνούχοις* 10 *ἔχοντος*[6]) *δύναμιν καὶ παρρησίαν* (L 316, 2—3) | *Ἐπὶ τούτου Μανιχαῖοι*[7]) *κτλ.* = T 136, 13—16 (K 626, 9—13) |

Ἐπὶ τῶν ἡμερῶν Ζήνωνος Περόζης κτλ. = L 315, 19—23 *φορέσῃ*[8]) (TM 82, 22—83, 2, vgl. T 123, 7—9) |

Τῷ α΄ ἔτει Ἀναστασίου ἐστασίασεν κτλ. = T 137, 2—145, 15 15[9]) (K 626, 14—16; 627, 19—628, 23 bis auf 627, 20 *ἐχθρ.* — 21 *πίστ.*) |

---

[1]) Ueber die Abweichungen von P im chronologischen Schematismus 618, 6 und 16 s. o. Weitere chronologische Abweichungen (von T und P) finden sich 619, 15 und 620, 20. Verschreibung oder Verlesung des *ἠμφίασεν* in P = T 121, 30 liegt 618, 3 *κατέλιπε* zugrunde.

[2]) *ἔτ* Ms.

[3]) *σελεντιάριος* Ms. Am Rande rot: *βασιλεὺς ρωμαίων ἀναστάσιος ὁ σελεντιάριος ἔτη κζ΄.*

[4]) 23 *τοῖν ὀφθαλμοῖν* | *ἔχων* fehlt | 24 *χαροποὶ* | *γλαυκοί.*

[5]) *ὑποι* Ms.

[6]) *ἔχων* Ms.

[7]) *μανηχαῖοι* Ms.

[8]) 19. 20 *οὔνων* | 21 *ὑπερβ. ὄντα* | 22 *αὐτῶν.*

[9]) 137, 21 ist vorh. | 138, 3. 4 *ἁπλούστατος* fol. 117 v | 29—81 fehlt | 82 ist vorh. | 189, 17 *τὸν* — 19 *ἰσώθη* fehlt | 140, 1 *Βυ* fol. 118 r | 16 *Ζην. ὃς καὶ ἐπεσκόπευσεν ἐν κωνσταντινουπόλει ἔτη ς΄* (vgl. 140, 17) | 19 *ἰξ.* — 28 *ἔτει) ἐξορίζει καὶ* | 31 u. 82 sind vorh. | 141, 4 *μάχης καὶ παντελῶς ἠφάνισε* | 6 *τότε* — 17 *εἰσ.* fehlt | 142, 9 *ἐφύλαξας* fol. 118 v | 14 *ὅπερ ... ἀγράφη*

Τῷ ιδ' ἔτει τούτου πολλοὶ πόλεμοι μετὰ Καβάδη[1]) ἐν τῇ ἀνατολῇ γεγόνασι[2]) (T 145, 16—147, 16, K 629, 1) | *καὶ ἱππικοῦ γενομένου ἐν Κωνσταντινουπόλει ἀταξία κτλ.* = T 147, 17—20[3]) (K 629, 1—5) |　　　　　　　　　　　　　　　　　　　　　　　20

Τῷ ιε΄ τούτου ἔτει Κέλωρα[4]) κτλ. = T 147, 31—150, 11[5]) (K 629, 5—8; 629, 18—630, 6) |

Δύο τινῶν ἐπισκόπων ἐπὶ Ἀναστασίῳ ἀμφισβητούντων[6]) κτλ. = K 630, 7—13[7]) (L 318, 11—17, TM 86, 1—6; vgl. TA Cram. 108, 25—30) |　　　　　　　　　　　　　　　　　　25

Τῷ ιζ΄ τούτου ἔτει Ἀναστάσιος ὁ βασιλεὺς ἐτείχισε κτλ. = T 150, 24—159, 5 μον.[8]) (K 630, 14—631, 9) |

Βουληθεὶς δὲ Ἀναστάσιος ὁ βασιλεὺς προσθεῖναι[9]) κτλ. = K 631, 9—21 αἰρ.[10]) (L 316, 10—24, TM 83, 17—84, 4) |

---

fehlt | 143, 17—18 fehlt | 19 ist vorh. | 23 τοῖς — 24 ἐπαναδρ. fehlt | 25 μηδὲ fehlt | 26 τῷ δ' αὐτῷ] τούτῳ τῷ | 144, 1 ist vorh. | 10 τοῦ θαυμ. fehlt | 23 ὁμολογίαν fol. 119r.

[1]) So K 629, 1 nach d. Bonner Ausg., καβάδια Ms.

[2]) γέγοναο Ms.

[3]) 19 καὶ σφόδρα] σφόδρα δὲ

[4]) oder κέλαρα?

[5]) 148, 10 ἀνδρεῖος fol. 119 v | 17 ἑσπ. — 22 πλὴν fehlt | 22 οἱ δὲ στρ. | 149, 4 κατά — 7 Ἰλ. fehlt | 31 Ἕλεν. — 32 Αὀρ.] ἑλληνιστῶν | 150, 10 αὐτόν, τοσοῦτον ἀπέσχε τοῦ μὴ μνησικακῆσαι ὅτι καὶ μηνιαίας | 11 ἱεροσύλους fol. 120 r.

[6]) ἀφισβητούντων Ms.

[7]) 7 περὶ πίστεως fehlt | 10 πυρὰν | 13 τοῦ fehlt.

[8]) 151, 16 καὶ Θεόδ. fehlt | 18 φασί — 19 εἶναι fehlt | 30 δὲ καὶ Θεόδ. fehlt | 151, 32 Τῷ — 152, 4 Ἀντ. fehlt | 152, 13 καὶ — 14 σύν. fehlt | 23 οἴκουμε fol. 120 v | 153, 15 ταῦτα ἀθετήσας τῆς ὁμολογίας | 153, 31 καὶ δ. — 154, 1 Θεόδ. fehlt | 154, 1 μικρ. — 2 συν. fehlt | 8 κληρικῶν fol. 121 r | 23 ist vorh. (νβ΄ fehlt) | 155, 24 ἑξῆς fol. 121 v | 155, 30 Ἀν. — 156, 9 Εὐχ. fehlt | 156, 13 αὐτῷ fehlt | 21 τῶν — αὐτόν fehlt | 23 χειροτ. — 24 ἐκ. fehlt | 157, 11 Βιτ. — 19 εἰχ. fehlt | 26 οἱ — 29 ἐδόκει fehlt | 158, 9 τὸν Νι fol. 122 r | 10 τοῦ — 15 ἀγ. fehlt | 19 Ἰω. — 22 Ἰερ. fehlt | 22 τις] ὁ ἀλεξανδρεὺς.

— [9]) προσθεῖναι Ms.

[10]) 10 σευήρου | 11 λογοθέτην αὐτοῦ | 14 ἦλθον οὖν καὶ | 15 ἐγκλειστὸς | 16 ὡς — ἀγαπώμενον fehlt | 19 ἐγκλειστὴν | εἰς ἣν ἀναστάσιος πολλὴν πίστιν εἶχεν ἀνελ. | 19. 20 ἄσυρον | 20 τῇ μονῇ.

30 Ἀλαμουνδάρου¹) δὲ κτλ. = T 159, 19—162, 13 ἔτι
(K 631, 22—633, 21) |

Ὁ δὲ μιαρὸς Ἀναστάσιος ἐπίσκοπον τῶν Ὑπάνδρων
γόμενον ὡς εὐφυῶς⁴) διαλέγεται ἀκούσας καὶ ὡς πάντα
= K 633, 23—634, 16⁵) |

35 Τῷ εἰκοστῷ ἕκτῳ ἔτει τούτου⁶) Ἰωάννου τοῦ Νικ
κτλ. = T 162, 27—164, 13⁷) (K 634, 17—635, 7;
21—636, 7) |

Τῷ δ' αὐτῷ ἔτει ἰνδικτιῶνος⁸) ια' μηνὶ Ἀπριλλίῳ θ' (
14) | βροντῶν καὶ ἀστραπῶν κτλ. = L 317, 4—9 προτ.⁹) (T
40 17—21) | ὅτι θείῳ σκηπτῷ κεραυνωθεὶς ὁ δείλαιος ἔμβρο
γέγονεν (T 164, 19; vgl. K 636, 12) | φασὶ δὲ αὐτὸν κτλ.
317, 12—17 Ἀναστ. (sic)¹⁰) (TM 84, 21—27) | ἐβασίλευ

---

1) ἀλλὰ Μουνδάρου Ms.

2) 159, 26 σημαίνοντά μοι fehlt | 160, 1 στνήρου fol. 122 v |
Ἀγχ. — Ὀδ.] πολλὰς πόλεις | 28 ἴδια ὁ βηταλιανός | 28 Στχ. — 31 dπ. fehl
10 δ — 12 μανιχ.] καὶ παράνομον καὶ ἀσεβῆ | 162, 3 σταυρῷ fol. 123

3) ὑπίανδρων Ms. οἰπιάνδον K 633, 21 nach der Bonner Aus
4) εὐφυιῶς Ms.

5) 23 ἐπιστομήζῃ | τῷ] τό | 634, 2 ἐτήσαι | ἡμῖν | λήψει | 3 μοίρ
ὀρθοδόξων | 4 καὶ Διοσκόρου fehlt | 5 ταῦτα εἰπὼν fehlt | δραξάμενό
τῇ χλαμύδη | 6 λέγων] φησί | ᾄδου] ᾄδην | 7 συγκαταβίαστέ | ἀλλὰ] ἀλλ' ἢ
jüng. Hd. auf Rasur) | 7 ἡ fehlt | 8 κτήσης | τὰς ἐκκλησίας ἃς | 6
λόγιστως | 10 nach ἐκκλησίας folgt nochmals ἃς — ἐκκλησία...
statt ἀσυλλόγιστος) | 11 μορμολύττεις | βασιλεῦ | ὧν] ὃν | 13 ἔμηνεν | γ
σοφὸς ἐκεῖνος | 13. 14 καίτοι πενέστατος ὃν | 14 ἠθέλησεν | 15 πίστε
fehlt | 16 ἀντιποιούμενοι.

6) τούτων Ms.

7) 162, 28 αἱρετ. — 29 Ἀλεξ. fehlt | 163, 2 ἡ — 16 αὐτ. fehlt
stimmt bis auf kleinere Abweichungen mit K 634, 17—635, T
(wofür steht ἐδίωξε) fol. 123 v |

8) ἰνδ Ms.

9) 4 καὶ τοῦ βασ. | 6 ὤατω | 7 ἐτέθη δέ] καὶ ἐτέθη | 8
ἀπιττιανῷ | 8. 9 ἀρειάδνης.

10) 13 εἰπόντων ὅτι | 15 ἦσαν | μετ' οὐ] μετὰ | 16 σ
καλτικά. Die gleiche falsche Beziehung der Worte διὰ τὸ εἶναι α
Ἀναστάσιον hat auch der Strassburger Georgios Mon., vgl. Lauch
Z. 4 (1895) S. 507. Es war also offenbar in einem Ueberlieferung
der Epitome falsch interpungiert.

ἀντ' αὐτοῦ Ἰουστῖνος ὁ εὐσεβής, ἀνὴρ κτλ. = T 164, 17—18 προκ.
(K 636, 18—19).

Die Analyse von P ergiebt hier neben T-[1]) und Epitomestücken (letztere Z. 4 f.; 6 f.[2]); 7 f.; 12[3]); 23 f.; 28; 39; 41) nur
einen fremden Bestandteil, die Erzählung von Anastasios und
dem orthodoxen Bischof 32 f. Eine Parallele für dieselbe vermag ich nicht beizubringen. K hat einiges Weitere der Epitome direkt entnommen: 626, 1—2 δύν.[4]) (L 316, 2 – 3); 629,
8 τότε — 17 (L 317, 33—318, 6; TM 85, 16—23); 636, 13—16[5])
(L 317, 7 – 10). Die Zonarasquelle hat 626, 23 — 627, 18
(vgl. Zonar. 14, 3 p. 54 b – d) und 635, 8—20 (vgl. Zon. 14, 4
p. 57 c) geliefert (vgl. Patzig a. a. O. 351, 353.) Als für mich
nicht verificierbarer Rest bleibt 626, 9 die Angabe der Regierungsdauer (s. darüber oben S. 96), 626, 16 τούτ. — 22 ἐξ.
und 636, 7 ἐπ. — 12 γέγ. die Erzählungen über Anastasios' Antritt und Ende. Zu der in dem ersteren Passus enthaltenen
Bemerkung über die Beseitigung des Delatorenwesens vgl.
Hermes VI (1872) S. 338 Z. 3 des griech. Textes.[6]) Die letztere

---

[1]) Die Jahreszahlen für den Regierungsantritt Z. 1 f. weichen von
denjenigen bei T ab.

[2]) L erwähnt 317, 8. 9 Ariadne als Frau des Anastasios nur gelegentlich in dem Berichte über die Beisetzung. Eine ausdrücklichere
Notiz hat vielleicht ursprünglich in der Epitome gestanden.

[3]) Das Stück ist ein versprengter Nachtrag zu Zenon und gehört
wohl p.

[4]) Die Notiz kann, wie eine Vergleichung des Wortlautes von LPK
zeigt, jedenfalls nicht durch P Z. 7 f. in der uns vorliegenden Gestalt vermittelt sein. Diese Gestalt scheint freilich das Resultat einer Verwirrung zweier verschiedener Angaben zu sein, so dass die Möglichkeit offen
bleibt, dass der ursprüngliche Wortlaut ein anderer war.

[5]) Dass die Angabe nicht durch P Z. 39 vermittelt ist, zeigt schon
der dort fehlende Schlusssatz οὗτος λέγεται κτλ. — Ueber 625, 22 ist keine
sichere Entscheidung zu treffen. τῆς τῶν ἀκεφ. αἱρ. könnte aus der Epitome (L 315, 33, TM 83, 10), vielleicht auch aus dem ursprünglichen P
(s. die vor. Anm.) stammen; doch kennen diese den Terminus συγχυτικοί
(Zon. 14, 3 p. 54 d) nicht.

[6]) Patzig a. a. O. S. 351 f., 353 führt beide Stücke auf die Zonarasquelle zurück.

Erzählung deckt sich in ihrem Schluss 636, 12 mit P = T 1(
19—20, was auf Benutzung von P oder entfernterer V⟨
wandtschaftsbeziehung beruhen kann. 627, 20—21 ergab
sich die Worte ἐχϑρῷ — πίστιν leicht aus dem Zusammenhan
bei P. Alles übrige entstammt P.[1])

Justinos L

Κόσμου ἔτη ͵ϛιβ΄, τῆς ϑείας σαρκώσεως ἔτη φιβ΄, Ῥωμαι
βασιλεὺς Ἰουστῖνος ἔτη ϑ΄ (T 164, 21—24, vgl. K 636, 17⟨
Οὗτος ἦν εὐσεβής, Ἰλλύριος τῷ γένει (T 164, 16. 18, K 636, 1⟨
οἱ δὲ Θρᾷκα[2]) τοῦτον λέγουσιν εἶναι (L 318, 19, TM 86,
5 K 636, 19—20) | Ἦν δὲ τῷ σώματι μεσῆλιξ κτλ. == L 3⟨
20—22 πλατ.[4]) (K 636, 20—22) |

Τῷ α΄ τούτου ἔτει πᾶσιν ἄριστος κτλ. = T 164, 31—1(
3 αὐγ.[5]) (K 636, 22—637, 2) |

Τούτῳ τῷ Ἰουστίνῳ Εὐλάλιός τις κτλ. == K 637, '3⟨
10 ἀκούσ.[6]) (L 320, 2—8, TM 87, 23—88, 3) |

Βιταλιανὸς[7]) δὲ κτλ. = T 165, 3—166, 5[8]) (K 6⟨
10—638, 2) |

---

[1]) 627, 22 ist mit εἰς ἐξορίαν παραπέμπει eine Begebenheit des folg
den Jahres (P = T 140, 19) voraufgenommen. 628, 11 werden die Er⟨
nisse des 11. Jahres bei T und P dem 10. und 11. Jahre zugewies⟨
630, 19 ist ins 20. Jahr verlegt, was bei T und P dem 19. gehört; da⟨
werden 630, 23 f. mit ἐν τούτοις τοῖς ἔτεσιν Begebenheiten des 20. ⟨
21. Jahres geknüpft.

[2]) Am Rande rot: Ῥωμαίων βασιλεὺς ἰουστῖνος ἔτη ϑ΄.

[3]) Θράκα Ms.

[4]) 20 εὐρούς | τούς fehlt | 21 τά fehlt | στέρνα ἔχων | 21. 22 ἐπήν⟨
22 βλοσυρῶν.

[5]) 164, 31 ἀνεδείχϑη ἰουστῖνος ὁ βασιλεύς | 165, 1 μὲν τῆς fehlt |
πυρός fehlt | ἐν τοῖς πολ. δὲ μεγάλως εὐϑ. | 2 δὲ fol. 124 r | 2—3 λο⟨
ἔστεψεν αὐγούσταν ἣν οἱ δῆμοι ἐκάλεσαν εὐφημίαν στεφα⟨
[6]) 4 μέλειν | ἐνδιαϑήκαις | 4. 5 ἰουστ. κληρονόμον | 6 καταλε⟨
αὐτῷ | 7 χρέη | 8 πάντα fehlt | 9 ἐπλήρωσεν.

[7]) βηταλιανός Ms.

[8]) 165, 19 χιλίας] πεντακοσίας.

Ἐτυπώθη¹) δὲ ἐπὶ αὐτοῦ ἑορτάζειν ἡμᾶς καὶ τὴν ἑορτὴν
τῆς ὑπαπαντῆς²) μέχρι τότε μὴ ἑορταζομένην (L 319, 3—4,
TM 86, 21—22) | 15

Τῷ δ' αὐτῷ ἔτει ἐφάνη ἀστὴρ ἐν τῷ οὐρανῷ ἐπάνω τῆς
χαλκῆς πύλης ἐν τῷ παλατίῳ φαίνων ἐπὶ ἡμέρας καὶ νύκτας κϛ',
ὃς εἶχεν ἀκτῖνας ἐκπεμπούσας ἐπὶ τὰ κάτω, ὃν ἔλεγον οἱ ἀστρο-
νόμοι πωγωνίαν³) εἶναι· καὶ ἐφοβοῦντο fol. 124 v T 166, 6—8,
L 319, 5—6, TM 86, 23—24; vgl. K 638, 3—5) | 20

Τῷ β ἔτει αὐτοῦ Βιταλιανὸς⁴) κτλ. = T 166, 19—172, 19⁵)
(K 638, 5—640, 8 [mit Ausschluss von 638, 13 τὰ — ἐοπούδ.,
639, 14 καὶ — δημεύ., 15 ἔστ. — 16 τελ.]; 640, 12—22) |

Ἀλλὰ καὶ ἡ Πομπηίου πόλις κτλ. = L 319, 13—15 ἐλ.
(TM 87, 2—5; vgl. K 641, 21—23) | 25

Τῷ θ' αὐτοῦ ἔτει τοῦ σεισμοῦ κτλ. = T 172, 30—173, 19⁶)
(K 640, 23—641, 4 γεν.; 641, 9 ἀγγ. — 13 φορ.; 641, 23 τῇ — 642,
3 Ἰουστ.) | καὶ ἐτέθη τὸ σῶμα αὐτοῦ κτλ. = K 642, 4—6 εὑρ.⁷)
(L 319, 25—27) | Τοῦ δὲ Εὐφρασίου κτλ. = T 173, 20—23⁸)
(K 642, 7—9). 30

P ist aus T⁹) und der Epitome völlig zu verificieren. Aus
letzterer stammen die Angaben Z. 4, 5, 9, 13, 16 f. die Worte

---

¹) ἐτυπόθη Ms.

²) ὑποπαντῆς Ms.

³) πωγōνίαν Ms.

⁴) βηταλιανός Ms.

⁵) Die Bischofsnotizen 167, 1. 2; 168, 12; 169, 17; 171, 33 sind vor-
handen | 167, 6 καὶ — 7 Περ. fehlt | 168, 6 καλῶς fol. 125 r | 21 Νόμου]
ῥώμου | 169, 25 πατριάρχου fol. 125 v | 170, 28 ἔστεψε — 30 αὐτόν fehlt |
171, 18 ἔτει fol. 126 r | 172, 11 δύο] δέκα | χρυσίου fehlt.

⁶) 173, 3 σάκκῳ καὶ σποδῷ | 4 προσελθ. — κατεδ.] λιτῶς εἰσῆλθεν εἰς
τὴν ἐκκλησίαν fol. 126 v μὴ καταδεξάμενος | 11 τὸν κρατερὸν | 12 σοφοὺς
καὶ ἐμπείρους | 13 τῷ — 14 ἰνδ.] τῇ δὲ ιθ' τοῦ ἀπριλλίου μηνὸς τῆς ε'
ἰνδικτιῶνος.

⁷) 4 τῇ μονῇ

⁸) 21 ἀμύδιος | 23 ἰνεδ.] εἶχεν.

⁹) Z. 1 differieren Weltjahr und Jahr n. Chr. G. wieder von den
bei T. erscheinenden, hier vielleicht infolge der bei der älteren Form von
β leicht eintretenden Verwechslung von α und β.

ἐν τῷ οὐρανῷ — νύκτας κϛ' [1]), 24, 28. Beachtung verdient die Notiz über die Kometenerscheinung des ersten Regierungs- jahres Z. 16 ff., insofern P hier T mit der Epitome kombiniert, während K an der entsprechenden Stelle (638, 3—5) gar keinen Epitomestoff bietet, sondern — abgesehen von der angehängten Bemerkung εἶχε δὲ ἀκτῖνα ὁρῶσαν ἐπὶ δύσιν, deren Herkunft ich nicht feststellen kann — nur T wiedergiebt (einschliesslich des bei P verdrängten ἐν τῇ ἀνατολῇ). Es scheint also, dass P in p aus der Epitome interpoliert wurde; andernfalls müsste man annehmen, dass K auch hier auf T zurück- gegriffen habe.[2])

K hat neben P[3]) wieder die Epitome direkt eingesehen und aus ihr eingefügt: 636, 17 μέγας (TM 86, 7; vgl. L 318, 19)[4]); 640, 8 τότε — 12 προεμ. (L 319, 5—9; TM 86, 23—26);

---

[1]) κϛ' bieten TM und K in dem Epitomestück 640, 8—12. Der Epitomeeinschub bei G (Muralt) p. 524, 22 hat mit leichter Verschreibung κζ'. Nur L 319, 6 schreibt εἰκοσιεννέα.

[2]) Mit P hat K ἀκτῖνας ἐκπεμπούσας, worauf freilich kein sehr grosses Gewicht zu legen ist, da dieses von beiden unabhängig aus der (in y erhaltenen) Lesart ἀκτῖνας ἐκπέμπουσαν entwickelt sein könnte. K nimmt an dem absoluten Gebrauch von ἐκπέμπειν Anstoss und fügt αὐγάς als Objekt hinzu. — Eine andere Erklärung des Verhältnisses von P und K wäre die, dass K in Rücksicht auf das später (640, 8—12) folgende Epitomestück hier dessen Bestandteile getilgt hätte.

[3]) Ob 638, 12—13 aus P stammt, ist zweifelhaft. Zum mindesten ist von einer Beschäftigung des Kaisers mit den religiösen Angelegen- heiten in dem entsprechenden P-Abschnitte nirgends die Rede. Jeden- falls wäre eine sehr flüchtige Benutzung des betreffenden P-Stückes an- zunehmen. 639, 14 καί — δημ. ist wohl eigener Zusatz K's, ebenso 11 τούς — 12 αὐτοῦ; hingegen scheint 639, 15 ἔστ. — 16 τελ. nur in p aus- gefallen. 640, 13 ist τετάρτη durch Flüchtigkeit aus der Indiktionszahl (P = T 172, 1) entstanden. 640, 15 statt einer Feuersbrunst von sechs Monaten, die dem Verfasser nicht glaublich schien, eine solche von sechs Tagen angesetzt. Bei dem geringen chronologischen Interesse, welches K eignet, sind die beiden von P nach T 172, 1—19 berichteten Begeben- heiten als eine unter dem Datum der ersten zusammengefasst.

[4]) Der ganze Satz ist wohl ein Kompromiss zwischen P und der Epitome, indem letztere neben dem Worte μέγας die allgemeine Struktur, P die Formulierung βασιλεὺς Ῥωμ. (für ἐβασίλευσεν) geliefert hat.

641, 19 ἐπί — 21 ἑορτ. (L 319. 3—4, TM 86, 21—22)[1]), 21
ἀλλά — 23 ἐλ. (L 319, 13—15, TM 87, 2—5)[2]); 642, 6 τόν — 7
'Ιω. (L 319, 27—28). Auf fremde Quellen führen 638, 5 εἶχε
— δύσιν; 641. 4 πολλάς — 9 ἐκάλ. Der Passus 641, 13 σημ.
— 19 ἄναξ. stammt entweder ganz aus fremder Quelle oder ist
aus einer solchen und P zusammengearbeitet; ersterer gehört
jedenfalls 15 εἰς — 16 νησι., 18 ἄνδρ. μηχ.

Die Resultate unserer Untersuchung sind in Kürze folgende.
Hauptquelle der anonymen Chronik des cod. Paris. 1712 ist für
unsern Abschnitt Theophanes, und zwar nach einer zur Klasse z
gehörigen, mit g am nächsten verwandten Hs. Zur Ergänzung
sind zunächst die Epitome, Georgios Monachos und eine mit
Zonaras gemeinsame Quelle herangezogen. Auf den aus diesen
Schriften zusammengetragenen Stoff ist noch mannigfaches
weiteres, teils kirchen- teils profangeschichtliches Material
aufgeschichtet, dessen Herkunft ich nicht mit Bestimmtheit
nachweisen kann. Auf diese Partien wird sich die weitere
Quellenuntersuchung in erster Linie zu richten haben. Suchen
wir für diese nach Anhaltspunkten, so ist u. a. die mehrfach hervortretende Berücksichtigung der Geschicke der μεγάλη
ἐκκλησία zu beachten, die auch in den späteren Teilen der anonymen Chronik auffällt. Nachrichten wie die über Metrophanes (oben S. 45) und Sisinnios (S. 82) gemahnen an eine
Patriarchenliste, die Angabe über den zeitlichen Abstand der
dritten von der zweiten Synode (S. 82) an ein Synodenver-
zeichnis. Für einige kirchengeschichtlichen Stücke ergaben sich
Beziehungen zu Theodoros Anagnostes und Niketas David.

Diese Stoffmasse ist in unserer durch cod. Paris. 1712 vertretenen Ueberlieferung um neues Material aus Theophanes — viel-

----

[1]) Der Satz ist wegen des ihm angewiesenen Platzes mit grösserer
Wahrscheinlichkeit aus der Epitome, als aus P herzuleiten. Geringeres
Gewicht hat die Uebereinstimmung mit ersterer in λογιζομένης (P λογι-
ζομένηυ).

[2]) Auch hier entscheidet der Platz für die Epitome, nicht I', als
Quelle.

leicht auch aus der Epitome, s. oben S. 104 — vermehrt worden.
Es steht einstweilen dahin, ob diese Heranziehung des Theophanes etwa mit einer nachträglichen Ueberarbeitung auch der
ursprünglichen Theophanespartien des Werkes verbunden war,
aus welcher die auffallende Thatsache erklärt werden könnte,
dass der von unserer Chronik abhängige Kedren eine andere
Theophanesüberlieferung (die der Hss-Klasse x) vertritt, als
sie uns im Par. 1712 vorliegt.

Weit buntscheckiger ist die Kompilation Kedrens. Dieser
hat den Pariser Anonymus zugrunde gelegt, daneben aber
dessen hauptsächlichste Quellen, Theophanes, die Epitome,
Georgios Monachos und die mit Zonaras gemeinsame Vorlage
auch direkt benutzt. Auch hier bleibt vorläufig die Frage
offen, ob diese nachträgliche Verwertung des Theophanes etwa
mit einer Revision auch der aus dem Anonymus übernommenen
Theophanesabschnitte in Zusammenhang steht, aus welcher die
Differenz der Theophanestexte bei Kedren und dem Anonymus
zu erklären wäre.

Hierzu kommt noch ein reiches Zusatzmaterial, für welches
ich nur teilweise den Ursprung nachzuweisen vermag. Auch
wo das der Fall ist, bleibt meistens festzustellen, auf welchem
Wege, ob direkt oder durch Vermittelung einer Zwischenquelle,
diese Stücke in Kedrens Werk gelangt sind. Als letzte Quellen
solcher Zusätze sind uns folgende Schriften begegnet: die
Acta Silvestri, Theodorets Kirchengeschichte, Konstantins des
Rhodiers Beschreibung der Apostelkirche und anderer Denkmäler Kpels, eine lexikalische Quelle, Hesychios. Einige Beziehungen zu Nikephoros' chronographischem Abriss, Theodoros
Anagnostes und der unter dem Namen des Nikephoros Kallistos
vorliegenden Kirchengeschichte sind zu vereinzelt oder zu vage,
um bestimmte Ansätze zu ermöglichen, müssen aber für die
weitere Quellenforschung im Auge behalten werden.

Nachtrag.

Zu S. 45. Die Uebereinstimmung mit Zonaras in der Bemerkung über die Beteiligung des Artemios an der Ueberführung der Gebeine des Andreas und Lukas spricht für Herleitung des Zusatzes (διὰ τοῦ ἁγίου μάρτυρος Ἀρτεμίου) aus der Zonarasquelle. Vgl. jetzt Patzig a. a. O. S. 335.

Zu S. 54 Z. 10 d. griech. Text. αὐτοῦ ist nicht anzutasten; vgl. S. 67 Z. 33. An beiden Stellen liegt wohl falsche Einschaltung des übergeschriebenen Wortes vor.

Zu S. 56. Die Geschichte von der Entsendung des Oribasios nach Delphi Z. 9 (K 532, 4 ff.) steht, worauf ich durch eine briefliche Mitteilung Patzigs aufmerksam werde, in der Vita Artemii c. 35 a. E., d. h. sie gehört Philostorgios und ist bei den Beziehungen, welche die Zonarasquelle zu Philostorgios und der Vita Artemii zeigt (Patzig a. a. O. S. 332 ff.) dieser Quelle zuzuweisen.

Zu S. 57 Anm. 2. Der Schlüssel zur richtigen Beurteilung der Sachlage liegt hier wieder, wie Patzig a. a. O. zeigt, bei Philostorgios (VII 15) und in der Vita Artemii (c. 69).

Zu S. 77 Anm. 2. Das Zusammentreffen mit Zonaras in einer auf Philostorgios zurückgehenden Angabe lässt keinen Zweifel, dass auch hier die Zonarasquelle zu Worte gekommen ist.

Neue Denkmäler antiker Kunst.

Von A. Furtwängler.

(Vorgetragen in der philos.-philol. Classe am 6. März 1897.)

(Mit 12 Tafeln.)

Unsere Wissenschaft gleicht dem Riesen Antaios: aus der
Berührung mit der Erde zieht sie stets neue Kraft. Der antike
Boden spendet uns noch immer neue Denkmäler, und diese
helfen unsere Begriffe von den Leistungen und der Entwicklung
der alten Kunst ständig zu klären, sie reiner und schärfer zu
bestimmen. Und zwar sind es nicht nur die leicht bekannt
werdenden grossen Funde, die uns diesen Dienst leisten, sondern ebensosehr auch die beweglichen kleineren, die sich aber
nur zu oft unseren Blicken entziehen, indem sie in private
Sammlungen gelangen. Einige neue Denkmäler dieser Art,
kleinere Antiken zumeist in privatem Besitze, denen allen eine
gewisse kunsthistorische Bedeutung zukommt, bin ich in der
Lage im Folgenden bekannt machen zu können.

1. Mykenisches Glas.

Die umstehend abgebildeten acht Anhängsel aus blauem
Glase stammen aus dem athenischen Kunsthandel und sind in
der Sammlung des Herrn E. P. Warren zu Lewes. Sie müssen
in einem Grabe der mykenischen Epoche gefunden sein, wahrscheinlich in Attika oder dem östlichen Peloponnes. Die meisten
der Teile wurden in mehreren Exemplaren gefunden; das Ganze
bildet eine Kette von 23 Gliedern und wäre für eine Halskette

wohl geeignet. Doch hat das Grab gewiss noch viel mehr
Glieder enthalten und die vorhandenen sind nur die am besten
erhaltenen. Das Glas ist hier an allen von einer ungewöhnlich
guten Erhaltung. Wenn diese Gegenstände in der Regel durch

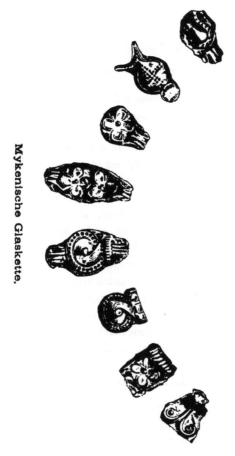

Mykenische Glaskette.

die Verwitterung ein unscheinbares graues Aeussere bekommen
haben, so zeigt hier dagegen das Glas seine prachtvolle ursprüngliche Färbung und vollkommene Durchsichtigkeit. Die Färbung
ist von einem tiefen schönen Dnnkelblau.

Sämtliche Stücke haben eine Oehse oben, No. 4 und 5 (von l. gezählt) zwei Oehsen, eine oben und eine unten, zum Anhängen. Aehnliche Glasornamente sind bekanntlich in den jüngeren Gräbern von Mykenä, in den Gräbern bei Nauplia, ferner in Attica bei Spata und Menidi, in Thessalien bei Dimini, auf Rhodos bei Jalysos gefunden worden. Das wellenförmige Ornament No. 5 und 6 war namentlich beliebt. No. 5 gleiche Stücke fanden sich in einem Hause (in einer Art Magazin) bei Mykenae, 'Εφημ. ἀρχ. 1887, Taf. 13, 17; etwas einfacher in Menidi, Kuppelgrab von Men. Taf. 4, 4. Mit No. 6 übereinstimmende Stücke kamen, nur einfacher, ohne den punktierten Rand, in Menidi (Kuppelgrab Taf. 4, 20) und Spata (Bull. de corr. hell. II, pl. 15, 13) vor. Die Bedeutung des Ornaments ist nicht sicher.

Stücke mit zwei Rosetten wie No. 7 kamen ähnlich in Jalysos vor (Myken. Vasen Taf. C 8). Die hängende Blüte mit aufgerollten Blättern No. 8 erschien in Jalysos (Myken. Vasen Taf. B, 5. C, 7) und in Knochen ebenso in Mykenae, 'Εφημ. ἀρχ. 1887, Taf. 13, 14. 15. Die Stücke mit von oben gesehenen kleinen drei- und vierblättrigen Blumen No. 3 und 4 sind, den Publikationen nach, bisher noch nicht ebenso, aber doch ähnlich vorgekommen; vgl. zu No. 7.

Neu sind No. 1 und 2; jenes erstere stellt (es ist unten etwas fragmentiert) eine von oben gesehene geöffnete zweischalige Kammmuschel dar, die in der mykenischen Ornamentik sonst als beliebtes Motiv bekannt ist. No. 2 ist ein bisher ganz unbekanntes neues Motiv; vermutlich ist ein Granatapfel gemeint. Der Granatapfel ist in der früharchaischen griechischen Kunst gerade an Halsbändern beliebt gewesen, wie er auch in der Ornamentik und religiösen Symbolik jener Periode eine grosse Rolle spielt; im mykenischen Culturkreise war er bisher nicht bekannt. Unser Stück macht nun wahrscheinlich, dass der Granat-Strauch doch schon in mykenischer Zeit aus dem Osten eingeführt worden und die Frucht als Amulet an Halsbändern zu tragen begonnen wurde.

2. Bronzekopf aus Sparta.

(Tafel 1.)

Dieser Kopf[1]) hat nicht nur durch den altertümlichen Stil,
sondern auch durch die Technik Interesse: er ist der älteste
statuarische griechische Hohlguss, den wir bis jetzt kennen.
Die ältesten unter den gegossenen Greifenköpfen von Olympia
(Olympia Bd. IV, die Bronzen S. 121 f., besonders No. 803)
werden ihm gleichzeitig sein; aber alle die Reste hohlgegossener
griechischer Bronzestatuen, die wir sonst besitzen, sind jünger.
Weder die reichen Bronzefunde von der Akropolis zu Athen
noch die aus der Altis von Olympia haben — wenn wir jene
Greifenköpfe ausnehmen — ein gleich altertümliches Stück
hohlgegossener Bronze geliefert. Der bekannte archaische
Zeuskopf von Olympia (Olympia Bd. IV Taf. 1) und der ihm
vielfach verwandte vermutliche Aphroditekopf von Kythera in
Berlin (Archäol. Zeitung 1876, Taf. 3, 4; vgl. Olympia IV,
Text S. 9 f.), der Apollon von Piombino im Louvre, der alter-
tümliche Jünglingskopf aus Herculaneum in Neapel sowie der
einst behelmte bärtige archaische Kopf von der Akropolis (de
Ridder, bronzes de l'Acrop. No. 768) sind alle jünger; denn
sie zeigen den voll entwickelten später archaischen Stil aus der
zweiten Hälfte oder dem Ende des sechsten Jahrhunderts. Der
kleinere Bronzekopf der Akropolis aber (de Ridder No. 767),
die Aphroditestatuette des Herrn Carapanos (Bull. de corr. hell.
1891, pl. 9, 10), der schöne Bronzetorso in Florenz (Meisterwerke S. 676, 1; Arch. Jahrb. 1892, S. 132), die neugefundene
Bronzestatue von Delphi und der Apollonkopf des Herzogs von
Devonshire (Furtwängler, Intermezzi Taf. 1—4) gehören erst in
die erste Hälfte des fünften Jahrhunderts.[2])

---

[1]) Jetzt im Museum of fine arts zu Boston. Ich habe das Original,
als es noch im Besitze von Herrn E. P. Warren war, durch dessen Gefälligkeit zu studieren Gelegenheit gehabt.

[2]) Der Bronzeknabe Sciarra ist nach meiner am Originale gewonnenen Ueberzeugung nicht altgriechisch, sondern italisch. — Der halb-
lebensgrosse Kopf Fröhner, Collect. Tyszkiewicz pl. 18 ist interessant,

Studniczka hat nachzuweisen gesucht, dass der statuarische Hohlguss erst um 500 v. Chr. im Peloponnes eingeführt worden sei (Römische Mittheil. H, 1887, S. 107 f.); vorher habe man grössere Metallfiguren nur aus getriebenem Blech herzustellen gewusst. Das älteste hohlgegossene statuarische Werk der peloponnesischen Kunst, das wir kennen, sei der Apollon Philesios des Kanachos um 500 v. Chr., an dem, da er von äginetischem Erze war, die Hohlgusstechnik von Aegina entlehnt sein sollte. Nach Aegina sei sie durch frühe Verbindung mit Samos gekommen.

Diese Kombinationen werden nun durch unseren neuen hohlgegossenen Kopf aus Sparta durchkreuzt. Derselbe ist wesentlich älter als 500 v. Chr. Die Bildung des Auges, dessen oberes Lid und Augapfel weiter vorspringen als der Brauenrand, ist ein charakteristisches Zeichen des älter archaischen Stiles. Wir werden den Kopf wenigstens um die Mitte des sechsten Jahrhunderts, wenn nicht älter, anzusetzen haben.

Der in Sparta gefundene Kopf ist aber gewiss dort auch gearbeitet, wo gerade in der älter archaischen Zeit eine so rege Kunstthätigkeit bestand. Gegen diese natürliche Annahme spricht nicht nur nichts, sondern sie wird dadurch bekräftigt, dass der Kopf mit sicher spartanischen Werken eng zusammenhängt. So vor allem mit den bekannten altspartanischen Grabreliefs. Die Art, wie der Mund im Gesichte herausgehoben ist, indem die ihn nächst umgebenden Partieen tief hineingearbeitet sind, dagegen das Kinn und das Fleisch um die Backenknochen stark vorspringen, finden wir an jenen Reliefs (vgl. Sammlung Sabouroff Taf. 1) und unserem Bronzekopfe sehr ähnlich wieder; nur sieht man freilich bei der Vergleichung, dass die Reliefs geringe handwerkliche Steinmetzarbeiten, der Bronzekopf das Werk

---

indem er noch voll gegossen ist. Er gehört in die Zeit um 500 oder den Anfang des 5. Jahrh. und ist etruskische Arbeit (die Behauptung des Herausgebers, er sei griechisch, ist willkürlich und irrig); der Hohlguss ward in Etrurien sonach später als in Griechenland eingeführt. Der Kopf stammt übrigens aus der Sammlung Al. Castellani und ist gewiss in Italien gefunden.

eines höheren Künstlers ist. Der gleiche Unterschied und die
gleiche Aehnlichkeit besteht auch bei dem altspartanischen
Marmorköpfchen von Meligu (Athen. Mitth. III, 297; VII, Taf. 6).
Ferner ist die Bronze-Aphrodite aus Sparta, die ich 1885 aus
der Sammlung Gréau (Fröhner, bronzes ant., coll. Gréau No. 336,
p. 71) für Berlin erworben habe (sie ist jetzt im Abgusse zu
haben) unserem Kopfe in Bildung von Auge, Mund, Kinn entschieden verwandt.

Der Kopf ist also ein spartanischer Hohlguss, der spätestens um die Mitte des 6. Jahrhunderts zu datieren ist. Wie
aber kam der Hohlguss schon so früh nach Sparta? — Gewiss
nicht erst über Aegina, von wo ihn Studniczka nach dem
Peloponnes kommen liess, sondern direkt von Samos. Alte
direkte Beziehungen der Kunst von Samos zu Sparta werden
durch die bekannte Ueberlieferung bezeugt, dass die Skias zu
Sparta von Theodoros dem Samier herrührte (Paus. 3, 12, 10);
und Bathykles von Magnesia, der Künstler des amykläischen
Thrones, gehörte wahrscheinlich dem samischen Kunstkreise an.

Wenn die Alten die Erfindung des Bronzegusses den Samiern
Rhoikos und Theodoros zuschrieben, so hat man längst erkannt,
dass hiemit nur der statuarische Hohlguss gemeint sein kann.
So verstanden hat die Nachricht aber eine grosse Wahrscheinlichkeit in sich. Die eigentliche Bedeutung der Samier bestand
nach Allem was wir bis jetzt erkennen können (vgl. Meisterwerke S. 711 ff.) darin, dass sie von der ägyptischen Kunst
gelernt und insbesondere das Schema für die monumentale
Darstellung der ruhig stehenden männlichen Figur von dort
entlehnt haben. In Aegypten ist der Bronzehohlguss jedenfalls
in der Zeit der saitischen Könige hoch entwickelt gewesen.
Hier pflegte man sogar die kleinen Metallstatuetten, die in
Griechenland auch in der späteren Zeit noch regelmässig voll
gegossen wurden, vielmehr hohl zu giessen, und zwar
kunstreich mit ganz dünnen Wänden, doch innen stehen gelassenem Kerne. Von Aegypten kam diese Technik nach
Cypern, wo in dem Heiligtum von Limniti einige nach ihrem
und der mitgefundenen Gegenstände Stil in das 6. Jahrhundert

jedenfalls nicht später, gehörige kleine Thierfiguren vorkamen, die nach der ägyptischen Weise mit stehen gelassenem Kerne hohl gegossen sind (vgl. Archäol. Anzeiger 1889, S. 88). Wenn die Samier den statuarischen Hohlguss einführten, so war dies nur ein Glied in der Kette der von ihnen aus Aegypten entlehnten neuen künstlerischen Fortschritte.

Dass man auch in Griechenland schon wenigstens um die Mitte des 6. Jahrhunderts den statuarischen Hohlguss kannte, beweist nun unser Kopf. Aber auch die älteren der gegossenen Bronzegreifenköpfe von den grossen in den Heiligtümern geweihten Kesseln gehören sicher noch jener Zeit an. Wie der Typus dieser greifengeschmückten Kessel aus Jonien nach dem Peloponnes kam, so auch ihre Technik. Wie der Hohlguss das ältere Sphyrelaton ablöste, lässt sich nirgends deutlicher beobachten als an diesen Greifenköpfen, von denen uns die Ausgrabungen, besonders die von Olympia, eine lange vom siebenten durch das sechste Jahrhundert durchgehende Serie geschenkt haben. Der grosse Kessel, den die Samier nach der Tartessosfahrt im 7. Jahrhundert in das Heraion weihten (Herod. 4, 152), wird wohl noch getriebene Greifenköpfe gehabt haben, so wie der Kessel des noch dem 7. Jahrhundert angehörigen Pränestiner Grabes (vgl. Olympia IV, die Bronzen S. 119 f.); während der angeblich für Krösos bestimmt gewesene spartanische Kessel im samischen Heraion (Herod. 1, 70) wahrscheinlich schon gegossene ζῴδια ἔξωθεν, d. h. gewiss wol auch Greifenköpfe gehabt haben wird. In einem Cornetaner Grabe wurden hohl gegossene Greifenköpfe schon mit Vasen gefunden, die noch ins siebente Jahrhundert, jedenfalls aber in den Anfang des sechsten, gehören (Olympia IV S. 123).

Die früharchaischen lakedämonischen Künstler, die an Dipoinos und Skyllis angeknüpft wurden und deren Werke in Olympia im Heraion und in alten Schatzhäusern sich befanden, arbeiteten noch in Holz und getriebenem Metall. Dagegen Gitiadas, der die Bronzestatue der Athena Chalkioikos in Sparta und die Bronzestatuen der Aphrodite und Artemis unter Dreifüssen in Amyklä machte, wird höchst wahrscheinlich schon

8*

den Hohlguss angewendet haben. Dies dürfen wir jetzt, nachdem wir einen so alten spartanischen Hohlguss in unserem
Kopfe nachgewiesen haben, mit voller Zuversicht annehmen.
Ja dieser Kopf ist auch für die Frage nach der Zeit des
Gitiadas nicht unwichtig. Dieser spartanische Meister . kann
nun sehr wohl in ältere archaische Zeit gehören. Die Legende
der Lakedämonier, welche die drei archaischen Dreifüsse in
Amyklä, von denen zwei von Gitiadas, einer von Kallon war,
als Weihgeschenke nach dem ersten messenischen Kriege bezeichnete, beweist nicht für die Gleichzeitigkeit dieser Dreifüsse,
also auch nicht für die des Gitiadas und Kallon. Gitiadas
konnte auch recht wohl älter sein als Bathykles. Hat Gitiadas
den Hohlguss angewendet, so stand er aber jedenfalls unter
direkter Einwirkung der samischen Meister. Wir dürfen in
unserm Kopfe wohl einen Vertreter der Kunst des Gitiadas
vermuthen.

Indess betrachten wir ihn genauer. Der Kopf ist am
Halse gebrochen. Er stammt von einer kleinen Statue, deren
Höhe 52—55 cm betragen haben muss. Das Gesicht misst
52 mm in der Länge, der ganze Kopf vom Kinn zum Scheitel
68 mm. Stirne, Nase, Untergesicht sind unter sich gleichlang
und gleich der Länge des Ohres (17 mm); der Abstand der
äusseren Augenwinkel ist gleich der Entfernung vom Auge
zum Kinn und der vom Haaransatz zum Nasenflügel (33 mm).
Der Guss ist um das Kinn herum sehr dick und auch im
Nacken ziemlich dick, am Oberkopfe aber dünner. Der Guss
ist stark ciseliert. Am Kinn ist ein ganzes Stück beim Cise-
lieren abgefeilt; auch an der Nasenspitze ist ein Stückchen
abgefeilt. Ueber dem Brauenrande ist zur Andeutung der
Augenbrauen eine Linie eingegraben. Das Haar ist nur durch
ganz feine parallele eingegrabene Linien angedeutet. Auch
die Binde, die im Haare liegt, ist nur flach eingraviert. Von
den Ohren ab nach vorne ist die Binde doppelt. Vom Haare
erscheinen über der Binde nur ganz kleine Ansätze graviert;
im Uebrigen ist das Haar nur unterhalb der Binde durch
Gravierung angedeutet. Der ganze Oberkopf ist glatt. Dies

hat indess darin seinen Grund, dass er ursprüglich bedeckt war. Gleich hinter der Binde oder vielmehr auf dem hinteren Bindenstreif steckt vorne in der ·Mittelachse des Oberkopfes ein Bronzenagel in einem Loche; der Nagel ist innen noch etwa 1 cm lang und umgebogen. Etwas weiter hinten, ebenfalls in der Mittelachse, befindet sich ein grosses Loch mit Bruchrändern; die hier dünne Bronze ist vermutlich um ein ursprüngliches Loch herum eingebrochen. Dann folgt ein drittes Loch mit Bruchfläche, doch noch mit dem Reste eines ursprünglichen Bohrloches; endlich in der Verlängerung der Mittellinie, nur ein wenig seitwärts, am Hinterkopfe ein viertes wohl erhaltenes kleines Bohrloch. Mit den in diesen Löchern einst befindlichen Stiften war ohne Zweifel einst eine Kopfbedeckung befestigt. An dem erhaltenen Bronzenagel ist freilich keine Spur mehr davon erhalten. Man kann nur vermuten, dass die Bedeckung eine ziemlich anliegende nicht hoch aufsteigende gewesen ist.

Das Haar ist ganz schmucklos und kurz gehalten; die Person ist ohne Zweifel männlich. Es wird schwerlich ein Gott sondern ein Mensch, der Weihende selbst, gemeint gewesen sein. Eigentümlich, aber gewiss nicht etwa absichtlich individuell, sondern nur ungeschickt, ist die Verschiedenheit der beiden Gesichtshälften; das rechte Auge sitzt tiefer und mehr nach aussen als das linke. Sehr einfach und roh, ohne näheres Eingehen auf die Natur, ist die Ohrmuschel gebildet. Am meisten gelungen ist dem Künstler die Umgebung des Mundes, das gespannte Wangenfleisch, das einen freundlichen lächelnden Ausdruck giebt, obwohl die Mundlinie ganz gerade verläuft und die Winkel nicht emporgezogen sind. Analog, doch viel ungeschickter und roher und weniger energisch ist die Bildung an dem Relief von Chrysapha. Eine merkwürdige kleine Doppelherme von Bronze in Paris ist mit dem stark vorspringenden Kinn, der Bildung des Mundes und seiner Umgebung und den stark vortretenden Augen unserem Kopfe nahe verwandt und vielleicht auch altspartanisch, jedenfalls eine höchst interessante altgriechische Bronze und wohl die älteste Doppelherme, die wir besitzen. Da das Stück nur in einer unkenntlichen Skizze bekannt und als „etruskisch" beschrieben worden ist (Babelon et Blanchet, catalogue des bronzes antiques de la bibl. nat. p. 332 No. 734), sei es hier beistehend nach Photographie mitgetheilt.

Die Schärfe, mit der an unserem Kopfe alle Flächen abgesetzt sind und die sprechende Lebendigkeit lassen ihn auch dem prachtvollen marmornen Akroterion aus Sparta verwandt erscheinen, das eine grinsende Gorgone darstellt und das Vorzüglichste ist, das wir von spartanischer Plastik besitzen (Archäol. Zeitg. 1881, Taf. 17, 1). Dasselbe steht, wie namentlich die Stilisierung des Auges beweist, stilistisch auf derselben Stufe wie unser Kopf und wird ihm ungefähr gleichzeitig sein.

So ist denn dieser Kopf auch durch seine Formgebung, nicht nur durch seine Technik ein ganz hervorragendes Stück der alten spartanischen von Jonien und speziell von Samos her befruchteten Kunst.

3. Archaische Statuette eines Jünglings aus Olympia.
(Tafel II.)

Eine 166 mm hohe Bronzestatuette, die im Kladeos bei Olympia gefunden sein soll und sich jetzt bei Herrn E. P. Warren in Lewes befindet. Die Fundangabe wird durch die Art der Patinierung bestätigt, die ganz der der Bronzen von Olympia gleicht. Dazu kommt, dass auch der Stil der Bronze gerade an olympischen Bronzen nahe Parallelen findet.

Die Fundangabe ist also durchaus vertrauenswürdig. Die Bronze gehörte demnach einst zu den Weihgeschenken in der Altis zu Olympia.

Es ist ein nackter Jüngling mit lang und lose auf den Rücken herab fallendem Haare dargestellt, in welchem ein runder mit einer Zickzacklinie verzierter Reif liegt. Die beiden Unterarme sind ganz gleichmässig schräg nach unten vorgestreckt. An beiden ist die Hand von dem dünnen Handgelenke an durch Druck nach unten verbogen. Die beiden Hände sind geschlossen; doch geht ein (jetzt verstopftes) rundes Loch bei beiden hindurch und zeigt, dass jede der Hände etwas stabförmiges Rundes gehalten hat. Die Stellung ist die des bekannten archaischen Typus der sog. Apollofiguren, der, aus Aegypten entlehnt, während der ganzen archaischen Periode in Griechenland für die ruhig stehende Figur herrschte. Unter den Füssen befindet sich, mit dem Ganzen zusammen gegossen, eine kleine rechteckige dünne Plinthe, die in den zwei von den Füssen frei gelassenen diagonal gegenüber liegenden Ecken je ein Bohrloch zeigt, um mittelst zweier Stifte auf eine Basis befestigt zu werden. Diese Art der Aufstellung kleiner Bronzen scheint speziell im Peloponnes beliebt gewesen zu sein. Wir finden sie ebenso bei zwei Bronzestatuetten aus Olympia, welche ungefähr derselben Epoche angehören wie unsere Figur (Olympia IV No. 48 und 42). Eine Bronze von Amyklä ('Εφημ. ἀρχ. 1892, Taf. 2) und eine etwas jüngere von Tegea (de Ridder, bronzes de la Soc. arch. d'Athènes No. 881) unterscheiden sich nur dadurch, dass die dünne Plinthe etwas grösser und an allen vier Ecken mit einem Stifte befestigt war. An den Bronzen der Akropolis zu Athen waren in der Zeit des entwickelteren archaischen Stiles andere Befestigungen üblich (bei de Ridder, bronzes de l'Acrop. d'Athènes scheinen nur die sehr altertümlichen No. 731 und 777 derartige Plinthen zu haben).

Der Typus des Jünglings mit den beiden schräg vorgestreckten Unterarmen, wo beide Hände für — leider immer verlorene — Attribute durchbohrt sind, kommt unter den ar-

chaischen griechischen Bronzen häufiger vor. Zumeist hat der
Jüngling dabei lang herab fallendes Haar (Olympia IV No. 48.
Akropolis, de Ridder No. 732. 737. 738); bei einem Exemplare
aus Olympia (Nr. 48) liegt in dem langen Haare ein Kranz
von schrägen Blättern von der gleichen Art wie bei der amykläischen Bronze eines kurzhaarigen Jünglings, wo Wolters
(Jahrb. d. arch. Inst. 1896, S. 8) gewiss richtig den aus Palm-
blättern hergestellten thyreatischen Kranz der Spartaner erkannt hat, den die Chorführer der Gymnopädien trugen. Eine
hervorragende Statuette jenes Jünglings-Typus mit den schräg
vorgehaltenen Unterarmen und durchbohrten Händen zeigt indess auch einfaches kurzgeschorenes Haar (Akropolis, de Ridder
No. 740). Dieser Umstand, sowie das Vorkommen jenes Kranzes
sprechen gegen die übliche Deutung auf Apollon. Wahrscheinlich stellen alle diese Figuren nur menschliche Dedikanten
dar. In die beiden durchbohrten Hände möchte ich am ehesten
Zweige ergänzen: der Weihende naht sich mit heiligen Zweigen
in den Händen dem Gotte, in dessen Heiligtum die Figur aufgestellt war.

Der Kopf der Statuette ist im Verhältniss gross. Die
ganze Figur hat nicht ganz sechs Kopflängen; sie hat genau
fünf Kopflängen (von 29 mm) plus eine Gesichtslänge (von
(21 mm). Die Brust ist an den Schultern sehr breit (45 mm);
die Entfernung der Brustwarzen ist gleich der Länge des
Fusses, eine in archaischer Kunst häufige Proportion (vgl. Ueber
Statuenkopien I S. 37, Abh. d. Akad. I. Cl., 20, 3, S. 561).

Die Figur ist nach dem Gusse sauber ciseliert. Das
Haar ist durch lange parallele Linien angedeutet, zwischen
denen kleine flache Querstriche graviert sind, eine Manier, die
sich häufig an archaischen Bronzen und in eben dieser flachen
Weise besonders an solchen aus dem Peloponnes findet (vgl.
Olympia IV Nr. 42. 48. 55. 76. 77; de Ridder, bronzes de la
Soc. arch. Nr. 151; Aphrodite aus Sparta in Berlin, coll. Gréau,
bronzes Nr. 336).

Um den stilistischen Charakter der Statuette genauer zu bestimmen, vergleichen wir sie mit ähnlichen griechischen Bronze-

figuren. Sehr deutlich ist es, dass sie altertümlicher ist und
älter sein muss als die dem Apollon auf Naxos von Deinagores
geweihte Jünglingsstatuette in Berlin (Arch. Ztg. 1879, Taf. 7),
und noch etwas grösser ist der stilistische Abstand von dem
schönen, dem unsrigen im Motiv völlig gleichen Jüngling von
der Akropolis, de Ridder No. 740, pl. 3. 4. An unserer Bronze
haben wir noch ganz den alten schematischen unnatürlichen
Bau des Leibes, der dort schon überwunden ist, überbreite
Brust, stark eingezogene Taille und magere Hüften; der Rücken
ist sehr stark eingezogen und der Leib erscheint im Profil
ganz dünn; der Brustkorb ist noch ohne Schwellung, so dass
die Seiten von vorne gesehen eine konkave Linie bilden. Nach
dem Bauche ist der Brustkorb noch so gut wie gar nicht abgesetzt. Die Muskulatur des Bauches ist nur in einer auch
am Originale kaum sichtbaren ganz schüchternen Weise ein
wenig angedeutet. Doch erkennt man immerhin, dass der
Künstler die weiche Haut über dem Nabel hat andeuten wollen
(wie dies deutlicher an jenen beiden jüngeren Bronzen geschehen ist), sowie dass er nicht mehr der alten Weise mit den
dreifachen geraden Bauchmuskeln über dem Nabel (Meisterwerke S. 717 f.) gefolgt ist. Von jener Eigentümlichkeit
verschiedener älterarchaischer Werke, denen darin ein bestimmtes Vorbild zu Grunde lag, die geraden Bauchmuskeln
wie an einem anatomischen Präparate, nicht wie am Lebenden
in drei hartumschriebenen Abteilungen über dem Nabel anzugeben (vgl. namentlich den Bronzeapoll von Dodona in Berlin,
den attischen Torso Ἐφημ. ἀρχ. 1887 Taf. 2, die Bronze des
Hybristas aus Epidauros, coll. Tyszkiewicz pl. 21 u. a) hat sich
unser Künstler durchaus fern gehalten. Diese Parthien gleichen
bei ihm mehr noch der allgemeinen flachen und schüchternen
Wiedergabe dieser Teile am Apollon von Tenea. An diesen
letzteren werden wir auch durch die Bildung der Arme und
Beine erinnert, die dasselbe Streben nach zierlicher dünner
straffer Bildung zeigen. Dieses Streben verleitete den Künstler
unserer Bronze sogar zu einem offenbaren Fehler: er hat die
Arme viel zu klein und dünn gebildet. Die Beine dagegen

sind ihm vortrefflich gelungen; sie zeigen eine straffe Muskulatur und dünne Gelenke; die Vorderseite der Oberschenkel
biegt scharf nach der Aussenseite um, welche die Gestalt einer
breiten geraden Fläche hat. Diese, dem Apoll von Tenea ähnliche Bildung, finden wir an jenen jüngeren Bronzen nicht mehr,
wo schon viel mehr Rundung und natürliche Fülle erreicht ist.

Dagegen zeigt der Kopf ganz entschieden jüngeren Stil
als der Apoll von Tenea und nähert sich in seiner Bildungsweise mehr jenen jüngeren Bronzen. Besonders verwandt
ist der Kopf einer in Olympia gefundenen Artemis-Statuette
(Olympia IV No. 55); man beachte das breite volle etwas
stumpfe und wenig ausdrucksvolle Gesicht und namentlich die
Stirne mit den sie umgebenden Haaren. Verwandt ist auch
die schon mehrfach erwähnte Jünglingsfigur aus Olympia
Nr. 48 und eine Aphrodite aus Südlakonien (aus Leonidi, de
Ridder, bronzes de la Soc. archéol. No. 151; pl. I), an denen
allen namentlich Stirne und Vorderhaar übereinstimmen.

Bei Besprechung jener Artemis von Olympia (Ol. IV S. 21)
habe ich bemerkt, dass der Stil, wie er sich in Anlage und
Behandlung des Gewandes, des Gesichtes und Haares kundgiebt,
den Eindruck erwecke, als ob ein ionisches Vorbild von einem
peloponnesischen Künstler umgearbeitet sei. Dasselbe lässt sich
von dem Kopfe unsrer neuen olympischen Bronze sagen.

In dieser glaube ich, um meine Ansicht zusammenzufassen,
eine peloponnesische Arbeit zu erkennen, welche in der Hauptsache, in der Bildung des Körperbaues, die Traditionen fort-
setzt, welche wir in dem sog. Apollon von Tenea erkennen,
der uns vermutlich den Stil des Dipoinos und Skyllis wiedergiebt (Meisterwerke S. 712), während mir der Kopf den neuen
Einfluss der jüngeren ionischen Kunst um die Mitte des 6. Jahrhunderts zu bekunden scheint, derselben ionischen Kunst, von
der unter den olympischen Bronzen auch Originale erhalten
sind, wozu ich vor Allen die gelagerten Gestalten Olympia IV
No. 76 und 77, Text S. 24 f. rechne.

So fügt sich die neue Figur als bedeutendes Stück in das
lebendige Bild der altpeloponnesischen Kunstströmungen ein.

4. Drei griechische Bronzestatuetten von Jünglingen in strengem Stile, die als Gerätstützen dienten.

(Tafel III—V.)

Dass die archaische Kunst die nackte Jünglingsfigur gern als Stütze oder Griff von Bronzegeräten verwandte, ist bekannt; der Jüngling erscheint dann immer die beiden Arme ganz gleichmässig und steif erhoben, wie um das Gerät zu stützen; doch pflegen die Hände leer ausgestreckt zu sein; die Beine sind starr nebeneinander ausgestreckt und die Füsse stehen nicht auf einer Basis auf, sondern die Figur wird durch eine unter den Füssen angebrachte ornamentale Endigung abgeschlossen. Durch das starre archaische Schema ist die menschliche Figur hier ornamental geworden und zu tektonischer Verwendung vortrefflich geeignet. Der Typus war in Griechenland und den Kolonieen, nach welchen ihn besonders die Chalkidier verbreiteten, sehr beliebt.[1])

Im strengen Stile der ersten Hälfte des 5. Jahrhunderts fand die menschliche Stützfigur eine neue Ausbildung. Bekannt sind die Spiegelstützen in Gestalt der langbekleideten Aphrodite strengen Stiles, die besonders in Korinth gearbeitet zu sein scheinen.[2]) Kaum bekannt dagegen ist die Verwendung der nackten Jünglingsfigur zu gleichem Zwecke.

Vereinzelt steht bis jetzt eine nackte Jünglingsstatuette des freien Stiles, die aus dem Peloponnes stammt und die als Spiegelstütze verwendet war; sie ist wahrscheinlich korinthische Arbeit; ich habe sie in Sammlung Somzée Taf. 32, No. 84 ver-

---

[1]) Vgl. meine Andeutungen in Olympia Bd. IV, die Bronzen S. 26 f. de Ridder, bronzes de la soc. arch. p. 20; auch die ebenda p. 145 No. 819 beschriebene Figur gehört hierher; ders., bronzes de l'Acropole d'Athènes p. 248 ff. No. 706 ff.

[2]) Vgl. Sammlung Sabouroff zu Taf. 147, S. 2. Olympia Bd. IV, die Bronzen S. 27. Pottier bei Dumont-Chaplain, céramiques II p. 249 ff. E. Michon in Monuments grecs II, 1891/92, p. 33 ff. de Ridder, bronzes de la Société arch. p. 36 ff. Ἐφημ. ἀρχ. 1895, 169 ff.

öffentlicht. Analoge Statuetten strengen Stiles sind in Griechenland ganz selten,[1]) kommen aber öfter vor in Italien.

Drei hervorragende Stücke dieser Art, aus Italien stammend und wohl hier, aber zweifellos in den griechischen Kolonieen gearbeitet, sollen hier vorgeführt werden.

Die erste (Taf. III, IV) ward in Süditalien und zwar an
der östlichen Küste von Calabrien gefunden und befindet sich
jetzt im Museum of fine arts zu Boston,[2]) dem ich für die Erlaubniss zur Publikation zu danken habe. Die Statuette ist
19 cm hoch. Nur der linke Fuss und die rechte Hand fehlen
leider; auch ist die Oberfläche mit Oxydation bedeckt; sonst
ist die Erhaltung vortrefflich; wo die Oxydation abgerieben ist
zeigt das Metall schöne goldige Farbe. Auf dem Oberkopfe
erscheint eine schmale rechteckige (4 mm breite, 13 mm lange)
Bruchfläche, die genau in der Querachse des Schädels liegt.
Die scheinbar nächstliegende Annahme, dass hier ein Attribut
abgebrochen sei, das die Rechte gehalten habe, also etwa eine
Strigilis oder dergleichen, wird durch genauere Betrachtung
widerlegt. Die Bruchfläche würde dann etwas unregelmässiger
und nach der Seite der rechten Hand zu gebogen erscheinen.
Ihre Stellung und Form ist vielmehr nur vereinbar mit der
Annahme, dass die Figur als Stütze diente und hier das Gerät
aufsass; es wird nach der Gestalt der Bruchfläche ein wie bei
der Statuette auf Taf. V gestalteter Ansatz eines kreisrunden
Spiegels gewesen sein. Die rechte Hand kann nicht bis zum
Kopfe selbst gereicht haben; ob sie ein Attribut hielt, wissen
wir nicht; notwendig ist die Annahme keineswegs, ja es ist
mir viel wahrscheinlicher, dass die Hand leer war: die Hand
war nach der auf dem Kopfe getragenen Last gehoben, bereit
sie zu stützen, sobald sie ins Schwanken geraten sollte. Ver-

---

[1]) Ein Beispiel aus Griechenland in Berlin, von mir im Archäol.
Anzeiger 1889, S. 93, No. 2 erwähnt. Auf dem Kopfe des Jünglings, der
den strengen Stil der Epoche um 470 zeigt, ein cylindrischer Stab, der
ein unbekanntes Gerät trug.

[2]) Annual Report for 1896, p. 28, No. 6 (E. Robinson).

mutlich war die Hand sogar an den volutenförmig ausladenden
Ansatz des Spiegels gelegt und ist eben mit diesem Ansatze
zusammen abgebrochen. Durch die Schwere des Spiegels wird
der Bruch eben an dieser Stelle vollständig erklärt.

Der erhobene rechte Arm unserer Figur steht also noch
unter dem Einflusse der alten Tradition der stützenden Jüng-
lingsgestalten, wo beide Arme nach der auf dem Kopfe
schwebenden Last gehoben waren. Doch die starre Symmetrie
jener alten Figuren ist hier völlig geschwunden: der linke Arm
ist mit kecker leichter eleganter Bewegung in die Seite ge-
stemmt und der Körper ruht bequem und fest auf dem rechten
Fusse, während der linke entlastet und etwas vorgesetzt ist.
Doch verschiebt die Entlastung den symmetrischen Aufbau des
Körpers noch kaum; die beiden Schultern sind gleich hoch und
der Kopf blickt noch ganz gerade aus.

Die Stellung ist charakteristisch für den strengen Stil in
der Zeit um 480—460. Der eingestützte Arm kommt im ionischen und attischen Kreise in dieser Epoche häufig vor. Diese
eckige, aber frische energische Bewegung war so recht im
Geiste der Künstler jenes Kreises, die sich mit Wonne der
neuen Fülle der ihnen soeben erst sich erschliessenden natürlichen, individuellen Körperhaltungen zu bemächtigen suchten
und dabei durch harte und eckige Umrisse sich noch keines-
weges abschrecken liessen.

Das ganze Auftreten des Jünglings hat eine ausserordentlich gesunde, derbe Frische. Es ist vollständig verschieden
von dem Ideale der argivischen Kunst derselben Epoche mit
seiner dumpfen Ruhe.[1]) Wird die Statuette schon hierdurch
dem ionisch-attischen Kunstkreise zugewiesen, so führt auch
die Betrachtung der Formgebung im Einzelnen zu demselben
Resultate.

Die Körperformen sind sehnig und 'kräftig und zumeist
etwa den Tyrannenmördern von Kritios und Nesiotes und

---

[1]) Vgl. meine Andeutungen im 50. Berliner Winckelmannsprogramm
S. 180 f.

Werken, die sich an diese anreihen lassen, wie dem Florentiner
Bronzetorso[1]) u. a. verwandt. Charakteristisch ist die Behand-
lung des Brustkorbrandes, der geraden Bauchmuskeln, des
Nabels, auch der Pubes mit der nach oben gerichteten Spitze.

Auch der Kopf hat einen eigenartigen frischen Ausdruck,
eine gewisse naive fröhliche Selbstgefälligkeit — auch dies
ganz im Gegensatze zu den Werken des argivischen Kreises.
Die Nase ist kurz, das Untergesicht sehr lang, hart und kantig.
Die Augen sind noch ziemlich archaisch, flach liegend und
mandelförmig gebildet. Das kurz geschorene Haar ist auf sehr
einfache Weise durch eingeschlagene kleine Kreise bezeichnet;
dasselbe findet man zuweilen auch sonst an älteren griechischen
Bronzen, so an der wesentlich älteren Statuette aus Epidauros,
Fröhner, Collect. Tyszkiewicz pl. 21.

Die Figur macht einen sehr schlanken Eindruck, indem
die Beine relativ hoch sind; die Mitte des Körpers liegt daher
ungewöhnlich tief am unteren Ende des Penis. Die Gesichtslänge beträgt normalerweise genau ein Zehntel der gesamten
Körperlänge (19 mm); die Kopflänge (29 mm) ist gleich der
Länge des Fusses; dieses selbe Maass zweimal genommen bestimmt die Länge des Torsos von der Halsgrube zum Penis-
ansatze, und viermal genommen ist es das Maass der Beine
vom Darmbeinstachel zur Sohle.

Die Entstehung der Statuette, die wir oben ungefähr um
480—460 setzten, werden wir ihrer starken archaischen Anklänge wegen bestimmter um 480—470 datieren. Wir haben
sie allgemein in den ionischen oder ionisch-attischen Kunstkreis gewiesen und in Gegensatz zu den argivischen Schöpfungen gesetzt. Ihr Fundort fällt in eine Gegend, in welcher
eben um die Zeit ihrer Entstehung ein grosser Künstler eine
dominierende Thätigkeit entfaltete. Es spricht alle äussere
Wahrscheinlichkeit dafür, dass unsere Bronze in der Einfluss-
sphäre des grossen Rivalen des Myron, des Pythagoras, entstanden ist. Die wesentlichen Eigenschaften unserer Statuette,

---

[1]) Meisterwerke S. 676, Anm. 1.

ihr geistiger Charakter und die Formgebung, namentlich des
Körpers stimmen vortrefflich zu dem, was ich aus den römischen Kopieen über Jünglingsstatuen des Pythagoras glaube
ermittelt zu haben (vgl. Meisterwerke S. 346; Intermezzi S. 11);
jedenfalls darf ich die neue Statuette als eine Bestätigung dafür
ansehen, dass Pythagoras Stil nicht etwa, wie ein anderer Gelehrter meinte,[1]) gerade am entgegengesetzten Ende, nämlich
da zu suchen ist, wo ich die altargivische Kunstweise erkenne.

Eine verwandte Statuette (Taf. V; Höhe 0,181) befindet
sich seit langem im Britischen Museum. Sie stammt aus der
Sammlung Payne Knight und ward nach dessen Angabe 1790
in einem Garten in der Nähe Roms gefunden, zusammen mit
der in den Specimens of ant. sculpt. II pl. 6 wiedergegebenen
prachtvollen archaischen und zweifellos griechischen Spiegelstütze.[2]) Dass auch sie sicher ein Gerät stützte, geht aus
der Bruchfläche auf dem Oberkopfe hervor. Diese ist ungefähr
quadratisch (c. 6 mm lang und breit) und befindet sich genau
auf der Mitte des Schädels; sie entspricht nicht der gewöhnlichen breiteren Ansatzform der Spiegel, wie sie die vorige
Statuette zeigt; es wird daher ein anderes Gerät gewesen sein,
das sie stützte. Die Arbeit ist zweifellos griechisch, ebenso
wie die der zusammengefundenen, aber mehrere Decennien
älteren Spiegelstütze. Es liegt natürlich am nächsten anzunehmen, dass beide Stücke aus einer der griechischen Städte
Unteritaliens nach Rom gekommen sind.

Der nackte Jüngling hält die beiden Hände vorgestreckt;
der linke Arm ist stärker, der rechte weniger gebogen. Die
Haltung erinnert an den Gestus des Betens; doch würde man

---

[1]) Kalkmann, Proport. d. Gesichts S. 77 ff. Vgl. dazu Berl. Philol.
Wochenschr. 1894, S. 1140 und Intermezzi S. 11, 5.

[2]) Ich verdanke diese aus dem handschriftlichen Kataloge Payne
Knight's entnommene Angabe der freundlichen Mitteilung von A. S.
Murray, der auch die Güte gehabt hat die Photographieen, die hier
reproducirt werden, anfertigen zu lassen.

erwarten, dass dann auch die Rechte mehr gehoben wäre. Die
Finger der Rechten sind zwar fragmentiert; doch ist es sicher,
dass sie ausgestreckt waren und die Hand nichts hielt. Ich
wage nicht zu sagen, was die Haltung der Arme bedeutet; sie
hat etwas Unbestimmtes und Unfertiges, aber eben dadurch
den Reiz des Natürlichen; vielleicht soll die Bewegung nur das
Balancieren der Last auf dem Kopfe unterstützen.

Auch diese Statuette ist ein äusserst charakteristisches
Werk der Zeit des strengen Stiles um 480—470. Bei dem
Mangel grosser Originalstatuen dieser Epoche ist auch dieses
kleine Originalwerk, wie das vorige, von hoher Bedeutung.
Auch diese Statuette stellt sich in vollen Gegensatz zu dem
Typus der argivischen Kunst jener Zeit; auch sie gehört vielmehr in den ionisch-attischen Kreis. Auch hier werden wir
zunächst an Kritios und Nesiotes gemahnt, und zwar zumeist
an jene schöne Knabenstatue der Akropolis, in der ich ein
Werk dieser Künstler sehe; ferner auch an den Bronzeknaben
der früheren Sammlung Sciarra, den ich, wie oben S. 112 A. 2
bemerkt, zwar als ungeschickte italische Arbeit, aber auf Grundlage eines Originales aus dem Kreise jener Künstler ansehe
(vgl. 50. Berl. Winckelm. progr. S. 151, Anm. 90 und Meisterwerke S. 77, Anm.; 684, Anm. 3; hier sind auch noch einige
andere verwandte Werke angeführt). Wie die genannten
Statuen zeigt auch unsere Bronze den Knaben in befangener
Haltung auf dem linken Fusse stehend und zwar so, dass der
rechte nur ganz wenig entlastet erscheint und beide Schultern
gleich hoch stehen. Der Kopf ist nur ein wenig nach der
Seite gewendet, blickt aber gerade hinaus und ist nicht gesenkt
wie beim argivischen Typus. Die Brust ist wie an jenen
Figuren nach einer vollen Einathmung dargestellt, und der
Brustkorbrand ist ganz ähnlich gebildet wie dort; auch der
Nabel gleicht ganz dem des Akropolisknabens. Auch hat die
ganze Figur denselben Reiz einer mit naiver Frische in einer
Weise verbundenen Befangenheit. Die Einzelformen zeigen
weniger von archaischer Tradition als die vorige Figur noch
bemerken liess; dies gilt namentlich für den Kopf; wenn aber

auch die Körperformen hier zarter, weicher und voller und mehr in der Art jenes Knaben von der Akropolis gebildet sind, so liegt dies vor allem in der gewählten Altersstufe: wir haben hier einen unerwachsenen Knaben ohne Pubes, dort einen gereiften Jüngling vor uns. Die kurz geschnittenen Haare sind auch hier wie bei der vorigen Figur in einer sehr einfachen, jedoch nicht conventionell archaischen, sondern mehr natürlichen Weise gebildet. Merkwürdig sind die sehr schmalen langen Augen; auch sie entfernen sich viel mehr von archaischer Art als die der vorigen Figur. Das Untergesicht ist viel mehr zurückweichend und weicher gebildet als dort und erinnert an das Profil des myronischen Diskobolen. Die Proportionen sind normale; die Gesichtslänge ist auch hier gerade $^1/_{10}$ der Körperlänge; die Kopflänge ist der des Fusses gleich (27 mm); die Körpermitte liegt etwas über dem Ansatze des Gliedes. Besonders schön durchgeführt ist der Rücken dieser Bronze, der wiederum lebhaft an jene Knabenfigur der Akropolis gemahnt.

So gliedert sich auch diese vermutlich in Grossgriechenland entstandene Bronze in den Zusammenhang der ionisch-attischen Kunst der Epoche um 480—470 ein.

Bei dem lebhaften Interesse, das sich daran knüpft, glaube ich hier von anderen verwandten Werken wenigstens des bedeutendsten mit einem Worte noch gedenken zu müssen: es ist die in Delphi neu gefundene grosse Bronzestatue eines Wagenlenkers. Auch sie gehört ganz gewiss weder in den argivischen noch äginetischen, sondern eben den ionisch-attischen Kunstkreis, wie die besprochenen Bronzen. Ihr Kopf ist dem unseres Knaben entschieden verwandt, und der Geist naiver derber Frische ist hier wie dort derselbe.

Die dritte der Bronzen, die wir hier vereinigen (Taf. VI), befindet sich ebenfalls im britischen Museum. Sie ward von Hamilton aus Grossgriechenland gebracht und ist schon in den Specimens of ant. sculpt. I, 15 in einem sorgfältigen Stiche publiziert, der aber eine treue photographische Abbildung, die

wir hier bieten, dennoch wünschenswert erscheinen liess.[1])
Hier ist der Ansatz für den kreisrunden Spiegel auf dem Kopfe
vollständig erhalten. Die Figur ist grösser als die beiden vorigen — sie ist 20 cm ohne und 24 cm mit dem Kopfaufsatze
hoch —, allein von viel weniger sorgfältiger, geringerer, mehr
handwerksmässiger Ausführung. Auch sie ist indess zweifellos
eine Originalarbeit aus einer der griechischen Städte Unteritaliens und aus der Epoche um 470.

Der Jüngling hält die gesenkte linke Hand geöffnet,
während er in der Rechten ein Salbgefäss hält, offenbar bereit,
sich von dessen Inhalt auf die offene Hand zu giessen. Das
Salbgefäss hat etwa die Gestalt der schlauchförmigen korin-
thischen Alabastra (mein Berliner Vasenkatalog No. 997 ff.).
Dass der Jüngling den rechten Arm so stark seitwärts streckt,
mag den Sinn haben, dass er die Last auf dem Kopfe dadurch
balanciert. Er steht auf dem linken Fusse, und der rechte ist
auch hier nur wenig entlastet daneben gesetzt. Die Schultern
sind auch hier gleich hoch und der Kopf blickt geradeaus.
Der Jüngling trägt langes Haar, das er hinten in zwei Zöpfe
geflochten hat, die um den Kopf gelegt sind, während vorne
das Haar vor den Ohren und in die Stirne herabhängt.

Die Haartracht, und nicht nur diese allein, auch der
Gesichtstypus selbst, erinnern an den sog. Apollon auf dem
Omphalos und die ihm nächststehenden Werke, hinter denen
ich die Person des Kalamis vermute (Meisterw. S. 115). Der
Einfluss der Typen dieses grossen Meisters lässt sich auch
sonst in der Kleinkunst zuweilen spüren; die oben S. 124
Anm. 1 genannte Jünglingsfigur aus Griechenland, die als Ge-
räthstütze diente, ist ein Beispiel davon; sie ist viel geringer
und handwerklicher als unsere Spiegelstütze; dennoch lässt
auch sie erkennen, dass ihre Vorbilder im Kreise des „Omphalos Apollo" lagen.

Die Körperbildung unseres Spiegelträgers dagegen weist

---

[1]) Auch diese photographischen Aufnahmen hat A. S. Murray für
mich zu veranlassen die Güte gehabt.

nach anderer Richtung; sie ist von der der beiden letzt betrachteten Bronzen recht verschieden, und ebenso wie sie von
diesen sich unterscheidet, ist sie verwandt den Werken des
argivischen Kreises. Die überbreite Brust, die grossen ruhigen
Flächen, die starke Betonung der Mittellinie des Körpers vom
Nabel zur Halsgrube, die Bildung des Brustkorbrandes und
der nur leise angedeuteten, von weicher Haut bedeckten geraden Bauchmuskeln, der recht im Gegensatze zu der vorigen
Bronze etwas kurze aber breite nicht gestreckte Unterleib —
all dies sind Züge, welche dem Künstler unserer Spiegelstütze
von Statuen argivischer Kunst, von Werken im Typus des
sog. Stephanos-Athleten zugeflossen sind. Es ist ein in der
Kleinkunst ja häufig zu beobachtender Fall, dass ein Meister
sich von verschiedenen Richtungen seiner Zeit beeinflusst zeigt.

In der Haltung indess und der ganzen Art des Auftretens
ist der Künstler viel mehr, wie beim Kopfe, Werken in der
Art des Kalamis als denen der argivischen Schule gefolgt.

Es giebt in den Sammlungen verstreut wohl noch mehrere
unserer Bronze verwandte Stützfiguren aus Italien; so z. B. in
Paris, Babelon et Blanchet, catal des bronzes No. 99; doch wird
die hier veröffentlichte wohl bei weitem die bedeutendste sein.

Auch die Werke der statuarischen Kleinkunst werden wir
immer erst dann recht verstehen, wenn wir erkannt haben,
welche der grossen Meister ihnen die Formgebung geliehen.
Allein während wir bei den statuarischen Kopien immer berechtigt sind direkt nach dem berühmten Namen zu fragen,
von dem das Original herrührte, so handelt es sich bei diesen
originalen Werken der Kleinkunst, wie den besprochenen
Bronzen, nur um das Echo, um den stärkeren oder schwächeren
Einfluss, die Nachwirkung der grossen Meisterwerke ihrer Zeit.

Unsere Bronzen lehrten, dass in Grossgriechenland im 5. Jahrhundert die Kunstart der beweglichen, wanderlustigen ionischen und ionisch-attischen Meister dominierte, dass daneben
aber auch die argivischen Werke bekannt und nicht ohne
Einfluss waren. Schon früher hatte ich Gelegenheit hervorzuheben, dass in Sizilien wie in Italien die für uns an Kritios

und Nesiotes, der ja wohl ein Parier war (vgl. Meisterw. S. 737), geknüpfte Kunsrichtung noch manchfache Skulpturwerke hinterlassen hat (Meisterw. S. 76 f. 676, Anm. 1). Aber auch Pythagoras, an den unsere erste Bronze durch den Fundort gemahnte, war ja ein ächt ionischer Künstler.

4. Zwei Terrakottaköpfe aus Tarent.

(Taf. VII. VIII.)

Unter den in den achtziger Jahren in Tarent in so grosser Menge gefundenen Terrakotten befanden sich auch vorzüglich ausgeführte grössere Köpfe, die von kunstgeschichtlicher Bedeutung sind. In den bisherigen Besprechungen und Publikationen ist diesem Gesichtspunkte noch kaum Rechnung getragen; auch sind die besten dieser Köpfe alle unpubliziert und zum Teil weit zerstreut. Eine gute Auswahl habe ich seinerzeit für das Berliner Antiquarium erwerben können. Nur eine zusammenfassende Publikation könnte ihnen wirklich gerecht werden. Als kleine Vorarbeit zu einer solchen seien hier zwei ausgewählte Stücke veröffentlicht, die zwei verschiedene Stilstufen in besonders charakteristischer Weise vergegenwärtigen. Beide stammen aus privatem Besitze.

Der eine ältere von beiden (Taf. VI) wird hier nach dem Gypsabgusse gegeben. Er befand sich Anfangs der achtziger Jahre im Kunsthandel; wo er jetzt ist, weiss ich nicht anzugeben. Ich habe nie wieder einen gleich charaktervollen, sorgfältig ausgeführten Kopf des strengen Stiles aus Tarent gesehen.[1]

Das Erhaltene ist 0,12 hoch; die Gesichtslänge beträgt 0,057, die Kopfhöhe 0,077. Der Hinterkopf ist stark verletzt. Es ist ein Mädchen dargestellt mit gescheiteltem Haare, in dem ein Reif liegt, um welchen herum das Vorderhaar geschlungen und zurückgekämmt ist. Der Ausdruck ist auffallend

---

[1] Ein guter, doch diesem lange nicht gleichkommender Kopf strengen Stiles ist Monumenti dell' Inst. XI, 56, 5 abgebildet.

ernst und finster, das Untergesicht hoch und hart, der Mund
breit, die Lippen fest geschlossen. Die Nase springt schräg
vor. Die Augen haben dicke Lider in der Art des strengen
Stiles; die Ränder sind etwas abgerieben und dadurch stumpf.
Die Lidöffnung beschreibt ein schmales gestrecktes Oval. Das
linke Auge ist länger als das rechte. Die Brauenbogen springen
hart vor und verlaufen ganz gerade. Das Haar lässt in der
Mitte die Höhe der Stirne frei, legt sich an den Seiten aber
tief auf die Stirne herab.

Dieser Kopf ist auffallend nahe verwandt dem des Bronze-
jünglings von Ligurio (50. Berl. Winckelmannsprogramm 1890,
eine argivische Bronze, Taf. I; S. 125), dem Originalwerke aus
der Schule des Hagelaidas, ferner auch dem Bronzekopfe eines
Knaben, in dem ich ebenfalls ein argivisches Original erkenne
(Meisterwerke S. 675 f. Taf. 32) und endlich den Kopien des
sog. Stephanos-Athleten, die ich auf Hagelaidas zurückführe.

Hagelaidas hat mehrfach für Tarent gearbeitet (Sieger-
statue eines Tarentiners in Olympia, Paus. 6, 14, 11; grosse
Gruppe vom Staate der Tarentiner geweiht in Delphi, Paus.
10, 10, 6); so wird sein Stil in Tarent wohl bekannt gewesen
sein und Nachahmungen erzeugt haben. Den vorliegenden
Kopf möchte ich unter dem unmittelbaren Einflusse seiner
Werke entstanden denken.

Von ganz anderer Art ist der zweite der hier veröffentlichten Köpfe (Taf. VII, nach dem Originale). Er ist mit dem
Halse 13 cm hoch; die Gesichtslänge beträgt $6^1/_2$ cm. Er
gehörte also zu einer Figur von reichlich einem Drittel Lebensgrösse. Mehrfache Spuren zeigen, dass der Thon mit weisser
Schicht überzogen und bemalt war; es haben sich auf Hals
und Wange Reste von fleischroter Bemalung erhalten. Die
Haare waren dunkelrot. Es ist ein weiblicher Kopf mit
stattlichem Diadem, über das zwei Blumenkränze gelegt sind,
von deren Enden Tänien herabhängen. Wahrscheinlich ist die
in Tarent an der Stelle der reichen Terrakottenfunde neben

Dionysos verehrte, wohl Kora zu nennende Göttin gemeint.[1]) Die Blumenkränze sind stark beschädigt; an der Stirne oben ist ein kleines Stück ausgesprungen; sonst ist der Kopf vortrefflich erhalten.

Eine stolze vornehme Schönheit von frischem kräftigem Wesen. Die einzelnen Formen lassen keinen Zweifel über die kunstgeschichtliche Bestimmung. Dies gescheitelte und stark gewellte Haar ist ganz typisch bei den weiblichen Köpfen der phidiasischen Epoche. Und nicht minder charakteristisch ist das grosse weit offene Auge mit dem stärker vorspringenden oberen Lide; es ist die Augenform, die wir am Parthenonfriese und an zahlreichen verwandten Werken begegnen. Und auch die vollen Lippen und das weiche runde Kinn sind in der Art der phidiasischen Schule.

Der Kopf steht nicht vereinzelt; er ist nur einer der allerbesten und schönsten unter zahlreichen in Tarent gefundenen Köpfen von gleichartigem Stile. Diese Terakotten

---

[1]) Die massenhaft in Tarent gefundenen Terrakotten eines gelagerten Mannes oder Jünglings und einer neben ihm sitzenden Frau, die beide, letztere seltener, ersterer gewöhnlich mit den dicken Blumenkränzen geschmückt sind, wie sie unser Kopf zeigt, stammen nicht aus Gräbern, sondern einem Heiligtum. Dass sie nicht heroisierte Verstorbene darstellen, wie Wolters, Arch. Ztg. 1882, S. 285 ff. gemeint hatte, ist längst bemerkt worden, vgl. Arth. Evans im Journ. of hell. stud. 1886, p. 1 ff. und Sammlung Sabouroff, Skulpt. Einl. S. 27 f.; ich habe das Götterpaar hier unbenannt gelassen, doch darauf hingewiesen, dass Verschiedenes für Dionysos spricht; Evans nennt es Dionysos und Kora; für Dionysos habe ich Berliner Philol. Wochenschr. 1888, Sp. 1452 f. eine wichtige Bestätigung angeführt. Es muss hienach auffallen, wenn E. Petersen neuerdings, Röm. Mittheil. 1897, S. 137 ff., nur auf die mit ganz geringem Materiale gemachte ältere Arbeit von Wolters hinweist und nicht bemerkt, dass das von ihm Taf. 7 publizierte neue Stück, wo die männliche Figur auf einem Kentauren gelagert erscheint, eine neue Bestätigung für die Deutung auf Dionysos ist und sich dasselbe vortrefflich anschliesst an die von mir a. a. O. angeführten Stücke, wo der Gott auf einem Stiere oder einem Widder oder einem Reh gelagert, oder wo er von einem Silen begleitet ist. — Ueber die Darstellungen chthonischer Gottheiten im sog. Todtenmahltypus vgl. auch oben Bd. I, S. 409 ff.

reihen sich den übrigen von mir „Meisterwerke" S. 143 ff. gesammelten Thatsachen an, welche das Einströmen der Kunstformen des phidiasischen Kreises in Sizilien und Grossgriechenland beweisen.[1])

Indess haben diese Tarentiner Köpfe doch auch ihren eigenen Charakter und von den attischen Werken unterscheiden sie sich durch die namentlich an Wange und Nase bemerkbare mehr flächige und schematische Art ihrer Schönheit, wodurch man an Polykletisches erinnert wird, obwohl die Grundzüge, wie bemerkt, mit den attischen Werken übereinstimmen; sie sind dadurch einigen Metopenbruchstücken vom Heraion bei Argos[2]) besonders verwandt, deren Grundcharakter ebenfalls attisch, aber polykletisch beeinflusst scheint.

Dass in Tarent gegen Ende des fünften Jahrhunderts neben dem dominierenden attischen Strome auch die polykletische Weise bestimmende Eindrücke hinterliess, darf uns gewiss nicht wundern. So entstand in Tarent, in der Epoche um 400, ein Schönheitsideal, das zwar an geistiger Lebendigkeit und Feinheit wohl hinter dem attischen zurückstand, dem aber eine gesunde Fülle, Frische und Grösse der Züge eignete, die wir an dem hier veröffentlichten Kopfe als an einem besonders guten Beispiele bewundern.

---

[1]) Ein schönes Exemplar eines Terrakottakopfes aus Tarent, das den Einfluss des phidiasischen Stiles und als äusseres Kennzeichen die breite Stirnbinde trägt, das den sizilischen und grossgriechischen Münzköpfen gerade des phidiasischen Stiles besonders eigen ist, findet man abgebildet Journ. of hell. stud. VII, 1886, pl. 63, 1.

[2]) Ich meine den schon lange gefundenen weiblichen Kopf Friederichs-Wolters Gipsabg. No. 877 und einen bei den amerikanischen Ausgrabungen neu gefundenen männlichen Kopf gleichen Stiles. Bei diesen ist ein polykletischer Einfluss zuzugeben, der sich ganz ähnlich äussert wie an den Köpfen von Tarent. Dagegen ist der schöne sog. Hera-Kopf nebst anderen Fragmenten (auch das Untergesicht Frieder.-Wolters No. 878 gehört dazu), die vermutlich in die Giebel gehörten, von rein attischem Stile, vgl. Archäol. Studien H. Brunn dargebr. S. 90 und Meisterwerke S. 446 Anm. 2.

5. Altionischer Terrakottafries.

Dies höchst merkwürdige Stück der Sammlung des Herrn
E. P. Warren wurde in Smyrna erworben. Es besteht aus der
roten stark glimmerhaltigen Terrakotta, welche die Funde an
der kleinasiatischen Küste gewöhnlich charakterisiert. Das
Stück stammt sicherlich von einer der altgriechischen Städte
der Küste; es ist nach Stil und Darstellung als altionisch
zu bezeichnen.

Bei der kurzen zusammenfassenden Betrachtung der archaischen Terrakotten architektonischer Verwendung aus Italien,
namentlich Südetrurien, Latium und Campanien, die ich in
„Meisterwerke" S. 252 ff. gegeben habe, konnte ich es nur als
Behauptung aussprechen, dass diese ganze Denkmälergruppe
in ihrem Kerne altionisch ist, ohne dies durch Funde aus Kleinasien erhärten zu können. Da tritt nun das hier veröffentlichte neue Fundstück ein, dem hoffentlich bald noch mehr von
verwandter Art aus Kleinasien folgen wird.

Es stammt von einer Sima. Der untere Rand ist leider
abgebrochen. In der Mitte unten sieht man noch den Rest
eines cylindrischen Wasserausgusses. Das Erhaltene ist eine
vollständige Platte mit glatter Fuge an den Seiten (Länge 0,50,
erhaltene Höhe 0,24). Es stiessen nach rechts und links ohne
Zweifel Wiederholungen derselben Platte an. Das Relief ist
mit Hilfe einer Form hergestellt. Das Ganze war bemalt,
jedoch nicht mit soliden eingebrannten Farben. Der rote Thon
hatte einen dünnen gelblichen Ueberzug, auf den mit matten
Farben gemalt ist. Der Ueberzug mitsamt den Farben ist
grösstenteils abgerieben; die Photographie zeigt die erhaltenen
Teile (namentlich Hals und Kopf des Greifen rechts) deutlich.

Ueber dem Ausguss in der Mitte erhebt sich ein palmen-
artiges streng stilisiertes Ornament. Zu beiden Seiten steht je
ein Greif, der die eine Vorderpfote hebt. Der Typus der Greife
ist der bekannte archaische, welcher der altionischen Kunst
verdankt wird (vgl. in Roscher's Lexikon I, 1758 ff.). Die

Schnäbel sind weit geöffnet und die Zungen herausgestreckt.
Auf dem Kopfe oben befindet sich ein Knopf; die Ohren sind
lang und spitz; sie sind hier nur aus Raumgründen (weil kein
leerer Raum über dem Kopfe entstehen sollte) nicht wie gewöhnlich steif gehoben, sondern etwas zurückgelegt. Der
Zackenkamm am Nacken des späteren Typus fehlt natürlich
noch. Sehr charakteristisch aber für die archaische Weise sind
die zwei Locken, die am Halse herabhängen und die Spirale,
die von der Augenbraue ausgeht (nur in der Malerei an dem
Greif rechts erhalten); bei den sorgfältigsten und besten der
archaischen Greifenköpfe pflegt dies Detail nie zu fehlen (vgl.
z. B. Olympia IV, die Bronzen No. 797. 806). Natürlich sind
auch die Flügel in jener schönen streng stilisierten Weise auf-
gebogen, welche die altgriechische Kunst eingeführt hat. Die
Schwänze sind in ornamental-symmetrischer Weise gehoben.
Das Motiv der gehobenen Vordertatze findet sich sehr häufig
bei den archaischen Greifen. Die Bedeutung der Tiere ist hier,
wie durchweg in der altgriechischen Kunst, die gewaltiger,
dämonischer Wächter, die, den Göttern und vor allen Zeus
dienend — als ὀξύστομοι Ζηνὸς ἀκλαγγεῖς κύνες, — das Heilige
bewachen (vgl. in Roscher's Lexikon I, 1759 ff. 1768; Olympia
IV S. 101). Es leuchtet ein, wie passend sie von dem altionischen Künstler zum Schmucke einer Tempelsima verwendet
worden sind.

Den oberen Abschluss bildet ein Kymation und darüber
ein Abakus mit Flechtornament. Dies letztere ist im orientalisierenden altgriechischen Stile bekanntlich sehr beliebt. Das
Kymation zeigt das schwere wulstige plumpe Blattmotiv, das
in der altionischen Architektur typisch ist; es findet sich ebenso
an den Resten des alten Tempels von Ephesos (im Britischen
Museum) und denen des alten Apollotempels von Naukratis
(Naucr. I, pl. 3) und ferner an Stirnziegeln aus Italien von der
oben erwähnten, im Grunde altionischen Art (vgl. Meisterwerke
S. 255, 3). Aus diesem Ornamente hat sich der elegante sog.
Eierstab entwickelt, dessen Entstehung mit Lotosblüten u. dgl.
nicht das Geringste zu thun hat.

Bei unserer grossen Armut an Resten altionischer Architektur ist uns jedes kleine Stück willkommen. Die Terrakottaplatte, die wir hier bekannt machen konnten, ist hoch in das sechste Jahrhundert oder gegen das Ende des siebenten zu datieren; dem Greifentypus nach ist sie gleichzeitig den jüngeren der getriebenen und den besten der gegossenen Greifenprotomen von Olympia.

6. Kalksteinkopf von Cypern.

(Tafel X.)

Dieser Kopf, im Besitze des Herrn Grafen Zichy, k. k. österreichischen Gesandten in München, verdient eine genauere Betrachtung, da er sich von der gewöhnlichen Massenwaare cyprischer Kalksteinskulpturen vorteilhaft unterscheidet. In dem ganzen Wuste von Abbildungen solcher Skulpturen, welchen der erste Band von Cesnola's grossem „Descriptive Atlas of Cypriote antiquities" enthält, und auch in Ohnefalsch Richter's „Kypros, die Bibel und Homer" findet man keinen ganz gleichartigen und gleichwertigen Kopf.

Er ist von ungefähr halber Lebensgrösse (Kopfhöhe 0,10, Gesichtslänge 0,081) und abgebrochen von einer Mädchenstatue, die wir uns im archaischen-ionischen Gewande in dem bekannten sog. Spes-Typus zu denken haben. Torse dieser Art sind, wenn auch nicht häufig, auf Cypern zu Tage gekommen (so ein besonders guter bei den Ausgrabungen in Idalion 1894).

Der Kopf ist eine verhältnissmässig recht treue und gute lokal-cyprische Wiedergabe eines ionischen Vorbildes der Epoche um 500 v. Chr. Er gehört der Zeit an, wo die ältere einheimische Kunstweise auf Cypern von der reif entwickelten archaisch-ionischen Kunst verdrängt worden ist. Dies kann nicht lange vor c. 500 geschehen sein, da die Typen, welche nun mit einem Schlage an Stelle der alten treten, die letzte Stufe des archaischen ionisch-griechischen Stiles repräsentieren. Diese Typen wurden auf Cypern offenbar noch im fünften Jahrhundert lange beibehalten, da hier auf ihre Ausläufer unmittelbar

der ganz freie Stil des vierten Jahrhunderts folgt. Unser Kopf
ist, wie die ziemlich gerade verlaufende Profillinie und die
Bildung der Augen und des Brauenbogens zeigt, viel weniger
archaisch, als die Behandlung des Haares und der Gesamttypus
zunächst anzudeuten scheint. Er wird schwerlich vor der Mitte
des fünften Jahrhunderts entstanden sein.

Zu der Haarfrisur bieten die Mädchenfiguren aus dem
Perserschutte der Akropolis zu Athen zahlreiche Parallelen.
Das quer über die Stirne von Schläfe zu Schläfe laufende gewellte Haar war eine besonders beliebte Modetracht in der
ionisch-attischen Kunst zu Ende des 6. Jahrhunderts; der
Künstler des Westgiebels von Aegina hat die Tracht für seine
Athena benutzt, in der er überhaupt nur ein ionisches Vorbild
in seine trockene Weise übersetzt hat (vgl. Meisterwerke S. 255,
Anm. 7). Nach hinten und an den Seiten fällt das Haar einfach lang herab und ist behandelt wie gewöhnlich an den
ionisch-attischen Mädchenfiguren. Den Kopf umgiebt aber statt
des dort üblichen Diademes hier ein Lorbeerkranz, der, wie
häufig an cyprischen Köpfen, nur an der einen oberen Seite
Blätter zeigt. Die Bekränzung mit Lorbeer ist ausserordentlich
häufig an den cyprischen Votivstatuen; doch kommt sie erst
auf mit dem oben erwähnten Eindringen des entwickelten
ionisch-archaischen Stiles um 500 v. Chr. Dem älteren einheimischen Stile ist sie noch fremd; als Beispiele sei verwiesen
auf die bei Cesnola, descr. atlas of cypr. antiqu. I, Taf. 62—64.
68. 75. 76. 78. 82. 86. 110. 111 abgebildeten Skulpturen.

Eine besondere Merkwürdigkeit bietet der Ohrschmuck
unseres Kopfes. Im altcyprischen Stile pflegen die Ohren ganz
bedeckt zu sein von grossen glockenförmigen Gebilden (vgl.
z. B. Ohnefalsch-Richter, Kypros Taf. 50, 6), denen (wie ich
Berl. Philol. Wochenschr. 1888, Sp. 459 vermutet habe) die
homerischen Kalykes ähnlich gewesen sein werden. Zuweilen
befinden sich unterhalb derselben noch schleifenförmige Gehänge
(z. B. O.-Richter Taf. 55, 1. 2). An unserem Kopfe ist nun
der obere Teil des Ohres noch von einem solchen kelchförmigen
Schmucke altcyprischer Art, nur von kleineren Dimensionen

als in alter Zeit, bedeckt. Dagegen der untere Teil des Ohres
zeigt den dem ionischen Mädchentypus des reif archaischen Stiles
durchweg eigentümlichen und von da entlehnten kreisförmigen
Schmuck. Das Bohrloch in demselben war offenbar für eine
zierende Einlage von Metall, Stein oder Glasfluss bestimmt.

Dies Nebeneinander des altcyprischen und des späteren
ionischen Ohrschmuckes findet sich nur selten an cyprischen
Köpfen (ein Beispiel bei Cesnola, descr. atlas I, Taf. 82, 538;
ein anderes O.-Richter, Kypros Taf. 54, 3 a b; auch die Ausgrabungen von Idalion 1894 haben ein paar Beispiele gebracht);
denn gewöhnlich wird mit der Uebernahme des ganzen ionischen
Typus auch der einheimische Ohrschmuck aufgegeben.

Im Ausdrucke zeigt der Kopf das übliche freundliche Lächeln
der ionischen Vorbilder, aber in weniger lebensvoller, steifer
Weise vorgetragen. Gleichwohl gehört er, wie schon angedeutet,
durch die ungewöhnliche Sorgfalt und Schärfe der Arbeit immerhin zu den erfreulichsten der cyprischen Kalkstein-Skulpturen.

7. Bronzekopf aus Rom.
(Tafel XI. XII.)

Ein seltsames Stück. So seltsam, dass man beim flüchtigen ersten Blicke nicht glaubt, ein antikes Werk vor sich
zu haben. Die nähere Betrachtung lehrt freilich sofort, dass
innere wie äussere Momente den antiken Ursprung des Kopfes
ausser jeden Zweifel stellen. An mehreren Stellen ist eine
gewisse Art von Kalksinter erhalten, die unnachahmlich ist.
Allein dieses Beweises bedarf es nicht; denn Technik wie Stil
sind absolut antik.

Der Kopf stand früher in einem Palaste zu Rom; er
scheint schon vor langer Zeit gefunden, denn er ist auf eine
(in unserer Abbildung weggelassene) bunte Marmorbüste aufgesetzt, die in der Art des späteren 16. oder 17. Jahrhunderts
gearbeitet ist. Der Kopf ist jetzt, wie der vorige, im Besitze
des österreichischen Gesandten Grafen Zichy in München, dem
ich für die freundliche Erlaubniss der Publikation zu Dank
verpflichtet bin.

Der Kopf ist hohl gegossen mit einem Stücke der Brust. Die Art des Ausschnittes an Brust und Nacken ist genau diejenige, welche bei römischen Bronzeköpfen vorkommt, die zum Aufsetzen auf einen Hermenschaft bestimmt waren. Von der selbständigen, auf einen Fuss zu stellenden Büste ist diese Form durchaus verschieden. Wir haben demnach anzunehmen, dass die Bronze einst auf einem steinernen Hermensockel eingelassen war.

Das Metall hat braungelbliche Farbe. An einigen Stellen ist es mit hellgrüner Patina bedeckt. Das Ganze ist hohl gegossen. Im Innern sieht man an einer Stelle eine merkwürdige Zeichnung wie von einem Gewebe: ein derber Leinelappen hatte auf dem feuchten weichen Thone gelegen, der den Gusskern bildete; das Gewebe des Lappens hatte sich im Thone abgedrückt und dieser vertiefte Abdruck ist dann beim Bronzeguss in der Bronze erhaben wiedergekommen! Der Guss ist recht dünn, doch nicht ganz tadellos. Nach dem Gusse ist die Oberfläche sorgfältig ciseliert worden; an Haar und Bart ist die Ciselierarbeit sehr deutlich. Die Augenbrauen wurden eingraviert mit schrägen nach den äusseren Augenwinkeln gerichteten Strichen, die jedoch nur an der Oberseite des Brauenrandes stehen; auch sind die Striche ziemlich weit gestellt und wenig regelmässig graviert. Dies ist eine freiere Art der Brauenbezeichnung als sonst an älteren griechischen und auch an römischen Köpfen zu bemerken ist, wo zwei Reihen regelmässiger paralleler Linien üblich sind (vgl. Olympia Bd. IV, die Bronzen, S. 10 zu No. 2 Anm. 1 und „Intermezzi" S. 5). Das obere Lid ist an beiden Augen mit kleinen Einkerbungen versehen, welche die Wimpern andeuten sollen. Das Weisse des Auges ist durch Versilberung mittelst aufgelegten Silberplättchens bezeichnet, die Iris und Pupille waren besonders eingesetzt und sind jetzt herausgefallen; doch ist innen jederseits noch der Bronzestift sichtbar, welcher einst den ausgefallenen Teil, der wohl aus farbigem Stein bestand, festhielt. Endlich sind hinten im Haare am Nacken zwei und an den Seiten des Hinterkopfes in der Höhe der Ohren je ein

rundes Bohrloch sichtbar; vermutlich war in diesen Löchern
ein Kranz befestigt.

Die Gesichstlänge beträgt ca. 12 cm; die Kopfhöhe ist
ca. 15 cm; die ganze Höhe des Erhaltenen beträgt 25 cm.
Der Kopf ist also etwa zweidrittel lebensgross.

Die Grundformen des Kopfes sind diejenigen, welche Zeus
zu charakterisieren pflegen — das mähnenartig über der hohen
Stirne emporstrebende Haar, der volle Haar- und Bartwuchs,
der majestätische gebieterische Ausdruck — und zwar liegen
diese Formen hier in einer Ausprägung vor, die sie nicht vor
der Diadochenzeit erhalten haben; dafür sind charakteristisch
die zwei horizontalen Hautfalten auf der Stirne, die stark
zusammengezogenen Brauen, durch welche sich Höcker an
der Nase bilden, die Hautfalten an den äusseren Augenwinkeln,
die Furchen auf den Wangen, die in die Stirne hängenden von
der Hauptmasse sich lösenden kleinen Löckchen und endlich
auch die Bildung des Mundes im Verhältniss zum Barte, indem dieser die Lippen, der gesteigerten Wirkung wegen, ganz
frei lässt.

Das Eigentümliche des Kopfes aber besteht in der Art
wie der Bart sich an den Hals und die Brust anlegt, wie er
den ganzen Hals mit seinen Wellen verhüllt und an den Seiten
unmittelbar an das herabfallende Haupthaar anschliesst, so dass
vom Halse nirgends eine Spur sichtbar wird und der Kopf
gleichsam in einem dichten Kragen von Haaren steckt.

Eine völlig entsprechende Bildungsweise ist mir sonst
nirgends erinnerlich; allein dieser sehr nahe kommende
Beispiele von Zeus, Poseidon, oder verwandten Köpfen
lassen sich doch mehrere anführen; sie gehören aber alle
der hellenistischen oder der römischen Kunst republikanischer
Epoche an.

Auf den Münzen der Ptolemäer, von denen des Phila-
delphos an bis zu denen der späteren Könige erscheint der
Kopf des Zeus oder des Zeus Ammon häufig so, dass die
Locken des Bartes und die des Haupthaares in einander übergehen und gar keinen oder fast keinen Zwischenraum zwischen

sich lassen.[1]) Dadurch erscheint auch hier der Hals fast ganz
von den Haaren bedeckt, obwohl ein solches Zurückweichen
des Bartes und enges Anliegen am Halse wie es unser Kopf
zeigt nicht vorkommt. Analogieen zu diesem finden sich
ferner auf römischen Familienmünzen des ersten Jahrhunderts
vor Chr. an Köpfen des Juppiter, Neptun und Romulus; doch
eine wirklich gleiche Bartanordnung kommt auch hier nicht
vor; dagegen haben diese Köpfe in der Haarbehandlung und
dem ganzen Stil viel Verwandtes mit unserer Bronze.[2]) Endlich
ist auch ein Kopf auf einem in dieselbe Epoche gehörigen
Kameo von Glasfluss zu nennen (Musée Fol II pl. 80, 6).

Ich glaube nicht zu irren, wenn ich unseren Bronzekopf
als ein römisches Werk aus dem letzten Jahrhundert der Republik ansehe. Die Basis der Formgebung ist durchaus die
der hellenistischen Kunst, aber die Ausführung ist doch nicht
griechisch. Auch ist die gewiss nicht geschmackvolle Ab-
sonderlichkeit mit dem Barte, die nach der Absicht des
Künstlers vielleicht etwas bedeuten sollte, das wir nicht mehr
erraten können, bei römischem Ursprung eher verständlich.
Stilistische Analogieen finden sich unter kleinen römischen
Bronzen manche (vgl. z. B. den Okeanos in Paris, Babelon et
Blanchet, catal des bronzes No. 64); von grossen Bronzen ist
meiner Erinnerung nach die von mir in Roscher's Lexikon I,
2180, Z. 10 genannte Hercules-Statue republikanischer Zeit
besonders verwandt, die früher im Privatbesitz in Rom war
und sich jetzt im Museum of fine arts zu Boston befindet.

Sind die Grundzüge unseres Kopfes auch sicher die des
griechischen Zeus, so ist damit noch nicht gesagt, dass er
auch diesen Gott oder Juppiter darstelle; denn der Typus
kann auf ein anderes Wesen übertragen worden sein. Bei dem
Mangel der Weih-Inschrift, die wohl auf dem Hermenschafte stand,
können wir Sicheres über den Namen des Kopfes nicht behaupten.

---

[1]) Vgl. British Museum, Catal. of coins, the Ptolemies pl. 4, 4. 5;
5. 8. 9. 10, 1. 6. 7; 17, 4. 6; 19, 2. 3; 20, 3. 6; 23, 8.

[2]) Vgl. Babelon, monnaies de la rép. rom. II p. 218. 291. 323.
531. 591.

Er könnte z. B. recht wohl auch ein Bild des Romulus —
Quirinus sein. Dieser kommt, wie schon bemerkt, auf Münzen
der gens Memmia um 60 v. Chr. mit den ganzen Hals be-
deckendem Haar und Barte vor (s. unten die Abbildung zweier
guter Exemplare des Münchner Kabinetes); der Bart ist in
künstliche Locken gedreht; die Barttracht unseres Bronzekopfes
könnte leicht eine analoge andere Manier sein, durch welche
der Künstler den Eindruck altertümlicher Würde an dem
Stammheros Quirinus ausdrücken wollte. Das Haupthaar ist
an jenen Münzen überaus ähnlich wie an unserer Bronze.
Die Löcher an letzterer würden dann der Befestigung eines
Myrthenkranzes gedient haben.

  - Bei dieser Erklärung als Quirinus würde die Absonder-
lichkeit des Bartes jedenfalls verständlicher erscheinen, als
wenn einer der grossen Götter gemeint wäre, für welche die
griechischen Typen feststanden.

  Doch wie dem auch sei, der Kopf ist jedenfalls ein ganz
prächtiges Werk der römischen, auf der hellenistischen basierten
Kunst, eines der ganz seltenen grösseren Bronzewerke des
idealen Gebietes, in denen die römische Kunst nicht blos, wie
gewöhnlich, kopierend, sondern bis zu einem gewissen Grade
selbständig schaffend erscheint.

AREU I CHOTWAT?

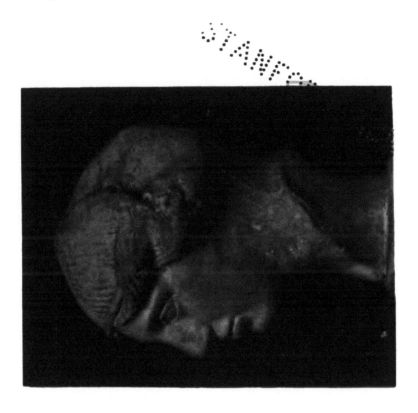

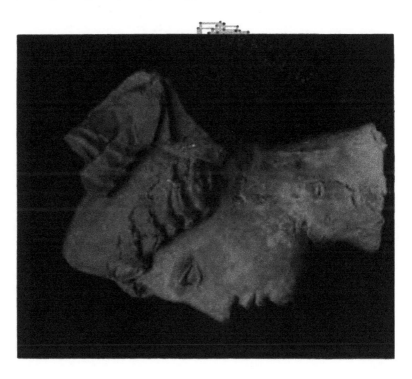

Sitzungsberichte

der

königl. bayer. Akademie der Wissenschaften.

Historisch-diplomatische Forschungen zur Geschichte des Mittelalters.

Von H. Simonsfeld.

(Vorgetragen in der historischen Classe am 5. Juni 1897.)

I. Zur Kritik des Obo von Ravenna und der Ueberlieferung über den Frieden von Venedig 1177.

Unter den Handschriften, welche jüngst Karl Hampe in
der Privatbibliothek des weiland Sir Thomas Phillipps, jetzt
des Rev. J. E. A. Fenwick, zu Cheltenham für die ‚Monumenta
Germaniae historica' eingesehen hat,[1] befindet sich auch eine
des 17. oder 18. Jahrhunderts,[2] welche das Geschichtswerk
eines gewissen Obo von Ravenna in Abschrift enthält.
Hampe bemerkt dazu in seinem Reisebericht[3]): „Ob die von
einem Obo von Ravenna verfasste spätere Darstellung derjenigen Ereignisse, die zum Frieden von Venedig (1177) führten,
neben legendarischen Zügen auch irgend brauchbare Nachrichten
bietet, bleibt noch zu untersuchen." Nachdem ich mich

---

[1] Cf. dessen „Reise nach England vom Juli 1895 bis Februar 1896"
im „Neuen Archiv der Gesellschaft für ältere deutsche Geschichtskunde"
Bd. XXII, 291 und 682—683.

[2] No. 6121.

[3] a. a. O. S. 231.

II. 1897. Sitzungsb. d. phil. u. hist. Cl.

bereits früher damit beschäftigt habe, gestatte ich mir, hier die Resultate meiner Untersuchungen mitzutheilen.[1])

Dieser Obo, welchen Potthast in seiner ‚Bibliotheca historica medii aevi‘ nicht aufgeführt hat,[2]) wohl aber Chevalier im ‚Répertoire des sources historiques du moyen âge‘[3]) und vor ihm Fabricius in seiner ‚Bibliotheca Latina mediae et infimae aetatis‘[4]) unter Obbon bezw. Obbo[5]) verzeichnen, hat in der älteren venetianischen Litteratur eine sehr grosse Rolle gespielt. Angelo Zon in seiner Abhandlung: ‚Memorie intorno alla venuta di papa Alessandro III in Venezia nell' anno 1177 e ai diversi suoi documenti‘[6]) bezeichnet das (bisher bekannte) Fragment des Geschichtswerkes dieses Obo[7]) nicht übel geradezu als das ‚sacro palladio‘ der älteren venetianischen Geschichtschreiber für ihre Erzählungen von der heimlichen Ankunft Alexanders in Venedig, dem Seesiege der Venetianer über Friedrich Rothbarts Sohn Otto und allen jenen Legenden, die sich oder die sie daran und an die Zusammenkunft Friedrichs und Alexanders in Venedig 1177 geknüpft haben.

Es sind vornehmlich zwei, welche von der Glaubwürdigkeit und dem hohen Alter Obo's die grösste Meinung gehegt haben: der Florentiner und 1594 als Pfarrer von S. Samuele in Venedig verstorbene[8]) Girolamo Bardi, welcher in seiner

---

[1]) Hampe hat in der inzwischen erschienenen Fortsetzung seines Reiseberichtes (a. a. O. S. 682—688) einige weitere Bemerkungen über die Handschrift und das Geschichtswerk des Obo hinzugefügt, welche in den Worten gipfeln, dasselbe ‚strotze von den bekannten venezianischen Fabeleien und scheine historisch werthlos.‘ Da er aber nicht in Details eingegangen ist, bleibt seine frühere Forderung nach einer genaueren Untersuchung zu Recht bestehen.

[2]) Auch in der 2. Auflage (1896) nicht.

[3]) Bio-Bibliographie p. 1659.

[4]) (Florenz 1858) t. V p. 141.

[5]) Fabricius nennt ihn ‚Obbo sive Offo, alias Ouvo, Obo.‘

[6]) In Cicogna's Inscrizioni Veneziane t. IV (1834) p. 574 u. ff.

[7]) a. a. O. p. 578.

[8]) cf. A. Zon a. a. O. p. 584.

Schrift ‚Vittoria Navale ottenuta dalla Republica Venetiana
contra Othone, figliuolo di Federigo primo imperadore, per la
restitutione di Alessandro terzo, pontefice massimo, venuto a
Venetia‘,[1]) und Fortunato Olmo von Monte Cassino, welcher
in seiner ‚Historia della Venuta a Venetia occultamente nel
1177 di papa Alessandro III e della Vittoria ottenuta da
Sebastiano Ziani Doge‘[2]) zuerst grössere Stücke aus Obo's Geschichtswerk veröffentlicht haben. Namentlich gegen letzteren,
gegen Olmo, ist dann bald darauf der Bibliothekar der Vaticana
Felix Contelori aufgetreten, welcher in seiner Schrift: ‚Con-
cordiae inter Alexandrum III summum pont. et Fridericum I
imperatorem Venetiis confirmatae narratio‘[3]) die Aufstellungen
Olmo's und die Angaben seines Hauptgewährsmannes Obo im
Einzelnen zu widerlegen sich bemühte und dabei neben anderen
Quellenstellen die Fragmente aus Obo wiederum abdruckte.

Contelori erklärte[4]) das ganze Geschichtswerk Obo's für eine
spätere Fälschung, welche erst nach 1500 entstanden sei. Denn
der ‚collis Januculi‘ in Rom habe bis dahin nicht Mons Marius
geheissen, wie ihn Obo nenne, sondern Mons Malus. Jener
Name sei erst aufgekommen, seitdem der „römische Bürger“
Marius Millinus unter Sixtus IV und Innocenz VIII den
grössten Theil des Berges erworben habe.

Dagegen bereitete Olmo eine umfassende Erwiderung vor,
welche aber Manuskript geblieben ist.[5]) Auch konnte dann
Ginnani in seinen ‚Memorie storico-critiche degli Scrittori
Ravennati‘[6]) gegen Contelori darauf hinweisen, dass bereits der
venetianische Geschichtschreiber Marcantonio Sabellico sich
des Obo bedient und ihn — und zwar als der erste — citiert

---

[1]) Venedig 1584.
[2]) Venedig 1629.
[3]) Paris 1632 cf. Ang. Zon a. a. O. p. 586.
[4]) a. a. O. p. 17.
[5]) Und heutigen Tages in 7 grossen Foliobänden auf der Markusbibliothek in Venedig (Cl. VII ital. No. 215—221) aufbewahrt wird mit
der Jahreszahl 1644. (Cf. Ang. Zon a. a. O. p. 585 und Archiv der Ges.
f. ä. d. G. Bd. XII S. 648).
[6]) Vol. II (Faenza 1769) pag. 99.

habe, dessen Geschichtswerk[1]) schon im Jahre 1487 im Druck
erschienen war. Die Lösung der Streitfrage über den Verfasser
selbst erklärte Ginnani Anderen überlassen zu wollen.

Von den Neueren haben weder Prutz noch Reuter noch
Giesebrecht[2]) von diesem Obo und seinem Geschichtswerke
irgend welche Notiz genommen, während Chevalier im Anschluss an Fabricius und Joecher[3]) ihn noch in den Anfang
des 13. Jahrhunderts setzt.[4])

Wir wissen nun freilich von dem Autor selbst nichts
Näheres. Er wird von Allen, die ihn nennen, (ausser Sabellico)
als ,Prete di Ravenna, Presbyter Ravennas' bezeichnet —
aus welchem Grund, ist nicht ersichtlich. Olmo hat dann nach
dem Zeugniss Angelo Zon's[5]) — wohl in jener von ihm vorbereiteten handschriftlichen zweiten Arbeit — die Vermuthung
ausgesprochen, dass ein gewisser Bobo „aus der in Ravenna
bekannten Familie" de' Rustici, Kanonikus von St. Peter in
Rom und Zeitgenosse Alexanders III, der Verfasser auch des
Obo'schen Geschichtswerkes sein könne. Bei dem jüngeren
Sanudo und einigen anderen älteren venetianischen Chronisten
De Gratia und Lorenzo de Monacis ist nämlich[6]) ein —
aus einem ,liber Malonus apud S. Petrum de Urbe' entnom-
menes — gleichzeitiges Schreiben mehrerer Kanoniker von
St. Peter und Subdiakone der römischen Kirche über den
Friedensschluss von 1177 überliefert, welches zum Theil wörtlich mit dem Berichte Obo's stimmt. Als einer der Schreiber
und Kanoniker wird ein ,Bobo de Rusticis' genannt, und
die Aehnlichkeit des Namens, wie die theilweise Uebereinstimmung der Berichte hat Olmo auf den Gedanken gebracht, dieser

---

[1]) Rerum Venetarum ab urbe condita lib. VII primae Decadis.

[2]) In den bekannten einschlägigen Werken über Friedrich I. und
Alexander III.

[3]) Allgemeines Gelehrten-Lexikon Thl. III (1751) S. 1007.

[4]) a. a. O.

[5]) a. a. O. p. 578.

[6]) cf. hierüber ausführlicher unten.

Bobo habe vielleicht auch die grössere Chronik verfasst, er und
jener Obo von Ravenna seien daher wohl identisch.[1])

Dagegen bemerkt Angelo Zon sehr richtig,[2]) ebenso gut
oder noch eher könne man die umgekehrte Vermuthung aufstellen, dass nämlich der Verfasser des Obo'schen Geschichtswerkes aus jenem Schreiben geschöpft habe.

Vielleicht wüssten wir mehr über den Verfasser, wenn wir
sein Werk vollständig besässen. Aber nur ein Theil, ein
Bruchstück ist davon, wie angedeutet, bisher bekannt geworden,
und mit der handschriftlichen Ueberlieferung steht es
überhaupt ziemlich schlecht. Bardi beruft sich auf 3 alte
Handschriften oder Abschriften (esemplari) welche er von Obo's
Geschichtswerk gesehen: die eine befinde sich auf Pergament
im öffentlichen Archiv der Stadt Venedig und sei über 300 Jahre
alt, zwei andere seien in der Bibliothek des Patriziers Jacopo
Contarini. Die eine hievon habe er, Bardi, von den Mönchen
von S. Giorgio Maggiore, die andere von den Erben des Bischofs
Giovanni Ferretti von Milo erhalten, welcher laut eigenhändiger
Notiz die Abschrift aus (einer Handschrift?) der Vatikanischen
Bibliothek gewonnen.

Bardi versichert diese (Vatikanische) Abschrift in der
Bibliothek Contarini's selbst wiederholt gesehen zu haben und
theilt daraus auch noch eine kürzere, gedrängtere Darstellung
jener Ereignisse mit, welche Contelori sogar für den ächteren
Obo hält, die in Wahrheit aber nur ein von einem Anderen
verfasster Auszug aus dem grösseren Werke sein dürfte.

Bardi behauptet aber ferner selbst noch 18 Blätter der
Originalhandschrift Obo's besessen zu haben, welche früher in
der Bibliothek von Monte Cassino aufbewahrt gewesen seien.
Die Blätter seien zwar beschädigt, aber immerhin noch gut
lesbar gewesen und von ihm ebenfalls der Bibliothek Contarini's überwiesen worden.

---

[1]) Ueber die Ravennatische Familie de' Rustici habe ich nichts
Näheres finden können; bei Rubeus Historiarum Ravennatum lib. V
finde ich am 1198 einen Johannes Rusticus erwähnt.
a. O. p. 378.

Olmo scheint die gleichen Handschriften oder Abschriften
gekannt zu haben. Nach den Angaben Angelo Zon's beruft
sich Olmo in der zweiten, unedirten Ausgabe seiner Arbeit
einmal auf die Abschrift im öffentlichen Venetianischen Archiv,
welche 1358 dorthin von Rom aus gekommen sei, und auf die
anderen Abschriften in (wohl richtiger[1]) von?) S. Giorgio
Maggiore und bei dem Senator Jacopo Contarini, welche aber
jünger seien als die im Archiv.[2])

Diese letztere Abschrift im Venetianischen Staats-
Archiv, auf welche Olmo besonderes Gewicht gelegt, ist, wie
Angelo Zon schon bemerkt hat, dort noch vorhanden, und zwar
findet sie sich im zweiten Bande der bekannten Sammlung der
‚Libri Pactorum', jener grossen Urkundensammlung, welche
im 13. Jahrhundert angelegt wurde, aber auch allerlei Nach-
träge von späterer Hand enthält.[3]) Der gelehrte Emmanuele
Cicogna hielt nach der Versicherung Zon's[4]) die Schrift jenes
Nachtrages eher für der ersten Hälfte des 15. Jahrhunderts
als dem Ende des 14. Jahrhunderts angehörig; und ähnlicher
Meinung ist Bethmann in seinem bekannten italienischen
Reisebericht,[5]) der die Abschrift sogar in das Ende des 15. Jahr-
hunderts setzt.

Auch die übrigen uns heutigen Tages bekannten
Handschriften gehören dieser späten oder einer noch späteren Zeit an. Die (zweite) von Hampe in Cheltenham
benützte ist vollends eine Abschrift des 17. oder 18. Jahr-

---

[1]) Cf. oben S. 149.

[2]) Nur die von Bardi erwähnten Blätter der Originalhandschrift
scheint er nicht gekannt zu haben.

[3]) Die Indices der 6 im Wiener Archiv abschriftlich vorhandenen
‚Libri Pactorum' haben bekanntlich Tafel und Thomas in ihrer Abhandlung „Der Doge Andreas Dandolo etc." in den Denkschriften unserer
Akademie III. Cl. VIII. Bd. 1. Abth. (1855) veröffentlicht, wobei aber
die in den Originalen in Venedig gemachten späteren Einträge nicht als
solche kenntlich gemacht sind.

[4]) a. a. O. p. 578.

[5]) Archiv der Ges. f. ä. d. G. Bd. XII S. 688 „von einer Hand
s. XV ex."

hunderts.[1]) Und zwar ist dieselbe allem Anscheine nach eine
Kopie der folgenden dritten Handschrift, auf welche mich
Herr Prof. Dr. Holder-Egger in Berlin gütigst aufmerksam
gemacht hat.

Im Museum des Herrn Niklas von Jankovich zu Pest
befindet oder befand sich[2]) eine Handschrift des 15. oder
16. Jahrhunderts,[3]) hinter welcher man, wenn nicht die Ori-
ginalblätter Bardi's,[4]) so doch eine Kopie davon vermuthen darf.
Auch in der Cheltenhamer Handschrift heisst es ja nach Hampe
(a. a. O.), sie sei aus einem Exemplar der Bibliothek von Monte-
Cassino abgeschrieben. Weiter bezeugt der gleiche Inhalt
die Verwandtschaft dieser englischen mit der ungarischen
Handschrift. In beiden[5]) geht voran die Darstellung des
Kampfes zwischen Friedrich Rothbart und Alexander III von
dem venetianischen Notar Bonincontro, und folgen auf das
Geschichtswerk Obo's Exzerpte aus einer (in der Vatikanischen
Bibliothek sorgfältig aufbewahrten) Handschrift einer Weltchronik, höchst wahrscheinlich derjenigen des Frater Pau-
linus von Venedig, Bischofs von Puteoli.[6])

Ebenfalls dem 15. Jahrhundert gehört eine vierte Kopie
an, welche nach Bethmanns Notiz in einer Sammelhandschrift
der Markusbibliothek zu Venedig Cl. XIV Miscell. No. 9
enthalten[7]) und der Zeit nach vielleicht die älteste bis jetzt
bekannte ist.

---

[1]) a. a. O. S. 281 und 682; „nicht des 15. Jahrhunderts", wie es
in dem Reisebericht von Waitz „Handschriften in englischen und schottischen Bibliotheken" im Neuen Archiv d. Ges. f. ä. d. G. IV, 595 hiess.

[2]) Nach Petzholdt, Adressbuch der Bibliotheken Deutschlands etc.
(1875) S. 313 ist diese Bibliothek in den Besitz des Nationalmuseums
übergegangen.

[3]) cf. Archiv VI, 142: (16 Blätter) Ex libris Obonis Ravenatis quae
reperitur in bibliotheca Cassinate . . .

[4]) cf. oben S. 149.

[5]) cf. Archiv VI, 142 und Neues Archiv IV, 595 (u. XXII, 682).

[6]) cf. über diese meinen letzten Aufsatz: „Bemerkungen zu der
Weltchronik des Frater Paulinus von Venedig, Bischofs von Pozzuoli" in
der „Deutschen Zeitschrift für Geschichtswissenschaft" Bd. X S. 120 u. ff.

[7]) Archiv XII, 644.

Soweit ersichtlich, enthalten alle Handschriften nur ein
Bruchstück von Obo's Geschichtswerk und zwar den letzten
Theil des 7. Buches und den Anfang des 8. Buches desselben,[1])
welche auch in den Drucken (nicht ganz gleichmässig) vorliegen. Diese Eintheilung in Bücher rührt von dem Autor
selbst her. Denn er sagt am Schlusse des 7. Buches, um das
vorliegende an sich schon umfangreiche Buch nicht allzusehr
anschwellen zu lassen, wolle er den Rest auf das folgende vertheilen. (Non eo inficias satis superque hunc librum excrevisse.
Propterea ne modum excedamus, quae reliqua sunt in sequen-
tem librum transferemus).[2])

Das 8. Buch selbst schliesst unvollständig mitten im Satze
ab, und das Bruchstück des 7. Buches beginnt mit einem Hinweis auf früher Erzähltes, auf Ereignisse, die sich im Orient
zwischen dem byzantinischen Kaiser und den Venetianern ab-
spielten — vermuthlich jene Verwickelungen, welche zu der
Katastrophe vom 12. März 1171 — der Gefangensetzung aller
10000 Venetianer in Konstantinopel durch Kaiser Manuel —
und zu dem unglücklichen Rache-Feldzug der Venetianer gegen
Byzanz 1171/72 führten.

Wie weit Obo's Werk zurückreichte, wie weit es nach
1177 fortgeführt war, lässt sich also bei dem heutigen frag-
mentarischen Stand der Ueberlieferung nicht mehr entscheiden.
Wenn Fabricius und Joecher[3]) sagen, Obo habe am Anfang
des 13. Jahrhunderts gelebt und eine ‚historia universalis
sui temporis' verfasst, so ist das eben auch nur eine blosse
Vermuthung.

Dreimal noch beruft sich der Verfasser auf frühere Stellen:
einmal im 7. Buche bei der Belagerung Ankona's durch Friedrich
Rothbart, wobei er bemerkt, dass die Stadt, wie oben gezeigt

---

[1]) Die eben erwähnte Sammelhandschrift der Markusbibliothek sogar
nur den Anfang des 8. Buches.

[2]) p. 93; ich citire nach dem Druck bei Bardi (Vittoria Navale...
Venedig 1584), welcher vollständiger als der bei Olmo und besser als der
bei Contelori ist.

[3]) a. a. O.

worden, dem griechischen Kaiser gehorchte.[1]) Ferner bezieht
sich der Verfasser im 8. Buche auf eine frühere Aufzählung
der venetianischen Inseln,[2]) die ja in fast keiner venetianischen Chronik fehlt. Die dritte Berufung auf Vorhergehendes
findet sich da, wo Obo von dem Gebrauch von Wachs- und
Bleisiegeln in Venedig spricht. Beide Arten seien bis auf
die Zeit Alexanders III viele Jahre lang bei den Dogen
Venedigs in Anwendung gewesen, „wie oben gezeigt worden"[3])
— vermuthlich da, wo auch Andrea Dandolo davon spricht,
indem er[4]) auf das mit Bleisiegel versehene Privileg des Dogen
Vitalis Michael II hinweist, welches derselbe 1166 den Bewohnern von Arbe verlieh, und an welches Dandolo eben die
Bemerkung knüpft, dass durch dasselbe die Ansicht derer
widerlegt werde, welche behaupteten, der Gebrauch des Blei-
siegels sei den Dogen erst von Papst Alexander III gestattet
worden.[5]) —

Schon aus den angeführten Stellen lässt sich wohl der
Eindruck gewinnen, dass auch das Geschichtswerk Obo's einen
sozusagen vorzugsweise venetianischen Charakter an sich
trägt; und dieser venetianische Standpunkt tritt auch sogleich

---

[1]) p. 89: Anchonam Graeco imperatori pertinacibus studiis, quemadmodum supra demonstratum est, obsequentem .... Vielleicht
war das im Zusammenhang mit den erwähnten Differenzen zwischen
Byzanz und Venedig geschehen; cf. zur Sache selbst v. Kap-Herr Die
abendländische Politik Kaiser Manuels etc. (1881) S. 93.

[2]) p. 93: ... non ex insulis modo, quas in Venetis paludibus supra
enumeravimus.

[3]) p. 95: Duobus enim modis Veneti duces multos ante hoc tempus
annos, quemadmodum supra docuimus, cera scilicet ac plumbo lit-
teras concludebant.

[4]) In seinen Annales bei Muratori, Rerum Italicarum SS. t. XII,
col. 291 A: .... privilegium Bulla Ducali plumbea communitum apud
Arbenses usque in hodiernum diem conservatur illaesum.

[5]) Wahrscheinlich haben (nach Bresslau Handbuch der Urkundenlehre I, 985) die Dogen „von allem Anfang an mit Blei gesiegelt." „Die
älteste uns erhaltene Bulle gehört in die Zeit des Dogen Petrus Polani
(1130—1148)" Bresslau nach Kunz im Archeografo Triestino VI, 50.

am Anfang des uns überlieferten Fragmentes sichtbar zu Tage.
Weil die Beendigung der Wirren und Kriegsstürme in Italien
zur Zeit Friedrich Rothbarts den Venetianern zugeschrieben
wird,[1]) will der Verfasser auf dieselben und ihren Ursprung
näher eingehen, und seine Darstellung gestaltet sich dann eben
ausser der Verherrlichung Papst Alexanders zu einem Loblied
auf Venedig, seine Stadt, seine Bewohner, seine Fürsten.

‚Quoniam ad Venetos refertur‘ sagt der Verfasser. Vielleicht lässt sich schon daraus entnehmen, dass der Verfasser
keineswegs als gleichzeitiger Berichterstatter auftreten will,
als welchen man ihn hingestellt hat. Jedenfalls noch bezeichnender hiefür ist, dass er wiederholt seinen Angaben ein
‚tradunt‘, ein ferunt, ein fertur, ein comperimus hinzufügt. So bei der Notiz von der ‚Adoratio‘ des schismatischen
Octavian durch Kaiser Friedrich und seine Umgebung;[2]) von
der erspriesslichen Thätigkeit des von Alexander III 1165 ein-
gesetzten neuen päpstlichen Vikars in Rom, Kardinal Johannes;[3])
oder bei der Nachricht von der bekannten angeblichen Demüthigung Friedrichs vor Alexander bei der Begegnung vor der
Markuskirche[4]), wie von der Absicht Alexanders III in jenen
Tagen ein Konzil zu halten;[5]) alle diese Wendungen[6]) sprechen
doch gegen die absolute Gleichzeitigkeit des Verfassers. An
einer Stelle beruft er sich auch direkt auf andere Quellen,
indem er bemerkt, er wisse wohl, dass „in einigen Annalen“
als der damalige König von Frankreich nicht Ludwig, sondern
Philipp genannt werde; aber dieser sei damals, zu Beginn des

---

[1]) p. 86: ... quorum (bellorum) terra marique sedatorum laus quoniam ad Venetos refertur.

[2]) p. 87: hic eum ab imperatore et suis omnibus ut pontificem adoratum ferunt.

[3]) p. 88: hunc tantae virtutis fuisse tradunt.

[4]) p. 104: fertur insultanti Pontifici .... respondisse.

[5]) p. 106: concilium fertur iis diebus indicere voluisse.

[6]) cf. p. 91: In sequentibus annis (zwischen den Friedensverhandlungen von 1175 und dem neuen Feldzug des Kaisers gegen die Lombarden cf. unten) nihil memoratu dignum comperimus.

Schisma's, kaum noch geboren oder sicher wenigstens noch ein Kind gewesen.[1]

Man sieht zugleich aus dieser Bemerkung, dass der Verfasser eines gewissen kritischen Sinnes nicht baar ist, und derselbe zeigt sich ähnlich und noch schärfer an ein paar anderen Stellen. Unter den Eidschwörern von Seite Friedrichs beim Friedensschluss nennt er auch Christian, den Erzbischof von Mainz, knüpft aber daran sofort die Bemerkung: es könne vielleicht Jemand zweifeln und staunen, warum er hier Christian als Erzbischof von Mainz bezeichne, während kurz vorher dem Kardinalbischof von Sabina Konrad (dem Wittelsbacher) der gleiche Titel beigelegt werde. Daran sei das Schisma Schuld, indem sowohl Alexander als auch die schismatischen Päpste verschiedene Ernennungen vorgenommen. Er wolle damit keineswegs sagen, dass er jeden der beiden Erwählten für den wahren Vorsteher einer und derselben Kirche halte. Andererseits glaube er auch nicht an einen Irrthum in der Ueberlieferung, dass etwa die Namen (cognomina) unrichtig angegeben seien.[2]

Warum Alexander nicht, wie er angeblich beabsichtigt habe, nach dem Friedensschluss zu Venedig ein Konzil gehalten, bekennt der Verfasser nicht zu wissen; und „wir sind nicht der Art" — fügt er etwas hochtrabend hinzu — „dass wir Zweifelhaftes für Sicheres berichten wollen"[3] — was ihn aber nicht

---

[1] p. 87: haud sum inscius quosdam annales Phylippum pro Ludouico habere, cum Phylippus ea tempestate vix dum natus vel certe infans esset.

[2] p. 104: Addubitare quispiam fortassis hic possit, cur hoc loco Christianum Maguntinum Archiepiscopum dicamus, si paulo superius hic idem titulus Conrado Cardinali Sabino Episcopo adiectus legitur. Verum cum hoc Scismatis culpa contigisse certum sit, alios Alexandro Pontifice, alios haeresiarchis creantibus, non est, ut duorum unius atque eiusdem Ecclesiae Antistitum verum utrumque existimemus, vel ut cognomina falso tradita censeamus.

[3] p. 105: ... minime constat. Nec vero sumus qui ambigua pro certis afferamus. Aus demselben Grund will er die Namen der anderen beim Friedensschluss anwesenden Prälaten übergehen (p. 105): ... atque alii praelati complures, quorum nomina cum nobis incerta sint, ea pro

hindert, alle die Legenden über die Flucht Alexanders III nach
Venedig, den venetianischen Seesieg über des Kaisers Sohn etc. etc.
zu erzählen, welche freilich z u s e i n e r Z e i t wohl für haare
Münze galten.

„Zu seiner Zeit" — wann hat der Verfasser denn nun
also gelebt und geschrieben? Wenn auch auf die Bezeichnung des Mons Malus mit Monte Mario nicht das Gewicht zu
legen ist, welches Contelori ihr beimisst,[1] so scheinen doch
auch andere Ausdrücke, wie z. B. der ‚Mons Algidus', in
welchen sich die Römer nach ihrer Niederlage 1167 flüchten,[2]
der wiederholte Gebrauch des Wortes ‚Senat' und ‚Senatoren‘
von Venedig,[3] Etrurien für Tuscien, ‚pridie festi Magdalene'
statt ‚in vigilia',[4] wie überhaupt der ganze, ziemlich elegante
und gewandte Stil und vielleicht auch gerade jene kritischen
Aeusserungen die Annahme einer späteren Entstehung zu
rechtfertigen — und zwar vielleicht zu einer Zeit, welche schon
etwas vom Humanismus angehaucht war.

Sei dem aber wie dem wolle: gleichviel. So spät auch
der Verfasser eventuell gelebt haben mag, für die von H a m p e
aufgeworfene Frage, wie weit n e b e n den legendarischen Zügen
auch i r g e n d b r a u c h b a r e Nachrichten in Obo's Geschichtswerk überliefert sind, ist dies ja eigentlich ohne Belang. Es
kommt nur darauf an, woher der Verfasser dieselben eventuell
entnommen, aus welchen Quellen er geschöpft hat.

---

certis tradere noluimus. Uebrigens hätte er über jenes „Konzil" sich
leicht besser unterrichten können; gehalten ist es ja doch worden
(cf. unten).

[1] cf. oben S. 147.

[2] p. 89.

[3] Der Ausdruck ‚senatus Venecie' kommt allerdings auch bisweilen
in Urkunden aus der Mitte des 12. Jahrhunderts vor, aber doch nur vereinzelt und in einer anderen Bedeutung; cf. L e n e l W., Die Entstehung
der Vorherrschaft Venedigs an der Adria mit Beiträgen zur Verfassungs-
geschichte (1897) S. 130 und H a i n, Der Doge von Venedig seit ....
bis .... 1172 (1883) S. 107.

[4] p. 104 cf. später.

Er selbst nennt deren keine; aber seine Hauptquelle glaube ich doch namhaft machen zu können.

Bei einer derartigen Quellen-Untersuchung wird man in erster Linie auf jene Stellen sein Augenmerk richten, welche etwas Besonderes, Auffälliges erzählen. Eine solche ergab sich mir dort, wo Obo von der Schlacht bei Legnano und dem Schicksal Friedrich Rothbarts in derselben berichtet. Wir lesen darüber bei Obo Folgendes.[1]) Beim ersten Zusammenstoss werden gegen 800 Reiter der Mailänder, die sich zu weit vorgewagt, zurückgeworfen, bis nach deren Rückzug der Kampf zum Stehen kommt und die beiden Heere handgemein werden. Da wird der Fahnenträger des Kaisers, welcher ungestüm vorgedrungen war, vom Feinde umringt, das Banner des Kaisers wird von den Lombarden erbeutet. Der Kaiser dringt mit doppelter Wuth an der Spitze eines Haufens auf den Feind ein; sein Pferd stürzt und der Kaiser verschwindet den Blicken der Seinigen. Da ihn Niemand mehr sieht, halten ihn Alle für gefallen, zertreten, getötet. Das Gerücht von seinem Fall erhöht den Muth der Lombarden, verbreitet Schrecken und Furcht in den Reihen der Deutschen. Ein ungeheueres Blutbad wird angerichtet, die Deutschen wenden sich zur Flucht:

---

[1]) p. 91—92 (ich theile die Stelle zugleich als Stilprobe im Wortlaut mit): . . . . . . Fusis Mediolanensium equitibus fere octingentis, qui cupidius audaciusque progressi victoriae initium a se fieri gestiebant; iisque ad reliquum agmen reiectis admirabili utrinque pertinacia pugnatum est, pro imperio Germanis, pro libertate Italis decertantibus, cum forte imperatoris aquilifer temere in hostem prolapsus et circumventus interficitur et vexillum a Lombardis aufertur. Quare inflammatus imperator in eos, qui signum rapiebant, globo facto impetum fecit; dumque acrius ipse gladio instat, equo traiecto provolutus ex omnium conspectu repente sublatus est; quem deinde nusquam apparentem utrinque omnes confossum atque obtritum iactabant. Hic rumor et Lombardis ardorem adiecit et Germanis metum incussit. Fit ingens eorum caedes; reliqui in fugam versi, pars Comum revertuntur, pars in silvas dilapsi Lombardorum impetum effugiunt: nonnulli palantes et vagi Ticino amne submersi; plurimi autem Papiam armis amissis pervenere. Imperator diu quaesitus et pro mortuo habitus, die sexta Papiae conspectus palam est.

ein Theil kehrt nach Como zurück, ein Theil flüchtet sich in
die Wälder, Andere, welche herumirren, finden ihr Grab im
Ticino, die meisten gelangen ohne Waffen nach Pavia. Zwei
Tage lang sucht man vergeblich den Kaiser; er gilt für todt —
da, am 6. Tage, erscheint er wiederum wohlbehalten in Pavia.

Aehnliche Details werden nun zwar auch in einigen
anderen gleichzeitigen Quellen erwähnt, wie wir jetzt bequem
aus den Anmerkungen zum 5. Band von Giesebrecht's
Kaisergeschichte ersehen können. So findet sich die Nachricht von dem Fall des kaiserlichen Bannerträgers auch in den
Gesta Henrici II et Ricardi; der schlechte Eindruck, den
dies Ereignis auf die Deutschen machte, wird auch in den
Annales Pegavienses erwähnt. Dass der Kaiser einige
Tage vermisst wurde und dann nächtlicher Weile nach Pavia
zurückgekehrt sei, weiss auch Romuald zu erzählen. Aber
lediglich allein in der Vita Alexandri III des Kardinals Boso
finden wir alle die obigen Details vereinigt — wenn auch
mit einigen Abweichungen. Denn dass der Bannerträger sich
zu weit vorgewagt, das kaiserliche Banner bei dieser Gelegenheit
von den Feinden erbeutet worden, weiss Obo allein, wie auch
dass dem Kaiser das Pferd unter dem Leibe getödtet worden sei,
während er nach Boso aus dem Sattel gehoben wurde![1]) Betrachte ich trotz dieser kleineren Differenzen Boso hier als
Hauptquelle für Obo, so werde ich dazu veranlasst oder werde
in dieser Annahme bestärkt durch die weitere Vergleichung
der beiderseitigen Berichte.

Ueberall ergab sich mir, dass bis zu einem gewissen Momente — wovon unten noch die Rede sein wird — Boso's Vita
Alexandri als die Hauptquelle für die Darstellung des Ponti-
fikats Alexanders III und seines Kampfes mit Friedrich Rothbart bei Obo gelten kann. Obo hat dieselbe theils wörtlich

---

[1]) Boso ap. Watterich, Vitae Pontificum II, 431: Ipse quoque imperator inter caeteros loricatos ... ab eisdem Lombardis fortiter per-
cussus, de sella cecidit et ab omnium oculis statim evanuit; in der neuen
Ausgabe von Duchesne, Le liber pontificalis in der ‚Bibliothèque des écoles
françaises d'Athènes et de Rome' II série tom. III p. 2 pag. 433.

benützt und abgeschrieben, theils stark excerpiert und gekürzt; er hat sich einzelne stilistische Aenderungen erlaubt, er hat auch zur Ausschmückung gewiss Manches aus eigener Erfindung hinzugethan, was sich wenigstens vorerst sonst nicht nachweisen und daher nicht kontrollieren lässt. Er hat neben Boso vielleicht auch einige Male die Annalen oder Weltchronik des Erzbischofs Romuald von Salerno benützt — ob Alles dies direkt oder indirekt, lässt sich nicht mehr entscheiden.[1]

Dies im Einzelnen zu zeigen, ist Zweck der nachfolgenden Ausführungen.

Obo beginnt die Erzählung der zum Frieden von Venedig führenden Ereignisse (im 7. Buche seiner Chronik) mit der Doppelwahl nach dem Tode Hadrians IV. Für Obo ist Alexander der rechtmässige Papst (legitime substitutus), welchen „gegen 20 Kardinäle, aber nicht weniger als 18 an der Zahl" gewählt hätten; sein Gegner Octavian habe nur 3 Stimmen auf sich vereinigt. Die Zahl 20 findet sich allerdings nicht bei Boso, aber wohl auch anderwärts wie z. B. in dem Schreiben der Erzbischöfe etc. vom Konzil zu Pavia (1160).[2] Dass drei den Octavian konsekriert, bestätigt Boso. Wenn aber Octavian als Kardinal ‚tituli S. Clementis' bezeichnet wird statt ‚Caeciliae', so ist das ein Fehler, der immerhin nur ein Versehen sein kann, ähnlich wie wenn es heisst, dass Friedrich eben zu der Zeit Cremona (statt wie bei Boso Crema) belagerte, als Alexander Gesandte an ihn schickte. Dass sich Alexander an Friedrich gewandt, ist nur bei Boso überliefert, hier bei Obo freilich noch in der Weise ausgeschmückt, als ob Alexander den Kaiser geradezu um seinen Schutz gegen Octavian und dessen Anhänger gebeten hätte; wie auch als Grund für die Uebersiedelung Alexanders nach Anagni, die hier irrthümlich erst nach der Berufung beider Päpste nach Pavia erfolgt, die

---

[1] Es mag nicht unerwähnt bleiben, dass der Abschrift des Oboschen Fragmentes in der Venetianischen Miscellan-Handschrift (cf. oben S. 151) mehrere Papstleben, darunter auch die Alexanders III von Boso vorausgehen (cf. Arch. l. c. p. 643—644).

[2] cf. Giesebrecht VI, 887 und Watterich II, 463 n. 1.

Furcht vor dem Kaiser und in Rom nicht mehr sicher zu sein,
angegeben wird — während Boso diese Uebersiedelung nach
Anagni nicht besonders erwähnt, sondern nur berichtet, dass
dorthin die beiden (von Obo nicht mit Namen genannten)
Gesandten Friedrichs kamen. Ist hier auch in der Ueberlieferung Obo's eine Lücke, so lässt sich doch soviel entnehmen,
dass auch Obo, wie Boso, der abschlägigen Antwort gedachte,
welche Alexander den beiden Gesandten Friedrichs ertheilte,
worauf sich dieselben zu Octavian nach Segni begaben und
diesen den Wünschen des Kaisers geneigter fanden. Es ist
nicht ganz richtig, wenn Obo behauptet, sie hätten Octavian
sogleich nach Pavia geleitet; und für die Arbeitsweise Obo's
charakteristisch erscheint, wenn er die — alleinige[1] — Angabe
Boso's, dass die kaiserlichen Gesandten Octavian bereits in
Segni ‚adoriert‘ hätten, so wendet: hier in Pavia, heisse es,
sei Octavian vom Kaiser und den Seinigen als Pontifex
adoriert worden.[2]) Die Wahl des gleichen Wortes verräth
die Entlehnung; auch bei der Bannung Friedrichs und des
Gegenpapstes entspricht das ‚admonito prius de more Fri-
derico‘ dem ‚frequenter commonitum‘ Boso's.

Hingegen weiss Boso nichts davon, dass die Flucht Alexanders von Rom, wo er sich nicht halten konnte, nach Frankreich auf Einladung des Königs von Frankreich hin
erfolgte[3]) — eine Notiz Obo's, welche durch andere Zeugnisse,
wie ein Schreiben des Thomas von Canterbury[4]), bestätigt
wird. Hier schiebt Obo seine oben erwähnte[5]) kritische Bemerkung über die anderwärts sich findende Verwechslung
König Philipps mit Ludwig von Frankreich ein.

Die Besetzung des Patrimoniums durch die Deutschen,

---

[1]) cf. Giesebrecht a. a. O. VI, 392 zu V, 241—243.

[2]) p. 87 ‚adoratum ferunt‘ (cf. oben S. 154).

[3]) p. 87: Romam hinc reversus, cum sibi omnia infestiora expec-
tatione offendisset. in Gallias proficisci, hortatu praecipue Ludovici
Francorum regis constituit.

[4]) Reuter I, 183; cf. Giesebrecht a. a. O. V, 270.

[5]) cf. oben S. 154.

die Einsetzung des Kardinalbischofs Julius von Praeneste als
Vikar von Rom berichten Obo und Boso gemeinsam, und
wiederum ist hier (speziell bei der letzteren Nachricht) Boso
die einzige Quelle.[1])

Alexander begab sich zuerst nach Terracina, bestieg dort
die vom König Wilhelm von Sicilien bereit gestellten („prae-
paratas' bei Boso und Obo) Schiffe und gelangte nach vor-
übergehendem Aufenthalt in Montpellier („paulisper commoratus'
sagt Obo, während Alexander von April bis Ende Juni dort
verweilte) nach Clermont. Dass hier (?) Alexander den Kaiser
und Victor nochmals gebannt,[2]) meldet Boso nicht; dagegen
findet sich die Nachricht von der wiederholten Bannung Victors
am Himmelfahrtstage zu Montpellier in einem Schreiben Alexanders.[3])

Obo gedenkt dann der Einnahme und Zerstörung Mailands,
welcher bei Boso nur nebenbei[4]) Erwähnung geschieht, und hat
hier auch weiter eine ihm eigenthümliche Notiz, nämlich
die, dass die Bevölkerung Mailands in einer Entfernung auf
10000 Schritte von der Stadt auf sechs unbefestigte Flecken
in der Umgegend vertheilt worden sei.[5]) Ob diese Sechszahl
nur eine Erinnerung daran ist, dass die 6 Quartiere der Stadt
den Feinden Mailands zur Zerstörung preisgegeben worden,[6])
lässt sich nicht mit Bestimmtheit sagen. In anderen Quellen,
wie in den Gesta Frederici (Ann. Mediolanenses)[7]), beim Anonymus Laudensis[8]), Sicard[9]), Jacobus a Voragine[10]), Tolosanus[11]),

---

[1]) cf. Giesebrecht VI, 399 zu V, 370.

[2]) Obo p. 87: mox Clarum montem sese contulit et Friderici atque
Octaviani et complicum vincula anathematis promulgavit.

[3]) Giesebrecht VI, 412 zu V, 328.

[4]) Watterich II, 398; Duchesne p. 411.

[5]) p. 87: populum in sex vicos partitus, denis ab urbe passuum
millibus circum diruta maenia sine munitione habitare iubet.

[6]) cf. Giesebrecht V, 304.

[7]) SS. Rer. Germ. in usum scholarum von Holder-Egger p. 54.

[8]) Chronicon Universale in den Monum. Germ. hist. SS. XXVI, 444.

[9]) Chronicon bei Muratori SS. Rer. Ital. VII, 600 A.

[10]) Chronicon Januense bei Muratori IX, 89 E.

[11]) Chronicon in den Documenti di storica Ital. etc. VI, 685.

ist nur von vier Flecken die Rede, in welchen die Mailänder
angesiedelt wurden.

Im Anschluss an Boso fügt Obo daran sogleich die Notiz
über die Gründung des Veroneser Bundes. Aber die Motivierung derselben, nämlich die Parteinahme der Venetianer für
den Papst neben der Fürsorge für das Wohl der umwohnenden
bedrückten Italiener, ist Zuthat Obo's, welcher auch unabhängig von Anderen zu berichten weiss, dass die Vertreibung
der deutschen Besatzungen aus den Städten Hauptzweck des
Bundes war und alsogleich auch ins Werk gesetzt wurde.
Obo lässt es hier dann zu einem förmlichen Kampf zwischen
Friedrich und den Veronesen kommen, von welchem bei Boso
und sonst nichts zu lesen ist, während das Zurückweichen des
Kaisers — hier bei Obo eben nach dem wirklichen Zusammenstoss — allgemein überliefert und thatsächlich erfolgt ist.

Wir begegnen übrigens dabei hier bei Obo dem gleichen
Fehler wie bei Boso, dass diese Ereignisse in die Zeit vor der
bekannten Zusammenkunft Friedrichs mit dem König von
Frankreich an der Saône gesetzt werden; und wieder ebenso
bezeichnend für die Abhängigkeit Obo's von Boso ist
es, wenn er, ebenso unrichtig wie dieser, berichtet, dieser
Zusammenkunft habe auch der Böhmenkönig angewohnt.[1]
Der bei Boso erwähnte Dänenkönig ist hier in einen König
von Schottland verwandelt, indem ‚Scociae‘ vielleicht verlesen
oder verschrieben ist statt ‚Sueciae‘. — Wie dann Friedrich
unverrichteter Dinge und ohne seinen Zweck erfüllt zu haben,
da überdies Mangel an Lebensmitteln für seine Schaaren sich
fühlbar machte, nach Deutschland zurückkehren musste, konnte
Obo, wie die kurze Notiz über das von Alexander zu Tours
gehaltene Konzil, aus Boso entnehmen.

Dass die Wahl des neuen Gegenpapstes Paschalis III nach
dem Tode Victors nicht auf Geheiss (iussu) Friedrichs, wie Obo
angibt, sondern sogar ohne sein Vorwissen erfolgte, ist bekannt;

---

[1]. cf. Giesebrecht VI, 415 zu V, 887.

es findet sich dies auch nicht bei Boso, und ist daher wohl als
eine freie Erfindung Obo's zu bezeichnen. Eine kleine Differenz
ergibt sich bei Obo ferner, wenn er — übrigens ganz richtig
— Guido von Crema als Kardinaldiakon von S. Maria in Porticu
bezeichnet, während er sonst immer Kardinalpresbyter S. Calixti
genannt wird.[1]

Unmittelbar daran reiht Obo — wieder nach dem Vorgang
Boso's — die Nachricht von dem Anschluss verschiedener Städte
Oberitaliens an den Veroneser Bund, so von Crema (wohl verschrieben statt Cremona), Bergamo, Mailand, Piacenza und
Brescia, bei welch' letzterem in eigenthümlicher Weise
hervorgehoben wird, dass der Bischof von Brescia besonders
zu dem Anschluss ermahnt habe.[2]

Auch bei der darauf erwähnten Besetzung des (durch den
Tod des Kardinals Julius erledigten) Postens eines päpstlichen
Vikars in Rom, welchen Kardinal Johannes erhielt, ergibt sich
eine Differenz zwischen Obo und Boso, indem Johannes hier als
Kardinaldiakon, dort als Presbyter bezeichnet wird. Statt des
von Boso erwähnten, unter dem Einfluss des neuen Vikars
gewählten, Alexander-freundlichen Senates lesen wir bei Obo von
Konsuln aus einem dem Papst befreundeten Adelsgeschlecht,
auf deren Betreiben dann die Rückkehr Alexanders aus Frankreich nach Rom über Messina und auf Schiffen König Wilhelms
von Sicilien erfolgte — im 6. Jahre seines Pontifikates (= Boso)
oder, setzt Obo hinzu, „wie Andere berichten“ im 7. Jahre.[3]

Alsbald erscheint Friedrich wieder in Italien „mit einem
stärkeren Heere als je zuvor“ (Zusatz Obo's)[4] und lagert im
Gebiet von Bologna nach Obo, von Brescia nach Boso, der
aber dann allerdings auch von einem vorübergehenden Auf-

---

[1] cf. Mas-Latrie, Trésor de Chronologie etc. p. 1186 und 2259,
woraus erhellt, dass Guido 1144 zum Kardinaldiakon von St. Maria in
Porticu, 1150 aber zum Kardinalpriester S. Calixti ernannt worden war.

[2] p. 88: — — — Brixiani, praesenti eos episcopo ad hoc plurimum
adhortante.

[3] p. 88: anno sexto, ut alii tradunt, septimo.

[4] ibid.: validiore quam prius exercitu in Italiam traducto.

11*

enthalt Friedrichs bei Bologna spricht, so dass man leicht
erkennt, wie jene Nachricht bei Obo entstanden ist. Dass
Friedrich seinem Gegenpapst Paschalis, welcher in Tuscien weilte,
von hier aus Hülfe schickte, weiss auch Boso; aber Obo weiss
wieder noch mehr, dass er nämlich in Lucca sich aufgehalten
habe, und fügt auch hinzu, dass Paschalis in Tuscien wenig
Anhang und Anklang, dagegen vielfach Verhöhnung und Geringschätzung gefunden habe.[1])

Friedrich selbst zog inzwischen bekanntlich, wie auch
Obo und Boso gleichmässig berichten, nach Ankona, um den
durch griechisches Geld unterstützten Platz zu belagern. Die
Fortschritte der kaiserlichen Truppen in Tuscien und im Pa-
trimonium und die Erschütterung der Macht und Autorität
Alexanders werden auch von Obo ähnlich, nur kürzer, als
von Boso erzählt.

Eine tendenziöse Veränderung aber lässt sich dann Obo
da zu Schulden kommen, wo er von den Verhandlungen Kaiser
Manuels mit Alexander spricht. Wir wissen aus Boso, dass
der byzantinische Kaiser damals den Versuch machte, durch
das Anerbieten von grossen Geldsummen und der Unterwerfung der griechischen Kirche unter die römische mit Hülfe
des Papstes die Kaiserkrone für Byzanz zurückzugewinnen.
Wenn aber Obo dazu bemerkt, dass Alexander damals absolut
nicht darauf eingehen wollte, und ihn deshalb besonders
rühmt und seine Standhaftigkeit und Klugheit preist, so entspricht dies ja keineswegs dem, was uns hierüber bei Boso
— und bei ihm wieder allein[2]) — überliefert ist, nach dessen
Zeugnis damals vielmehr der Papst im Einvernehmen mit den
Kardinälen den Bischof von Ostia und einen anderen Kardinal
zum Zwecke weiterer Verhandlungen mit den Gesandten Kaiser
Manuels nach Byzanz zurückschickte.

Kurz gedenkt Obo alsdann der Nachfolge König Wilhelms II in Sizilien und der Wiederherstellung Mailands.

---

[1]) Obo p. 89: Lucam Guidoni antipapae, qui apud Etruscos de-
spectu et ludibrio habebatur, exercitus partem praesidio misit.

[2]) cf. Giesebrecht VI, 451 zu V, 497.

Auch bei dem Bericht über den Kampf vor Rom (1167) ist
leider eine Lücke vorhanden. Doch lässt sich immerhin soviel
entnehmen, dass Obo (wie Boso) zuerst von dem Angriff der
Römer auf die benachbarten ihnen feindlichen Bewohner von
Albano und Tusculum berichten will, welch' letztere dann die
‚in Nepesino et Sutrino agro degentes‘ Deutschen — diese
Ausdrücke wieder geistiges Eigenthum Obo's — zu Hilfe
rufen. Auch die Einfügung des ‚mons Algidus‘, wohin die
geschlagenen Römer zum Theil entkommen, ist Eigenthum
Obo's, der sich hier mit der Lokalität von Rom und seiner
Umgebung ziemlich vertraut zeigt. [1]) Dass der Wegzug Fried-
richs von Ankona (nach dem Eintreffen der römischen Sieges-
uacbricht) vor der Einnahme der belagerten Stadt unter gleichzeitiger Aufhebung der Belagerung erfolgte, steht nicht bei
Boso und ist auch nicht ganz richtig, wiewohl sich der wahre
Sachverhalt freilich schwer feststellen lässt. [2])

Friedrich schlug nach Obo auf den Neronischen Wiesen
unterhalb des Monte Mario sein Lager auf — nach Boso auf
dem Berge und marschirte dann erst [3]) über die Neronischen
Wiesen — und suchte nun den Vatikan zu stürmen. Da ihm
dies wegen des Wiederstandes von Seite der Besatzung nicht
gelingt, greift er S. Peter von der anderen Seite an und lässt
die Thore anbrennen, worauf die ‚custodes‘ (der gleiche Ausdruck bei Obo, wie bei Boso) nachgeben und die Thore öffnen
lassen: so Obo [4]) in Uebereinstimmung mit Boso, nur dass
dieser von einem zweiten Angriff mit Umgehung der Peterskirche nichts weiss — wie auch sonst Niemand.

Die Flucht Alexanders nach dem Lateran und weiterhin

---

[1]) cf. oben S. 156.
[2]) cf. Giesebrecht VI, 466 zu V, 540.
[3]) cf. Giesebrecht V, 544.
[4]) p. 89: positisque sub Marii colle in Pratis, quae Neroniana di-
cuntur, castris Vaticanum irrumpere conatur, et ab inquilinis repulsus,
circumacto Vaticani colle ab altera basilicae Petri regione signa infert:
valvas templi facibus admotis amburit. Qua de re templi custodes de
incendio solliciti, patefactis eum portis ingredi permisere.

nach Benevent, da er sah, dass die Bevölkerung Roms mehr
und mehr dem siegreichen Kaiser zuneigte, die darauffolgende
Pest in Rom, der Rückzug des Kaisers nach Lucca und Pavia
und schliesslich die Heimkehr über die Alpen werden von Obo
kurz aus Boso erzählt.

Dagegen finden sich ni c h t bei Boso die hier eingeschobenen
Notizen von der Naturerscheinung (tres soles) des Jahres 1167 (?)
im Abendland und — lückenhaft — von Erdbeben im Orient,[1]
woraus jedenfalls hervorgeht, dass Obo daneben noch andere
Quellen kannte und benützte, welche dergleichen Material ihm
an die Hand gaben. Ob die Gründung Alexandria's am Tanaro
durch den Veroneser Bund (sic! statt Lombardenbund) direkt
aus Boso entnommen, kann zweifelhaft erscheinen; dagegen
geht sicher Obo's Notiz über Kaiser Manuels erneuten Versuch,
den Papst Alexander für sich zu gewinnen, auf Boso zurück,
und die Motivierung, dass Manuel nichts erreicht habe, weil
es gegen die ‚instituta maiorum' verstossen, ist jedenfalls der
bei Boso überlieferten Antwort des Papstes an den griechischen
Unterhändler ‚obviantibus sanctorum patrum statutis' entlehnt; desgleichen die Nachricht von der Zerstörung Alba's
(statt Albano's) durch die Römer und von der Bewahrung
Tusculums vor dem gleichen Schicksal durch die Bemühungen
Alexanders (nach Obo[2]), der Kirche nach Boso[3]).

Bei dem Tod des kaiserlichen Gegenpapstes Paschalis ‚in
Vaticano' (bei Obo, apud beati Petri ecclesiam bei Boso) hat
Obo hinzugefügt, dass derselbe umgeben von deutscher Be-
satzung (Germanorum praesidio septus) gestorben sei. Ein
weiterer Zusatz Obo's findet sich bei dessen schismatischem
Nachfolger, dem Gegenpast Johannes, früher Abt von Struma

---

[1]) p. 90: Per haec tempora tres in Occidente soles conspecti pro-
duntur, quorum medius evanescentibus caeteris ad occasum pervenit. Et
. . . (Lücke) cohorti Syriam praesertim quassavere, in qua urbes plurimas
ingenti hominum occidioni (!) prostratae sunt.

[2]) p. 90: Tusculum Alexandri intercedentis beneficio servatum.

[3]) Watterich II, 410; Duchesne 419 . . . quia eorum iniustis cona-
tibus ecclesia non consensit . . . .

(bei Obo Sirmiensis, Scirmiensis), indem Obo hinzufügt, ‚e Pannonia oriundus‘, was auffallenderweise stimmt mit der Bemerkung in dem Werk ‚Art de vérifier les dates‘[1]) und (daraus wohl) bei Mas-Latrie[2]) ‚en Hongrie‘ — ein Zusatz, der freilich nicht auf das Kloster Struma bezogen werden darf, welches nach Giesebrechts Ausführungen[3]) vielmehr im Toskanischen unweit Arezzo gelegen war. Dagegen war Sirmium in der That eine Stadt in Pannonien (Geburts- und Sterbeort des Kaisers Probus), und der Zusatz erklärt sich somit aus einer — vielleicht auch sonst überlieferten — falschen Lesart ‚Sirmiensis‘ (statt Strumiensis, Strumensis).

Die Verwickelungen in und um Tusculum, bei denen der Graf Rayno (bei Obo fälschlich Aymo!) eine besondere Rolle spielte, hat Obo wiederum aus Boso entnommen, welcher nach Giesebrecht[4]) für diese Dinge die beste Quelle ist. Nur hat sich Obo dabei, vermutlich aus Oberflächlichkeit, insofern einen Irrthum zu Schulden kommen lassen, dass er den Grafen Rayno Tusculum dem kurz vorhergenannten Gegenpapst Johannes, statt, wie Boso meldet, dem kaiserlichen Stadt- präfekten Johannes Maledictus, übergeben lässt.

Dann zeigt sich eine Differenz zwischen Obo und Boso darin, dass nach dem Letzteren Alexander, als die Aussichten nach Rom zurückzukehren für ihn gescheitert waren, sich nach Segni begibt, nach Obo aber nach Anagni — was sich ebenso bei Romuald von Salerno findet.[5]) Und mit diesem, mit Romuald von Salerno, stimmt dann Obo auch wiederum bei den Mittheilungen über die Belagerung Alessandria's über- ein, indem beide die unterirdischen Minen, durch welche Fried- rich schliesslich die Stadt zu gewinnen hoffte, ‚cuniculi, nennen,[6]) während Boso von den ‚subterraneos meatus‘ spricht.

---

[1]) Nach Reuter III, 6 Anm. 6.

[2]) Trésor de Chronologie etc. (Paris 1889) p. 1108.

[3]) VI, 486 zu V, 684.

[4]) VI, 518 zu V, 739.

[5]) Mon. Germ. hist. SS. XIX, 438.

[6]) Obo p. 90: Alexandriam per hiemem obsedit, quam cum ingredi

Alles Andere, die Belagerung der Stadt selbst während des
Winters, die von Friedrich angeknüpften Verhandlungen, den
Ueberrumpelungsversuch Friedrichs, den schliesslichen Abzug des
Kaisers aus Furcht vor den bei Tortona versammelten Streit-
kräften des Lombarden-Bundes erzählt Obo im Anschluss an
Boso. Eine tendenziöse Entstellung ist es dann wieder, wenn
Obo meldet, der Kaiser habe nach diesem Misserfolg listiger
Weise über den Frieden mit dem Veroneser (!) Bund zu unter-
handeln begonnen, während selbst nach Boso und den sonstigen
Nachrichten der Wunsch nach einem friedlichen Abkommen
auf beiden Seiten der gleiche war. Dass bei den Verhand-
lungen die Venetianer die Hauptrolle spielen, ihr Rath für die
Verbündeten ausschlaggebend ist,[1]) erklärt sich aus der früher
schon hervorgehobenen Tendenz des ganzen Obo'schen Geschichtswerkes. Die Absendung dreier Kardinäle als päpst-
licher Legaten nach Pavia, die Resultatlosigkeit der Verhandlungen können wieder aus Boso stammen. Unrichtig oder eine
Uebertreibung ist es, wenn Obo behauptet, in den „folgenden
Jahren"[2]) sei, soviel er erfahren,[3]) ausser der Verfolgung des
Papstes und der Kirche und der Bedrückung der von den
Deutschen besetzten Städte Tusciens bis Rom hin nichts Denk-
würdiges vorgefallen, während doch in Wahrheit zwischen den
gescheiterten Friedensverhandlungen und dem neuen Feldzug
kaum ein Jahr verstrich.

Dass das diesmalige kaiserliche Heer grösser war als je
zuvor, ist ein nicht beweisbarer, sogar unrichtiger Zusatz Obo's.
Ebenso finde ich sonst nirgends erwähnt, dass dasselbe über
Domodossola oder durch das Thal von Ossola (Val d'Ossola)[4])

---

cuniculos (cuniculis bei Contelori) per inducias tentasset .... Romuald
l. c. p. 440: imperator ... fossas et cuniculos sub terra fieri iussit, et per
eos armatos milites intrare fecit, ut ex improviso de cuniculis repente
erumperent ....; später: eos qui in cuniculis et foveis erant ....

[1]) p. 91: Cum Veneti nihil nisi salvo pontifice Romano rebusque
ecclesiae agendum sociis civitatibus suaderent ...

[2]) p. 91: in sequentibus annis ...

[3]) cf. oben S. 154.

[4]) p. 91: saltu Domussulae superato.

nach Italien und Como gelangt sei. Doch dürfte dies der Wahrheit entsprechen, da wir auch sonst hören, dass die deutschen Schaaren über Dissentis nach Bellinzona marschierten.[1]) Dass dieselben wegen des im Monat Mai geschmolzenen Schnees einen leichten Marsch gehabt, darf man wieder für eine ausschmückende Zugabe Obo's halten.[2]) Dann tritt Boso bald wieder als Hauptquelle in seine Rechte. Die Verbündeten der Mailänder nennen beide mit einer Ausnahme gleichmässig, indem statt der von Boso aufgeführten Piacentiner Obo die Bergamasken nennt.

Beim ersten Zusammenstoss betrug nach Boso die Zahl der Mailänder 700, nach Obo gegen 800 Reiter, die zurückgeworfen wurden. Die Schilderung des weiteren Verlaufes der Schlacht von Legnano bei Obo (nach Boso) haben wir bereits oben besprochen.[3])

Und hier nach der Niederlage des Kaisers tritt nun bei Obo die entscheidende Wendung ein, dass er sich von seiner bisherigen verlässigen Hauptquelle trennt und — mit einigen Ausnahmen — legendarischen Ueberlieferungen folgt. Er erzählt, dass Friedrich nach der Niederlage bei Legnano die Rüstungen nur um so eifriger und wüthender fortgesetzt habe, ein neues Heer aus Deutschland habe kommen lassen und sogleich gegen Anagni, den Residenzort Alexanders, losmarschiert und dann weiter siegreich bis nach Tarent gezogen sei. Während Friedrich nach dem Tod des Gegenpapstes einen vierten erhoben und zu einem Kriege gegen Kaiser Manuel sich gerüstet, habe Papst Alexander sich verborgen gehalten und sich schliesslich wegen der Uebermacht des Kaisers zur heimlichen Flucht nach Venedig entschlossen.

Wir werden ihm oder Obo dahin nicht folgen, sondern nur auf Einzelnes hinweisen, was Obo dabei noch aus Boso oder anderswoher entnommen hat.

---

[1]) Giesebrecht V, 786.

[2]) p. 91: Friderici exercitus ... cum per nives Maio mense eliquatos commodum iter nactus est ...

[3]) cf. oben S. 157.

In gleicher Weise wie bei Boso, werden als Ruhestationen
des Papstes Vesti und Zara genannt; gemeinsam ist beiden
auch die Verleihung der goldenen Rose an den Dogen von
Venedig durch Alexander III am Sonntag Laetare (3. April 1177).
Ebenso konnte Obo den Abfall von Tortona und Cremona vom
Lombardenbund zum Kaiser (mit einigen Zuthaten) aus Boso
entnehmen, desgleichen die Reise des Papstes nach Ferrara.
Hingegen decken sich die Namen der in Venedig versammelten
Kardinäle nicht mit Boso und auch nicht mit Romuald von
Salerno, indem hier bei Obo fünf mehr angegeben sind.

Einer neuen besonderen Quelle aber bedient sich Obo
etwas später, wo er von dem eigentlichen Friedensschluss
selbst erzählt: das ist eben jenes Schreiben dreier Kanoniker
von St. Peter und Subdiakone der römischen Kirche in dem
‚liber Malonus‘, von welchem oben kurz die Rede war[1])
und auf welches ich hier näher eingehen will, da es von den
Neueren auffallenderweise ganz unbeachtet geblieben.

Wie oben erwähnt, ist dasselbe bei drei älteren venetianischen Chronisten überliefert:

1) in einer lateinischen, von einem Franciscus de Gratia
um das Jahr 1377 verfassten Chronik des Klosters St. Salvator
zu Venedig, welcher (im November) 1359 zum Prior des Klosters
erwählt worden war und 1382 noch lebte.[2]) In der Ausgabe
dieser Chronik[3]) ist eine damals im Archiv des Klosters aufbewahrte Handschrift — nach der Meinung des anonymen Herausgebers das Autograph des Verfassers — benutzt und zur Ergänzung der Lücken eine in der Vatikanischen Bibliothek befindliche vollständigere Abschrift herangezogen.[4]) Zu den
hieraus (aus dem Vaticanus) geschöpften Ergänzungen[5]) ge-

---

[1]) cf. oben S. 148.

[2]) cf. Foscarini, Della Letteratura Veneziana (Ausgabe von 1854)
p. 156 n. 5.

[3]) Venetiis 1766.

[4]) No. 6085 des 16. Jahrh. nach Bethmann a. a. O. Archiv XII, 255.

[5]) Ob dieselben wirklich ganz und gar Eigenthum des Franciscus
de Gratia sind oder etwa von dem späteren Abschreiber hinzugefügt
wurden, scheint nicht völlig klar.

hört unser Schreiben, welches — nach einer vorausgehenden
kurzen legendenhaften Darstellung der Ereignisse 1177 — mit
den Worten eingeleitet wird: zur grösseren Bestätigung des
Vorausgegangenen habe der Verfasser mit grosser Mühe das
Nachfolgende aus einem Buche ausziehen lassen[1]) ,qui nomi-
natur Malonus, qui habetur apud S. Petrum de Urbe'.

Eben diese Abschrift in der Vaticana hat dann ferner

2) Marino Sanudo der Jüngere benutzt, welcher
neben anderen Berichten und Aktenstücken über den Friedensschluss auch dies Schreiben in seinen gegen 1498—1501 abgefassten ,Vite de' Duchi'[2]) mittheilt und zwar nur mit den
Worten: ,Ex Libro Malonus apud S. Petrum de Urbe.'
Er verschweigt allerdings, dass er das Stück aus der Chronik
des Franciscus de Gratia entnommen, aber die Schlussworte
seiner Entlehnung mit den Angaben über die Dedikation der
Kirche des Salvator-Klosters durch Alexander III etc. etc.
können über diese Thatsache keinen Zweifel bestehen lassen.

Ferner hat

3) Laurentius de Monacis[3]) (gestorben 1429 zu Kreta
als Gross-Kanzler von Kandia, nachdem er früher ,Segretario
del Senato' in Venedig gewesen war) in seinem 1428 verfassten ,Chronicon de Rebus Venetis' (Buch VII)[4]) das Schreiben
verwertet und einen kürzeren Passus daraus theils direkt theils
in indirekter Rede mitgetheilt. Das eine Mal citiert er dabei
die Quelle so: ,In Cronica sumpta de quodam loco qui
vocatur Male ... apud Sanctum Petrum de Urbe sic
inter alia continetur'; das zweite Mal: ,In Chronica dicta
Malono sic continetur'. Vielleicht hat auch er aus der
Salvator-Chronik des Franciscus de Gratia geschöpft; immerhin ist bei ihm die kleine Differenz zu beachten, dass er ein-

---

[1]) p. 25 Anm. ,Ex Codice Vat. Ad maiorem autem actorum firmitatem cum magno tamen labore haec extrahi feci de quodam libro'
(cf. oben).

[2]) Muratori Rerum Italicarum SS. t. XXII, col. 516.

[3]) cf. Foscarini a. a. O. p. 256 ff.

[4]) Ausgabe von Flaminius Cornelius (Venetiis 1758) p. 129.

mal den eigenthümlichen Namen ‚Malonus‘ von einem Ort
(der Aufbewahrung) herrühren lässt — wofern nicht statt
‚de loco‘, wie bei de Gratia ‚de libro‘ zu lesen ist.

Ausserdem findet sich

4) eine Abschrift des Schreibens — und zwar, wie es
scheint, die älteste, nämlich von einer Hand des 14. Jahrhunderts — im ersten Bande der ‚Libri Pactorum‘ im
Staatsarchiv zu Venedig[1]) auf fol. 50 nachgetragen: ‚Hoc est
exemplum cui(usdam) chron(ice) sumpte de q(uodam)
libro qui dicitur Mallonus.‘ Und diese bisher nicht veröffentlichte Abschrift, deren Wortlaut ich der gütigen Vermittlung meines Freundes Herrn Prof. R. Predelli verdanke, möchte
ich wegen der Seltenheit des Textes und behufs leichterer
Vergleichung mit anderen Quellen mir erlauben, mit den
Varianten der übrigen Drucke in der Beilage hinten mitzutheilen.

Ehe wir auf das Schreiben näher eingehen, zuvor noch ein
Wort über den Namen der Quelle: ‚liber Malonus‘ oder
‚Mallonus.‘ Es ist mir bisher nicht gelungen, denselben
irgendwo sonst zu finden oder eine Erklärung desselben vorschlagen zu können.[2])

Was nun aber den Inhalt des Schreibens betrifft, so muss
muss man sich billig wundern, dass dasselbe in neuerer Zeit
keine Beachtung und Verwerthung gefunden hat. Denn ich
zweifle keinen Augenblick an seiner Aechtheit und Zuverlässigkeit. Betrachten wir dasselbe etwas näher.

Eingeleitet wird es mit der kurzen Notiz vom Abschluss
des Friedens und mit der Nennung der drei Schreiber des
Briefes, welche dabei gewesen seien, Alles gesehen und gehört
und es brieflich (wohl ihren Kollegen) in der nachstehenden

---

[1]) cf. Bethmann a. a. O. Archiv XII, 681.

[2]) Herr Prof. Grauert macht mich eben auf die Alexander III ge-
widmete Schrift des Canonicus Petrus Mallius über die Peterskirche
aufmerksam (cf. Acta SS. Bolland. ed. 1717 Juni t. VII, 35 ff.); möglich,
dass in einer der Handschriften derselben auch unser Schreiben sich fand
und der Name daraus verderbt ist.

Weise mitgetheilt hätten. Ihre Persönlichkeiten anderwärts nachzuweisen, ist mir bisher nicht gelungen.

In durchaus sachlicher, ruhiger Weise wird dann der Friedensschluss von dem Moment an geschildert, wo die Bevollmächtigten des Kaisers in dessen Namen den Eidschwur leisteten, den vereinbarten Frieden zu halten, bis zu den Ereignissen am 1. August inclusive. Und zwar geschieht dies in meist vollkommener, ja sogar theilweise wörtlicher Uebereinstimmung mit denjenigen Schreiben, welche A l e x a n d e r selbst in diesen Tagen (26. Juli) an verschiedene Persönlichkeiten, wie den Erzbischof Roger von York etc., über den Friedensschluss abgehen liess.[1])

Daraus würde sich nun ein neues Zeugnis dafür ergeben, dass die Eidesleistung von Seite der Bevollmächtigten Friedrichs doch schon am 21. Juli (nicht am 22. oder 23. Juli) erfolgte.[2]) Der Angabe im Schreiben Alexanders ‚duodecimo Kal. Augusti‘ entspricht hier genau: ‚in V i g i l i a B. M. M a g d a l e n e‘, dh. der 21. Juli, der auf den Donnerstag fiel.

Ich sagte eben: schon am 21., nicht am 22. oder 23. Juli. Für das erstere Datum hat sich, wie vor ihm P r u t z[3]) und besonders C. P e t e r s, Untersuchungen zur Geschichte des Friedens von Venedig[4]), auch G i e s e b r e c h t[5]) entschieden. Es ist aber irrig, wenn er dafür[6]) Romuald als Gewährsmann anführt. Denn ganz richtig bemerkt Peters[7]), sowohl nach Romuald als nach Boso scheine es, als ob am Tage vor dem (sicher am 24. Juli erfolgten) Einzug Friedrichs in Venedig

---

[1]) cf. Watterich a. a. O. II, 625 n. 8 und Migne, Cursus Patrologiae Latinae t. 200 p. 1130.

[2]) cf. Giesebrecht VI, 642.

[3]) Kaiser Friedrich I Bd. II, S. 822.

[4]) Hannover 1879 S. 116 und mit ihm übereinstimmend E i c h n e r „Beiträge zur Geschichte des Venetianer Friedenskongresses vom Jahre 1177“ (1886) S. 58.

[5]) a. a. O. V, 835.

[6]) VI, 642.

[7]) S. 116.

die Beschwörung des Friedens stattgefunden habe. „Beide
lassen nach der Beschwörung Friedrich nach S. Nicolo ein-
holen, allerdings sagen sie nicht, dass das an ein und demselben Tage geschehen sei.“ Beide geben eben überhaupt
für die früheren Ereignisse keine genauen Daten an; das ‚Altera
die‘ Romualds[1]) schwebt ganz in der Luft. Insofern widersprechen diese Angaben allerdings auch nicht dem genauen
Datum des 22. Juli, welches in der ‚Relatio de pace Veneta‘
überliefert ist.[2]) Dass aber auch diese Quelle nicht fehlerfrei
ist, wird sogleich bei den nachfolgenden Ereignissen zu bemerken sein; und ich weiss nicht, ob man auf sie allein gegenüber der Angabe im Schreiben Alexanders und nun auch in
diesem vorliegenden Schreiben ein so grosses Gewicht legen
darf. Dass die kaiserlichen Bevollmächtigten mit den Kardinälen noch am 21. Juli sich zum Papste begaben, nimmt
auch Giesebrecht an.[3]) Warum sollten sie nicht am gleichen
Tage noch den Eidschwur abgelegt haben?

Fehlerfrei ist ja allerdings auch das Schreiben Alexanders
nicht. Wie Romuald fälschlich den Grafen Heinrich von Diez[4])
nennt, so ist ebensowenig ein Sohn des Markgrafen Albrecht
von Brandenburg einer der kaiserlichen Eidesleister gewesen.[5])
Dieser Fehler ist hier (in unserem Schreiben) durch Weglassung des Namens vermieden; der andere Schwörende, der kaiser-

---

[1]) Mon. Germ. hist. SS. XIX, 452.

[2]) ‚feria sexta, quarta scilicet die ante festivitatem sancti Jacobi apo-
stoli‘ Mon. Germ. hist. SS. XIX, 462 und neuerdings in der Ausgabe von Ugo
Balzani im ‚Bullettino dell' Istituto Storico Italiano‘ n. 10 p. 13, welcher
gegen die bisherige Ansicht (besonders von Arndt und Peters, Untersuchungen S. 123) von der Gleichzeitigkeit und venetianischen Heimat
des Verfassers sehr beachtenswerthe Momente vorbringt. Uebrigens hat
auch Giesebrecht öfters auf die Irrigkeit der Angaben in der Relatio
hinweisen müssen.

[3]) V, 535.

[4]) Statt Dedo von Groitzsch.

[5]) In den Mon. Germ. hist. Legum sectio t. IV p. 365 wird (zur
Entschuldigung) darauf aufmerksam gemacht, dass Dedo der Sohn des
Markgrafen Otto von Meissen war.

liche Kämmerer (Sigibot) wird hier gewissermassen als Ober-Kämmerer bezeichnet.[1])

Sonst verdient noch der wörtliche Anklang unseres Schreibens an den bei Boso überlieferten Eid dieser beiden Bevollmächtigten in folgenden Wendungen hervorgehoben zu werden: ‚ex quo dominus imperator veniret (Boso: ‚venerit‘) Venetias‘ und ‚omni contradictione et quaestione postposita‘ (Boso: ‚omni quaestione et contradictione amota‘, Alexander: ‚omni quaestione et contradictione sopita‘).

Als Tag ‚der Ankunft des Kaisers im Kloster S. Nicolo am Lido (‚quod distabat ab urbe jam dicta per milliarium a Venetiis‘ heisst es hier, wie bei Alexander: ecclesia b. Nicolai quae per unum milliare distat a Venetiis) wird hier ganz richtig der 23. Juli (Samstag), dies Apollinaris, angegeben, an welchem Friedrich dort eingetroffen sei, um die Kardinäle zu erwarten, welche „am folgenden Tage“, also am 24. Juli (Sonntag) auf Befehl des Papstes in aller Frühe zum Kaiser sich begaben und ihn nach feierlicher Lossagung von den schismatischen Päpsten vom Banne lösten.[2]) Im Schreiben Alexanders wird berichtet, dass der Kaiser am 24. Juli nach der Kirche des heil. Nikolaus gekommen sei[3]), und für die Lossprechung vom Bann und für den Einzug in Venedig ist dann kein eigenes Datum mehr angegeben, welche eben sicher am 24. Juli stattfanden.

---

[1]) alter in imperiali domo supra omnes camerarios gerebat officium.

[2]) Dass die ‚Relatio de pace Veneta‘ irrig angibt, die Kardinäle seien schon am 23. zum Kaiser gekommen und bis zum folgenden Tag bei ihm geblieben (Balzani p. 14 ‚in sabbato misit papa IIII cardinales — ad imperatorem‘ und nochmals später p. 15: ‚adest galera ducis in qua erat imperator cum duce et cardinalibus qui ad eum pridie missi fuerant‘), hat schon Giesebrecht VI, 543 bemerkt.

[3]) ‚Nono Kal. Augusti‘; wie Giesebrecht (VI, 542 zu V, 835) meint, in Folge eines ‚Flüchtigkeitsfehlers der päpstlichen Kanzlei.‘ Peters macht aber (etwas gezwungen, jedoch nicht unrichtig) darauf aufmerksam, dass es nur heisse, Friedrich sei am 24. in die Kirche gekommen, um die Absolution zu empfangen, was nicht ausschliesse, dass er Tags oder Abends zuvor schon im Kloster angelangt sei, wie es auch in unserem Schreiben heisst.

Unser Schreiben ist somit jedenfalls korrekter als das des Papstes.

Es verdient aber auch den Vorzug vor demselben hinsichtlich des denkwürdigen 24. Juli, über welchen Alexander — in anerkennenswerth selbstloser bescheidener Weise — ja sehr kurz hinweggeht. Auch unser Schreiben ist durchaus frei von jeder Uebertreibung. Neu erscheint in demselben, dass es hier heisst, der Kaiser habe zu wiederholten Malen dem Papste die Füsse geküsst und so oft er dies gethan, sei vom Klerus und der Menge[1]) das ‚Te deum laudamus‘ angestimmt worden.

Ebenso besteht über die Ereignisse des 25. Juli (Montag) (b. Jacobi festivitas) zwischen beiden Schreiben völlige, ja zum Theil wörtliche Uebereinstimmung, insbesondere über die Scene des Haltens des Steigbügels.[2]) Beachtenswerth ist, dass auch hier, wie in Alexanders Schreiben, nichts davon erwähnt ist, dass der Kaiser das Pferd des Papstes auch noch am Zügel führen wollte, wie Boso berichtet, oder es gar eine Strecke geführt habe, wie Romuald wiederum übertreibend erzählt.

Damit schliesst ja das Schreiben Alexanders, welches vom 26. Juli datiert ist und daher unseren Briefstellern auch wohl zu Gesicht gekommen und von ihnen benützt worden sein kann.

----

[1]) ‚innumera multitudine virorum et mulierum praesente‘ heisst es auch bei Alexander.

[2]) Man vergleiche hier: ‚ab imperatore rogatus ad ecclesiam b. Marci missam celebraturus adveniens‘ mit Alexanders Worten: ‚ab imperatore rogati ad . . . ecclesiam s. Marci solemnia celebraturi missarum accessimus‘; ferner hier: ‚staffam sibi tenuit et eum in suo palafredo studiosius collocavit‘ mit Alexander: ‚cum ascenderemus palefridum nostrum . . . stapham tenuit‘. Cf. in der ‚Relatio de pace Veneta‘ (Balzani p. 15): ‚imperator streviam illius tenuit‘, wo aber diese Scene fälschlich auf den ersten Empfangstag (24. Juli) verlegt ist und dabei noch ausdrücklich gesagt wird: ‚hec omnia die dominica . . . . ita peracta sunt.‘ — Falsch ist auch, wenn die ‚Relatio‘ behauptet (p. 15), der Patriarch von Venedig (Grado) habe am 24. Juli zur Rechten des den Kaiser erwartenden Papstes gesessen, während derselbe vielmehr nach Romuald (p. 452) und der Historia ducum Venetic. (Mon. Germ. hist. SS. XIV, p. 88) mit dem Dogen den Kaiser von S. Nicolo abholte.

Diese berichten dann aber auch noch vom 1. August, und in diesem Theil finden sich einige grössere Differenzen, insbesondere gegenüber der Erzählung des Romuald von Salerno, welcher hierüber die ausführlichsten Nachrichten hat.[1]) Nach Romuald hält am 1. August, dem eigentlichen Tag des offiziellen Friedensschlusses, zuerst Alexander III eine Rede, welche in der Anerkennung des Kaisers, seiner Gemahlin und seines Sohnes als katholischer Fürsten gipfelt. In gleicher Weise folgt dann der Kaiser mit einer deutschen, durch Christian von Mainz (ins Lateinische oder Italienische?[2]) übersetzten Rede, welche die Anerkennung Alexanders als rechtmässigen Papstes aussprach. Dann erst schwört nach Romuald der Graf Heinrich von Dietz im Namen des Kaisers, dass er den geschlossenen Frieden etc. halten wolle, und das Gleiche thun dann 10 oder 12 deutsche Fürsten und ähnlich die sizilianischen Gesandten und die Vertreter des Lombardenbundes. In unserem Schreiben ist die Reihenfolge eine andere: hier beginnt der ungenannte Graf im Namen des Kaisers, dann folgen die deutschen Fürsten, dann die sizilianischen Gesandten. Hierauf scheint der Kaiser, bezw. der Erzbischof Christian von

---

[1]) l. c. XIX, 453.

[2]) Das Letztere meint (W. Arndt und) Giesebrecht V, 841, welcher auch sagt (ebda. 840), der Papst scheine italienisch gesprochen zu haben — jedenfalls im Hinblick auf die Worte Romualds (p. 453): ‚imperator .... coepit in lingua Theutonica concionari, Christiano cancellario verba sua vulgariter exponente‘. Ich glaube aber nicht, dass unter diesem ‚vulgariter‘ damals schon an das Italienische zu denken ist. Vom Papste sagt Romuald hier nur: ‚sic est exorsus‘, während er unter dem 25. Juli von der Ansprache des Papstes an das Volk ausdrücklich bemerkt: ‚verba quae ipse latine proferebat, fecit per patriarcham Aquileiae in lingua Teutonica evidenter exponi‘. Das Wort ‚latine‘ findet sich allerdings nicht in allen Handschriften (cf. Watterich II, 625 und Muratori VII, 232), sondern in den ältesten (Mon. Germ. l. c. p. 453) dafür der Ausdruck ‚litteratorie‘ (und ‚litterate‘); aber der letztere bedeutet nach Du Cange, Glossarium etc. eben auch ‚latine‘. Wenn der Papst bei dieser Gelegenheit ‚ut alloqueretur populum‘ sich der lateinischen Sprache bediente, warum sollte er dies nicht vor einem doch kleineren Kreise am 1. August gethan haben?

Mainz mit entsprechenden Worten gefolgt zu sein. Denn es
heisst hier: „Nachdem unser Herr, der Papst, alles gehört,
was der Kaiser stehend[1]) und Christian von Mainz
gesprochen[2]), ergriff er das Wort, um die Anerkennung Friedrichs etc. zu verkünden."

Boso weiss weder von einer Rede des Papstes noch des
Kaisers und lässt nur den Grafen Heinrich von Dietz sogleich
(auf Befehl des Kaisers[3]), wie auch die anderen deutschen
Fürsten, dann die sizilianischen Gesandten und die Lombarden
den Eid leisten (von welch' letzteren in unserem Schreiben
keine Rede ist).

Streng genommen entspricht eigentlich die Reihenfolge,
wie sie in unserem Schreiben mitgetheilt ist, meine ich, am
meisten der Sachlage. Nicht Alexander hatte an diesem
offiziellsten Tage zuerst den Kaiser wieder zu Gnaden anzunehmen, sondern umgekehrt am Kaiser war es, feierlich auf
seine bisherige Politik zu verzichten und den von ihm so lange
bekämpften Papst anzuerkennen; dem siegreichen Papste kam
sicherlich hier das letzte, das Schlusswort zu.[4])

Eine bedeutendere Differenz liegt weiter noch darin
vor, dass nach unserem Schreiben der Eid des Grafen (von
Dietz) auch einen Passus über die Rückgabe aller Regalien
enthielt, welche während des Schisma's der Kirche genommen

---

[1]) cf. unten Anm. 3 bei Boso „stans'.

[2]) Die Worte „more nostre gentis loquens', deren Beziehung in Folge
ihrer Stellung etwas zweifelhaft erscheint, werden doch wohl eher zu
Christian von Mainz als zum Papst gehören (cf. oben bei Romuald
„vulgariter').

[3]) p. 442; Duchesne p. 440: Pontifex et imperator consistorium pariter
intraverunt. Tunc imperator coram Pontifice stans in communi auditorio
praecepit comiti Henrico de Des, quatenus . . . .

[4]) cf. auch das Schreiben Alexanders an Erzbischof Richard von
Canterbury vom 6. August (bei Watterich a. a. O. II, 631 n. 1 und Migne
a. a. O. p. 1140), worin er nach Erwähnung der Eidesleistung sagt: gleich-
wie der Kaiser ihn als rechtmässigen Papst, so habe auch er den Kaiser,
seine Gemahlin und seinen Sohn anerkannt. Jenes ging also voraus, nicht
umgekehrt, wie Romuald angibt, dieses.

worden seien und nun innerhalb 3 Monate dem Papste zurückgegeben werden sollten — ein Passus, welcher sonst nirgends in dem überlieferten Eide des genannten Grafen sich findet, aber ja allerdings den Friedensbestimmungen in gewissem Masse entspricht.

Freilich ist in dem Aktenstücke, welches den eigentlichen Friedensvertrag enthält[1]), der Ausdruck ‚regalia‘ vermieden, welcher hingegen wohl im früheren ‚Pactum Anagninum‘[2]) zu lesen ist; und statt der ‚universa regalia et alias possessiones s. Petri‘ wird in dem ‚Pactum Venetum‘ vielmehr gesagt: ‚omnem possessionem et tenementum‘ solle der Kaiser zurückerstatten. Doch liesse sich diese Differenz vielleicht dadurch erklären, dass zur Zeit, als unser Schreiben abgefasst wurde — und zwar fällt es, wie sogleich zu zeigen sein wird, in die erste Woche nach dem 1. August — die ‚Pax Veneta‘ vielleicht noch nicht aufgesetzt, noch nicht endgültig redigiert war.

Aber auffallender ist, dass auch im ‚Pactum Anagninum‘ von einer Rückgabe der Regalien „innerhalb dreier Monate", wie es hier heisst, nicht die Rede ist.

Dagegen berichtet ja auch Boso, dass der Kaiser vor seiner Abreise von Venedig Christian von Mainz dem Papste beigegeben und ihn beauftragt habe, die Rückgabe der Regalien innerhalb dreier Monate zu bewerkstelligen.[3]) Mit einer blossen Erfindung dürfte man es also auch in unserem Schreiben nicht zu thun zu haben.

Ein weiterer, nicht gleich wichtiger (aber anderwärts auch nicht überlieferter) Zusatz ist ferner in unserem Schreiben der, dass die deutschen Fürsten, welche ausser jenem Grafen den

---

[1]) Jetzt in den Mon. Germ. hist. Legum Sectio IV t. I p. 362 u. ff.

[2]) Ebda. p. 350 u. ff.; cf. zu beiden Aktenstücken Kehr im Neuen Archiv der Ges. f. ä. d. G. XIII, 77 u. ff.

[3]) l. c. p. 446; Duchesne p. 443: Pro restituendis praedictis regalibus et caeteris possessionibus ecclesiae (ausser dem Gute der Gräfin Mathilde und der Grafschaft Bertinoro) illico eundem Maguntinum pontifici assisverit, praecipiens ei sub obtentu gratiae suae, ut restitutionem ipsam infra tres menses cum integritate perficeret.

gleichen Eid leisteten — hier werden nur die 3 Erzbischöfe und der Erwählte von Worms genannt[1]) —, sich verpflichtet haben sollen, den Kaiser zum unverbrüchlichen Festhalten an seinen Versprechungen zu veranlassen.

Unser Schreiben schliesst mit einem interessanten, werthvollen Hinweis auf das ,Konzil', welches der Papst im Einvernehmen mit allen Betheiligten zur weiteren Verdammung des Schisma's und Sicherung des Friedens in „dieser oder der nächsten Woche" halten wolle. Da dasselbe dann nach dem Zeugniss Boso's und Romualds[2]) wirklich am 14. August gehalten wurde, so erhellt aus jener Angabe, dass die Verabfassung unseres Schreibens wohl in die ersten Tage nach dem 1. August zu setzen sein wird.

So haben wir Alles in Allem in unserem Schreiben ein Schriftstück vor uns, welches wegen seines Inhaltes und wegen seiner Gleichzeitigkeit das regste Interesse und vollste Beachtung beanspruchen darf.

Dasselbe benutzt und dadurch auf dasselbe aufmerksam gemacht zu haben, darf bei aller Fragwürdigkeit des sonstigen Gehaltes seines Geschichtswerkes immerhin als ein Verdienst Obo's betrachtet werden.

Dass Obo in der That aus diesem Schreiben geschöpft hat, und nicht etwa, wie Olmo meinte[3]), das Umgekehrte der Fall ist, kann bei näherer Betrachtung keinem Zweifel unterliegen, obgleich Obo die Benützung etwas zu verschleiern sucht

---

[1]) In Wahrheit waren es zehn und nicht zwölf, wie meiner Meinung nach Weiland bei Wiedergabe des ,Juramentum' (Mon. Germ. hist. Legum sectio IV tom. I p. 360) richtig darlegt im Anschluss an Boso und gegen Romuald, welch' letzterem Giesebrecht VI, 544 zu V, 841, Peters S. 126 bis 127, Eichner S. 62 beipflichten. Wenn sich Giesebrecht u. a. O. dabei auf das von Boso selbst mitgetheilte Schreiben 12 deutscher Fürsten beruft, ,wodurch sie den geschworenen Eid noch ausdrücklich verbrieften', so entspricht dies nicht ganz dem Inhalt. Von dem geleisteten Eid ist darin gar nicht die Rede.

[2]) Watterich p. 443; Duchesne p. 441, wo ebenfalls dieses Datum angegeben ist; Mon. Germ. l. c. p. 453; cf. Giesebrecht VI, 549 zu V, 872.

[3]) cf. oben S. 148.

und daneben und dazwischen auch wieder Boso und legendarische Quellen für die Schilderung der Ereignisse verwendet. Statt ‚in vigilia b. M. Magdalene‘ sagt er (doch weniger
gebräuchlich) ‚pridie festi Magdalene‘; statt der Worte ‚alter
in imperiali domo supra omnes camerarios gerebat officium‘
wählt er den Ausdruck ‚Archicamerarius‘. Aber die Bezeichnung des Tages, an welchem Friedrich im S. Nikolaus-Kloster
am Lido eintraf, des 23. Juli, durch den ‚dies beati Apollinaris‘,
und gleichlautende Worte, wie dass die Kardinäle Friedrich
‚a vinculo anathematis solverunt‘, verrathen schon die Entlehnung aus dem Schreiben, dessen Verwerthung durch Obo
im Einzelnen zu zeigen ich wohl unterlassen darf.

Hinwiederum stammt aus Boso, dass Friedrich bei der
ersten Zusammenkunft mit dem Papste seinen Mantel abgelegt
(deiecta ex humero fulgente clamyde bei Obo = deposita
clamyde bei Boso), während auf venetianische und andere
legendarische Quellen zurückgeht, was Obo fälschlich vom Ein-
holen des Kaisers durch den Sohn des Dogen, Peter Ziani, am
21. oder 22. Juli von ‚Ostium Padi Volane‘ nach Chioggia [1])
und von der Demüthigung des Kaisers durch den seinen Fuss
auf dessen Nacken setzenden Papst erzählt.

Selbständige Ausschmückung von Seiten Obo's ist es
daneben wiederum, wenn er z. B. berichtet, dass der Kaiser am
zweiten Festtage (25. Juli) nach der Messe den auf seinem
Zelter sitzenden Papst zu Fuss zur Rechten, der Doge aber
zur Linken über den Markusplatz geleitet habe.[2])

---

[1]) Vielleicht Verwechslung mit der früheren Ueberführung Friedrichs
von Ravenna (st. Pomposia) nach Chioggia, von welcher die ‚Historia
ducum Veneticorum‘ (Mon. Germ. Hist. SS. XIV, 88) berichtet. Pomposia
(welches Romuald als zeitweiligen Aufenthaltsort des Kaisers nennt; er
begab sich dann nach Romuald von hier nach Cesena und von da nach
Chioggia) liegt ganz in der Nähe der Volano-Po-Mündung.

[2]) p. 105: In sequenti divi Jacobi luce pontifex Friderici precibus
adductus sacra celebravit. Quibus rite absolutis, imperator ut omnia
mansueti animi documenta praestaret, pontifici equum candidum, ut
moris est, conscendenti, ad ephippia constitit: eaque ministri peditis
officiis functus continuit. Mox et pedibus in equo residentem a dextra,
Sebastiano duce a laeva prosequente per aream divi Marci comitatus est.

Auf besserer Grundlage beruhen Obo's Angaben über die
zwischen dem Kaiser und den Venetianern getroffenen
Vereinbarungen. Es scheint mir nicht zweifelhaft, dass er
hiefür die betreffenden Urkunden selbst vor sich gehabt hat.
Wenn er auch den Inhalt derselben nur sehr summarisch wiedergibt, den Hauptpunkt hebt er doch eigentlich richtig hervor,
indem er sagt, die Venetianer seien im ganzen Reich für ab-
gabenfrei erklärt worden, ebenso die kaiserlichen Unterthanen
auf dem Meere bis zu den Grenzen Venedigs, bei deren Ueber-
schreitung sie Zoll zahlen sollten.[1])

Vielleicht stammt auch aus der betreffenden Urkunde eine
Anzahl der von Obo als Theilnehmer am Friedenskongress aufgeführten[2]) geistlichen und weltlichen Fürsten, da die
Reihenfolge zum Theil die gleiche ist. Die Namen der übrigen,
in der Urkunde nicht genannten, Fürsten und Grossen finden
sich in jenem ausführlichen Verzeichnisse der Theilnehmer,
welches die allgemein als besonders werthvoll anerkannte Beigabe der ‚Historia ducum Veneticorum' bildet;[3]) und zwar
scheint Obo, wie z. B. aus dem ‚Sifridus Cenetensis' zu schliessen,
eine Fassung des Verzeichnisses benutzt zu haben, welche auch
Olmo und Morari vorlag.[4])

---

[1]) p. 105: Veneti per omnia imperii loca immunes effecti. Impera-
torii per mare usque ad Venetos identidem immunes; Venetorum fines
ingressi vectigal penderent. Im ‚Pactum cum Venetis' vom 17. August
1177 heisst es (Mon. Germ. hist. Legum sectio IV t. I p. 876): Ripaticum
et quadragesimum Venetis detur secundum antiquam consuetudinem. Ipsi
vero Veneti per totum imperium et per totam terram, quam vel nunc
habemus vel in posterum auctore Deo habituri sumus, liberi sint ab
omni exactione et dacione; et licentiam habeant homines ipsius
ducis ambulandi per terram seu per flumina tocius imperii nostri; similiter et nostri per mare usque ad eos et non amplius. Cf. hiezu A. Baer,
Die Beziehungen Venedigs zum Kaiserreiche in der staufischen Zeit (1888)
S. 58 und W. Lenel, Die Entstehung der Vorherrschaft Venedigs an der
Adria etc. (1897) S. 4.

[2]) p. 105.

[3]) Mon. Germ. hist. SS. XIV, 84 u. ff.

[4]) cf. ibid. S. 85 Anm. 11.

Und so wird man denn dem Geschichtswerke Obo's, so viel Legendenhaftes es auch besonders noch am Schluss über die Abreise des Kaisers und des Papstes von Venedig, über ihr Zusammentreffen in Ancona etc. enthält, trotz alledem einen gewissen Werth nicht absprechen können, und es verdient immerhin mehr Beachtung, als ihm speziell in neuerer Zeit zu Theil geworden.

II. Der grosse Ablass für S. Marco.

Unter den Ehren und Auszeichnungen, welche Alexander III bei seinem Aufenthalt in Venedig angeblich verliehen hat, nimmt der grosse vollkommene Ablass für die Markuskirche nicht die geringste Stelle ein. War ja das Fest der ‚Sensa‘, das Himmelfahrtsfest, das glänzendste und berühmteste unter allen den vielen Festen, welche die Republik gefeiert hat, und damit war die Erinnerung an den Ablass, als für diesen Tag verliehen, unauslöschlich verbunden.

Selbst ein so vorsichtiger Gelehrter, wie Angelo Zon, dessen wir vorher gedacht haben, steht in der oben erwähnten Abhandlung[1]) nicht an, den Ablass für ächt d. h. für thatsächlich von Alexander ertheilt zu erklären ‚per ogni ragione di buona critica deve al certo ritenersi genuina quella (indulgenza) di san Marco nei dì della Ascensione, consacrata com' è dalla più costante tradizione veneziana e forestiera e la quale nulla dissuona che possa esser stata da lui medesimo accordata a quella principalissima e tanto venerata basilica del Governo Veneziano, nell' occasione di essersi trovato presente alla sopra indicata annuale funzione che accostumavasi in tal giorno (nämlich die feierliche Vermählung des Dogen mit dem Meere ‚lo sposalizio del mare‘). Zon ist dabei einsichtig genug zu erkennen und freimüthig genug zu erklären, dass die (mehrfach) gedruckte Bulle nichts berichte von den Siegen etc. der Venetianer, zu deren Belohnung sie angeblich erlassen wurde,

---

[1]) Memorie intorno alla venuta etc. (cf. oben S. 146) in Cicogna's Inscrizioni Veneziane t. IV p. 574 u. ff.

und dass sie allerdings nicht frei sei von Fälschungen
in den Unterschriften der Kardinäle (la quale per certo
non va esente da falsificazioni nelle firme de' cardinali). Aber
seine Meinung ist offenbar die, dass Alexander, wie er anderen
Kirchen Venedigs sicher theilweise Ablässe verlieben, so der
Basilika von S. Marco wirklich einen vollkommenen ertheilt habe.

Auch Romanin, dem wir das gediegenste Geschichtswerk
über Venedig verdanken, spricht[1]) unter Berufung auf eine
Abschrift der Bulle in den ‚Libri Pactorum I, 123‘ von den
‚ampie indulgenze‘ Alexanders für S. Marco.

Wir sind heute anderer Meinung und behaupten, dass dies
trotzdem irrig, die Ablassbulle Alexanders trotz aller ‚konstauten‘ Ueberlieferung[2]) unächt sei. Und zwar nicht blos
wegen der, auch von Zon verdächtigten, Kardinals-Unterschriften, welche mit anderen aus der gleichen Zeit nicht
stimmen, vielmehr, wie ein Blick in Gams, Series Episcoporum
lehrt, in eine viel spätere Zeit gehören; auch nicht blos wegen
des falschen Ausstellungsortes ‚Venetiis‘, während sonst alle
Urkunden und Schreiben Alexanders ‚in Rivo alto‘ datiert sind.
Vor Allem der Inhalt der Ablassbulle spricht gegen ihre
Aechtheit.   Denn ein vollkommener Ablass ist eben damals,
ausser an Kreuzfahrer, überhaupt nicht verliehen worden;
vielmehr gewöhnlich[3]) nur ein unvollkommener, theilweiser
(von einer beschränkten Zeitdauer).   Und Jaffé hatte ganz
recht, wenn er die Bulle unter die ‚Spuria‘ verwies.[4])

Dies ist auch nicht der Grund, warum ich hier darauf zurück-
komme. Nicht auch als ob ich etwa eine Rettung derselben ver-

---

[1]) In seiner ‚Storia documentata di Venezia‘ II, 109.

[2]) Nur Flaminius Cornelius bat seine Bedenken gegen die Aechtheit
geäussert und deshalb auf den Abdruck der Urkunde verzichtet. Er sagt
‚Ecclesiae Venetae‘ Dec. XIII p. I p. 118: ... indulgentiarum diploma,
cum in multis laborare putemus, consulto praetermittimus‘.

[3]) cf. Amort, Historia indulgentiarum (1738) p. 106 b und Raynald,
Ann. Ecclesiastici ad 1177 n. 49.

[4]) Regesta Pontificum Romanorum 1. Aufl. No. CCCCXVI; 2. Aufl.
No. 12885.

suchen wollte. Aber von Interesse erscheint es, einmal zu untersuchen, w a n n etwa die Bulle gefälscht wurde, oder wann denn
der Mythus von dem Empfang eines vollkommenen Ablasses
sich bildete.[1])

Schwerlich, wie ich glaube, vor der zweiten Hälfte, dem
Ausgang des 13. Jahrhunderts.

Bei Flaminius C o r n e l i u s, Ecclesiae Venetae[2]) ist eine an
den Primicerius und das Kapitel von S. Marco gerichtete ächte
Bulle überliefert, worin den reumüthigen Besuchern der Kirche
am Tage des hl. Markus und am Himmelfahrtsfest ein Ablass
von e i n e m Jahre und 40 Tagen verliehen wird. Nur ist die
Datierung bei Cornelius irrig; die Bulle ‚Inter sanctorum agmina'
gehört nicht zum 19. Dezember 1278 unter den Pontifikat
Nikolaus' III, sondern, wie P o t t h a s t annahm[3]), zum 19. Dezember 1289 unter den Pontifikat N i k o l a u s' IV — wie dies
nun aus den Registerbänden dieses Papstes selbst auch erhellt
und bestätigt wird.[4]) Ob man vor dieser Zeit die Fälschung
gewagt, ist doch fraglich.

Freilich scheint dem entgegen zu stehen, dass auch in
jener — obenerwähnten, so zuverlässigen — ‚H i s t o r i a d u c u m
V e n e t i c o r u m' bereits der Ertheilung des vollkommenen Ab-

---

[1]) Eine etwas abweichende Ueberlieferung über den Umfang des
Ablasses hat W a t t e n b a c h aus einer jetzt Wolfenbüttler Handschrift im
Neuen Archiv d. Ges. f. ä. d. G. VII, 137 mitgetheilt: ... dominus papa
largitus est talem graciam monasterio S. Marci: Quod omnis qui in-
greditur ante ascensionem Domini VIII diebus, quociescumque intraverit,
habebit C annos et septimam partem de omnibus peccatis indulgenciam.
Et in vigilia ascensionis Domini incipit talis indulgentia, quod omnis
qui confessus et contritus monasterium S. Marci intraverit, absolvitur a
pena et a culpa, et per octavam predictam indulgenciam, C annos vide-
licet et septimam partem omnium peccatorum, meretur consequi. Et
predictus sanctus pater papa Alexander III consecravit monasterium
S. Marci eodem die, et addidit indulgenciam que sicut harena non potest
dinumerari.

[2]) Dec. XIII p. I p. 245.

[3]) Regesta Pontificum Romanorum No. 23146.

[4]) cf. L a n g l o i s, Les registres de Nicolaus IV in der Bibliothèque
des écoles françaises d'Athènes et de Rome 2º série t. V, 3 p. 340. No. 1884.

lasses durch Alexander gedacht wird [1]), deren Abfassung in die erste Hälfte, ja sogar in die 20er Jahre des 13. Jahrhunderts zu setzen ist. Aber es ist hier darauf aufmerksam zu machen, dass gerade dieser Theil der 'Historia ducum' aus einer Handschrift des 17. Jahrhunderts ergänzt ist, wo also leicht der damals herrschenden Ueberlieferung gemäss der betreffende Passus eingeschoben werden konnte.

Ob in der Chronik des Martino da Canale, die derselbe 1267 begann und bis wenigstens 1275 fortsetzte [2]), eine Notiz darüber enthalten war, lässt sich heute nicht mehr sagen; denn in der einzigen davon bekannten Handschrift ist an dieser Stelle gerade eine Lücke. Dagegen findet sich in der Chronik des Frater Marcus, welche 1292 begonnen und wenigstens bis 1304 fortgeführt wurde [3]), allerdings ein (leider nicht ganz verständlicher) Passus über eine von Alexander Venedig allein verliehene 'gratia de officio in die Ascensionis'.

Und vollends die venetianischen Geschichtschreiber des 14. Jahrhunderts sind alle — ausgenommen den älteren Marino Sanudo Torsello — bereits voll von den Legenden über jene Ereignisse von 1177 und darunter auch von der eines allgemeinen Ablasses. Zuerst finde ich denselben, bezw. die Verleihung durch Alexander, erwähnt in der ungedruckten zweiten Recension des grossen Geschichtswerkes des Frater Paulinus, späteren Bischofs von Puteoli, und zwar unter den Nachträgen für die dritte Recension. [4]) Dann hat besonders Andrea Dandolo die Nachricht davon in seine Chronik aufgenommen [5]) und ihr damit die wei-

---

[1]) Mon. Germ. hist. SS. XIV, 88: Hie indulgentiam de pena et culpa omnibus dedit vere penitentibus et confessis, si quis ad ecclesiam sancti Marci in die ascensionis domini nostri Jesu Christi peregre fuerit, die illo incipiente a vesperis vigilie illius diei, finiente die sequenti tota.

[2]) cf. meinen „Andreas Dandolo und seine Geschichtswerke" S. 110.

[3]) cf. meine „Venetianischen Studien" I, 55 ff.

[4]) cf. über diesen meinen oben (S. 151 Anm. 6) erwähnten Aufsatz: „Bemerkungen zu der Weltchronik des Frater Paulinus von Venedig, Bischofs von Pozzuoli" in der Deutschen Zeitschrift für Geschichtswissenschaft 1893 Bd. X Hft. 1.

[5]) Muratori SS. Rer. Italic. t. XII, col. 308 E.

teste Verbreitung gesichert. Die sozusagen offizielle Weihe
aber hat sie dann, wie wir sogleich sehen werden, geraume
Zeit später erhalten.

Fragen wir aber zuvor, ob sich etwa ein bestimmter Moment und vielleicht auch Grund für die Lanzierung dieser Nachricht bezw. dieses Ereignisses in die Oeffentlichkeit angeben lässt,
so möchte man bei einem Ueberblick über die Beziehungen
zwischen der Republik und der Kurie an jene bedenkliche
Störung derselben denken, welche im Jahre 1309 durch die
Ferraresischen Verwickelungen verursacht wurde. Es ist
bekannt, wie die Venetianer nach dem Tode des Markgrafen
Azzo im Januar 1308 durch Betheiligung an den dort entstandenen Erbstreitigkeiten (indem sie aufgefordert von dem
einen Prätendenten Fresco für ihn Partei ergriffen) sich den
höchsten Zorn des Papstes (der für den Gegner eintrat und
die Oberhoheit der Kirche über Ferrara geltend machte) zuzogen,
und wie Clemens V am 27. März 1309 den schwersten Bannfluch
über die widerspenstige Republik aussprach, welcher ihr dann
namentlich nicht geringen materiellen Schaden zufügte.[1]) Bei
den Gegenvorstellungen der venetianischen Gesandten sollen
dieselben nach der Angabe des Laurentius de Monacis[2]) auf
die treuen Dienste hingewiesen haben, welche die Venetianer
der Kirche von jeher z. B. insbesondere auch gegen die beiden
Friedriche (die staufischen Kaiser) und sonst geleistet. Aber erst
am 27. Februar 1313 löste der Papst die Republik wieder vom
Bann. Liegt es da nicht nahe, daran zu denken, dass man in
Venedig von offizieller Seite gerade damals die Gewährung
eines vollkommenen Ablasses für die Markuskirche gewissermassen als einigen Entgelt für die erlittene Demüthigung hin-
stellte und sozusagen einschmuggelte?

Mit der Zeit scheint man aber auch bei der Kurie selbst
weiter keinen Anstand an dem für S. Marco verliehenen voll-

---

[1]) cf. Lebret, Staatsgeschichte der Republik Venedig I, 674 ff.;
Romanin, Storia doc. III, 11 u. ff.; Lenel a. a. O. S. 77 u. ff.

[2]) Chronicon l. c. p. 266.

kommenen Ablass genommen zu haben.   Wir lesen, dass Boni-
faz IX mehreren Kirchen am Ende des 14. Jahrhunderts denselben Ablass verliehen habe, dessen die Besucher der Markuskirche
am Himmelfahrtsfeste theilhaftig würden.   So 1398 den ‚Con-
fratribus Cincturatis‘ (Gürtelbrüdern) [1]) und 1400 der Kirche
‚S. Nicolai de Insula Orchii (Cisterciensis Ordinis Ves-
primiensis diocesis)‘ (XI kal. Jan. pontific. nostri anno XII) [2])
und — wodurch wir eigentlich auf das ganze Thema geführt
wurden — ebenso am 26. November 1395 den Dominikaner-
mönchen in Lübeck für die Besucher der Kirche und der
dazu gehörigen St. Gertrud-Kapelle am Tage der Kreuzerfindung
oder in der darauf folgenden Woche — worüber die Original-
bulle des Papstes noch jetzt in der Trese verwahrt wird und
darnach im ‚Codex diplomaticus Lubecensis‘ [3]) abgedruckt ist.

„In demesulven iare (1396)“, erzählt bestätigend eine gleichzeitige Lübeckische Chronik [4]), „na mydvasten do quam dat
aflaet van allen sunden hir tho der borch unde to sunte gher-
trude, unde dit aflaet is ghestichtet up dat aflaet, dat dar to
Venedien is in sunte marcus kerken.“

In Lübeck aber wusste man offenbar nichts Genaues, Ver-
lässiges über diesen Ablass von S. Marco in Venedig und wandte
sich daher offiziell von Seite des Rathes mit der Bitte um
näheren Aufschluss an die Regierung in Venedig.   Die vom
damaligen Dogen Antonio Venier am 4. Februar 1396 ertheilte

---

[1]) cf. Amort p. 153ᵃ und Löcherer, Jos., Vollständiger Inbegriff der
Gnaden und Ablässe der ehrw. Erzbruderschaft Maria von Trost..., 10. Aufl.
(1889) S. 38 und 99.

[2]) d. i. das um 1260 gestiftete Cisterzienserkloster des hl. Nikolaus
in Ercsi (Komitat Stuhlweissenburg) in der Vesprimer Diözese in Ungarn;
s. A. Zon, Memorie bei Cicogna IV, 580 Anm.; cf. Fejér, Codex diplomaticus Hungariae tom. X vol. 4 p. 84 u. ff.; p. 88 Z. 10 von oben ist
wohl S. Marci statt Mariae zu lesen.

[3]) t. IV p. 718.

[4]) cf. Chronik des Franciscaner Lesemeisters Detmar .... hgb. von
F. H. Grautoff (Hamburg 1829) Thl. I S. 374.   Nach Grautoff hat Detmar
die Chronik zuerst bis 1395 geführt, dann haben Andere sie bis 1400,
bzw. 1482 fortgesetzt.

offizielle Antwort liegt in einem gleichfalls im Original in der
Trese erhaltenen Schreiben vor und ist ebenfalls im ‚Codex
diplomaticus Lubecensis‘ abgedruckt. [1]) Hierin wird nun nicht
nur die Thatsache des vollkommenen Ablasses mitgetheilt,
sondern auch in Kürze erzählt, warum er verliehen worden,
wie nämlich Papst Alexander als Flüchtling nach Venedig
gekommen und dort erkannt worden sei, wie die Venetianer
dann für ihn gegen Friedrichs Heer und Flotte siegreich ge-
kämpft und dieser dann durch Vermittlung des Dogen mit dem
Papst in Venedig sich ausgesöhnt und Alexander zum Dank
dafür unter anderen Ehren und Vorrechten eben die ‚indulgentia tam culpe quam pene‘ ertheilt habe, zu welcher als
Kommentar die auch sonst überlieferten Verse vom Dogen dem
Lübecker Rath mitgetheilt werden. [2])

Dies offizielle Schreiben der venetianischen Regierung bietet
demnach eine Art Seitenstück zu dem von H. Bresslau [3]) angeführten Beispiel, wie ein Schriftstück für den Diplomatiker
eine ächte, für den Historiker aber eine unächte, falsche Urkunde sein kann. Wenn eine Urkunde vom Standpunkt des
Diplomatikers als ächt gelten muss, wofern sie wirklich das
ist, wofür sie sich ausgibt, d. h. ein authentisches Zeugniss
ihres Ausstellers — so kann es gewiss keine ächtere Urkunde
geben, als dieses originale Schreiben des Dogen von Venedig.
Und doch fälscht sie ebenso notorisch, wie wir gesehen haben,
die historische Wahrheit, indem sie Unrichtiges statt Wahres
überliefert.

---

[1]) ibid. p. 719.

[2]) Aus einem zweiten Schreiben des Dogen vom 1. März (cf. Codex
diplom. Lubec. l. c. p. 721) erfahren wir noch, dass der Gesandte Lübecks
der Predigermönch Theoderich, Professor der Theologie und Ordens-
provinzial von Sachsen, gewesen war, und ferner, dass die Venetianische
Regierung dem Lübecker Rathe auch eine ‚designatio ystorie, per quam
acquisita fuit indulgentia in die Ascensionis Domini tam pene quam culpe
in capella nostra beati Marci‘ zukommen liess, welche erst etwas später
fertig geworden war.

[3]) Handbuch der Urkundenlehre I, 7.

Beilage.[1])

(1177 zwischen 1. und 14. August.) Schreiben dreier Römischer Kanoniker
und Subdiakone über den Friedensschluss in Venedig.

Hoc[2]) est exemplum cuiusdam chronice sumpte de quodam
libro, qui dicitur Mallonus[a]). Anno domini MCLXXVII, anno[b])
vero[c]) pontificatus dompni Alexandri tercii pape XVIII[d]) mense[e])
Julii per misericordiam omnipotentis Dei, qui secundum Apo-
stolum[f]) non patitur nos temptari[f]) supra id quod possumus,
reformata est pax inter dominum papam Alexandrum et dominum Fredericum[g]) Romanorum[h]) imperatorem, sicut venerabiles
fratres et canonici nostri[i]) nec non et subdiaconi[k]) sancte Romane ecclesie, silicet[l]) dominus[m]) Hobo[n]) de Rusticis et Okta-
vianus[o]) Joannis Ancille dei[p]) et Gregorius dompni Petri de (?)
Vusalvet[q]), [sicut[r]]) qui interfuerunt et frequenter viderunt et
audierunt a Venetis[s]), et litteris suis insinuaverunt dicentes:
Vestre igitur[t]) dilectioni apertius innotescat, quod in vigilia
beate Marie Magdalene, cum imperatoris[u]) principes essent in
presentia domini[v]) pape Venetiis constituti, quidam illorum
natione[w]) sanguinis nobilissimi, quorum unus erat comes, alter in[x])

a) *so* 1; Ex codice Vat. Ad maiorem autem actorum firmitatem
cum magno tamen labore haec extrahi feci de quodam libro qui nomi-
natur Malonus, qui habetur apud S. Petrum de urbe 2; Ex libro Malonus
apud S. Petrum de Urbe 3.   b) *fehlt hier* 2. 3.   c) *fehlt* 2; pontif.
vero 3.   d) anno *hier zugesetzt* 2. 3.   e) de mense 3.   f) tentari 2. 3.
g) Feder. 2; Frider. 3.   h) *fehlt* 2.   i) fr. nostri et can. 2.   k) 1 *nicht
ganz deutlich;* subditi 2.   l) scil. 2; sicut 3.   m) domini 3.   n) Obo 2. 3.
o) Octavianus 2. 3.   p) Analedei 3.   q) 1 *undeutlich nach Predelli; vielleicht* douusaluet; de Unsilvet 3.   r) *fehlt* 3 *und wirklich überflüssig.*
s) Venetiis 2; et audierunt a Venet. *fehlt* 3.   t) *fehlt* 3.   u) in imperatoris 1.
v) nostri *beigefügt* 3.   w) *man erwartet* de *oder* ex ill. nat.   x) *fehlt* 1;
imperialis domus 3.

[1]) cf. oben S. 172.
[2]) Ich bezeichne die Copie im Liber Pactorum I mit 1, den Druck
bei Franc. de Gratia mit 2, bei Sanudo-Muratori mit 3.
[3]) I Cor. 10, 13. Ich verdanke diesen und den späteren Hinweis
meinem gelehrten Kollegen, Herrn Privatdozent Dr. Weyman.

imperiali domo super[a] omnes camerarios gerebat officium, sub imperiali anime periculo iuraverunt; Magdaburgensis[b] et Coloniensis ac[c] Christianus, qui dicitur Maguntinus, archiepiscopi cum aliis quam pluribus personis cautione iuratoria se similiter astrinxerunt[d]: quod, ex quo dominus imperator veniret[e] Venet.[f], sacramentum in anima sua, omni[g] contradictione et quaestione postposita, ab universis principibus suis faceret exhiberi: quod, sicut de pace ecclesie, de concordia regis et aliis usque ad XV annos et de tregua[h] Lombardorum VI annorum[i] conditum fuerat et statutum et scripturis autenticis roboratum, sic ipse firmiter observaret et omnes principes suos ad eandem observantiam provocaret. Die vero beati Apollinaris[k] in monasterio S. Nicolai[l], quod distabat ab urbe iam dicta per miliarium a Venetiis[m], magnifice receptus, adventum cardinalium expectavit. Sequenti siquidem die[n] domini[o] Ostiensis, Portuensis et[p] Praenestinus episcopi, Joannes Neapolitanus, Theodinus, Pe.[p] de Bono cardinales et dominus Jacintus[q] de mandato domini[r] pape, voluntate et consilio totius curie, ad ipsum Aurore rutilante radio properantes, recepto prius ab imperatore sacramento refutationis et anathematizationis omnis heresis se contra Romanam ecclesiam extollentis[s], presertim scismatis Octaviani, G. Cremati.[t], Jo. Strumensis[u], ordinationem ipsorum irritam sub eodem sacramenti tenore pronunciante, ipsum a vinculo anathematis absolverunt.[v] Predicti quoque archiepiscopi et eorum suffraganei cum aliis archiepiscopis[w] et ceteris, qui imperatoris[x] dignitati[y] familiarem et gratam exhibuerant[z]

---

a) supra 2. 3.   b) atque etiam Magdeb. 3.   c) et Moguntius archiep. 3 *mit Auslassung des Namens Christianus.*   d) adstr. 2. 3. e) venerit 3.   f) Venetiis 2; Venetias 3.   g) omnique 3.   h) treugua 3. i) usque ad sex annos 3.   k) Apolinaris 1.   l) de Litore *beigefügt* 3. m) *so* 1 (*offenbar später geändert*); q. distabat per mill. ad (*sic!*) urbe iam dicta Venetiarum 2; q. distat ab urbe Venetiarum per milliarium unum 3.   n) vero 2. 3.   o) reverendissimi domini 2.   p) *fehlt* 3.   q) Hiacinthus 2; Hiacynthus 3.   r) nostri *beigefügt* 2.   s) extollendis 2.   t) *so* 1 *statt* Gremensis; Octaviani Guidonis, Cremonensis 2; Gregorii, Renati 3.   u) et Joannis Firmensis 2; Johannis Strum. 3.   v) absolvente 3.   w) et episcopis *beigefügt* 3.   x) imperatorie 2. 3.   y) dignitatis 2.   z) exhibuerunt 2.

comitativam^{a)}, sacramentis prestitis consuetis et in tantis negotiis necessariis, absolutionem accipere meruerunt. Hiis^{b)} itaque cautius procuratis, cardinales^{c)} ad dictam urbem^{d)} cum domino^{e)} imperatore et ceteris, qui sibi obviaverant, cum ingenti exultatione et letitia venientes, dominus imperator, utpote vir^{f)} catholicus, a domino^{g)} inspiratus, in platea beati^{h)} Marci magna nimis et spaciosa, patriarchis archiepiscopis et episcopis multis et omnibus aliisⁱ⁾ ecclesiarum prelatis videntibus et^{k)} innumera multitudine clericorum et aliorum^{l)} virorum et^{m)} mulierum, quiⁿ⁾ diem illum, sicut decrepitus ille Simeon¹⁾ dominum^{o)}, solertius et diutius expectantes pacis^{p)} desideratum et iucundum exitum venerant intueri^{q)}, ante dominum papam cum omni humilitate et devocione flexis genibus iterum et^{r)} iterum provolutus ipsius pedes promeruit osculari^{s)}; ita quod, quociens^{t)} ad domini pape pedes deosculandos dominus imperator se humiliter inclinavit^{u)}, tocies^{v)} Te Deum laudamus^{w)} universus clerus^{x)} et populus voce maxima^{y)} proclamantes^{z)}. Predictus imperator^{aa)} per ecclesiam usque ad altare dominum apostolicum addestravit^{bb)} ibique orationum solemnitatibus celebratis ipsum extra ecclesiam cum multa honoris et reverentie exhibitione produxit^{cc)}. In beati vero Jacobi festivitate summus pontifex, cum multa precum

---

a) comitivam 2. 3.   b) his 2. 3.   c) domini card. 3.   d) Venetiarum
·de praefato monasterio Sancti Nicolai de Litore *beigefügt* 3.   e) dicto ■
f) *fehlt* 3.   g) Deo 3.   h) sancti 3.   i) et ab omnibus aliis *ursprüng-*
lich in 1; *später geändert in:* multis abbatibus et omnibus aliis; multis
ac omn. al. 2. 3.   k) cum 2.   l) aliorumque 2.   m) ac 2.   n) ■
Wechsel der Schrift in 1 *nach Predelli.*   o) *fehlt* 3.   p) eius ■
q) inspecturi 3.   r) atque 2.   s) et devotione procubuit. Et iterum
flexis genibus praefatus dominus imperator provolutus ad ipsius ■
pro more osculari coepit 3.   t) quoties 2; toties quoties 3.   u) inclinavit 3.
v) toties 2; *fehlt* 3.   w) Te Deum confitemur *beigefügt* 3.   x) chorus ■
y) magna voce 2.   z) *so* 1. 2; proclamabant 3.   aa) *fehlt* 2.   bb) = ■
dextravit; adestravit 2; imperator intrans ecclesiam et procedens ■
ad altare maius dominum eundem Apostolicum . . . . adornavit ■
cc) perduxit 3.

---

¹⁾ Luc. 2, 25.

instantia ab imperatore rogatus, ad ecclesiam beati Marci missam celebraturus adveniens, ab eodem fuit multipliciter hono-
ratus et in signum penitencie[a] et devotionis evidentissimum
domino pape non solum oblationum munera propinavit, verum
etiam usque ad equum suum, sicut moris est albissimum[b], cum
reverentia et debito honore illum[b'] ducens staffam[c] sibi tenuit
et eum in suo palafredo[d] studiosius collocavit et ab ipso bene-
dictione percepta[e] inextimabili[f] gaudio eius apparens omnibus
facies inlustra[g] in suo, quod sibi Veneti paraverant[h], hospicio
se recepit. Quid plura? In beati Petri ad vincula solem-
pnitate[i], cum[k] multitudo clericorum et laicorum vocem audire
iocundam[l] ad presentiam domini pape maxime[m] confluxisset[n],
quidam comes immediate colloqui[o] de domini imperatoris
mandato[p] consurgens sub ipsius anime periculo exhibuit sacramentum: quod[q] dominus imperator, sicut[q] de pace imperii et
ecclesie, de pace regis Siculi usque ad quindecim annos et
imperatoris de treugua[r] Lombardorum VI annorum fuerat[s]
ordinatum et litterarum fidei commendatum, firmiter observaret
et ab imperatrice[t] et filio suo rege Teuthonicorum et a principibus suis cautionem iuratoriam faceret exhiberi, quod, pre-
dictum dominum nostrum patrem et dominum[u] reputantes,
sibi se ut obedientes astringerent[v] et fideles[w], ita quod hii[x]
omnes sub eodem[y] sacramenti tenore firmiter astricti[z] universa regalia principis apostolorum, que fuerunt tempore scismatis[aa] occupata, domino[bb] pape et ecclesie Romane infra
trium mensium spatium restituere tenerentur.[cc] Idem Colo-

a) praesentiae 3. b) aptissimum 3. b*) *fehlt* 2. c) stapham 2. 3.
d) palafreno 2. 3. e) accepta 3. f) inaestimabili 3. g) *so korrigiere
ich* faciens inlustra *in* 1; gaudio eius facies apparens omnibus illustra 2;
gaudio facies eius apparens omnibus illustrata 3. h) paraverunt 2;
procuraverant 3. i) festivitate 2; solemnitate 3. k) quam 1. l) cupi-
entes *beigefügt* 3. m) *fehlt* 2; maxima 3. n) confluxissent 2. o) *fehlt
hier* 2; colloquii 3. p) dom. imp. de mand. 3; colloqui *fügt hier bei* 2.
q) quod-sicut *fehlt* 3. r) tregua 2. s) sicut fuerat 3. t) imperatore 3.
u) nostrum papam dominum 3. v) adstringeret 3. w) obed. et fid. ab-
stringerent 2. x) hi 2; ii 3. y) eiusdem 2; omnes supradicti eodem 3.
z) abstricti 2. aa) schismatis 2. 3. bb) domini 2. cc) teneretur 1. 3.

niensis [a]. Maguntinus [b]. Treverensis [c] archiepiscopi, Gormatiensis [d] electus, imperatorie aule cancellarius, iuraverunt, hoc [e] adicientes, se omnem diligentiam [f] adibituros [g] et studium, quod dominus imperator et id quod sacramenti et fidelitatis obtentu facere tenetur [h], de cetero tam devote quam fideliter exequeretur [i] et [k] nunquam a promissione sua et pactione recedat [l]. Nuncii regis Siculi, Salernitanus scilicet [m] archiepiscopus et comes Rogerius Andrensis [n], quod rex ipsorum pacem XV annorum inter ipsos factam firmiter observaret, sacramento sese similiter astrinxerunt [o] et quod eundem regem et tot principes [p], quot ex parte imperatoris iuraverunt [q], in reditu [r] ipsorum ad idem sacramentum faciendum deberent inducere. Dominus quippe noster Apostolicus, auditis hiis omnibus, que stando dixerat imperator et Christianus, qui modo dicitur Maguntinus, more gentis nostre loquens, omnibus exposuit et dixit: quod imperatorem, utpote Christianissimum, in filium et devotissimum Romane ecclesie defensorem et uxorem eius imperatricem et filium eorum in [s] regem receperat [t], quos paterna volebat affectione diligere et in ecclesie gremio deinceps sicut [u] pacis filios [v] retinere; quod [w] concilium ad statuenda et promulganda decreta sua [x] et [y] ad evellendas male plantatas arbores et radicitus extirpandas, proposuit [z] de imperatoris et partis sue et omnium cardinalium et episcoporum consilio celebrare [aa] in hac beati Petri vel in proxima septimana.

a) *von späterer Hand über der Zeile hinzugefügt in* 1: Magdeburgen. b) Moguntinus 3.   c) Trevirensis 3.   d) Wormatiensis 3.   e) haec 2. f) *später über der Zeile hinzugefügt in* 1.   g) adhibituros 2. 3.   h) teneretur 3.   i) *so* 3; exequentur 1. 2.   k) ut 2.   l) *so* 2; accedat 1; recederet 3.   m) *fehlt* 2.   n) *so korrigiere ich* 1, *wo* Nogerius Andreensis *überliefert;* nogerae audientes 2; Rogerius Andrensis 3.   o) abstrinxerunt 2; sese — adstrinx. *in* 3 *nach* Andrensis *vor* quod rex.   p) suos *beigefügt* 3. q) *so* 2. 3; intraverunt 1.   r) redditu 1.   s) *fehlt* 3.   t) reciperet 3. u) *so* 1; fiende 2; stando 3.   v) gratia 3.   w) et quod 3.   x) sua demi 3; y) *fehlt* 3.   z) proposuerit 3.   aa) consil. celebr. *in* 3 *oben eingefügt nach* partis suae.

Wallensteins Uebertritt zum Katholizismus.

Von Felix Stieve.

(Vorgetragen in der histor. Classe am 3. Juli 1897.)

Von Wallensteins Uebertritt zum Katholizismus gibt es zwei, mit einander nicht vereinbare Erzählungen. Die eine lässt ihn am Hofe des Markgrafen Karl von Burgau, die andere im Jesuitenconvict zu Olmütz erfolgen.

Die zweite Angabe hat den meisten Glauben gefunden. Sie ist durch Wenzel Adalbert Czerwenka[1] und Johann Schmidl[2] verbreitet worden. Beider gemeinschaftliche Quelle aber ist eine nur handschriftlich überlieferte Geschichte des von Wallenstein gestifteten Jesuitencollegs zu Gitschin, die der als böhmischer Geschichtsschreiber bekannte Jesuit Bohuslav Balbin verfasst hat.[3] Diese hat sowohl Czerwenka wie Schmidl in engem Anschlusse an den Wortlaut ausgeschrieben.[4] Weder des Einen noch des Anderen Bericht besitzt also selbständigen Wert. Ein weiteres Zeugnis für Wallensteins Aufenthalt in

[1] Splendor et gloria domus Waldsteinianae, Prag 1673 S. 28 fg.

[2] Historia societatis Jesu provinciae Bohemiae, Prag 1759, II, 671 fg.

[3] Historia collegii societatis Jesu, conscripta a rev. p. Bohuslao Balbino usque ad annum 1636 inclusive. Msc. der Bibliothek des Museums des Königreichs Böhmen zu Prag, VIII, D 22.

[4] Vgl. hierüber K. Patsch Albrecht von Waldsteins erste Heirath, Prag 1889 S. 6 Anm. Ausführlicher noch hat Czerwenka den Balbin ausgeschrieben in seinem 1679 begonnenen Werke De vita rebusque gestis Alberti Wenceslai Eusebii ducis Fridlandiae libri IV. Mscr. des in Anm. 3 erwähnten Museums, dessen Leitung mir dieses Werk wie das Balbins und die in Anm. 1 genannte, seltene Druckschrift auf Verwendung des Directors der hiesigen Staatsbibliothek Hrn. Dr. von Laubmann gütigst zur Einsicht übersandte.

13*

Olmütz liegt nicht vor, denn, wenn auch eine handschriftliche Chronik des olmützer Jesuitencollegs aus dem 18. Jahrhundert in einer Aufzählung hervorragender Schüler des dortigen Convicts Wallenstein nennt,[1] so ist diese Mitteilung nicht nur wegen ihrer Jugend, sondern vor allem auch deshalb belanglos, weil sie von Czerwenka oder von Balbin oder aus der durch diese beiden erzeugten Ueberlieferung entlehnt sein kann. Wir haben mithin nur Balbins Glaubwürdigkeit zu prüfen.

Balbin berichtet nun Folgendes:[2] „Delectatus pueri genio Albertus de Slavata, qui matris sororem Annam Smirzicziam in conjugio bahebat, Albertum apud se educandum suscepit. Educatus est in Kossumberg arce sub Pickarditis magistris, skolka[3] hodieque locus dicitur et ostenditur[4] memineruntque senes incolae, a quibus id accepi, narratum sibi a patribus eo loci, Albertum . . . cum aliis nobilissimis adulescentulis[5] primis literarum clementis operam dedisse. Inde, nescio cuius invitatione (Joannem baronem de Rziczan quidam nominant, qui matris alteram sororem Katharinam coniugem habebat) in Moraviam traducitur Albertus et in Olomucense adolescentium contubernium sub disciplinam societatis nostrae literis latinis imbuendus includitur . . . . . .[6] Eam tamen hoc ipso tempore cum p. Pachta Tinensi (qui non ita pridem sacerdotio

---

[1] S. Frant. Dvorský Albrecht z Valdštejna až na konec roku 1621, in den Rozpravy české akademie ... v Praze 1892, I Klasse N. 3 S. 397. Ich führe diese Abhandlung im Folgenden mit Dvorský Rozpr. an. Sie ist von S. 369—397 und von S. 407—422 ein ganz, von S. 397—407 ein teilweis wörtlicher Abdruck von einem Aufsatze, den der Verfasser 1885 in der Časopis musea král. českého S. 126 fg. veröffentlicht hat. Diesen führe ich mit Dvorský Cas. an.

[2] Historia p. 4 fg.

[3] Tschechisch, školka, kleine Schule.

[4] Offenbar spricht Balbin hier nur von einem Zimmer. Eine ████ liche Brüderschule gab es in Koschumberg niemals; vgl. Dvorský Rozpr. 3!'4.

[5] Nachweisbar ist nur die Gemeinschaft mit seines Oheims Söhn Vgl. K. M. v. Aretin Wallenstein, Urkunden S. 80.

[6] Hier folgt eine Erörterung, dass damals Wenzel Šnibowsky Regens des Convicts war und Veit Pachta dies erst i. J. 1608 wurde.

initiatus ultro citroque per eam viciniam, maxime Brumovium, ditionem ill^{mi} d. Joannis de Rziczan, evangelii causa commeabat et perspecta eximia et prope regia juvenis indole apud se mirari, apud ceteros commendare non cessabat) in[!]eam, inquam, familiaritatem ingressus est, ut nunquam postea nisi cum suavissima memoria p. Viti Pachtae nomen proferret Albertus; hunc suae omnis fortunae autorem appellabat; huic se omnia in acceptis debere gratissimus princeps dicere solebat. Idem pater Alberto postea, cum apud Moravos proceres ob doctrinam et concionandi facultatem magnam sibi auctoritatem parasset, ditissimam coniugem conciliavit, ut mox dicam. At hoc tempore satis habuit p. Vitus errores Piccarditarum, quibus adolescentem institutio Kossumbergensis involverat, ostendere. Quibus satis cognitis Albertus caecitate illa suorum magistrorum damnata ad ecclesiae catholicae gremium purgata rite conscientia convolavit, tantoque id ardore et firmitate mentis praestitit, ut nulli posthac implacabilius quam haereticis irasceretur, quas eius iras illi saepe malo suo, dum pro Caesare pugnaret, senserunt. Jam in grammaticis eos fecerat progressus, ut latine intelligeret ac loqueretur. Sed obrepebant quotidie et augebantur in juvene taedia literarum desidemque vitam sibi agere videbatur; lucem scilicet inquietus et avidus gloriae animus quaerebat; id quoque consilio p. Viti peractum. Forte tum mitissimae indolis ditissimorumque ac nobilissimorum parentum filius Adamus Leo Liczek de Rysemburg, dominus in Pernstein, in alienas terras mittebatur. Huic commendatione p. Viti additus est noster Albertus. Quae secuta sunt aliquot annorum intervallo, commemorare meum non est: peragrasse Germaniam omnem, Italiam et Belgii urbes vidisse, insuper in castris Georgii Bastae....stipendia meruisse, tradunt, qui de vita principis egerunt.'

So lautet der Bericht Balbins. Untersuchen wir nun, inwieweit er mit den gesicherten Angaben über Wallensteins Jugend in Einklang steht.

Wallenstein wurde am 24. September 1583 geboren.[1]) Den

---

[1]) Nachdem H. Hallwich Heinrich Matthias Thurn als Zeuge im ████ Wallensteins S. XII fg. den Beweis dafür mitgeteilt hat, dass die

ersten Unterricht erhielt er von Johann Graff, der nicht Lehr
von Beruf war, sondern wie sein Grossvater und Vater
Diensten der Familie stand und also wohl Wirtschaftsbeamt
oder Schreiber gewesen sein dürfte.[1]) Nachdem Albrech
Mutter am 22. Juli 1593 gestorben war oder vielleicht no
vorher[2]) wurde Albrecht zu dem Schwager seiner Mutt

Angabe in Keplers Horoskop über Wallensteins Geburtstag nach alt:
Kalender rechnet, ist es, wenn man überhaupt dem neuen Kalender fol
selbstverständlich, dass man jene Angabe umrechnen muss, mögen at
Wallensteins Eltern zur Zeit seiner Geburt noch nach dem alten Kalen
gezählt haben.

[1]) Vgl. Dvorský Rozpr. 389. Die Angabe bei Gualdo Priors
Historia della vita d' Alberto Valstain duca di Fritland, Lyon 1643 S.
„Ricevè gli primi erudimenti da un predicante Boemo", ist um·
weniger buchstäblich zu nehmen und auf den Hausgeistlichen von H
manice zu deuten, als sich unmittelbar daran schliesst, W. sei dar
auf eine Akademie gesandt worden. Sie bezieht sich zweifellos auf d
Aufenthalt zu Koschumberg.

[2]) So gibt Dvorský Rozpr. 394 an, ohne Belege anzuführen.
Bestätigung für die Behauptung findet sich vielleicht in dem 1608
Auftrage Wallensteins von Johann Kepler abgefassten Horoskope,
Helbig Kaiser Ferdinand und der Herzog von Friedland, 1852, S. 62
und dann nach einer besseren Abschrift Otto Struve als „Beitrag
Feststellung des Verhältnisses von Keppler zu Wallenstein" 1860 in d
Mémoires de l'académie des sciences des S. Pétersbourg, VII. Série tome
n. 4 nebst einer Erläuterung Keplers vom 21. Januar 1625 veröffentli
hat. Dort heisst es S. 18: „Im 11. 12. und 13. jahr des alters soll
unruhig und widerwärtig zugegangen sein, dann ascendens in tr
Martis bedeut raisen, Luna in sextili Saturni eusserliches g
brechen, doch gunst alter leut, medium coeli in quadrato Satu
ein unglück und villeicht ein mishandlung." Das Reisen kön
auf die Uebersiedelung nach Koschumberg, die Gunst alter Leute
das Wohlwollen Slavatas, das Unglück auf den Tod des Vaters Albrec
i. J. 1595 und das äusserliche Gebrechen auf eine Krankheit oder V
wundung des Knaben deuten, die Mishandlung aber auf einen Stra
Albrechts. Kepler wusste, wie Struve S. 9 nachweist, dass das Horos
Wallenstein galt und hat diese Kenntnis in verschiedenen Deutung
verwertet. Mehrere derselben hat Wallenstein durch Randbemerkung
berichtigt oder bestätigt; wenn er das bei der oben angeführten Ste
nicht that, so kann man vermuten, dass sie in ihrer unbestimmten F

Heinrich Slavata von Chlum nach Koschumberg gebracht, der
dann, als Albrechts Vater am 24. Februar 1595 aus dem
Leben geschieden war, gemäss dessen am 24. September 1594
errichteten letzten Willen[1]) auch die Vormundschaft übernahm.
Mit Slavatas Sohne wurde Albrecht im Schlosse zu Koschumberg von „Aeltesten“ der Brüdergemeinde aus dem nahen
Städtchen Chrast unterrichtet.[2]) Im Herbst 1597 kam er auf
die Lateinschule nach Goldberg in Schlesien, wo er bis in den
August 1599 verweilte.[3]) Am 29. August 1599 wurde er dann
auf der nürnbergischen Akademie zu Altdorf immatriculiert
und verweilte dort vermutlich bis Ende Februar oder Anfang
März 1600.[4]) Nachher unternahm er eine Reise durch Deutsch-

---

sung der Wirklichkeit nicht widersprach, diese aber auch nicht (wie in
den Anmerkungen über Wallensteins erste Heirat) auffallend genau
wiedergab. Näher auf den Wert des Horoskops als Quelle für Wallensteins Lebensgeschichte einzugehen, unterlasse ich, da über diese Frage
Herr Dr. Alfred Altmann demnächst eine eingehende Untersuchung
veröffentlichen wird.

[1]) S. Dvorský Rozpr. 392 Anm. 63.

[2]) Vgl. Dvorský 394 und oben S. 2 Anm. 4 und .5.

[3]) Dvorský 397 fg. Dass Wallenstein Goldberg erst im August
1599 verliess, belegt Dvorský nicht. Dass er jedoch noch Ende Juni
dort war und man damals noch nicht an seine Abberufung dachte, erhellt
aus dem Schreiben seiner Tante das. 401, dass er bleiben solle „v těch
místech, kam s preceptorem svým dán byl.“ Dass Wallenstein im
Herbst 1597 nach Goldberg gekommen sei, folgert Dvorský wol nur
daraus, dass, wie er S. 402 Anm. 86 anführt, Kaspar Wenzel [oder vielmehr der Richter Kaspar Fabricius, s. L. Sturm Geschichte der Stadt
Goldberg in Schlesien, 1888, S. 162] angibt, Wallenstein sei der Studien
halber zwei Jahre in der Stadt gewesen. Diese Nachricht ist indes zu
unbestimmt gefasst, als dass man ihr entnehmen dürfte, Wallenstein
habe sich genau zwei Jahre lang zu Goldberg aufgehalten. Von seinem
Aufenthalte überhaupt zeugt ausser den bei Dvorský gesammelten Belegen auch die bei Sturm a. a. O. 174 und 881 angeführte Stelle, die
Sturm ohne Grund anzweifelt.

[4]) S. K. Patsch Albrecht von Waldsteins Studentenjahre, Prag 1889
und Dvorský Rozpr. 408 fg. sowie die von ihnen angezogenen Quellen.
Wenn Dvorský S. 409 Wallenstein erst Anfang April 1600 von Altdorf
abziehen lässt, so beruht diese Angabe wol nur darauf, dass das letzte
auf Wallenstein bezügliche Akademieprotokoll bei Murr Beyträge zur

land, Frankreich und Italien, deren Beginn wir, wenn nicht
unmittelbar hinter die Abreise von Altdorf, so doch gewiss
noch ins Jahr 1600 setzen müssen, da der Mathematiker und
Astronom Paul Virdung aus Franken in einem Briefe an
Kepler vom 13. August 1603 erwähnt, dass er „einige Jahre
lang" mit Wallenstein gereist sei,[1]) und dieser schon in der
zweiten Hälfte des Jahres 1602 wieder in Hermanice weilte.[2])

Das ist die durch unanfechtbare Zeugnisse gesicherte
Jugendgeschichte Wallensteins. Wollen wir mit ihr Balbins
Erzählung vereinbaren, so müssen wir den Aufenthalt Wallensteins im olmützer Jesuitenconvicte vor den Besuch der goldberger Schule setzen. Ist es jedoch denkbar, dass Wallenstein,
nachdem er bei den Jesuiten katholisch geworden, die protestantische Schule zu Goldberg und die protestantische Akademie
zu Altdorf besucht hätte? Sogar Ranke[3]), der übrigens Wallensteins Aufenthalt in Goldberg nicht beachtete, hat allerdings
für glaublich gehalten, dass Wallenstein nach seinem Uebertritte von Olmütz nach Altdorf gegangen sei, und er hat, obwohl
er betonte, Wallensteins Aufenthalt in Olmütz habe „zu einem
Wechsel der Lebensrichtung" geführt, die von ihm angenommene Thatsache kurzweg durch die Bemerkung erklären zu
können gemeint: „Damit [mit dem Wechsel] ist nun aber
Wallenstein nicht etwa zu dem streng katholischen System

Geschichte des dreyssigjährigen Krieges S. 302 vom 17. [27.] März datiert.
Es bezeugt indes keineswegs, dass Wallenstein damals noch in Altdorf
anwesend war. Wahrscheinlich zog dieser infolge der Verfügung des
nürnberger Rates vom 31. Januar [10. Februar], die J. Baader Wallenstein als Student an der Universität Altdorf S. 82 mitteilt, nach kurzer
Frist ab.

[1]) Epistolae ad Joannem Kepplerum, hs. von Michael Gottlieb
Hanschius 1718, S. 210: „peregrinatio aliquot annorum, quam cum illustri
barone a Waldstein per Galliam et Italiam suscepi." Diese Bemerkung
widerlegt wol zugleich die Angabe, dass Wallenstein auch Belgien und
England besucht habe. Ueber Virdung vgl. Henning Witten Memorias
philosophorum, oratorum, poetarum, historicorum et philologorum, nostri
seculi clarissimorum renovatae decas prima, Francofurti 1677, p. 391.

[2]) Dvorský Rospr. 411.

[3]) Geschichte Wallensteins 5.

übergegangen.‟ Indes abgesehen davon, dass diese Behauptung dem wahren Sachverhalte durchaus nicht entspricht[1]): wer möchte einem sechzehnjährigen Jesuitenzöglinge des sechzehnten Jahrhunderts eine solche Freiheit und Selbständigkeit des Denkens, wie Ranke sie voraussetzt, beimessen und wer möchte annehmen, dass die Jesuiten einem so unzuverlässigen Jünglinge nachher derartige Förderung zugewandt haben würden, wie sie Wallenstein durch Pachta erfuhr?

Es bedarf indes nicht einmal dieser allgemeinen Erwägungen, denn wir besitzen ein unanfechtbares Zeugnis, dass Wallenstein in Goldberg noch dem Glauben seiner Väter, dem Glauben der Brüdereinung, anhing. In einem eigenhändigen Schreiben, das er unter dem 17. Mai 1598 an den fürstlich liegnitzischen Hauptmann Wenzel von Zedlitz zu Goldberg richtete, beschwert er sich nämlich darüber, dass ein Soldat ihn, seinen Präceptor und seinen Diener „für kalvinische Schelme ausgeschrieen‟ habe[2]); die Brüder oder Pickarditen aber wurden von Katholiken und Lutheranern häufig mit den Calvinisten zusammengeworfen. Dass Wallenstein dann in der kurzen Zwischenzeit, die seinen altdorfer Aufenthalt von dem goldberger trennte, katholisch geworden und dann noch nach Altdorf gegangen sei, wird wohl Niemand für möglich halten. Auch lässt sich der ihm in Altdorf gemachte Vorwurf der Lästerung der Dreifaltigkeit wiederum aus den Ansichten der Lutheraner über die Brüder und Calvinisten erklären. Obendrein endlich spricht für Wallensteins Beharren im Brüderglauben der Umstand, dass er sich in Paul Virdung einen eifrigen Protestanten[3]) als Reisebegleiter zugesellte.

---

[1]) Ich hoffe das demnächst eingehend darzuthun und verweise vorläufig auf Patsch Heirat 13 und B. Duhr Wallenstein in seinem Verhältnis zu den Jesuiten, Histor. Jahrbuch der Görres-Ges. 1892, 80 fg.

[2]) Diesen durch F. von Strantz schon 1848 in der Zeitschrift für Kunst, Wissenschaft und Geschichte des Krieges veröffentlichten, aber kaum beachteten Brief hat Dvorský Rozpr. 398 wieder hervorgezogen und nochmals gedruckt.

[3]) Als solchen zeigt Virdung sich in den schon erwähnten Epistolae ad Kepplerum 211ᵇ und 214ᵇ.

Um Balbins Erzählung zu retten, müssten wir mithin annehmen, dass Wallenstein vor dem Herbst 1597 in das Jesuiten-convict gekommen, aber nicht übergetreten sei. Dvorský, der der Jugendzeit Wallensteins sehr fleissige und ausgedehnte Untersuchungen gewidmet hat, ist vor dieser Annahme nicht zurückgeschreckt. In der ersten Fassung seiner Abhandlung[1]) hat er, weil er die Belege für Wallensteins Aufenthalt in Goldberg noch nicht kannte, den Knaben in Olmütz bekehrt werden lassen. In der zweiten Ausgabe[2]) dagegen meint er mit Rücksicht auf die Zeugnisse über den goldberger Schulbesuch, Albrecht sei nur kurze Zeit in Olmütz gewesen und Anhänger der Brüdereinung geblieben. Diese Behauptungen widersprechen indes aufs schärfste der Erzählung Balbins.

Wie sollte es ferner möglich gewesen sein, dass der unmündige Knabe nach Olmütz gebracht wurde? Wie seine Eltern war auch sein Vormund Heinrich Slavata ein eifriger Brüdergenosse und die Gefahr, die dem Glauben nichtkatholischer Zöglinge bei den Jesuiten drohte, war bereits an hinlänglich zahlreichen Beispielen in Wirklichkeit getreten, um Heinrich vor ihr auf der Hut sein zu lassen.[3]) Dvorský meint nun freilich, der Knabe werde „zur Zeit irgend einer schweren Krankheit[4]) oder einer Abwesenheit Heinrichs aus dem König reich Böhmen[5]) durch Johann Kavka von Řičan nach Olmütz gebracht worden sein. Indes weder für eine schwere Krankheit

---

[1]) Časopis 380 fg.

[2]) Rozpr. 396 fg.

[3]) Vgl. die von Dvorský Rozpr. 396 Anm. 70 angeführte Aeusserung Karls von Žerotin.

[4]) In der Časopis 379 hatte Dvorský hier eingefügt: „am 9. Februar 1598 machte Heinrich sein Testament.“ In den Rozpr. hat er das ausgelassen. Man macht ja auch kein Testament, wenn Schwäche oder Fieberwahn so gross sind, dass man ein Mündel nicht mehr im eigenen Hause schützen kann.

[5]) In der Časopis hatte Dvorský statt der Reise den Tod Heinrichs als zweite Möglichkeit angenommen. Da Heinrich aber erst am 14. Januar 1599 starb, hat D. in den Rozpr. wegen des goldberger Aufenthaltes die Auswechslung vollzogen.

noch für eine lange und weite Reise Heinrichs gibt es irgend
ein Zeugnis, und unter allen Umständen lagen die Verhältnisse
in Böhmen doch nicht so, dass Kavka unbekümmert um die
Rechte des Vormundes und die Gesinnung der nächsten Verwandten Albrechts einen Knabenraub — und nichts anderes
wäre die Entführung Wallensteins gewesen — hätte wagen
dürfen. Auch würde ihm doch mindestens Heinrichs Gattin
gewehrt haben[1]), wenn er nicht geradezu mit überlegener
Gewalt (woran doch nicht zu denken ist) vorging.

Noch weitere Bedenken stellen sich endlich dem Berichte
Balbins entgegen. Für den Aufenthalt Wallensteins in Goldberg und Olmütz lässt er keinen Raum, vielmehr erzählt er,
der Jüngling sei von Olmütz aus mit Adam Leo Licek von
Riesenburg, dem er auf Vermittlung des Paters Veit Pachta
als Begleiter beigegeben worden, ins Ausland gereist. Dvorský
hat die hier zwischen den Thatsachen und Balbins Angaben
gähnende Kluft in seiner ersten Abhandlung[2]) zu überbrücken
gesucht, indem er Licek, obwohl dieser ein eifriger Katholik
war, mit Wallenstein nach Altdorf ziehen und dann verschwinden lässt. In seinem zweiten Aufsatze, wo die Kenntnis des
goldberger Aufenthaltes diese Auskunft unmöglich macht, über-
springt er das Hindernis stillschweigend und schickt Wallenstein von Altdorf ohne Weiteres mit Licek in die Fremde.
In dieser Weise darf man doch aber nicht mit den Quellen
verfahren.

Dvorský übersieht ferner andere Klippen in Balbins Bericht. Dieser sagt, Wallenstein sei dem Licek beigegeben
[additus] worden. Das kann man doch nur in dem Sinne
verstehen und Czerwenka hat es auch so verstanden, als sei
Wallenstein als Begleiter Liceks auf dessen Kosten mitgereist.

---

[1]) Diesem Bedenken sucht Dvorský zu begegnen, indem er an die
Erwähnung der Krankheit oder Reise anfügt: „als die Gattin allein für
ihren Sohn und ihre Töchter zu sorgen hatte." Das ist doch aber wieder
nur eine haltlose Redensart.

[2]) Časopis 882.

Die Voraussetzung für diese Annahme ist die — von Czerwenka auch mit aller Bestimmtheit ausgesprochene[1] — Meinung, dass Wallenstein sich in dürftigen Verhältnissen befunden habe. Dvorský hat indes nachgewiesen, dass er wohlhabend genug war, um seine Reise auf eigene Kosten zu unternehmen.[2] Ueberdies finden wir nirgends sonst eine Nachricht, dass Wallenstein und Licek gemeinsam gereist seien, und wenn Paul Virdung in seinem oben angeführten Briefe bemerkt, er sei mit Wallenstein einige Jahre lang gereist, so schliesst das doch wohl unbedingt aus, dass Wallenstein auf Kosten Liceks reiste, und macht wahrscheinlich, dass Albrecht ohne Gesellschaft die Fremde durchzog.

Wir sehen also, Balbins Bericht ist in den Hauptpunkten mit den feststehenden Thatsachen nicht vereinbar oder erregt doch ihnen gegenüber schwere Bedenken. Schon Dvorský hat die von ihm beachteten Schwierigkeiten so gewichtig gefunden, dass er bemerkt[3]: „Wenn nicht in dieser Nachricht [von Wallensteins Aufenthalt im Jesuitenconvict zu Olmütz] fast alle alten Biographen übereinstimmten, würde ich fast zweifeln, ob Wallenstein dort überhaupt studiert habe." Es ist aber nicht richtig, dass „fast alle alten Biographen übereinstimmen." Nur Balbin, Czerwenka und Schmidl berichten von dem olmützer Aufenthalte; die beiden Biographieen bei Khevenhiller und Gualdo Priorato wissen nichts davon[4]); und jene drei Zeugen haben nur den Wert eines einzigen, da, was Dvorský allerdings übersehen, Patsch aber nachgewiesen hat[5]), Czer-

[1] S. Dvorský Rozpr. 387 Anm. 52.

[2] Vgl. Rozpr. 387 fg. 392, 424 Anm. 33. Seltsam ist, dass Dvorský trotz seinen hier angezogenen Angaben und obwohl er die Behauptung Czerwenkas, Wallenstein habe nach seiner Auslandsreise auf Kosten seines Oheims Adams d. Ae. von Waldstein gelebt, entschieden bekämpft, dennoch S. 431 Anm. 43 Czerwenka folgend von Johann Rudolf Trčka als „ štědrým podporovatelem" Wallensteins während dessen Dienste am kaiserlichen und erzherzoglichen Hofe spricht.

[3] Rozpr. 397.

[4] Vgl. unten.

[5] Vgl. oben S. 1 Anm. 4.

wenka und Schmidl lediglich Balbin ausgeschrieben haben.
Ist nun Balbins Erzählung so sicher gegründet, dass wir
gezwungen sind, sie, wie es eben gehen will, mit den feststehenden Thatsachen zu vereinigen?

Balbin hat sicher in gutem Glauben geschrieben, denn er
will überhaupt nur Zuverlässiges berichten, er vermeidet es,
auf die „wunderbaren" Erzählungen über Albrechts Jugend
einzugehen, und lässt es dahingestellt, ob der Freiherr von
Říčan den Knaben nach Olmütz gebracht habe. Obendrein
wäre es ja auch für den Jesuitenorden viel ruhmvoller gewesen,
wenn Balbin berichtet hätte, Wallensteins „Bekehrung" sei
erst in reiferem Alter erfolgt. Unser Schriftsteller hat also
seine Angabe ohne Zweifel nicht erfunden. Woher aber nahm
er sie?

Er beruft sich in seinem Werke oft auf die Hauschronik,
die Tagebücher und die Jahresberichte des olmützer Collegs.
Hier dagegen zieht er diese Quellen nicht an. Es ist auch
höchst unwahrscheinlich, dass in ihnen eine Aufzeichnung über
Wallensteins Eintritt ins Convict gemacht worden sei, zumal
diesem nicht der Glaubenswechsel folgte. Die Jesuiten konnten
ja nicht wissen, dass ihr Zögling nach etwa dreissig Jahren
ein weltberühmter Mann werden würde. Erst wenn Wallenstein bei den olmützer Jesuiten dem Brüderglauben absagte,
oder als er sie zur Katholisierung der Güter seiner Gattin
heranzog, hatten sie Anlass seiner näher zu gedenken. Den
Glaubenswechsel könnte er aber in Olmütz nur zwischen der
zweiten Hälfte des Jahres 1602 und dem Frühling des Jahres
1607[1]) vollzogen haben und jene Katholisierung begann 1609
oder 1610. Zu beiden Zeiten musste man nun in Olmütz
noch genau wissen, dass Wallenstein nicht bei dem vor den
Herbst 1597 zu setzenden Aufenthalte im Convict übergetreten
sei, und man hätte also ebensowenig wie während jenes Aufenthaltes das schreiben können, was Balbin erzählt. Die Verbindung des Convictbesuchs, des Uebertrittes und der Reise konnte

---

1) Hierüber s. unten.

erst hergestellt werden, als sich die Erinnerung an den
wirklichen Verlauf verwischt hatte, also nach geraumer Zeit.
Eine so späte Aufzeichnung, die doch nur auf mündlicher
Ueberlieferung beruhen würde, hätte aber selbstverständlich
keinen Wert.

Balbin beruft sich indes überhaupt nicht auf eine schrift-
liche Quelle. Wenn er sagt: Einige „nennen" Řičan als
Veranlasser der Ueberführung Wallensteins nach Olmütz, so
ist das ohne Zweifel auf mündliche Mitteilungen zu deuten.
Von einer Mehrzahl schriftlicher oder gedruckter Erzählungen
müsste doch wohl irgend eine Spur erhalten und sowohl dem
Czerwenka, der nur wenige Jahre nach Balbin schrieb, wie
dem Schmidl, der das Archiv der olmützer Jesuiten ausbeutete,
Kenntnis geworden sein. Da Beide in unserem Falle lediglich
Balbin ausschreiben, dürfen wir um so zuversichtlicher annehmen, dass dieser da nur aus der mündlichen Ueberlieferung
geschöpft hatte.

Nun begann Balbin, wie er selbst sagt, sein Werk erst
44 Jahre nach der Gründung des gitschiner Collegs, also 1668.[1]
Wieviel Wahres konnte und musste sich bis dahin in der
Ueberlieferung verloren, wieviel Falsches sich ihr eingefügt
haben, zumal in den wilden Zeiten des dreissigjährigen Krieges
und in Bezug auf eine Persönlichkeit wie Wallenstein! Balbin
konnte nicht einmal mehr feststellen, ob Wallenstein zu Miletin,
Nachod oder Heřmanice geboren sei.[2] Ueber dessen Aufenthalt
in Koschumberg erfuhr er Näheres von Greisen, die sich der
Erzählungen ihrer Väter erinnerten; im olmützer Colleg dagegen gab es 1668 gewiss Niemanden mehr, der Genaues über
Wallensteins Jugendjahre gehört und im Gedächtnisse bewahrt
hatte. Da konnte sich längst eine Haussage entwickelt haben,

---

[1] Hist. coll. Giczin. p. 1. Der Stiftungsbrief des Collegs, das. 46 fg.
datiert vom 16. October 1624. Wollte man Balbin von den ersten Anfängen des Collegs an rechnen lassen, so würde man nur um zwei Jahre
vorrücken.

[2] Das bemerkt er in seiner Hist. p. 4.

die eingehend Dinge berichtete, wovon wenig oder nichts der
Wahrheit entsprach.

Wir werden unten sehen, wie diese Sage vielleicht erzeugt
worden sein kann. Wüssten wir aber auch in dieser Hinsicht
keinerlei Vermutung aufzustellen, so dürften wir nicht Bedenken tragen, die Sage, die den Thatsachen widerspricht, in
Bausch und Bogen zu verwerfen.

Wie unbefangen Erzählungen, die nicht den mindesten
sachlichen Untergrund besitzen, erfunden und überliefert werden,
zeigt gerade Wallensteins Geschichte oft und schlagend. Ein
Beispiel, wie sogar Erinnerungen an persönliche Erlebnisse sich
im Laufe der Jahre in abenteuerlicher Weise ausgestalten
können, sei hier erwähnt. In der 1784 herausgegebenen
„Nachricht von einigen Häusern des Geschlechts der von Schlieffen
oder Schlieben" wird erzählt, dass Anton von Schliefen, der
Wallenstein später so nahe stand, diesen gerettet habe, als er
bei einem Sturme auf „S. Andrée in Ungarn" durch einen
Schuss in die Seite gefährlich verwundet worden.[1] Die Nachricht stammt ohne Zweifel aus einer eigenhändigen Aufzeichnung jenes Schliefen über seine Schicksale. Da aber Wallenstein nur i. J. 1604 in Ungarn war, kann mit S. Andrée nur
Szent András bei Sziszko gemeint sein. Ueber dieses nun berichtet Khevenhiller nach einer gleichzeitigen, offenbar amt-
lichen Schilderung des Feldzuges:[2] „Des folgenden Tags [am
29. Nov.] sein sie [die Kaiserlichen] mit ihrem ganzen Lager
aufgebrochen, sich auf S. Andre zu, so vom Feind verlassen,
gewendet, daselbst glücklichen anlangt; darinnen wenig Personen
gewesen, so dem Feldobristen [Basta] die Schlüssel entgegen
getragen." Ausserdem wissen wir aus einer anderen unanfechtbaren Quelle,[3] dass Wallenstein in den Tagen vom 4. bis
8. Dezember vor Kaschau durch die Hand geschossen wurde,

---

[1] S. a. a. O. 310 und Beilagen 164 und 171. Die Stellen sind bei
Dvorský Rozpr. 416 Anm. 14 wieder abgedruckt.

[2] Annales Ferdinandei VI. 2864.

[3] S. Schebek Wallensteiniana, in Mittheilungen d. Vereins f.
Gesch. d. Deutschen in Böhmen XIII, 252 fg.

was sich doch nicht hätte ereignen können, wenn er sch
kurz vorher schwer verwundet worden wäre, und dass se
Verwundung, obwohl sie noch nicht geheilt war, ihn ni
hinderte, in der zweiten Hälfte des Dezembers eine weite t
äusserst beschwerliche Reise durch Polen nach Prag aus
führen, also keine schwere gewesen sein kann. Mithin
klar, dass Schliefen, der allerdings 1604 in Ungarn kämpf
sich in Bezug auf den Ort und die Bedeutung des Dienst
den er Wallenstein geleistet hatte, völlig täuschte, als er se
Erinnerungen niederschrieb. Und doch dürften diese bei sein
Verkehr mit Wallenstein wiederholt aufgefrischt worden se

Fassen wir nun alle unsere Erwägungen zusammen,
werden wir kein Bedenken tragen können, zu sagen: da
Angaben Balbins, dass Wallenstein als Zögling des olmüt
Jesuitenconvicts katholisch geworden und von Olmütz aus
Begleiter Adam Leo Liceks von Riesenburg ins Ausland ger
sei, nachweislich falsch sind und da seinen übrigen Mitteilun
über den Aufenthalt in Olmütz und die Begleitschaft Lic
schwere Zweifel entgegentreten, muss die ganze Erzählung
unbegründet verworfen werden. Wallenstein ist weder als Kn
im Jesuitenconvict zu Olmütz übergetreten noch ist er üb
haupt als Zögling dort gewesen und er hat seine Auslandsre
nicht von Olmütz aus, nicht auf Vermittelung Pachtas
nicht als Begleiter Liceks von Riesenburg gemacht.[1]

Wenden wir uns nun zur zweiten, zur burgauer Ueb
lieferung.

Sie tritt uns zuerst in dem 1643 erschienenen We

---

[1] Auffallend ist, dass Balbin das Werk Gualdo Prioratos n
erwähnt. Er führt in der Einleitung seiner Historia nur Bruchel
Julius Bellus, Wassenberg, Pareus „und Andere", namentlich aber
„unparteiischsten" P. B. Burgus als Berichterstatter der Thaten Wal
steins auf. Noch befremdlicher aber ist, dass er von dem Aufenth
Wallensteins in Altdorf nichts weiss. Oder hat er den Widerspruch
seiner eigenen Erzählung schweigend beseitigt? Was er über Wal
steins Unlust am Studieren sagt, klingt an die Berichte über Altdorf
zumal eine Auslandsreise für den Adel damals so gewöhnlich war,
eine Begründung für sie gar nicht erforderlich gewesen wäre,

Gualdo Prioratos entgegen. „Uscito dalle scuole“, sagt dieser,[1])
„fu consignato paggio del marchese di Borgao, figlio dell'
arciduca Ferdinando d'Inspruch. Dove un giorno, dormendo
sopra una finestra altissima da terra, è caduto giù illeso; da
tal accidente confuso, di protestante nato risolse farsi cattolico.“

Gualdo ist ein Schönredner und wie er seine Erzählung
mit philosophischen Betrachtungen durchsetzt, so schmückt er
seine Angaben gern mit Redensarten und Schilderungen aus,
die ganz gewiss nur willkürliche Erfindungen sind. Dahin
gehört, was er [S. 2 b] über Wallensteins Aufenthalt auf der
Akademie und dann — wohl nur die Gerüchte über jenen
wiederholend — [S. 4 b fg.] über sein Verhalten in Padua berichtet, sowie was er [S. 3 a] über Wallensteins Reiseerfah-
rungen erzählt.[2]). Aber er zeigt sich über das Thatsächliche
nicht schlecht unterrichtet.

Er weiss [S. 2 b], dass Wallenstein zuerst von einem böhmischen Prediger unterrichtet wurde und sein Vater Protestant
war, und wenn er diesen Heinrich nennt, so klingt da wohl
eine Erwähnung des Vormundes Slavata durch. Er weiss
ferner, dass Wallenstein eine Akademie besuchte, sich dort
übel aufführte und aus Rücksicht auf die Ruhe der Schule
ausgewiesen wurde. Auf der Auslandsreise lässt er seinen
Helden freilich auch England und Flandern besuchen, dafür
aber weiss er wieder von dessen Studien in Padua und dass
dessen erste Gattin Wittwe und alt, aber reich war, u. s. w.
Wir werden also auch seine Mitteilung, dass Wallenstein im
Hofdienste des Markgrafen Karl von Burgau gestanden habe,
nicht leichthin verwerfen dürfen.

Eine entsprechende Nachricht findet sich überdies in den

---

[1]) Historia della vita d'Alberto Valstain duca di Fritland, del co:
di Gualdo Priorato. In Lion 1648 p. 2b.

[1]) Wenn Ranke Wallenstein 6 sagt: „Die Italiener rühmen ihn,
wie ganz er sich ihrer feineren Sitte und Lebensart angeschlossen habe“.
so stützt er sich dabei wohl einzig auf Priorato 4b: „È l'Italia si adat-
tata“ u. s. w. Diese Stelle spricht indes nur ganz im Allgemeinen von
einem Nutzen eines Aufenthaltes in Italien.

beiden Lebensabrissen, die uns durch Khevenhiller überlie╵
sind[1]) und sich beide sehr gut unterrichtet zeigen. Der e
erwähnt nur kurz, Wallenstein sei des Markgrafen von Bur╵
Edelknabe gewesen; der andere, der an einigen Stellen st
an Gualdo erinnert, aber zweifellos selbständig ist, fügt a╵
die Bekehrungsgeschichte hinzu, indem sie erzählt: „In die╵
Stande lag er einsten in einem hohen Fenster, und weil
sich den Schlaf übermeistern liess, fiel er herunter, welc╵
die Ursache soll gewesen sein, dass er sich von der luthe╵
schen Religion, darinnen er geboren und erzogen, zu ╵
catholischen gewendet, weil ihm gedünket, dass die Mut╵
Gottes ihn aufgefasset und vor Schaden bewahret."

Zu diesen drei Zeugnissen tritt endlich noch ein vie╵
aus früher Zeit, welches beweist, dass ausser der Bekehrun╵
geschichte auch noch andere Erzählungen über Wallenste
Aufenthalt bei dem Markgrafen umliefen.[2])

Um diese zu leugnen, müssten wir also wol gewicht╵
Gründe ins Feld führen. Dvorský findet solche darin, d
keine urkundlichen Zeugnisse über Albrechts Dienst vorlie╵
und er in den Hofzahlamtsrechnungen des innsbrucker Ho
nicht erwähnt wird.[3]) Dies aber war unmöglich, weil ja E╵
herzog Ferdinand von Tirol schon am 24. Januar 1595 ╵
storben war und Markgraf Karl für eigene Rechnung zu Amb╵
Hof hielt, und jener Mangel ist doch kein genügender Geg╵
beweis.

Zu welcher Zeit aber könnte Wallenstein bei dem Ma╵
grafen von Burgau gewesen sein? Gualdo und die zwe
Lebensgeschichte bei Khevenhiller setzen den Aufenthalt z╵
schen den Besuch der altdorfer Akademie und die Auslan╵
reise, und so lange wir nicht gezwungen sind, diese unmittel╵

---

[1]) Conterfet Kupfferstich II, 219 und 221.

[2]) S. Dvorský Rozpr. 409 Anm. 1. Mir ist weder das von ihm ╵
geführte „Ratstubel Plutonis", das Erich Stainfels zu Grufensholm l╵
herausgab, noch die von diesem ausgezogene Sammlung Franks von Frank╵
stein zu Handen gekommen.

[3]) Rozpr. 409.

an jenen anzuschliessen, steht nichts im Wege, eine — allerdings nur mehrere Monate zählende — Zwischenzeit des Hofdienstes anzunehmen. Es ist aber auch noch eine andere Vermutung zulässig.

Die erste Lebensgeschichte bei Khevenhiller, die nichts von Wallensteins Schul- und Wanderjahren erzählt, lässt ihn unmittelbar nach dem Hofdienst in den ungarischen Krieg ziehen. Diesen Feldzug nun begann er im Juni oder Juli 1604[1]) und in der zweiten Hälfte des Jahres 1602 war er von seiner Auslandsreise zurückgekehrt. Mithin bietet sich hier Raum genug, den Dienst bei dem Markgrafen Karl unterzubringen, und es darf uns nicht beirren, dass Wallenstein damals bereits neunzehn bis zwanzig Jahre zählte, denn der Begriff des Edelknaben dehnte sich in jener Zeit über die eigentlichen Knabenjahre aus, da er nur als die unterste Stufe des adlichen Hofdienstes galt.

Dvorský behauptet nun freilich, Wallenstein sei nach seiner Rückkehr von der Auslandsreise in den Hofdienst Rudolfs II getreten[2]); Beweise bringt er indes nicht bei und gegen seine Angabe spricht, — wie mich dünkt, entscheidend — dass weder in einer Urkunde des Kaisers für Wallenstein vom 13. Juni 1604[3]) noch in einem Fürschreiben Rudolfs für ihn an Erzherzog Albrecht vom 6. Januar 1607[4]) noch in Empfehlungsschreiben, die Karl von Žerotin bald darauf für Albrecht nach Prag richtete,[5]) ein Hofdiensttitel angeführt wird, während der Jüngling ohne einen solchen nicht am Hofe weilen konnte.[6])

---

[1]) Dvorský Rozpr. 413 fg.

[2]) Rozpr. 411.

[3]) S. a. a. O. 413 Anm. 7. Wallenstein wird da einfach wie jeder adliche Unterthan „věrny naš mily" genannt.

[4]) S. Schebek Lösung der Wallensteinfrage 532.

[5]) S. F. Palacky Jugendgeschichte Albrechts von Waldstein, in den Jahrbüchern des böhm. Museums f. Natur- und Länderkunde, Gesch. u. s. w. II, 85 fg.

[6]) Wie mir Hr. Dr. Anton Chroust mitteilt, findet sich in den kal. Hofzahlamtsprotokollen von 1611—14, die auf der wiener Hofbibliothek

14*

Unmöglich ist es mithin keineswegs, dass Wallenstein in
der vorhin bezeichneten Zeit am Hofe des Markgrafen von
Burgau gelebt habe, und auch die Annahme, dass er damals
noch dem Glauben der Brüdereinung angehangen habe, kann
kein Bedenken erwecken, da Burgau, soviel bekannt und bei
seinem Kriegsleben vermutlich, kein kirchlicher Eiferer war.

Wie es aber auch um den burgauer Aufenthalt stehen
mag: in jedem Falle ist das Geschichtchen von seiner dortigen
Bekehrung zu abgeschmackt, um glaubhaft zu sein. Wie sollte
denn ein in den Anschauungen der Brüdereinung erzogener
Jüngling plötzlich auf den Einfall gekommen sein, dass ihn

---

aufbewahrt sind, f. 323 die Bemerkung, dass Hans Albrecht von Wallenstein, ksl. Vorschneider, für die Zeit vom 11. Januar 1609 bis zum
31. August 1611 monatlich 40 Gl. Hofbesoldung erhalten solle. Aus den
Hoffinanzacten der Hofkammer zu Wien entnahm ferner Hr. Dr. Chroust
den Vermerk, dass Hans Albrecht von Wallstein am 14. Mai 1611 aus
einer von Albertinelli dargeliehenen Summe 60 Gl. erhielt. Ich kann
diese Nachrichten nicht auf unseren Wallenstein beziehen, denn abgesehen von dem Vornamen Hans war jener ja seit seiner Verheiratung in
Mähren, das dem König Matthias abgetreten worden war, Landstand und
so reich, dass er gewiss nicht mehr das Vorschneideramt für 40 Gl. versehen und eine Abschlagszahlung von 60 Gl. genommen hätte. Auch
musste das feindselige Verhältnis zwischen Matthias und Rudolf dem
mährischen Landstande und Kämmerer des Matthias unbedingt verwehren,
in kaiserliche Dienste zu treten. Von einem Hans Albrecht Wallenstein
fehlt freilich bis jetzt jede andere Nachricht. Man könnte vielleicht
geneigt sein, in ihm den schon von Palacky gesuchten Doppelgänger
unseres Wallenstein zu finden, da jedoch der Aufenthalt des späteren
Feldherrn in Goldberg [durch die Quittung Fechners von 1626] und in
Altdorf [durch das Schreiben der Universität für Nösler] unanfechtbar
bezeugt ist, so müsste Balbins Erzählung auf Hans Albrecht bezogen und
angenommen werden, dass dieser mit Licek von Riesenburg, Wenzel
Eusebius Albrecht aber gleichzeitig mit Virdung [den ja der eifrig katholische Licek nicht mitnehmen konnte,] gereist sei; wie später unserem
Wallenstein müsste ferner Pachta vorher auch dem Hans Albrecht seine
besondere Liebe zugewendet haben, denn hält man einmal Balbins Erzählung für glaubwürdig, so muss man sie auch ganz annehmen. Ich
halte daher für gänzlich ausgeschlossen, dass in den überlieferten Jugend-
geschichten eine Verwechslung der beiden Wallensteine vollzogen sei.

Maria beim Sturze gerettet habe und er deshalb katholisch werden müsse?

Die erste sichere Nachricht von seinem Uebertritte gibt sein Schwager Karl von Žerotin, indem er am 10. April 1607 von ihm sagt: „va à la messe".[1]) Zwischen diesem Tage und dem Beginn des Jahres 1600, wo Wallenstein Altdorf verliess, haben mithin unsere Vermutungen Spielraum.

Eine nähere Begrenzung schien dadurch erreichbar, dass Wallenstein nach seiner Rückkehr von der Auslandsreise im Jahre 1602 auf einer Glocke, die er der Kirche zu Heřmanice schenkte, zwei Bibelsprüche [Psalm 150, 5 fg. und Joh. III, 14] in tschechischer Sprache anbringen liess.[2]) Eine Vergleichung[3]) ergab jedoch, dass der zweite Spruch in allen tschechischen Bibeln gleich lautet und die Fassung des ersten zwar nicht der kralizer Brüderbibel entnommen ist, indes in den katholischen und utraquistischen Uebersetzungen denselben Wortlaut aufweist. Damit fehlt der Beweis, dass Wallenstein noch 1602 der Brüdereinung angehörte, doch ist auch anderseits, wie ich glaube, nicht der Beleg gewonnen, dass er bereits übergetreten gewesen sei, denn wir können ja weder feststellen, dass die Psalmverse nicht der utraquistischen Bibel entnommen sind, noch darthun, dass Wallenstein dem Glockengiesser mehr als die Nummern der Verse bezeichnet und dieser sie nicht aus einer seinem eigenen Bekenntnisse entsprechenden Bibelübersetzung entlehnt habe.

Die Anwendung der tschechischen Sprache deutet wol eher darauf, dass Wallenstein nicht Katholik war, denn der Katholizismus stand doch damals in einem gewissen Gegensatze zum tschechischen Volkstum und dessen vorherrschenden Glaubensrichtungen und bevorzugte überhaupt das Latein als Kirchensprache. Ueberdies hören wir auch nicht, dass Wallenstein zu

---

[1]) Palacky Jugendgesch. 87.

[2]) Dvorský Rozpr. 411. Die Verse der ersten Stelle gibt er in falscher Reihenfolge.

[3]) Diese vorzunehmen hatte Hr. Professor Dr. A. Bachmann in Prag die Güte.

jener Zeit die Katholisierung seiner Herrschaft Heřmanice be-
trieben habe, was damals wie an und für sich so namentlich
bei der Haltung des kaiserlichen Hofes nahe gelegen hätte.[1]
Vor allem aber ist es nicht glaublich, dass sich ein so eifriger
Anhänger der Brüdereinung und so entschiedener Gegner des
Katholizismus wie Karl von Žerotin am 24. August 1604 mit
einer Schwester Wallensteins verheiratet haben würde, wenn
dieser bereits zum Katholizismus übergetreten gewesen wäre.[2]
Endlich wäre es, wenn Wallenstein bereits in dieser Zeit
katholisch gewesen oder geworden wäre, sehr befremdlich,
dass die weitaus überwiegend protestantischen Stände Böhmens den noch so jungen Freiherrn am 4. Februar 1605 zum
Kommissar für die Abdankung ihrer Truppen[3] und im folgenden Jahre sogar zum Obersten eines ständischen Regimentes
deutscher Knechte erwählten.[4] Dass der Spross eines vornehmen
Geschlechtes der Erblande Kriegsdienste that und sich dabei
auszeichnete, war damals freilich so selten, dass Wallenstein
wegen seines einzigen Feldzuges von höchstens sechs, eigentlich aber nur drei[5] Monaten immerhin als ungewöhnlich
kriegserfahren gelten konnte,[6] indes reichten seine Leistungen

---

[1] In den Jahren 1606—1608 hören wir freilich auch nichts davon,
aber da konnten die inneren Wirren dem nicht sehr mächtigen Herren
Vorsicht gebieten oder es hinderte ihn der Umstand, dass er nicht in
Böhmen verweilte.

[2] Dass er sich nachher mit seinem Schwager wegen des Glaubens-
wechsels nicht verfeindete, ist dagegen bei seiner vornehmen Art ganz
begreiflich.

[3] Dvorský Rozpr. 423.

[4] S. den Brief Rudolfs II. bei Schebek Lösung 532. Wenn dort
gesagt wird, Wallenstein habe „albereit mehr als einmal hauptmann-
schaften bedient", so kann sich das wohl nur darauf beziehen, dass er
1604 zuerst beim Kreisfussvolk und dann beim Regiment Kolonitsch stand,
s. Dvorský Rozpr. 414 und 418, oder dass er 1606 zunächst als Hauptmann bestellt worden war.

[5] Wenn man nämlich von der Ankunft vor Gran am 18. September
1604 bis zum Bezug der Winterquartiere am 8. Dezember rechnet.

[6] Dass die Zeit des Zuges und die Stellung Wallensteins als
Fähnrich und Hauptmann nicht hinreichen, um das Gerede Czerwenkas

doch wol nicht hin, um bei der wachsenden confessionellen
Gereiztheit den Abfall vom Glauben der Mehrheit aufzuwiegen.

In Erwägung aller Umstände drängt sich mir die Vermutung auf, dass Wallenstein erst im Herbst 1606 zum Katholizismus übergetreten sei. Nachdem der wiener Friedensschluss vom
23. September oder wahrscheinlich schon dessen Bestätigung
durch den Kaiser vom 6. August 1606 ihm die Aussicht auf
kriegerische Thätigkeit benommen hatte, mag er nach Mähren
gegangen sein, wo er im November 1606 seinen Schwager
Žerotin besuchte. [1]) Da mag er dann noch vor diesem Besuche
bei dem Schwager seiner Mutter, Johann Kawka von Řican,
dem eifrigsten Jesuitenfreunde unter Mährens Adel[2]) auf Brumov
geweilt haben, dort durch den P. Veit Pachta, der so häufig
zu jenem kam, für den Katholizismus gewonnen worden sein
und dann im olmützer Colleg dem Glauben seiner Väter ab-
geschworen haben.

Es sind das freilich nur Vermutungen, aber ich meine,
dass sie nicht der Wahrscheinlichkeit entbehren. Es stimmt
zu ihnen, dass jetzt auch der eifrig katholische Adam Leo
Licek von Riesenburg mit Wallenstein in Verbindung erscheint:
am 9. October 1606 wird Wallenstein vom Kaiser ermächtigt,
als Stellvertreter in der Handhabung seiner gutsherrlichen
Befugnisse neben fünf anderen Herren auch Licek zu bestellen,
und es wird ein Besuch Liceks in Heřmanice erwähnt.[3]) Fol-
gern wir ferner hieraus, dass Licek in irgend einer Weise an
Wallensteins Uebertritt teilnahm, etwa indem er Albrecht nach
Olmütz begleitete, so haben wir auch die Keime zusammen,
woraus Balbins Erzählung erwachsen sein kann. Endlich aber
wird es begreiflich, dass Wallenstein jetzt daran dachte, in

und Anderer über den Gewinn dieser „Lehrzeit unter Basta" zu rechtfertigen, bedarf wohl keiner Ausführung.

[1]) Dvorský Rozpr. 423.

[2]) Als solchen preist ihn Schmidl Hist. soc. Jesu prov. Boh.
II. Teil fg. an vielen Stellen.

[3]) Dvorský Rozpr. 424 fg. Bei dem Besuche zeigte sich Licek
übrigens keineswegs als „mitissimae indolis", wie ihn Balbin rühmt.

den Niederlanden unter Erzherzog Albrecht Kriegsdienste zu
nehmen, und sich diesem durch ein Schreiben des Kaisers vom
6. Januar 1607 [1]) empfehlen liess.

War er schon früher katholisch, so konnte er diesen Schritt
auch schon früher ausführen,[2]) denn die Verhältnisse in den
kaiserlichen Landen boten seit dem Beginn des Jahres 1605
wenig Aussicht auf ernstliche und erfolgreiche Kriegsführung,
und war er wirklich so kriegsbegierig, wie ihn das Empfehlungsschreiben Rudolfs II und ein bald darauf verfasster Brief
Žerotins[3]) hinstellen, warum beteiligte er sich dann in den
folgenden Jahren niemals als Kämpfer an einem der in den
kaiserlichen Landen oder im Reiche geführten Kriege?[4])

Die Thatsache, dass er sich, ehe noch auf des Kaisers
Schreiben vom 6. Januar 1607 Antwort eingetroffen war und
nach Art der damaligen Kriegs- und Regierungsweise eingetroffen
sein konnte, am 12. Februar durch Žerotin für den Hofdienst
des Erzherzogs Matthias empfehlen liess,[5]) regt den Gedanken
an, dass ihm der Plan, unter Erzherzog Albrecht zu dienen,
von seinen Bekehrern eingegeben wurde, um ihn den ketzerischen Einflüssen in der Heimat zu entziehen, dass dagegen
Žerotin, der bereits den Ausbruch der inneren Kämpfe in den
Kaiserlanden voraussah, seinen Schwager der ständischen Partei
und der Heimat erhalten wollte und ihn deshalb an den

---

[1]) Schebek Lösung 532.

[2]) Allerdings bemerkt Wallenstein zu Keplers Horoskop: „Im 22. jahr
hab ich die ungarisch krankheit und die pest gehabt, anno 1605 im
januario"; [bei Struve a. a. O. S. 18] da ihn jedoch die böhmischen
Stände schon am 4. Februar 1605 zum Abdankungskommissär wählten,
kann die Krankheit wol keine langwierige gewesen sein.

[3]) Vgl. bei Palacky Jugendgeschichte 88.

[4]) Den Zug des Matthias von 1608 machte W. als Kämmerer des
Erzherzogs mit, s. Dvorský Rozpr. 430. 1611 wird es ebenso gewesen
sein. Wenn Chlumecky Zierotin 747 W. als Führer der mährischen
Reiterei nennt, so widerspricht dem W's. eigenhändige Bemerkung zu
Keplers Horoskop: „Anno 1611 bin ich ... zue keinen krigsbevelch er-
hoben." Struve 18.

[5]) Palacky 88.

Hof des Matthias, der nicht als streng katholisch,[1]) dagegen als den Ständen geneigt galt, zu bringen suchte.[2])

Żerotins Einfluss bewirkte, dass Wallenstein von Erzherzog Matthias alsbald zum Kämmerer ernannt wurde; im April 1602 begab er sich bereits, um sein Amt anzutreten, nach Wien.[3]) Vermutlich blieb er dann dauernd dort, doch fehlen darüber alle Nachrichten. Gewiss ist, dass sich die Absicht, die Żerotin vermutlich gehegt hatte, zunächst verwirklichte. Als Matthias, von den unzufriedenen Ständen Ungarns, Oesterreichs und Mährens getrieben, sich gegen den Kaiser erhob, folgte ihm Wallenstein,[4]) obwol diesen als böhmischen Gutsbesitzer die ältere Pflicht auf die Seite Rudolfs und der böhmischen Stände rief.

Bald darauf aber streckte sich eine Hand, die noch geschickter als die des mährischen Freiherrn war, aufs neue nach dem jungen Albrecht aus. Ein Beichtkind des Paters Veit Pachta, Frau Lukrezia von Vičkov, eine Tochter Siegmunds Nekeš von Landek, war vor kurzem Wittwe geworden. Sie war „nicht schön“ und bereits bei Jahren,[5]) aber ungemein reich an Geld und Gütern.[6]) „P. Pachta fürchtete nun, dass ihre

---

[1]) Żerotin selbst betont das a. a. O. 87.

[2]) Allerdings sagt Żerotin noch in seinem Briefe vom 10. April 1607, Wallenstein sei „tant échaufé après le mestier des armes“, dass er, wenn der Erzherzog ihn in seine Kammer aufnehme, nicht ruhen werde, um für einige Zeit Urlaub zu erhalten und dem Erzherzog Albrecht im Kriege zu dienen. A. a. O. 88. Indes muss das denn mehr als eine Redensart sein, die [wie die ähnliche S. 85] dazu dienen sollte, Wallenstein über Żerotins wahre Absicht zu täuschen und ihn mit dem Hofdienste zu versöhnen?

[3]) Die Briefe Żerotins vom 10. April 1607 sind Begleitbriefe für den nach Wien reisenden Wallenstein. Vgl. auch Dvorský Rozpr. 428.

[4]) Dvorský Rozpr. 430 fg.

[5]) Vgl. Dvorský Rozpr. 432: „Sie hatte sich als schon älteres Mädchen an den Wittwer Arkleb von Vičkov auf Prusinovice verheiratet.“

[6]) In Keplers Horoskop bei Struve S. 19 heisst es: „Im 33. jahr ist directio medii coeli ad Lunae corpus: das möcht ein glegenheit geben zu einer stattlichen heurat, wenn man sich deren gebrauchen wollte. Die astrologi pflegen hinzuzusetzen, das es ein wittib und nit schön, aber

Herrschaften zum grossen Nachteil der Religion, wenn sie
wieder heiratete, an einen ketzerischen Gatten[1]) oder, wenn sie
als Wittwe stürbe, an nicht katholische Erben fallen könnten,
und er wünschte aufs lebhafteste, dass ein eifriger Katholik
sie heimführe. Schleunig schrieb er an Albrecht, rief ihn vom
Hofe nach Mähren und legte ihm dar, was zu thun sei. Leicht
war es dann, den sehr vornehmen und gegenwärtigen Jüngling
der Lukrezia zu empfehlen, und Pachta ruhte nicht, bis er diese
Heirat mit Hülfe anderer Freunde und besonders des Johann
Adam Vičkov, Herrn auf Čeikovice zustande brachte."[2])

Noch im Jahre 1608 muss die Heirat verabredet worden
sein;[3]) im Mai 1609 wurde sie geschlossen. Und sie trug die

an herrschaften, gebäu, vieh und barem gelt reich sein werde." Wallenstein bemerkt dazu: „Anno 1609 im majo hab ich diese heurat gethan
mit einer wittib, wie daher ad vivum describirt wird."

[1]) Auch ihr erster Gemal, Arkleb von Vičkov, war Protestant gewesen. Dvorský Rozpr. 438. Dieser Umstand und die Sorge Pachtas
dürften wol beweisen, dass die Frömmigkeit Lukrezias nicht sehr lebhaft war; um so bedeutender erscheint Pachtas Geschicklichkeit.

[2]) So berichtet unbefangen Balbinus Hist. coll. Gicz. p. 6. Czerwenka und Schmidl haben ihn wieder ausgeschrieben. Offenbar benützt er hier gleichzeitige Aufzeichnungen, wie er sich denn auch in den
anschliessenden Mitteilungen über die Wirkungen der Heirat ausdrücklich auf die Tagebücher des olmützer Collegs beruft. Er ist daher hier
ohne Zweifel glaubwürdiger als die Angabe bei Khevenhiller Conterfet
II, 221, dass der Erzbischof von Prag die Heirat vermittelt habe. Wie
sollte auch dieser damals in Mähren einzugreifen vermocht und mit
Wallenstein Beziehungen unterhalten haben? Bezeichnend für die Anschauungen der Jesuiten ist, dass die Einwilligung Wallensteins in das
Geschäft als ganz selbstverständlich vorausgesetzt wird. Wenn Dvorský
Rozpr. 432 erzählt, Lukrezia habe sich, obgleich sich Viele um ihre Hand
bewarben, glühend in W. verliebt, so stützt er sich wol nur auf die
S. 434 Anm. 57 von ihm angeführte, durch Helbig in der Allg. Monatsschrift für Wissenschaft und Litteratur 1853, I, 103 veröffentlichte Stelle
einer Chronik des Pfarrers Christian Lehmann; diese ist jedoch nur eine
Ausschmückung der betreffenden Angabe Prioratos, die ihrerseits wieder
nur auf Erfindung beruht.

[3]) Da Keplers Horoskop [vgl. oben S. 217 Anm. 6] in diesem Jahre
abgefasst wurde; s. Struve 19. Die Stelle, woraus Helbig S. 68 folgerte,
das Horoskop sei 1609 entstanden, war in seiner Abschrift verdorben;

erhoffte Frucht. Lukrezias Vermögen wurde, indem sie Wallenstein zum Mitbesitzer und Erben einsetzte, den Ketzern entzogen und bald bemühte sich der junge Gatte nach Vertreibung
der protestantischen Geistlichen, mit Hülfe der Jesuiten und
Tertiarier von Olmütz sowie durch Gewalt und Güte die bis
dahin nicht gewagte Katholisierung der Bewohner seiner Herrschaften durchzusetzen.[1]) Er selbst aber trat von nun an in
das engste Verhältnis zu den Jesuiten und der katholischen
Partei und als sich 1618 der Kampf zwischen dem Ständetum
und der landesfürstlichen Gewalt und zwischen Protestantismus
und Katholizismus erneute, da schwankte er keinen Augenblick
gegen jene Partei zu ergreifen.

wie bei Struve zu sehen, sollte sie lauten: „Dies jetzige und künftige
Jahr seind nit sonderlich gut, denn der hizige planet Mars gehet diesen
sommer“ u. s. w. Im Herbst 1608 konnte Kepler mit „diesem sommer“
auf den von 1609 deuten.

[1]) Dvorský Rozpr. 439 bekämpft die Angaben Balbins, doch scheint
mir eine äusserliche Katholisierung der Untertanen durch seine Mitteilungen nicht ausgeschlossen.

Sitzung vom 6. November 1897.

Philosophisch-philologische Classe.

Herr Freiherr G. v. HERTLING hält einen Vortrag:
Descartes Beziehungen zur Scholastik
erscheint in den Sitzungsberichten.

Herr Ed. v. WÖLFFLIN hält einen Vortrag:
Zur Geschichte der Tonmalerei II
erscheint mit dem ersten Teil (vom 3. Juli 1897) in den Sitzungsberichten.

Herr W. v. CHRIST legt vor eine Abhandlung von Herrn
J. MENRAD:
**Ueber die neuentdeckten Homerfragmente von
Grenfell und Hunt**
erscheint in den Sitzungsberichten.

Herr AD. FURTWÄNGLER legt vor eine Abhandlung von dem
corresp. Mitgliede Herrn WOLFG. HELBIG:
**Eine Heerschau des Peisistratos oder Hippias
auf einer schwarzfigurigen Schale**
erscheint in den Sitzungsberichten.

Herr E. KUHN legt vor von Herrn RICH. SCHMIDT:
Text einer Ausgabe des Śukasaptati
erscheint in den Abhandlungen.

Historische Classe.

Herr HANS RIGGAUER hält einen Vortrag:
Zur kleinasiatischen Münzkunde
erscheint in den Sitzungsberichten.

Zur Geschichte der Tonmalerei.

Von Ed. v. Wölfflin.

(Vorgetragen in der philos.-philol. Classe am 6. November 1897.)

Gegen das Ende des vorigen Jahrhunderts schuf Mozart
seine unvergleichliche Sinfonie in G-moll und die ihr eben-
bürtige in C-dur; entsprechend bezeichnet man die Sinfonien
Haydns meist nach der Tonart; Beethoven hat die seinigen
auch gezählt bis zu der neunten, oder sie werden durch die
chronologische Opuszahl gekennzeichnet, und die geistesver-
wandten Componisten nach ihm, wie Schubert und Brahms,
sind dieser Uebung getreu geblieben. Es ist die Zeit der absoluten Musik, wo die Instrumentalmusik nur Musik machen
wollte und eine Inhaltsbezeichnung ausgeschlossen war. Die
Benennung Jupitersinfonie stammt ja nicht von Mozart, so
wenig als die der Mondscheinsonate von Beethoven; selbst die
Pastoralsinfonie hat dieser Meister zuerst nur als sechste Sinfonie in F-dur bezeichnet, doch auf der Rückseite und noch
vor der Veröffentlichung die heute übliche Bezeichnung hinzugefügt. Die formelle Neuerung war gerade hier weniger auffallend, weil das Pastorale als Hirtengesang oder als ländliche
Instrumentalcomposition meist für Blasinstrumente eine besondere Form der alten Musik war und schon Cannabich mehr
als eine Sinfonia pastorale geschrieben hatte.

Aber man ist in neuerer Zeit in Anknüpfung an Beethoven
auch andere Wege gewandelt. Berlioz trat 1829 mit seiner
Sinfonie fantastique auf, welcher er den besonderen Titel gab
‚Episodes de la vie d'un artiste‘, dann mit der Haroldsinfonie;

zuletzt brachte er die grosse dramatische Sinfonie Romeo und
Julia. Er behielt nicht nur den Namen Sinfonie bei, sondern
auch die Sonatenform, machte jedoch das Leitmotiv[1]) zum
Prinzipe seiner Composition und gab seinen Tonwerken einen
bestimmten historischen Inhalt. Noch einen Schritt weiter
gieng Liszt, indem er die althergebrachte Form der Sätze und
Theile sprengte und den Namen ‚Sinfonische Dichtung' ein-
führte; seine Titel lauten beispielsweise Prometheus, Orpheus,
Tasso, Hamlet, Mazeppa. Und sein Vorgang ist nicht ohne
Nachfolge geblieben. Der Schweizer Componist Hans Huber,
der Schöpfer einer Tellsinfonie, vollendet eben seine Sinfonie
‚Sieh, es lacht die Au' (nach einem bekannten Gemälde von
Böcklin), wie Weingartner die Insel der Seligen nach Böcklin
componierte, und Richard Strauss nannte seine sinfonische Com-
position ‚So sprach Zarathustra' nach Nietzsche. Eine starke
Entwicklung innerhalb eines Jahrhunderts, ja man möchte fast
sagen: ein Sprung in das Gegentheil.

Und doch liegen die Uebergänge klar vor jedermanns
Augen. Schon Beethoven hatte in seiner dritten Sinfonie in
Es-dur an einen grossen Mann, nämlich Napoleon, gedacht,
unterdrückte aber die beabsichtigte Widmung, als der erste
Consul sich zum Kaiser krönen liess, und veröffentlichte sie
dann unter dem Titel Eroica. Die Ausnahmen Haydns Le midi
und Le matin gehen auf einen fürstlichen Auftrag zurück, die
vier Tageszeiten zum Vorwurfe von vier Sinfonien zu nehmen;
allein er hat die Aufgabe nicht durchgeführt, indem der Abend
in Form eines Concertinos erschien und die Nacht wegblieb.
Die vier Jahreszeiten gehören nicht hieher, weil sie nicht Sinfonie, nicht reine Instrumentalmusik sind, sondern sich als
weltliches Oratorium an ein ursprünglich englisches Gedicht
anlehnen und also in erster Linie das Wort der Träger der
Gedanken ist. Wohl aber hängen die Sinfonie La chasse, und
vielleicht auch die Militärsinfonie mit dieser neuen Richtung

---

[1]) Dass dieses eine Erfindung von Berlioz sei, wie Liszt behauptet,
ist nicht richtig.

zusammen, während andere Namen von Sinfonien, wie L'ours oder Laudon von den Musikern herzurühren scheinen. Schubert nannte eine Sinfonie in C-moll ‚Tragische Sinfonie‘, obwohl man wenig Tragisches daran findet; mit besserem Rechte haben die Neueren seine H-moll die tragische genannt. Mendelssohn liess sich durch Reisen nach Schottland und Italien zu einer schottischen und einer italiänischen Sinfonie begeistern, wie Schumann zu seiner Rheinischen Sinfonie durch das muntere Leben der Anwohner dieses Stromes angeregt worden ist und darin dem Kölner Dome ein Denkmal gesetzt hat. Smetana hat uns in seiner Sinfonie ‚Mein Vaterland‘ die Moldau von der Quelle bis zu ihrer Mündung vorgeführt. Auch die Oceansinfonie von Rubinstein und die Waldsinfonie von Joachim Raff verdienen in diesem Zusammenhange genannt zu werden. Man sieht, wie die Neueren, indem sie die Consequenzen aus Beethoven zogen und das früher nur Angedeutete weiter entwickelten, zu einem anderen Standpuncte gekommen sind und mit der Steigerung der musikalischen Ausdrucksmittel ihrer Kunst auch neue Aufgaben stellen zu dürfen glauben konnten, bis zu dem Extreme, dass Einzelne die absolute Musik ganz verwarfen.

Diese Controverse spielt sich übrigens nicht nur in der Geschichte der Sinfonie ab, sie zieht sich vielmehr auch durch andere Gattungen der Musik hindurch. Die Opernouvertüre ohne folgende Oper ist die Vorläuferin der sinfonischen Dichtung, sobald in ihrem Titel der bestimmte Inhalt angegeben ist. Man kann somit bis auf die „Jubelouvertüre‘ Webers vom Jahre 1818 zurückgreifen, welche als blosse Ouvertüre mit der Vortragsbezeichnung giubilando ausgestattet noch nicht in unser Gebiet gehören würde, durch die bekannte Ueberschrift aber sich an die Spitze dieser Entwicklung stellt. Vollkommen parallel der schottischen Sinfonie Mendelssohns steht seine Hebridenouvertüre, eine Erinnerung an den Besuch der Pingalshöhle. Durch die schöne Melusine, durch Meeresstille und glückliche Fahrt wurde diese Gattung so populär, dass man Ouvertüren ohne bestimmten Inhalt bereits als „Concertouvertüren" zu bezeichnen anfieng. Besonders zahlreich sind die

Faustouvertüren von Richard Wagner u. A., aber auch
greiflich, weil das Faustproblem jedem Gebildeten bekannt
Nur beiläufig sei an Littolfs Robespierre oder an Volkm:
Ouvertüre zu Richard III. erinnert.

Des instrumentalen Zwischenaktes der Oper glauben
hier gedenken zu sollen, weil er uns bis auf Mozart zur!
führt. Bekanntlich schrieb dieser Chöre und Zwischenact
dem heroischen Drama ‚Thamos, König von Aegypten‘.
dem Zwischenspiel nach dem zweiten Akt schildert er
‚Ehrlichkeit des Thamos‘ im Gegensatze zu dem ‚fals:
Charakter Pherons‘, welcher u. a. durch Synkopen gezeic!
wird, und er hat diese Verdolmetschung seiner Töne s:
in die Partitur eingetragen. Ebenso sieht sich im dr:
Entreakte Sais um, ob sie allein sei, und auch diese Erklä:
in Worten hat Mozart gegeben. Auch Haydn hat die
leitung seiner Schöpfung als ‚Vorstellung des Chaos‘ bezeich
und den Theilen der Jahreszeiten Ueberschriften vorangest
‚die Einleitung stellt den Uebergang vom Winter zum F:
ling dar‘; ‚die Einleitung stellt die Morgendämmerung (
‚der Einleitung Gegenstand ist des Landmannes freudiges Ge
über die reiche Ernte‘; ‚die Einleitung schildert die di
Nebel, womit der Winter anfängt‘.

Das Streichquartett wird man zur absoluten M
rechnen wollen, und doch zeigen auch hier die letzten Quar!
Beethovens den Uebergang zur Neuzeit. Im opus 132 gieb
einen ‚Heiligen Dankgesang eines Genesenen an die Gott!
in der lydischen Tonart, und stellt vor einen Satz die W
‚Neue Kraft fühlend‘. Im opus 135 nennt er als sein The
‚Der schwer gefasste Entschluss‘. Das Violoncell beginnt
der Frage: Muss es sein? und die Violine antwortet: Es :
sein; es muss sein. Aber es bleibt eben bezeichnend,
Beethoven dergleichen erst in seinen letzten Werken ge!
hat, und nur selten.

Selbst die bescheidene Klaviersonate hat ähnliche Probl
zu lösen unternommen. Schon Bachs Amtsvorgänger an
Thomaskirche, Joh. Kuhnau, gab ‚Biblische Geschichten‘

Sonatenform heraus, ein musikalisches Seitenstück zu den Bilder-
bibeln. Auf diese Anregung hin hat Sebastian Bach selbst
in jüngeren Jahren eine Klavier- oder Orgelkomposition über
die Trennung von seinem Bruder geschrieben, „sopra la louta-
nanza del suo fratello dilettissimo.“ Sie beginnt mit einem
Arioso, welchem die Worte vorgesetzt sind: ‚ist eine Schmeiche-
lung der Freunde, um denselben von seiner Reise abzuhalten‘.
Dann folgt ein Andante: ‚ist eine Vorstellung unterschiedlicher
Casuum, die ihm in der Fremde könnten vorfallen‘. Das Ada-
gissimo ist ‚ein allgemeines Lamento der Freunde, welche Abschied nehmen‘. Zuletzt eine Aria di postiglione. Allein Bach
bezeichnet auch sein Werk als ein Capriccio, d. h. als eine freie
Composition, und die Kunst triumphiert über die reale Wirklichkeit, indem das Ganze mit einer Fuga all’ imitazione della
cornetta di postiglione abschliesst; denn eine Fuge bläst der
Postillon doch nicht; sie ist eine Kunstform. Man darf also,
was sich Bach einmal gestattete, darum nicht zur Regel machen,
braucht aber ebenso wenig in den wenig verhüllten Tadel ein-
zustimmen, welchen Spitta in seiner Biographie Bachs I 231
ausgesprochen hat. Beethoven hat sein Opus 81a als Sonate
caractéristique bezeichnet und den drei Sätzen die Ueberschriften Les adieux, l'absence und le retour gegeben.

Alles diess, was wir in den Haupterscheinungen kurz
charakterisiert haben, wird mit einem neueren Ausdrucke
‚Programmmusik‘ genannt, und das Mittel diesen bestimmten
Inhalt zum Ausdrucke zu bringen ist die Tonmalerei im weiteren
Sinne des Wortes. Diese denken wir uns als eine moderne
Errungenschaft. Allein die historische Betrachtung muss hier
vor dem Irrthume warnen gewisse Erscheinungen darum für
jung zu halten, weil sie dem Laien erst aus den letzten Jahr-
zehnten bekannt geworden sind. Die geschichtliche Entwicklung deutet sich oft sporadisch schon viel früher an. Dietr.
Buxtehude (1637—1707) componierte 7 Klaviersuiten, ‚worinne
die Natur und Eigenschaft der 7 Planeten abgebildet wird‘.
Die heutige Programmmusik steht nicht in strengem Gegensatze zu den Klassikern, sie ist nichts Neues unter der Sonne;

sie hat sich vielmehr organisch aus denselben heraus entwicl
indem sie die Ausnahme fast zur Regel machte, wodurch
wohl in ein Extrem gerathen ist.   Namentlich ist der Uel
gang der drei Künste, Poesie Malerei und Musik, ineinai
älter als man glauben sollte.   So componierte schon im vori
Jahrhundert Dittersdorf 12 Ovidsinfonien, Bilder nach den \
wandlungen Ovids.   Der Gedanke reine Instrumentalmusik
einen poetischen Text zu gründen, ohne dass die Worte
sungen werden, ist hier schon verwirklicht.   Es bedarf se
keiner Erklärung und keiner Entschuldigung, wenn Spoh:
seiner Sinfonie ,die Weihe der Töne' sich an ein Gedicht
Charlotte Birch-Pfeiffer anlehnte, welches er vor der Auf
rung declamieren oder gedruckt unter die Zuhörer verthe
zu lassen empfahl. Ebenso hat Liszt seine Sinfonie ,die Ide
nach Schiller componiert.   Aber auch das Andere, dass
Phantasie des Componisten durch den Eindruck eines Gemä
angeregt werde, ist nichts Neues, giebt es doch Instrumen
compositionen von Gemiani, welche Gedichte Tassos oder
mälde Raphaels ,bedeuten'.   Vgl. Kretschmar, Händel S. ?
Liszt hat sein Klavierstück Sposalizio nach Raphael componi
wie seine Sinfonie ,die Hunnenschlacht' nach dem Gemi
Kaulbachs.   Und damit die Künste ganz ineinander übergei
so werden nicht nur Oelbilder componiert, es werden in neu
Zeit auch Sonaten und Sinfonien gemalt, mit Vorliebe
Beethovens, worüber sich schon Otto Jahn in seinem Aufsa
,Beethoven im Malkasten' (Gesammelte Aufsätze über Mu
Leipzig. 1866) lustig gemacht hat.   Die gemalte Sonate pa
tique war vor Jahren hier zu sehen, und die Phantasie zu
Cismollsonate von Friedrich Bodenmüller hängt augenblick
im Glaspalaste; ein Cyklus von drei Bildern, welche den
Sätzen entsprechen.   Aber auch Max Klinger hat einen Cyl
von Bildern zu einer Reihe Brahms'scher Compositionen (u
Liedern) geschaffen.

Um nicht missverstanden zu werden, möchten wir I
noch bemerken, dass der Componist ohne das zu Hülfe
mende Wort niemals beansprucht seinen Gegenstand könnt

darzustellen. Wenn schon der Maler seinem Bilde einen Titel
giebt um das Verständniss zu erleichtern, in wie viel höherem
Grade bedarf dessen der Componist? In einer Reformations-
sinfonie mag der Choral ‚ein' feste Burg ist unser Gott' auf
die Zeit hinweisen, oder in Richard III. hört man den Kampf,
vielleicht ein englisches Kriegslied, einen alten englischen Marsch,
den Tod des Helden, die Fanfaren des Siegers; aber dass es
gerade die Schlacht von Bosworth vom 22. August 1485 sei,
würde kein Interpret herausdeuten können. Die Musik ist überhaupt arm an Mitteln und ihrem Wesen nach nur wenig befähigt das Concrete darzustellen, wogegen es ihr leichter gelingt
die Stimmung wiederzugeben. Daher decken sich auch Composition und Gedicht oder Gemälde nur mangelhaft, und drei
verschiedene, voneinander unabhängige Bearbeitungen desselben
Themas werden nur wenige gemeinschaftliche Züge zeigen.
Robert Schumann bekennt uns, dass er seine einzelnen characte-
ristischen Klavierstücke zuerst vollendet, und hintendrein auf
Grund der Stimmung, in welcher er sich befunden, den Titel
dazu gesucht habe; und als man Mendelssohn über den Sinn
seiner „Lieder ohne Worte“ interpellierte, gab er in dem bekannten Briefe eine ausweichende oder eigentlich ablehnende
Antwort. Es ist, als ob er dem Klaviere die nöthige Aus-
drucksfähigkeit zu einer Programmmusik nicht zugetraut hätte,
der er doch mit orchestralen Mitteln selbst gewachsen zu sein
glaubte; aber auch für das eine Instrument diese grundsätzlich
und durchweg abzuläugnen entbehrt eigentlich der Consequenz,
da das Spinnlied leicht kenntlich ist und die beiden venetianischen Gondellieder als solche bezeichnet sind. — Ob die
Programmmusik die absolute Musik verdrängen oder dem Werthe
nach sich über sie stellen dürfe, das ist eine brennende Frage
der Zeit.

––––––––––

In den folgenden Betrachtungen geben wir dem Ausdrucke ‚Tonmalerei' viel engere Grenzen; sie soll uns nur
die musikalische Wiedergabe des sinnlich Wahrnehm-

15*

baren[1]) sein, und auch über die Darstellung von Gesic
wahrnehmungen wollen wir möglichst kurz hinwegg
um sofort unser Hauptthema, die Nachbildung des I
baren in Tönen, in Angriff zu nehmen. Die Sonne gel
zahlreichen Oratorien und Opern auf oder auch unter
Musikbegleitung, z. B. in Mehuls Josef in Aegypten.
kennt nicht den Sonnenaufgang in dem Propheten Meyerl
obschon man eigentlich nicht recht weiss, wie man dazu kor
Ein Stern leuchtet sowohl den heiligen Dreikönigen als
als Abendstern in Wagners Tannhäuser; weil er hoch und
am Himmel steht, so giebt diess im Oratorium Christus
Liszt ein hohes Cis, welches während des Gesanges der
Könige immer fortklingt. Die in Händels Josua still steh
Sonne wird durch einen langgehaltenen Trompetenton wi
gegeben, und Wagners Rheingold schliesst mit einem glänze
Regenbogen. Im ,Thale des Espingo‘, wo die Mauren
ausgedehnte Landschaft vor sich erblichen, lässt Rheinb
das hohe A der Geigen viele Tacte lang forttönen, inde
die räumliche Ausdehnung mit der zeitlichen übersetzt.
Unterredung mit dem hochverehrten Herrn Componisten
mir die Gewähr, dass ich nicht hinein interpretiere; ,es
wie wenn man von den Appenninen kommt und die To
vor sich sieht‘.[2]) Dass aber Beethovens sogenannte M
scheinsonate nichts mit dem Mondscheine zu thun hat, ist l
zutage unbestritten. Immerhin muss zugegeben werden,
schon ältere Componisten wie Haydn solche Aufgaben zu l
unternommen haben; Neuere gehen weiter, indem sie beis

---

[1]) Ob auch das durch den Geruchsinn Wahrnehmbare musik
dargestellt werden könne, dürfte eine Streitfrage sein. In dem Ba
,der Blumen Rache‘ kann wohl die Blumenpracht zum Ausdrucke kon
nicht aber der Duft, wenigstens nach unserer Auffassung; indessen
es moderne Komponisten, welche glauben auch diesen componier
können. Darüber mehr am Schlusse.

[2]) Ich schreibe dies in frischer Erinnerung an die prächtige
führung des Werkes, welche wir dem Männerchore Zürich bei 1
seines Münchner Ausfluges verdankten.

weise das Glänzen des Meeres darzustellen versuchen. Freilich wird man sich gestehen müssen, dass die Palette des Componisten wenige oder gar keine Farben enthält und dass also die Nachahmung des mit dem Auge Wahrnehmbaren nur eine sehr beschränkte sein kann. Ganz anders steht er dem Hörbaren gegenüber: Hoch und Tief, Stark und Schwach, Schnell und Langsam, Ruhe und Bewegung, für Alles diess ist er gewaffnet. Er muss also die Vorstellungen so verändern, dass er sie mit seinem dürftigen Wörterbuche übersetzen kann. Er vermag keinen Baum und keinen Wald in Tönen zu malen, sondern nur etwa das Rauschen des Laubes, das Pfeifen des Windes, oder am einfachsten wird er die Jagdhörner erschallen lassen, womit er die optische Wahrnehmung gegen eine akustische vertauscht. Er muss darauf verzichten ein Pferd oder einen Vogel zu zeichnen, aber er wird das Getrappel und den Flug zum Ausdrucke bringen; er kann uns keinen Kahn vorzaubern, wohl aber dessen Schaukeln, wie diess in vielen Barkarolen geschieht; keine Wiege, sondern nur die Bewegung derselben. Schon in einem Wiegenliede von Nikolaus Zang aus dem Ende des 16. Jahrhunderts, welches sich auf die Geburt Christi bezieht, finden wir in Ober- und Unterstimme, ja auch in den Mittelstimmen Gegenbewegung; bei dem Textworte ‚wiegen‘ bewegen sich die sechs Singstimmen in sich wiederholenden Figuren theils aufwärts, theils abwärts, womit eben das Schaukeln zum Ausdrucke kommt. Genau gleich stellt Auber im Anfange der Ouvertüre zur Stummen von Portici (Andante, Tact 7, B-dur) das Schwanken des Schiffes dar, nach links und rechts, worauf dann die ungestörte Vorwärtsbewegung folgt. Aehnlich kann die fallende Bewegung benützt werden um das Einschlummern des Ermüdeten auszudrücken, wie das Rich. Wagner zu Anfang des Lohengrin in so wundervoller Weise gethan hat. Der Componist greift aus dem ganzen Vorgange nur das allmählige Herabsinken der Augenlider heraus, und dieses sichtbare Moment giebt er wieder durch das langsame Fallen der Töne, beziehungsweise Akkorde; und weil die Welt des Träumenden eine ganz andere ist, lenkt der Componist auch in eine neue Tonart über.

Wenden wir uns aber zur Tonmalerei des Hörbaren
lassen sich die Geräusche oder die nach Höhe und Tiefe
stimmbaren Klänge, welche uns der Mensch oder die N:
entgegenbringt, nicht direct übertragen, sondern sie mü
zuerst — und darin besteht eben die Kunst — in Instrumen
töne umgesetzt werden. Wenn man fragt, wie man das Lac
darstellen solle, so kommt es zuerst darauf an, ob ein M
lache oder eine Frau, ob er eine tiefe Stimme habe oder
hohe, ob es ein höhnisches Lächeln, ein Kichern oder ein v
Lachen, ob es ein Lachen Mehrerer sei u. s. w. Darr
werden dann die Lösungen sehr verschieden sein. Vgl. Moi
Cosi fan t. ‚Ich sterbe noch vor Lachen'; Weber, Freisch
Introduction (he he he); Wagner, Götterdämmerung und Rh
gold, die lustigen Rheintöchter. Schwer lösbar ist die *l*
gabe mit ausschliesslich instrumentalen Mitteln; ein neuer
such ist die hohe Trompete im Zarathustra von Rich. Str:
Das Rauschen des Stromes kann und soll nicht naturalisti
realistisch copiert werden, sondern es sind diejenigen 'l
unseres Tonsystemes zu suchen, welche ihm am nächsten kom
und der Bewegung der Wellen entsprechen. Das Pfeifen
Kugeln hat Meyerbeer in den Hugenotten (Schlachtlied Mar
passend mit dem Piccolo nachgeahmt. Die Darstellung
Gewittersturmes vollends verlangt nicht nur verschiedene T
sondern auch verschiedene Rythmen und Stärkegrade, unc
ist zu überlegen, welche Instrumente ihrer Klangfarbe r
am besten diesem Zwecke entsprechen. Das Surren des Sp:
rades muss erst stilisiert werden, um musikalisch darstellba
werden, und selbst das Geläute mehrerer Glocken, deren Klä
doch musikalischen Tönen entsprechen, ist ein auf sehr
schiedene Art lösbares Problem. Die Vögel endlich der N
singen zum kleinsten Theile nach Noten oder nach dem w
temperierten Klavier, sondern sie haben noch Viertelst
welche den Musiker in grosse Verlegenheit setzen. Nun
gar die Stimmen der Vierfüssler. Obschon sie der Tonk:
widerstreben, so schrecken sie doch die Neueren von der N
ahmung nicht zurück, und vielleicht bringt es der Realis

so weit, dass wir in einer neuen Pastoralsinfonie nicht nur das Krähen des Hahnes und das Schnattern der Gänse, sondern auch das Quaken der Frösche und das Klappern der Störche, das Brüllen der Ochsen und das Grunzen der Schweine, das Schwirren der Sense und das Aufschlagen der Dreschflegel zu hören bekommen. Der Geschmack des Publikums ist ja wunderbar, feierte doch der Tenorist Wachtel seine grössten Triumphe in der Rolle als Postillon von Longjumeau, weil er, von Haus selbst Postillon, mit der Peitsche so vorzüglich zu knallen verstand. Ein gutes Tanzorchester besitzt eine eigene Vorrichtung mit einem Lederriemen, vermittelst welcher zur Begleitung eines Galoppes das Knallen der Peitsche sehr gut nachgeahmt wird. Doch Tanz ist Tanz. Wie weit gehen die Aufgaben der Kunst, und welches sind die erlaubten Mittel? Für das Fallen der Guillotine hat Litolff in seinem Robespierre einen neuen Quasiakkord erfunden, welcher der künstlerischen Analyse spottet. So schwierig es nun ist, auf Prinzipienfragen eine Antwort zu geben, namentlich wenn sie den Geschmack betreffen, so sehr empfiehlt es sich für den Mann der Wissenschaft die Controversen historisch aufzurollen und durch Sammlung reicher Beispiele sowie durch die Vergleichung der verschiedenen Lösungen die Bildung eines eigenen Urtheiles anzubahnen. An einer historischen Betrachtung fehlt es aber durchaus. Noch das meiste Material findet sich vielleicht in den musikästhetischen Aufsätzen von William Wolf. Stuttg. 1894. S. 1—29 über Tonmalerei. Hennig in seiner Aesthetik der Tonkunst (Leipzig 1897) bietet S. 112—126 Einiges über Programmmusik, doch weniger Stoff als Raisonnement. — Wir beschränken uns im Folgenden auf die Untersuchung einiger besonders interessanter Fälle und behandeln zunächst das Gewitter und die Vogelstimmen. Auf einige weitere halbfertige Kapitel, die Spinnlieder, die Gondel- und Wiegenlieder, die Nachahmung der Glocken kommen wir vielleicht bei späterer Gelegenheit oder an anderem Orte zurück.

1. Sturm und Gewitter.

Beginnen wir mit einer Uebersicht des Bedeutendsten, was die Tonkunst geleistet hat. Bei dem Durchblättern der französischen Opern von Lully, Destouches, Lalande, Campra, Rameau, welche in das Ende des siebenzehnten und die erste Hälfte des achtzehnten Jahrhunderts fallen, haben wir zahlreiche Stürme gefunden.[1]) Nur war das Orchester damals so schwach besetzt, dass nach modernem Massstabe gemessen die Mittel des Ausdruckes fehlten, und wenn auch der Sturm in einigen Stücken organisch mit der Handlung zusammenhängt, so geht er doch auch oft in ein Ballett über und ,die Elemente', 1721 zuerst aufgeführt, sind sogar nichts als Ballett. Die griechische Mythologie stellt ihren Neptun oder Boreas, oder die vier Winde treten auf und der Sturm wird allegorisch dargestellt. Andrerseits bieten uns die Passionen Bachs das Erdbeben beim Zerreissen des Vorhanges im Tempel, wo es in der Natur der Sache liegt, dass aus der Darstellung eines Momentes kein grösseres Tongemälde werden kann.

Dagegen ist die neuere Oper reich an Stürmen; wir nennen nur in chronologischer Ordnung Glucks Iphigenie in Tauris 1779, Mozarts Idomeneo 1781, Rossinis Barbier 1816, Spohrs Jessonda 1823, die weisse Dame von Boieldieu 1825, Webers Oberon 1826, wo der Sturm in die Ozeanarie verflochten ist, Rossinis Wilhelm Tell 1829, Marschners Hans Heiling 1833, Wagners Fliegender Holländer (1842) und Walküre (1858), Meyerbeers Afrikanerin (Seesturm) 1865, endlich aus neuester Zeit Verdis Othello. In symphonisher Form behandeln das Thema Beethoven in der Pastoral 1808, Berlioz in der Fantastique 1829, Rubinstein in der Oceansinfonie, Gilson in den

---

[1]) Die Kenntniss der älteren Litteratur hat mir namentlich der Conservator der Musikabtheilung der Hof- und Staatsbibliothek, Privatdocent Dr. Adolf Sandberger vermittelt, welchem für sein freundliches Entgegenkommen an dieser Stelle zu danken mir eine angenehme Ehrenpflicht ist; aber auch für neuere Musik habe ich seinen anregenden Gesprächen sehr Vieles zu verdanken.

Exquisses symphoniques. La mer N. 4 (Sturm); Chorwerke mit Orchester sind Haydns ‚Sturm‘ 1802, Rombergs Glocke 1815, Mirjams Siegesgesang, opus 136 von Franz Schubert, Musik zum wunderthätigen Magus von Rheinberger, op. 30 N. 3, Wanderers Sturmlied von Rich. Strauss, opus 14. Endlich wären die Gewitter für Orgel zu nennen, welche bis in das siebenzehnte Jahrhundert zurückverfolgt werden können und vor einem halben Jahrhundert in Folge des Zulaufes der die Schweiz bereisenden Engländer für den Freiburger Organisten eine reiche Einnahmsquelle bildeten.

Es hat aber einen bestimmten Grund, warum die wissenschaftliche Forschung mit Gluck und Mozart, mit Iphigenie und Idomeneo, mit 1779 und 1781 einsetzen muss. In demselben Jahre wie Gluck trat auch Göthe mit seiner Iphigenie in Tauris hervor; beide unabhängig von einander; aber in der Oper wie im Drama war es der Anbruch einer neuen Periode. Bei Gluck wie Mozart ist der Sturm Theil der Handlung, nicht viel Lärmen um nichts und nicht vollkommen unmotiviert, wie Meyerbeers Sonnenaufgang. Iphigenie und die Priesterinnen flehen die Götter an, sie möchten den Fremdling, welcher den heiligen Boden entweiht, mit ihren Blitzen treffen, und so ist denn Glucks Ouvertüre nicht eine selbstständige Composition, sondern der Anfang des Stückes selbst, eine Neuerung, welche den Franzosen sehr gut gefiel. Aber auch für Mozart verlangte die nachhomerische Sage einen Sturm; der König von Kreta sollte ja während des Sturmes dem Poseidon gelobt haben bei seiner glücklichen Rückkehr zu opfern, was ihm zuerst begegnen würde. In beiden Fällen konnte ein blosser Theatersturm mit einigen Blitzen und Donnern nicht genügen. Gluck verfügte über ein nach damaligen Begriffen reiches Orchester; wie man im Chore der Skythen die Trommel und die Cymbeln zum ersten mal zu hören bekam, so auch im Sturme den schrillen Ton des Piccolo. Berlioz in seiner Instrumentationslehre glaubt sogar es seien deren zwei gewesen, weil an mehreren Stellen der Plural petites flûtes beigeschrieben ist, und er muss dann annehmen, beide Bläser hätten unisono geblasen,

da die Stimmen nirgends auseinander gehen; in Anbetracht
jedoch, dass an andern Stellen der Singular petite flûte gebraucht ist und ein rhetorischer oder ausgleichender Plural
dem Geiste der französischen Sprache nicht widerstrebt (wegen
der Analogie von Flûtes, Clarinettes, Cors u. s. w.), wird in
der neuesten kritischen Ausgabe mit Recht vorausgesetzt, es
sei, wie auch bei späteren Komponisten, nur ein Piccolo verwendet worden. Nachdem uns Gluck zuerst den Donner in der
Ferne, darauf das Nahen des Gewitters im Streichquartette mit
crescendo, von Tact 17 an mit Zuzug der Bläser vorgeführt,
steigert er die Katastrophe mit Tact 40 zu Regen und Hagel
(pluie et grêle) und hier entwickelt das Piccolo in seinen
höchsten Lagen seine ganze Kraft, und es wirkt auch harmonisch um so schauerlicher, als es, eine Quart über Terzengängen
der Geigen liegend, eine längere Reihe von aufsteigenden Sext-
akkorden bildet. Auch die Paucken helfen tapfer den Sturm
herbeizuführen; nachdem ihnen diess aber gelungen und die
Oper begonnen hat, pausieren sie anderthalb hundert Tacte
lang, um den Gesang nicht zuzudecken, und erscheinen erst am
Ende wieder verschleiert als timbales voilées, gleich als wollten
sie aus weiter Ferne andeuten das Gewitter habe sich verzogen.
Alles diess macht um so grösseren Eindruck, als dem Sturme
eine Darstellung der Meeresruhe (le calme), Andante und piano
vorausgegangen ist.

Wesentlich anders Mozart, welcher das Werk seines Vorgängers vielleicht gar nicht gekannt hat; wenigstens merkt
man nichts davon. Ihm standen die vereinigten Kapellen von
München und Mannheim zur Verfügung, und doch fehlen bei
der ersten Sturmscene das Piccolo, beide Clarinetten, das dritte
und vierte Horn, die drei Posaunen und sogar die Paucken.
Hier waltet also eine künstlerische Oekonomie. Wäre der Sturm
instrumentales Vorspiel, also nicht gleichzeitig mit der Handlung, so war kein Grund die Mittel zurückzuhalten. So aber
spielt die Scene (N. 5) am Ufer von Kreta; im Vordergrunde
ist ein Chor von Kretern, während im Hintergrunde die Schiffe
des Idomeneo nahe daran sind zu scheitern. Schon damals

leistete die Maschinerie Grossartiges. Der Chor der Schiff-
brüchigen hinter der Scene wird von gedämpftem Orchester
begleitet, der Chor der Kreter von starkem. Wahrscheinlich
liegt hier der Grund, warum Mozart die Farben nicht zu grell
auftragen wollte. Der Sturm wüthete ja in einiger Ferne,
und hätte der Componist den Lärm in voller Stärke wiedergegeben, so vernichtete er die Wirkung seiner Chöre. Viel
wichtiger erschien ihm die Stelle: „Idomeneo, verlasse den
Thron“, wo er dann das Blech nicht sparte. Aber würde jeder
moderne Componist seine Kräfte so schonen? Die Stärke des
Geräusches ist doch nicht die Hauptsache; dass überhaupt ein
Sturm wüthet, sieht der Zuhörer mit eigenen Augen und der
Chor singt: Ha, welcher Sturm! Viel höher steht das psychische Element, die Angst der mit dem Tode Ringenden und
die Verzweiflung derer, welche nicht helfen können, und darum
hütete sich Mozart wohlweislich die Nebensache zur Hauptsache zu machen, und wem es des Sturmes zu wenig ist, der
findet dafür den Reflex desselben auf die Menschenseele.

Auf diesem Boden treffen wir denn auch Beethoven in
der Pastoralsinfonie und ich möchte in goldenen Lettern die
Worte obenanstellen, welche er in die Partitur geschrieben hat:
mehr Ausdruck der Empfindung als Malerei.[1]) Und das
gilt zunächst von der Scene am Bache. Gewiss hören wir das
Wasser rauschen und sehen es fliessen, aber doch nur in einer
steigenden und fallenden Begleitungsfigur[2], welche hinter der
Melodie zurücktritt.

---

[1]) Den einzelnen Sätzen sind folgende Ueberschriften gegeben:
1. Erwachen heiterer Empfindungen bei der Ankunft auf dem Lande.
2. Scene am Bach. 3. Lustiges Beisammensein der Landleute. Gewitter.
Sturm. 4. Hirtengesang. Frohe und dankbare Gefühle nach dem Sturm.
Auf dem bei der ersten Aufführung am 22. Decb. 1808 ausgegebenen
Konzertprogramme finden sich einige Abweichungen, z. B. Donner und
Sturm. Wohlthätige mit Dank an die Gottheit verbundene Gefühle
nach dem Sturm.

[2]) Ich verweise hier auf die Stelle in der Oper Les saisons von

Der Meister verzichtet also auf die naturgetreue Wiedergabe, wie sie der Phonograph oder der Photograph liefert und
giebt dafür ein idealisiertes Bild der Wellen. Die Hauptsache
ist die Gemüthsruhe des von Sorgen befreiten, sich selbst ver-
gessenden und in der Natur aufgehenden Hirten oder Wanderers.
Insofern ist Beethoven doch nur ein Vorläufer der Modernen,
welche die Tonmalerei zum Selbstzwecke machen. Realistischer
ist der Natur der Sache nach die Darstellung des Gewitters,
welches die Landleute bei ihrem Reigen im Freien überrascht;
sein Farbenreichthum wie seine Rhythmen lassen alles Frühere
weit zurück. Wie keiner seiner Vorgänger hat er die einzelnen
Phasen der grossartigen Naturerscheinung gezeichnet, die allmählige Steigerung wie das Abnehmen, und in der Mitte lässt
er die bisher zurückgehaltenen Posaunen in verminderten Sep-
timenakkorden los. Dass am Ende die sanften Durakkorde der
Holzbläser den Regenbogen wiedergeben sollen, ist freilich nur
subjective Deutung; mit demselben Rechte könnte man sagen,
die Sonne breche wieder durch die Wolken. Beethoven hat
mit der sechsten Sinfonie nicht sagen wollen, seine fünf früheren, welche der absoluten Musik angehören, seien verfehlt und
er habe sich nun einen höheren Standpunkt errungen; denn
in diesem Falle hätte er in den siebenten, achten und neunten
zu der Tonmalerei zurückkehren müssen, was nicht der Fall
ist[1]). Vielmehr hat er den Pastoralcomponisten und Gewitter-

---

Colasse und Lully, Scene 2, Coulez plus lentement, impatientes ondes,
G-moll, wo die Bässe in Achteln die Bewegung imitieren.

[1]) Er hat auch die Schlacht von Vittoria componiert, nicht als ob
ihm eine Gartenmusik über eine Sinfonie gegangen wäre, sondern nur
um den namentlich seit dem siebenjährigen Kriege in die Mode gekommenen Schlachtgemälden etwas Besseres an die Seite zu stellen.

malern gesagt: wenn ich einmal diesen Stoff wählen wollte,
so würde ich es anders machen. Wir glaubten den drei grossen
Meistern einige besondere Worte schuldig zu sein (Rossini soll
gleich nachgeholt werden), versuchen jetzt aber das Gewitter
in seine Theile aufzulösen.

Als Vorspiel kann man das Säuseln des Windes durch
die Blätter bezeichnen. Gerade dieses ist nämlich von mehreren
Componisten dargestellt worden, unter andern von Weber in
der Freischützarie ,Wie nahte mir der Schlummer?‘ Die Textworte lauten: ,nur der Tannen Wipfel rauscht, nur das Birken-
laub im Hain flüstert durch die hehre Stille‘, und den Zusammenhang mit dem Gewitter geben die vorausgehenden Worte:
,nur dort in der Berge Ferne scheint ein Wetter aufzuziehn‘.
Die Celli und Violen, in Sexten, beziehungsweise Terzen, von
einander abstehend, übernehmen in Sechszehnteln dieses Ge-
flüster. Ziemlich die nämliche Bewegungsfigur hatte schon Mozart
in Cosi fan tutte (N. 10 Terzettino; E-dur) für denselben Zweck
angewendet, nur hatte er sie in die mittleren Lagen der Geigen
gelegt. Wir wagen nicht zu sagen, dass es bewusste, oder
auch nur unbewusste Nachahmung war; ebenso wahrscheinlich
ist, dass beide unabhängig von einander die gleiche Lösung
gefunden haben.

Der Regen ist in zwei Phasen darstellbar, entweder das
erste Tröpfeln oder der Platzregen. Ein schönes Motiv
für die ersten vereinzelten Regentropfen kennen wir aus der
Ouverture zu Wilhelm Tell von Rossini. Der Tact ist Vier-
viertel und es fallen anfangs nur wenige schwere Tropfen,
musikalisch in Gruppen von je drei geordnet, und sie treffen
auf den dritten, ersten und dritten Tacttheil. Bald darauf

aber — und das ist ein feiner Zug — fallen sie auf die
schwachen Tacttheile, den zweiten und vierten; die Natur tritt
aus ihrer Ordnung heraus. Die Regentropfen werden geflötet,
mit Unterstützung der Clarinette und auch diess ist schön getroffen. Neu war das allerdings nicht. Rossini hatte früher
selbst schon die Regentropfen auf die schwachen Tacttheile
gelegt im Zwischenacte des Barbier von Sevilla (N. 13), wenn
er sie auch der ersten Violine, nicht der Flöte gegeben hatte:
auch fallen dort die Tropfen regelmässig und ununterbrochen.

Indessen sind sie auch hier nicht sein volles Eigenthum, sondern
von Paesiello im Barbier von Sevilla (erste Aufführung 1776
in Petersburg, 1789 in Paris) vorweggenommen. Nicht dass
Rossini sein Vorbild copiert hätte, weil es ihm ja an Erfindungs-
gabe nicht fehlte, vielmehr ist das Problem durchaus verschieden gelöst; aber die Idee eines musikalischen Tropfen-
regens dürfte er von Paesiello erhalten haben. Dieser hat durch
Ineinandergreifen der beiden Violinen eine grössere Zahl von
Regentropfen herausbekommen.

Denn nicht nur kannte er denselben ohne Zweifel, sondern es wurde ihm ja schon damals der Vorwurf gemacht, er habe sich mit fremden Federn geschmückt. Zwischen beiden steht der Zeit nach Beethoven, vollkommen unabhängig; die Tropfen fallen diatonisch in Achteln der Geigen, staccato, A-dur; bei Mozart legato. Gluck hat gar nichts, was hieber gehörte.[1]

Für den strömenden Regen eignet sich die absteigende Chromatik; die Skala erhält dadurch mehr Töne, was der Regenfülle entspricht. So müssen wir die abwärts gehende Chromatik (E-moll, fortissimo, Achtel) in der Ouvertüre zu Wilhelm Tell deuten; der zweite Guss ist durch Terzen verstärkt; in immer neuer und vermehrter Auflage fällt der Regen. Stellenweise steigen auch die Oberstimmen chromatisch, aber nur in Gegenbewegung, wo dafür die Bässe fallen. Der Welterfolg des Rossinigewitters ist unbestritten; das grosse Publikum hat sich seiner Wirkung nie entzogen.

Auch von der Chromatik weiss Gluck noch nichts, wohl aber Mozart, und sogar auch von den Terzengängen, nur mit dem Unterschiede, dass sie sich bei ihm als Sexten präsentieren. Das Mittel ist bei ihm nicht so breitgetreten, wie von Rossini, doch ist dafür seine Chromatik weniger roh, nämlich so gemischt, dass manchmal nur die Unterstimme um einen halben Ton fällt, während die Oberstimme stehen bleibt; ich meine die wunderbare Stelle in Tact 27 und 29.

Die Sexten eine Octave höher.

---

[1] Anders der wohlthuende Landregen, z. B. im deutschen Requiem von Joh. Brahms, N. 2 ,siehe ein Ackermann ist geduldig, bis er empfahe den Morgenregen und Abendregen', wo der Componist auch staccato (Harfe, Flöte) wählt, aber gebrochene Akkorde giebt. Auch die berühmte, zuerst in D-moll auftretende und im zweiten Hauptthema wiederkehrende Sextole im Sturmlied von Richard Strauss verlangt Staccato; nach der Erläuterung von Wilh. Mauke soll sie aber das Heulen der Windsbraut (?) und das Gestöber der Schneeflocken ausdrücken.

Grétry: Zu den Forte-Tacten bläst Piccolo hohes B.

Um aber das Pariser Publikum von dieser übermässigen Bewunderung von Rossini abzubringen pflegte Habeneck, welcher die Beethovenschen Sinfonien im Conservatoire eingeführt hat, so oft er im Concerte die Ouvertüre zu Wilhelm Tell aufführen musste, den betreffenden Satz der Pastoralsinfonie folgen zu lassen, und da traf denn für jeden Unbefangenen ein, was Schumann gesagt und ein moderner französischer Schriftsteller wiederholt hat: der Adler zerdrückt den Schmetterling. Vgl. Lionel Dauriac (La psychologie dans l'opéra français. Cours libre professé à la Sorbonne. Paris 1897), welcher freilich über die Darstellung des Gewitters S. 85 fast nichts zu sagen weiss. Ein moderner Componist, Verdi, hat im Rigoletto, was man kaum glauben sollte, den heulenden Sturmwind durch Männerstimmen darstellen lassen, und zwar mit gutem Erfolge.

Endlich noch Blitz und Donner. Der Blitz fällt vom Himmel zur Erde, aber man sieht ihn doch nicht fallen, sou- '

dern nur eine gleichzeitige Erleuchtung und das Bild gestaltet
sich anders, wenn wir auf einem Berge stehen. Damit soll
nur gesagt sein, dass die musikalischen Blitze nicht nothwendig
zu fallen brauchen. Gluck hat gar keine Blitze, er hat die
Tonmalerei gar nicht entwickelt. Das Gedicht der Jahreszeiten
spricht von flammenden Blitzen und ‚zackigen‘ Keilen (Ende
des Sommers) und daraus machte Haydn die in Akkordintervallen fallenden und steigenden Staccatotriolen. Allein schon
im folgenden Jahre (1802) gab er die Triolen auf in der Kantate
‚der Sturm‘, und setzte an deren Stelle einfache Achtel, so
dass die geschriebenen Noten wirkliche Zacken bilden, d. h.
abwechselnd in Akkordintervallen stark fallen und schwach
steigen, nämlich in A-moll: hohes e, fallend auf a, steigend
auf c, fallend auf e, steigend auf a, fallend auf c u. s. w.

In der Einleitung zum Othello hat Verdi in die Partitur geschrieben: un fulmine, lampi e tuoni, mit Unterscheidung des
einschlagenden und bloss leuchtenden Blitzes. Ein hoher Geigen-
lauf führt uns nach D-moll, worauf die Blechbläser in Triolen
Sextakkorde aufsteigen lassen und im folgenden Tacte die
Streichinstrumente umgekehrt in den Intervallen des D-moll-
dreiklanges von dem dreigestrichenen a bis in das grosse D
niederstürzen; es ist ein niederfahrender, treffender Blitz.

   Allein es ist auch eine andere Darstellung möglich, versucht und vielleicht vorzuziehen. Da die tieferen Noten
schwächer klingen als die hohen, so verliert jeder tonisch
fallende Blitz an Kraft, während wir umgekehrt eine Steigerung erwarten; rein ‚musikalische‘ Interessen empfehlen es daher, die Blitzfigur steigen zu lassen, und zwar in rascher Bewegung. So interpretiert man, und wohl mit Recht, in der
Pastoralsinfonie zwei aufsteigende Sechszehntelfiguren der ersten
Violinen (f, b, des und f, as, d), und wahrscheinlich wollen
die aufsteigenden Zweiunddreissigstel des Piccolo (a, h, cis, d)

in der weissen Dame nichts anderes bedeuten, zumal sie von den Texteesworten begleitet sind ‚la foudre sillonne les airs'. Vielleicht darf man das Urbild dieser Darstellung im Idomeneo suchen.

Der Donner rollt und kracht. Für beides ist die Paucke das gegebene Instrument, und sie muss dazu verwendet worden sein, seitdem sie in das Orchester aufgenommen war. Das Beispiel aus Glucks Iphigenie ist daher gewiss nicht das älteste; der Componist benützt den Pauckenwirbel, aber er legt noch nicht einzelne Schläge fortissimo auf unbetonte Takttheile, wodurch das Unregelmässige zum Ausdrucke kommt; vielmehr ist sein Donner musikalisch gezähmt. Das Natürliche war den Donner der Tonikapauke zu übertragen; Boieldieu wählte die Dominante, das tiefe A in D-dur, und wo er einen Donnerkrach auf den zweiten Takttheil (Dreivierteltakt) legt, markiert er den ersten besonders stark durch Piccolo, Holzbläser und Blech, so dass zwei Gewalten aufeinander stossen. Das an naturalistischer Wahrheit Grossartigste findet sich in der Fantastique, wo Berlioz vier verschieden gestimmte Paucken verlangt und als Freund der Paucken hat er das Extrem erreicht; in den Odeonconcerten hörte ich das Donnersolo von einem einzigen Virtuosen geschlagen, welcher vermuthlich die vorgeschriebenen Noten in eine Stimme zusammenfasste und diese nach Art einer freien Cadenz individuell behandelte. Vorzüglich, wollen wir nicht versäumen beizufügen.

Das ältere italiänische Orchester besass freilich keine Pauken und so musste man zu den Celli und Kontrabässen seine Zuflucht nehmen. Sie können mühelos und längere Zeit denselben Ton in Sechszehnteln wiederholen, was ungefähr den gleichen Effect macht. So beginnt das noch ferne Gewitter bei Beethoven pianissimo in den Celli und Contrabässen (Des) und die Paucke tritt erst später hinzu, und mit den Streichern hatte sich auch Rossini im Zwischenakte des Barbier und Mozart begnügt. Eine Variation ist es die Bässe trillern zu lassen und zwar mit Halbton, aufwärts oder abwärts, weil ja das Geräusch des Donners nicht einen und denselben Ton streng festhält; so Rossini (c, h, c, h, c, h) kurz vor dem Ausbruche des Gewitters, und so schon Paesiello im dritten Akte seines Barbiers (d, es, d, es), mit Verstärkung der Geigen in der oberen Oktave.

Die Bläser eignen sich weder für das tremolo noch für den Triller, und darum werden kaum Fagotte oder Posaunen für den Donner verwendet sein, obschon die Neueren, welche den Instrumenten mehr zumuthen, zwei sich geschickt ablösende Fagottisten riskieren dürften.

Bei vokaler Behandlung werden am besten die Bässe das Rollen des Donners malen, und nach den Gesetzen der Fuge werden dann die andern Stimmen nachfolgen. Der Triller passt freilich nicht für Chormassen und er wird daher bewegteren Sechszehntelfiguren weichen müssen, wozu ein Beispiel giebt Händel, Psalmen, Band 2 der Ausgabe der Händelgesellschaft, S. 183 ff.

Es rollt sein Don . . . . ner

Als Träger dieser Passagen wird hier der Vokal o gute Dienste leisten, anderwärts auch das offene, volle a, nur nicht das dünne i.

Eine Hauptfrage haben wir (denn über die dem Gewitter am besten entsprechende Taktart liesse sich doch keine Regel aufstellen) absichtlich bisher nicht berührt, die Frage, ob für die Darstellung des Gewitters das Dur oder das Moll besser passe. Handelt es sich um einen wohlthuenden Landregen, so ist ohne Zweifel eine Durtonart zu wählen, wie etwa Joh. Brahms im deutschen Requiem (N. 2 Mittelsatz) bei den Worten ‚der Ackermann ist geduldig, bis er empfahe den Morgenregen und Abendregen‘ eine Reihe Durakkorde in Staccatoachtel (fallende Tropfen) auflöst, während sonst der Satz nur Viertel und halbe Noten zeigt.

Für das eigentliche Gewitter ist die Antwort nicht so selbstverständlich. Da die Theaterstürme der älteren französischen Oper nicht ernst zu nehmen sind, so verlaufen sie auch in der Regel in Dur; z. B. Lalande und Destouches, Les éléments (1721) S. 105 ff. der Ausgabe von Vincent d'Indy (Quel orage! quel bruit! tous les vents soulèvent les mers) in C-dur, mit Einmischung eines einzigen Taktes von A-moll; Campra, Tankred (Quels bruits? qui fait trembler la terre?) in B-dur; Campra, Les fêtes Vénitiennes, Scene 4 (Quel ravage! quel bruit!) B-dur; Rameau, Zoroastre (Chor: le bruit effrayant du tonnerre) wieder in B-dur. Ausnahmsweise hatte Lully in seiner Alceste zur Darstellung der Winde D-moll gewählt, wenn auch mit F-dur gemischt, und ebenso kurz vorher (Brillants éclairs, bruyant tonnerre) B-dur und G-moll verbunden.

Diese altfranzösische Oper hat Gluck ohne Zweifel zerstört, und doch scheint er unter ihrem Einflusse gestanden zu haben, als er den Sturm zur Iphigenie in D-dur componierte, vor welchem ein Tact in H-moll und zwei in Fis-moll ganz zurücktreten. Ebenfalls in D-dur ist die vorausgehende Meeresruhe gehalten, so dass Tonart und Tongeschlecht für die Characteristik gar nicht in Betracht kommen. Die Dur-stürme sind heutzutage aus der Mode gekommen; denn das C-dur Gewitter im zweiten Acte des Barbiers von Rossini (j'entends gronder l'orage) und im Zwischenacte hat eigentlich gar keinen Character und wendet sich gegen Ende doch nach Moll. Diesen Uebergang finden wir schon bei Grétry, welcher (1791) seinen Sturm im Wilhelm Tell in Es-dur beginnt, bald aber nach Es-moll und C-moll ausweicht, (vgl. oben S. 242) gerade wie Boieldieu am Ende des ersten Actes der weissen Dame (Hört doch, der Donner rollt) zwar mit D-dur anfängt, doch sofort D-moll folgen lässt.

Seit Mozarts Idomeneo, und wir dürfen wohl sagen, durch ihn hat die Molltonart Besitz von dem Sturm genommen. Nicht nur die bereits genannten Componisten Beethoven, Weber, Marschner, Wagner, Rheinberger, Verdi haben sich ihm angeschlossen, auch Cherubini hat in seiner Elisa 1795 D-moll gewählt, wie zuletzt Richard Strauss in ‚Wanderers Sturmlied‘

(Text von Goethe). Dasselbe D-moll finden wir auch in der
1802 componierten Cantate Haydns ‚der Sturm‘, (Chor mit Begleitung des Orchesters), während derselbe Componist 1767,
also vor Mozarts Idomeneo, den letzten Satz des Concertino
Le soir, betitelt La Tempesta, in G-dur gesetzt hatte, nach
gefälliger Mittheilung von Dr. Mandiçzewski in Wien, wo das
bisher ungedruckte Manuscript liegt.

Es wäre leicht die Zahl der Beispiele zu vermehren, vielleicht auch noch vereinzelte Ausnahmen aufzufinden; dass das
Jahr 1780 einen Wendepunct bildet, wird kaum zu bestreiten
sein und ebenso wenig der persönliche Einfluss von Mozart.
Freilich ist damit die Thatsache noch nicht erklärt, doch beanspruchen wir diess auch nicht, da hier der Historiker abtreten
und dem Aesthetiker Platz machen muss. Händels Oratorien
und Psalmen enthalten zahlreiche Beispiele solcher Schilderungen
und ohne Zweifel überwiegt die Durtonart bei Weitem, doch
vielleicht nicht nur aus dem Grunde, weil die Compositionen
vor den Idomeneo fallen, sondern auch, weil ihm der Sturm
als etwas Grosses und Erhabenes erscheint, als eine Offenbarung
der Allmacht Gottes.

2. Vogelstimmen.

Die Nachahmung der Vogelstimmen fällt nach unseren
heutigen Begriffen der Instrumentalmusik zu; da sie leichtverständlich ist, so konnte sie durch reisende Virtuosen ausgebildet werden, welche damit die Gunst des Publikums zu gewinnen hofften. Von einem solchen berühmten Geiger des
17. Jahrhunderts, Namens Farina, meldet Wasielewski in seiner

Schrift ‚die Violine im 17. Jahrhundert‘, er habe den Hahnen-
ruf, das Gackern der Henne u. ä. auf der Geige nachgeahmt.
Auch hatte man schon im 16. Jahrhundert kleine tragbare
Orgeln mit Kukuks- und andern Vogelregistern, um Serenissimus
zum Lachen zu reizen. In jüngeren Jahren hat auch Seb. Bach
in einer nach dem Vorbilde von Kuhnau componierten Sonate
(vgl. oben S. 225) ein lustiges Fugenthema eingelegt, welches
uns an den Postillon erinnern könnte, wenn es nicht laut
Ueberschrift das Gackern der Henne bedeutete, worüber man
Näheres bei Spitta Bach, I 240 findet.

Die Geschichte führt uns indessen auch in die Vokalmusik
zurück. Diese hat eben die Sprache, die Vokale und die Kon-
sonanten, voraus und mit Hülfe dieser Mittel erfindet man
onomatopoetische Bildungen, welche die Stimme des Vogels
nachahmen, wie z. B. turturtur die Turteltaube. So legte schon
Jannequin, welcher um 1520 in seinem Chant des oiseaux in
vierstimmigem Gesange die bekannteren Vögel darstellte, als
Text unter turry turry, für den Hahn coquco, und gern würden
wir von diesem seltenen Werke Proben vorlegen, wenn nicht
der Satz von Beispielen mit vier Singstimmen für den vorliegenden Zweck zu umständlich wäre. Trotz dieser zahlreichen
Vorbilder enthalten die älteren Orchesterwerke, so weit sie mir
bekannt sind, so gut wie keinen Vogelgesang; erst seit dem
Ende des vorigen Jahrhunderts häufen sich die Beispiele und
in der neuesten Litteratur erfreut sich diese Art von Tonmalerei
einer gewissen Beliebtheit, wie die Tonmalerei überhaupt. In
welchem Mädchenpensionate würden nicht Rossignol et Fauvette
(von Gerville) oder Les cloches du monastère und ähnliche
Compositionen als Bravourstücke einexerziert? Der Bahnbrecher
für solche characterische Klavierstücke (beziehungsweise Orgel-
stücke) ist Francois Couperin (gestorben 1733), welchen Bach
hochschätzte, und Brahms hat eine neue Ausgabe seiner Compositionen in den von Chrysander herausgegebenen Denkmälern

der Tonkunst' besorgt. Sogar Liszt hat unter seinen Russischen Melodien, N. 1 ein Stück ,die Nachtigall'. Doch müssen wir hier, weil wir sonst zu keinem Ende kämen, die Klaviercompositionen von der Betrachtung ausschliessen, und aus demselben Grunde auch das Lied.

Haydn wurde in seinen Jahreszeiten durch sein Gedicht darauf geführt (Ende des Sommers, N. 13, Terzett mit Chor), und wie sehr hat er Mass gehalten! Zweimal, und nicht öfter, lässt die Wachtel ihren Ruf ertönen, worauf Lukas singt ,dem Gatten ruft die Wachtel schon'; zwei kurze Takte lang zirpt die Grille, und Hanne gedenkt dieses im Grase verborgenen Vogels: eine flüchtige Illustration in Tönen zu dem Texte. Auch die Tonmalerei in seiner im Jahre 1788 komponierten Kindersinfonie, zu welcher Nachtigall, Wachtel und Kukuk vereinigt sind, verdankt ihren Ursprung einem äusseren Zufalle, nämlich einem Jahrmarkte, an welchem Haydn den Kindern die Instrumente kaufte, welche gerade in der Krämerbude zu haben waren, Wachtelpfeife, Kukukspfeife, irdene Nachtigallpfeife, deren Bauch mit Wasser angefüllt wird, Kindertrompete, Knarre, Trommel u. s. w., woraus dann die Komposition entstand.

Mozart aber hat seinen Papageno in der Zauberflöte, den bekannten Vogelfänger, gar nicht dazu benützt ein Vogelconcert zum Besten zu geben; viel wichtiger und allein Aufgabe der Kunst erscheint ihm den munteren Character zum Ausdruck zu bringen, welchen Papageno im Umgange mit der Vogelwelt sich bewahrt hat. Man vergleiche damit etwa die Operette ,der Vogelhändler', um zu sehen, wie ganz anders der moderne Componist die günstige Gelegenheit ausnützt.

Beethoven hat sich in seiner Pastoralsinfonie auf die drei Vögel der Kindersinfonie[1]) beschränkt und dieselben zugleich und zwar so singen lassen, dass der Kukuk in dem Terzette den Bass übernimmt; sie gehören naturgemäss zu der ,Scene

---

[1]) Es soll damit nicht gesagt sein, dass Beethoven sich an Haydn angeschlossen habe; es gab damals auch andere Pastoralsinfonien, so eine von Toesca (geb. 1770) mit Vogelstimmen. Auch Cannabich giebt in einem kurzen Pastorale verschiedenartige Vogelmotive.

am Bache' und sind jedenfalls nicht gewaltsam herbeigezogen.
Uebrigens bezeichnete Beethoven selbst diese paar Takte als
einen musikalischen Scherz; zum Ueberfluss hat er die Namen
der Vögel in die Partitur gesetzt, obwohl man sie auch ohne
diess erkannt hätte. Aber es steckt in Wirklichkeit in dem
Tongemälde noch eine andere Vogelstimme. Als Schindler,
über dessen Zuverlässigkeit wir freilich kein Urtheil abgeben
wollen, bei einem Spaziergange in der Nähe von Heiligenstadt
bei Wien den Meister fragte, warum er nicht auch die Goldammer an dem Gesange habe theilnehmen lassen, zeichnete er
im G-durakkord aufsteigende Sechszehntel in sein Skizzenbuch
ein als den Gesang des Vogels, und genau dieses Motiv finden
wir in Takt 58 und 59 des Andante zweimal, erst der Flöte
und dann der Oboe zugetheilt, wobei er an die Goldammer gedacht zu haben scheint. Der Name fehlt hier in der Partitur,
und mit gutem Grunde, weil Beethoven die aufsteigenden
Akkordintervalle in der Fortspinnung des Gedankens nach D-
dur, Es-dur, B-dur versetzt hat, was ja der Wirklichkeit widerspricht, aber in der thematischen Arbeit begründet ist. Er
fügte hinzu, dass der Name ‚Goldammer‘ den ‚böswilligen Aus-
legungen‘ des zweiten Satzes nur neue Nahrung gegeben haben
würde. Schon damals also erhob sich eine Opposition gegen
diese Art von Tonmalerei.

Spohr hat es sich in seiner Weihe der Töne nicht nehmen
lassen den Naturgesang der gefiederten Welt uns vorzuführen
und eine ganze Reihe von Singvögeln aufgeboten, Nachtigall
(unten S. 255), Wachtel, Kukuk; die musikalischen Interpreten
sind Flöte, Oboe, Clarinette und Horn.

Bei Richard Wagner hört Siegfried (Nibelungenring.
Zweiter Tag. Mitte des zweiten Aktes. Partitur Seite 215 ff.)
den Vögeln im Walde zu, wie sie schwatzen, und indem er der
Stimme eines Waldvögleins folgt, findet er später den richtigen Weg. So bekommen wir einen ganzen Waldchor zu
hören. Naturgetreue Kopien sind es freilich nicht, aber doch
so deutliche Anklänge, dass man hie und da an einen bestimmten Vogel erinnert wird.

Noch freier hat Rob. Schumann in den Waldscenen seinen ‚Vogel als Prophet' behandelt, nämlich als einen Fantasievogel, in welchem das musikalische Können vieler Vögel concentriert ist. Sein Vogel ist ein Collectivum und sogar die einzelnen Gesangsmotive haben nur im Allgemeinen den Character des Gezwitschers, ohne Nachahmung zu sein.

Nicht alle Vögel singen musikalisch, unser Zimmersänger, der Kanarienvogel, gar nicht; der Musiker wird sich also die besten heraussuchen. Aber auch dieser Naturgesang passt nur mangelhaft in unser modernes Tonsystem, sowie auch die Kehl- und Lippenlaute, welche sich mit den Tönen verbinden, nicht vollkommen mit unsern Buchstaben übereinstimmen. Wie Kukuk und Kikeriki menschliche Interpretationen sind, und der Bauer aus dem Pickwerwick der Wachtel ein ‚Bücke dich' heraushört, so ist auch die Uebersetzung des Gesanges in Töne eine künstlerische Deutung oder Umbildung. Es handelt sich darum Tonhöhe, Tonlänge, Tonstärke, die Klangfarbe, den Accent, die Zahl der Töne zu bestimmen, und da die Natur Viertelstöne, Zwischenvokale und Zwischenconsonanten besitzt, tragen wir mit der Transscription etwas Subjectives in die Natur hinein.

Zu den musikalisch leicht bestimmbaren Vögeln gehört die Wachtel, welche über einen einzigen Ton gebietet, denselben aber dreimal streng festhält und rhythmisch einen punktierten Achtel hören lässt. Das Instrument, dessen Ton ihr am nächsten kommt, ist die Oboe. Gemeinschaftlich ist der Kindersinfonie, den Jahreszeiten und der Pastoralsinfonie, dass der Wachtelruf nie mit dem ersten starkbetonten Takttheile einsetzt.

Als erste Sängerin gilt uns die Nachtigall;[1]) in der

---

[1]) Der ‚Musikführer' schreibt in seiner Erklärung der Jahreszeiten von Benedikt Widmann S. 12, Haydn lasse neben der Wachtel die

Kindersinfonie wird, wie oben bemerkt, eine irdene, eulenförmige Pfeife benützt, während Beethoven derselben Flötenflöge gieht. Sie wiederholt einen hohen Ton dreimal etwa in halben Noten, um dann in einen schmetternden Triller überzugehen. Ihre Tongebilde sind von Alwin Voigt (Studium der Vogelstimmen. Berlin 1894. S. 16. 17) genau angegeben, und ähnlich, wenn auch nicht vollkommen übereinstimmend, hat sie Beethoven gezeichnet. In der Kindersinfonie ist sie auf den Triller beschränkt; auf Naturwahrheit muss man eben bei diesem musikalischen Scherze verzichten. Frei stilisiert hat ihren Gesang Peter Cornelius im Barbier von Bagdad und zu ihrem Interpreten den Klarinettisten gewählt, obwohl der Text lautet: die Nachtigall flötet.

Den Kukuk rühmen sogar die Zoologen als guten Sänger, indem sie ihn nach Linné Cuculus canorus nennen. Voigt hat als Minimalintervall seiner beiden Töne die grosse Sekunde, als Maximalintervall die Quarte angegeben, S. 136, Beides freilich nur für Ausnahmsfälle. Nach einer Monographie von Dr. Ed. Baldamus ‚das Leben der europäischen Kukuke‘. Berlin 1892. S. 32 bewegen sich die Töne zwischen dem eingestrichenen G und C; d. h. nicht der einzelne Kukuk hat eine Quinte Spielraum, sondern die Töne sämmtlicher Kukuke halten sich in diesen Grenzen. Die zwei Rufe des einzelnen Vogels bilden dagegen, wie bekannt, eine Terz, bald eine grosse, bald eine kleine, und selten sind die Intervalle vollkommen rein. Der Ruf wird bei Tag bis 30 mal wiederholt, bei Nacht hat einmal Baldamus 168 Rufe hintereinander gezählt. Ist der Kukuk in ruhiger Stimmung, so treffen 40—50 Rufe auf die Minute, in leidenschaftlicher Erregung bis 64. Der Componist wird die Geduld des Zuhörers nicht so stark auf die Probe stellen, und sich mit wenigen Rufen begnügen; die meisten Wiederholungen

---

Nachtigall auftreten; in Wirklichkeit ist es aber in Uebereinstimmung mit dem Texte die Grille. Auch in der Angabe der zur Nachahmung der Thierstimmen verwendeten Instrumente befinden sich mehrfache Unrichtigkeiten.

hat sich Humperdink in Hänsel und Gretel gestattet, doch, wie wir gleich sehen werden, mit gutem Grunde. Den Schluss der Reihe macht ein hachach, kwawa, an welches sich die Musiker nicht gewagt haben.

Von den beiden Kukuksterzen gilt die kleine, in der Tonhöhe F-D nach Voigt, als die Regel, die grosse als die seltenere. Die in den Handel kommenden Kukukspfeifen sind auf beide Intervalle gestimmt. Haydn erwischte auf dem Jahrmarkte ein richtig gestimmtes Instrument mit kleiner Terz, schraubte aber, da die Tonart seiner Sinfonie C-dur ist, den Ruf um einen Ton hinauf, auf G-E. Kleine Terz hat schon ein deutsches Chorlied von Lemlin aus dem 16. Jahrhundert (der Gutzgauch auf dem Zaune sass; es regnet sehr und er ward nass). Zwei Soprane singen abwechselnd Kukuk mit den Noten C-A, wozu als Grundton F gehört, so dass wir einen Dur-Dreiklang bekommen. Ebenso hat schon Joh. Ekkard, ein Schüler von Orlando in seinen deutschen vier- oder fünfstimmigen Liedern (1589. N. 9. Hört ich ein Kukuk singen) dem Vogel C-A, also die kleine Terz gegeben. Beethoven in der Pastoralsinfonie hat dagegen die grosse Terz, und zwar D-B, da die Scene am Bache in B-dur gesetzt ist. Humperdink in Hänsel und Gretel (§ 71. Partitur S. 129) hat genau dieselben Töne (D-B) und das hinzutretende höhere F ergiebt einen Durdreiklang. Da aber die Geschwister sich im Walde verirren, ändert sich die Stimmung, und indem die Kukukstöne D-B als Unterlage ein tiefes G im Fagotte erhalten, klingt uns der Dreiklang G-moll entgegen. Diess ist sehr schön empfunden und auch sehr wirkungsvoll; die verschiedene Harmonisierung aber nicht Natur, sondern Zuthat der Kunst.

Abgesehen von dem Intervalle kommt auch noch die Betonung in Frage; soll man betonen Kúkuk oder Kukúk. Das Erste thut Lemlin (1540), Beethoven, welcher die Töne dem Horne giebt, Humperdink; der zweiten Betonung folgen Hiller, Haydn und Spohr; der oben genannte Ekkard wechselt. Der Naturforscher Baldamus erkennt beide Betonungen als gleichberechtigt an, doch wird die erste Silbe (wenn man so sagen

darf) immer betont bei der leidenschaftlichen Verdopplung
Kuku-kuk. Diess muss man wissen um ein im Jahre 1790
erschienenes Lied von J. A. P. Schulz (Lieder im Volkstone.
3. Theil. Berlin 1790. Seite 18) richtig zu verstehen. Der
Dichter, Stolberg, hat nur Kukuk, was der Componist am Ende
willkürlich zu einem Kukukuk steigert; er kannte die von den
Ornithologen schon früher gemachte Beobachtung und stellte
die Verdoppelung richtig an das Ende.

der   ar - me   Kukuk, Ku - ku-kuk, Ku - kuk.

Als besonders interessantes Beispiel möchten wir das erste
deutsche Singspiel, die verwandelten Weiber von Joh. Adam
Hiller (Leipzig 1770) citieren, weil der Schuhflicker Jobson in
einem Liede (Seite 40 f.) die Dohle, den Hahn und den Kukuk
nebeneinanderstellt und mit einem vierten Gluglu, Gluglu nicht
auf die Henne, sondern die Weinflasche anspielt.

Krab,   Krab, Krab, ha   ha ha ha,   ha   ha ha ha,

Ki ki ri ki   .   .   Ki ki ri ki   .   .

Ki ki ri   ki   .   .   .

Im Takte stimmt das Kikiriki durchaus mit der Natur,
und da der Hahn sich oft bei der Wiederholung des Rufes

überschreit, so ist diese Thatsache musikalisch verwerthet durch Steigerung der Tonhöhe und der Achtel zu Sechszehnteln.

Die Grille ist sogar die Heldin der modernen Oper von Karl Goldmark geworden ‚Heimchen am Herd'. Gleich zu Anfang hört man ihr Zirpen und im Verlaufe noch oft; es ist ein Gemisch von Cis und D in hoher Lage, wozu E-moll und G-dur die Grundlage bilden. Die moderne Kritik hat diese Tonmalerei als neu und schön gelobt; sie scheint vergessen zu haben, dass schon Haydn in den Jahreszeiten (Sommer. Ende) dieses Zirpen mit denselben Noten dargestellt hatte.

Eine Amsel giebt uns z. B. Sandberger in seinem ‚Waldmorgen', opus 5, und zwar trillert die Flöte auf F, woran sich eine kleine punktierte Achtelfigur anschliesst. Beobachtet hat er den Gesang im englischen Garten bei München.

Clar. in B. Nachtigall. Spohr.

Wir müssen hier abbrechen, obschon wir erst einen dürftigen Einblick in die Sache gegeben haben. Wenn G. Engel in seiner Aesthetik der Tonkunst S. 159 sagt, Mozart sei von den grossen Componisten derjenige, welcher die Tonmalerei am seltensten anwende, seltener als Händel und Haydn, als Beethoven, Schubert (Winterreise) und Schumann, so bedarf dieser Satz wohl noch grösserer Einschränkung als der Verfasser geglaubt hat und ausser dem, was oben gelegentlich bemerkt worden ist, wäre namentlich an die Oper Cosi fan tutte zu erinnern, in welcher Jahn (Mozart IV 547) viele Tonmalereien nachgewiesen hat, das Rauschen der Wellen, das Schluchzen, das Schwerterziehen, das Gläserklingen und Anstossen mit den Gläsern (Pizzicato der Geigen). Aber Mozart kann für uns nicht massgebend sein und selbst der grösste Verehrer der

klassischen Musik wird uns nicht einmal zumuthen bei
hoven stehen zu bleiben, doch wird man sich ebenso sehr l
müssen über das Ziel hinauszuschiessen.

Zunächst fragt sich, wenn wir den Begriff Tonmaler
Programmmusik erweitern, wie viel die Ueberschrift in W
zu bedeuten habe. Wir wollen nicht sagen, dass sie oi
der Musik in dem losen Verhältnisse stehe, in welchen
Frauenzimmerkopf zu einer bestimmten Cigarrensorte odei
Titel Marienpolka zum Tanze. Zum mindesten ist sii
Motto, welches den Schlüssel zum Verständnisse giebt.
rend unsere Klassiker schöne Gedanken in schöner Form b
wollten, welche gar nicht darauf Anspruch, machten etwi
bedeuten, wollen die Neueren bestimmte Vorgänge oder Zusi
in möglichst characteristischer Weise wiedergeben, und da
nicht verstanden würden, bedarf es des Wegweisers vermi
des Titels und manchmal ausführlicher erklärender Progri
Darüber vgl. oben S. 228. (Vgl. Herm. Abert, Ueber
malerei und musikalische Characteristik im Alterthume.
lage der Allg. Zeitung, 1897. N. 267. 25 Novb.) Mit
Titel ‚So sprach Zarathustra‘ kann der Componist sagen w
er sei persönlich bei der Conception des Werkes von dem
des bekannten Buches von Nietzsche erfüllt gewesen und wü
dasselbe von diesem Gesichtspuncte aus aufgefasst, und
theilt zu sehen; ob aber seine Töne wirklich jener Philosi
entsprechen, wäre eine andere Frage, welche sich dahii
weitern liesse, ob es überhaupt möglich sei philosophischi
danken musikalisch zum Ausdrucke zu bringen. Der Vei
diess zu thun geht über die bisherige Programmmusik hi

Was aber die Einzelmittel der Tonmalerei im eni
Sinne betrifft, so wird im ‚Barbier von Bagdad‘ die Fl
bewegung aufflatternder Vögel so zu Gehör gebracht, da
Geiger den Bogen umdrehen und mit dem Holztheile au
Saiten klopfen. Diese Spielart (col legno) ist zwar in
Violinschule bekannt und ursprünglich wohl von Virtuose
scherzhaften Zwecken ausgebeutet, und insofern kann s
einer komischen Oper zulässig erscheinen, während sie

ernsten Musik fremd ist. Indessen ist doch zu bemerken, dass
der Componist Peter Cornelius, dessen geschriebene Original-
partitur einzusehen mir vergönnt war, diess nicht vorgeschrieben
hat, und dass es also Zuthat der nach seinem Tode erfolgten
Ueberarbeitung ist. Einen Fortschritt der Kunst möchten wir
darin gerade nicht erblicken.

Andrerseits hat man geglaubt Rheinberger habe im Thale
des Espingo den Duft der Narzissen und Rosen musikalisch
wiedergegeben, während er selbst, von uns befragt, diess in
Abrede stellte, mit dem Bemerken, dass diess überhaupt nicht
möglich sei. Vgl. oben S. 228, Note 1. Kann es der Componist
ausdrücken, so hat er fast die Pflicht dazu, da in dem Gedichte
von Paul Heyse der Duft und Geruch insofern an der Handlung betheiligt ist, als die Mauren an ihre Heimat erinnert in
der Freude des Genusses sorglos werden und in der Nacht den
Pfeilen der Basken erliegen; doch genügt uns die Erklärung
des Componisten vollkommen. Nur lässt sich immer noch die
Frage aufwerfen, ob nicht der Operncomponist weiter gehen
dürfe, weil hier ausser der Handlung und dem gesprochenen
Textworte die Dekoration das Verständniss erleichtert. Um
nicht von dem Blumengarten in Wagners Parsifal zu reden
hat in Meyerbeers Afrikanerin der Manzanillobaum, unter dessen
süssen, aber giftigen Düften Selika stirbt, eine grosse Bedeutung;
die Harfe kann den Duft nicht geben, aber vielleicht kann der
Zuschauer im Zusammenhange verstehen, welche Empfindungen
damit angedeutet sind, zumal sie durch Geberde und Minen-
spiel der Sängerin unterstützt werden. Ein noch neueres Beispiel liefert die Oper Malawika von Weingartner. Als sym-
bolisches Zeichen der glücklichen Wendung in den Liebes-
schicksalen Malawika's blüht der von der Heldin berührte
Asokabaum voll auf; den Vorgang des Erblühens, beziehungsweise die Psychologie des Vorganges bei M. ‚schildert‘ ein
längeres Orchesterzwischenspiel (bei gefallenem Vorhange),
welches den dritten Act der Oper in zwei Hälften scheidet.
Als sich der Vorhang wieder hebt, gewahrt der Zuschauer den
‚in ein Meer rosiger Blüten‘ getauchten Baum. Und hier war

der Moment, wo der Componist vorübergehend daran dachte, die Wirkung vielleicht durch einen verbreiteten feinen Parfum heben zu können.

Die Beispiele sollen nur zeigen, in welcher Richtung wir uns bewegen, und dass wir wünschen müssen es möchte uns bald ein zweiter Lessing über die Grenzen der Tonkunst belehren. Eines ist wohl bereits klar geworden, dass für die Tonmalerei reine Instrumentalmusik, Cantate und Oper drei verschiedene Stufen bezeichnen. Nichts staunend bewundern, sondern die Augen offen halten und ruhig denken, das muss die Grundlage sein, von welcher aus wir uns zu einem klareren Urtheile erheben.

Eine Heerschau des Peisistratos oder Hippias auf einer schwarzfigurigen Schale.

Von Wolfgang Helbig.

(Vorgelegt in der philos.-philol. Classe am 6. November 1897.)

Es ist gegenwärtig allgemein anerkannt, dass die Blüthe der schwarzfigurigen Vasenmalerei, wie wir sie, um hier nur zwei bestimmte Meister namhaft zu machen, durch die Arbeiten des Amasis und Exekias kennen, hoch in die Zeit des Peisistratos hinaufreicht und dass demnach die unmittelbar darauf folgende Entwickelungsphase dieser Technik zum Theil in die späteren Jahre des grossen Tyrannen, zum Theil unter die Herrschaft seiner Söhne fiel. Wer mit den schwarzfigurigen Gefässen einigermassen vertraut ist, weiss, dass ihre Bilder häufig Scenen aus dem .attischen Leben darstellen, dass darauf sogar die Träger der Handlung, Komasten, Athleten, Männer und Jünglinge, die sich mit Pferde- oder Wagensport beschäftigen, Frauen und Mädchen, die Wasser schöpfen, bisweilen durch beigeschriebene Namen zu der realen Welt in Beziehung gesetzt werden. Die Herrschaft des Peisistratos und der Peisistratiden übte auf den Staat wie auf die Gesellschaft den durchgreifendsten Einfluss aus und lenkte die athenische Entwickelung recht eigentlich in eine neue Bahn. Wenn demnach die gleichzeitigen Vasenmaler in der mannichfachsten Weise den sie umgebenden Verhältnissen Rechnung trugen, so steht zu erwarten, dass sie die jener Familie angehörigen Personen nicht unberücksichtigt liessen. Es wird somit Niemanden befremden, wenn ich auf einer schwarzfigurigen attischen Schale

17*

eine Darstellung des Peisistratos oder eines Peisistrati
nachweise.

Diese Schale wurde in einem nolaner Grabe gefun
ging aus dem Besitze Alessandro Castellani's in das Bri
Museum über[1]) und wurde von Richard Schöne in den Mc
menti dell' Instituto IX 9—10, Ann. 1869 p. 245—253 pu
cirt. Sie gehört nicht mehr der Blüthezeit der schwarzfiguri
Technik an. Vielmehr deutet das lockere Princip, das wi
der Anordnung wie in der Zeichnung der Figuren wahrnehn
auf eine etwas jüngere Phase, in welcher sich bereits der
die rothfigurige Malerei bezeichnende Geist zu regen an
und modificirend auf die schwarzfigurige Technik einwir
Die nähere chronologische Bestimmung jener Schale hä
demnach eng zusammen mit der Frage, in welcher Zeit
die Entstehung der jüngeren, rothfigurigen Technik anzunehi
haben. Diese Frage ist bisher fast ausschliesslich auf Gru
lage der von den Vasenmalern angewendeten Lieblingsnai
behandelt worden. Allseitig anerkannte Resultate wurden h
mit nicht erzielt. Einige Gelehrte nehmen an, dass die r
figurige Technik im Wesentlichen erst unter der Verwalt
des Kleisthenes zur Ausbildung gekommen sei;[2]) andere rüc
sie bis in die Zeit der Peisistratiden hinauf.[3]) Ein für d
Frage sehr wichtiges Material ist bis jetzt noch nicht in i
giebiger Weise benutzt worden, da seine Publication noch i
steht. Es sind dies die Gefässcherben, welche auf der ath
schen Akropolis unter dem Perserschutte gefunden wurden
die Entwickelung der attischen Keramik von der Urzeit
zum Jahre 480 in ununterbrochenem Zusammenhange vergeg
wärtigen. Unter solchen Umständen schien es mir angeze

---

[1]) Catalogue of the greek and etruscan vases of the British Mus
II p. 224 B 426.

[2]) Diese Ansicht wird namentlich von Klein, die griechischen V
mit Meistersignaturen (Denkschriften der Wiener Akademie, phil.-hist
Bd. XXXIX) p. 13—16 vertreten.

[3]) Der Hauptvertreter dieser Ansicht ist Studniczka, Jahrbuch
arch. Inst. II (1887) p. 159 ff.

an einen Gelehrten, welcher sich eingehend mit den die attische
Vasenmalerei betreffenden Problemen beschäftigt hat und zugleich mit den auf der Akropolis entdeckten Scherben vertraut
ist, die Frage zu richten, in welcher Zeit er nach Kenntniss-
nahme dieser Scherben das Aufkommen der rothfigurigen Technik annimmt und wie er über die Chronologie der in den Mon.
dell' Inst. IX 9—10 publicirten schwarzfigurigen Schale urtheilt.
Ich wendete mich zu diesem Zwecke an Herrn Paul Hartwig,
der sich in seinem Werke „Die griechischen Meisterschalen
der Blüthezeit des strengen rothfigurigen Stiles (Stuttgart,
Berlin 1893)" als einen Kenner der älteren attischen Vasenmalerei bewährt hat und nach Vollendung dieses Werkes drei
Jahre hindurch bei der Ordnung wie der Katalogisirung der
unter dem Perserschutte gefundenen Scherben thätig war. Er
hatte die Güte, meine Anfrage in der folgenden Weise zu
beantworten:

„Ueber meine Stellung zur Chronologie der attischen Vasen
befragt, müsste ich jetzt, wo mir die Funde der Akropolis durch
mehrjährige Beschäftigung mit denselben bekannt geworden
sind, die im ersten Capitel meiner Griechischen Meisterschalen
Seite 4 vertretene Ansicht ein klein wenig abändern. Ich habe
dort das Auftreten des Euphronios rund um 500 v. Chr. angesetzt. Sicher dem Perserschutte entstammende rothfigurige
Vasenbruchstücke zeigen jedoch einen so weit ausgebildeten
Stil, dass der Zeitraum von 500—480 etwas knapp für eine
so bedeutende Stilentwicklung erscheint. Richtiger würde man
also den Beginn der Thätigkeit des Euphronios um 510 annehmen, eine Ansicht, die ich beiläufig in den Mélanges
d'archéologie 1894 p. 10 ausgesprochen habe und die gleicher
Weise von Furtwängler vertreten wird (Berl. Phil. Wochenschrift
1894 p. 109). Andokides, in dem wir, wie sich immer deutlicher herausstellt, den Erfinder der rothfigurigen Technik zu
erkennen haben werden (Berl. Phil. Wochenschrift 1894 p. 112;
Jahrbuch X p. 157 ff.), ragt in seinen Anfängen sicher über
530 hinaus. Die Inschrift des Weihgeschenkes auf der Burg
von Athen, welche man auf ihn bezogen hat, setzt Lolling

(Jahrbuch 1889 p. 207), der Buchstabenform nach, in
zweite Hälfte des 6. Jahrhunderts. Abwärts schliesst sich
sogenannte Epiktetische Kreis eng an Andokides an, seine fl
Thätigkeit etwa zwischen 525—510 entfaltend; aufwärts berl
sich Andokides ohne Zweifel noch mit der Lebenszeit der gro
Meister des schwarzfigurigen attischen Stiles, des Amasis
Exekias. Ersterer erscheint ein wenig alterthümlicher, i
vielleicht liegt die Differenz zwischen dem Stile der be
Meister mehr in ihrem Wesen, als in einem erheblichen Alt
unterschiede: Amasis neigt zu manierirter Zierlichkeit und
bundenheit, Exekias strebt nach Freiheit in den Formen, '
lungen und Bewegungen. Schwarzfigurige Bihler gehen si
auf allen Gefässgattungen — die Schale nicht ausgenomme
neben den rothfigurigen bis über die Wende des 5. J
hunderts hinab. Dass die ältere Technik der schwarzen
houette überhaupt nie ausstarb, so lange Vasen in Al
gemalt wurden, lehren mit grösster Deutlichkeit die panathe
schen Amphoren. Ein Werk, wie die grosse schwarzfigu
Schale in London, welche den Ausgangspunkt der folger
Untersuchungen bildet, würde ich unbedenklich der Zeit zwisc
530—520 zuschreiben. Sie ist keines der Produkte, we
durch gewisse zeichnerische und technische Eigenthüml
keiten, wie Verkürzungen und Behandlung der Muskeldet
eine völlige Vertrautheit mit den Errungenschaften des r
figurigen Stiles verrathen, aber Figuren, wie diejenige
Herakles auf den Aussenseiten oder der von Ihnen (u
Seite 317) für einen Thessaler erklärten Reiter in dem Bil
streifen des Innern der Schale, lassen uns doch schon die N
des Stiles der rothfigurig malenden Epoche empfinden."
      Für unsere Untersuchung kommt nur die Darstellung
Betracht, welche auf der Innenseite der Schale um das Mi
bild herumläuft. Ungefähr das Centrum der Composition '
von einem Viergespanne gebildet, auf dem zwei bärtige Mä
stehen. Der eine, der dem Betrachter zunächst dargestellt
durch den kürzeren Bart als der jüngere charakterisirt
zieht mit beiden Händen die Zügel an und hält in der Rec

ausser dem Zügel zwei Lanzen. Seine Kleidung besteht aus
einem langen, bis an die Fussknöcheln herabreichenden Chiton
und einem darüber gelegten Mantel. Der andere Mann, der
nach dem langen keilförmigen Spitzbart als der ältere erscheint,
ist offenbar die Hauptperson der Darstellung. Da er von der
Figur des Wagenlenkers, abgesehen von dem Kopfe und dem
vorderen Theile der Brust, gedeckt wird, lässt sich seine Tracht
nicht deutlich erkennen. Doch beweist das den sichtbaren
Theil der Brust bedeckende Gewand, dass er einen Chiton trägt.
Die Annahme, dass wir uns auch diesen Chiton bis zu den
Fussknöcheln herabreichend zu denken haben, scheint um so
berechtigter, als wir es entschieden mit einem älteren Manne
vornehmen Standes zu thun haben und der lange Chiton in
der archaischen Kunst für Personen dieser Art typisch ist.[1])
Um das Viergespann herum sind Krieger verschiedener Waffengattungen gruppirt, Hopliten, Reiter, Bogenschützen, in welchen
letzteren wir nach den sehr individuell behandelten, hässlichen
Gesichtern, wie nach der Tracht Barbaren zu erkennen haben.
Diese Bogenschützen erscheinen zumeist mit Hopliten gepaart;
einige von ihnen sind ausser dem Gorytos noch mit einer Streitaxt ausgerüstet.

Der Annahme von Richard Schöne, dass dieses Bild einen
kriegerischen Auszug darstelle, widerspricht die Thatsache,
dass der ältere auf der Quadriga stehende Mann, in dem wir
selbstverständlich den Führer des ausrückenden Heeres zu erkennen haben würden, vollständig ungerüstet erscheint und
auch sein jüngerer Genosse des den Rücken bedeckenden
Schildes entbehrt, mit dem die schwarzfigurige Vasenmalerei
die Lenker der Streitwagen auszustatten pflegt. Schöne macht
zu Gunsten seiner Auffassung den Helm geltend, dessen Busch
hinter dem Wagenlenker sichtbar ist. Er vermuthet, dass
dieser Helm „von dem auf der Quadriga stehenden Krieger"
über den Rücken gehängt getragen werde[2]), eine Vermuthung,

---

[1]) Helbig, das homerische Epos 2. Aufl. p. 177 ff.
[2]) Ann. dell' Inst. 1869 p. 251.

die er in sehr confuser Weise ausdrückt, da auf dem Wagen nicht
ein sondern zwei Männer dargestellt sind und wir somit nicht
erfahren, welchen von Beiden Schöne meint. Wie dem aber
auch sei, jeden Falls ist die Annahme eines über den Rücken
herabhängenden Helmes für beide Figuren durch die Richtung
des Busches ausgeschlossen, der hierbei ungleich tiefer und
schräger zu stehen kommen müsste, als es auf der Schale der
Fall ist. Ferner würde der Maler, falls er den Helm zu dem
jüngeren Manne, dessen ganze Rückenlinie sichtbar ist, in Beziehung setzen wollte, nicht nur den Busch, sondern auch die
Kappe wiedergegeben haben. Offenbar hat dieser Helm mit
keiner der beiden auf dem Wagen dargestellten Figuren etwas zu
thun, sondern gehört einem Hopliten an, den sich der Maler hinter
dem Wagen stehend und von den beiden auf dem letzteren
befindlichen Figuren gedeckt dachte. Es handelt sich um ein
Motiv ähnlich der über den Köpfen des Viergespannes hervorragenden Streitaxt, welche auf einen hinter den Pferden stehenden Barbaren hinweist.

Dass die beiden Lanzen, welche der Wagenlenker in der
Rechten hält, nicht ausreichen, um die auf der Quadriga stehenden Männer als für den Krieg gerüstet zu bezeichnen, leuchtet
ein. Wir kommen auf dieses Attribut im Weiteren zurück.
Jedenfalls beweist die friedliche Tracht der beiden Männer,
dass sich das Bild nicht auf einen kriegerischen Auszug, sondern auf eine Parade bezieht, welche unter der Leitung des
auf dem Wagen stehenden keilbärtigen Mannes stattfinden wird.

Im Weiteren erörtert Schöne[1]) die Frage, was für ein Heer
auf der Schale dargestellt sei. Ausgehend von den zahlreichen,
zum Theil mit Aexten bewaffneten Bogenschützen, die dazu
gehören, behauptet er, dass die Aexte auf ein ungriechisches
Heer und zwar möglicher Weise auf das troische hinweisen,
wie dass die beträchtliche Menge der Bogenschützen besser auf
die Troer als auf Griechen passe, und gründet hierauf die Vermuthung, dass ein Auszug der Troer, etwa unter der Führung

---

[1]) Ann. dell' Inst. 1869 p. 250—253.

des Hektor und seines Wagenlenkers Kebriones, dargestellt
sei. Wenn er diese Vermuthung schliesslich als wenig ge-
sichert bezeichnet, so darf er hiermit auf ungetheilten Beifall
rechnen. Es versteht sich von selbst, dass sich die Alten
Hektor an der Spitze des troischen Heeres nicht in friedlicher
Tracht, sondern nur in vollem Waffenschmucke denken konnten.[1]
Geradezu unbegreiflich ist es für mich, wie Schöne für seiue
Annahme eines troischen Heeres die beträchtliche Zahl der
Bogenschützen geltend machen kann. Offenbar hat er vergessen, dass sich in der Ilias auf troischer Seite ausschliesslich
Pandaros und Paris des Bogens bedienen, während unter den
Achäern nicht nur Teukros damit kämpft, sondern auch die
Mannschaft eines ganzen Stammes, nämlich der Lokrer, lediglich
aus Bogenschützen besteht, abgesehen von ihrem Führer, dem
jüngeren Aias, der, schwer gerüstet, an der Seite des Tela-
monios streitet. Allerdings waren die auf unserer Schale dargestellten Bogenschützen, wie sich im Weiteren herausstellen
wird, Barbaren. Doch beweist dies keineswegs, dass das Heer,
in dem wir ihnen begegnen, ein ungriechisches·war, sondern
nur soviel, dass zu diesem Heere barbarische Mannschaften
gehörten oder von dem Maler als dazu gehörig vorausgesetzt
wurden.

Fragen wir, ob dieses Heer in dem Kreise des Epos oder
in der realen Welt zu suchen ist, so spricht der Gegenstand
des Bildes von vorn herein für die letztere Annahme. Dargestellt ist eine Musterung von Truppen, welche in Friedens-
zeiten vorgenommen wird, um zu prüfen, ob sie kriegstüchtig
sind oder um dem Volke einen Begriff von seiner Wehrkraft
zu geben. Es leuchtet ein, dass ein derartiger Gebrauch erst
aufkommen konnte in einer Zeit, in welcher das Kriegswesen
einigermassen fortgeschritten und der Staat genügend erstarkt
war, um darauf seinen Einfluss geltend zu machen. Da diese
Voraussetzungen während der Periode, in der das für das Epos
typische Kulturbild fixirt wurde, noch nicht realisirt waren,

---

[1] Vgl. Mon., Ann., Bull. dell' Inst. 1855 T. XX p. 67.

musste der Begriff der Truppenschau den homerischen Gesä[
notwendig fern bleiben. Allerdings hielten die bilde[
Künstler, wenn sie Scenen aus dem Epos schilderten, [
immer an den von dem letzteren überlieferten Lebensfor
fest, sondern brachten vielfach Züge zur Anwendung, die
Kultur ihrer eigenen Zeit entsprachen. Sie liessen die hon
schen Helden nicht immer auf Streitwagen einherfahren,
dern bisweilen reiten. Sie stellten dieselben beim Esse[
der Regel nicht sitzend, sondern liegend dar. Doch w
die bildliche Darstellung einer von einem troischen oder ac
schen Führer abzuhaltenden Parade wesentlich anderen Gesic
punkten unterliegen. Der Künstler hätte dann nicht ei[
Epos gegebenes Motiv modernisirt, sondern einen Gebra
welcher der poetischen Ueberlieferung vollständig fremd
und für den sie nicht den geringsten Anhaltspunkt da[
aus eigenster Initiative in die Heroenwelt übertragen, ein
fahren, durch welches die mythische Beziehung des
gestellten Vorganges nothwendig verdunkelt worden [
Wenn es sich demnach beweisen lässt, dass die barbaris[
Bogenschützen, welche Schöne zu einer mythologischen
klärung des Schalenbildes veranlassten, während der Zeit,
wir die Herstellung der Schale zuzuschreiben berechtigt
einen ständigen Bestandtheil des athenischen Heeres bild[
dann dürfen wir unbedenklich annehmen, dass der Maler
Parade dieses Heeres dargestellt hat.

Zunächst müssen wir uns jedoch über die Nationa
klar werden, welcher jene Bogenschützen angehören. Sie
deutlich als Skythen erkennbar. Herodot[1]) berichtet, dass
skythischen Saken, welche dem Xerxes im Jahre 480 He[
folge gegen Griechenland leisteten, Mützen mit steifen Spi
und Anaxyriden trugen und mit Bogen, kurzen Schwe[
und Streitäxten bewaffnet waren. Die Bogenschützen der [

---

[1]) Herodot. VII 64: Σάκαι δὲ οἱ Σκύθαι περὶ μὲν τῇσι κεφ
κυρβασίας ἐς ὀξὺ ἀπηγμένας ὀρθὰς εἶχον πεπηγυίας, ἀναξυρίδας δὲ ἐν
κεσαν, τόξα δὲ ἐπιχώρια καὶ ἐγχειρίδια, πρὸς δὲ καὶ ἀξίνας σαγάρις

doner Schale zeigen, abgesehen davon, dass sie des Schwertes
entbehren, die gleiche Tracht und Bewaffnung, dürfen also
mit Sicherheit für Skythen erklärt werden.

Eine besondere Betrachtung erfordert der bärtige Mann,
welcher hinter dem unmittelbar auf die Quadriga folgenden
Skythenpaare steht. Er trägt skythische Anaxyriden, aber
nicht die mit einer steifen Spitze versehene Mütze, sondern
eine Kopfbedeckung, deren Form an diejenige der englischen
Korkhelme erinnert. Seine Gesichtszüge sind regelmässiger
als diejenigen der Figuren, in denen wir mit Sicherheit Skythen
erkennen dürfen, und scheinen für einen Griechen nicht un-
angemessen. Unter solchen Umständen fragt es sich, ob wir
nicht diese Figur für einen τόξαρχος griechischer Nationalität
zu erklären haben, dessen Befehlen die barbarische Mannschaft
unterstand.[1])

Bogenschützen, die durch ihre Tracht wie durch ihren
Gesichtstypus als Skythen charakterisirt sind, kommen aber
nicht nur auf dem Londoner, sondern auch auf zahlreichen
anderen schwarzfigurigen Gefässbildern fortgeschrittenen Stiles
vor, welche Scenen kriegerischen Charakters darstellen.

Unter diesen Bildern ist mir keines bekannt, welches einen
jüngeren Stil aufwiese als dasjenige der Londoner Schale.
Einige zeigen allerdings einen etwas strengeren Stil. Doch
ist der Unterschied so geringfügig, dass wir zwischen ihrer
Ausführung und derjenigen des Schalenbildes nur einen sehr
beschränkten zeitlichen Abstand vorauszusetzen haben. Wenn
demnach Hartwig mit Recht annimmt, dass die Schale zwischen
530 und 520 gearbeitet ist, dann lässt sich die obere Zeitgrenze
für die Ausführung der einen etwas strengeren Stil bekun-
denden Exemplare nicht über 540 hinaufrücken, ein Ansatz,
der eher zu hoch als zu tief gegriffen sein dürfte. Nur verhältnissmässig wenige unter den schwarzfigurigen Vasenbildern,
auf denen solche Bogenschützen vorkommen, gestatten eine
mythologische Erklärung. Vielmehr sind weitaus die meisten

---

[1]) Vgl. Corpus inscript. att. I n. 79.

als Scenen aus dem gleichzeitigen Leben erkennbar. Nun
steht es sich aber, dass die Maler, wenn sie der realen
angehörige Krieger darstellten, die sich zum Kampfe rüsten
von den Ihrigen Abschied nehmen, damit athenische Kri
meinten, wie dass sie bei Schlachtscenen unter einem der be
kämpfenden Heere das athenische verstanden. Wenn sie d
nach auf derartigen Bildern häufig skythische Bogenschü
als Begleiter athenischer Hopliten auftreten liessen, so bev
dies, dass solche Bogenschützen ein für das gleichzeitige a
nische Heer bezeichnendes Element waren.

Allerdings fragt es sich, ob wir allen Bogenschü
welche von den Malern der schwarzfigurigen Gefässe in
thischer Tracht dargestellt werden, auch eine skythische N
nalität zuerkennen dürfen. Leider haben die Archäologen
in Rede stehenden Vasenbildern, da sie in der Regel keine
legenheit für eine gelehrte Interpretation darbieten, ein
beschränktes Interesse entgegengebracht und in Folge de
nur wenige derselben publicirt und wir sind darum für v
aus die meisten dieser Bilder auf die Beschreibungen
Museumskataloge angewiesen. Es versteht sich, dass die
nahme der skythischen Nationalität nur für diejenigen
guren vollständig gesichert ist, welche den Barbarencha ra
nicht nur in der Tracht sondern auch in dem Gesic
typus zur Schau tragen. Die Angaben der Kataloge la
in dieser Hinsicht vielfach die nöthige Präcision vermis
Es scheint demnach wohl möglich, dass gewissen Figu
die in den Katalogen als skythische oder skythisch
kleidete Bogenschützen bezeichnet werden, nicht ein ba
rischer sondern ein griechischer Typus zu eigen ist.
auch die Originale und getreue Reproductionen geben uns
dieser Frage vielfach keine sichere Auskunft. Einerseits
die Fähigkeit der schwarzfigurigen Malerei, was die Indîvid
sirung der Gesichter betrifft, überhaupt eine sehr beschrän
andererseits sind viele der in Rede stehenden Vasenbilde
nachlässig ausgeführt, als dass wir darauf eine scharfe (
rakteristik der Barbarenphysiognomie zu gewärtigen hä

Unter solchen Umständen wäre es verfehlt, die skythisch gekleideten Bogenschützen, denen wir auf solchen nachlässig ausgeführten Gefässen begegnen, wenn ihre Gesichter die Wiedergabe des skythischen Typus vermissen lassen, einfach für
Griechen zu erklären. Einen sehr beachtenswerthen Wink
giebt in dieser Hinsicht das Bild einer schwarzfigurigen Amphora, welches Diomedes und Hektor über einem gefallenen,
skythisch gekleideten Bogenschützen kämpfend darstellt und
die drei Figuren durch beigeschriebene Namen bezeichnet.[1])
Die über dem Bogenschützen angebrachte Inschrift Σκύθης
beweist auf das Schlagendste, dass der Maler einen Sohn der
Steppe darstellen wollte. Trotzdem zeigt aber das Gesicht
dieses Schützen keinen ausgesprochenen Barbarencharakter, sondern einen bärtigen Typus, den die schwarzfigurige Malerei
häufig hellenischen Kriegern beilegt.

Wollen wir uns über die Nationalität der Bogenschützen
ein sicheres Urtheil bilden, dann müssen wir die Betrachtung
auf sorgfältiger ausgeführte Gefässbilder beschränken, welche,
wie dasjenige der Londoner Schale, die Eigenthümlichkeiten
der skythischen Physiognomie mit hinlänglicher Klarheit zum
Ausdruck bringen. Nur auf solchen Bildern haben wir zu
gewärtigen, dass auch die hellenischen Bogenschützen durch
ihren Gesichtstypus kenntlich gemacht sind.

Im Obigen wurde bereits die Frage aufgeworfen, ob nicht
eine Figur, die der Maler der Londoner Schale mit skythischen
Anaxyriden ausgestattet hat, für einen τόξαρχος hellenischer
Nationalität zu erklären sei. Jedenfalls dürfen wir einen
griechischen Bogenschützen auf einer sehr sorgfältig ausgeführten und sowohl mit schwarzen wie mit rothen Figuren ver-
zierten Schale des Andokides[2]) erkennen, eines Künstlers, dessen
Thätigkeit zum Theil mit der jüngeren Entwickelung der
schwarzfigurigen Technik zusammenfiel. Diese Schale zeigt

---

[1]) Gerhard, Auserlesene Vasenbilder III 192. Vgl. O. Jahn, Vasen.
sammlung König Ludwigs p. CXIX Anm. 865; Röm. Mittheil. II (1887)
p. 189.

[2]) Jahrbuch des arch. Inst. IV (1889) T. IV p. 195.

zwei schwarz gemalte, bärtige Bogenschützen, die, im Gesp
begriffen, einander gegenüberstehen und durch die Tracht
den Gesichtstypus deutlich als Skythen charakterisiert.
Andererseits sieht man aber auf derselben Schale einen ı
gemalten, eine Trompete blasenden Jüngling, den B
und Gorytos als Bogenschützen bezeichnen und der
thische Anaxyriden trägt, wogegen der Kopf, wenn
Abbildung zuverlässig ist, durchaus hellenische Formen
weist. Hiernach wäre es voreilig zu behaupten, dass
athenische Heer während der Zeit, in welcher die Gefässe
schwarzen Figuren fortgeschrittenen Stiles gearbeitet wu
ausschliesslich Bogenschützen skythischen Ursprunges enth
habe. Vielmehr waren darin, wie es auf attischen Iuschr
aus dem vorgerückten 5. Jahrhundert heisst,[1]) neben den το
ξενιχοί auch die dστιχοί vertreten. Immerhin aber reicht
gegenwärtig zugängliche Material aus, um zu erkennen,
die Zahl der skythischen Bogenschützen diejenige der einh
schen bei Weitem überwog. Einen schlagenden Beleg hi
liefert die Londoner Schale, auf welcher sämmtliche Schü
abgesehen von dem muthmasslichen τόξαρχος, deutlich
Söhne der Steppe charakterisiert sind. Dazu kommt noch,
die Barbaren für die in Rede stehende Waffengattung
angebend waren. Wenn auf der im Obigen erwähnten S
des Andokides ein junger griechischer Bogenschütze in ak
scher Tracht dargestellt ist, so lässt dies darauf schliessen,
die barbarische Tracht, da man an dieselbe durch die ak
schen Bogenschützen gewöhnt war, zuweilen auch von den
heimischen angenommen wurde, eine Auffassung, die icl
weiteren Verlaufe der Untersuchung eingehender begrü
und zur Evidenz bringen werde.

　　Versuchen wir aus den schwarzfigurigen Vasenbildern

---

[1]) Corpus inscr. att. I n. 79: τοξόται dστιχοί im Gegensatz zu ̄
N. 433 (aus Ol. 74, 4—80, I): Es werden hier in der Todtenl̄
erechtheischen Stammes Bogenschützen angeführt, die als ̄
Bürger waren. N. 446 (aus Ol. 88, 4): Todtenliste nichtbürger
Schützen.

geschrittenen Stiles einen Begriff zu gewinnen von dem Dienste,
welcher den Schützen in dem damaligen athenischen Heere ob-
lag, so scheint es gerathen, die Untersuchung auf diejenigen
Darstellungen zu beschränken, von denen wir voraussetzen
dürfen, dass sie im Wesentlichen durch die den Malern gleichzeitigen Zustände bestimmt sind. Wie ich im Weiteren ausführlicher darlegen werde, liessen die Maler skythische oder
skythisch gekleidete Bogenschützen bisweilen bei mythischen
Kriegsscenen auftreten. Diese Sceuen bleiben bei unserer Untersuchung unberücksichtigt, da ihnen vielfach ein von Alters her
überliefertes Schema zu Grunde gelegt ist, welches der zur Zeit
der Maler herrschenden Taktik nicht mehr entsprach. Besonderen Gesichtspunkten unterliegt die zahlreich vertretene Gattung von Vasenbildern, auf denen solche Bogenschützen neben
vollständig gewappneten, auf Streitwagen stehenden oder von
Streitwagen herab kämpfenden Kriegern dargestellt sind. Wir
dürfen es als sicher betrachten, dass sich die Athener während
der Zeit, der die schwarzfigurigen Gefässe fortgeschrittenen
Stiles angehören, im Kriege nicht mehr der Streitwagen be-
dienten. Vielmehr war das Pferd als Transportmittel an die
Stelle des Streitwagens getreten. Die den beiden obersten Ver-
mögensklassen, den Pentakosiomedimnen und Hippeis, angehörigen Hopliten verfügten über Pferde, auf denen sie die
Märsche zurücklegten. Jeder dieser Hopliten war in der Regel
von einem jungen Verwandten begleitet, der während der
älteren Zeit bisweilen auf dem Pferde des Hopliten, hinter dem
letzteren, aufsass, gewöhnlich jedoch ein besonderes Pferd ritt.
Stand die Aktion bevor, dann stiegen die Hopliten ab und
schlossen sich zu der Kolonne zusammen, deren Anprall die
Schlacht entschied, während ihre jugendlichen Begleiter hinter
der Schlachtlinie zurückblieben und die Pferde hüteten.[1]
Angesichts dieser Thatsachen wird man geneigt sein, alle die
Kriegsbilder, auf denen der Streitwagen eine Rolle spielt,

---

[1] Ich behandle diese Frage ausführlich in einem Vortrage „sur le
développement de la cavalerie athénienne", den ich bei der Feier des
Cinquantenaire de l'École de France in Athen lesen werde.

mythologisch zu deuten. Nichtsdestoweniger aber stellt
bei eingehenderer Betrachtung die Wahrscheinlichkeit he
dass die Maler von mehreren unter jenen Bildern athen
Krieger darzustellen beabsichtigten und dass sie diesen Krie
den Streitwagen als ein conventionell überliefertes Motiv
legten.

Aber auch wenn wir diese Auffassung als gesichert
trachten, selbst dann haben solche Bilder für unsere Ui
suchung nur einen sehr geringen Werth, da sie, mögen
auch in Nebendingen durch die gleichzeitigen Verhältnisse
stimmt sein, doch in einem Hauptpunkte davon abweiche

Beschränken wir die Betrachtung auf diejenigen Va
gemälde, denen wir eine im Wesentlichen getreue Wieder
der Gegenwart zutrauen dürfen, so stellt es sich zuni
heraus, dass die Bogenschützen nicht als besonderes Trup
corps, sondern nur in Verbindung mit den Hopliten operi
Wie auf der Londoner Schale erscheinen sie auch anderv
mit den letzteren gepaart.[1]) Sie sind zugegen, während Hop
sich rüsten[2]) oder zum Kampfe aufbrechen.[3]) Wir s
Hopliten und Bogenschützen, wie sie nebeneinander
schieren[4]) oder im Laufschritte vorwärts eilen.[5]) Auf
Londoner Schale sind mehrere Paare, von denen jedes
einem Hopliten und einem skythischen Schützen besteht, h
einander und in derselben Richtung dargestellt. Offenbar w
der Maler hierdurch andeuten, dass die beiden Waffengattui

---

[1]) Im Folgenden werden für die verschiedenen Situationer
welchen die Bogenschützen auf den jüngeren schwarzfigurigen Vasen
gestellt sind, nur einige bezeichnende Beispiele angeführt. Die S
lung und Sichtung des gesammten Materials würden die Grenzen d
Aufsatzes weit überschreiten.

[2]) Brit. Mus. II p. 154 B 243, p. 156 B 246, p. 187 B 323, p
B 521.

[3]) Furtwaengler, Berliner Vasen n. 1851, 1868, 1871. British Mu
II p. 158 B 252, p. 159 B 255, p. 163 B 267.

[4]) Gerhard, Auserlesene Vasenbilder III 211, 212. Furtwae
n. 1877. Brit. Mus. II p. 170 B 291.

[5]) Furtwaengler n. 1880.

in dieser Anordnung defiliren werden. Eine Amphora des
Berliner Museums zeigt zwei Schützen im Begriffe, ihre Pfeile
abzuschiessen, während ein jeder von einem neben ihm knieenden Hopliten mit dem Schilde gedeckt wird.[1]) Es lässt dies
darauf schliessen, dass die damalige athenische Taktik die
feindliche Schlachtordnung, bevor die Hopliten in geschlossener
Masse zum Angriffe übergingen, durch Pfeilschüsse zu lockern
suchte — eine Thatsache, über welche in der dürftigen litterarischen Ueberlieferung nichts verlautet. Da die Bogenschützen in der Regel jeglicher Schutzwaffe entbehrten[2]), so
durften sie sich an die vollständig gerüsteten, feindlichen Hopliten nicht nahe heran wagen. Doch setzten sie bisweilen ver-
sprengten Hopliten, zumal wenn diese durch Verwundungen
behindert waren, mit Pfeilschüssen zu.[3])

Wie im Obigen[4]) angedeutet wurde, waren die athenischen
Hopliten, welche die Märsche zu Pferde zurücklegten, in der
Regel von jungen Verwandten begleitet, welche ihnen während
des Kampfes die Pferde hielten. Es war dies eine Aufgabe,
welche eine gewisse Intelligenz und Gewandtheit erforderte;
denn die Pferde mussten, wenn der Rückzug begann, an Stellen
gebracht werden, wo die durch die wuchtigen Rüstungen be-
hinderten Krieger sie möglichst rasch erreichen und, mehr oder
weniger unbehelligt, besteigen konnten, eine Handlung, welche,
da es keine Steigbügel gab, für die schwer gerüsteten Hopliten
mit mancherlei Schwierigkeiten verbunden war. Unter solchen
Umständen scheint es ganz natürlich, dass sich die berittenen
Hopliten statt von jungen Verwandten bisweilen von Skythen
begleiten liessen, die vortrefflich mit den Pferden umzugehen
wussten und ausserdem, während sie hinter der Schlachtlinie

---

[1]) Gerhard, Auserl. Vasenbilder I 63; Furtwaengler n. 1865.

[2]) Doch sind auf einigen schwarzfigurigen Gefässen Bogenschützen
nachweisbar, welche eine skythische Mütze und einen Panzer tragen.
Z. B. Furtwaengler, Berliner Vasen n. 1829; Brit. Mus. II p. 156 B 246,
p. 167 B 280.

[3]) Bull. dell' Inst. 1879 p. 246.

[4]) Oben Seite 271.

hielten, die Feinde durch Pfeilschüsse belästigen konnt
Bei gewissen Gelegenheiten und namentlich bei dem Getüm
welches der Rückzug mit sich brachte, konnte es kaum
bleiben, dass die Bogenschützen mit den Feinden handge
wurden. Desshalb erscheinen sie auf der Londoner Sc
wie auf anderen gleichzeitigen Gefässen[2]), nicht nur mit B
und Pfeilen sondern auch mit der Streitaxt ausgerüstet.

Da nach alledem die skythischen oder skythisch ge
deteu Bogenschützen mit der damaligen athenischen He
organisation eng verwachsen waren und darin eine nicht
bedeutende Rolle spielten, so begreift man, dass sie von
gleichzeitigen Vasenmalern als ein normaler Bestandtheil
weden Heeres aufgefasst und in Folge dessen auch in mythi
Kriegsscenen eingefügt wurden. Ich beschränke mich da

[1]) Gerhard, Griechische und etruskische Trinkschalen T. I\
Furtwaengler n. 2060: Zwei Hopliten schreiten vorwärts, jeder den
umwendend nach einem Skythen, welcher ein Pferd in entgegengese
Richtung führt. Offenbar sind die Hopliten soeben abgestiegen
werden ihre Pferde von den beiden Skythen hinter die Schlachtlini
bracht. — Furtwaengler n. 1829: Zwei Hopliten kämpfen um einer
fallenen Hopliten; Rückseite: ein skythischer Bogenschütze hält
Pferde am Zügel, offenbar die Pferde des gefallenen und des für
kämpfenden Hopliten. — O. Jahn, Vasensammlung König Ludwigs n.
Rückseite. Furtwaengler hat die Güte mir mitzutheilen, dass d
Bild von O. Jahn ungenau beschrieben ist, und mir folgende Beschrei
zuzustellen: „Es sprengen gegen einander an von links ein Hopl
Pferd, neben ihm ein lediges Ross, unter dem ein Skythe am B
liegt, von rechts ein Hoplit und ein Skythe, beide zu Ross; am B
ein Hoplit. Das ledige Ross links gehört gewiss dem gefallenen Skyt
Hiernach wird man den Vorgang in folgender Weise aufzufassen ha
Zwei feindliche Paare, von denen jedes aus einem berittenen Hop
und einem berittenen Skythen bestand, sind entweder auf dem Mai
oder, während das siegende Heer das besiegte verfolgt, an einande
rathen und hierbei ist der Skythe des einen Paares zu Fall gebi
worden. — Ferner gehört hierher der zwei Pferde führende Skythe
dem unten Seite 313—315 besprochenen Schulterbilde einer schwarzfigu
Hydria (Mus. Gregorian. II T. X 1) und wohl auch das Tellerbild
Epitimos bei Klein, Meistersignaturen, 2. Aufl. p. 84 n. 3.

[2]) Z. B. Furtwaengler n. 1860, 1908; Gerhard, Auserlesene Vi
bilder III 211, 212; Overbeck Gallerie T. XXVII 11 p. 658 n. 156.

als Belege hiefür einige schwarzfigurige Gefässbilder fortgeschrittenen Stiles anzuführen, deren Erklärung keinem Zweifel unterliegt. Das bereits erwähnte Bild einer Amphora[1]) zeigt Diomedes und Hektor, wie sie über einem gefallenen skythischen Bogenschützen kämpfen. Der Maler setzte also diese Waffengattung entweder in dem achäischen oder dem troischen Heere voraus. Ferner erscheint auf mehreren Vasenbildern[2]) Aeneas, während er seinen Vater Anchises davon trägt, von einem skythischen oder skythisch gekleideten Bogenschützen begleitet, den wir demnach als zum troischen Heere gehörig zu betrachten haben. Ebenso zeigt das Bild einer in München befindlichen Hydria, welches die Verfolgung des Troilos darstellt[3]), zwei solche Bogenschützen auf troischer Seite.

Besonders interessant ist es wahrzunehmen, wie die Vasenmaler durch specifisch attische Vorstellungen dazu bestimmt wurden, den bogenkundigen Teukros als skythisch gekleideten Schützen darzustellen. Das Bild einer schwarzfigurigen Schale[4]) zeigt den Kampf des Telamoniers Aias und des Hektor um den Leichnam des Patroklos, eine Deutung, welche durch die den beiden Vorkämpfern beigeschriebenen Namen gesichert ist. Auf der Seite des Aias sehen wir einen bärtigen Achaier, der mit der Kleidung wie mit dem Gorytos der skythischen Bogenschützen ausgestattet ist und gegen die Troer einen Wurfspiess schwingt, hinter Hektor einen troischen Bogenschützen in der gewöhnlich den Helden des Epos beigelegten, griechischen Rüstung. Es kann keinem Zweifel unterliegen, dass wir in der ersteren Figur Teukros, in der letzteren Paris zu erkennen haben. Bei oberflächlicher Betrachtung muss es allerdings auffallen, dass der achäische Bogenschütze in barbarischer Tracht auftritt, der troische hingegen in griechischer Weise gerüstet

---

[1]) Oben Seite 269 Anm. 1.

[2]) Overbeck, Gallerie T. XXVII 11 p. 658 n. 156. O. Jahn, Vasen K. Ludwigs n. 91. Cat. Brit. Mus. II p. 120 B 173, p. 167 B 280.

[3]) O. Jahn, Vasen K. Ludwigs n. 136.

[4]) Gerhard, Auserl. Vasenbilder III 190, 191 n. 3, 4; Overbeck, Gallerie p. 426 n. 55; Klein, Die griech. Vasen mit Lieblingsnamen p. 27 n. 1.

erscheint, und Overbeck vermuthet desshalb, dass der Maler
der Schale die Namen der beiden Vorkämpfer an falscher Stelle
angebracht und die Figur, welche Hektor darstellen sollte, aus
Versehen als Aias, den letzteren hingegen als Hektor bezeichnet
habe. Doch ist der Grund, welcher jene Charakteristik der
beiden Bogenschützen veranlasste, hinlänglich klar. Seit der
Eroberung von Salamis betrachteten die Athener den Telamonier
Aias als ihren Landsmann. Diese Vorstellung erhielt eine
urkundliche Bestätigung durch zwei Verse, welche unter der
Herrschaft des Peisistratos oder der Peistratiden in den Schiffs-
katalog interpolirt wurden und die Beziehungen des Aias zu
Athen nachdrücklich hervorhoben.[1]) Hiernach dürfen wir annehmen, dass ein damals thätiger Vasenmaler den Aias als
einen athenischen Krieger auffasste. Da er daran gewöhnt war,
die athenischen Hopliten von skythischen Bogenschützen begleitet zu sehen, so lag es ihm wahrlich nahe genug, den
bogenkundigen Teukros, den das Epos als getreuen Kampf-
genossen des Telamoniers schildert, jenen Schützen zu assimi-
liren und ihn in skythischer Tracht darzustellen.

Der Kampf um die Leiche des Patroklos ist auch auf
einer schwarzfigurigen Amphora der Münchener Sammlung dargestellt.[2]) Teukros kniet hier, den Bogen spannend, hinter
dem inschriftlich bezeichneten Aias. Wie auf der soeben be-

---

[1]) Ilias 11 557, 558. Vgl. Wilamowitz-Moellendorff, Homerische Untersuchungen p. 237 ff. Vielleicht dürfen wir es nicht als zufällig betrachten,
dass unter den auf dieser Schale dargestellten Kriegern Aias der einzige
ist, welcher einen böotischen Schild führt, eine Schutzwaffe, die ihn auch
auf anderen schwarzfigurigen (Wiener Vorlegeblätter 1888 T. VI 1. Cat.
Brit. Mus. II p. 128 B 193, p. 189 B 211, p. 120 B 172, p. 167 B 279) und
streng-rothfigurigen Gefässen (Cat. Brit. Mus. III E 16) beigelegt erscheint.
Der Gedanke liegt nahe, dass die Auswahl gerade dieses Schildtypus dadurch bestimmt wurde, dass Il. VII 221 als Fabrikort des bekannten
von dem Telamonier gehandhabten Schildes Hyle namhaft macht und
attischen Vasenmaler diese Hyle mit der böotischen identificirten, die
ihnen unter den gleichnamigen Städten am Besten bekannt war.

[2]) O. Jahn, Vasen K. Ludwigs n. 53.

sprochenen Schale ist er skythisch gekleidet, während sein
Kopf den Typus eines bärtigen hellenischen Kriegers zeigt.
Ein troischer Bogenschütze ist ihm auf diesem Gefässe nicht
gegenübergestellt.

Während die schwarzfigurige Malerei häufig Bogenschützen
darstellt, die durch Tracht wie Gesichtstypus als Skythen charakterisirt sind, muss es auffallen, dass in der rothfigurigen
Malerei strengen Stiles, die zunächst neben der schwarzfigurigen
herging und die letztere allmählig verdrängte, bis etwa zu der
Zeit, in welcher der athenische Seebund gestiftet wurde, kein
einziges sicheres Beispiel einer solchen Figur nachweisbar ist. [1])
Epiktetos und seine Genossen, denen zunächst die Weiter-
entwickelung der wie es scheint von Andokides eingeführten,
jüngeren Technik [2]) zufiel, haben zwar bisweilen Bogenschützen
in skythischer Tracht gemalt. [3]) Doch entsprechen die Köpfe
dieser Figuren, insoweit ich darüber durch persönliche Kenntniss-
nahme der Originale, durch Reproductionen oder durch die
Mittheilungen befreundeter Gelehrter unterrichtet bin, stets
denjenigen hellenischer Jünglinge. Einer besonders eigenthümlichen Behandlungsweise begegnen wir auf einem Teller, welcher
sich im Ashmolean-Museum zu Oxford [4]), und auf einem Alabastron, das sich im Odessaer Museum befindet. [5]) Das Bild

---

[1]) Hauser will im Jahrbuch des arch. Inst. X (1895) p. 153 auf einer
ausschliesslich mit rothen Figuren bemalten Schale (Jahrbuch X T. 4),
die er mit Recht dem Andokides zuschreibt, in einem bartlosen, mit
einer skythischen Kapuze ausgestatteten Jüngling einen Barbaren erkennen. Doch scheinen mir die von ihm beigebrachten Gründe nicht
zwingend.

[2]) Hauser im Jahrbuch X p. 157 ff.

[3]) Teller des Epiktetos: Cat. Brit. Mus. III p. 136 E 135; Klein, Die
griechischen Vasen mit Meistersignaturen 2. Aufl. p. 105 n. 14. Schale des
Hischylos und Pheidippos: Cat. Brit. Mus. III p. 43 E 6; Murray, Designs
from greek vases in the Br. Museum pl. I 3; Klein, Meistersignaturen,
2. Aufl. p. 99.

[4]) Klein, Die griechischen Vasen mit Lieblingsinschriften, Tafel vor
dem Titel, p. 14 ff. Studniczka im Jahrbuch VI (1891) p. 239, p. 246 ff.
Percy Gardner, Catalogue of the greek vases in the Ashmolean Museum
pl. 14 p. 20 n. 310.

[5]) Jahrbuch IX, Archäol. Anzeiger 1894 p. 180.

des Tellers erinnert an die spätere Manier des Epiktetos; es
zeigt einen berittenen Bogenschützen und darüber die Inschrift
Μιλτιάδης καλός. Auf dem Alabastron, welches die Signaturen
des Psiax und Hilinos trägt, sieht man einen Hopliten und
einen Bogenschützen zu Fuss, im Gespräche begriffen. Beide
Bogenschützen tragen skythische Kleidung.[1]) Hingegen geben
die Köpfe einen hellenischen Jünglingstypus von einer wunderbar zarten Schönheit wieder und treten hiermit in schroffsten
Gegensatz zu den hässlichen, in der Regel von struppigen
Bärten umrahmten Gesichtern, welche für die Skythen in der
schwarzfigurigen Malerei bezeichnend sind. Die Annahme, dass
es sich um idealisirte Skythen handele, ist unzulässig. Wollten
die Maler den skythischen Volkstypus idealisiren, dann durften
sie ihn verschönern, aber keineswegs vollständig verwischen.
Ausserdem sieht man nicht ein, warum die Künstler des epiktetischen Kreises die skythischen Bogenschützen durchweg als
bartlose Jünglinge darstellten, da die Wiedergabe des Bartes
einer idealisirenden Tendenz keineswegs zuwiderlief.

Hiernach sind die in Rede stehenden Figuren vielmehr
für junge athenische Bogenschützen in skythischer Tracht zu
erklären, eine Annahme, welche durch mancherlei andere Krite-
rien bestätigt wird. Auf der athenischen Akropolis hat sich
unter dem Perserschutte eine kopflose Marmorstatue gefunden,
welche einen berittenen Bogenschützen in skythischer Kleidung
darstellt und deren Stil auf das letzte Viertel des 6. Jahrhun-

---

[1]) Die Tracht des auf dem Oxforder Teller wie des auf dem Odessaer
Alabastron dargestellten Jünglings ist entschieden die skythische. Sie
zeigt uns nur ein Motiv, welches von der gewöhnlich den Skythen beigelegten Kleidung abweicht, nämlich die hohe, kegelförmige Mütze. Eine
ähnliche Mütze trägt aber der muthmassliche τόξαρχος auf der London
Schale (oben Seite 269), eine vollständig übereinstimmende z. B. ein Lanze
bewaffneter in skythischer Tracht auf einer schwarzfigurigen Hydria,
welche an den Stil des Hischylos erinnert (Klein, Gr. Vasen mit Lieblingsinschriften p. 22), ein skythisch gekleideter Bogenschütze auf einer
rothfigurigen Schale des Hischylos und Pheidippos (Murray, Designs
pl. I. 3. Vgl. oben S. 277 Anm. 3) und auf einer Schale des Hischylos (Hartwig, Meisterschalen T. XXVIII). Diese Mütze erinnert an die aufrecht

derts zurückweist.[1]) Winter vermuthet mit Recht, dass zu
dieser Statue eine aus derselben Schicht zu Tage gekommene
Plinthe gehörte, deren Inschrift als Dedicanten einen Diokleides,
Sohn des Diokles, namhaft macht.[2]) Da wir nach allen Analogien anzunehmen haben, dass Diokleides sein Portrait der
Burggöttin weihte, so wäre hiermit, wenn Winters Vermuthung
richtig ist, in der Zeit, in welcher Epiktetos und seine Genossen arbeiteten, ein athenischer Bogenschütze in skythischer
Tracht nachgewiesen. Hierzu kommt noch die auf dem Oxforder
Teller über dem Bogenschützen angebrachte Inschrift Μιλτιάδης
καλός. Die nächstliegende Annahme ist doch, dass sich diese
Inschrift auf die Figur bezieht, der sie beigefügt ist, dass also
der skythisch gekleidete Bogenschütze einen Athener Namens
Miltiades darstellt. Wollen wir sie auf die berühmteste Persönlichkeit dieses Namens, auf den Sieger von Marathon, beziehen, dann kann das Tellerbild nicht unter dem Eindrucke
der Schlacht von Marathon, kurz nach 490, gemalt sein; denn
Miltiades war damals mindestens ein angehender Vierziger[3]),
während der auf dem Teller dargestellte Bogenschütze als ein
Jüngling von höchstens 20 Jahren erkennbar ist. Vielmehr
würden wir die Entstehung dieses Bildes ungefähr 25 Jahre
früher anzunehmen haben entweder in der Zeit, in welcher der
junge Miltiades, bevor er im Jahre 515 die Herrschaft auf der
thrakischen Chersonnes antrat, als einer der reichsten Kavaliere
unter der athenischen jeunesse dorée eine hervorragende Rolle
spielte, oder kurz nach 515, als er durch das energische Vorgehen, das er unmittelbar nach seiner Ankunft in dem thra-

---

stehende Tiara, welche zu den Symbolen der medo-persischen Königs-
würde gehörte. Vielleicht galt sie bei den Skythen als Abzeichen eines
höheren Ranges und wurde sie als solches von den Athenern auf die
einheimischen Bogenschützen übertragen.

[1]) Studniczka im Jahrbuch des arch. Inst. VI (1891) p. 239—249.
Seine Auffassung der Statue scheint mir durch Winter im Jahrbuch VIII
(1893) p. 135 ff. widerlegt.

[2]) Jahrbuch VIII p. 135—156.

[3]) Clinton, Fasti hellenici ed. Krüger p. 16, p. 24.

kischen Fürstenthum einschlug, das Interesse der Athener
regte.[1]) Der Stil des Tellerbildes lässt sich, wie mir scho
mit dieser Zeitbestimmung recht wohl vereinigen.

Nach Allem, was wir von der Entwickelung der athenisc
Reiterei wissen, ist die Annahme, dass es damals in Athen
Corps von Hippotoxoten gegeben habe und dass Diokle
und Miltiades als Mitglieder eines derartigen Corps dargest
worden seien, entschieden auszuschliessen. Vielmehr haben
in den beiden jugendlichen Reitern berittene Begleiter beritte
Hopliten zu erkennen.[2]) Ihre skythische Tracht kann ur
dieser Voraussetzung um so weniger befremden, als sie d
einem Dienste oblagen, der, wie wir gesehen, vielfach
skythischen Bogenschützen verrichtet wurde.[3]) Die Familie
Philaiden, welcher Miltiades angehörte, erfreute sich eines
ermesslichen Reichthums. Wir dürfen somit annehmen, (
der Vater des Miltiades, Kimon, ein Pentakosiomedimne war
als solcher, wenn er seiner Dienstpflicht als Hoplit genüg
die Märsche zu Pferde zurücklegte, während der junge Miltis
neben oder hinter ihm ritt. Der vornehme Jüngling in
bunten Barbarentracht war gewiss geeignet, Aufsehen zu
regen. Es scheint demnach ganz natürlich, dass ihn ein glei
zeitiger Vasenmaler zum Gegenstande eines Bildes erkor
dieses Bild mit einer Inschrift begleitete, durch welche er sei
Bewunderung für den schmucken Reiter Ausdruck verlieh. W
sich Diokleides in der Portraitstatue, die er der Burggö
darbrachte, als berittenen Bogenschützen in skythischer Tra
darstellen liess, so ist dies entweder daraus zu erklären, (
er auf den Dienst, den er in dieser Uniform verrichtete,
sonders stolz war, oder daraus, dass die Weihung und so
der Charakter der Votivstatue durch ein mit diesem Dier
zusammenhängendes Ereigniss bestimmt wurde.

Zu beachten ist, dass auf den Gefässen des epiktetisc

---

[1]) Herodot. VI 39.
[2]) Oben Seite 271.
[3]) Oben Seite 273—274.

Kreises neben den griechischen Bogenschützen in skythischer
Tracht[1]) auch solche vorkommen, welche sowohl durch den
Gesichtstypus wie durch die Rüstung als Griechen bezeichnet
sind.[2])

Die Malerei des Epiktetos und seiner Genossen tritt dadurch, dass sie lediglich griechische Bogenschützen darstellt,
in entschiedenen Gegensatz zu der schwarzfigurigen, innerhalb
deren wir zahlreichen skythischen Schützen begegnen, eine
Thatsache, die um so mehr befremden muss, als die älteste
Phase der von jenen Künstlern vertretenen Entwickelung in
die Zeit der schwarzfigurigen Technik hinaufreicht. Versuchen
wir diese Thatsache zu erklären, so müssen wir zunächst dem
Unterschiede Rechnung tragen, welcher zwischen der De-
corationsweise des epiktetischen Kreises und derjenigen der
schwarzfigurigen Malerei obwaltete. Während die letztere die
Gefässe in der Regel mit mehr oder minder umfangreichen
Compositionen verzierte, beschränkten sich Epiktetos und seine
Genossen auf eine aus einer oder nur wenigen, sorgfältig ausgeführten Figuren bestehende Decoration. Sie waren demnach
darauf angewiesen, solche Typen zur Darstellung zu bringen,
die das Publikum durch ein gegenständliches Interesse oder
durch ihre formale Schönheit anzogen. Die Figuren von Skythen
genügten diesen Anforderungen in keiner Weise. Wir dürfen
annehmen, dass die barbarischen Söldner zur Zeit des Peisistratos und der Peisistratiden von den Athenern in ähnlicher
Weise aufgefasst wurden wie der skythische Polizeisoldat von
Aristophanes in den Thesmophoriazusen, das heisst als untergeordnete Subjekte, die einen vorwiegend komischen Eindruck
hervorriefen. Dieser Umstand kam nicht in Betracht, wenn
die skythischen Schützen in umfangreichere Kriegsscenen eingefügt waren, wie wir ihnen auf schwarzfigurigen Gefässen

---

[1]) Oben Seite 277 ff.

[2]) Cat. Brit. Mus. III E 19; Murray, Designs pl. IV 15. Doch halte
ich es für nicht unmöglich, dass diese Figur eine Amazone darstellt. Ein
bärtiger Bogenschütze mit attischem Helme, an seinem Pfeile herab-
visierend: Cat. Brit. Mus. III p. 60 E 33; Murray, Designs pl. V 19.

begegnen; denn ihre Gegenwart war hier durch den Inhalt
Darstellung geboten und die Barbaren traten dabei nur
Nebenfiguren auf. Hingegen hätte es wohl Anstoss erre
können, wenn ein Vasenmaler, zumal auf einem Bilde, welc
sich durch eine besonders sorgfältige Ausführung über
gewöhnliche Niveau der Gefässdecoration erhob, einen Skyt
als Einzelfigur oder als einen Hauptträger der Handlung ɛ
stellte. Wie dem aber auch sei, jedenfalls lief die individu
Hässlichkeit der Skythen, welche noch nicht zu einem allgen
gültigen Racentypus durchgebildet worden war, den Princij
zuwider, welche Epiktetos und sein Anhang bei der Ausw
der von ihnen darzustellenden Figuren zu befolgen hat
Hiernach scheint es ganz natürlich, dass diese Künstler, mocł
auch während der ersten Zeit ihrer Thätigkeit die skythisc
Bogenschützen in dem athenischen Heere ungleich zahlreiɛ
vertreten sein als die griechischen, nichtsdestoweniger
ersteren aus ihrem Programme ausschlossen und sich auf
Darstellung der letzteren beschränkten. Doch haben wir hiɛ
noch eine andere Möglichkeit zu berücksichtigen. Die
duktion des Epiktetos und seiner Genossen dauerte eine
trächtliche Zeit, nach Hartwigs Ansicht von etwa 525 bis 50
Wir sind ausser Stande, die Chronologie der einzelnen aus ih
Werkstätten hervorgegangenen Gefässe innerhalb jenes Z
abschnittes genauer zu bestimmen und haben demnach zu
wägen, ob nicht diejenigen Exemplare, auf denen Bogenschüt
dargestellt sind, einer späteren Zeit angehören, in welcher
athenische Heer nicht mehr skythische sondern nur natioɪ
Bogenschützen enthielt.

Ich erwähne hier noch, dass auf einer rothfigurigen Sch
welche den Lieblingsnamen des Memnon zeigt, bei dem
schiede des inschriftlich bezeichneten Aias ein Bogenschɩ
in skythischer Kleidung aber mit hellenischem Gesichte
tritt, den wir also wiederum Teukros zu nennen haben.[2])

---

[1]) Oben Seite 262.
[2]) Cat. Brit. Mus. III E 16; Klein, **Meistersignaturen,** 2. Aufl. p.
n. 12; Klein, Lieblingsinschriften p. 34 n. 18.

jenen Lieblingsnamen führenden Vasen werden in der Regel
dem epiktetischen Kreise zugezählt. Doch darf man sie wohl
mit grösserem Rechte einer Entwickelung zuschreiben, welche
von der durch diesen Kreis vertretenen Phase zu der Blüthezeit des strengen, rothfigurigen Stiles hinüberleitet.

Die dieser Blüthezeit angehörigen Maler stellten, wie diejenigen der schwarzfigurigen Gefässe, häufig umfangreiche
Scenen kriegerischen Inhaltes dar und fügten denselben, dem
Gegenstande entsprechend, auch skythisch gekleidete Bogenschützen bei.[1]) Sie verstanden sich vortrefflich darauf, Typen
der verschiedensten Art zu individualisiren und schreckten
keineswegs vor der Wiedergabe einer charaktervollen Hässlichkeit zurück. Dass sich eine derartige Richtung auch auf die
Behandlung der Barbarentypen erstreckte, bezeugen im Besonderen die Perser, welche auf den jüngeren Gefässen der in
Rede stehenden Periode dargestellt sind und bisweilen geradezu
an die humoristische Karikatur anstreifen.[2]) Wären demnach
die Bogenschützen skythischer Nationalität ein ständiges Element
in dem damaligen athenischen Heere gewesen, dann hätten
die Maler keinen Grund gehabt, dieselben aus ihren Bildern
auszuschliessen. Alle Bogenschützen aber, welche von ihnen
als auf griechischer Seite kämpfend dargestellt werden, zeigen,
mögen sie auch skythische Kleidung tragen, durchweg hellenische Gesichtstypen. Hiernach dürfen wir mit Sicherheit annehmen, dass das athenische Heer während der Blüthezeit
des strengen rothfigurigen Stiles, also unter der Verwaltung
des Kleisthenes und während des ersten Viertels des 5. Jahr-

---

[1]) Z. B. Hartwig, Die griechischen Meisterschalen T. II 2 p. 34, T. X
p. 107, T. XIV 1 p. 120, T. XXVIII p. 273; Cat. Brit. Mus. III p. 192
E 254, p. 193 E 255. Bei flüchtiger Betrachtung könnte man geneigt
sein, in dem Gesichte eines skythisch gekleideten, knieenden Bogenschützen
auf einer Schale, deren Stil an denjenigen des Onesimos erinnert (Hartwig, Meisterschalen T. LVI 2 p. 521; Furtwaengler, Berliner Vasen n. 2295),
einen Barbarentypus zu erkennen. Doch hat man zu bedenken, dass das
Gesicht dieses Schützen stark verletzt und dadurch sein ursprünglicher
Charakter verwischt ist.

[2]) Vgl. Loewy im Jahrbuch III (1888) p. 139 ff.

hunderts, keine skythischen sondern ausschliesslich Bogenschützen griechischer Nationalität enthielt und dass folglich
die jenem Heere angehörigen Schützen, die bei Salamis[1]) und
Plataeae[2]) fochten, durchweg der letzteren Kategorie angehörten.

Auch während dieser Periode wurden bisweilen mythische
Bogenschützen in skythischer Tracht dargestellt, so Herakles
auf einer Schale des Brygos[3]) und auf der Gigantenschale des
Berliner Museums.[4])   Vielleicht gehört hierher auch das Bild
einer anderen in demselben Museum befindlichen Schale.[5]) Man
sieht darauf eine Scene, die mehrere Male auf rothfigurigen
Gefässen strengen Stiles wiederkehrt, nämlich zwei kämpfende
Krieger, die durch einen dazwischentretenden Herold getrennt
werden, eine Scene, die mit grosser Wahrscheinlichkeit auf die
in der Ilias VII 273—282 geschilderte Aufhebung des zwischen
Aias und Hektor stattfindenden Zweikampfes gedeutet wird.
Der eine der Kämpfer ist von einem Bogenschützen in skythischer Tracht begleitet.   Dieser Kämpfer wäre, wenn die
angegebene Deutung richtig ist, für Aias, der Schütze für
Teukros zu erklären.

Soweit unsere Quellen ein Urtheil gestatten, fingen die
Athener erst nach der Stiftung des Seebundes, also nach der
Mitte der siebziger Jahre des 5. Jahrhunderts, wiederum an,
Mannschaften aus dem Pontos zu beziehen. Das älteste Denk-
mal, welches hiervon Zeugniss ablegt, dürfte eine rothfigurige
Amphora sein, deren Stil an denjenigen des jüngeren Amasis
erinnert.[6]) Wir sehen darauf einen Hopliten im Begriffe, zum
Kampfe aufzubrechen, und als seinen Begleiter einen mit sky-

---

[1]) Aeschyl. Pers. 460, 461. Plutarch. Themistokles 14.

[2]) Herodot. IX 22; 60. Vgl. Simonides, epigr. 143 (poetae lyrici
graeci ed. Bergk III[4] p. 494).

[3]) Mon. dell' Inst. IX 46, Ann. 1872 p. 294 ff. Cat. Brit. Mus. III
p. 87 E 65.

.   [4]) Gerhard, Griech. und etrusk. Trinkschalen T. X, XI; Furtwaengler,
Berliner Vasen n. 2293.

[5]) Furtwaengler n. 4221.

[6]) Gerhard, Auserlesene Vasenbilder, IV 267. Vgl. Hartwig, Meisterschalen p. 413.

thischen Anaxyriden und der an den englischen Korkhelm
erinnernden Mütze[1]) ausgestatteten Mann, welcher in der
Rechten eine Streitaxt hält. Er ist durch den Schnitt seines
Gesichtes deutlich als Barbar erkennbar. Seine Oberlippe ist
rasiert, wogegen von dem Kinne ein spitzer Bart herabreicht.
Der Skythe hat also, wie es häufig bei primitiven Völkern
geschieht, an einer veralteten Mode festgehalten. Das Bild
zeigt einen sehr fortgeschrittenen Stil. Besonders charakteristisch ist hierfür die kühne Verkürzung, unter welcher der
Maler den von hinten gesehenen Hund wiedergegeben hat.
Wir dürfen demnach die Ausführung dieser Amphora nicht
weit über das Jahr 470 hinaufrücken. Hieran schliessen sich
die Angaben des Andokides[2]) und Aeschines[3]) an, nach welchen die Athener unmittelbar nach dem fünfzigjährigen Frieden
(452) die Organisation einer eigenen Reiterei in Angriff nahmen
und zu diesem Zwecke sowohl dreihundert Bürger aushoben wie
dreihundert skythische Bogenschützen ankauften, die den Dienst
als Hippotoxoten versehen sollten. Es ist dies die älteste in
der antiken Litteratur erhaltene Angabe, welche von der Einverleibung skythischer Mannschaften in ein griechisches Heer
Zeugniss ablegt. Diese Massregel war, wie die im Obigen besprochenen, schwarzfigurigen Vasenbilder beweisen, nur die
Wiederaufnahme eines Verfahrens, welches die Athener bereits
im 6. Jahrhundert eingeschlagen hatten. Doch muss ich hier
darauf verzichten, die Anwerbungen skythischer Schützen darzulegen, welche von Athen und anderen griechischen Staaten
während des 5. Jahrhunderts vorgenommen wurden, da dies
von dem bestimmten Zwecke unserer Untersuchung zu weit
abführen würde.

Es scheint aber ganz unglaublich, dass Athen der erste griechische Staat war, welcher die Söhne der Steppe zu militärischen

---

[1]) Oben Seite 278 Anm. 1.

[2]) III (περὶ τῆς πρὸς Λακ. εἰρήνης) 5 (I p. 50 Baiterus et Sauppius):
καὶ πρῶτον τότε τριακοσίους ἱππεῖς κατεστησάμεθα καὶ τοξότας τριακοσίους
Σκύθας ἐπριάμεθα.

[3]) Περὶ παραπρεσβ. II 173 (I p. 442 Bait. Saupp.): τριακοσίους
δ' ἱππέας προσπαρεσκευασάμεθα καὶ τριακοσίους Σκύθας ἐπριάμεθα.

Zwecken verwendete. Da vielmehr die Milesier bereits um die
Mitte des 7. Jahrhunderts Kolonien an der Nordküste des
Pontos gegründet hatten und hierdurch in unmittelbare Beziehung zu den Skythen getreten waren, so spricht alle Wahrscheinlichkeit dafür, dass dies zuerst von Seiten der ionischen
Städte geschah. Mit dieser Annahme stimmen die Bilder einer
schwarzfigurigen Amphora, welche gewiss hoch in das 6. Jahrhundert hinaufreicht und von Studniczka mit Recht einer
ionischen Fabrik zugeschrieben wird.[1]) Wir sehen darauf
einen Hopliten zu Pferd und dessen jugendlichen, ebenfalls
berittenen Begleiter, die auf beiden Seiten von drei Kriegern
angegriffen werden. Die hinterste Figur unter den Angreifern
ist, rechts wie links, ein skythischer Bogenschütze, der im
Begriffe steht, einen Pfeil abzuschnellen. Ein anderes Bild
derselben Amphora zeigt in der Mitte einen auf die Kniee zu-
sammengebrochenen Hopliten und eine geflügelte weibliche
Figur, welche über dessen Haupt ein mantelartiges Gewand
ausbreitet. Von rechts stürmen gegen die Mittelgruppe drei
feindliche Krieger an, während sich links drei befreundete
Krieger zur Vertheidigung des bedrängten Genossen anschicken.
Die hinterste Figur unter den Angreifern wie unter den Ver-
theidigern ist wiederum ein skythischer Bogenschütze. Dieses
Bild wird nicht ohne Wahrscheinlichkeit auf den in der Ilias
V 311 ff. geschilderten Vorgang gedeutet, wie Aphrodite ihren
von Diomedes verwundeten Sohn Aeneas mit ihrem Peplos
verhüllt und von dem Schlachtfelde entrückt. Jedenfalls beweist
die Beflügelung der weiblichen Figur, dass es sich um eine
mythische Scene handelt. Wenn der ionische Maler dabei
skythische Bogenschützen auftreten liess, so berechtigt dies zu
demselben Schlusse, den wir im Obigen hinsichtlich der attischen Gefässmaler gezogen haben: Der Ionier betrachtete die
skythischen Bogenschützen als ein für jedes Heer nothwendiges

---

[1]) Mon. dell' Inst. III 50, Ann. 1843 p. 60 ff.; Gerhard, Auserlesene
Vasenb. III 194 p. 91 ff. Vgl. Studniczka im Jahrbuch V (1896) p. 268
Anm. 117.

Element und trug demnach kein Bedenken, sie in eine mythische Kampfscene einzufügen.

Ebenso möchte ich eine im British Museum befindliche,
schwarzfigurige Hydria, deren Stil mit demjenigen jener Amphora mancherlei Berührungspunkte darbietet, einer ionischen
Fabrik zuweisen.[1]) Man sieht darauf ein im Kampfe begriffenes
Kriegsschiff und auf dem Verdecke desselben drei skythische
Bogenschützen, welche dem Feinde mit Pfeilschüssen zusetzen.
Dieses Motiv widerspricht auf das Entschiedenste der im Kataloge des British Museum vertretenen Ansicht, dass diese Hydria
etruskischen Ursprunges sei; denn wir dürfen doch unmöglich
annehmen, dass die Etrusker jemals die Bemannung ihrer
Kriegsschiffe aus der südrussischen Steppe bezogen hätten.

Ferner gehört hierher ein Deinos, den Pottier[2]) als ionisch
nachgewiesen hat. Es sind darauf vier Hopliten und zwei
skythische Bogenschützen dargestellt, die gegen vier feindliche
Hopliten und einen solchen Bogenschützen anstürmen. Der
Stil dieses Bildes erscheint strenger als derjenige der ältesten

---

[1]) Cat. of the greek and etruscan vases of the British Museum II
pl. I p. 69 B 60. Am Nächsten dürfte diese Hydria der Gattung stehen,
welche von Dümmler in den Römischen Mittheilungen II (1887) p. 177 ff.
behandelt und gewiss mit Recht einer ionischen Fabrik zugewiesen worden ist. In den skythisch gekleideten Reiterfiguren, welche auf der daselbst Taf. IX (vgl. p. 171—172) publicirten Amphora mit dem Bogen
nach den sie verfolgenden hellenischen Kriegern zielen, möchte ich einfach Amazonen erkennen. Verschiedene ionische Denkmäler, z. B. einer
der bekannten, peruginer Bronzebeschläge (Antike Denkm. herausg. vom
arch. Inst. II 15. Vgl. Röm. Mitth. IX, 1894, p. 276 ff.) und Vasenscherben,
die sich in Daphnae (Antike Denkm. II 21, 8; British Museum II p. 90
B 115, 1) wie in Naukratis (Brit. Mus. II p. 82 B 102, 28) gefunden haben,
lassen darauf schliessen, dass die Amazonen zuerst von den Joniern als
skythisch gekleidete Bogenschützinnen dargestellt wurden. Es stimmt
dies vortrefflich zu der im Obigen entwickelten Ansicht, nach welcher
die ionischen Künstler früher als diejenigen des Mutterlandes Gelegenheit hatten, die Schützen der Steppe durch eigene Anschauung kennen
zu lernen.

[2]) Bull. de correspondance hellénique XVII (1893) pl. XVIII p. 428
Fig. 8, p. 427—430.

unter den schwarzfigurigen, attischen Gefässen, auf denen
thische Schützen als Begleiter athenischer Hopliten vorkom

Die schlagendste Bestätigung jedoch erhält die von mir
tretene Auffassung durch einen der bei Klazomenai gefunde
Sarkophage, deren ionischer Ursprung keinem Zweifel un
liegt, und zwar durch ein Exemplar, dessen Ausführung
um die Mitte des 6. Jahrhunderts v. Chr. annehmen dü
Es ist hier der troische Bogenschütze Dolon in skythis
Tracht dargestellt.[1])

Endlich zeigen die Statere der milesischen Kolonie Kyz
einen Skythen, welcher an einem Pfeile herabvisirt, um
von der geraden Richtung des Schaftes zu überzeugen.[2]) Di
Stempel beweist, dass die skythischen Bogenschützen in j
Stadt eine nicht unbedeutende Rolle spielten.

Besonders nahe lag es den in den ionischen Stä
herrschenden Tyrannen, sich mit pontischen Söldnern zu
geben, da sie sich auf diese ungleich besser verlassen kon
als auf die einheimischen Truppen. Hiernach mögen
Skythen zu den 1000 Bogenschützen, die sich im Dienste
Polykrates befanden[3]), ein ansehnliches Contingent gestellt ha
Anakreon war mit den Sitten der Skythen vertraut; er be
sich in einem seiner Gedichte[4]) auf den wüsten Lärm, wel
bei den skythischen Trinkgelagen zu herrschen pflegte. Di
den grössten Theil seines Lebens an dem Hofe des Polykr
zubrachte, scheint es nicht unmöglich, dass er derartige
drücke angesichts der dortigen Bogenschützen empfing.

Erwägen wir, unter welcher athenischen Regierung
Anwerbung skythischer Bogenschützen begann, so war
reits Wernicke[5]) auf dem richtigen Wege, wenn er d
Massregel den Peisistratiden zuschrieb. Nur hat er s

---

[1]) Antike Denkmäler herausgegeben vom arch. Inst. I (1889) 7
p. 32 ff. Jahrbuch V (1890) p. 142—148. Röm. Mittheilungen VII (1
p. 71 Fig. XII.

[2]) Greenwell, Electron coinage of Cyzicus pl. IV 21.

[3]) Herodot. III 39, 45.

[4]) Fragm. 63 (Poetae lyrici graeci ed. Bergk III⁴ p. 272).

[5]) In Hermes XXVI (1891) p. 67.

Zeitbestimmung in etwas zu enger Weise gefasst, da die
Vasenbilder die Möglichkeit offen lassen, dass solche Wer-
bungen schon unter Peisistratos stattfanden. Allerdings würden
hierbei nur die letzten Jahre dieses Herrschers in Betracht
kommen. Peisistratos starb 527. Als oberste Zeitgrenze für
die Herstellung der schwarzfigurigen Gefässbilder, auf denen
skythische Bogenschützen als ein normaler Bestandtheil des
athenischen Heeres behandelt sind, haben wir das Jahr 540
anzunehmen. Und nichts nöthigt dazu, die im Obigen angeführte, sowohl mit schwarzen wie mit rothen Figuren be-
malte Schale des Andokides[1]), auf welcher zwei Bogenschützen
skythischer Nationalität dargestellt sind, über jenes Jahr hinauf-
zurücken. Ausserdem sind mancherlei Merkmale vorhanden,
welche darauf hinweisen, dass das athenische Heer während
der früheren Zeit der peisistratischen Herrschaft wie während
der Jahre, die der Tyrann nach seiner zweimaligen Vertreibung in der Fremde zubrachte, noch keine skythischen Bogenschützen enthielt. Derartige Figuren fehlen auf den von Amasis
und Exekias signirten wie auf den im Stile der beiden Meister
gearbeiteten Gefässen, welche in jene ältere Periode hinaufreichen. Nach diesen Gefässen scheint es vielmehr, dass es
damals nur sehr wenige Bogenschützen in Attika gab und dass
diese wenigen durchweg einheimischen Ursprunges waren. Wir
begegnen nur auf einer Amphora des Amasis[2]) einem Bogenschützen und dieser Schütze ist hier durch seinen Gesichtstypus wie durch seine Ausrüstung mit Sturmhaube, kurzem,
eng anliegendem Chiton und Beinschienen deutlich als ein
Grieche erkennbar. Hierzu kommen noch die Angaben des
Herodot[3]) und des Aristoteles[4]) über das Heer, an dessen Spitze
Peisistratos um das Jahr 540, nach seiner zweiten Vertreibung,

---

[1]) Oben Seite 269.

[2]) Duc de Luynes, Description de quelques vases peints pl. 1—3;
Klein, Meistersignaturen 2. Aufl. p. 43 n. 1.

[3]) Herodot. 1 61.

[4]) Ἀθηναίων πολιτεία 15.

die Herrschaft wiedergewann. Dieses Heer bestand vorwi
aus Söldnern. Nach Aristoteles setzte sich Peisistratos,
dem er Athen verlassen hatte, zunächst im Rhaikelos am
mäischen Meerbusen fest, ging von da in das Gebie[
Pangaios über und sammelte hier Geld wie Söldner. W
Anwerbungen nahm er vor, als er sein Hauptquartier in E
aufgeschlagen hatte, von wo aus er nach Attika überzu[
beabsichtigte. Herodot und Aristoteles berichten überei[
mend, dass hier Argeier, deren Zahl von dem letteren
1000 angegeben wird, zu ihm stiessen und dass ihm der .
Lygdamis viel Geld wie zahlreiche Mannschaften zuf[
Ueber skythische Söldner verlautet kein Wort. Hätte
damals Peisistratos Barbaren in grösserer Anzahl gege[
·athenische Bürgerheer verwendet, dann würden gewiss
Gegner diese oratorisch sehr wirksame Thatsache ausge[
und das Andenken daran der Nachwelt überliefert haben.
nach scheint die Anwerbung zum mindesten von grö[
Massen skythischer Schützen erst nach dem Jahre 54(
gonnen und, falls sie schon von Peisistratos in Angrif[
nommen wurde, zu den Massregeln gehört zu haben,
welche der Tyrann nach dem Siege bei dem Tempel der A[
Pallenis seine Herrschaft zu befestigen trachtete. Herc
bezeugt ausdrücklich, dass Peisistratos zu diesem Zwecke w[
Söldner anwarb „aus den Einkünften, die ihm aus Attika
wie vom Strymon her (d. i. aus der Gegend, welche Arist[
als das Gebiet des Pangaios bezeichnet) zugingen.' Die[
thischen Bogenschützen könnten demnach zu diesen nac[
Rückkehr des Peisistratos angeworbenen Söldnern gehört h[
Jedenfalls ist es beachtenswerth, dass gerade in die l[
Jahre des Tyrannen ein Ereigniss fiel, durch welches Ath[
nähere Beziehung zum Pontos gesetzt wurde. Zwischen
etwa und 527, in welchem er starb, eroberte Peisistratc
an der troischen Küste unweit der südlichen Mündun[

---

[1] Ἀθ. πολ. 17.

[2] Herodot. I 64.

Hellespont gelegene Stadt Sigeion[1]) und gewann hiermit an
der Strasse, welche den Pontos mit dem ägäischen Meere verband, ein Gebiet, das besonders geeignet war, um für die Anwerbung pontischer Söldner als Mittelpunkt zu dienen. Doch
müssen wir, um jenes Unternehmen des Peisistratos richtig zu
würdigen, etwas weiter ausholen und die Beziehungen darlegen, die in der vorhergehenden Zeit zwischen Athen und der
Pontosgegend obwalteten.

Die von den Milesiern seit der Mitte des 7. Jahrhunderts
in Angriff genommene Besiedelung der Nordwest- und Nordküste des Pontos rief in dem wirthschaftlichen Leben der
Griechen einen gewaltigen Umschwung hervor. Die Kultur-
staaten des Mutterlandes enthielten eine zahlreiche Bevölkerung
und die Gebiete der meisten waren für einen ergiebigen Ackerbau ungeeignet, ein Uebelstand, der sich mit besonderer Schärfe
in Attika geltend machte. In Folge dessen konnte es nicht ausbleiben, dass jene Staaten, so lange sie ausschliesslich auf ihre
eigene Getreideproduction angewiesen waren, nach schlechten
Ernten von Hungersnoth heimgesucht wurden. Die gleiche
Gefahr drohte den auf der kleinasiatischen Küste und den be-

---

[1]) Busolt, Griechische Geschichte II[2] p. 249—254 hat die verschiedenen Fragen, welche diesen Feldzug wie den von den Athenern gegen das
Ende des 7. oder den Anfang des 6. Jahrhunderts um Sigeion geführten
Krieg (vgl. unten S. 293—295) betreffen, in ebenso gründlicher wie
übersichtlicher Weise behandelt. Doch kann ich ihm nicht beistimmen,
wenn er voraussetzt, dass der ältere Versuch der Athener, an der südlichen Mündung des Hellespont festen Fuss zu fassen, erst nach der Eroberung von Salamis falle, die er um 610 annimmt. Ich verweise hierfür auf die überzeugende Darlegung von Wilamowitz, Aristoteles und
Athen I p. 267—269. Die Zeit der zweiten Eroberung von Sigeion ergiebt sich daraus, dass Peisistratos unmittelbar darauf seinen ihm von der
Argeierin Timonassa geborenen Sohn Hegistratos als Statthalter in dem
neu gewonnenen Gebiete einsetzte (Herodot. V 94). Hegistratos musste,
um den mit einer solchen Stellung verbundenen Anforderungen zu genügen, mindestens in den zwanziger Jahren stehen. Er war aber frühestens 580, geboren (Aristot. Ἀθ. πολ. 17). Demnach kann seine Ernennung zum Statthalter und damit die Einnahme von Sigeion schwerlich
vor 585 fallen. Vgl. Busolt II[2] p. 250.

nachbarten Inseln gelegenen Griechenstädten, da auch die W
hälfte Kleinasiens zu stark bevölkert war, als dass von
aus eine beträchtlichere Ausfuhr von Victualien hätte stattfi
können. Diese Sachlage änderte sich, nachdem die Milesier
der Nordküste des Pontos festen Fuss gefasst hatten. Sie
fügten hier über ein ausgedehntes, verhältnissmässig dünn
völkertes und ausserordentlich fruchtbares Hinterland, wel
sich vortrefflich dazu eignete, die Produktion und die Aus
von Cerealien in grossem Massstabe zu betreiben. War
einmal dieser Handel im Gange, dann leuchtet es ein, das
nicht nur den von den Milesiern gegründeten Kolonien, son
auch den Griechenstädten, welche an der das schwarze
dem ägäischen Meere verbindenden Wasserstrasse lagen, n
oder minder zu Gute kam. Eine besonders einflussreiche S
lung gewannen hierbei die beiden Städte, welche den südli
Ausgang des thrakischen Bosporos beherrschten, Kalche
das von den Megarern um 675 auf der asiatischen, und
zantion, das von ihnen 17 Jahre später auf der europäis
Seite gegründet worden war. Die Thatsache, dass von
aus der von dem Pontos ausgehende Verkehr gesperrt wei
kann, bestimmt in der vielseitigsten Weise den Gang der
tiken[1]), mittelalterigen und modernen Geschichte. Als
Samier um den Beginn des 6. Jahrhunderts an der Nordk
des Propontis Perinthos gegründet hatten, versuchten die
garer sie von dort zu vertreiben, wurden jedoch daran d
eine Flotte verhindert, die rechtzeitig aus Samos eintraf
ihnen eine schwere Niederlage beibrachte.[2]) Es beweist dies

[1]) Die Hauptstellen bei Xenoph. Hellen. I 4, 85; Demosth. X]
241, 301, 302; Polyb. lV 38, 46, 47. Die Athener liessen in den ei
Jahren des peloponnesischen Krieges den dortigen Verkehr durch di
Ἑλλησπόντου φύλακες überwachen (Volksbeschluss aus Ol. 88, 3 = 426 v.
Corp. inscr. att. I 40). Im Jahre 410 liessen sie ein Geschwader in
Rhede von Chrysopolis (im kalchedonischen Gebiete) stationieren und d
dieses einen Durchgangszoll von den aus dem Pontos kommenden Sch
erheben (Xenoph. Hellen. I 1, 22). Ebenso hören wir von Durchg
zöllen, die von den Byzantiern erhoben wurden, wenn es mit d
Finanzen schlecht stand (Polyb. IV 46, 47).

[2]) Plutarch. quaestiones graecae 57.

das Schlagendste, wie die Megarer das Uebergewicht, welches
ihnen ihre Stellung am Bosporus verlieh, ausnutzten, um andere Griechen, die sich in jener Gegend festzusetzen versuchten,
fern zu halten. Seit dem 5. Jahrhundert erscheint die Pontosgegend in der Literatur als die Kornkammer des östlichen
Griechenlandes wie der im ägäischen Meere gelegenen Inseln. [1])
Getreide und Bogenschützen galten als die für jene Gegend
typischen Produkte und werden von den Schriftstellern als
solche neben einander erwähnt. Besonders bezeichnend ist in
dieser Hinsicht die Stelle, an der Thukydides[2]) berichtet, wie
die Mytilenäer im Jahre 428 den seit längerer Zeit vorbereiteten
Abfall von Athen verschoben, weil das Getreide und die Bogenschützen, die sie bestellt, nicht rechtzeitig aus dem Pontos
eingetroffen waren. Wenn demnach im Obigen[3]) nachgewiesen
wurde, dass die von den Schriftstellern erst für die Mitte des
5. Jahrhunderts bezeugte Ausfuhr skythischer Bogenschützen
in beträchtlich ältere Zeit hinaufreicht, so spricht alle Wahrscheinlichkeit dafür, dass das Gleiche für die Ausfuhr des
pontischen Getreides anzunehmen ist, eine Annahme, die um
so glaublicher erscheint, als dadurch eine auffällige Richtung,
welche die athenische Politik gegen das Ende des 7. oder zu
Anfang des 6. Jahrhunderts einschlug, eine ganz natürliche
Erklärung findet.

Die Athener unternahmen damals ihren ersten überseeischen
Feldzug. Dieser Feldzug bezweckte wie derjenige, den Peisistratos in den letzten Jahren seiner Herrschaft unternahm,
die Eroberung von Sigeion.[4]) Obwohl die Mytilenäer dem Ein-
griffe in ihr Kolonialgebiet bewaffneten Widerstand entgegensetzten, gelang es doch den Athenern sich Sigeions zu bemäch-

---

[1]) Vgl. Büchsenschütz, Besitz und Erwerb p. 422—424; Wiskemann,
Die antike Landwirthschaft und das von Thünen'sche Gesetz p. 15—16.
Die älteste Angabe bezieht sich auf d. J. 480: Herodot. VII 147.

[2]) Thukyd. III 2.

[3]) Oben Seite 288—291.

[4]) Man findet alles auf diesen Feldzug bezügliche Material bei
Busolt, Griechische Geschichte II² p. 249—254. Vgl. unsere Seite 291
Anm. 1.

tigen und sich daselbst einige Zeit zu behaupten. Es ist
denkbar, dass dieses Unternehmen lediglich durch das
dürfniss veranlasst wurde, neue Landloose für die überschüs
Bevölkerung Attika's zu beschaffen. Waren die Athener in j
Zeit auch noch zu schwach, um mit den Megarern, die da
über eine bedeutende Seemacht verfügten und Pflanzstädt
beiden Meeren gründeten, den Kampf um Salamis aufzunehm
immerhin standen ihnen, wenn sie nur Kolonialland zu
winnen beabsichtigten, mancherlei Gegenden offen, deren O
pation weniger kostspielig und gefährlich war, als ein Fel
nach der troischen Küste, auf der die Lesbier schon seit
8. Jahrhundert festen Fuss gefasst hatten.[1]) Ich erinnere
spiels halber an die Insel Skyros, die vom Vorgebirge Su
nur eine Tagesfahrt entfernt liegt und im Jahre 476 noch r
von der griechischen Kolonisation berührt, sondern ausschl
lich von den eingeborenen Dolopern bewohnt war.[2]) Hier
scheint es vielmehr, dass die Athener zu jenem Feldzug
der troischen Küste durch handelspolitische Rücksichten
stimmt wurden. Sie begriffen, dass die Küsten des Pontos
ihre Thonwaaren wie für das vornehmste Produkt ihres L
baues, das Olivenöl, einen sehr geeigneten Markt darb
Ausserdem konnten sie das pontische Getreide in einer
Produktionsgebiete näher liegenden Gegend billiger ankа
als im eigenen Lande und kam, auch wenn dieses Getreide
in Sigeion auf athenische Schiffe verladen wurde, der Gew
den der Transport von hier nach den attischen Häfen abv
nicht fremden sondern athenischen Schiffern zu Gute.
solchen Umständen begreift man, dass die Athener ihre I
essen in dem pontischen Verkehr zur Geltung zu bri
suchten. Die Besetzung von Sigeion erschien für diesen Z
ganz geeignet. Die Athener gewannen hierdurch an der
schwarze Meer mit dem ägäischen verbindenden Wasserst
einen Hafen, in welchen ihre Schiffe mit der gleichen Sic

---

[1]) Meyer, Geschichte von Troas p. 79 ff.
[2]) Thukyd. I 98; Plutarch. Theseus 36; Pausan. III 3, 6.

heit einlaufen konnten wie in die attischen. Ihre in diesem
Hafen stationirenden Kriegsschiffe waren im Stande, Kauf-
fahrern, die den Hellespont passirten, je nachdem es die Situation verlangte, den Weg zu versperren oder schützendes Geleit
zu gewähren. Sie konnten, da Sigeion nur ungefähr 250 Kilo-
meter von dem Bosporos entfernt lag, baldigst zur Stelle sein,
wenn es galt, Uebergriffen der Byzantier oder Kalchedonier
entgegenzutreten. Die Jonier, welche an dem dortigen Verkehr besonders interessirt waren, da er seinen Ausgangspunkt
in den an der Nordküste des Pontos gelegenen, milesischen
Kolonien hatte, werden das Unternehmen der Athener nicht
ungünstig aufgenommen haben, einerseits in Folge der Riva-
lität, welche von Alters her zwischen ihnen und den Aeoliern
herrschte, andererseits, weil sie in den Athenern Bundesgenossen
gegen die Megarer zu finden hofften. In Sigeion hat sich eine
Grabstele gefunden, welche der Zeit der damaligen athenischen
Occupation angehört.[1]) Sie ist nach den beiden darauf an-
gebrachten Inschriften einem Bürger von Prokonnesos, Phano-
dikos, dem Sohne des Hermokrates, unter Betheiligung der
dortigen athenischen Kleruchen errichtet. Prokonnesos war
eine Gründung der Milesier. Die Stele scheint demnach
darauf hinzuweisen, dass zwischen den in Sigeion ansässigen
Athenern und den Bürgern jener milesischen Kolonie ein freundschaftliches Verhältniss obwaltete.

Doch reichten die Mittel des athenischen Staates, der
damals durch Parteihader wie durch materielle Nothstände
stark geschwächt war, nicht aus, um die beabsichtigte Aktion
mit dem nöthigen Nachdrucke zu betreiben. Die Besetzung
von Sigeion erwies sich als illusorisch, da die dortigen athenischen Streitkräfte durch eine Festung, welche die Mytilenäer
auf dem benachbarten Vorgebirge Achilleion anlegten, in Schach
gehalten wurden. Dazu kam noch der Widerstand, den die
Megarer, wie wir im Weiteren sehen werden, der Erweiterung
des athenischen Handelsverkehres entgegensetzten.

---

[1]) Inscript. graecae antiquissimae ed. Roehl n. 492. Vgl. Kirchhoff,
Studien zur Geschichte des griech. Alphabets 4. Aufl. p. 22—25.

Doch scheint der von dem Pontos ausgehende Har
bereits vor der Zeit, in welcher die Athener sich daran al
zu betheiligen versuchten, in Attika mancherlei Uebelstä
hervorgerufen zu haben. Als Solon im Jahre 590 seine Ges
gebung erliess, waren die meisten der dortigen kleinen Gru
besitzer ruinirt, die einen der Schuldknechtschaft verfal
andere, um derselben zu entgehen, ins Ausland geflück
zahlreiche Grundstücke mit Hypotheken belastet.[1]) Der
danke liegt nahe, dass dieser Nothstand vorwiegend durch
Einfuhr des billigeren pontischen Getreides veranlasst
dessen Concurrenz die damaligen attischen Landwirthe eb
wenig auszuhalten im Stande waren, wie heutzutage die e
päischen diejenige der amerikanischen, indischen und aus
lischen Cerealien. Allerdings beweist das solonische Ges
welches den Bewohnern von Attika den Export von Victua
mit Ausnahme des Geles verbot[2]), dass im Jahre 590 k
erhebliche Einfuhr fremden Getreides stattfand, sondern
Athener vorwiegend auf ihre eigene Produktion angewie
waren. Aber dies genügte nicht, um die kleinen Grundbesit
nachdem sie einmal ruinirt waren, sofort in eine erträglich
Lage zurückzuversetzen.

Die Situation, welche Solon im Jahre 590 vorfand
die ihn zu jenem Ausfuhrverbote bestimmte, war offenbar du
das feindliche Vorgehen der Megarer hervorgerufen. Droyse
vermuthet nicht ohne Wahrscheinlichkeit, dass es die Meg
waren, welche bis vor Kurzem den attischen Markt mit p
tischem Getreide versorgt hatten. Wie dem aber auch
jedenfalls mussten die Megarer es übel vermerken, dass
Athener durch die Besetzung von Sigeion in ein Gebiet
griffen, dessen Handel vorwiegend von megarischen Kolon
Byzantion und Kalchedon, beherrscht wurde. Wie sie
Samiern entgegentraten, als diese sich an der Propontis f

---

[1]) Vgl. Busolt, Griechische Geschichte II[2] p. 243—247.

[2]) Plutarch. Solon 24.

[3]) Athen und der Westen p. 42.

gesetzt hatten [1]), thaten sie das Gleiche gegenüber den Athenern,
jedoch in ungleich energischerer Weise. Sie gingen darauf aus,
dem verhassten Nachbarstaate jeglichen Seeverkehr abzuschneiden,
ein Unternehmen, welches ihnen keine besonderen Anstreng-
ungen kostete, da sie auf Salamis geboten und von hier aus
mit ihrer überlegenen Kriegsflotte leicht den Peiräeus wie das
Phaleron blockiren konnten. Hiernach erklärt sich jenes Aus-
fuhrverbot des Solon in der natürlichsten Weise durch die
Annahme einer von den Megarern verhängten Sperre der attischen Häfen. Alle Wahrscheinlichkeit spricht dafür, dass die
Athener, in Folge dieser Vorgänge, das vor Kurzem eroberte
Sigeion aufgaben, da ihre dortige Besatzung durch die megarische Flotte von Attika abgeschnitten war. Andererseits
aber bereitete die politische Thätigkeit des Solon die Athener
darauf vor, die Uebermacht ihrer Feinde zu brechen. Seine
Verfassung machte für längere Zeit dem zwischen den verschiedenen Klassen herrschenden Hader ein Ende, seine Sei-
sachtheia half den kleinen Grundbesitzern auf, denen es
gleichzeitig zu Gute kam, dass die Concurrenz des pontischen
Getreides durch die megarische Handelssperre beseitigt worden
war. In dieser Weise erstarkt, ergriffen die Athener, geführt
von Peisistratos, um das Jahr 570 die Offensive gegen die
Megarer, eroberten Salamís und schufen hiermit für die Entwickelung ihres Seeverkehrs freie Bahn.[2])

Wenn um den Anfang des 6. Jahrhunderts mancherlei
wiewohl lose Beziehungen zwischen Attika und dem Skythenlande nachweisbar sind, so liegt es nahe, diese Beziehungen
daraus zu erklären, dass die Athener zu jener Zeit durch die
Besetzung von Sigeion dem Pontos näher getreten waren. Ein
attischer Vasenmaler, dessen Thätigkeit nach seinem Stile über
die Mitte des 6. Jahrhunderts hinaufreicht, signirt sich ὁ Σκύθης.[3])
Offenbar war dieser Skythe in seiner Jugend als Sklave nach

---

[1]) Oben Seite 292.

[2]) Vgl. Wilamowitz, Aristoteles und Athen I p. 267.

[3]) Klein, Die griechischen Vasen mit Meistersignaturen 2. Aufl. p. 49
n. 2. Vgl. Studniczka im Jahrbuch des arch. Inst. II (1887) p. 143—144.

Athen verkauft worden und hatte daselbst die Vasenmal
erlernt. Auf den Anfang des 6. Jahrhunderts deutet die Uel
lieferung, dass sich ein skythischer Königssohn Anacha
der eine Bildungsreise nach Griechenland unternahm, in At
aufhielt und daselbst mit Solon verkehrte.[1]) Ein Bild
Françoisvase, deren Ausführung wir um dieselbe Zeit annehi
dürfen, beweist, dass der skythische Volksstamm damals
Athen auch in weiteren Kreisen Interesse erregte. Der M
hat der Darstellung der kalydonischen Jagd neben den g
chischen Helden drei Bogenschützen beigefügt, welche du
ihre hohen Mützen wie durch die zweien von ihnen bei
schriebenen Namen zu der Nordküste des Pontos in Bezieh
gesetzt sind.[2]) Doch berechtigen diese Figuren keineswegs
dem Schlusse, dass die Skythen in dem damaligen athenisc
Heere eine ähnliche Rolle spielten, wie sie sich für die :
zwischen 540 und 520 aus den jüngeren schwarzfigurigen
fässbildern ergiebt.[3]) Vielmehr beweisen sie nur, dass
Athener einige Kunde von den Söhnen der Steppe hatten
dass der Ruf von der Geschicklichkeit, mit welcher diesel
den Bogen handhabten, bis nach Attika gedrungen war. Hät
Skythen während der ersten Hälfte des 6. Jahrhunderts zu
in Athen geläufigen Erscheinungen gehört, dann würden
von den gleichzeitigen Vasenmalern auch bei Scenen aus (
täglichen Leben dargestellt worden sein. Hiervon ist jed
kein Beispiel nachweisbar. Ausserdem würde der Maler
Françoisvase, der vortrefflich zu individualisiren verstand,
ethnische Charakteristik seiner Bogenschützen consequei

---

[1]) Herodot. IV 46, 76, 77; Athen. X p. 437 F; Aelian. var. hist. II
[2]) Mon. dell' Inst. IV 54, 55; Wiener Vorlegeblätter 1888 T. I
[3]) Die in den Röm. Mittheilungen II (1867) p. 189 ausgesproci
Vermuthung, dass die skythische Schaarwache, die häufig in der Li
ratur des 5. Jahrhunderts erwähnt wird, bis zum Beginne des voi
gehenden Jahrhunderts hinaufreiche und dass der Maler der François
drei ihm bekannte Mitglieder dieser Truppe scherzhafter Weise
kalydonischen Jägern beigefügt habe, ist von Loewy im Jahrbuci
arch. Inst. III (1888) p. 142 Anm. 90 mit Recht zurückgewiesen wor

durchgeführt haben, als er es gethan. Diese Charakteristik
beschränkt sich aber auf die hohe skythische Mütze, wogegen
alle drei Schützen einen hellenischen Gesichtstypus zeigen und
mit demselben kurzen, eng anliegenden Chiton bekleidet sind,
den die an der Jagd theilnehmenden Heroen tragen.

Ebensowenig erweist sich der Maler mit der skythischen
Onomatologie vertraut. Der Name des einen Bogenschützen
lautet Kimmerios, ist also ein Volks- kein Personenname. Die
Kimmerier waren vor der Einwanderung der Skythen über den
grössten Theil der Nordküste des Pontos verbreitet, wo die
Krim noch heute ihren Namen bewahrt hat. Doch scheint es
nicht unmöglich, dass sich Reste von ihnen, unter skythischer
Oberherrschaft, noch lange Zeit erhielten.[1]) Demnach konnte
ein aus dem Skythenlande eingeführter Sklave in Athen recht
wohl Kimmerios heissen, wie sich jener Skythe, der daselbst
die Vasenmalerei erlernte, einfach als ὁ Σκύϑης bezeichnete.[2])
Doch scheint es wenig glaublich, dass der Maler der Françoisvase einem Bogenschützen, den er als ebenbürtigen Genossen
der an der kalydonischen Jagd Theil nehmenden Helden auftreten liess, einen Sklavennamen beilegte. Hiernach wird man
diese Namengebung in anderer und zwar in der folgenden
Weise zu erklären haben: Der Nordrand der den Griechen
bekannten Welt war ursprünglich von den Kimmeriern, später
von den Skythen eingenommen. Der Maler der Françoisvase
wusste die beiden Völker nicht genau zu unterscheiden. Doch
waren ihm die Kimmerier geläufiger, weil sie in der Odyssee
erwähnt werden und weil die Raubzüge, die sie während der
ersten Hälfte des 7. Jahrhunderts in Kleinasien unternahmen,
bei denen sie den ephesischen Artemistempel verbrannten und
das reiche Magnesia am Maiandros plünderten, gewiss in der
ganzen griechischen Welt einen nachhaltigen Eindruck hinterlassen hatten. In Folge dessen bezeichnete er einen Bogenschützen, dessen Heimuth er in der südrussischen Steppe an-

---

[1]) Neumann, Die Hellenen im Skythenlande 1 p. 222.
[2]) Oben S. 297 Anm. 3.

nahm, als Kimmerier, obwohl in jener Gegend nicht mehr
Kimmerier, sondern die Skythen das herrschende Volk wa

Der Name des zweiten Bogenschützen Toxamis ist nicht
aus dem griechischen τόξον gebildet unter Beifügung einer
dung, die ihm einen fremdländischen Charakter geben i
Eine analoge Bildung ist Toxaris, der Name eines Skyt l
der nach einer Fabel späten Ursprunges Anacharsis bei S
einführte.[1])

Für den dritten Bogenschützen war der Maler au
Stande, eine auf die Steppe hinweisende Benennung zu
finden, und er bezeichnete ihn deshalb einfach mit dem g
chischen Namen Eurymachos.

Auf einer schwarzfigurigen Amphora, deren Ausführ
recht wohl noch vor die Mitte des 6. Jahrhunderts fallen k
ist in einer Amazonenschlacht ein mit einer skythischen M
ausgestatteter, bärtiger Bogenschütze auf Seite der Amaz
kämpfend dargestellt.[2]) Doch fragt es sich, ob wir diese Fi
in den Kreis unserer Untersuchung, die sich vor der Hand
Attika beschränkt, zu ziehen berechtigt sind. Die Ansic h
der Gelehrten über den Ursprung jener Amphora schwani
Sie wird in der Regel für ein chalkidisches, von Studnic
hingegen für ein altattisches Produkt erklärt, eine Alternat
die ich nicht zu entscheiden wage. Sollte die Amphora
Attika gearbeitet sein, dann würde der darauf dargeste
Bogenschütze ähnlichen Gesichtspunkten unterliegen wie
analogen Figuren auf der Françoisvase. Der Maler nahm
Sitze der Amazonen auf der Nordküste des Pontos an,
ihnen einen Skythen als Bundesgenossen bei, weil er die Skyt
als die Bewohner jener Küste kannte, und brachte die ethnisc l
Eigenthümlichkeiten desselben zum Ausdruck, insoweit es i

---

[1]) Von Sybel in Hermes XX (1885) p. 41 ff. Ueber die Stat
welche zu dieser Fabel Anlass gaben: Arndt und Amelung, Photo
phische Einzelaufnahmen, Serie III p. 16.

[2]) Gerhard, Auserlesene Vasenbilder II 95—96. Vgl. Klein Euphro
2. Aufl. p. 65 n. 11; Studniczka im Jahrbuch des arch. Inst. I (1
p. 88 ff.

die vagen Begriffe, die er davon hatte, gestatteten. Wie die
auf der Françoisvase beigefügten Bogenschützen erscheint auch
derjenige der in Rede stehenden Amphora nur durch die hohe
Mütze zu dem skythischen Volksthume in Beziehung gesetzt.
Sein kurzer, eng anliegender Chiton ist griechisch. Das Gesicht
des Barbaren fügt sich der damals in den meisten griechischen
Staaten herrschenden Mode, indem es Backen- und Kinnbart,
aber dabei eine rasierte Oberlippe zeigt.

Nach der erfolglosen Occupation von Sigeion enthielt sich
die athenische Politik mindestens während sechs Jahrzehnte
jeglicher Ingerenz in die dem Pontos benachbarten Gebiete.
Mit der Herrschaft, welche die athenischen Philaiden auf der
thrakischen Chersonnes, also auf der Westküste des Hellespont,
ausübten, hatte der Staat nichts zu thun. Vielmehr war diese
Herrschaft von Haus eine Privatangelegenheit jenes Geschlechtes.[1]) Wir berühren sie hier nur, um darzulegen, dass
sie für die athenische•Politik vollständig bedeutunglos war.

Der Philaide Miltiades, des Kypselos Sohn, wurde zur
Zeit, als Peisistratos an der Spitze des athenischen Staates
stand, und zwar vor dem Jahre 546[2]), von den auf der Chersonnes ansässigen Dolonkern berufen, die Regierung ihres von
den benachbarten Apsinthiern hart bedrängten Landes zu übernehmen. Er folgte diesem Rufe, weil er, wie Herodot[3]) angiebt, mit der Tyrannis des Peisistratos unzufrieden war, und
führte mancherlei auswanderungslustige Athener mit sich nach
Thrakien. Sein Nachfolger war der Sohn seines Halbbruders

---

[1]) Die Hauptquelle Herodot. VI 34—41.

[2]) Dieses Datum ergiebt sich daraus, dass Kroisos seinen Einfluss zu
Gunsten des Miltiades geltend machte, als dieser von den Lampsakenern
gefangen genommen worden war (Herodot. VI 37); denn 546 wurde Sardes
von den Persern erobert und hierdurch das Reich des Kroisos vernichtet.
Uebrigens wurde das elfenbeinerne Horn der Amaltheia, über welches
Pausan. VI 19, 6 berichtet, zu Olympia von dem älteren Miltiades, nicht,
wie Winter im Jahrbuch VIII (1893) p. 154 annimmt, von dem Marathon-
sieger geweiht.

[3]) Herodot. VI 35.

Kimon, Stesagoras. Auf diesen folgte der Bruder des Stesag
der jüngere Miltiades, der nachmalige Sieger von Marat
der sich bis kurz vor 490 iu der Chersonnes behauptete.
übernahm die Herrschaft um 515, also nicht mehr unter
Regierung des Peisistratos, sondern unter derjenigen der
sistratiden, die ihm für die Ueberfahrt eine Triere zur '
fügung stellten.[1])

Nach Allem, was die Ueberlieferung berichtet, dürfen
annehmen, dass die Macht der Philaiden auf einer sehr
sicheren Grundlage beruhte.   Der ältere Miltiades musste i
seiner Ankunft in der Chersonnes zunächst den Angriffen
Apsinthier ein Ziel setzen.   Er und sein Nachfolger Stesag
hatten harte Kämpfe n1it den Lampsakenern zu beste
Als der jüngere Miltiades in der Chersonnes eintraf, hiel
die Notabeln der dortigen thrakischen Gaue für aufsässig,
sie ins Gefängniss werfen und sicherte seine Stellung d
die Anwerbung von 500 Söldnern.[2]) Ein Einfall der Sky
nöthigte ihn, zeitweise sein Reich zu verlassen.[3]) Unter sol
Umständen begreift man, dass die Philaiden viel zu sehr d
den Kampf um die eigene Existenz in Anspruch genom
waren, als dass sie, auch wenn sie es gewollt, der athenis
Politik hätten Vorschub leisten können.   Soweit die Ue
lieferung einen Schluss gestattet, bekümmerten sie sich in ke
Weise um den Mutterstaat.   Nichts verlautet darüber —
dies ist für die von ihnen eingenommene Stellung beson
bezeichnend —, dass sie für oder gegen Peisistratos und
Peisistratiden Partei genommen hätten.   Hingegen will ich
Möglichkeit nicht läugnen, dass die Herrschaft der Phila
für den athenischen Handel erspriesslich war, dass wüh
derselben attische Industrieproducte in der Chersonnes Ab
fanden, dass andererseits wieder Rohproducte und vielle
auch Sklaven aus Thrakien und den Nachbarländern über
Chersonnes nach Attika gelangten.

---

[1]) Herodot. Vl 39.
[2]) Herodot. Vl 36, 37, 38.
[3]) Herodot. VI 40.

Immerhin blieb die Aufgabe, seinen Mitbürgern einen ihren Bedürfnissen entsprechenden Antheil an dem pontischen Handel in nachhaltiger Weise zu sichern, dem Peisistratos vorbehalten. Die Betheiligung an diesem Handel war mit der Zeit für die Athener geradezu eine Lebensfrage geworden. Wie die Statistik der bemalten Vasen beweist, nahm die Produktion der attischen Keramik unter der Herrschaft des Peisistratos nicht nur in qualitativer, sondern auch in quantitativer Hinsicht einen sehr bedeutenden Aufschwung und wir dürfen es als wahrscheinlich betrachten, dass ein ähnlicher Aufschwung auch in anderen Industriezweigen stattfand. Es lag somit in dem Interesse der Athener, für ihre gesteigerte Produktion neue Absatzgebiete zu finden. Andererseits musste eine so bedeutende industrielle Entwicklung nothwendig eine rasche Vermehrung der Bevölkerung zur Folge haben. Da es bekannt war, dass geschickte Handwerker und Künstler in Athen auf einträgliche Beschäftigung rechnen durften, wurden auch fremde Kräfte von der mächtig aufblühenden Stadt angezogen. Es genügt daran zu erinnern, dass zu den Vasenkünstlern, deren Thätigkeit wir mit Sicherheit in der älteren Periode der peisistratischen Herrschaft annehmen dürfen, Amasis und Skythes[1]) gehören, deren Namen entschieden auf eine barbarische Herkunft schliessen lassen. Der wenig ergiebige attische Ackerbau konnte den Bedürfnissen der sich rasch vermehrenden Bevölkerung unmöglich genügen. Was im Besonderen die Getreideproduktion betrifft, so war sie, wie Beloch[2]) richtig erkannt hat, seit dem Anfange des 5. Jahrhunderts, weil sie zu wenig lohnte, in stätiger Abnahme begriffen. Doch spricht alle Wahrscheinlichkeit dafür, dass dieser Abnahmeprozess schon während der zweiten Hälfte des vorhergehenden Jahrhunderts begonnen hatte. Es war demnach dringend geboten, für die Einfuhr fremder Cerealien Sorge zu tragen und zu diesem Zwecke die Verbindungen Athens mit der Nordküste des Pontos zu sichern, von welcher

---

[1]) Oben Seite 297 Anm. 3.

[2]) Die Bevölkerung der griechisch-römischen Welt p. 90.

aus damals der bedeutendste Getreideexport stattfand.]
sistratos konnte sich dieser Aufgabe während des ersten
zweiten Abschnittes seiner Tyrannis nicht ~~unterziehen~~,
damals in der athenischen Bürgerschaft noch eine starke Op
sition gegen ihn herrschte und er hierdurch genöthigt wu
seine ganze Kraft auf die innere Politik zu concentriren.]
in der auf seine zweite Rückkehr folgenden Zeit durfte
seine Herrschaft als gesichert betrachten. Ein Theil der i
feindlich gesinnten Familien hatte Attika verlassen. Der Wid
stand derjenigen unter seinen Gegnern, die im Lande verbliel
war durch Geiseln unschädlich gemacht, die sie dem Tyran
gestellt hatten.[1]) Peisistratos hatte die Bürger, denen er m
traute, entwaffnet.[2]) Er verfügte über ein ihm ergebenes,
wiegend aus Söldnern bestehendes Heer wie über bedeute
Geldmittel[3]) und war hierdurch in den Stand gesetzt,
energische auswärtige Politik zu betreiben. Wie im Obige
dargelegt wurde, hatten die Athener um das Ende des 7. o
den Anfang des 6. Jahrhunderts einen vergeblichen Vers
gemacht, durch die Besetzung von Sigeion eine Machtstelli
an den Dardanellen zu erringen. Peisistratos nahm die
Plan wieder auf und erzielte damit das beabsichtigte Resul
Er eroberte, zwischen 535 und 527, wiederum Sigeion[4]),
hauptete es dauernd und konnte von diesem festen Punkte
die athenischen Interessen in dem durch den Hellespont st
findenden Verkehr nachdrücklich zur Geltung bringen. All
dings war ein derartiger Plan damals leichter durchzuführ
als vor zwei Menschenaltern. Peisistratos selbst hatte in sei
jüngeren Jahren durch die Eroberung von Nisaia und Sala
die jedwede Expansion der Athener paralysirende, megaris
Macht gebrochen.[5]) Die kleinasiatischen Griechenstädte konn

---

[1]) Herodot. I 64.
[2]) Aristoteles Ἀθηναίων πολιτεία 15; Polyaen. strategem. I 21
Vgl. Wilamowitz, Aristoteles und Athen I p. 269 ff.
[3]) Herodot. I 64.
[4]) Seite 293—295.
[5]) Vgl. oben Seite 290—291.
[6]) Vgl. Wilamowitz a. a. O. I p. 267—269.

ihm in den dreissiger Jahren des 6. Jahrhunderts keine erheblichen Hindernisse in den Weg legen, da sie durch den vergeblichen Widerstand, den sie der Ausbreitung der persischen Herrschaft entgegengesetzt hatten, mehr oder minder geschwächt waren. Was im Besonderen die Lesbier betrifft, so liegt der Gedanke nahe, dass die gewaltige Niederlage, die ihnen Polykrates beibrachte,[1]) kurz vor das Unternehmen des Peisistratos fiel und dass es ihnen in Folge dessen an der Kraft gebrach, ihr Kolonialgebiet in wirksamer Weise zu vertheidigen. Angesichts der Verbindungen, welche die Peisistratiden nach ihrer Vetreibung aus Attika, von Sigeion und Lampsakos aus, mit dem persischen Hofe unterhielten[2]), dürfen wir uns sogar die Frage vorlegen, ob nicht ihr Vater seinen Feldzug nach der Troas in geheimem Einverständniss mit den Persern unternahm. Wie dem aber auch sei, immerhin wird unter den damals obwaltenden Verhältnissen der moralische Eindruck der Thatsache, dass eine athenische Streitmacht in Sigeion vorhanden war, in der Regel genügt haben, um die Schiffe, welche Getreide oder Bogenschützen aus dem Pontos nach Attika oder von hier Thongeschirr oder Olivenöl nach dem Pontos transportirten, vor feindlichen Angriffen zu bewahren. Drohte jedoch diesen Schiffen Gefahr, dann war das im Hafen von Sigeion stationirende Geschwader zu ihrem Schutze bereit.

Jedenfalls beweist die Statistik der im südlichen Russland entdeckten Vasen, dass der Erfolg des Peisistratos der athenischen Thonindustrie zu Gute kam. Die ältesten attischen Gefässe, welche daselbst gefunden wurden, sind Exemplare des jüngeren schwarzfigurigen Stiles[3]), deren Fabrikation wir in den letzten Jahren des Peisistratos oder in den ersten der Peisistratidenherrschaft anzunehmen haben. Hiernach begann ein intensiverer Export attischen Thongeschirres nach der Nordküste des Pontos erst in den letzten Jahren des Peisistratos,

---

[1]) Herodot. III 39.

[2]) Herodot. V 96, VI 94, 107, VIII 52, 54; Thukyd. VI 59; Pausan. III 4, 2.

[3]) Dragendorff im Jahrbuch XII, Arch. Anzeiger 1897 p. 2.

also nicht vor der Einnahme von Sigeion. Allerdings bl₁
es zweifelhaft, ob jene Gefässe gleich von Anfang an auf at
nischen Schiffen bis in die Häfen des Skythenlandes tr₁
portirt oder ob sie auf der nördlicheren Strecke des Weges
Zwischenhändlern angekauft und von diesen weiterbeför₁
wurden. Sollte aber der Export auch nur ein indirekter
wesen sein, immerhin wurde auch hiermit eine für die attis
Industrie erspriessliche Vermehrung des Absatzes erzielt.

Betrachten wir nunmehr das chronologische Verhält₁
welches zwischen den jüngeren, schwarzfigurigen Gefässen,
denen skythische Bogenschützen vorkommen, und der du
Peisistratos vollbrachten Eroberung von Sigeion anzuneh₁
ist, so will ich die Möglichkeit nicht leugnen, dass gew
unter jenen Gefässen, die einen strengeren Stil bekunden,
eine etwas frühere Zeit hinaufreichen, dass also einzelne s
thische Schützen bereits vor der Besetzung der troischen St₁
etwa über die von den Philaiden beherrschte, thrakische Cl
sonnes, nach Attika gelangten. Nöthigt doch die bereits
wähnte Thatsache, dass sich ein Vasenmaler, dessen Thätigl
in die frühere Zeit der peisistratischen Herrschaft fiel,
ὁ Σκύϑης signirt[1]), zu der Annahme, dass schon vor der M
des 6. Jahrhunderts skythische Sklaven dorthin verkauft wurd
Aber weitaus die meisten schwarzfigurigen Gefässbilder,
denen skythische Bogenschützen dargestellt sind, und name
lich diejenigen, welche, wie das Bild der Londoner Schale, e
zahlreichere Vertretung dieser Truppengattung in dem at
nischen Heere bezeugen, deuten frühestens auf die letzten Ja
des Peisistratos und gehören demnach erst der auf die I
oberung von Sigeion folgenden Zeit an. Es berechtigt ₁
zum Mindesten zu der Vermuthung, dass die Söhne der Ste₁
in grösserer Anzahl für das athenische Heer in Sigeion, ₁
erst nach der von Peisistratos unternommenen Eroberung die
Stadt, angeworben wurden. Im Obigen wurde aus den ro
figurigen Vasenbildern nachgewiesen, dass das athenische H

---

[1]) Oben Seite 297—298.

unter der Verwaltung des Kleisthenes und während des ersten
Viertels des 5. Jahrhunderts keine skythischen Bogenschützen
mehr enthielt. Es stimmt dies vortrefflich zu der Vermuthung,
dass Sigeion bei den Anwerbungen solcher Bogenschützen eine
hervorragende Rolle spielte. Die Peisistratiden siedelten im
Jahre 510, als sie aus Athen vertrieben worden waren, nach
Sigeion über [1]) und behaupteten sich daselbst unter dem Schutze
des Grosskönigs bis zu der Zeit, in welcher die Athener nach den
Schlachten von Plataeae und Mykale in Kleinasien offensiv
vorzugehen anfingen. Wenn demnach die skythischen Mannschaften bisher vorwiegend aus Sigeion bezogen worden waren,
so verloren die Athener im Jahre 510 jenen Werbeplatz und
mussten in Folge dessen sämmtliche für ihr Heer nöthigen
Bogenschützen in dem eigenen Lande ausheben. Doch nahmen
sie, wie im Obigen [2]) gezeigt wurde, die Anwerbung skythischer
Schützen wieder auf, sowie ihr Staat nach Gründung des Seebundes die Vormacht in dem Hellespont und der Propontis
geworden war.

Wir kehren nunmehr wiederum zu dem Bilde der Londoner Schale zurück, von dem unsere Untersuchung ausging.
Es ist bewiesen, dass dieses Bild eine Truppenschau darstellt, wie sie in Athen unter der Herrschaft des Peisistratos
oder unter derjenigen der Peisistratiden abgehalten wurde.
Wir dürfen daraufhin noch einen Schritt weiter thun und behaupten, dass der ältere, auf dem Viergespanne stehende Mann,
welcher die Truppenschau leitet, entweder für Peisistratos oder
für dessen ältesten Sohn Hippias zu erklären ist. Diese Alternative würde sich entscheiden lassen, falls es gelänge, die
Altersstufe zu bestimmen, auf welcher der Maler die fragliche
Figur darstellen wollte.

Peisistratos erreichte ein hohes Alter.[3]) Er war demnach
zwischen dem Jahre 530, welches wir als die oberste Zeit-

---

[1]) Herodot. V 65, 94; Thukyd. VI 59, 5.
[2]) Oben Seite 294—295.
[3]) Thukyd. VI 54, 2; Aristot. Ἀθηναίων πολιτεία 17.

20*

grenze für die Herstellung der Schale anzunehmen haben, 1
527, in dem er starb, ein Greis. Versuchen wir das Alter
Hippias zwischen dem letzteren Jahre und dem Jahre 520
bestimmen, unter welches wir die Schale nicht herabrüc
dürfen, so bieten uns die Berichte des Herodot[1]) und Thu
dides[2]), nach welchen sich Hippias während des Feldzuges
Jahres 490 in dem persischen Hauptquartiere befand, ei
allerdings nur sehr schwachen Anhaltspunkt dar. Schen
wir diesen Berichten Glauben, dann würde der Umstand,
er sich damals den Strapatzen eines Feldzuges aussetzte,
der von dem älteren Gewährsmann, von Herodot, angewen
Komparativ πρεσβύτερος verbieten, dem Hippias im Jahre
ein aussergewöhnlich vorgerücktes Alter zuzuschreiben.
dürfte somit eher zu hoch als zu tief gegriffen sein, wenn
annehmen, dass er damals in den siebziger Jahren st
Hippias würde hiernach zwischen 527 und 520 ein vorgerücl
Dreissiger oder ein angehender Vierziger gewesen sein. E
gegen scheinen die scharf markirten Gesichtszüge und
lange Bart des auf der Schale dargestellten Heerführers
ein höheres Alter hinzuweisen. Trotzdem wage ich nicht, dar
hin die Erklärung dieser Figur für Hippias auszuschliessen
diejenige für Peisistratos als gesichert hinzustellen. Einers
ist die Angabe, dass sich Hippias an dem Feldzuge des Jah
490 betheiligt habe, neuerdings von Wilamowitz[3]) bezwei
und somit die Grundlage der im Obigen angedeuteten chro
logischen Combination erschüttert worden. Andererseits hal
wir die Thatsache zu berücksichtigen, dass die schwarzfigur
Malerei nicht im Stande war, die Altersunterschiede in
Behandlung der Gesichtszüge zu klarem Ausdrucke zu bring
Sie besass nur ein Mittel, um die Greise deutlich als sol
zu charakterisiren, nämlich die Bemalung der Haarmassen
weisser Deckfarbe. Wie mir Herr Cecil Smith brieflich n
zutheilen die Güte hatte, ist dieses Mittel, welches den He

---

[1]) Herodot. VI 107.
[2]) Thukyd. VI 59, 5.
[3]) Aristoteles und Athen I p. 112.

führer entschieden als Peisistratos bezeichnen würde, an demselben nicht zur Anwendung gekommen; vielmehr haben sich
auf dem Barte Reste einer rothbraunen Farbe erhalten, ein
Umstand, der um so schwerer ins Gewicht fällt, als sich der
Maler für andere Theile seines Bildes der weissen Deckfarbe
bedient hat. Doch kann ich auch dieses Kriterium nicht als
durchschlagend anerkennen, da es im Süden mancherlei Individuen gibt, welche die dunkle Haarfarbe bis in das späteste
Greisenalter bewahren, und für den Maler, falls Peisistratos
dieser Kategorie angehörte, gewiss kein Grund vorlag, von der
Natur abzuweichen. Unter solchen Umständen bleibt es zweifelhaft, ob der Leiter der Truppenschau auf Peisistratos oder auf
Hippias zu deuten ist. Ebenso wenig wird diese Alternative
dadurch entschieden, dass die fragliche Figur Züge aufweist,
welche an den historisch beglaubigten Charakter des Peisistratos
erinnern; denn wir dürfen nach den Berichten der Schriftsteller
annehmen, dass Hippias bis zur Ermordung seines Bruders
Hipparchos im Wesentlichen an der von seinem Vater befolgten
Regierungsmethode festhielt. [1])

Besonders auffällig ist es, dass der Heerführer des Schalenbildes der Parade nicht in kriegerischer Rüstung sondern in
der friedlichen Tracht beiwohnt, welche die älteren Athener
vornehmen Standes zu tragen pflegten. Dieser Zug stimmt
vortrefflich zu den überlieferten Grundsätzen peisistratischer
Regierungskunst. Peisistratos regierte, wie sich Aristoteles[2])
mit prägnanter Kürze ausdrückt, πολιτικῶς μᾶλλον ἢ τυραννικῶς. Wie fünfhundert Jahre später der Kaiser Augustus, an
den er in so vielen Hinsichten erinnert, vermied er in seinem

---

[1]) Thukyd. VI 54, 5: καὶ ἐπετήδευσαν ἐπὶ πλεῖστον δὴ τύραννοι οὗτοι
ἀρετὴν καὶ ξύνεσιν, καὶ Ἀθηναίους εἰκοστὴν μόνον πρασσόμενοι τῶν γιγνομένων
τήν τε πόλιν αὐτῶν καλῶς διεκόσμησαν καὶ τοὺς πολέμους διέφερον καὶ ἐς
τὰ ἱερὰ ἔθυον κτλ. — Aristot. Ἀθ. πολ. 17: τελευτήσαντος δὲ Πεισιστράτου
κατεῖχον οἱ υἱεῖς τὴν ἀρχήν, προσαγαγόντες τὰ πράγματα τὸν αὐτὸν τρόπον.
Ibid. 19: μετὰ δὲ ταῦτα (d. i. nach der Ermordung des Hipparchos) συνέ-
βαινεν πολλῷ τραχυτέραν εἶναι τὴν τυραννίδα.

[2]) Ἀθην. πολ. 14, 16.

äusseren Auftreten jeglichen Hinweis auf die ▮▮▮▮▮▮
Gewalt. Die Erinnerung hieran hat sich in einer von ▮
stoteles[1]) mitgetheilten Anekdote erhalten. Peisistratos ▮
als er eine Inspectionsreise im Gebiete des Hymettos unternɪ
einen Bauern, der ein steiniges Feld bearbeitete, und liess
fragen, was dieses Feld hervorbringe. Der Bauer erkannte
Tyrannen nicht und antwortete: „Dieses Feld bringt eitel ▮
und Plage hervor und davon muss ich noch den Zehnten
Peisistratos steuern." Erfreut über die Arbeitsamkeit und
prägnante Antwort des Bauern, erklärte Peisistratos dessen
für steuerfrei.

Einen weiteren Beleg für die Weise, in der er seine Mɑ
stellung zu maskieren trachtete, bietet die Leibwache dar, di
sich, als er sich das erste Mal zum Tyrannen aufwarf, von
Volke bewilligen liess.[2]) Diese Leibwache bestand nicht aus
Speeren bewaffneten Trabanten (δορυφόροι), wie sie den Peɪ
dros[3]) und andere griechische Tyrannen begleiteten, sondern
Keulenträgern (κορυνηφόροι). Die Keule oder ein keulenarɪ
Knittel diente den griechischen Bauern von Alters her als Jɪ
waffe wie dazu, das Vieh auf der Weide anzutreiben und zusamɪ
zuhalten.[4]) Die Athener werden diesen Gegenstand oft genu
den Händen der Landleute gesehen haben, die ihr Vieh oder

---

[1]) Ἀθην. πολ. 16.

[2]) Herodot. I 59; Aristot. Ἀθ. πολ. 14; Plutarch. Sol. 30; Polɪ
strateg. I 21, 3. Vgl. Wilamowitz, Aristoteles und Athen I p. 260—

[3]) Herodot. V 92, 7. Nicol. Damasc. fragm. 59 (Fragm. hist. g
ed. Müller III p. 393).

[4]) In der Il. XXIII 845 führen die Rinderhirten die ▮▮▮▮▮▮,
Bauern hiessen im Gebiete von Sikyon κορυνηφόροι (Pollux onom. ▮
Vgl. Ruhnken zu Plat. Tim. p. 213). Knittel bei der H▮▮▮▮▮
einem böotischen Kästchen aus der Uebergangsperiode vom ▮▮▮▮▮
zum orientalisierenden Stile: Jahrbuch III (1888) p. 357; auf einer w
grundigen, attischen Lekythos: Murray und Smith, White ▮▮▮▮▮
pl. VI. — Jüngling mit Knittel als Jäger auf der Lauer, Schale des ▮
sthenes: Furtwaengler, Berl. Vasen n. 1806. — Die Keule bei der kal
nischen Jagd: Gerhard, Auserl. Vasenb. IV T. 327, 328 n. 2; Ann.
Inst. 1868 Tav. d'agg. LM. Bei einer Hirschjagd: Gerhard a. ɪ
T. 327, 328 n. 1.

Feldfrucht auf den städtischen Markt brachten. Wenn demnach die Begleiter des Peisistratos mit Keulen bewaffnet waren, so erweckten sie nicht so sehr den Eindruck einer Leibwache wie denjenigen eines bäuerlichen Gefolges, welches den Grossgrundbesitzer aus der Diakria umgab. Andererseits reichte eine so primitiv bewaffnete Schaar für die persönliche Sicherheit des Tyrannen aus, da der Gebrauch des ständigen Waffentragens (σιδηροφορεῖν) damals nicht mehr in Athen herrschte. Hiernach scheint es recht wohl denkbar, dass Peisistratos während der späteren Zeit seiner Herrschaft seine Gewalt als oberster Kriegsherr hervorzukehren vermied und dass er in Folge dessen für eine Truppenschau nicht die Kriegsrüstung sondern die friedliche Staatstracht anlegte. Er erschien dann nicht als Militärdespot sondern als oberster politischer Beamter, als ἄρχων d. i. als προστάτης τοῦ δήμου.[1]) Ein derartiges Verfahren war während seiner letzten Lebensjahre um so mehr angezeigt, als sein Heer damals vorwiegend aus Söldnern bestand und die Athener es besonders übel vermerken mussten, wenn sich das Oberhaupt des Staates rückhaltslos einem solchen Heere assimilierte. Da jedoch auch das Heer der Peisistratiden zahlreiche Söldner enthielt,[2]) so spricht nichts gegen die Annahme, dass Hippias in der vor die Ermordung des Hipparchos fallenden Zeit, während deren er in der von seinem Vater überkommenen, milden Weise regierte, den Schein der Militärdespotie in der angegebenen Weise zu vermeiden trachtete.

Das einzige Motiv, welches den keilbärtigen Mann zu dem Heere in Beziehung setzt, ist das Lanzenpaar, welches sein Wagenlenker in der Hand hält. Offenbar haben wir anzunehmen, dass der Führer, nachdem sich die Truppen geordnet, eine der Lanzen, wenn nicht beide, ergreifen und sich so an die Spitze des Zuges stellen wird. Allerdings war in dem

---

[1]) Vgl. Wilamowitz, Aristoteles und Athen II p. 45.

[2]) Thukyd. VI 55, 4: (Hippias nach der Ermordung des Hipparchos) ἀλλὰ καὶ διὰ τὸ πρότερον ξύνηθες τοῖς μὲν πολίταις φοβερόν, ἐς δὲ τοὺς ἐπικούρους ἀκριβές, πολλῷ τῷ περιόντι τοῦ ἀσφαλοῦς κατεκράτησεν. Vgl. Vl 59.

gleichzeitigen Athen eine Lanze in der Hand eines in der fr
lichen Tracht auftretenden Mannes etwas ganz Ungewöhnlic
Doch fragt es sich, ob nicht Umstände obwalteten, welche (
derartige Dissonanz in einem milderen Lichte erscheinen liess
Wie es scheint, gehörte es schon unter der solonisc
Verwaltung zu dem Programme der Panathenäen, dass die
sänge des homerischen Epos der Reihe nach vorgetragen w
den.[1]) Unter der Herrschaft des Peisistratos oder der Pe
stratiden wurden in diese Gesänge mancherlei durch special
athenische Anschauungen bestimmte Stellen interpoliert.[2])
derselben Zeit fand die Darstellung von zahlreichen Scenen
dem troischen Mythos in die attische Vasenmalerei Eing
Nach alledem dürfen wir annehmen, dass die homerischen
sänge in dem damaligen Athen allgemein bekannt und beli
waren. Unter solchen Umständen konnte recht wohl das
dürfniss rege werden, die Gegenwart zu der idealen Welt
Epos in Beziehung zu setzen. Wie im Obigen[3]) angedeu
wurde, scheinen die Vasenmaler bisweilen athenische Krie
als von Streitwagen herab kämpfend dargestellt zu haben,
sie den homerischen Helden zu assimilieren. Es wäre dies
Beispiel aus dem Gebiete der bildenden Kunst. Doch sch
es nicht unmöglich, dass eine derartige Tendenz auch in
Lebensgebräuchen zur Geltung kam. Das Epos lässt die Held
wenn sie ausserhalb ihres Hauses verkehren, auch in fri
lichen Zeiten stets eine Lanze führen.[4]) Wir dürfen uns d
nach recht wohl die Frage vorlegen, ob nicht Peisistratos o
Hippias oder der eine wie der andere bei gewissen Gelegenhe
den für das Epos typischen Gebrauch wieder aufnahm na
einer Truppenschau, die er als Staatsoberhaupt in frie
Tracht abhielt, die Lanze zu seinem Attribute erkor.
dies um so näher, als Peisistratos seine Abstammung auf

---

[1]) Diogenes Laert. I 57. Weiteres in der Anmerkung von Men
(p. 21 ff.) an dieser Stelle. Vgl. Ritschl, Kl. philolog. Schriften I p. 5
[2]) Wilamowitz, Homerische Untersuchungen p. 199 ff., 287 ff.
[3]) Seite 271—272.
[4]) Od. II 8, 10; XVII 62; XX 125, 127, 145; XXI 339—341.

im Epos gefeierten Neleiden zurückführte.[1]) Die mit den
homerischen Gesängen vertrauten Athener konnten an jenem
Attribute keinen Anstoss nehmen; denn die Lanze erschien
ihnen dann nicht als ein Symbol der politischen Macht sondern
als ein ästhetisches Motiv, welches auf die poetisch verklärte
Vergangenheit zurückwies.

Aehnlichen Gesichtspunkten unterliegt die Thatsache, dass
der Maler der Londoner Schale den Leiter der Truppenschau
auf einem Streitwagen dargestellt hat. Allerdings beweisen die
Dipylonvasen, dass in Attika spätestens während der ersten
Hälfte des 8. Jahrhunderts neben dem Gebrauche des Streitwagens das Reiten üblich geworden war.[2]) Doch wurde der
ältere Gebrauch bei feierlichen Gelegenheiten noch lange Zeit
und zwar bis zur Zeit des Peisistratos festgehalten. Als der
letztere nach seiner ersten Vertreibung im Einverständniss mit
den Alkmaioniden nach Athen zurückkehrte, hielt er seinen
Einzug nicht zu Ross sondern auf einem ἅρμα, begleitet von
einer durch Schönheit wie hohen Wuchs ausgezeichneten Frau,
die von der Menge für Athene angesehen wurde.[3]) Es hat
demnach nichts Befremdendes, wenn Peisistratos oder ein Peisi-
stratide eine Heerschau auf einem Streitwagen abhielt.

Eine nahe Verwandtschaft mit dem Bilde der Londoner
Schale verräth das Schulterbild einer in einem vulcenten Grabe
gefundenen, schwarzfigurigen Hydria, auf deren Bauche der
Kampf des Herakles gegen Kyknos dargestellt ist.[4]) Die beiden
Bilder unterscheiden sich in sehr auffälliger Weise durch die Art
ihrer Ausführung. Die auf dem Bauche der Hydria angebrachte
Kampfscene zeigt eine saubere Zeichnung und einen sorgfältig

---

[1]) Herodot. V 65.

[2]) Galoppierender Reiter auf der Stütze eines Kraters: Athen. Mittheilungen XVII (1892) T. X 2 p. 213—214. Zwei Reiter ihre Pferde
anhaltend auf einem Becher: Athen. Mitth. XVIII (1893) T. VIII 2 p. 117
n. 7. Ein mit dem Schwerte bewaffneter Mann, zwei zum Reiten auf-
gezäumte Pferde am Zügel haltend, auf dem Halse eines Kruges: Arch.
Zeitung XLIII (1898) T. 8 n. 1* p. 131.

[3]) Herodot. I 60; Aristot. Ἀθ. πολ. 14; Polyaen. strateg. I 21, 1.

[4]) Mus. Gregorian. II T. X 1.

präparierten, glänzend-schwarzen Firniss. Hingegen ist
Schulterbild unter Anwendung eines stumpfen Firniss, der
fach in das Bräunliche hinüberspielt, so flüchtig hingewor
dass mancherlei Einzelheiten vollständig unklar bleiben,
Uebelstand, der noch dadurch gesteigert wird, dass einz
Splitter von moderner Hand ergänzt und übermalt sind. Di
Bild stellt wie dasjenige der Londoner Schale Gruppen
Hopliten und skythischen Bogenschützen in ruhiger Hall
dar, ausserdem noch einen Skythen, welcher zwei aufgezäu
Pferde vorwärts führt, die wie es scheint als Transportm
für Hopliten dienen sollen. Während jedoch auf der Sc
ein Viergespann den Mittelpunkt der Composition bildet, se
wir auf der Hydria drei Viergespanne. Auf dem einen s
rechts, dem Betrachter zunächst, ein Wagenlenker mit
gemaltem Backenbarte von mässiger Länge, links, also an
Stelle, welche auf der Londoner Schale die von mir auf P
stratos oder Hippias gedeutete Figur einnimmt, ein jüng
Mann, von dem es sich bei der nachlässigen Ausführung n
feststellen lässt, ob wir ihn uns bartlos oder mit einem
kurzen, aus dem Kinne hervorspringenden Barte zu den
haben. Auf den beiden anderen Quadrigen sieht man kei
παραβάτης, sondern nur einen Wagenlenker, der auf dem ei
Wagen einen thessalischen Hut trägt, auf dem anderen b
haupt erscheint. Die Lenker aller drei Wagen sind mit
langen Chiton bekleidet und halten in der Rechten ausser
Zügeln eine spitze Stange, die wie ein Kentron aussieht. W
dieses Attribut gesichert, dann würde sich die Verwandtsc
des Hydriabildes mit demjenigen der Londoner Schale als
ganz äusserliche herausstellen. Es würde sich dann nicht m
um eine Truppenschau handeln. Vielmehr hätten wir ar
nehmen, dass die drei Viergespanne zu einer Wettfahrt be
stehen und die Krieger versammelt sind, um sich das bev
stehende Schauspiel anzusehen. Doch widerspricht einer (
artigen Auffassung der auf der einen Quadriga gegenwär
παραβάτης; denn es ist bekannt, dass bei Wettfahrten nur
Lenker auf dem Wagen standen. Ausserdem sind die Lar

der auf der Hydria dargestellten Hopliten in ganz derselben
Weise wie die fraglichen Attribute der Wagenlenker, das heisst
ohne Andeutung der Metallspitze wiedergegeben. Also haben
wir nach der Analogie der Londoner Schale anzunehmen, dass
auch die spitzen Stangen, mit denen auf der Hydria die Wagenlenker ausgestattet sind, Lanzen darstellen sollen und ihre ver-
kümmerte Bildung nur von der nachlässigen Ausführung herrührt.
Es steht somit nichts im Wege, auch das Schulterbild der Hydria
auf eine Truppenschau zu beziehen. Doch ist die Anordnung der
Mannschaften hier weniger fortgeschritten als auf der Londoner
Schale. Neben dem einen Gespanne steht noch eine Frau im Begriffe sich mit dem Lenker zu unterhalten. Vor einem anderen
springt ein Hund einher. Auf zwei Wagen fehlen noch die
παραβάται, die doch bei dem Beginne der Parade ebenso zugegen sein mussten wie der auf dem dritten Wagen neben dem
Lenker stehende junge Mann. Die letztere Figur wird nach
der Altersstufe, auf welche die Charakteristik des Kopfes
schliessen lässt, mag die Schale unter Peisistratos, mag sie
unter den Peisistratiden gearbeitet sein, am Besten auf einen
der Söhne gedeutet, welche die Argeierin Timonassa dem Peisistratos gebar und die beträchtlich jünger waren, als die aus
der ersten Ehe entsprossenen Söhne, Hippias und Hipparchos.
Welche Personen der Maler als παραβάται der beiden anderen
Wagen voraussetzte, sind wir ausser Stande zu errathen. Doch
dürfen wir hierbei entweder Peisistratos und einen seiner Söhne
oder Hippias und einen seiner Brüder in Betracht ziehen.

Die Angaben der Schriftsteller[1]) wie die Denkmäler lassen
darauf schliessen, dass die Peisistratiden im Wesentlichen an
der Organisation festhielten, die ihr Vater in seinen letzten
Jahren dem Heere gegeben hatte. Wir dürfen demnach das
Bild der Londoner Schale, mag die Hauptfigur auf Peisistratos
oder Hippias zu erklären sein, für das Heer des ersteren wie
des letzteren als im Ganzen mustergültig betrachten.

Weitaus am zahlreichsten erscheinen darauf die Hopliten
und die skythischen Bogenschützen vertreten. Man sieht auf

---

[1]) Oben Seite 309 Anm. 1.

der Schale, in so weit sie erhalten ist, 17 Hopliten und
Skythen. Doch steigt die Zahl der ersteren auf 18, die
letzteren auf 21, wenn wir, wofür alle Wahrscheinlichl
spricht, den hinter dem Wagenlenker hervorragenden He
busch einem Hopliten und die über die Köpfe des Viergespan
hervorragende Axt einem Skythen zuschreiben. Allerdi
lässt sich die Zahl der den beiden Waffengattungen angehöri
Mannschaften, die ursprünglich auf dem Bilde dargestellt wai
nicht genau bestimmen, da ein Stück der Schale fehlt
wir annehmen dürfen, dass hiermit einige Figuren von Hopli
und Skythen verloren gegangen sind. Immerhin aber genü
die vorhandenen Theile, um zu erkennen, dass die bei
Waffengattungen ungefähr gleich vertreten waren und d
im Durchschnitt auf einen Hopliten ein skythischer Bog
schütze kam. Die Weise, in welcher diese Hopliten i
Skythen, sich gegenseitig unterstützend, operirten, ergiebt s
aus anderen, Kampfscenen darstellenden Vasenbildern, auf
bereits im Obigen[1]) hingewiesen wurde.

Ob wir in den Hopliten durchweg Söldner oder zum Tl
athenische Bürger zu erkennen haben, lässt sich natürlich ni
entscheiden. Wenn Aristoteles[2]) berichtet, dass Peisistra
nach dem bei dem Tempel der Athena Pallenis errungei
Siege den Demos entwaffnete, so ist dies vielleicht übertrieb
denn der Tyrann durfte immerhin denjenigen Bürgern, dei
er sicher war, ihre Waffen belassen.

Für einige der auf der Schale dargestellten Hopliten
anzunehmen, dass sie über Pferde verfügten, von denen
auf das Kriegstheater getragen wurden. Es ergiebt sich d
aus den unbewaffneten, berittenen Jünglingen, von denen z\
vollständig erhalten sind, während ein dritter, wie es schei
in der stark beschädigten Reiterfigur zu erkennen ist, die
auf dem linken, unteren Theile des Bildes wahrnehmen. Di
Jünglinge sind offenbar berittene Begleiter berittener Hoplit

---

[1]) Oben Seite 272 ff.
[2]) Seite 304 Anm. 2.

Begleiter, über deren Functionen im Obigen[1]) einige Andeutungen gegeben wurden. Hinter dem Viergespanne sieht man ein gezäumtes Pferd und auf der linken Seite desselben einen Hopliten, der sich, wie es scheint, mit der rechten Hand an dem Halse oder dem Zügel des Thieres zu schaffen macht. Es ist dies offenbar das Pferd, welches jenem Hopliten als Transportmittel dienen wird.

Eine besondere Betrachtung erfordert der bärtige, mit einem thessalischen Hute ausgestattete Reiter, der unmittelbar hinter der von dem Hopliten und dem Pferde gebildeten Gruppe hält. Seine Ausrüstung beweist, dass er kein berittener Begleiter eines berittenen Hopliten, sondern ein Kavallerist im eigentlichen Sinne des Wortes ist, das heisst ein bewaffneter Reiter, der in den Kampf eingreift, indem er, je nach den Umständen, entweder die Schnelligkeit oder die Wucht seines Pferdes zur Geltung bringt. Er hält in der Rechten zwei lange, denjenigen der Hopliten entsprechende Stosslanzen.[2]) Da es undenkbar ist, dass ein und derselbe Krieger zwei solche Lanzen führte, so haben wir anzunehmen, dass nur die eine dem Reiter gehört, die andere ihm hingegen zeitweise von einem der an der Parade Theil nehmenden Hopliten zum Halten übergeben worden ist, ein Verfahren, welches dem unmittelbar vor dem Reiter stehenden, mit dem Pferde beschäftigten Hopliten besonders nahe lag. Ausserdem ist der Reiter mit dem Schwerte umgürtet und trägt er wo nicht einen Panzer, so doch die Schultern schützenden Metallplatten, erscheint also vollständig für den Nahkampf ausgerüstet. Da wir wissen, dass die Athener ein aus Bürgern bestehendes Reitercorps erst nach dem sogenannten fünfzigjährigen Frieden (452 v. Chr.) organisirten[3]), so kann der auf der Schale dargestellte Reiter kein Athener sein. Vielmehr haben wir in ihm einen Thessaler zu erkennen, welcher entweder in Folge eines zwischen Pei-

---

[1]) Seite 271.

[2]) Ueber die Resultate, welche sich für die Bewaffnung und Rüstung der griechischen Reiter aus den Denkmälern ergeben, handele ich ausführlich in dem Seite 271 Anm. 1 angekündigten Vortrage.

[3]) Vgl. Martin, Les cavaliers athéniens p. 124 ff.

sistratos oder den Peisistratiden und einem der thessalisc[l]
Könige abgeschlossenen Vertrages oder als Freiwilliger o[c]
als Söldner in das athenische Heer eingetreten war. Der Na
Thessalos, den ein Sohn des Peisistratos und der Argei[e]
Timonassa führte, beweist, dass Peisistratos intime Beziehun[g]
zu den Thessalern unterhielt. Wie Herodot[1]) ausdrückl[i]
angiebt, bestand zwischen den letzteren und den Peisistrati[d]
ein Schutz- und Trutzbündniss. In Folge dessen kamen [c]
Peisistratiden, als die Spartaner die Vertreibung der athenisc[l]
Tyrannen beschlossen und zu diesem Zwecke ein Heer un[d]
der Führung des Anchimolios nach Attika eingeschifft hatt[e]
tausend thessalische Reiter zu Hülfe. Diese Reiter mach[en]
einen Angriff auf die Feinde, als diese soeben in dem Phale[r]
ausgeschifft worden waren, hieben zahlreiche Spartaner u[nd]
unter anderen auch deren Führer nieder und warfen den R[est]
auf die Schiffe zurück.[2]) Weniger glücklich war die thessalis[c]
Reiterei bald darauf, als ein zweites spartanisches Heer un[ter]
der Führung des Königs Kleomenes auf dem Landwege [in]
Attika einfiel. Sie wurde von den Spartanern zurückgeschlag[en]
und kehrte, nachdem sie über 40 Mann verloren hatte, spo[r]
streichs nach Thessalien zurück.[3]) Die zwischen den Peisist[ra]
tiden und den Thessalern bestehende Freundschaft wurde hi[er]
durch nicht getrübt. Vielmehr boten die letzteren dem Hippi[as]
als er Athen verlassen musste, Iolkos als Wohnort an.[4])

Auch noch in späterer Zeit machten sich die Athener [in]
Ermangelung eigener Reiterei die thessalische zu Nutze, so
der Schlacht bei Tanagra, die im Jahre 457, also vor [der]
Organisation des athenischen Reitercorps, geschlagen wur[de]
Doch gingen die Thessaler während dieser Schlacht zu d[en]
Lakedämoniern über und führten hierdurch die Niederlage [der]
Athener herbei,[5]) eine Thatsache, die gewiss wesentlich d[a]
beitrug, die Athener zur Schöpfung ihrer Bürgerreiterei zu [bewegen]

[1]) V 63.
[2]) Herodot. V 63; Aristot. Ἀθην. πολ. 19.
[3]) Herodot. V 64; Aristot. Ἀθ. πολ. 19.
[4]) Herodot. V 94.
[5]) Thukyd. I 107, 4. Vgl. I 102, 3.

stimmen. Aber auch nachdem dieses Corps organisiert und der
Stolz der Bürgerschaft geworden war, begegnen wir noch thessalischen Reitern im athenischen Heere. Als im ersten Jahre
des peloponnesischen Krieges die zum Heere des Archidamos
gehörige böotische Reiterei einen Vorstoss bis unter die Mauern
Athens unternahm, schlugen gegen dieselbe nicht nur athenische, sondern auch thessalische Reiter.[1])

Da durch die einzelnen Truppengattungen, aus denen das
auf der Londoner Schale dargestellte Heer zusammengesetzt
erscheint, zum Theil verschiedene Landsmannschaften vertreten
waren, wird es keine leichte Aufgabe gewesen sein, Rivalitäten
und Reibereien zwischen den verschiedenen, in jenem Heere
enthaltenen Elementen zu verhüten und die einzelnen Truppengattungen so auszubilden, dass sie sich bei der Aktion gegenseitig in zweckentsprechender Weise unterstützten. Es scheint
demnach vollständig logisch, dass man ein derartiges Heer
Paraden vornehmen liess, da dies dazu beitrug, den verschiedenen
Truppentheilen das Bewusstsein ihres Zusammenhangens einzu-
prägen.

Die letzten Jahre des Peisistratos verliefen im Ganzen
friedlich. Ausser der Einnahme von Sigeion fielen in diese
Zeit nur zwei überseeische Unternehmungen, die Eroberung
von Naxos und die Reinigung der Insel Delos. Ueber beide
Unternehmen liegen nur kurze Notizen bei Herodot vor.[2]) Es
ergiebt sich daraus, dass Peisistratos Naxos eroberte, um daselbst
Lygdamis, der ihn bei seiner zweiten Rückkehr mit Geld und
Mannschaften unterstützt hatte, als Tyrannen einzusetzen. Doch
äussert sich Herodot in keiner Weise über den Verlauf des
Feldzuges und an der auf die Reinigung von Delos bezüglichen
Stelle gibt er nicht einmal an, ob Peisistratos dabei auf bewaffneten Widerstand stiess. Wir sind demnach ausser Stande,
uns aus diesen dürftigen Notizen ein Urtheil über die Kriegs-
tüchtigkeit des von Peisistratos ins Feld geführten Heeres zu
bilden. Diese Lücke wird jedoch bis zu einem gewissen Grade

---

[1]) Thukyd. II 22; Pausan. I 29, 6.
[2]) I 64.

durch die Nachrichten ergänzt, welche über die kriegeri[
Thätigkeit der Peisistratiden vorliegen. Wie bereits angede[
wurde, scheinen die letzteren im Wesentlichen an der [
ihrem Vater hinterlassenen Heeresorganisation festgehalten [
haben und zwar dürfen wir annehmen, dass das Kriegsw[
im Besonderen der Sorge des ältesten unter den Brüdern un[
lag; denn die strenge Zucht, die Hippias unter seinen Söld[
hielt, wird von Thukydides[1]) ausdrücklich hervorgehoben. [
auch die Ueberlieferung über das vorletzte Jahrzehnt [
6. Jahrhunderts noch sehr spärlich fliessen, immerhin re[
sie aus, um zu erkennen, dass sich das Heer der Peisistrat[
bei zwei Gelegenheiten glänzend bewährte. Die Platääer v[
den, nachdem sie sich im Jahre 519 unter athenischen Scl[
gestellt hatten, von den Thebanern angegriffen. Die Ath[
kamen ihnen zu Hilfe. Als eine Schlacht zwischen den be[
Heeren bevorstand, legten sich die Korinthier ins Mittel [
fällten, von beiden Seiten als Schiedsrichter ernannt, einen [
die Platääer günstigen Spruch. Trotzdem wurden die Athe[
während sie auf dem Rückmarsche nach Attika begriffen wa[
von den Boeotiern überfallen. Doch endete der Kampf [
einer vollständigen Niederlage der letzteren.[2]) Des Sieges, [
die Peisistratiden 9 Jahre später, besonders durch das Eingre[
der thessalischen Reiterei, über die Spartaner des Anchimo[
davon trugen, wurde bereits gedacht. Wären diese Erf[
unter der späteren demokratischen Verwaltung erzielt wor[
dann würden sie von der Nachwelt als glänzende Waffenth[
des athenischen Heeres gefeiert worden sein. Da sie unter [
Herrschaft der Tyrannen fielen, verzeichnete die vorwieg[
demokratisch gefärbte Geschichtsschreibung des 5. Jahrhund[
nur die Thatsachen, ohne der Tüchtigkeit, welche dabei [
Führer wie Mannschaften bewährt hatten, die gebührende [
erkennung zu zollen.

---

[1]) VI 55, 4 (oben Seite 311 Anm. 2).
[2]) Herodot. VI 108; Thukyd. III 68. Vgl. Clinton, Fasti hell[
ed. Krueger p. 16.

Ueber die neuentdeckten Homerfragmente B. P. Grenfells und A. S. Hunts.

Von Dr. J. Menrad.

(Vorgelegt in der philos.-philol. Classe am 6. November 1897.)

Der Boden Aegyptens erweist sich noch immer als ungemein ergiebig. Besonders erfreulich ist es zu hören, dass von den Papyrusfunden, die den verschiedensten Perioden angehören, stets ein Bruchteil, und zwar nicht einmal der unbedeutendste an Umfang, für unser ältestes griechisches Litteraturdenkmal, die homerischen Gedichte, abfällt. Nachdem wir vor etwa sechs Jahren durch das Bekanntwerden des sog. Dubliner Fragmentes [1]) eine Ahnung von einer bisher ganz unbekannten Rezension der Ilias erhalten hatten, nachdem dieselbe durch die von J. Nicole veröffentlichten „Genfer Fragmente" [2]) bestimmtere Umrisse angenommen hatte, aber auch diesmal keine andere Wertschätzung erfahren konnte, als dass man in ihr ein wegen seines Alters ehrwürdiges, im übrigen kritisch wie ästhetisch im Vergleich zu unserer Vulgata minderwertiges Dokument besitze, sind nun die neuen Funde, die wir dem rastlosen Forschungseifer der Engländer sowohl im Vorjahre als heuer verdanken, ganz dazu angethan, das Interesse an den Fragen der homerischen Textüberlieferung nicht nur wachzuhalten, sondern in ein paar Punkten es sogar zu steigern.

---

[1]) S. Sitzungsber. der philos.-philol. und hist. Classe der k. bayer. Akad. der Wiss. 1891. Heft IV, S. 539 ff.

[2]) S. daselbst 1894, Heft II, S. 165 ff.

Ueber die Funde des Jahres 1896, veröffentlicht in B
P. Grenfells Werk ,An alexandrian erotic fragment and ‹
Greek papyri chiefly Ptolemaic, Oxford (Clarendon Press) 18ᵋ
pag. 6—9, kann ich mich kurz fassen. Die sich finde
Varianten sind nur ganz wenige und fast lauter alltäg
Anorthographien. So liest man daselbst in einem Frag
aus Θ der Ilias v. 67 πεῖπτε für πῖπτε, ebenso 99 ἐμείχ
für ἐμίχθη, umgekehrt 109 κομίτην für κομείτην; v. 73
ι adscriptum in πουλοβοτείρη, umgekehrt ist ι sinnlos beige
v. 109 τώιδε und 115 ἀμφοτέρωι. Der Versschluss von
ist πεδιο statt πεδίοιο, wohl infolge von Unleserlichkeit.
wirklicher Bedeutung ist einzig die Lesart MHCTⲰPE in v.

οὕς ποτ' ἀπ' Αἰνείαν ἑλόμην, μήστωρε φόβοιο, wo wir
das Fragment mit Aristarch und den wichtigsten Händschr
(ACD) übereinstimmen sehen, indem das Wort auf das fr
dem Aeneas gehörige Rossepaar bezogen wird, wogegen
geringerer als Plato (Lach. 191 B und mit ihm die Hd
ELS, sowie Eust. 702, 24, cf. *E* 272 und Schol. V.) die L
μήστωρα in Bezug auf Aeneas bietet, eine Künstelei, die
bei dem grossen Denker neben vielen anderen gerne m
den Kauf nimmt. Nicht uninteressant sind ferner die
schriften πο d. i. ποιητής zu Θ 97 und *Δ* d. i. *Διομήδης* zu
ein Verfahren, das uns an die Gepflogenheit des Mahâbh
erinnert, indem zwischen den Çloken die erklärenden Zu
,N. sagte', ,der Erzähler fuhr fort' u. dgl. eingeschoben
— Endlich sei noch bemerkt, dass die kleinen Fragmente
ε und *M* zwar keine Varianten bieten, aber häufig, wenn
nicht immer richtig, Accent und Spiritus (diesen ε 348 s
im Wortinnern: εⲪ̅Ａ'ΨＥＡＩ) in Anwendung bringen.

---

[1]) Angezeigt von O. Crusius in der Beilage der Allgem. Ztg. N
vom 7. April 1896.

[2]) Diese Form erweist sich jetzt auf Grund der Inschriften al
richtigere.

Weit bedeutungsvoller an Umfang wie Inhalt sind die
Homerfragmente der in diesem Jahre veröffentlichten ‚New
classical fragments and other greek and latin Papyri ed. by
Bernh. P. Grenfell and Arthur S. Hunt, Oxford (Clarendon
Press) 1897‘.[1]) Den Herausgebern gebührt für die Ueberwindung aller technischen Schwierigkeiten bei Ablösung der
oft winzigen, durchlöcherten Streifchen, für die Sicherheit in
der Identifizierung der Fragmente mit den entsprechenden
Homerstellen und die kritische Behandlung derselben, endlich
für die glänzende, mit reichlichen photographischen Facsimiles
ausgestattete Publikation vollste Anerkennung. Eine weitere
erhebliche Förderung erhielt die kritische Beurteilung dieser
Bruchstücke durch einen vor kurzem erschienenen Aufsatz
J. van Leeuwens jr. ‚Homerica‘ in der Mnemosyne vol. XXV,
pag. 262—281. Trotzdem von den erwähnten Gelehrten fast
alles geleistet ist, was überhaupt mit den Funden zu machen
war, dürfte sich doch, da manches in denselben von Natur
einen hypothetischen Charakter trägt und daher andere Auffassung zulässt, ein nochmaliges Eingehen auf die Einzelheiten
verlohnen.

Die Fundstücke gehören ausschliesslich der Ilias an und
zwar den Büchern $\varDelta$ (v. 109 – 113), $\varTheta$ (217—253), $\varPhi$ (387
—399?, 607—611), X (33—38, 48—55, 81—84, 133—135,
151—155, 260 – 262, 312?, 340 – 343 [diese merkwürdigerweise doppelt]), $\varPsi$ (159—166, 195—200, 224 – 229).

Abweichend von meinen Vorgängern stelle ich die vorkommenden Varianten nicht nach der Reihenfolge der Fragmente, sondern nach ihrem Werte in drei Gruppen gesondert
dar, nämlich

    I. Orthographische und sonst unbedeutendere Varianten
       sowie Korrekturen,

    II. Bedeutendere, sprachliche oder sachliche Varianten,

    III. Ueberschüssige Verse, deren sich auch hier wie im Dub-
       liner Fragment und in den Genfer Bruchstücken eine
       ziemliche Anzahl findet.

---

[1]) Gleichfalls von O. Crusius angezeigt in der Beilage der Allgem.
Ztg, No. 52 vom 5. März 1897.

I.

Zweimal begegnet die inschriftlich wie handschrif
bekannte Assimilation von schliessendem ν vor folgendem Lι
zu μ, nämlich Θ 252 ΘΟΡΟΜ (d. i. θόρον) ΜΝήσαντο
Ψ 162 ΛΑΟΜ (λαὸν) ΜΕΝ, vgl. ‚ἐμ μεγάροισι‘ in dem Gε
Fragm. a. a. O. S. 176.

Ferner erscheinen die I-Diphthonge ει und υι vor Vok
zu ε und υ verkürzt in ὀΝΕΙΔΕΟΝ, Φ 393, und ΚΥΝΑ
(394); dieser auch inschriftlich[1]) reich belegbare Ausfall
ist, wie Meisterhans (Gramm. der att. Inschr. S. 28 Anm.
mit Recht bemerkt, durch den folgenden Vokal bedingt.

Nebensächlicher Art sind die Vertauschung von κε fü
Φ 609, durch den folgenden Optativ veranlasst, und die
schreibung ΕΥΤ d. i. εὐτ’ für ἦ τ’, Χ 49.

In dem Verse Χ 154

$$\text{καλοὶ λαίνεοι, ὅθι εἵματα σιγαλόεντα}$$

steht statt ὅθι das demonstrative, also parataktisch anreih
τόθι in dem Fragment. Diese Form ist zwar als episch bez
an drei Stellen, o 239, h. 2, 66; 19, 25, und würde sich
wegen dieser Seltenheit empfehlen; doch stimme ich li
van Leeuwen bei, der die Einführung von τόθι auf das
streben, den Hiatus zu vermeiden, zurückführt.

Ψ 163 findet sich für πάρανθι ‚dabei‘ in dem Fragm
κάτανθι ‚daselbst‘; die Bedeutung differiert um eine kaum m
liche Nuance, das erstere ist hier mehr angezeigt.

Χ 341 beginnt die Vulgata mit δῶρα, τά τοι δώσι
im Fragment ist am Anfang .. ΛΛΑ ersichtlich, das von
Herausgebern in τἆλλα, von v. Leeuwen sprachrichtiger in π
ergänzt wird.

Dass das Exemplar, dem unsere Fragmente angehörten,
mal eine sorgfältige Revision erfuhr, bezeugen (ausser der z
sprechenden Stelle Φ 397) die Korrekturen Φ 398 διά, verbe
aus ἐμέ, und Χ 152 χιόνι ψυχρῆι, verbessert aus χ. ψυχ

---

[1]) Vgl. besonders das bei G. Meyer (Griech. Gr.[2] § 180) angef
μυσσόβαι ‚Fliegenwedel‘ auf einer delischen Inschrift, Bull. corr.
3422, 25.

II.

An bedeutenderen sprachlichen oder sachlichen Varianten bieten die Fragmente folgendes.

Θ 217 endigt in der Vulgata auf *νῆας ἐίσας*, während das Fragment den Ausgang ꞶN aufweist, also wohl *νῆας Ἀχαιῶν*, wie die Herausgeber vermuteten.

Θ 219 schliesst in der Ueberlieferung mit *θοῶς ὀτρῦναι Ἀχαιούς*, während das Fragment ἐτ]ΑΙΡΟΥϹ als Schluss zeigt: das eben verwendete *Ἀχαιῶν* mag die Veranlassung zu dieser leichten Variation gebildet haben.

Θ 251 lesen unsere Texte

οἵ δ' ὡς οὖν εἴδοντ', ὅτ' ἄρ' ἐκ Διὸς ἤλυθεν ὄρνις,

während im Fragment der Vers endigte mit . . *εἴδοντο Διὸς τέρας [αἰγιόχοιο]*. V. Leeuwen verteidigt diese La. durch eine, wie mir scheint, zu sehr auf die Spitze getriebene Antithese: ‚potior est lectio quam praebet papyrus; non enim — id quod dicit vulgata — Graecis manifesto patet hunc alitem ab Iove esse missum, sed adspiciunt portentum divinitus, τέρας agnoscunt‘. Dass die Zuschauer den Adler erblicken und sofort an ein von Zeus geschicktes Omen denken, steht doch in so innigem logischen Zusammenhang, dass der Dichter die beiden Gedanken zu einem verschmelzen konnte. Dazu kommt ein äusserer Grund: die Fassung der Vulgata ist sprachlich die originellere, die des Fragmentes eine stehende Formel.

Φ 394 ff. spricht Ares zu Athene:

τίπτ' αὖτ', ὦ κυνάμυια, θεοὺς ἔριδι ξυνελαύνεις
θάρσος ἄητον ἔχουσα, μέγας δέ σε θυμὸς ἀνῆκεν;
ἦ οὐ μέμνη', ὅτε Τυδεΐδην Διομήδε' ἀνῆκας
οὐτάμεναι, αὐτὴ δὲ πανόψιον ἔγχος ἑλοῦσα
ἰθὺς ἐμεῦ ὦσας, διὰ δὲ χρόα καλὸν ἔδαψας;

Das Fragment bietet v. 396 ΤΥδεΙΔΗΙ ΔΙΟΜΗΔΕΙ ΑΝꞶΓΑϹ. Schon der Umstand, dass ἄνωγα niemals in der Ilias mit dem Dativ verbunden erscheint sondern nur an zwei Stellen der Odyssee (κ 531 mit dem Partizip im Akkusativ, und

υ 139), muss unser Misstrauen gegen diese La. erwecken.
Entstehung ist durchsichtig genug: da der vorhergehende
mit ἀνῆκεν schliesst, wollte man abwechseln und that dies,
der Dativ zeigt, mit wenig Geschick. Dass das gleiche No
oder Verbum bei zwei aufeinanderfolgenden Versen — se
in der gleichen Form — viel weniger selten, als man mei
sollte, am Versende sich findet, also ganz unbedenklich
zeigt folgende Zusammenstellung aus unserem Buche:
ἔδωκε — ἔδωκεν. 62/3 ἐρύξει — ἐρύκει. 118/9 γαίῃ — γε
160/1 Ἀχιλλεῦ — Ἀχιλλεύς. 212/3 βαθυδίνης — δίνης. 3
πῦρ — πῦρ. Besonders 523/4 ἀνῆκε — ἐφῆκε!

Deshalb möchte ich nicht einmal für den vorhergeher
Vers ἀνώγει empfehlen, wie v. Leeuwen, gestützt auf den
Pal. anrät; vgl. Hoffmann (21. und 22. B. der Il.) zu di
Stelle: „Dass ἀνώγει gelesen werden kann, ist nicht zu
zweifeln. Allein ἀνῆκεν ist lebhafter . . . ausserdem finden
μέγας θυμός bei ἄνωγε nicht, wohl aber H 25 bei ἀνῆκεν
zwar in einer ähnlichen Anrede.“

Φ 397 enthält auch im Fragmente ‚πανόψιον‘, ein ν
umstrittenes ἅπαξ εἰρημένον, aber mit darübergeschriebe
ΥΠΟΝΟ . φ, d. i. ὑπονόσφιον, der La. des Dichters Antimac
Nach dem Zeugnis der Scholien war πανόψιον die La.
Aristarch; dass es keine Konjektur desselben war, sondern
Ueberlieferung beruhte, dafür zeugt gerade unser Fragm
das mit dem Aristarchischen Texte so gut wie nichts ge
hat. Wie aber kam Antimachos zu ὑπονόσφιον? Eine A
lyse der bisherigen Erklärungsversuche des dunklen πανόι
wird uns in dem von La Roche (Homer. Textkritik p.
Stoll (Antimachi Coloph. reliquiae, Dillenburg 1845, p. 16)
Sengebusch (Dissert. I, 197) ausgesprochenen Gedanken
stärken, dass wir es hier mit einer willkürlichen Konjel
jenes Dichters zu thun haben. Πανόψιον finden wir erklärt
πανόρατον, λαμπρόν, ἐπιφανές (schol. A), ὁλόλαμπρον, ὡς ται
εἶναι τῷ πάνοπτον πρωτοτύπῳ (schol. B, Townl.), ἐν τῇ ;
των ὄψει ὁρώμενον, ἢ πάντας ὁρῶν, οἱονεὶ πανόρατον (sc
Genev. ed. Nicole II, 193). Diese Erklärung ‚allen sichtl

‚vor aller Augen‘ haben die Neueren, Faesi-Franke, Hentze, Seiler u. a. aufgenommen, nur dass sie das Wort bald adjektivisch bald adverbiell (so schon schol. Townl. ‚φανερῶς, οὐ πειρωμένη λανθάνειν) gefasst wissen wollen. Faesi-Franke brachte eine kleine Nuance in diese Auffassung, indem er, auf Döderlein (Gloss. p. 845) sich stützend, erklärt: ‚πανόψιον ἔγχος ἑλοῦσα proleptisch = ὥστε ὑπὸ πάντων ὁρᾶσθαι, also: frech (κυνάμυια) vor aller Augen‘. Eine zweite Erklärung gründete sich auf eine Ableitung von ὀψέ (schol. A) oder gar ὀψία (schol. B) und fasst das Wort adverbiell als ‚πάντων ἔσχατον, τελευταῖον‘: die Künstelei mit diesem ‚zuspätest‘ liegt auf der Hand. Eine dritte endlich war ‚ὀπισθίδιον ἔχουσα ἀπὸ τοῦ στύρακος (schol. A): Athene soll also das untere Ende des Speerschaftes ergriffen und so den Stoss des Diomedes verstärkt haben. Dies ist etymologisch undenkbar, wenn wir nicht eine La. ‚αὐτὴ πανοπίσθιον ἔγχος ἑλοῦσα‘ voraussetzen. Schliesslich hat man zu Konjekturen gegriffen: die erste lieferte Antimachos mit ὑπονόσφιον: „die Bedeutung wird nicht angegeben, doch ist der Sinn λαθραῖον, νοσφίδιον, zu νόσφι, ὑπόνοσφι“ sagen Hoffmann und Heyne zu d. St.; Bentley dachte an πανίψιον ‚arg bedrängend‘ (ἵπτομαι), Bothe an πανόπλιον ‚vollgerüstet‘, Herwerden (em. Il. p. 14) an πελώριον, Christ an παναίολον. Wie kam man aber überhaupt dazu, wird man fragen, zu Konjekturen oder verkünstelten Deutungen seine Zuflucht zu nehmen? *Πανόψιον* bot, besonders wenn es adjektivisch gefasst wurde, im Zusammenhang mit der Stelle, auf die angespielt wird, eine scheinbar unüberwindliche Schwierigkeit. *E* 845 hatte Athene die Tarnkappe des Hades genommen, um ihrem Schützling, dem Diomedes, beizustehen, ohne von Ares gesehen zu werden. Gleich darauf (v. 856) lenkt sie wuchtvoll den Speer des Tydiden auf die Weichen des Ares: und diesen Speer soll sie ‚allen sichtbar‘ ergriffen haben? Sicherlich nicht! Nur die Wirkung des Stosses, meinte der Dichter, erkannte man allgemein; ein solcher Stoss konnte von Diomedes allein nicht herrühren, Athene musste ihre Götterkraft zugesetzt haben: das ahnten alle, das wurde allen deutlich

klar, πανόψιον. Es ist also proleptisch auf den ganzen
zu beziehen, = ὥστε πανόψιον γενέσθαι. So dachte ███
Erachtens der Dichter der Theomachie von der ███████
Stelle. Sobald man jedoch von der Auffassung ausging,█
Handlung der Athene selbst sei offenkundig gewesen,██
die Wirkung der Handlung, geriet man in ██████
Widerspruch mit der angezogenen Stelle in E, und Antimac
war der erste, der den gordischen Knoten durchhauen zu ███
glaubte, indem er das gerade Gegenteil, ὑπονόσφιον, an
Stelle der Ueberlieferung setzte. Welchen Anklang diese █
jektur fand, zeigt der Umstand, dass sogar unser F███
sie erhalten hat. Schliesslich sei bemerkt, dass πανόψιος ██
mässig nach hom. ὑπόψιος gebildet ist; παν- ist ██████
wie in πανάποτμος, Πάνθοος, πανόλβιος, πάνορμος u. a.

Die Perle aller von den neueren Fragmenten gebote
Varianten ist indes ohne Zweifel die Ueberlieferung von Ψ

   ὕλη τε σεύαιτο καήμεν] ΑΙ ΩΚΑ ΔΕ ΙΡΙϹ

statt der Vulgata .. καήμεναι· ὠκέα δ' Ἶρις. Schon Ben█
(nicht Nauck, wie O. Crusius a. a. O. nach Grenfells Vorg█
meint) vermutete bei Ἶρις und dem analog gebildeten Ἶρος
Digamma im Anlaut und stellte dasselbe an userm Orte █
mittelst der schon durch ihre klassische Einfachheit █
empfehlenden Konjektur ὦκα δὲ (ϝ)ῖρις her. Während nun
Mehrzahl der Herausgeber diese nun beurkundete Vermut█
Bentleys zaghaft unter den Text verwiesen, hatten nur Chri
Fick und v. Leeuwen den Mut, sie in ihrer Ausgabe in █
Text zu setzen, wobei sie Π 606 (ὦκα δὲ θυμός) verglich█
Mit triumphierenden Worten begrüsst jetzt v. Leeuwen (Mnen
XXV, p. 279) die handschriftliche Bestätigung der Konjek
und benützt die Gelegenheit zu einem nicht ganz unz█
gemässen Ausfall auf die Nörgler des grossen Britten: '
nos, quibus non aegrae mentis somnium videtur Bentlei

---

[1] Ergänze N 671 (dasselbe), ferner ὦκα δ' ἔπειτα als clausula Σ█
Ψ 375, 758. ρ 329.

digammate Homerico doctrina, alta nunc voce clamamus: ecce novus e sepulcris Aegyptiis consurrexit testis, isque omnium longe antiquissimus, qui criticorum principi hoc certe loco adstipulatur, obtrectatores vero eius ut nimis anxios timidosque redarguit.' Sehr beachtenswert ist auch v. Leeuwens Zusammenstellung der Stellen, an denen die papyri als die ältesten Urkunden allein Spuren des Digammas d. h. die Hiate erhalten haben; es sind dies *B* 795, 213 (?), *Γ* 103, *Φ* 399, *Ω* 320.

Indes bleibt aber die Frage sowohl von Grenfell als von v. Leeuwen unberührt: zwingt uns die Etymologie des Wortes Ἶρις dazu, anlautendes ϝ anzunehmen? Und wenn nicht, war dann die Mehrzahl der Herausgeber nicht vollberechtigt, mit der Schreibung ϝῖρις vorsichtig zu sein?

Nun steht fest, dass es nach den Resultaten der bisherigen Forschung überhaupt noch keine befriedigende Erklärung von Ἶρις gibt. Nicht weniger als a c h t Deutungsversuche sind zu verzeichnen.

Diejenige Etymologie, die seit den Zeiten der epischen Sänger selbst bis zu den mythologischen Werken unserer Tage am meisten gäng und gäbe war, leitet Ἶρις von εἴρειν = λέγειν ab, so dass sie die Botin, Verkündigerin, Vermittlerin der Götter, insb. der Juno bedeute. Dass die epischen Sänger selbst diese Vorstellung hatten, beweist am besten die Gestalt des Bettlers Ἶρος, dessen Spottnamen — eigentlich hiess er Ἀρναῖος, 'Schafjunge' — der Dichter selbst mit einem freilich recht naiven Witze als ,männliche Iris (Botin) für die Freier' erklärt, σ 6

Ἶρον δὲ νέοι κίκλησκον ἅπαντες,
οὕνεκ' ἀπαγγέλλεσκε κιών, ὅτε πού τις ἀνώγοι.

Hält man damit zusammen die wiederholt starke Betonung von ἄγγελος, μετάγγελος, ἀγγελέουσα, wenn von Ἶρις selbst die Rede ist (vgl. *B* 786, *Γ* 121, *O* 144, *Ψ* 198, *Ω* 77), so ist die Vermutung nicht ausgeschlossen, dass schon den epischen Sängern diese Etymologie vorschwebte, die von der jetzigen Sprachwissenschaft freilich nichts anderes als eine Volksetymologie genannt werden kann. Dass Ἶρος wohl ein alter äolischer

Name war (zu ἱερός, also der hurtige, flinke), dass dem 1
der Regenbogengöttin doch etwas ganz anderes zu Grunde
müsse als εἴρειν verkündigen, kommt also für Homer un
homerischen Text gar nicht in Betracht, da hier die
nicht zu stellen ist: 'was ist ursprünglich Ἶρις und '
sondern 'was haben die Epiker sich darunter vorge
wovon leiteten sie den Namen ab, wofern sie überha
eine Etymologie dachten?' Denn damit hängt unmittelb
Aussprache des Namens zusammen.

Nun hat aber εἴρω (aus ϝερϳω) bei Homer unbes
Digamma; ferner weist die Ueberlieferung Ἶρος Ἄιρος
sicher auf Ἄϝιρος hin. Doch ehe wir die letzte Kons
ziehen, sind die Zeugnisse der Alten zu hören. Sie geh
auf eine einfache, ungekünstelte Auffassung Homers
zurück. So Plato im Kratylos p. 408 καὶ ἡ γε Ἶρις ἀ
εἴρειν ἔοικε κεκλημένη, ὅτι ἄγγελος ἦν (Glossem?); ebenso 1
und das Etym. M. s. v. εἴρη und Ἶρις. Ueber Ἶρος sag
Odysseescholien σ 6: Ἶρος ἀπὸ τοῦ Ἶρις ἡ ἄγγελος τῶν
(B). Ἶρος παρὰ τὸ εἴρω τὸ λέγω, ὁ τὰς ἀγγελίας κομίζω
παρὰ τὸ εἴρειν (V). Wenn von den Neueren Döderlein,
Gloss. n. 521), Mützell (Em. Th. 113), Welcker (Götterl
690), Preller-Robert (Griech. Myth. I, 390), Buchholz
Real. III, 1. Abt., 185), Fuhr (J. J. f. Phil. 20, 371)
Volksetymologie sich anschlossen, so haben sie insofern 1
als sie schon zur Zeit der Blüte des Epos zu existiere
für Homer selbst die massgebende zu sein schien, dagege
sie von den Vertretern der Sprachvergleichung und M
kunde mit Recht verworfen werden, die in dem Wesen d
etwas anderes erblicken müssen als die ,Sprecherin' un
deshalb nach Wurzeln und Stämmen suchen, die der
lichen Naturgottheit mehr entsprechen. Wollen wir
in Kürze hören.

Der erste, der von dieser Volksetymologie abging
Gottfried Hermann, indem er Ἶρις mit Sertia übersetzt
von εἴρω = sero (reihe) ableitete.[1]) Er dachte dabei a

---

[1]) Es gelang mir, den nirgends näher bezeichneten Standort

sieben aneinandergereihten Farben. Diese uns geläufige Vorstellung ist kaum antik, wie das schlichte homerische Epitheton *πορφυρέη* (P 547) zeigt. Die Deutung gehört ferner zu denen alten Stils, weil bei ihr ein Hauptbegriff (hier die Farben) ergänzt werden muss. Nicht mehr glücklich ist A. F. Potts Ableitung (Wurzelwörterb. d. indog. Spr. I' 218) von skr. ṛi 'ire', davon Irita Gesandte, got. airus Bote, mit Vorsetzung des Praefixes vi 'dis'. Schon Benfey sprach mit Recht seinen Zweifel aus, 'dass man den Begriff Bote zur Basis machen könne' (Griech. Wurzell. I, 334) — sowenig als *εἴρω λέγω* — und Leskien (de digam. p. 17) verwahrt sich dagegen, das Sanskritpraefix vi ins Griechische einzuführen.

Th. Benfey selbst geht in seinem Griech. W.-L. H, 302 von der Skr.-W. dhvṛi 'gekrümmt, gedreht sein' aus; griechisch transkribiert lautet sie bei ihm *Θϝρι* und soll in der Skr.-Form 'vil', griech. *ϝιλ, ϝελ, ϝειλ (εἴλω)* zunächst auch für *ϝῖρις* massgebend sein: 'da *ϝῖρις* ohne Zweifel zuerst Regenbogen hiess (Götterbote, weil der Regenbogen eine Brücke vom Himmel zur Erde zu bilden scheint), so ist es hieber zu ziehen: der gekrümmte Bogen.' Diese Ableitung würde mehr Vertrauen erwecken, hätte Benfey nicht alles Mögliche und Unmögliche in die dadurch berüchtigt gewordene W. *Θϝρι* eingeschoben, die, ein wahrer Proteus an Verwandlungsfähigkeit, den gewaltigen Umfang von 48 Seiten (278—326) erreicht.

Wieder einen anderen Weg schlug Fr. Windischmann in seiner akademischen Abhandlung 'Ursagen der arischen Völker' (München 1852) ein, indem er von einer Stelle der Flutsage ausgeht, wie diese in dem an die Veden sich anlehnenden Çatapatha-Brahmana (p. 75 ed. Weber) dargestellt wird.

Ableitung ausfindig zu machen; sie steht in G. Hermanns dissertatio de mythologia Graecorum antiquissima (Opusc. II. vol., p. 179): ,Thaumanti, sive Mirino, alia consociata Oceani filia *'Ηλέκτρη*, Coruscia . . . Huius filiae sunt *'Ιρις*, Sertia, quod ex septem coloribus conserta est .' Deutsch ist die Stelle ungenau wiedergegeben in den ,Briefen über Homer und Hesiod, vorzüglich über die Theogonie von G. Hermann u. Fr. Creuzer,

Aus den Opfergaben Manu's, der dem Deukalion der Grie
entspricht, entstand ein Weib, das sich, um ihren Namer
fragt, als Idâ, d. i. Segenswunsch (zu ved. iḍ iḍ iḷ loben, pre
zu erkennen gibt und mit âçis (Segen) sich erklärt; nebei
kommen auch irâ (also Iris!) und ilâ vor.   Wenn nun Windi
mann auf Noahs Dankopfer aufmerksam macht, das den Se
Gottes nach der Flut herabruft, worauf als Zeichen des Bu
der Regenbogen erscheint, so ist diese Art von Sagen
knüpfung mehr phantasievoll als wissenschaftlich zu nen
Es fehlt eben das Hauptbindeglied: jenes ‚feuchte Weib' s
zu Manu sprechen; ‚ich, der Regenbogen, bin der Segenswun

Ernst **Maass** in Brugmanns und Streitbergs Indogerm
schen Forschungen I, 159 ff. widmete neuerdings der Iris
dem Iros einen eigenen Artikel, in dem er bezüglich der
mologie von letzterem ausgeht und nach kurzer Abfertiş
der Bedeutung ‚Bote' ihn mit ἱερός in seiner ursprüngli
Bedeutung ‚flink, hurtig' gleichsetzt; die gemeinsame Wı
für beide, Ἶρος und Ἶρις, soll ϝι in ϝίεμαι ‚begehre, eile'
Aber erstens wird dieses ϝίεμαι (wozu lat. vis ‚willst', und
vêti ‚verlangt' stimmen) und ἱερός, skr. işiras (äol. ἱρός
*ïsïros, ἱρός, jon. ἱρός) von namhaften Linguisten streng
schieden (vgl. z. B. Prellwitz, Etym. Wb. s. v.), sodann ı
uns Maass nicht, wie aus ϝι die übrigen Bestandteile
ϝι-ϱ-ιδ sich entwickeln sollen.

Maxim. **Mayer** berührt in Roschers Ausführl. Lex.
griech.-röm. Mythol. s. v. Ἶρις S. 337 f. auch die etymologi
Seite. Unzufrieden mit den bisherigen Deutungen will er,
der Form Βῖρις bei Paus. 3, 19, 4 (worüber später) ausgeh
die er aber entweder als Εἶρις oder als hῖρις deutet, ‚e
weiten Ausblick auf die Gruppe Σῖρις, Σ(ε)ίριος, Σειρην
eröffnen.' Einen Anhaltspunkt für diesen Zusammenhang s
er zu gewinnen, indem er die ganz abgelegene Lokalsage
Lykophron 726 und schol. 722, wonach die ‚Sirene Ligeia'
Terina in Bruttium ans Land gespült wurde, in Verbinc
bringt mit dem Münztypus von Terina, einer Frauengestalt
Hydra und Kerykeion (übrigens mit der Beischrift Νῖκα!),

also eine Ἶρις oder Εἶρις = Σείρην darstellen soll: eine Kombination, die mehr gelehrt als überzeugend klingt; wer versichert uns, dass die Halbbarbaren von Bruttium Ἶρις Εἶρις
Σειρήν, den Fluss Siris und weiss der Himmel was — unter-
schiedlos konfundiert haben?

Endlich hat sich auch G. Curtius über die Etymologie
von Ἶρις geäussert, zwar nur in einer brieflichen Mitteilung
an A. Trendelenburg, abgedruckt in einem Aufsatz des letzteren
in der arch. Zeitung 1880, S. 133 Anm., aber in einer der
exakten, von Phantasie freien Methode des Forschers alle Ehre
machenden Weise. Er meint, man müsse lautlich von ϝῖρις,
begrifflich von dem Naturobjekt des Regenbogens ausgehen.
Vor allem betont er die Form Βῖρις, die Pausanias (3, 19, 4)
am Thron des amykläischen Apollo, also auf spartanischem
Boden gelesen hat und überliefert; β sei hier stellvertretend
für ϝ, wie oft bei Grammatikern und Lexikographen. Wenn
aber Curtius meint, Pausanias habe ϝῖρις vorgefunden und dies
mit Βῖρις wiedergegeben, so ist dies wohl möglich, aber nicht
notwendig: dass auch auf alten lakonischen Inschriften β für
ϝ steht, zeigen CIA 78 Βαστίας und das. 84 Βοινε[ίδης].[1]
Curtius vermutet, ohne sich genauer auszusprechen, dass das
Etymon in einer W. des ‚Schimmerns, Schillerns, Glänzens‘
oder in der Vorstellung des ‚Streifens‘ zu suchen sei; einen
Zusammenhang mit vir-idi-s hält er nicht für unmöglich, aber
mit Schwierigkeiten verknüpft. Kurz, er ist geneigt, lieber die
ars nesciendi zu üben, als über die sichere Basis ϝῖρις hinaus-
zugehen.

Und damit sind wir eigentlich wieder beim Ausgangspunkte unserer Digression angelangt. Eben diese Basis ϝῖριδ-
gibt uns auch die Volksetymologie von ϝείρω an die Hand.
Sie war, um dies nochmals hervorzuheben, wahrscheinlich schon
den Homeriden die geläufige, der Begriff der Naturgottheit
fast gänzlich verflüchtigt. Im Sinne dieser Volksetymologie

---

[1] Mit welchem Rechte M. Mayer in dem *B* entweder **E** oder **℞**
(= *s*) oder **ⵂ** (h) sieht, kann ich nicht erkennen.

legten sie sich den ϝῖϱος Ἄϝιϱος zurecht. Und auf einer
rühmten altlakonischen Kunstwerk las Pausanias Βῖϱις
ϝῖϱις. Diese Argumente sind schwerwiegend ge
um die Form ϝῖϱις dem homerischen Texte wiede
geben. Weist nun der neue Papyrusfund ὦκα δὲ Ἶϱις
ϝῖϱις) auf, wie schon Bentley vermutete, so sollte man
zufrieden geben, die für Homer entscheidende Form des Na
zu wissen, wenn es auch zu bedauern ist, dass es zur
nicht gelang, das über dem Etymon schwebende Dunk
lüften.[1]) Ist es doch auch keineswegs sicher, dass Ody
die ursprüngliche Form dieses Namens war; aber die ‚et
logischen‘ Klänge des Dichters selbst (bes. τ 275) machen
Form für Homer zur Gewissheit.

III.

Wie die Bruchstücke, die Mahaffy und Nicole ediert h
bieten auch die von Grenfell und Hunt veröffentlichten
erhebliche Anzahl von neuen Versen, so dass die Funde
gesamt, wenn auch kaum derselben Handschrift, so docl
gleichen ἔκδοσις angehören. Diese Plusverse erweisen
auch diesmal wieder als mehr oder minder geschickte,
Rhapsoden herrührende Erweiterungen und Zusätze, die
liche das charakteristische Merkmal tragen, dass man
keinen vermisst, womit sie von selbst gerichtet sind.

Das Fragment Θ 217—253 weist deren drei auf.
v. 217 ist ein Schluss . . NONTO ersichtlich, in den
Herausgeber mit Sicherheit den formelhaften Vers

ἔνθα κε λοιγὸς ἔην καὶ ἀμήχανα ἔργα γέ]νοντο

---

[1]) Die einzige Stelle, die dem Digamma noch widerstrebt, ist
τρεῖς ἑκάτερθ', ἴϱισοι, wo Zenodot die beachtenswerte La. ἰρίδεσσι
Auch die ϝριδες sind Naturgottheiten, Sturm- und Kampfdämone:
Elard Hugo Meyer, Indogermanische Mythen II, 32, 37, 440. Doch
ich es nicht, der Zenodotischen La. ohne weiteres den Vorzug zu g
nur gegen den Vorwurf einer willkürlichen Konjektur soll e
schützt sein.

(vgl. *Θ* 130, *Λ* 310) erkennen konnten. Die Veranlassung zur
Einschaltung dieses ‚Leitmotivs‘ lag sehr nahe: an unserer
Stelle wie an den beiden angezogenen beginnt der im Irrealis
gefasste Gedanke mit „*καί νύ κε*“; aber noch zwölfmal in der
Ilias[1]) wird ein irrealer Gedanke mit *καί νύ κε* ohne jenes
oder ein ähnliches Leitmotiv eingeführt.

Nach v. 252 *μᾶλλον ἐπὶ Τρώεσσι θόρον, μήσαντο δὲ
χάρμης* bricht unsere Ueberlieferung mit dieser allgemeinen
Kampfesscene ab und überlässt die Ausmalung der Wirkung,
die das von Zeus gesandte Omen hervorgerufen, der Phantasie
der Zuhörer; es wird sofort zu Einzelkämpfen übergegangen.
Ein Rhapsode fand es nötig, diese Ausmalung selbst zu be-
sorgen; wir lesen nach 252 in unserem Fragment

ΖΕΥС ΔΕ ΠΑΤΗΡ ΟΤΡΥΝΕ Φ . . . .
ΕΙΞΑΝ ΔΕ ΤΡѠΕС ΤΥΤΘΟΝ ΔΑ . .

Van Leeuwen ergänzte den ersteren Vers mit „*φόβον Τρώεσσιν
ἐνόρσας*“, den letzteren mit „*Δαναῶν ἀπὸ τάφρου*“. Ausser
diesen Möglichkeiten schlage ich für den ersteren noch vor

‚*φιλοπτολέμους*[2]) *πολεμίζειν*‘
oder ‚*φαλαγγηδὸν μαχέσασθαι*‘,

für den letzteren ‚*Δαναοὶ δ' ἐπέχυντο*‘ oder ‚*Δαναῶν ὑπ' ἐρωῇ*‘:
ohne damit behaupten zu wollen, eine bessere oder wahrschein-
licbere Ergänzung gebracht zu haben.

In der Stelle *Ψ* 159 ff. gibt Achill dem Agamemnon den
Auftrag, er möge das Heer die Totenklage um Patroklos be-
endigen und es das Nachtmahl einnehmen lassen, während er
(Achill) selbst die weitere Totenfeier vorzunehmen gedenke.
Nach v. 160

κηδεός ἐστι νέκυς· παρὰ δ' οἵ τ' ἀγοὶ ἄμμι μενόντων,

fand wohl ein Rhapsode das *ἀγοί* (nach Aristarch *ταγοί*) der
Ueberlieferung für erklärungsbedürftig; denn, wie mir scheint,
ergänzen sich die Reste eines neuen Verses in unserm Fragment

---

[1]) *Γ* 373. *E* 311, 388, 679. *H* 273. *Θ* 90. *P* 530. *Σ* 165. *Φ* 211.
Ψ 154, 490. *Ω* 713, nach Schmidt, Parallelhomer, p. 118.

[2]) Steht (ausser *II* 835, *P* 194) immer nach dem 8. Trochäus.

. . . *κηδ*]ЄΜΟΝЄϹ ϹΚЄΔ . . .

zu: *νεκροῦ κηδεμόνες· σκέδασον δὲ σὺ λαὸν ἅπαντα.* Die zweite
Vershälfte würde dann eine nochmalige Wiederholung und Betonung des *σκέδασον* in V. 158 sein.   Anders v. Leeuwen:

οἷ δ' ἄρα κηδεμόνες σκεδασάντων λαὸν ἅπαντα,

wobei mir der Wechsel zwischen den Subjekten der Imperative
(erst Agamemnon, dann die *κηδεμόνες*) nicht unbedenklich
erscheint.

Nach v. 162 finden sich als Reste eines neuen Verses
. . . ΑΝ ΤЄ ΚΑΤΑ ΚΛΙ^{ϹΙ}ΑϹ Κ . . ., worin der Scharf-
blick der Herausgeber zweifellos richtig eine Wiederholung
von B 399

κάπνισσάν τε κατὰ κλισίας καὶ δεῖπνον ἕλοντο

erblickte und zugleich erkannte, dass das Bestreben, die Ausführung der Befehle Achills in genauen Einklang zu diesen
selbst zu bringen, den Vers veranlasste.   Doch verrät sich
dieser durch den ungeschickten Wechsel des Subjekts (*σκέδασεν-
κάπνισσαν*) als interpoliert; in B 399 bleibt das Subjekt gleich.
Auch die Anknüpfung mit *τὲ* statt *δέ* ist ungeschickt.

Nach v. 165

ἐν δὲ πυρῇ ὑπάτῃ νεκρὸν θέσαν ἀχνύμενοι κῆρ

findet sich wieder ein Neuling mit den Resten

. . . ΚΑΤΑ ΧЄΡϹΙΝ ΑΜΗϹΑ[*μενοι* . . .

von v. Leeuwen ergänzt zu

καὶ κονίην κατὰ χερσὶν ἀμησάμενοι κεφαλῆφι,

wobei er uns aber, wenn ich recht verstehe, das Verbum finitum
schuldig blieb.   Sollte bei dem ‚Anhäufen' (*καταμᾶσθαι* Ω 165),
das der erweiternde Vers enthielt, nicht eher an Kostbarkeiten,
Waffen, Kleider, die dem Toten mit in sein Feuergrab gegeben
wurden, zu denken sein?   Also etwa: *κτήματα δ' αὖ κατὰ
χερσὶν ἀμησάμενοι κατέθηκαν* (scil. *ἐν τῇ πυρῇ*), vgl. ι 247
πλεκτοῖς ἐν ταλάροισιν ἀμησάμενος κατέθηκεν. (Ueber doppeltes
κατά vgl. ρ 86).

In dem schönen Gleichnis Ψ 221—225 glaubte ein Rhapsode die Wirkung zu erhöhen, indem er aus P 36/7, wie die Herausgeber erkannt haben, die Verse entlehnte

(. . . *ἀκάχησε τοκῆας*)

XHPⲰCEN ΔΕ *γυναῖκα μυχῷ θαλάμοιο νέοιο*

APHτoN ΔΕ Τοκεῦσι *γόον καὶ πένθος ἔθηκε.*

Merkwürdigerweise war der zweite Vers auch in der Handschrift, die Plutarch bei Abfassung der Consol. ad Apoll. c. 30 benützte, interpoliert. Auch in der Phönix-Episode, *I* 458 —461, hat uns Plutarch vier Verse erhalten, die in allen Handschriften, weil von Aristarch verurteilt, fehlen.

Damit ist die Reihe der neuen Verse noch nicht geschlossen. Nur so weit sie sicher als solche erkennbar waren, wurden sie bisher behandelt. Es erübrigen noch manche rätselhafte Bruchstücke, die mit der Vulgata schwer in Einklang zu bringen sind, darunter wohl ein paar unlösbare Rätsel.

Φ 399 zeigt am Anfang die Spuren von .. ΓH . . ., während die Ueberlieferung mit *τῷ σ' αὖ νῦν δίω* beginnt.

Vor *X* 133 finden sich von einer zweiten Vershälfte Spuren von .. NAM(N?) . . ., die mit V. 132

ἶσος Ἐνυαλίῳ, κορυθάικι πτολεμιστῇ,

nicht vereinbar sind. Sehr glücklich hat v. Leeuwen aus dem Reste einen erweiternden Zusatz zu dem eben erwähnten Verse rekonstruiert:

ὅς τ' εἶσι πόλεμόνδε κιⲱN ANd *οὐλαμὸν ἀνδρῶν,* oder

dNA *Μῶλον Ἄρηος.*

X 259 glauben die Herausgeber von der zweiten Vershälfte die Reste zu erkennen .. ⲰCIΘ . . . A .., was zur Vulgata *ὡς δὲ σὺ ῥέζειν* schwerlich stimmt; eher wohl zu *ὡς δὲ σὺ ῥέξαι,* wie v. Leeuwen vermutet.

Nach *X* 262 stehen die völlig rätselhaften, mit 263 absolut unvereinbaren Reste einer zweiten Vershälfte ... OXO .... OC Sollte die Handschrift der Fragmente mit Ausschluss von 10 Versen (263—272) gleich auf 273

ἢ ῥα, καὶ ἀμπεπαλὼν προΐει δολιχόσκιον ἔγχος
übergesprungen sein?

Der etwa X 312 entsprechende Vers endigt statt
θυμόν in dem Fragment auf rätselhaftes.. ωMON: V. Les
vermutet, dass V. 133 (σείων Πηλιάδα μελίην κατὰ δεξιὸν ᶜ
in der Gegend von 312 irgendwie wiederholt wurde.

Ψ 165 stimmen die von den Herausgebern erkannten ᴵ
. . . ΑΛΥ . . νΕΚΡΟ . . nicht recht zur Vulgata ἐν δέᶦ
ὑπάτῃ νεκρὸν θέσαν ἀχνύμενοι κῆρ; indes hat v. Leeuwen
. . ΑΛΥ . . wohl mit Recht die Reste von . . ͷΠΑΤͺ
kannt, wodurch die Frage sich einfach löst.

Endlich finden sich noch nach Ψ 195 Spuren eines ᵎ
unbekannten Verses, von den Herausgebern als . . ΝΕ ᴵ
ΑΡΗΝ gelesen, womit jedoch weder sie noch v. Leeuwen ɛ
anzufangen wissen. Da die Lesung sehr unsicher ist, gl
ich ebenso gut Ν ΕΚΑΤοΜΒΗΝ erkennen zu dürfen,
sich an das vorangehende ,ὑπίσχετο ἱερὰ καλά' trefflich
schliesst, etwa in der Form von Δ 102 (= 120. Ψ 864,

ἀρνῶν πρωτογόνων ῥέξειν κλειτὴν ἑκατόμβην.

Zum Schlusse kann ich nicht verhehlen, dass die F
mente an zwei in sprachlicher Hinsicht sehr bedenkli
Stellen durch Wiedergabe der Vulgata Enttäuschungen
allen Homerikern der freieren Richtung hervorrufen wer
Δ 113 lesen wir σάκεα mit lästiger Synizese und Ψ 226
noch unerträglichere ἦμος δ' ἑωσφόρος, wo die ratio
ἠοσφόρος erfordert.

Hoffen wir, dass die eben von Cr(usius) in der Beil.
Allg. Ztg. (No. 262) signalisierten überaus ergiebigen ne
Funde Grenfells und Hunts an der Stelle des alten Oxyrhyn
(jetzt Behnesseh), von denen der erste Band im nächt
Sommer veröffentlicht werden soll, unsere gespannten Er
tungen in glänzender Weise rechtfertigen wird!

Descartes' Beziehungen zur Scholastik.

Von Georg Frhr. v. Hertling.

(Vorgetragen in der philos.-philol. Classe am 6. November 1897.)

I.

In einem vor zehn Jahren erschienenen Aufsatze über Spinoza
und die Scholastik hat Freudenthal[1]) den Nachweis erbracht,
dass nicht nur die Cogitata metaphysica, sondern auch Spinoza's
eigentliches System nach Form und Inhalt unter dem nach-
wirkenden Einflusse der mittelalterlichen Schulphilosophie stehe.
Der Nachweis kam vielen überraschend, weil die Kenner
Spinoza's in der Regel nicht mit scholastischer Denkweise und
Terminologie vertraut sind und umgekehrt diejenigen, denen
beides geläufig ist, nur selten eine aus den ursprünglichen
Quellen geschöpfte Kenntniss Spinoza's besitzen. In der That
reicht die Kette der scholastischen Ueberlieferung viel weiter,
als gewöhnlich angenommen zu werden pflegt, ganz abgesehen
von den besonderen Kreisen, welche es bis auf den heutigen
Tag als ihre Aufgabe ansehen, diese Kette fortzuführen. Erst
bei Kant ist der Bruch mit der Vergangenheit wirklich vollzogen, den die vorangegangene Entwickelung angebahnt hat.
Aus dem Systeme des Kriticismus reichen keine Fäden mehr zu
Aristoteles und seinen Nachfolgern im christlichen Mittelalter
zurück. Wer aber, vom Banne des Kant'schen Kriticismus
unberührt, metaphysische Fragen zu behandeln unternimmt,

---

[1]) In: Philos. Aufsätze, Ed. Zeller zu seinem 50 jähr. Doctorjub.
Gewidmet, Leipzig 1887, S. 83—138.

wird immer wieder, bewusst oder unbewusst, dahin komı
den einen oder andern dieser Fäden aufzunehmen.

Im Folgenden sollen die Beziehungen Descartes' zur Sch
stik einer Erörterung unterzogen werden. Freudenthal
dieselben kurz gestreift, aber seine Bemerkungen geben w
ein erschöpfendes noch ein zutreffendes Bild. Um ein sol
zu gewinnen, sind die verschiedenen Seiten des Verhältnı
auseinander zu halten und zunächst zwischen Descartes'
drücklicher Stellungnahme der bisherigen Schulphilosophie geı
über und dem inhaltlichen Zusammenhange seiner Lehre
der letzteren zu unterscheiden. Auch in Bezug auf diesen
sammenhang aber werden sich weiterhin verschiedene Gesic
punkte der Betrachtung und Beurtheilung ergeben.

Bekannt sind die Aeusserungen in dem Discours dı
méthode. Sie stehen mit dem Gange der Erörterung in ı
stem Zusammenhange. Trotz jahrhundertelanger Bemüh
der hervorragendsten Geister hat die Philosophie keine siche
dem Zweifel entrückten Ergebnisse aufzuweisen, sondern
einander widersprechende Behauptungen. Ueber einen und ı
selben Gegenstand werden von den Gelehrten die verschieı
sten Meinungen aufgestellt und keine ist so thöricht, dass
nicht einen Vertreter gefunden hätte.[1]) Entnehmen nun ı
die übrigen Wissenschaften aus der Philosophie ihre Princiı
so sieht man leicht, dass auf so unsicherem Fundamente
fester Bau aufgeführt werden kann.

Hier ist zunächst nicht von der Scholastik, sondern
der Philosophie überhaupt die Rede, und die daran geı
Kritik zielt nur dahin, den Zweifel an allen überkommı
Vorstellungen und Lehrmeinungen zu begründen. Auf
Scholastik geht dagegen die kurze Bemerkung, die Philoso
die im Collegium in La Flèche gelehrt worden sei, veraﬂ
die Fertigkeit, über alles zu reden, um sich von Unkundı
bewundern zu lassen, und weiterhin, was von der alten Lı
gesagt wird: sie leite nicht an, neue Erkenntnisse aufzufiﬁ

---

[1]) Der Ausspruch stammt bekanntlich aus Cicero, Dě divinaı
11, 58.

sondern nur das, was man selbst schon weiss, anderen mitzutheilen. Was sie wahres und gutes enthalte, sei mit so vielem
überflüssigem oder gar schädlichem vermengt, dass sich beides
kaum von einander scheiden lasse. Endlich die scharfe Absage
an die Nachtreter des Aristoteles im letzten Abschnitte: weit
entfernt, ihren Meister an Naturerkenntniss zu übertreffen, seien
sie vielmehr unter denselben herabgesunken; sie wollen bei
ihm die Lösung von Fragen finden, mit denen er sich noch
gar nicht beschäftigt hat. Nur die Unverständlichkeit ihrer
Distinktionen und Prinzipien ermöglicht es ihnen, keck über
alle Dinge zu reden, als ob sie etwas davon wüssten. Sie
gleichen einem Blinden, der seine Gegner in einen dunklen
Keller führt, weil er sonst nicht mit gleichen Waffen gegen
sie kämpfen könnte.

Aber auch dieser Vorwurf, so scharf er lautet, hält sich
wie die früheren ganz im Allgemeinen und richtet seine Spitze
nicht gegen bestimmte einzelne Schuldoktrinen. Man hat den
Eindruck, als ob die Erinnerung daran vor den Begebenheiten
des Weltlebens und den ganz neuen Problemen, denen Descartes
sein Interesse zugewendet hatte, in den Hintergrund getreten
sei. Ja noch mehr; in einer der auf den Discours de la méthode
folgenden Abhandlungen, welche beispielsweise den Nutzen der
neuen Forschungsweise darthun sollen, am Schlusse des ersten
Kapitels der Meteore, erklärt Descartes, dass er um den Frieden
mit den Philosophen zu wahren, durchaus nicht die Existenz
der substanziellen Formen und realen Qualitäten leugnen wolle
und was jene sonst noch, über seine Annahmen hinausgehend,
in den Körpern als vorhanden setzten. Nur erscheine es ihm
als eine Empfehlung seiner Lehre, dass sie dessen nicht bedürfe.
Im Zusammenhalte damit wird es kaum als eine Kriegserklä-
rung an die Scholastik gelten können, wenn es an einer zuvor
nicht herangezogenen Stelle im Discours heisst, die vermeintliche Schwierigkeit, Gott und die immaterielle Seele zu denken,
komme von der Gewöhnung, nur solches zu betrachten, was
sich mit der Phantasie vorstellen lässt, sodass man vermeine,
dass, wovon sich keine Phantasmen bilden lassen, könne auch

nicht gedacht werden. Beweis hierfür der gewöhnlicl
Schulphilosophie als Axiom hingestellte Satz, nihil es
tellectu, quod non prius fuerit in sensu. Und doch
Ideen Gottes und der vernünftigen Seele sicherlich n
der Sinneswahrnehmung vorhanden.

Noch weniger findet sich eine solche Kriegserkl
den 1641 erschienenen Meditationen. Das vorgedruol
mungsschreiben an die Doktoren der Sorbonne weist
auf die verbreitete Meinung hin, es gebe in der Pl
nichts, worüber sich nicht entgegengesetzte Behauptui
stellen lassen. Die sechs Meditationen selbst enthalten
Polemik. In den Antworten auf die eingeholten Einw
bedient sich Descartes scholastischer Argumente, beru
auf Aristoteles, den Magister Sententiarum, auf den
Suarez, den berühmtesten von allen späteren Scholast

Die im Jahre 1644 veröffentlichten Principia Phi
vermeiden wiederum jede Bezugnahme auf die Scholast
erschien die von dem Abbé Picot verfasste Uebe
Descartes schrieb dazu eine Vorrede in Form eines
den Uebersetzer, die auch in die späteren lateinisel
gaben übergegangen ist. Hier findet sich der bekan
spruch, für das Verständniss der wahren Philosophie
am geeignetsten, welche am wenigsten von alle den
hätten, was bisher den Namen der Philosophie gefül
und wiederholt wird in stolzen Worten die neue L
alten gegenüber gestellt.

Schon vorher war er allerdings in einer Streitse
der in den beiden Hauptwerken beobachteten Zurüc
herausgetreten, in dem Briefe an den Jesuitenpater D
Frühjahr 1642, welchen er der zweiten, in Amsterdan
genannten Jahre herausgekommenen Ausgabe der Med
beifügte. Da ist von Vertretern der alten Schulpl
die Rede, welche lieber gelehrt scheinen, als es sein
welche einen gewissen Namen in der Gelehrtenwelt ni
besitzen, weil sie über Schulstreitigkeiten eifrig zu d
wissen. Diese fürchten, dass die Entdeckungen de

Philosophie ihrem ganzen bisherigen Gebahren den Boden entziehen und ihre Gelehrsamkeit der Verachtung anheimfallen
lassen werden. Ausdrücklich werden die Peripatetiker in die
Schranken gefordert. Man mache eine Aufzählung der Probleme, welche während der langen Dauer ihrer Herrschaft aus
den ihnen eigenthümlichen Principien eine Lösung gefunden
haben! Wo sind sie? Descartes macht sich anheischig, zu
beweisen, dass alle Lösungsversuche unzutreffend und er-
schlichen sind.

Hiermit ist erschöpft, was sich aus Descartes' zur Veröffentlichung bestimmten Schriften über seine Stellungnahme
der Scholastik gegenüber anführen lässt. Weit zahlreicher
sind die hierher gehörigen Aeusserungen in den Briefen. Sie
lassen erkennen, dass Descartes' öffentliche Stellungnahme durch
ganz bestimmte Motive bedingt ist, oder, um das Ergebniss
der Untersuchung sogleich vorweg zu nehmen, dass sie bedingt
ist durch sein Verhältniss zu den Jesuiten.

Das Verhältniss durchläuft verschiedene Stadien. In dem
ersten hofft der ehemalige Zögling von La Flèche durch Vermittelung einzelner, ihm befreundeter Mitglieder die Unterstützung der einflussreichen Ordensgesellschaft für seine neue
Philosophie zu gewinnen. Dann glaubt er sich in dieser Hoffnung getäuscht, er sieht voraus, dass es zu einem Kampf mit
den Jesuiten kommen werde, er bereitet sich darauf vor und
sieht sich nach anderen Bundesgenossen um. Der Kampf wird
vermieden, es findet eine förmliche Versöhnung statt, und so
ist das neue Stadium abermals durch die Hoffnung bestimmt,
die Jesuiten oder doch die tüchtigsten und am meisten für
wissenschaftliche Forschung empfänglichen Köpfe unter ihnen
zur Annahme seiner Lehre und zum Verlassen der alten,
aristotelischen Pfade bestimmen zu können.

Der näheren Darlegung des Sachverhalts muss ein kurzes
Wort über die Beschaffenheit des Beweismaterials vorausgeschickt werden.[1]

---

[1] Vgl. Paul Tannery, les lettres de Descartes, in: Annales de
Philosophie Chrétienne, N. S. T. 36, 1896, p. 26—39.

Descartes' handschriftlicher Nachlass, darunter die Os
zu seinen Briefen, wurden von dem französischen Gesan(
Stockholm, Chanut, mit dem er in enger Verbindung ges
hatte, im Jahre 1653 nach Frankreich verbracht. Das
welches denselben sammt dem Gepäck des Gesandten di(
aufwärts nach Paris transportirt hatte, sank Angesich
Louvre. Erst nach drei Tagen gelang es, die Kiste
finden, man hing die Papiere zum Trocknen auf, wol
zumal die Arbeit der Dienerschaft überlassen war, nich
Verwirrung und Schaden abgehen konnte.[1]) Clerselie
Herausgeber der zuerst im Jahre 1657 zu Paris erschi(
dreibändigen Briefsammlung, that sein Bestes, Ordnun
Zusammenhang herzustellen, erlaubte sich aber dabei, (
selbst bekennt, allerhand Willkürlichkeiten, indem er h
war, die in seinen Händen befindlichen Bruchstücke zu
Ganzen zu vereinigen. Auch ordnete er die Briefe nicht c
logisch, sondern nach einer sehr äusserlich hergestellten (
lichen Verwandtschaft. Nur bei wenigen findet sich das (
angegeben, die Eigennamen sind zu einem grossen Theile
Buchstaben oder Sternchen ersetzt. Cousin unternahm (
seine grosse, leider nicht mit der nöthigen Sorgfalt ausg(
Gesammtausgabe die chronologische Reihenfolge der Brie(
zustellen, welche den sechsten bis zehnten Band fülle(
stützte sich dabei auf ein in der Bibliothek des Institu
findliches Exemplar der Clerselier'schen Sammlung, in w(
von verschiedenen Händen schriftliche Bemerkungen einge
sind, theils zur Feststellung von Personen und Daten,
zur Berichtigung des Textes mit Hülfe der Vergleichu(
Handschriften. Nach Tannerys Vermuthung rühren die (
vollsten dieser Bemerkungen von Marmion her, der durcl
gang in den Besitz eines Theils der Papiere gelangt war
Zeit, da Cousin seine Ausgabe unternahm, fand sich d(
noch im Archiv der Akademie des sciences. Bis (
kleinen Rest wurde er späterhin von dem bekannten (

---

[1]) Baillet, la vie de M. Des Cartes, Paris 1691. II, p. 428.

stohlen und zerstreut, darunter dreissig unedirte Briefe. Ein
Theil davon ist seitdem wieder aufgefunden worden, aber abgesehen von dem noch fehlenden, war auch das, was Marmion
besass, keineswegs vollständig, wie insbesondere die Verweisungen in Baillet's Vie de M. Des Cartes erkennen lassen. Die
Zuverlässigkeit der in das Exemplar des Instituts eingetragenen
Datirungen lässt sich in vielen Fällen nicht mehr feststellen;
es ist möglich, dass Irrthümer untergelaufen sind. Zur Zeit
ist man in Frankreich mit der Vorbereitung einer neuen kritischen Ausgabe der Briefe beschäftigt. Die Namen derer, die
damit betraut sind, lassen erwarten, dass geleistet werden wird,
was überhaupt geleistet werden kann.

Für die hier behandelte Frage kommen gegen fünfzig
Briefe in Betracht, darunter drei von Baillet bruchstückweise
mitgetheilte, fünf neuerdings von Tannery im Archiv für Geschichte der Philosophie veröffentlichte. Die übrigen gehören
der Clerselier'schen Sammlung an.

Im Juni 1637 war Descartes mit seinen Essays philosophiques zum erstenmale vor die Oeffentlichkeit getreten. Acht
Tage, nachdem das Werk die Presse verlassen hatte, am
15. Juni, schrieb er an einen Jesuiten, ohne Zweifel seinen
früheren Lehrer in La Flèche. Er überschickt ihm die Essays
als die ihm zukommenden Erstlingsfrüchte seines Geistes und
wünscht, dass der Adressat und sonst etwa dazu geeignete Mitglieder der Gesellschaft dem Verfasser die ihnen aufstossenden
Fehler und Irrthümer angeben möchten.[1]) Nachdem er ein
höfliches Dankschreiben erhalten hat, wiederholt er im Oktober
nochmals den gleichen Wunsch. Vor allem möge der Adressat
seine Bemerkungen schicken, da dieser ihm gegenüber die
grösste Autorität besitze. Sodann geht er einen Schritt weiter.
Er spricht es als seine Ueberzeugung aus, dass man in den
Jesuitenschulen künftig hin über die in seinen Essays behandelten Materien, speziell über die Meteore, nicht mehr dociren
könne, ohne die von ihm aufgestellten Erklärungen entweder

---

[1]) II, 78 Clerselier; VI, p. 320 Cousin.

zu bestreiten oder zu acceptiren. Dabei versichert
eine Gefahr für die Religion von seinen Neuerungen
befürchten sei.[1])

Einer seiner Freunde, der Holländer Vobiscus Ple
Plemp, Professor der Medicin in Löwen, hatte die Be
Jesuitenpater zu lesen gegeben. Descartes schreibt
20. Dezember, er würde sich freuen, das Urtheil des
zu erfahren, denn von einem Mitgliede der Gesellsch
sei nur etwas völlig Ausgereiftes zu erwarten und i
die stärksten Einwürfe die liebsten.[2]) Wenige Woche
übersandte ihm Plemp ein Schreiben des Jesuiten G
welcher im Collegium in Löwen Mathematik docirte.
ist voll von Bewunderung für das Buch und seinen V
Vor allem freut ihn die Kühnheit, womit dieser die ge
Pfade verlässt und gerade dadurch neue Entdeckunge
Heisst es doch wirklich, eine neue Welt in der Phi
entdecken und unbekannten Strassen folgen, wenn
Descartes das ganze Heer der Qualitäten verwirft, um
und durch Dinge, die in die Sinne fallen und gleichsa
bar sind, die tiefsten Geheimnisse der Natur zu erklä
einigen Stellen hätte er allerdings vollständigere Au
gewünscht, er führt als ein Beispiel Descartes' Theo
Regenbogen an, gegen welche er einige Bemerkungen
Das Antwortschreiben vom 9. Januar 1638 lässt erken
günstig diese Ausführungen aufgenommen wurden.[4])
lange danach erhielt Descartes die Zuschrift eines Jesu
La Flèche, über deren Inhalt nichts näheres bekannt
seine Antwort vom 24. Januar ergeht sich in verbi
Dankesäusserungen. Er erläutert die im Discours de la
verfolgte Absicht und schliesst mit der erneuten Herve
des ganz besonderen Werthes, welchen eine aus Lö
kommende Anerkennung für ihn besitze.[5])

[1]) II, 83 Clerselier; VI, p. 332 Cousin.
[2]) II, 9 Clerselier; VI, p. 362 Cousin.
[3]) I, 55 Clerselier; VII, p. 180 Cousin.
[4]) I, 56 Clerselier; VII, p. 190 Cousin.
[5]) I, 114 Clerselier; VII, p. 376 Cousin.

Wie er um diese Zeit über die Autorität des Aristoteles
dachte, erhellt aus einem vier Tage früher geschriebenen Briefe
an Plemp, der gemeint hatte, Descartes Ansicht über die Herz-
bewegung stimme mit dem überein, was De respiratione, cap. 20,
stehe. Er dankt ihm für die Angabe, wonach er sich in diesem
Punkte auf die Autorität des grossen Schulhauptes stützen
könne, „denn“, heisst es wörtlich, „da jener Mann so glücklich
war, dass was immer er mit oder ohne Gedanken hingeschrieben
hat, heute von den meisten für ein Orakel gehalten wird, so
kann ich nichts mehr wünschen, als, ohne mich von der Wahrheit zu entfernen, seinen Spuren zu folgen.“[1])
Wichtig aber ist namentlich ein Schreiben, das er am
20. März 1638 an Konstantin Huyghens, Herrn von Zuytlichem
richtete, den Vater des berühmten Huyghens, neben dem P.
Mersenne sein vertrautester Freund. „Was mein Buch betrifft“,
heisst es hier, „so weiss ich nicht, welche Meinung die Welt-
leute davon haben werden, von den Männern der Schule aber
höre ich, dass sie schweigen, und erbost darüber, dass sie nicht
genug Anhaltspunkte finden, um mit ihren Argumenten einzusetzen, sich mit der Eiklärung begnügen, wenn sein Inhalt
wahr wäre, müsste ihre ganze Philosophie falsch sein.“ Nachdem er sodann über wissenschaftliche Auseinandersetzungen
mit dem Löwener Theologen Fromond und dem schon genannten
Plemp berichtet hat, die durchaus in freundschaftlichen Formen
verlaufen seien, fährt er fort: „In der That, ich wünsche, dass
mehrere mich auf diese Art angreifen, und ich werde die Zeit
nicht beklagen, die ich darauf verwenden werde, ihnen zu antworten, bis dass ich damit einen ganzen Band füllen könnte,
denn ich bin der Meinung, dass dies ein treffliches Mittel ist,
um zu erkennen, ob die Dinge, die ich geschrieben habe,
widerlegt werden können, oder nicht. Ich würde namentlich
gewünscht haben, dass die Jesuiten in die Zahl der Opponenten
eingetreten wären, und sie hatten mich dies durch Briefe aus
La Flèche, Löwen und Lille erhoffen lassen. Seitdem aber

---

[1] I, 78 Clerselier; VII, p. 343 Cousin.

habe ich einen Brief eines der Herren aus La Flèche erha
worin ich soviel Anerkennung finde, als ich mir nur in
wünschen könnte. Er geht soweit zu sagen, dass er nicht
dem vermisst, was ich habe erklären, sondern nur in
worüber ich nicht habe schreiben wollen, und nimmt di
Veranlassung, mich auf's dringendste um meine Physik
meine Metaphysik zu bitten. Und da ich nun den Zusamn
hang und die enge Verbindung der Mitglieder dieses Or
unter einander kenne, so genügt das Zeugniss eines einzel
um mich hoffen zu lassen, dass ich sie alle auf meiner £
haben werde." [1]

So also stellt sich ihm die Situation dar: von den
tretern der Scholastik wird ein Theil in der alten Weise
harren und sich gegen die Methode und die Errungenscha
der neuen — Cartesianischen — Philosophie ablehnend
halten. Von einem anderen, wegen seiner Macht und se
Einflusses bedeutungsvollen Theile aber, den Jesuiten, hofft
dass sie in die neuen Bahnen einlenken werden. Im Som
des folgenden Jahres, 1639, begannen für ihn die Kämpfi
den Niederlanden und die Angriffe, welche Gisbert Voë
das Haupt der reformirten Theologen in Utrecht, gegen
richtete.[2]) Um so höher mochte sich ihm der Werth der
hofften Bundesgenossenschaft der Jesuiten steigern.

Da erhielt er im Juli 1640 von Mersenne die Nachri
im Collège Clermont der Jesuiten zu Paris seien am 30. J
und dem folgenden Tage auf Veranlassung des P. Bour
welcher dortselbst Mathematik docirte, Thesen vertheidigt v
den, die zweifellos, obschon sein Name nicht genannt i
ihre Spitze gegen ihn gerichtet hätten.[3]) Die Nachricht
setzte Descartes in eine gewaltige Erregung, die man n
jahrelang in seinen Briefen nachzittern sieht. Baillet
andere nach ihm[4]) haben sich darüber gewundert und geme

[1]) II, 87 Clerselier; VII, p. 417 Cousin.
[2]) Kuno Fischer, Gesch. d. neueren Philos., 1. Bd. (4. Aufl.) 1
S. 225 ff.
[3]) Baillet a. a. O. II, 73.
[4]) Kuno Fischer a. a. O. S. 214 d. zweiten Aufl.

der frühere Schüler von La Flèche hätte doch aus eigener Erfahrung wissen müssen, was es mit solchen Schuldisputationen auf sich habe. Auch bezogen sich thatsächlich die Angriffe auf Einzelheiten in seiner Dioptrik. Aber das Collège Clermont war das grösste von allen, welche die Jesuiten in Frankreich besassen.[1]) Diese selbst befanden sich damals, in den letzten Jahren Ludwigs XIII., auf dem Gipfel ihrer Macht und ihres Ansehens. Ihre Beziehungen zu Richelieu waren die besten, seitdem der Beichtvater des Königs, P. Caussin, durch seinen Ordensgenossen, P. Sirmond, ersetzt worden war.[2]) Ueber die Schulfeier im Sommer 1640 erfahren wir nichts Näheres, 1641 aber, ziemlich um dieselbe Zeit, wurde im Collège Clermont der Schluss des Schuljahrs durch eine theatralische Vorstellung gefeiert, welcher Richelieu und die Grossen des Reichs beiwohnten.[3]) Möglich also immerhin, dass auch jene Disputation vor einer ausgedehnten und glänzenden Corona stattfand und daher Descartes' Unmuth, vor der Elite der Pariser Welt dem Spotte preisgegeben worden zu sein,[4]) nicht ohne allen Grund war. Sofort, am 22. Juli, schrieb er an den P. Rektor[5]) und bat, dass man ihm ausführlich darthun möge, worin sein Irrthum bestände, und dass. dies, entsprechend dem engen Zusammenhange der Mitglieder unter einander, von der Gesellschaft als solcher ausgehe.[6]) Eine derartige Widerlegung seiner

---

[1]) Zu Ende des Jahres 1627 zählte dasselbe 1827 Zöglinge, Cretineau-Joly, Histoire de la Compagnie de Jesus III, p. 429; im Jahre 1675 gegen 3000; E. Piaget, Histoire de l'établissement des Jésuites en France (1540—1640), Leide 1893, p. 452.

[2]) Piaget a. a. O. p. 599—620, Crétineau-Joly a. a. O. p. 437 ff. p. 441: Le Père Sirmond s'occupa de mettre d'accord ses devoirs envers la royauté et les obligations que son titre lui imposait.

[3]) Crétineau-Joly a. a. O. S. 430.

[4]) Baillet a. a. O. p. 74.

[5]) Das lateinische Original bei Clerselier III, 3, die französische Uebersetzung ebenda III, 4 und bei Cousin VIII, p. 288.

[6]) Cumque noverim omnia membra vestri corporis tam arcte inter se esse coniuncta, ut nihil unquam ab uno fiat, quod non ab omnibus approbetur, habeantque idcirco multo plus autoritatis quae a vestris quam

Lehre sei um so wichtiger, als bereits hervorragende
sich geneigt fänden, dieselbe anzunehmen, und sie mü
Jesuiten am ehesten gelingen bei der grossen Zahl von
sophen, welche unter ihnen zu finden seien.[1] Am 8
verfehlt er nicht, auf seine Studienzeit in La Flèche
weisen und damit seinen Wunsch zu unterstützen. In
zweiten Briefe vom gleichen Datum meldet er Mersen
unternommenen Schritt.[2] Dieser hatte ihm ausser eine
richt und den Haupt-Thesen auch den Einleitungsvortr
schickt, welcher, weil er wie ein vorausgeschicktes Ge
zum Disputirkampf auffordern sollte, die Bezeichnung V
führte. Descartes nun beschwert sich bitter, dass ihm
durchaus fremde Meinungen untergeschoben seien. Dre
später, am 25. Juli, berichtet er in gleicher Weise an
lichem.[3] Er glaubt, dass er mit den Jesuiten in
kommen werde, und so will er lieber mit allen zugle
thun haben, als mit einem nach dem andern.

Er war damals gerade mit der Ausarbeitung der
tationen beschäftigt. Wie er am 15. November 16
Mersenne geschrieben hatte, war es seine Absicht, zu
eine beschränkte Zahl von Exemplaren drucken zu lass
sie vor der Veröffentlichung den tüchtigsten Theolog

quae a privatis scribuntur, non immerito, ut opinor, a V. R. vel
tota vestra Societate peto et expecto id quod ab uno ex vestris
fuit promissum.

[1] Atque ut non tantum ad illa de quibus in Thesibus egi
etium ad reliqua quae a me scripta sunt examinanda, et quaecu
iis a veritate aliena erunt refutanda, vos invitem, libere hic dic
paucos esse in mundo, et non contemnendi ingenii, qui ad meas o
amplectendas valde propendent; ideoque communi rei literaria
multum interesse, ut mature, siquidem falsae sint, refutentur,
familiam ducant. Neque profecto ulli sunt, a quibus id commod
posset, quam a Patribus vestrae Societatis: Habetis enim tot mill
stantissimorum Philosophorum, ut singuli tam pauca non possint
quin si illa simul iungantur, facile omnia, quae a quibuslibet aliis
objici, comprehendant.

[2] III, 2 Clerselier; VIII, p. 286 Cousin.

[3] III, 107 Clerselier; VIII, p. 294 Cousin.

Descartes' Beziehungen zur Scholastik.

Prüfung vorzulegen.[1]) Jetzt, am 30. Juli, schreibt er dem Freunde, die fünf oder sechs Blätter Metaphysik seien längst fertig, aber noch nicht in den Druck gegeben. Was ihn daran hindere, sei der Umstand, dass er sie nicht in die Hände der Prediger und von jetzt ab auch nicht in die Hände der Jesuiten fallen lassen wolle —, mit denen er voraussichtlich in Krieg gerathen werde — bevor sie von verschiedenen Doktoren und womöglich von der Sorbonne, den Theologen der Pariser Universität, geprüft worden seien. Demnächst werde er die Exemplare an Mersenne schicken, damit dieser sie an die tüchtigsten und am wenigsten in den Irrthümern der Schule befangenen Doktoren vertheile.[2]) Uebereinstimmend damit heisst es in einem Briefe vom 30. September, den kleinen metaphysischen Traktat drucken zu lassen, sei bedenklich, weil er dann doch vorzeitig von allerhand Leuten werde gesehen werden. Daher ziehe er vor, sein Manuskript an Mersenne zu schicken, damit er es zuerst dem P. Gibieuf und sodann nach eigenem Ermessen

---

[1]) II, 33 Clerselier; VIII, p. 170 Cousin; ib. p. 175: J'ai maintenant entre les mains un discours où je tâche d'éclaircir ce que j'ai écrit ci-devant sur ce sujet; il ne sera que de cinq ou six feuilles d'impression; mais j'espère qu'il contiendra une bonne partie de la métaphysique: et afin de le mieux faire, mon dessein est de n'en faire imprimer que vingt ou trente exemplaires, pour les envoyer aux vingt ou trente plus savants théologiens dont je pourrai avoir connaissance, afin d'en avoir leur jugement, et apprendre d'eux ce qui sera bon d'y changer, corriger ou ajouter, avant que de le rendre public.

[2]) II, 40 Clerselier; VIII, p. 298 Cousin; ibid. p. 304: Je n'ai pas encore fait imprimer mes cinq ou six feuilles de métaphysique, quoiqu'elles soient prêtes il y a long-temps; et ce qui m'en a empêché est que je ne désire point qu'elles tombent entre les mains des ministres, ni dorénavant en celles des PP. NN. (avec lesquels je prévois que je vais entrer en guerre), jusque' à ce que je les aie fait voir et approuver par divers docteurs, et, si je puis, par le corps de la Sorbonne . . . .
. . . je vous en envoierai dix ou douze exemplaires, ou plus, si vous jugez qu'il en soit besoin; car je n'en ferai pas imprimer davantage, et je vous prierai d'en être le distributeur et protecteur, et de ne les mettre qu'entre les mains des théologiens que vous jugerez les plus capables, les moins préoccupés des erreurs de l'école, les moins intéressés à les maintenir, et enfin les plus gens de bien etc.

einigen andern zeige. Mit der Approbation von ge wenigen könne man es alsdann drucken, und wolle er, Mersenne einverstanden sei, das Buch den Herrn der So: in ihrer Gesammtheit widmen, um sie zu bitten, sein schützer zu sein. „Denn ich muss sagen", fügt er hinzu, die Sophistikationen von einigen Leuten mich zu dem schlusse gebracht haben, mich in Zukunft soviel als m durch die Autorität anderer zu decken, da die Wahrh wenig geschützt wird, wenn sie allein steht."[1])

Um die Bedeutung dieser Pläne zu verstehen, muss sich erinnern, dass zwischen der Sorbonne und den Je von Alters her Spannungen und Zwistigkeiten bestanden vorangehende Menschenalter wai angefüllt mit Conflikte denen bald die einen, bald die andere als Sieger hervorgin Und ebenso waren die Beziehungen der Jesuiten zu den torianern nicht immer die freundlichsten. Der oben ge P. Gibieuf aber gehörte beiden Gruppen an. Er war I der Sorbonne und einer der Gründer und Leiter des Orato: und in dieser letzteren Eigenschaft gelegentlich in eine gelegenheit betheiligt gewesen, in welcher die Jesuiten das Oratorium Stellung genommen hatten.[2]) Man sieht nach, Descartes ist bemüht, nachdem das frühere freun Verhältniss in sein Gegentheil umgeschlagen ist, Bun nossen und Vertheidiger bei den Gegnern seiner ehem Freunde zu gewinnen.

Am 10. oder 11. November 1640 schickte er das I skript an Mersenne ab. Sobald es von Gibieuf und zwei drei andern gesehen ist, soll es gedruckt und sodann der handschriftlichen Widmung der Genossenschaft der S vorgelegt werden. Das Urtheil der letzteren sammt d mungsschreiben mag man an den Kopf des Buches

---

[1]) II, 43 Clerselier; VIII, p. 346 Cousin.

[2]) Piaget a. a. O. p. 395 ff., womit zu vergleichen Crét Joly a. a. O. 419 ff., 429 ff.

[3]) Piaget a. a. O. p. 514 ff.

[4]) II, 47 Clerselier; VIII, p. 395 Cousin: .. il me semble meilleur serait, après que tout aura été vu par le P. G., et, s'

Noch am 4. März des folgenden Jahres schrieb Descartes
an Mersenne, er habe ihm sein Manuskript geschickt, um das
Urtheil der Sorbonnisten zu erhalten, nicht aber um seine Zeit
zu verlieren, indem er gegen alle kleinen Geister disputire, denen
es einfallen könnte, ihm ihre Einwürfe zu schicken.[1]) In der
Ausführung erlitt der ursprüngliche Plan jedoch sehr erhebliche Modifikationen. Zwar blieb es bei der Widmung an die
Sorbonne, von einer ausdrücklichen Gutheissung durch dieselbe
aber verlautet nichts und das erste Blatt zeigt lediglich den
kurzen Vermerk „mit Approbation der Doktoren".[2])

---

plait, par un ou deux autres de vos amis, qu'on imprimât le traité sans
la lettre ... et qu'on le présentât ainsi imprimé au corps de la Sorbonne
avec la lettre écrite à la main. En suite de quoi il me semble que le
droit du jeu sera, qu'ils commettent quelques uns d'entre eux pour l'examiner,
et il leur faudra donner autant d'exemplaires pour cela qu'ils en auront
besoin, ou plutôt autant qu'ils sont de docteurs, et s'ils trouvent quelque
chose à objecter, qu'ils me l'envoient afin que j'y réponde, ce qu'on
pourra faire imprimer à la fin du livre. Et après cela il me semble
qu'ils ne pourront refuser de donner leur jugement, lequel pourra être
imprimé au commencement du livre avec la lettre que je leur écris.
Vom selben Datum ein Brief an einen Doktor der Sorbonne II, 46 Clers.,
VIII, 393 Cousin.

[1]) Brieffragment, herausgegeben von Tannery im Archiv f. Gesch.
d. Philos., IV, S. 446.

[2]) Baillet a. a. O. p. 137 sagt mit Bezug auf Mersenne: Au lieu
de se contenter de faire marquer au bas de la prémiére feuille que le
livre paraissait avec l'approbation des Docteurs comme avec le
privilège du Roy, nous souhaiterions aujourd' hui qu'il eût fait mettre
une copie de ces approbations en bonne forme, comme il a eu soin de
n'y pas omettre l'extrait du privilège. — Man versteht hiernach und
nach dem im Texte Mitgetheilten nicht, wie Descartes in einem Briefe
an den P. Gibieuf, wahrscheinlich im Jahre 1642, schreiben konnte:
Mon espérance n'a point été d'obtenir leur approbation en corps; j'ai
trop bien su et prédit, il y a long-temps, que mes pensées ne seraient
pas au goût de la multitude, et qu'où la pluralité des voix aurait lieu,
elles seraient aisément condamnées. Je n'ai pas aussi désiré celle des
particuliers, à cause que je serais marri qu'ils fissent rien à mon sujet
qui pût être désagréable à leurs confrères, et aussi qu'elle s'obtient si
facilement pour les autres livres, que j'ai cru que la cause pour laquelle
on pourrait juger que je ne l'ai pas ne me seroit point désavantageuse;

Inzwischen hatte er sich noch mit einem andern Ge⸤
getragen. In dem angeführten Briefe vom 30. Septembe
spricht er davon, dass er in vier bis fünf Monaten di⸤
würfe der Jesuiten erwarte, sich also in Positur setzen
sie zu empfangen. Er will daher ihre, seit zwanzig ⸤
von ihm vernachlässigte Philosophie wieder einmal na⸤l
ob sie ihm vielleicht jetzt besser zusagt, wie früher.
senne soll ihm die Namen der in den Jesuitenschulen geb⸤
lichen neuen Lehrbücher nennen. Er selbst erinnert si⸤
noch an den bänderreichen Cursus der Philosophie, welch⸤
Jesuiten von Coimbra in Form von Kommentaren zu Aris⸤
herausgegeben hatten. Auch möchte er ein anderes sch⸤
sches Compendium kennen und hat von einem solchen g⸤
das von einem Karthäuser oder Feuillanten herrührt.[1])

Nach Baillet[2]) hätte Mersenne die Absicht, den 1⸤
mit der Schulphilosophie aufzunehmen, lebhaft unter
Descartes, der in einem Buchladen in Leyden die kleine S⸤
Philosophiae des P. Eustachius a Sto. Paulo aus der K⸤
gation der Feuillanten[3]) aufgetrieben hatte, schrieb ih⸤
11. November[4]), eine Widerlegung der Scholastik sei⸤

---

mais cela ne m'a pas empêché d'offrir mes Méditations à votre
afin de les faire d'autant mieux examiner, et que si ceux d'un c⸤
celèbre ne trouvaient point de justes raisons pour les reprendre, c⸤
pût assurer des vérités quelles contiennent. I, 105 Clers.; VIII, 568
ibid. p. 569 f. Weder was Descartes eigentlich wollte, noch was⸤
der Sorbonnisten geschah, lässt sich hieraus mit Sicherheit erke⸤

[1]) II, 43 Clerselier; VIII, p. 346 Cousin.
[2]) A. a. O. p. 86.
[3]) Die aus dem Cistercienserorden hervorgegangene, von Si.
1589 bestätigte Kongregation führte ihren Namen von dem
kloster Les Feuillans (Haute-Garonne). Näheres über den P. Eus⸤
bei Baillet a. a. O. p. 97. Sein philosophisches Compendium
gedruckt, auch in Köln 1616 und 1620; von den vier kleinen Bä⸤
enthält das erste die Logik (De optimo disserendi usu), das zw⸤
Ethik (De iis quae spectant ad mores), das dritte die Physik (De⸤
et iis quae natura constant), der vierte die Metaphysik (De ente⸤
stantiis separatis).
[4]) II, 45 Clerselier; VIII, p. 387 Cousin.

schwierig wegen der grossen Verschiedenheit der Meinungen.
Man könne nämlich leicht die Grundlagen umstürzen, in
denen alle übereinkommen, wodurch dann sofort die sämmtlichen Streitigkeiten über besondere Schulmeinungen hinfällig
würden. Er habe vor, einer kurzen systematischen Darstellung seiner eigenen Philosophie eine solche des scholastischen
Lehrgebäudes gegenüberzustellen, wozu sich vielleicht das erwähnte Compendium, welches ihm in seiner Art vortrefflich
schien, gut eignen werde. Eine Vergleichung der beiden mit
einander sollte den Schluss machen.¹) Doch sollte Mersenne
nicht davon reden, ehe die Meditationen heraus sind, sonst
würde am Ende die angestrebte Approbation der Sorbonne
verhindert, die seinen Absichten doch ausserordentlich dienlich
sein könnte.²)

Am 3. December hat er das Buch des P. Eustachius durch-
gelesen. Er bedauert, dass die Conimbricenses so ausführlich
sind, denn er hätte doch lieber mit der grossen Gesellschaft
Jesu zu thun, als mit einem ausserhalb derselben stehenden
Einzelnen.³) Drei Tage später ist er mit der Ausführung des
Planes beschäftigt. Er möchte wissen, ob der P. Eustachius
noch lebt, da man alsdann, wie er schon in einem früheren
Briefe bemerkt hatte, seine Erlaubniss nachsuchen müsste.⁴)

---

¹) Ibid. p. 386: Pour la philosophie de l'école, je ne la tiens nulle-
ment difficile à réfuter, à cause des diversités de leurs opinions; car on
peut aisément renverser tous les fondements desquels ils sont d'accord
entre eux, et cela fait, toutes leurs disputes particulières paraissent
ineptes. J'ai acheté la Philosophie du frère Eust. a Sancto P., qui me
semble le meilleur livre qui ait jamais été fait en cette matière, je serai
bien aise de savoir si l'auteur vit encore.
²) Ibid. p. 390: Je vous supplie de ne rien encore dire à personne
de ce dessein, surtout avant que ma Métaphysique soit imprimée . . . .
Cela pourrait aussi peut-être empêcher l'approbation de la Sorbonne que
je désire, et qui me semble pouvoir extrêmement servir à mes desseins:
car je vous dirai que ce peu de métaphysique que je vous envoie contient
tous les principes de ma physique.
³) III. 14 Clerselier; VIII, p. 409 Cousin.
⁴) II, 49 Clerselier; VIII, p. 401 Cousin.

Am 3. Januar meldet ihm Mersenne den Tod desselb
Descartes' Antwortschreiben vom 21. ersehen wir, da
dem Plane festhielt.[1])

Längere Zeit erfahren wir nichts mehr darüber,
in einem Briefe an Mersenne vom 22. December 16
Nachricht überrascht, er habe es aufgegeben, die sch
Philosophie in der beschriebenen Weise zu bekämpfen
widerlegen. Dieselbe sei ohnehin durch die Aufstellu
neuen Philosophie zu Grunde gerichtet. Uebrigens
nichts versprechen, da er seinen Plan ändern könnt
senne braucht für ihn nichts zu fürchten, die Jesuite
ebensoviel Grund sich mit ihm gut zu stellen, als er m
Wollten sie seinen Absichten entgegentreten, so würdei
nöthigen, eines ihrer Lehrbücher einer Prüfung zu un
und zwar in einer Weise, dass die Schande für im
ihnen haften bliebe.

Gleichzeitig mit diesem Briefe schickte er einen
lateinisch geschriebenen zur Beantwortung einer Anfr
ihm Mersenne im Namen der Jesuiten hatte zukommei
Derselbe soll dem P. Provincial vorgelegt werden. „I
mich zwar gestellt", bemerkt er, „als wagte ich
bitten, den Brief den P. Provincial sehen zu lassen,
aber sehr betrübt, wenn er ihn nicht sähe." Das A
Provincials für Frankreich bekleidete seit 1639 der
der in La Flèche Descartes' Studienpräfekt gewesen w

Der Brief fehlt bei Clerselier und auch Baillet
wie es scheint, nicht gekannt. Er ist vor einigen Jah
Tannery im Archiv für Geschichte der Philosophie[2])
gegeben und damit unsre Kenntniss der merkwürdig
handlungen um ein wichtiges Glied bereichert worden.

Bei Descartes gehen fortwährend zwei Anschauun
demgemäss zweierlei Stimmungen neben einander her,

---

[1]) II, 52 Clerselier; VIII, p. 440 Cousin.
[2]) III, 28 Clerselier; VIII, p. 560 Cousin.
[3]) 1891, Bd. IV, 538 ff.

wechseln mit einander ab. Das einemal sieht er den ganzen
Orden wie eine geschlossene Streitmacht gegen sich anrücken,
dann sinnt er auf energische Abwehr und der Angriff erscheint
ihm als die beste Form derselben. Offener Kampf ist ihm
lieber als verdeckte Feindschaft, aber dann Kampf gegen die
Gesellschaft im Ganzen, nicht gegen einzelne Mitglieder, die
vielleicht nachträglich desavouirt werden. Daneben aber tritt
von Anfang an die Hoffnung hervor, den Urheber des Angriffs
im Collège Clermont von den übrigen zu trennen. Nur so
erklären sich Einzelnheiten in seinem Verhalten, welche an
einem strengen Massstabe gemessen, nicht in allewege mit
den Begriffen von Aufrichtigkeit und Loyalität zu vereinbaren
sind. Freilich muss nochmals daran erinnert werden, dass
das Material unvollständig ist und uns namentlich die Schrift-
stücke von der Gegenseite so gut wie ganz fehlen.

Beim Beginne versucht er, zwischen dem Urheber der
Thesen und dem Verfasser der Velitatio zu unterscheiden und
thut, als wisse er nicht, dass beide eine und dieselbe Person
sind. Am meisten hatte die Velitatio seinen Unwillen erregt.
Der P. Bourdin, heisst es in dem früher angeführten Briefe
an Mersenne vom 30. Juli 1640 schreibe ihm Dinge zu, die
er nie gesagt habe, und setze ihn so vor seinen urtheilslosen
Zuhörern herab. Wenn er am Leben bleibe, werde er 'die
Wahrheit über dieses Vorgehen an's Licht bringen, inzwischen
mögen alle darum wissen, denen Mersenne seine Antwort zu
zeigen beliebt.[1]) Diese Antwort liegt vor in einem lateinischen
Schreiben vom selben Datum.[2]) Er hätte sich begnügen können,
heisst es darin, einfach zu constatiren, dass der Verfasser ihn
Dinge sagen lasse, die er nicht gesagt habe, er will ihm jedoch
eine Antwort geben, damit jener nicht behauptet, er habe ihn
nicht widerlegen können. Näher befassen aber will er sich
nicht mit ihm, um so weniger, als er Einwendungen über den

---

[1]) II. 40 Clerselier; VIII. p. 298 Cousin. Ibid. p. 305 f.
[2]) III. 10 Clerselier; die französische Uebersetzung III, 11 Clerselier,
VIII; p. 366 Cousin.

nämlichen Gegenstand von den Jesuiten erwartet, die
Lehre von der Reflexion und Refraktion in Thesen ange
haben. Er hat sie vor acht Tagen gebeten — geme
der Brief an den Rektor des Collège Clermont — ihm
Ausführungen zu schicken, und zweifelt nicht, dass sie
Wunsch erfüllen werden. Und sollte er selbst von jen
panzerten Rittern besiegt werden, so wäre ihm dies
wie er mit Anspielung auf den Titel Velitatio sagt,
Triumph über einen blossen Plänkler.[1]) Inzwischen hatt
Freunde, welche jenes Schreiben an den Rektor überm
sollten, Anstand genommen, dasselbe abzugeben. Am 30. /
schreibt Descartes neuerdings zwei Briefe an Mersenne, d
ist nur für ihn bestimmt, der andere, lateinisch geschri
soll gezeigt werden. In dem ersten[2]) heisst es, aus de
gehen des P. Bourdin und mehrerer anderer — wer die
erfahren wir nicht —, habe er ersehen, dass mehrere Je
unvortheilhaft von ihm sprechen, und können sie ihm
nicht schaden durch die Stärke ihrer Gründe, so doch vi
durch die Zahl ihrer Stimmen. Eben darum wolle
nicht mit den einzelnen auseinandersetzen, es würde di
endloses und unmögliches Beginnen sein, vielmehr fü
sich stark genug, ihnen allen zusammen Widerstand zu l
Mögen sie ihm also ihre Beweisgründe vorlegen, oder ih
ausdrücklich abschlagen. Das letztere würde bedeuten
sie ihm nichts zu antworten wissen. Was dann nachh
einzelner gegen ihn sagt, hat keine Bedeutung mehr.
will er die Jesuiten mit aller Hochachtung behandeln,
ein etwa zu erwartendes anderes Verhalten von ihrer
ganz auf sie zurückfalle.[3]) Die Hauptsache ist für je
dass der Brief vorgezeigt wird, denn er würde Unrecht

---

[1]) Et vel vinci malim ab istis catafractis, quam de
triumphare.

[2]) III, 7 Clerselier; VIII, 322 Cousin.

[3]) Je tâche à les traiter avec tant de respect et de sour
qu'ils ne peuvent témoigner aucune haine ou mépris contre m
cela ne leur tourne à blâme et ne soit à leur confusion.

sie öffentlich anzugreifen, ohne zuvor den Versuch einer privaten Verständigung gemacht zu haben.

Dass der zweite, zum Vorzeigen bestimmte Brief[1]) einen etwas anderen Ton anschlägt, ist natürlich. Die Freunde, heisst es darin, hätten wohl gefürchtet, durch Abgabe des Briefes die ganze Gesellschaft gegen ihn mobil zu machen, deren Ansturm er nicht gewachsen sein würde. Er aber habe gerade umgekehrt gehofft, sich durch denselben das Wohlwollen der Jesuiten zu erwerben. Seien diese doch stets bereit, gelehrigen Leuten von ihrem Wissen mitzutheilen, also sicherlich auch ihm, ihrem ehemaligen Schüler, der jederzeit eine besondere Verehrung für sie an den Tag gelegt hat. Und so hätte er denn gehofft, viel mehr und viel bessere Einwürfe von dort gegen seine Aufstellungen zu erhalten. Denn dass sie gar nichts in denselben zu widerlegen fänden und etwa darum seine Herausforderung übel genommen hätten, bilde er sich nicht ein. Dass er sich aber an den Rektor und nicht an den Urheber der Thesen gewendet habe, könne keinen Vorwurf gegen ihn abgeben, denn er kenne den letzteren nicht und nach seinem Vorgehen scheine derselbe nicht von Empfindungen christlicher Liebe erfüllt zu sein. In jedem gesunden Körper könne es aber gelegentlich ein einzelnes ungesundes Glied geben.[2]) Und nachdem er in Erfahrung gebracht, der Urheber der Thesen sei mit dem Verfasser der Velitatio identisch, habe er um so mehr Anlass, sich an die Gesellschaft zu wenden, damit die Obern von dem ihrer wenig würdigen Verhalten eines Mitgliedes Kenntniss gewännen, das sich nicht gescheut habe, ihm falsche Ansichten unterzuschieben. Neuerdings habe er von dort Mittheilung erhalten, P. Bourdin sei auf eigene Faust vorgegangen und wolle ihm nunmehr in sechs Monaten seine Ausführungen schicken, die er nicht veröffentlichen werde, ehe Descartes sie gesehen. Aber darauf lege er keinen Werth, vielmehr erhoffe

---

[1]) III, 8 Clerselier; die französische Uebersetzung III, 9 Clerselier, VIII, p. 330 Cousin.

[2]) Omnes sciunt nullum unquam esse corpus tam sanum, in quo non interdum aliqua pars aliquantulum laboret.

er als Erfolg seines Briefes an den Rektor, dass ihm
meinschaftliche und durchgeprüfte Arbeit der tüchtigste
zugehen werde, damit er darin entweder eine Beseitigun
Irrthümer oder eine Bestätigung der von ihm aufge
Wahrheiten finde. Nicht ohne Selbstgefühl spricht er
von der Anerkennung, die seine Leistungen in der Matl
auch bei Gegnern gefunden hätten.

Im Collège Clermont war man indessen nicht gene
Gesellschaft als solche in den Streit zu verwickeln, u
Rektor, dem endlich im Oktober die Briefe zu Gesicht
beauftragte den P. Bourdin selbst den Handel mit D
zu schlichten.[1]) Dieser war übrigens schon vorher mit
Briefwechsel getreten.[2]) Nach dem einzigen Antwortsc
Descartes' vom 7. September[3]), welches davon übrig ist,
die gegenseitige Aussprache eine unfreundliche gewesen
Trotzdem unterzog er sich selbstverständlich dem ihm ge
Befehle und schrieb an Descartes, dass er sich in Zukun
speciellen Bekämpfung seiner Ansichten enthalten werde.
der auf den Erfolg seines für den Rektor bestimmten
wartete, zudem er, wir wissen nicht wann und von we
Antwort der Jesuiten angekündigt erhalten hatte,
diese letztere in dem Briefe Bourdins erblicken zu soll
mal derselbe mit dem Siegel der Gesellschaft versehe
und fand sich nur halb befriedigt.[4]) Eine neue Verwic

---

[1]) Baillet a. a. O. p. 81: Le P. Recteur ne parut point m
fait des sentimens de son coeur, mais il ne crut pas que toute
pagnie dût s'intéresser dans un différent où elle n'avait aucune

[2]) Baillet a. a. O. p. 79.

[3]) III, 15 Clerselier; die französische Uebersetzung III, 16 C'
VIII, p. 338 Cousin.

[4]) Baillet a. a. O. p. 81. III, 12 Clerselier (die franz. Uebe
III, 13 Clerselier, VIII, p. 858 Cousin): Quod autem addant, N u
se suscipi, nec iri susceptum peculiare praelium ac
meas opiniones, nescire an mihi gaudendum sit vel dolendun
si forte abstineant, ut mihi gratificentur, tamquam si ex illorum
essem qui aegre ferunt sibi contradici, valde doleo nondum ip
persuaderi, me nihil magis optare quam ut discam atque ut m

trat sodann dadurch ein, dass Mersenne an Descartes noch
ausserdem ein nicht für denselben bestimmtes Privatschreiben
Bourdins geschickt hatte, und während dieses durch seinen Inhalt neuerdings Descartes' Unwillen erregte, war der Pater
seinerseits über den Vertrauensbruch ungehalten.[1]) Nun legten
sich Freunde in's Mittel, insbesondere war der Mathematiker
Desargues bemüht, Bourdin friedlich zu stimmen.[2]) Descartes
wollte einstweilen noch nichts von Versöhnung wissen, er sah
in Bourdins Ausführungen nur Sophisterei und bösen Willen[3])
und schrieb noch am 8. Januar 1641 an Mersenne, wenn er
erführe, dass einer oder der andere von den Jesuiten in ihren
Lehrvorträgen ungerechte Angriffe gegen ihn richte, so werde
er es geeigneten Orts an die Oeffentlichkeit bringen, auch
werde er sich zu verschaffen suchen, was der P. Bourdin zur
Zeit seinen Schülern über die Reflexion vortrage.[4])

Die nächsten Monate waren ausgefüllt mit dem Drucke
und der Fertigstellung der Meditationen, welche bekanntlich
zugleich mit der Beantwortung verschiedener Einwürfe erschienen. Mersenne hatte dieselben gesammelt und Descartes
übermittelt, ohne sich dabei an die ihm ursprünglich vor-
gezeichneten engen Grenzen zu halten. In einem Briefe vom
28. Februar 1641 dankt ihm Descartes für die aufgewandte
Mühe und fügt am Schlusse die charakteristische Aeusserung
hinzu: „Unter uns gesagt, diese sechs Meditationen enthalten
die sämmtlichen Grundlagen meiner Physik, aber das bitte ich,

---

niones, si quae falsae sint, et mature et ab illis potissimum refutentur
ne familiam ducant. Si vero aliam ob causam abstineant, quia tantum
una alia esse potest, quod nempe nihil (saltem quod sit operae pretium)
in meis scriptis invenerint, quod falsitatis argui possit, admodum laetor.
Et sane sola est tenuitatis meae conscientia, quae prohibet, ne in hanc
maxime partem propendeam. Gleichzeitig mit diesem, zum Vorzeigen
bestimmten Schreiben lässt er am 28. Oktober 1640 einen Privatbrief an
Mersenne abgehen, II, 44 Clerselier, VIII, p. 377 Cousin.

[1]) Baillet a. a. O. 82 f.
[2]) II, 48 Clerselier, VIII, p. 397 Cousin.
[3]) III, 14 Clerselier, VIII, p. 409 Cousin.
[4]) II, 51 Clerselier, VIII, p. 434 Cousin.

nicht zu sagen, denn die Anhänger des Aristoteles kö
sonst vielleicht mehr Schwierigkeiten machen, ihre Zustim
zu geben. Von den Lesern hoffe ich, dass sie sich unmei
an meine Principien gewöhnen und zuvor die Wahrheit
selben anerkennen werden, ehe sie merken, dass die Princ
des Aristoteles damit zusammenstürzen."[1] Hiermit ver
sich vollkommen, wenn er erklärt, mit Einwürfen, die
weiter nichts, als die Autorität des Aristoteles und s
Schule entgegenzuhalten wüssten, mühe er sich nicht w
ab, da ihm die Vernunft mehr gelte.[2]

Nicht ohne eine gewisse Verwunderung liest man dag
einen Brief, den die handschriftlichen Bemerkungen im E
plar des Pariser Instituts mit triftigen Gründen in den At
des gleichen Jahres verlegen.[3] Derselbe ist an einen
genannten Freund gerichtet, welcher Descartes wegen
Erziehung seines Sohnes um Rath gefragt hatte. „Obgle
heisst es darin, „meine Meinung nicht ist, als ob alles,
in der Philosophie gelehrt zu werden pflegt, wahr wäre,
das Evangelium, so glaube ich trotzdem, weil eben die ■
sophie den Schlüssel der übrigen Wissenschaften besitzt,
es sehr nützlich ist, einen vollständigen Cursus derselben ■
gemacht zu haben, in der Weise wie er in den Anstalte
Jesuiten vorgetragen wird, ehe man seinen Geist über
Schulweisheit erhebt und ein Gelehrter richtiger Art ■
Und ich muss meinen Lehrern die Ehre anthun, zu erä
dass man sie nirgendwo besser vorträgt, als in La Flech

---

[1] II, 53 Clerselier, VIII, p. 491 Cousin. 8. S. 355, Anm. 2. ■
Fischer a. a. O. S. 220.

[2] II, 16 Clerselier, VIII, p. 266 Cousin.

[3] II, 90 Clerselier, VIII, p. 546 Cousin.

[4] Man vgl. übrigens damit die folgende Stelle in den Regul
dirigendum animum: Neque tamen idcirco damnamus illam, quam s
hactenus invenerunt, philosophandi rationem et scholasticorum ■
bellis probabilium syllogismorum tormenta, quippe exercent ■
ingenia, et cum quadam aemulatione promovent, quae longe meli
eiusmodi opinionibus informari, etiamsi illas incertas esse appareat
inter eruditos sint controversae, quam si libera sibi ipsis ■

So deutlich sich Descartes des Gegensatzes seiner Lehre,
wenigstens seiner naturwissenschaftlichen und naturphilosophischen Aufstellungen, zu den herrschenden Meinungen bewusst
war, und so abfällig er sich gelegentlich über die letzteren
und ihre Vertreter äussert, eine radikale Opposition, das beweist dieser Brief, lag nicht in seinem Charakter. Auch das
aber wird man demselben entnehmen können, dass ihn um jene
Zeit wieder eine freundlichere Stimmung gegen die Jesuiten
erfüllte und er jedenfalls nicht gewillt war, bei Dritten als ein
Gegner derselben zu gelten.

Am 28. August 1641 verliess die erste Auflage der Meditationen in Paris die Presse und gewann sofort die Aufmerksamkeit aller wissenschaftlichen Kreise. Dass man sich auch bei
den Jesuiten damit beschäftigte, war natürlich. In der Briefsammlung findet sich jedoch hier eine Lücke, da Mersenne im
Herbst des genannten Jahres eine Reise nach Rom unternommen hatte.[1]) Die erste Nachricht gibt das schon früher
erwähnte Schreiben vom 22. December, worin die Absicht, eine
Widerlegung der Scholastik zu veröffentlichen, als eine auf-
gegebene erwähnt wird.[2]) Welcher Art die Botschaft war, die
ihm die Jesuiten durch Mersenne hatten zukommen lassen,
wird nicht völlig klar, Descartes aber wünscht, dass dieser
künftig keine mündlichen Aufträge mehr entgegennehmen möge,
die nachträglich desavouirt werden könnten. Sodann erfahren
wir, dass P. Bourdin brieflich angefragt hatte, ob es wahr sei,
dass Descartes gegen die Jesuiten schreibe. Hierauf bezieht

---

fortasse enim ad precipitia pergerent sine duce; sed quamdiu praecep-
torum vestigiis insistent, licet a vero nonnunquam deflectant, certe tamen
iter capessent, saltem hoc nomine magis securum, quod iam a pruden-
tioribus fuerit probatum. Atque ipsimet gaudemus, nos etiam olim ita
in scholis fuisse institutos. Reg. II, XI, p. 206 Cousin. — Ist die Datirung
des angeführten Briefes zutreffend, so wird damit das Argument hinfällig, welches Mellin (Histoire de D. avant 1639 p. 160) dieser Stelle
entnimmt, um die Abfassung der Regulae in eine frühe Periode zu
verschen.

[1]) Baillet a. a. O. p. 137, p. 158.
[2]) Oben S. 356, Anm. 2.

sich die oben angeführte Antwort in dem von Tannery
öffentlichten lateinischen Schreiben, das dem P. Provincial
gelegt werden sollte.[1])

Descartes spricht darin seine Verwunderung aus über
an ihn ergangene Anfrage. Gegen die Jesuiten zu schrei
würde durchaus gegen seine Lebensgewohnheiten versto
und ebenso gegen seine Verehrung für die Gesellschaft.[2])
schreibe eine Summa philosophiae, die allerdings vieles enth
was von dem in ihren Schulen Gelehrten abweiche. Abe
er frei von jedem Geiste des Widerspruchs und nur erfüllt
von der Liebe zur Wahrheit, so sei er sich auch bewusst, n
gegen, sondern für die Jesuiten zu schreiben, die ja die eif
sten Liebhaber der Wahrheit seien. Dann folgen sechs
miror beginnende Sätze. Descartes verwundert sich, dass
P. Bourdin im Namen der Gesellschaft eine Abhandlung
fasst und dem P. Provincial gezeigt hat, in welcher er zu
weisen vorgibt, dass alles was Descartes über Metaphysik
schrieben habe, falsch oder lächerlich oder wenigstens un
sei, die er aber nicht veröffentlichen will, falls Descartes ni
gegen die Gesellschaft schreibt. Er wundert sich, dass Bour
dem doch das frühere Geplänkel gegen die Dioptrik nicht
derlich geglückt ist, lieber ihn als einen andern angreift,
er mit der Veröffentlichung einer Abhandlung droht, nach
er früher trotz aller Bitten und Beschwörungen und eige
Versprechen nicht zur Herausgabe des gegen die Dioptrik
schriebenen zu bestimmen war. Es wundert ihn, dass so o
zugestanden wird, die Jesuiten würden eine gegen sie gericht
Schrift unliebsam empfinden, als ob er so bedeutend wäre,
von ihnen als Gegner gefürchtet zu werden. Es wundert
dass jener die Voraussicht so weit getrieben und sich zur H
gerüstet hat, noch ehe er sich erkundigt hatte, ob es wahr
dass er, Descartes, eine solche Schrift vorbereite. Thatsäch
sei dies nicht wahr. Er verwundert sich über die vor

---

[1]) Oben S. 356, Anm. 3.

[2]) Hoc enim a moribus meis vitaeque instituto, et a perpetua
in ipsos observantia quam maxime est alienum.

schlagenen Friedensbedingungen, da jener doch weiss, dass er
nichts mehr wünscht, als von möglichst vielen und gelehrten
Männern angegriffen zu werden, damit die Wahrheit seiner
Lehren um so deutlicher hervortrete. Mersenne möge in jeder
Weise den P. Bourdin zu bestimmen suchen, dass er seine Abhandlung entweder veröffentliche oder an Descartes einsende,
damit dieser sie den übrigen Einwürfen zu seinen Meditationen
hinzufügen könne. Am meisten aber wundern ihn die angedeuteten Drohungen. Weil ihm die lateinische Uebersetzung
nicht genau genug ist, wiederholt er wörtlich, was Mersenne
ihm mitgetheilt hatte: Le R. P. Bourdin m'a bien fait voir
combien ils vous peuvent aysement perdre de réputation à
Rome et partout. Diese Drohungen lassen ihn völlig kalt. Er
ist überzeugt, dass sie lediglich von dem einen Manne ausgehen, der ein Interesse daran hat, einen feindseligen Schriften-
wechsel zwischen Descartes und der Gesellschaft herbeizuführen,
weil er es übel erträgt, dass dieser in dem früheren Falle ihn
von den übrigen Ordensgenossen zu trennen und die eigene
Vertheidigung so zu führen gewusst hat, dass er dabei zugleich
darauf bedacht war, durch den schuldigen Respekt das Wohlwollen der Gesellschaft zu verdienen.[1]) Darum wünscht er
nichts mehr, als dass der Provincial, P. Dinet, von dem allem
unterrichtet würde. Denn bei der ihm noch sehr wohl erinner-
lichen hohen Weisheit dieses seines früheren Studienpräfekts
von La Flèche bezweifelt er nicht, dass wenn er nur Gelegenheit hätte, ihm seine Absichten zu erklären, er leicht durch
ihn die Gunst und das Wohlwollen der ganzen Gesellschaft gewinnen und sogar den P. Bourdin versöhnen könne. Nur ganz
leise aber will er am Schlusse noch beifügen, dass es nach
seiner ernsten Ueberzeugung durchaus in dem eigenen Interesse
der Jesuiten gelegen sei, seine Absichten zu fördern.[2])

---

[1]) Multoque est credibilius ipsum, qui me iam superiore anno sine
ulla ratione lacessivit, dolere quod non omnes suos in eadem secum causa
coniunxerim, sed ita ius meum tueri conatus sim ut simul etiam Societatis benevolentiam omni cultu atque observantia demereri studerem.

[2]) Sed in aure tantum dicam me serio mihi persuadere non magis
~~mea quam~~ ipsorum gloriae interesse ut faveant meis institutis.

Verhandlungen mit dem P. Bourdin und wegen desselb
kann man ebensogut umgekehrt fragen: welches I₁
hatten die in den Utrechter Handel verwickelten Perso
dem Inhalte dieses Berichts? Im übrigen ist der Zweck
dieses Abschnittes völlig klar. Descartes will vor der (
lichkeit so, wie er es Mersenne angekündigt hatte,
Bourdin von den Jesuiten in ihrer Gesammtheit trenː
zwischen beiden einen Gegensatz statuiren. Jener erschː
ein zurückgebliebener eitler Schulfuchs, der sich nicht
zu Verdrehungen und Sophistikationen zu greifen, die Mː
der Ordensgenossen dagegen als erleuchtete, von Waɪ
liebe erfüllte und darum auch für die neue Lehre zugä
Männer. Das früher gebrauchte Bild kehrt wieder vɣ
einen kranken Gliede in einem übrigens gesunden Organi
Von seiner Philosophie spricht er mit grosser Zuversicht
selbe stützt sich nicht auf willkürliche neue Erfindungɡ
sie gerade bei den Aristotelikern jeden Tag gemacht unɖ
Tag wieder abgeändert werden, sondern nur auf die
meinsten und darum von Anfang an von allen Philɔ

d'occasion de m'adresser à tout le corps . . . . . mais je me ét
ce q'uil a osé m'envoyer sa belle vélitation. Auch die Beh
wenige Seiten später (p. 148), die Angriffe B.'s hätten ihn nicht
lich gekümmert, so lange sie nur seine mathematischen und pɪ
schen Ansichten betroffen hätten, wird durch die im Texte angɛ
Thatsachen widerlegt. Und wenn er kurz vorher (p. 147) es de
zum Vorwurfe macht, dass dieser eine Abhandlung gegen seine Meɬ
geschrieben habe, „quamvis . . . . ex quo nullum se peculiare ɪ
in meas opiniones suscepturum esse promiserat, nihil mihi nɛ
illo, vel alio ullo ex vestris intercessisset", so konnte man dɛ
leicht in den Kreisen des Ordens von seinen längere Zeit geheg
griffsplänen unterrichtet sein. Ist doch Descartes selbst überzeu
ihn die Jesuiten sorgsam beobachten (II, 48 Clerselier, VIII, p. 397
und dass sie überall ihre Correspondenten haben (II, 49 Clerseliː
p. 401 Cousin).

¹) Ib. p. 144: Ac proinde ut magna unius partis a commuɪ
corporis lege dissensio indicat ipsam morbo aliquo sibi peculiari ɪ
ita omnino ex dissertatione R. P. manifestum est ipsum ea saniɬ
frui, quae in reliquo vestro corpore existit. Vgl. oben S. 359, Aɪ

anerkannten Principien, aus denen demgemäss auch nur Sicheres
und Feststehendes abgeleitet wird. Weit entfernt darum, dass
aus ihr der Theologie irgend welche Gefahr erwachsen wird,
da ja Wahrheit der Wahrheit nicht widersprechen kann, gibt
sie vielmehr die besten Mittel an die Hand, die Lehren der
Religion zu erklären, während gerade umgekehrt in der Vulgär-
philosophie vieles sich findet, was mit theologischen Wahrheiten
streitet, wenn man dies auch zu verbergen sucht oder der langen
Gewöhnung wegen nicht mehr bemerkt. Dass die neue Philosophie die ungebildete Menge anlocken werde, ist nicht zu befürchten, zeigt doch schon jetzt die Erfahrung, dass es vorzüglich die besser unterrichteten sind, die sich ihr zuwenden.
Und ebensowenig ist zu befürchten, dass sie den Frieden unter
den Philosophen stören werde. Im Gegentheil, während die
Philosophen sich dergestalt mit allen möglichen Streitfragen
bekämpfen, dass der Krieg unter ihnen gar nicht grösser sein
könnte, gibt es kein besseres Mittel zur Herstellung des Friedens
und zur Verminderung der aus jenen Streitfragen täglich auf-
schiessenden Haeresien, als dass man sich wahren Lehrmeinungen zuwendet, wie sie erwiesenermassen die Cartesianische
Philosophie darbietet. Aber gerade diese Wahrheit und Gewissheit ist es, welche den Neid der Gegner erweckt und an
diesem Neide eine neue Bestätigung findet.

Damit ist der Uebergang gewonnen, um einen Bericht
über die Streitigkeiten in Utrecht folgen zu lassen, und zugleich der stärkste Schlag gegen Bourdin geführt, der so mit
Voëtius und seinem Anhange auf eine Stufe gestellt wird. Anfang Juni schrieb Descartes an Regius:[1] „Ich bin entzückt,
dass meine Geschichte des Voëtius Ihren Freunden nicht miss-
fallen hat. Ich habe noch niemand gesehen, nicht einmal einen
von den Theologen, der nicht froh gewesen wäre, ihm eines
über die Ohren gegeben zu sehen. Man kann mir nicht vor-
werfen, dass ich in meiner Erzählung zu piquant wäre. Ich
habe die Sache lediglich so erzählt, wie sie sich zugetragen

---

[1] I, 95 Clerselier, VIII, p. 627 Cousin.

hat. Ich habe mit noch grösserer Lebhaftigkeit gegen (
Jesuitenpater geschrieben."

Das Strafgericht, welches er an dem letzteren vollzog,
strenge, vielleicht zu strenge, wenn man die Unbedeuten(
der Person in's Auge fasst. Dass es nicht unverdient
zeigt ein Blick in die Objectiones et responsiones septi
Aber er wollte nicht nur das Strafgericht an diesem einen
vollziehen, er wollte durch Loslösung desselben von dem übe
sich das Wohlwollen der letzteren neuerdings sichern. Di
deuten nicht nur die wiederholten Versicherungen der H
achtung und Verehrung für die Gesellschaft überhaupt und
P. Dinet im besonderen, der Schluss des Briefes spricht es
umwunden aus. Kein Zweifel, heisst es hier, dass auch
richtig gesinnte Männer gegen seine Lehrmeinungen Verd
hegen, theils weil sie sehen, dass andere dieselben tadeln, (
aus dem einzigen Grunde, weil sie neue sind. Das kann (
Wunder nehmen. Fortwährend werden neue Meinungen
gebracht, von denen sich alsbald zeigt, dass sie keines
besser sind als die hergebrachten, sondern gefährlicher. F
man also solche, die die Cartesianischen noch nicht klar
gesehen haben um ihr Urtheil, so wird dieses begreiflic
weise in verwerfendem Sinne ausfallen. Und so müsst
fürchten, dass dieselben trotz ihrer Wahrheit von der Ge
schaft Jesu und allen mit dem Unterrichte befassten Geno
schaften verworfen würden, ebenso wie jüngst von dem Se
der Utrechter Universität, wenn er nicht hoffen dürfte, das
Pater Provincial bei seiner ganz besonderen Güte und Klu
sie in Schutz nehmen werde. Neuerdings bittet er daher di
entweder selbst oder durch berufene Kräfte eine gründ
Prüfung seiner in den bisher veröffentlichten Schriften en(
tenen Lehren vorzunehmen. Das Ergebniss ist ihm u
wichtiger, als er mit einer Darstellung seiner gesammten P
sophie beschäftigt ist. Sollte sich die Mehrheit der gele
Genossenschaften, auf bessere Gründe gestützt, jenem Utre
Verdammungsurtheile anschliessen, so würde er damit sur
halten. „Denn," heisst es wörtlich, „da ich nicht zweifle,

die Seite, auf welche Deine Gesellschaft sich wendet, das Uebergewicht über die andere davon tragen werde, so wirst Du mir
den grössten Dienst erweisen, wenn Du mir Deine und der
Deinigen Ansicht mittheilst, damit, wie ich im übrigen Leben
Euch stets besonders geachtet und verehrt habe, ich auch in
dieser, meines Erachtens nicht unwichtigen Angelegenheit nichts
unternehme, was Ihr nicht billigen würdet."

Vielleicht ist es hiernach auch nicht mehr schwierig, einen
inhaltlichen Zusammenhang zwischen den beiden Theilen des
offenen Briefes zu erkennen. In den Utrechter Streitigkeiten
spielte das confessionelle Moment eine Rolle, Voëtius war vor
allem bemüht, die neue Philosophie als gefährlich für den
Protestantismus erscheinen zu lassen.[1]) Konnte nicht Descartes
annehmen, dass der Bericht über die Angriffe, denen er von
dorther ausgesetzt war, ihm bei den Jesuiten als captatio
benevolentiae dienen würden? Und nach der anderen Seite
hin mochte es ihm erwünscht sein, sich durch die Anlehnung
an die mächtige und einflussreiche Genossenschaft den Rücken
zu decken. Kurze Zeit nach der Abfassung des an den P. Dinet
gerichteten Briefs wurde der P. Sirmond entlassen und der
erstere zum Beichtvater des Königs ernannt.[2]) In seinem drei
Jahre später verfassten Schreiben an die Obrigkeit von Utrecht[3])
verfehlt Descartes nicht, dieses wichtige und bedeutungsvolle
Amt auszuspielen: Nur die Feinde Frankreichs könnten es ihm
zum Vorwurfe machen, dass er die Freundschaft derer sucht,
denen die französischen Könige ihre innersten Gedanken mitzutheilen pflegen, indem sie sie zu ihren Beichtvätern erwählen.
Jedermann wisse, dass den Jesuiten in Frankreich diese Ehre
zukomme und dass eben der P. Dinet, bald nachdem er den
an ihn adressirten Brief veröffentlicht habe, zum Beichtvater
Ludwigs XIII. ernannt worden sei.

---

[1]) Kuno Fischer a. a. O. S. 228, 229.

[2]) Crétineau-Joly, a. a. O. p. 444; vgl. Grégoire, Histoire des
confesseurs des empereurs et rois. Piaget a. a. O. p. 620.

[3]) III, 1 Clerselier, IX, p. 250 Cousin; ib. p. 270.

Wie es sich aber auch mit diesem letzteren Moti
halten haben möge,[1]) sicher ist, dass Descartes bei den .
für die nächste Zeit wenigstens und innerhalb bes
Grenzen seine Absicht erreichte.[2]) Zwei Mitglieder des
die PP. Mesland und Vatier sprachen ihm noch im Herb
die volle Zustimmung zu seinen Meditationen aus. D
hatte es unternommen, dieselben in schulmässige M
bringen, und sich damit den Dank und die volle Anerk
des Autors erworben,[3]) der andere geht soweit, sich vd
der Art und Weise einverstanden zu erklären, in der D
versucht hatte, auf der Grundlage und mit den Principie
Philosophie das Altarsakrament zu erklären.[4]) Von V
keit ist besonders ein Brief an diesen letzteren vom 17. No
des genannten Jahres.[5]) Der P. Vatier hatte ihm geschl
dass er stets auf seiner Seite gestanden und alles mi
habe, was gegen ihn geschehen sei. Wie es scheint hat
nach der Veröffentlichung der Essays philosophiques ei
licher Austausch zwischen beiden Männern stattgefunde
Descartes Antwort erfahren wir nun weiter, dass diese
vor vier bis fünf Monaten, also, wenn die Angabe ge
kurz nach dem Erscheinen des Briefes an P. Dinet,

---

[1]) In dem von Foucher de Careil veröffentlichten Spa
den französischen Gesandten im Hag, de la Thuillière (Œuvres
de Descartes, II, p. 50), der wohl im Spätjahr 1643 geschrieben
D. ein anderes Motiv an: Obiter tantum in epistola in qua
quodam societatis conquerebar, et quam tunc commodam, eq
habebam, paucas de illo (sc. Voëtio) paginas inserui, nec duo
duas illas querelas simul iunxi, ut in iis non de religione,
de privatis iniuriis agi appareret, quia nempe cum
non alio modo quam cum patre societatis agebam, ac etia
pauciora de illo quam de hoc scribebam.

[2]) Baillet a. a. O. p. 159 ff.

[3]) Ein Bruchstück aus dem „sehr langen" Dankschreiben I
bei Baillet, p. 162.

[4]) Vgl. den Brief an Mersenne vom 17. Nov. 1642, III, 113 (
IX, p. 70 Cousin.

[5]) I, 116 Clerselier, IX, p. 62 Cousin.

anderes Mitglied des Ordens, den P. Charlet, geschrieben hatte.[1]) Dieser war ehemals Rektor in La Flèche gewesen und hatte sich des jungen Descartes, mit dem er verwandt war, mit besonderem Wohlwollen angenommen und ihm auch noch späterhin ein warmes Interesse bewahrt. Er bekleidete jetzt das wichtige Ordensamt eines Assistenten für Frankreich bei dem Jesuitengeneral in Rom.[2]) Descartes hatte ihn gebeten, wie er sich ausdrückt, die Akten seines Processes mit dem P. Bourdin zu prüfen. Sodann aber schreibt er an Vatier: „Ich bitte Sie ganz ergebenst, zu glauben, dass ich nur mit grossem Widerstreben auf die siebten Objektionen geantwortet habe, welche meinem Briefe an P. Dinet, den Sie gesehen haben, vorausgehen. Es hat mich ganz denselben Entschluss gekostet, wie wenn ich mir einen Arm oder ein Bein abgeschnitten hätte, weil ich kein sanfteres Mittel wusste, mich von einer Krankheit zu heilen."[3]) Aufs lebhafteste erklärt er sich dem P. Dinet verpflichtet wegen des Freimuths und der Klugheit, welche dieser bei der Angelegenheit bewiesen habe. Leider erfahren wir hierüber nichts näheres, zu Anfang Januar 1643 aber berichtet Descartes an Mersenne über Aeusserungen, welche der genannte Jesuitenpater, der sein Amt als Provincial an den P. Filleau abgegeben und in den Herbstmonaten des Vorjahrs eine Reise nach Rom unternommen hatte, ihm hatte zukommen lassen. Er glaubt denselben entnehmen zu dürfen, dass der P. Charlet

---

[1]) Ibid. p. 62 Cousin: Bien que je ne doute point que ce que j'ai écrit ne contienne plusieurs fautes, je me suis toutefois persuadé qu'il contenait aussi quelques vérités, qui donneraient sujet aux esprits de la trempe du vôtre, et qui auraient autant de franchise que vous, d'en excuser les défauts. Ce que je me suis persuadé de telle sorte, qu'en écrivant, il y a quatre ou cinq mois, au R. P. Charlet, touchant les objections du P. Bourdin, je le priai, si ses occupations le lui permettaient, qu'il examinât lui-même les pièces de mon procès, qu'il vous en voulût croire, vous et vos semblables, plutôt que les semblables de mon adversaire etc.

[2]) Baillet, I, p. 18, 28; II, p. 159, 165.

[3]) A. a. O. IX, p. 68 Cousin.

nur das Erscheinen seiner Principia philosophiae
sich offen für ihn zu erklären.[1])

Mehrere Briefe aus dem folgenden Jahre be
wiederhergestellten freundlichen Beziehungen.[2])
sorge Dinet's gelang es sogar, eine Aussöhnung D
dem P. Bourdin zu Stande zu bringen, die bei des
wesenheit in Paris im Oktober 1644 besiegelt wu
erzählt, Bourdin habe sich nicht mit de simples er
begnügen wollen, sondern sei bestrebt gewesen, D
veränderte Gesinnung durch die That zu bewei
allem, was zwischen den beiden Männern vorge
muss man darin ein merkwürdiges Beispiel von Fried
auch von Ordensdisciplin erblicken.

Im Juli 1644 erschienen die Principia philoso
seinem Aufenthalte in Paris schickte Descartes an ei
dessen Namen wir nicht kennen, zwölf Exemplare i
dieselben an die ihm befreundeten Mitglieder der
vor allem Charlet und Dinet zu vertheilen.[3]) In
fügten Schreiben an den ersteren[4]) spricht er sich
Zuversicht aus. Seine Lehren haben die volle
einer so grossen Anzahl von urtheilsfähigen Person
dass er eine Widerlegung kaum mehr zu fürchten
die sie unbedachterweise angreifen, wird daraus
erwachsen, und die klügeren werden eine Ehre d
die ersten zu sein, die ein günstiges Urtheil fällen.
aber finden sich die folgenden beiden Sätze: „Ich
man geglaubt hat, meine Meinungen wären neu, al
in dem Buche sehen, dass ich mich keines Prin

---

[1]) Baillet, II, p. 160.

[2]) III, 17 Clerselier, IX, p. 154 Cousin; I, 115 Clersel
Cousin; III, 18 Clerselier, IX, p. 174 Cousin.

[3]) Baillet a. a. O. p. 239, 264.

[4]) Ebenda p. 222.

[5]) III, 21 Clerselier, IX, p. 179 Cousin.

[6]) III, 19 Clerselier, IX, p. 176 Cousin. Das für P. Di
Begleitschreiben III, 20 Clerselier, IX, p. 178 Cousin.

das nicht von Aristoteles und allen denen angenommen worden
wäre, die sich jemals mit Philosophie befasst haben." Den
gleichen Gedanken hatte er auch in dem Briefe an Dinet ausgesprochen.[1]) Und sodann: „Man hat sich auch eingebildet,
ich beabsichtigte, die in den Schulen herkömmlichen Meinungen
zu widerlegen und lächerlich zu machen, aber man wird sehen,
dass ich davon so wenig rede, als ob ich sie niemals gelernt
hätte."

Der Brief wie das Werk fanden eine günstige Aufnahme.
Am 18. Dezember schreibt Descartes neuerdings an den P.
Charlet.[2]) Er ergeht sich in den verbindlichsten Wendungen,
bekennt aber zugleich, welch grossen Werth er auf das Wohlwollen und die Unterstützung seiner Philosophie von Seiten der
Gesellschaft Jesu lege. Sie stellt die Mehrheit unter denen,
die darüber urtheilen können. Sie hat es also in der Hand,
ob die Aufnahme eine rasche oder langsame sein wird. Lässt
sie sich durch das Wohlwollen für den Verfasser bestimmen,
seine Lehre zu prüfen, so wagt er zu hoffen, dass sie darin so
viel wahres finden werde, was geeignet ist, die herkömmlichen
Meinungen zu ersetzen, und mit Vortheil zur Erklärung der
Glaubenswahrheiten verwerthet werden kann, ohne dass man
dabei dem Text des Aristoteles widersprechen müsste,
dass sie sich sicherlich dafür erklären werde. Alsdann aber
wird seine Philosophie in wenig Jahren ein Ansehen gewinnen,
wie sie es ohne solche Unterstützung erst nach einem Jahrhundert erlangen könnte. Aber auch die Gesellschaft ist dabei
interessirt, denn sie darf nicht dulden, dass Wahrheiten von
einiger Wichtigkeit früher von andern als von ihr angenommen
würden.

Das gleiche schreibt er am nämlichen Datum an einen
andern Jesuiten, vermuthlich den P. Dinet.[3]) „Eure Gesellschaft", sagt er ihm, „vermag mehr, als die ganze übrige Welt,

---

[1]) A. a. O. p. 152: Quantum ad principia, ea tantum admitto, quae
omnibus omnino philosophis hactenus communia fuere.

[2]) III, 22 Clerselier, IX, p. 160 Cousin.

[3]) III, 23 Clerselier, IX, p. 163 Cousin.

um meine Philosophie in Geltung oder Missachtung zu l
Man stösst sich zumeist an Meinungen, die von den
lichen weit abliegen, und so hat auch er nicht erwar
die seinigen sogleich auf den ersten Schlag die Billi₁
Lehrer finden würden, aber je mehr man sie prüft, des
hafter und vernünftiger werden sie sich herausstellen.

In freudigster Stimmung schrieb er am 9. Febr₁
an den Abbé Picot: „Ich habe Briefe von den PP.
Dinet, Bourdin und zwei andern Jesuiten erhalten, w
mir den Glauben erwecken, dass die Gesellschaft a₁
Seite treten wird." [1])

Dass er bei der Abfassung der Prinzipien mit di
sicht gerechnet und sie danach eingerichtet hatte, erfa
aus einem Briefe aus demselben Jahre, von dem übrige
der Adressat noch das genauere Datum bekannt i
spricht darin seine Verwunderung aus, dass man vo₁
einer Seite eine Widerlegung der scholastischen Argum
ihm wünsche. Vor Jahren hätte ihn die Bosheit einze
nahe dazu vermocht und vielleicht nöthigt sie ihn sc
noch dazu, aber, fährt er fort: „da die Jesuiten hi₁
meisten interessirt sind, so war bisher die Rücksicht
P. Charlet, einen Verwandten von mir, der jetzt, n
Tode des Generals, dessen Assistent er war, der erste
Gesellschaft ist, und den P. Dinet, sowie einige andere
ragende Mitglieder, die ich für meine aufrichtigen Fre₁
sehe, die Ursache, dass ich bisher davon abgestanden
ich habe sogar meine Principien in der Art ab₁
dass sie in keiner Weise der hergebrachten Phil
entgegentreten, sondern dieselbe nur um einig
bereichern, die bisher nicht darin enthalten
Denn da man in ihr eine Menge anderer Meinungen a₁
von denen die einen den andern entgegengesetzt sind,
sollte man da nicht auch den meinen Aufnahme ver₁

---

[1]) Bruchstück, mitgetheilt bei Baillet a. a. O. p. 264.
[2]) I, 109 Clerselier, IX, p. 342 Cousin.

In dem Briefwechsel der nächsten Jahre tritt das sich enger knüpfende freundschaftliche Verhältniss mit dem Jesuitenpater Stephan Noel hervor. Derselbe war, als Descartes in La Flèche weilte, Repetitor der Philosophie gewesen, jetzt war er Rektor im Collège Clermont. Den Cartesianischen Ansichten zugeneigt, nahm er in seinen naturphilosophischen Schriften offen darauf Bezug.[1]) Descartes leitete daraus den erfreulichen Schluss ab, die Jesuiten hingen nicht so fest an den alten Meinungen, dass sie nicht auch neue aufzustellen wagten.[2]) Aber die Zuversicht, die ihn unmittelbar nach dem Erscheinen der Principien erfüllt hatte, hielt nicht lange an. Schon am 1. September 1646 schrieb er an Noel,[3]) man behaupte, mehrere Jesuiten redeten unvortheilhaft von seinen Schriften. Einer seiner Freunde gehe daher mit der Absicht um, eine vergleichende Abhandlung zu schreiben, die natürlich zum Nachtheile der in den Jesuitenschulen docirten Philosophie ausfallen würde. Er wünscht Noel's Ansicht zu hören und will sich dessen Rath gern fügen. Seinerseits schwankt er zwischen den Empfindungen dankbarer Verpflichtung und Verehrung für die Jesuiten auf der einen und dem Gefühle des Unmuths über das ihm angethane Unrecht auf der anderen Seite. Auch lehre die Klugheit, offene Feindschaften den verdeckten vorzuziehen. Gerade damals muss er ungünstige Nachrichten erhalten haben, denn in einem Briefe an Mersenne vom 7. September heisst es: „Ich wünschte zunächst Nachrichten von P. Charlet zu erhalten, dem ich vor acht oder vierzehn Tagen geschrieben habe, um wahrheitsgemäss zu erfahren, in welchen Ausdrücken die Mitglieder der Gesellschaft von meinen Schriften reden."[4])

---

[1]) Baillet a. a. O. p. 285 f. Ausser den daselbst angeführten Schriften, Aphorismi physici und Sol flamma, verfasste Noel (Natalis): Interpres naturae, sive arcana physica VII libris comprobata. Flexiae 1658. Examen Logicorum. Flexiae 1658. Genannt werden sodann noch von ihm: De gravitate comparata, De mundo magno et parvo, Physica vetus et nova.

[2]) III, 5 Clerselier, IX, p. 429 Cousin.

[3]) I, 113 Clerselier, IX, p. 427 Cousin.

[4]) Archiv für Geschichte der Philosophie IV, 545 ff., speziell S. 546.

Am 1. November schreibt er an Chanut, die Schu
sophen sähen ihn mit scheelen Augen an und suchten a
Weise ihm zu schaden. Aus der Art, wie er die Angri
P. Bourdin erwähnt, ergibt sich, dass die alte Wunde
völlig geheilt war. Durch den ganzen Brief geht ein Zi
Resignation. Er will sich in Zukunft jeder Schriftsteller
halten, nur für seine eigene Belehrung arbeiten und sei
danken höchstens dem engen Kreise seiner Freunde mitth
Und ähnlich heisst es in einem Briefe vom 15. Dezem
die Pfalzgräfin Elisabeth, in ganz Europa gebe es nur
Philosophen, die nicht in den Irrthümern der Schule be
sind, hätte er das vorausgesehen, so würde er vielleic
etwas habe drucken lassen. Freilich hat noch keiner g
mit ihm in die Schranken zu treten, und selbst von den Je
von denen er doch stets annahm, dass sie am meisten b
Publikation einer neuen Philosophie interessirt seien, u
ihn am wenigsten schonen würden, wenn sie mit Grund
auszusetzen hätten, erhalte er nur Complimente.[2])

Auch der P. Noel hatte ihm beruhigende Mittheil
zukommen lassen. Descartes erklärt ihm am 15. März
dass er hiernach suchen werde, den früher erwähnten
von der Eröffnung einer Polemik gegen die Jesuiten abzul
Zugleich freut er sich, dass der Pater damit einverstand
wenn man, ohne jemanden direkt anzugreifen, ganz im
meinen seine Ansicht über die herkömmliche Schulphilo
ausspricht. Descartes hat Lust, in dieser Weise zu ver
und zwar nicht in einer langen Abhandlung wohl ab
legentlich in einer Vorrede auszusprechen, was ihn,
glaubt, sein Gewissen dem Publikum kundzugeben nöt
In der That schrieb er in dem gleichen Jahre die fr
erwähnte Vorrede zu der französischen Ausgabe der Prin

---

[1]) I, 84 Clerselier, IX, p. 413 Cousin.
[2]) I, 17 Clerselier, IX, p. 408 Cousin.
[3]) III, 6 Clerselier, IX, p. 483 Cousin.
[4]) Oben S. 342.

welche eine scharfe aber ganz allgemein gehaltene Gegenüberstellung der alten und der neuen Philosophie brachte.

Wie wenig er auch jetzt geneigt war, es zu einem eigentlichen Conflikte kommen zu lassen, zeigt das letzte der hier zu verwerthenden Zeugnisse. Am 1. Februar 1648 schrieb er an die Pfalzgräfin, er könne das von ihr gewünschte Werk de l'érudition nicht schreiben, da dies die Schulphilosophen gegen ihn aufbringen würde, deren Hass er nicht unterschätze.[1]

Im voranstehenden sind die Faktoren aufgezeigt, welche Descartes' nicht immer gleichmässige Stellungnahme zur Scholastik bestimmen. Er ist sich eines bedeutsamen Gegensatzes zwischen dieser und seiner eigenen Philosophie bewusst, aber er hält es gerade in seinen beiden Hauptwerken für angebracht, diesen Gegensatz zurücktreten zu lassen. Bei den Meditationen leitet ihn der Wunsch sich die Protektion der Sorbonne zu sichern, bei den Principien die Aussicht, die Jesuiten auf seine Seite zu bekommen. Das einemal meint er, es sei besser, die Leser allmälig mit der neuen Denkweise bekannt zu machen und für dieselbe zu gewinnen, ehe sie die Spitze gewahr werden, welche diese Denkweise gegen den überlieferten Aristotelismus richtet, das andremal stellt er die Sache so dar, als handle es sich weit eher um eine Ergänzung als um eine Beseitigung der Schulphilosophie.

Dass diese Zurückhaltung und die damit in Verbindung stehenden Bemühungen um die Unterstützung einflussreicher geistlicher Korporationen den gewünschten Erfolg schliesslich nicht hatten, ist bekannt. Nach Baillet[2] wäre es der Jesuitenpater Fabri gewesen, in welchem allerdings schon Descartes einen Gegner erkannt hatte,[3] welcher durch seine Bemühungen die römische Index-Kongregation dazu vermochte, die Schriften Descartes' im Jahre 1663 auf die Liste der verbotenen Bücher zu setzen.

---

[1] I, 25 Clerselier, X, p. 120 Cousin.

[2] A. a. O. p. 529.

[3] Archiv f. Gesch. d. Philos. IV, 548 ff., speziell S. 550.

Wo es aber umgekehrt dem Verfasser darauf anko
jenen Gegensatz zu betonen, da bezeichnet er als die Vo
seiner neuen Lehre die Einfachheit und Allgemeingülti
ihrer Voraussetzungen, die der Mathematik abgeborgte Sicht
ihrer Beweisführung, und als die Folge hiervon die Beseiti
aller unnützen Controversen, welche in der bisherigen S
philosophie einen übermässig breiten Raum einnahmen.
klare Erkenntniss der Wahrheit wird die Philosophen ein
und allem Streite ein Ende machen, aber auch die Theol
erhalten in den zuverlässigen Annahmen der neuen Philos
ein weit besseres Mittel zur Erklärung der theologischen I
stücke, als sie bisher besassen.[1]) Wichtig ist sodann noc
gelegentliche Andeutung, das Gebiet, auf welchem der
handene Gegensatz offenbar werde, sei die Physik.[2]) Hi
ergibt sich, dass Descartes nicht daran dachte, aus der
sammten bisherigen Welt- und Lebensanschau
herauszutreten und dem wissenschaftlichen Denken ein v
verändertes Ziel zu stecken, sondern dass er nur verme
mit Hülfe seiner Voraussetzungen und seiner Methode
selben Probleme, die schon immer, wenn auch c
Erfolg, die Forscher beschäftigt hatten, einer abscl
senden Lösung entgegenzuführen.[3]) Er wollte ein Reform
der Philosophie sein, der Gedanke an eine Revolution, wi
später Kant durch die Umkehrung des Verhältnisses von Su
und Objekt proklamirte, lag ihm fern. Wäre es andere
müssten seine Versuche, die Gegensätze zu verdecken und
die Zustimmung der Leser gleichsam zu erschleichen, nicht
weit schärfer beurtheilt werden, sie wären vielmehr völlig
begreiflich. Mag daher auch eine rückwärtsblickende Geschi
betrachtung in der Cartesianischen Philosophie bereits die K
finden, deren weitere Entwickelung nicht nur zur Beseiti
der aristotelisch-scholastischen Philosophie, sondern der ga

[1]) Vgl. den Brief an den P. Dinet a. a. O. p. 151 ff. Oben S.
Vgl. die Vorrede zu den Principia, bei Cousin III, p. 28 f.
   [2]) Vgl. oben S. 355, Anm. 2 und S. 362 mit Anm. 1.
   [3]) Vgl. den Brief an den P. Dinet a. a. O. p. 152.

welche eine scharfe aber ganz allgemein gehaltene Gegenüberstellung der alten und der neuen Philosophie brachte.

Wie wenig er auch jetzt geneigt war, es zu einem eigentlichen Conflikte kommen zu lassen, zeigt das letzte der hier zu
verwerthenden Zeugnisse. Am 1. Februar 1648 schrieb er an
die Pfalzgräfin, er könne das von ihr gewünschte Werk de
l'érudition nicht schreiben, da dies die Schulphilosophen gegen
ihn aufbringen würde, deren Hass er nicht unterschätze.[1]

Im voranstehenden sind die Faktoren aufgezeigt, welche
Descartes' nicht immer gleichmässige Stellungnahme zur Scholastik bestimmen. Er ist sich eines bedeutsamen Gegensatzes
zwischen dieser und seiner eigenen Philosophie bewusst, aber
er hält es gerade in seinen beiden Hauptwerken für angebracht,
diesen Gegensatz zurücktreten zu lassen. Bei den Meditationen
leitet ihn der Wunsch sich die Protektion der Sorbonne zu
sichern, bei den Principien die Aussicht, die Jesuiten auf seine
Seite zu bekommen. Das einemal meint er, es sei besser, die
Leser allmälig mit der neuen Denkweise bekannt zu machen
und für dieselbe zu gewinnen, ehe sie die Spitze gewahr werden,
welche diese Denkweise gegen den überlieferten Aristotelismus
richtet, das andremal stellt er die Sache so dar, als handle es
sich weit eher um eine Ergänzung als um eine Beseitigung der
Schulphilosophie.

Dass diese Zurückhaltung und die damit in Verbindung
stehenden Bemühungen um die Unterstützung einflussreicher
geistlicher Korporationen den gewünschten Erfolg schliesslich
nicht hatten, ist bekannt. Nach Baillet[2] wäre es der Jesuitenpater Fabri gewesen, in welchem allerdings schon Descartes
einen Gegner erkannt hatte,[3] welcher durch seine Bemühungen
die römische Index-Kongregation dazu vermochte, die Schriften
Descartes' im Jahre 1663 auf die Liste der verbotenen Bücher
zu setzen.

---

[1] I, 25 Clerselier, X, p. 120 Cousin.

[2] A. a. O. p. 529.

[3] Archiv f. Gesch. d. Philos. IV, 548 ff., speziell S. 550.

Sitzungsberichte

der

königl. bayer. Akademie der Wissenschaften.

Oeffentliche Sitzung

zu Ehren Seiner Majestät des Königs und Seiner
Königlichen Hoheit des Prinz-Regenten

am 15. November 1897.

Der Präsident der Akademie, Herr M. v. Pettenkofer,
Excellenz, eröffnet die Sitzung mit folgender Ansprache:

Die heutige öffentliche Festsitzung der k. b. Akademie
der Wissenschaften ist zu Ehren ihres Protektors, Seiner Königlichen Hoheit des Prinz-Regenten Luitpold, des Königreichs Bayern Verweser. Sämmtliche Mitglieder unserer Körper-
schaft bringen Allerhöchstdemselben in Ehrfurcht und Dank-
barkeit Glück- und Segenswünsche dar.

Diese feierliche Sitzung dient jährlich auch dazu, die von
den drei Classen der Akademie vorgenommenen und von unserem
Protektor allergnädigst bestätigten Neuwahlen von Mitgliedern
kund zu geben. Ich ersuche die Herren Classensekretäre, dem
zu entsprechen.

Hierauf verkündeten die Classensecretäre oder deren Stellvertreter die in den einzelnen Classen vorgenommenen und
Allerhöchst bestätigten Wahlen:

für die philosophisch-philologische Classe:

als ausserordentliches Mitglied:

Herr Dr. phil. Friedrich Hirth, k. preuss. Professor und
chinesischer Zolldirektor, zur Zeit in München wohnhaft.

als correspondierende Mitglieder:'

Herr Dr. phil. Hugo Schuchardt, ord. Professor der
   schen Sprachen an der Universität Graz,
Herr Dr. phil. Erwin Rohde, grossherzogl. badischer G
   Hofrat, ord. Professor der klassischen Philologie
   Universität Heidelberg.

für die historische Classe.

als correspondierende Mitglieder:

Herr Dr. phil. Bernhard Erdmannsdörffer, grosshe
   badischer Geheimer Hofrat, ord. Professor der Ge
   an der Universität Heidelberg,
Herr Dr. theol. C. G. Adolf Harnack, ord. Profes
   Kirchengeschichte an der Universität Berlin.

Hierauf fuhr Geheimrath v. Pettenkofer fort:

Bevor Herr Kollege Paul die angekündigte Festr
ginnt, erlaube ich mir noch einige Mittheilungen zu
   Bisher haben die einzelnen Akademien der Wissen:
jede für sich gearbeitet. Dadurch kam es, dass hie
zwei Forscher, welche verschiedenen Akademien ang
den gleichen Gegenstand mit wesentlich gleichem Resul
arbeiteten. Es ist nun erfreulich, dass in neuerer Zeit
wissenschaftliche Aufgaben von verschiedenen Akadem
meinsam durch Delegirte in Angriff genommen werden.
Kartellverhältniss unter mehreren Akademien haben a
verschiedenen Staatsregierungen zugestimmt.
   Eines dieser Unternehmen ist die Herstellung ei
fassenden Werkes über die lateinische Sprache, des Th
linguae latinae, wofür unsere Akademie ihr Mitglied
v. Wölfflin delegirt hat, und wofür Ministerium und I
auch die nöthigen Mittel bewilliget haben.
   Ein Analogon soll nun auch für die altägyptische
und ihre Hieroglyphenschrift geschaffen werden, welche
ja erst in neuerer Zeit sozusagen wieder aus ihren
erweckt wurde und von den Todten auferstanden ist.

wird unsere Akademie von dem hervorragenden Aegyptologen Georg Ebers vertreten sein. Hoffentlich findet auch dieses Unternehmen die nöthige staatliche Unterstützung.

Die in Kartellverbindung stehenden Akademien haben auch eine Kommission für die Herausgabe einer Encyklopädie der mathematischen Wissenschaften ins Leben gerufen. Dieser Kommission gehört unser Mitglied Walther Dyck an.

In England fühlt man das Bedürfniss, ein umfassendes Verzeichniss, ein Lexikon für sämmtliche gedruckte naturwissenschaftliche Arbeiten zu schaffen und hat man sich desshalb an sämmtliche Regierungen und Akademien Europas und Amerikas gewandt. Auch diesem grossen Unternehmen steht Erfolg in Aussicht.

Hier darf ich auch eines nun glücklich vollendeten Werkes, der hydrographischen Karte des Bodensees mit Beilagen gedenken, zu deren Herstellung sich die fünf Uferstaaten Oesterreich, Bayern, Württemberg, Baden und Schweiz vereiniget hatten, und wobei auch mehrere Mitglieder unserer Akademie mitgewirkt haben. Der Bodensee ist jetzt nicht nur in seiner räumlichen Ausdehnung mustergiltig dargestellt, sondern auch ermittelt, was in seinem Wasser von der Oberfläche bis in seine Tiefen schwebt und lebt. Dieses Werk ist auch eine Naturgeschichte des grössten europäischen Binnensees geworden.

Dieses Zusammenarbeiten gelehrter Körperschaften macht aber das Einzelarbeiten ihrer Mitglieder über einzelne wissenschaftliche Fragen durchaus nicht überflüssig oder entbehrlich, im Gegentheil, Einzelforschungen und deren Resultate müssen bereits vorliegen, ehe man daran denken kann, sie nach verschiedenen Gesichtspunkten zusammenzustellen und fürs allgemeine auszunützen.

Es sei mir gestattet, als ein solches Beispiel hier eine Untersuchung anzuführen, welche die erste ist, die aus den Renten der Münchener Bürgerstiftung bei unserer Akademie einen Beitrag erhielt, die ein Mathematiker ausgeführt hat, die aber auch allen Nicht-Mathematikern verständlich und interessant ist.

Schon vor Jahren machte unser Mitglied Ferdinand L
mann darauf aufmerksam, dass in archäologischen un(
historischen Sammlungen sich Gegenstände vorfinden, Kr
modelle, Steinringe, abgestumpfte Pyramiden, deren prak
Zweck kaum zu deuten war. Lindemann ist der Ansic
worden, dass es Zahlzeichen und Gewichte der urälteste
seien und begann in verschiedenen Museen nach solchen I
zu suchen. Was er bis jetzt gefunden, bedarf allerding:
weiterer Bearbeitung, aber in der jüngsten Sitzung u
mathematisch-physikalischen Klasse konnte er doch scho
gende Mittheilungen machen:

Vom 19. August bis 24. October d. Js. besuchte Lind(
in Ober- und Mittelitalien 30 verschiedene Museen fü1
historische, etruskische und römische Alterthümer. Er
sich wesentlich 3 Fragen gestellt:

1. Gibt es noch andere antike reguläre oder halb re(
Polyeder, als die bisher veröffentlichten?

2. Gibt es noch weitere Anhaltspunkte, die auf ural
ziehungen zwischen Oberitalien und Aegypten, beziehung
Vorderasien schliessen lassen, wie sie durch die Interpre
Lindemann's der auf dem Dodekaeder vom Monte Loff(
geschnittenen, scheinbar ägyptischen Ziffern, sowie dur(
von demselben Fundorte stammenden babylonischen, mi
gleichen ägyptischen Ziffern bezeichneten Gewichte festg
sind?

3. Wie weit lässt sich überhaupt der Gebrauch vo:
wichten in die prähistorische Zeit zurück verfolgen?

In Betreff der ersten Frage war die Ausbeute g
Ueber die wenigen aufgefundenen Stücke fehlte es an gen:
Fundberichten, sodass sich keine sicheren Schlüsse ziehen l

Um so reicher waren die Ergebnisse in Betreff der l
anderen Fragen, welche ja unter sich aufs engste zusan
hängen. In Verona, Mantua, Pesaro, Mazzabotto und M
fanden sich Gewichtsstücke aus Stein und Terrakotta mi
gleichen hieroglyphischen Silbenzeichen, wie sie von ägypti
Gewichten aus Altägypten bekannt sind, während auf an

(jüngeren) Stücken ägyptische Gewichtsbezeichnungen in etruskischer Transkription festgestellt wurden. Wie bei den Gewichten vom Monte Loffa herrscht auch hier die babylonische Gewichtsnorm mit einer Grundeinheit von ca. 100 Gramm, nur selten scheint daneben die eigentliche ägyptische Einheit von ca. 91 Gramm vorzukommen.

Durch die vorgenommenen Wägungen dürfte festgestellt sein, dass die zahlreich vorkommenden Terrakottastücke in Gestalt von abgestumpften Pyramiden nichts anderes als Gewichte sind; der Gebrauch derselben lässt sich durch einige in den Museen von Rom und Florenz aufbewahrte Grabfunde sicher bis ins siebente Jahrhundert vor Christus feststellen. Aber schon früher, besonders in den Terramaren der Emilia kommen ähnlich gestaltete, meist aus dunklem Thon roh gearbeitete Stücke vor, die nach demselben babylonischen Fusse normirt zu sein scheinen, auch theilweise in den Museen als Gewichte der Steinzeit bezeichnet sind.

Daneben finden sich in den Terramaren und Pfahlbauten ausserordentlich zahlreiche runde, in der Mitte durchbohrte Steine, deren Gewichtsabstufungen wiederum auf dieselbe Einheit schliessen lassen, und die auch theilweise durch Zeichen (Punkte und Striche) als Gewichte bemerklich gemacht sind. Das Gleiche gilt auch für die ebenso zahlreich vorkommenden Thonringe, welche man bisher als Untersätze für Vasen betrachtete.

Im Ganzen wurden 1197 Gewichtsstücke gewogen und beschrieben; es wird natürlich einige Zeit verstreichen, bis eine eingehendere Bearbeitung des reichen Materials von Lindemann vorgelegt werden kann.

Die gemachten Bemerkungen über die Gewichte aus der Periode der Terramaren und der Pfahlbauten beziehen sich übrigens nicht bloss auf Italien, sondern haben auch für andere Gegenden Europas und Vorderasiens wahrscheinlich Giltigkeit, wie sich aus einigen in Rom, Florenz und Bologna vorgenommenen Gewichtsbestimmungen anderer Fundorte ergab. Insbesondere hat mich überrascht, dass solche etruskische

Terrakotta-Gewichte auch in unserer prähistorischen S
sammlung aus den Pfahlbauten des Starnberger Sees vo
men, sowie unter den von Seiner Königlichen Hohei
Prinzen Ruprecht jener Sammlung überwiesenen Gesch
Auch unter den Funden aus den Höhlen des fränkische
sind steinerne Gewichte vorhanden, darunter zwei, die in
licher Weise wie die altitalienischen mit ägyptischen Z
markirt sind.

Soweit sich nun aus den auf dieser Reise Linden
gesammelten Erfahrungen Schlüsse ziehen lassen, habe
früher auf Grund der Funde vom Monte Loffa aufges
Hypothesen in Betreff der Geschichte der Ziffern e
Bestätigung gefunden. Die Beziehungen Italiens und 1
europas scheinen sich in viel weiter entlegene Zeiten zu
verfolgen zu lassen, als man bisher anzunehmen gewag
was gewiss von allgemeinem Interesse ist.

Als Generalkonservator der wissenschaftlichen Samml
des Staates, welche mit der Akademie der Wissenschaften
verbunden sind, bitte ich, noch eine kurze Mittheilung m
zu dürfen. Unter den Staatssammlungen hat bisher die n
matisch-physikalische Sammlung vielleicht die wenigste I
tung gefunden. Erst in neuester Zeit sieht man ein,
hohen historischen Werth sie haben würde, wenn sie
bloss ein Lager alter Instrumente, sondern ein vollstä
getreues Bild der physikalischen Forschungen bayerische
lehrter und der Thätigkeit unserer bayerischen Werst
für wissenschaftliche Instrumente werden würde. Das Ge
konservatorium hat dem Ministerium des Innern für Ki
und Schulangelegenheiten dahin zielende Vorschläge unterl
und Seine Excellenz Herr Staatsminister Dr. v. Land
hat dieselben wärmstens aufgenommen, sodass wir das
hoffen können.

Namen in dieser Beziehung, wie Fraunhofer, Reiche
Steinheil, Ohm stehen wohl an der Spitze. Die ver
Anwesenden können sich vorstellen, welche Freude ich hat
ich am 14. Juni d. Js. von Herrn Rentier Dr. Sigmund

v. Merz, früher Eigenthümer und Direktor des von Fraunhofer begründeten optischen Instituts folgende Mittheilung erhielt: „Nachdem mir Kenntniss geworden, dass das k. Generalkonservatorium für ein historisches Museum historisch-wissenschaftliche Apparate zu erwerben strebe, kam mir der Gedanke, dass dafür ein Instrument, welches ein hervorragender bayerischer Gelehrter zum Zwecke seiner Forschungen konstruirte und damit die neuen Gesetze des Lichtes messend begründete, willkommen sein dürfte. Es ist dieses Fraunhofer's Original-Spektrometer. Ich habe selbst Dezennien damit für die Fundamentalbestimmungen meines optischen Instituts gearbeitet. Nun aber bei vorgeschrittenem Lebensalter ist es mir entbehrlich und bin ich gewillt, dasselbe dem k. Generalkonservatorium schenkungsweise zu Eigenthum zu offeriren. Ich vermag gleichzeitig damit auch Fraunhofer's Original-Abhandlungen im Manuskript, sowie eine Kollektion Fraunhofer Glasprismen zu übergeben.‟

Diese hochherzige Schenkung wurde vom Generalkonservatorium und vom Ministerium dankbarst angenommen und dem patriotischen Schenker die höchste Auszeichnung, welche die Akademie der Wissenschaften beantragen darf, die goldene Medaille bene merenti, verliehen.

Es handelt sich noch um viele andere Dinge, welche im Lande zerstreut liegen, unbeachtet bleiben, schliesslich zu Grunde gehen, oder ins Ausland wandern, wie es z. B. der Reichenbach'schen Theilmaschine bevorsteht, für welche von Amerika und Russland bereits grosse Summen angeboten wurden.

Doch wir wollen hoffen, dass auch die berühmte Reichenbach'sche Theilmaschine in ihrer Heimath verbleiben darf.

Sitzung vom 4. Dezember 1897.

Philosophisch-philologische Classe.

Herr Iw. v. MÜLLER hält einen Vortrag:

Ueber die Namen der vier ionischen Phylen

wird später zusammen mit einer verwandten Abhandlung gedruckt werden.

Herr ED. v. WÖLFFLIN legt vor eine Abhandlung von C. RÜCK:

Die Naturalis Historia des Plinius im Mittelalter.
Excerpte aus der Naturalis Historia in den Bibliotheken
zu Lucca und Paris

erscheint in den Sitzungsberichten und in Separatabzügen.

Historische Classe.

Herr SIGM. RIEZLER hält einen Vortrag:

Die Meuterei des Generals Johann von Wörth

wird vom Verfasser nicht zur Publication in den Schriften der
Akademie bestimmt.

Suggestion und Hypnose.

Eine psychologische Untersuchung.

Von **Theodor Lipps.**

(Vorgetragen in der philos.-philol. Classe am 6. März 1897.)

Ich versuche im Folgenden eine Darlegung der psychologischen Bedingungen der Suggestion oder eine Darlegung der Bedingungen der Suggestion, soweit sie psychologisch fassbar sind. Man könnte fordern, dass diese psychologischen Bedingungen zugleich physiologisch interpretirt würden. Solche physiologische Interpretation überlasse ich demjenigen, der meint sie geben zu können. Ich beschränke mich völlig aufs Psychologische. Auch die Hypnose kommt für mich nur in Betracht, soweit sie psychisch bedingt und psychisch wirksam erscheint.

Vorläufiger Begriff der Suggestion.

Der Begriff der Suggestion kann enger und weiter gefasst werden. Suggestion ist psychische Eingebung. Es wird mir etwas suggerirt oder eingegeben, d. h. zunächst: es wird in mir ein psychischer Inhalt oder Zustand erzeugt. Angenommen wir bleiben bei diesem allgemeinsten Sinne des Wortes „Suggestion", so ist es „Suggestion", wenn ein Tonreiz in mir eine Tonempfindung wachruft, oder wenn ich die Worte eines Menschen verstehe. Suggestion ist dann, kurz gesagt, die Erzeugung jeder Wahrnehmung oder Vorstellung durch äusseren Anlass. Und nehme ich die „Autosuggestion" oder Selbsteingebung gleich allgemein, d. h. als den Akt, durch welchen ich in mir selbst

irgendwelchen psychischen Inhalt oder Vorgang erzeuge.
auch all mein Phantasiren, Denken, Ueberlegen, Wollen,
all mein freies geistiges Thun Suggestion. Denn immer
hier durch mein Thun, durch irgendwelche Vorstellungen
Gedanken, die ich vollziehe, ein weiterer psychischer Zu
in mir wachgerufen.

Ein solcher Begriff der Suggestion nun hätte keinen wi
schaftlichen Wert. Wir besässen ein neues Wort für eine S
die keiner neuen Bezeichnung bedarf. Von Zeit zu Zeit fr
wird es üblich, Altes mit neuen Namen zu benennen.
neue Benennung wird Mode. Und manche meinen dann
wohl, mit der neuen Benennung eine neue Einsicht gewo
zu haben. In solchem Falle ist die neue Benennung nicht
wertlos, sondern schädlich. In der That ist das Wort Sugge
bei Einigen zu einem solchen schädlichen Modewort gewo

Für uns nun soll das Wort Suggestion nicht diese
deutung haben. Es soll bestimmte und eigenartige psych
Vorgänge zusammenfassend abgrenzen. Nur wenn der B
der Suggestion einen eigenen Geltungsbereich hat, hat e
wissenschaftliches Recht.

Der heutige Begriff der Suggestion ist medizinischen
sprungs. Heilwirkungen geschehen durch Suggestion. D.
geschehen durch Weckung von Vorstellungen. Das sind
dann eben Vorstellungen, die nicht blosse Vorstellungen ble
sondern zu einem darüber hinausgehenden psychischen
bestande führen. Suggestion ist also die Weckung von
stellungen, sofern damit eine über das blosse Dasein der
stellungen hinausgehende psychische Wirkung verbunde
Nicht die Weckung der Vorstellungen, sondern diese w
gehende psychische Wirkung ist das Charakteristische der
gestion. Diese weitere psychische Wirkung ist das eige
Suggerirte.

Welcher Art sind nun diese weiteren Wirkungen? We
über das Dasein einer Vorstellung hinausgehende psych
Thatbestand kann durch Weckung dieser Vorstellung sugg
werden? Man suggerirt etwa Schmerz oder, Schmerzlosi

oder man suggerirt dem, der sich einbildet der Bewegung seiner Glieder beraubt zu sein, dass er die Glieder gebrauchen könne; man suggerirt Erinnerungstäuschungen oder man suggerirt Handlungen oder Unterlassungen. Das sind alles über das Dasein einer blossen Vorstellung hinausgehende psychische Thatbestände.

Auch damit hat doch der Begriff der Suggestion noch keinen selbständigen Inhalt gewonnen. Man sagt mir, ich solle eine Handlung vollbringen; und ich vollbringe sie. Nicht einfach darum, weil sie mir befohlen ist, sondern weil ich Motive habe, dem Befehl zu gehorchen. Die Motive können verschiedener Art sein: Furcht vor Nachteilen, wenn ich die Befolgung des Befehles unterlasse; Rücksicht auf die befehlende Person; Befriedigung an der Handlung selbst; die Einsicht, dass die Folgen der Handlung für mich wertvolle sein werden. Alles dies kann ich in einen Ausdruck zusammenfassen: Ich habe an der Vollbringung der befohlenen Handlung ein eigenes Interesse.

Eine solche Handlung ist mir nicht suggerirt oder eingegeben, sondern eben natürlicher Ausfluss meines Interesses. In dem Suggerirt- oder Eingegebensein aber liegt, dass ich der Eingebung passiv unterliege. Freilich bin auch dann ich der Handelnde; ich bin aktiv. Aber ich bin es auch wiederum nicht. Das Eingegebene wirkt in mir; ich erlebe oder erleide diese Wirkung.

Stellen wir daneben etwa die Suggestion von Hallucinationen. Man sagt mir, dass ich eine Empfindung habe; weckt also die der Empfindung entsprechende Erinnerungsvorstellung. Und ich habe die Empfindung wirklich. Empfindungen nun pflegen zu entstehen auf Grund eines entsprechenden sinnlichen Reizes. Hier fehlt dieser sinnliche Reiz. Die in mir geweckte Vorstellung geht, ohne dass es des sinnlichen Reizes bedürfte, also von sich aus, in die Empfindung über. Man nennt solche Empfindungen Scheinempfindungen oder Hallucinationen. Psychologisch aber sind sie wirkliche Empfindungen, d. h. den durch die sinnlichen Reize erzeugten Empfindungen gleichartig. Beide Fälle nun können wir unter einen einzigen Ausdruck

befassen. Eine Empfindung entsteht normaler Weise
den sinnlichen Reiz. Eine Handlung vollbringe ich nor
Weise, weil ich ein Interesse daran habe. Die durch Sugg
hervorgerufene Empfindung oder Handlung ist also eine
abnormen Bedingungen erzeugte. Daraus ergibt sich ein
läufige allgemeine Bestimmung der Suggestion: Sie i
Hervorrufung einer psychischen Wirkung, die normaler
nicht aus der Weckung einer Vorstellung sich ergibt,
Weckung dieser Vorstellung.

Allgemeines über Vorstellung und Hallucinatio

Was heisst aber dies? Worin besteht die Abnor
Wie ist das Zustandekommen des psychischen Thatbest
den wir suggerirt nennen, möglich? Wie wird die Sugg
verständlich ohne Zuhilfenahme eines mystischen Agen
dem die Wissenschaft nichts weiss? Wie führen wi
Neues auf Bekanntes zurück?

Wir wollen bei Beantwortung dieser Fragen zu
speziell an einen der möglichen Fälle uns halten. Wir w
die Suggestion von Hallucinationen oder die „Empfind
suggestion". Ist diese nach uns bekannten psycholog
Gesetzen verständlich? Ist es, allgemein gesagt, verstä
dass eine Vorstellung ohne weiteres sich in die ihr entsprec
Empfindung verwandelt?

Diese Frage muss mit Ja beantwortet werden.

Wie man bereits sich überzeugt hat, unterscheide
hier Empfindung und Vorstellung streng von einander.
Empfindung ist der von mir jetzt gehörte Ton, die vo
jetzt gesehene Farbe. Vorstellungen dagegen sind Erinner
oder Phantasievorstellungen. Von den Empfindungen
scheiden sich diese Vorstellungen in der jedermann bek
Weise. Wir brauchen, um uns diesen Unterschied zu
gegenwärtigen, nur neben einem gehörten Ton einen an
vorzustellen oder mit einer Farbe das Erinnerungsbild
andern Farbe zu vergleichen. Wir finden dann, die Empfi

hat eine eigene Qualität oder Beschaffenheit, die wir als grössere sinnliche Frische oder Lebhaftigkeit oder Anschaulichkeit bezeichnen können. Solche Frische, Lebhaftigkeit, Anschaulichkeit besitzt die Vorstellung in minderem Grade. Sie ist also etwas qualitativ Anderes.

Die Frage lautet nun: Ist es in der Qualität des Vorganges, durch welchen Vorstellungen erzeugt werden, begründet, dass Vorstellungen diese eigentümliche Qualität, d. h. dieser Mangel der sinnlichen Frische, Lebhaftigkeit, Anschaulichkeit anhaftet? Oder dürfen wir annehmen, dass der Vorgang, durch welchen Vorstellungen entstehen, seiner Beschaffenheit nach geeignet ist, einen der Empfindung gleichartigen Bewusstseinsinhalt zu erzeugen, und dass nur eine Hemmung oder Herabsetzung dieses Vorganges die Erreichung dieses Zieles verhindert?

Vorstellungen sind reproduktive Gebilde, sie entstehen durch Reproduktion. Wir können demnach unsere Frage auch so formuliren: Liegt es in der eigenartigen Beschaffenheit des reproduktiven Vorganges begründet, dass die Vorstellung geringere sinnliche Frische besitzt als die Empfindung, oder liegt es an der mangelnden Energie dieses Vorganges oder einer ihm entgegenwirkenden Hemmung, wenn das Erzeugnis dieses Vorganges, also die reproduktive Vorstellung, die geringere Frische aufweist.

Diese Frage ist nicht etwa überflüssig; ihre Beantwortung nichts weniger als selbstverständlich. Wir müssen dabei bleiben: Die Vorstellung ist etwas qualitativ Anderes als die ihr „inhaltlich gleiche" Empfindung. Das vorgestellte Rot ist ein von dem geschenen Rot qualitativ verschiedener Bewusstseinsinhalt. Diese qualitative Verschiedenheit könnte zunächst eine verschiedene Beschaffenheit der reproduktiven Vorgänge notwendig vorauszusetzen scheinen.

In jedem Falle ist der Sinn der gestellten Frage einleuchtend. Verbietet dem reproduktiven Vorgang seine eigenartige Beschaffenheit die Erzeugung eines der Empfindung gleichartigen Bewusstseinsinhaltes, dann muss, falls auf reproduktivem Wege eine Empfindung oder Scheinempfindung zustande kommen soll, zu dem Vorgang der Reproduktion ein

anderer, der jenen modifizirt oder ablenkt und seine Ei
aufhebt, hinzutreten. Ist dies nicht der Fall, dann gent
dass der reproduktive Vorgang seine volle Energie und F
gewinne, damit dieser Erfolg eintrete.

Es ist aber kein Zweifel, dass die letztere Annahm
trifft. D. h. der reproduktive Vorgang ist seiner Natur
geeignet, eine Empfindung oder einen Bewusstseinsinh
vollem Empfindungscharakter zu erzeugen. Er „zielt
solcher auf die Erzeugung eines solchen „ab".

Dass es so ist, setzen wir im Grunde schon voraus,
wir den Vorgang als einen Vorgang der Reproduktio
zeichnen. Ein Ton, den ich eben höre, werde von mir
einer Viertelstunde reproduzirt. Ist dieser Vorgang wi
eine Reproduktion des vorher gehörten Tones, dann ist
Wiederkehr eben dessen, was vorher in meinem Bewusstsei
also auf Reproduktion der Empfindung als solcher ger

Aber achten wir auf die Thatsachen. Ich erwähne
diejenige, die in dem eben Gesagten schon enthalten liegt.
kommen wir dazu, Vorstellungen als Reproduktione
Empfindungen zu bezeichnen und sie damit diesen g
zusetzen? Wie komme ich dazu, wenn ich ein Objekt vo
oder mich desselben erinnere und gleichzeitig „dasselbe"
wahrnehme, jenes vorgestellte Objekt und dies wahrgenor
Objekt für dasselbe zu erklären, da doch das Vorstel
oder Erinnerungsbild von dem Wahrnehmungsbild thatsä
verschieden ist? Was heisst es, wenn man ein andermal
eine Vorstellung „repräsentire" ein Objekt der Wahrneh
Wie kann eine Vorstellung eine Wahrnehmung repräsen

In diesen Fragen liegt ein Problem, das man nicl
einem blossen Worte wie „Repräsentiren" oder auch
bolische Funktion" aus der Welt schafft. Dasselbe läss
zusammenfassen in der Frage: Wie kann eine Vorstellu
der ihr „inhaltlich gleichen" Empfindung identisch
scheinen?

Offenbar ist dies nur möglich, wenn beide in der Tl
gewissem Sinne identisch sind. Das Identitätsbewusstsein

unmöglich, wenn die Vorgänge, die dem Vorstellungsbild und
dem davon verschiedenen Empfindungsbild oder Empfindungs-
inhalt zu Grunde liegen, qualitativ verschieden wären. Es ist
möglich und notwendig, wenn sie qualitativ gleich sind, wenn
demgemäss der Vorgang der Vorstellung auf das gleiche Ergebnis abzielt oder seiner Natur nach gerichtet ist, wie der
Empfindungsvorgang. Nur wenn dies der Fall ist, fehlt der
Gegensatz zwischen den beiden Vorgängen, also das, woraus
das Bewusstsein der Verschiedenheit resultiren würde. Dass
der Vorstellungsvorgang seiner Natur nach auf Empfindung
abzielt, dies ist dann auch der notwendige Sinn der Behauptung,
dass eine Vorstellung eine Empfindung „meint" oder „repräsentirt", darauf symbolisch „hinweist", oder: dass wir mit einer
Vorstellung ein wahrgenommenes Objekt „meinen". Jenes „Abzielen" ist dieses „Meinen".

Doch wenden wir unseren Blick noch nach anderer Richtung. Es kann keinem Zweifel unterliegen, dass die sinnliche
Frische, Lebhaftigkeit, Anschaulichkeit der Vorstellungen, etwa
der Vorstellungen von räumlichen Formen, Farben, Klängen,
Klangverbindungen, bei verschiedenen Personen eine verschiedene ist. Bei manchen, so bei mir, ist die sinnliche Frische
aller Vorstellungen eine sehr geringe. Der vorgestellte Ton
etwa entfernt sich bei mir weit von dem gehörten. Andere
geben an, das Farben- oder Klangvorstellen sei für sie eine
Art des Sehens bezw. Hörens, das Vorgestellte sei von dem
Gesehenen oder Gehörten nicht sehr verschieden.

Insbesondere müssen wir gewiss annehmen, dass der Maler
oder derjenige, der eine oder mehrere Schachpartien blind spielt,
von räumlichen Gebilden eine sehr viel lebhaftere Vorstellung
hat, als andere; dass der Musiker, der eine Partitur liest und
die Wirkung des Musikwerkes, einschliesslich des Klanges der
Instrumente, darnach beurteilt, die Musik in gewisser Weise
„innerlich hört". Es wäre sonst unverständlich, dass er dabei
erlebte, was wir nur beim thatsächlichen Hören erleben.

Solche Thatsachen nun wird man nicht so deuten, dass
man sagt, es sei der reproduktive Vorgang, wie er etwa den

Tonvorstellungen zu Grunde liegt, beim Einen ein qualit
anderer als beim Andern. Wir müssten dann ja, da die (
der sinnlichen Frische von Vorstellungen unendlich diffe
können, unendlich viele qualitativ verschiedene Arten von r
duktiven Vorgängen in den verschiedenen Personen statt
Sondern wir werden sagen: Ein gleichartiger Vorgang
wirklicht sich nur in den verschiedenen Personen in vers
denen Graden. Der reproduktive Vorgang kann als sol
oder als dieser bestimmt geartete Vorgang, Vorstellungen
grösserer und grösserer Frische oder Anschaulichkeit erzeı
also Vorstellungen, die mehr und mehr den Empfindungen
nähern; nur dass dieser Vorgang nicht jeder Zeit in gle
Weise das, was in seiner Natur liegt, zu verwirklichen ver
Kann aber der reproduktive Vorgang Vorstellungen erzeı
die mehr und mehr der Empfindung sich nähern, so
er auch, ohne dass er aufhört, dieser selbe Vorgang zu
Vorstellungen erzeugen, die ganz und gar Empfindungscharı
besitzen.

Aufmerksamkeit und Lebhaftigkeit der Vorstellun

Zu gleichem Ergebnis führt uns der Umstand, dass di
Vorstellungen gerichtete „Aufmerksamkeit" die Vorstellu
den Empfindungen nähern, ja schliesslich sie in Scheinem
dungen überführen kann. Dabei müssen wir im Auge beha
dass „Aufmerksamkeit" nicht ein neuer psychischer Vorg
ist, der zu dem Vorgang des Vorstellens hinzuträte, also
modifiziren könnte. Aufmerksamkeit ist der Grad, in dem
chische Vorgänge im Zusammenhange des psychischen Le
zur Geltung und Wirkung gelangen. Eine Vorstellung iı
grösserem Grade, als eine andere, Gegenstand der Aufm
samkeit, dies heisst: Der Vorgang, durch welchen der Voı
lungsinhalt zu stande gebracht wird, repräsentirt in sich
grösseres Quantum des psychischen Geschehens, stellt in sich
erheblichere, psychische Bewegungsgrösse dar, es ist in
ein grösseres Mass der psychischen Gesamtkraft aktuell

worden und damit absorbirt, der Vorgang besitzt, bildlich
gesprochen, eine grössere psychische „Wellenhöhe"; sei es
dass die „Energie", mit welcher der Vorstellungsvorgang die
Kraft der Seele oder die psychische Kraft in Anspruch nimmt,
grösser ist, sei es dass andere psychische Vorgänge ihm die
psychische Kraft in geringerem Masse streitig machen. Daraus
ergibt sich, dass es, wenn eine Vorstellung in eine Empfindung oder Scheinempfindung übergeführt werden soll, nur eben
dieses möglichsten zur Geltung Kommens, der möglichst vollkommenen und freien psychischen Kraftaneignung oder „Apper-
ception" bedarf.

Wie man sieht, ist, was ich hier als „psychische Kraft"
bezeichne, nichts anderes, als die in einem Moment mögliche
gesamte psychische Bewegungsgrösse oder die in einem Moment
bestehende Möglichkeit, dass überhaupt psychische Vorgänge, zu
denen in einem sinnlichen oder reproduktiven Reize der Anlass
gegeben ist, sich vollziehen, sich entfalten, zur Geltung kommen,
also das in sich verwirklichen, worauf sie, nachdem einmal der
Anstoss gegeben ist und sie ausgelöst oder angeregt hat, ihrer
Natur nach abzielen; sie ist, kurz gesagt, die mögliche psychische Gesamtwellenhöhe. Diese psychische Kraft ist jederzeit
beschränkt. Es müssen also die nebeneinander ausgelösten oder
angeregten psychischen Vorgänge um diese psychische Kraft
miteinander konkurriren.

Dagegen verstehe ich unter der „psychischen Energie" die
Fähigkeit des einzelnen Vorganges in dieser Konkurrenz zu
bestehen, also die in dem psychischen Vorgange selbst liegende
Fähigkeit, die psychische Kraft anzueignen oder zu absorbiren,
demnach zur Geltung zu kommen, eine bestimmte psychische
Höhe zu gewinnen etc.

Es ergibt sich daraus ohne weiteres, dass das Mass, in
welchem ein psychischer Vorgang psychische Kraft gewinnt,
immer abhängig ist einerseits von seiner Energie, andererseits
von dem Grade, in welchem ihm die psychische Kraft zur Verfügung steht.

Dem vorhin erwähnten Thatbestand füge ich gleich noch

hinzu die Erinnerung daran, dass vor allem eingeübte V
lungen, also Vorstellungen von Objekten, mit denen ma
mehrfach und intensiv beschäftigt hat, als Hallucinationen
treten können. Dabei kommt in Betracht, dass auch di
übung den eingeübten Vorgang nicht ändert, sondern
lich die Leichtigkeit erhöht, mit welcher derselbe die psyc
Kraft sich aneignet.

Gegen das vorhin Gesagte könnte man einwenden:
die sinnliche Frische einer Vorstellung bedingt ist durc
Grad, in welchem die Vorstellung in uns zur Geltung k
und wenn wiederum dieser Grad mit dem Grade der ‚Auf
samkeit“, die der Vorstellung zu Teil wird, gleichbed
ist, so muss der Grad der sinnlichen Frische mit dem
der von uns aufgewendeten Aufmerksamkeit jederzeit Ha
Hand gehen. Dies ist aber nicht der Fall. Ich kann meine
merksamkeit noch so angestrengt auf eine Farbe oder
oder Melodie richten, die ich vorstelle; und diese Farb
Form oder diese Melodie gewinnt doch für mich nich
Charakter sinnlicher Anschaulichkeit, die sie für den
bezw. Musiker ohne weiteres besitzt.

Indessen hier spielt ein Doppelsinn des Wortes Aufmer
keit herein. Vorhin war die Rede von der Aufmerksamk
einer Weise des Daseins einer Vorstellung. Jetzt handelt e
um die Aufmerksamkeit im Sinne einer Thätigkeit oder
Bemühung, jene Daseinsweise einer Vorstellung herb
führen. Jene und diese „Aufmerksamkeit“ sind aber
nur nicht identisch, sondern sie brauchen sich auch keine
zu entsprechen. Ich kann sehr angestrengt auf ein vorges
Objekt meine Aufmerksamkeit richten, d. h. mich sehr anstre
das vorgestellte Objekt zum Gegenstand der Aufmerksa
zu machen, ohne dass doch das Objekt Gegenstand erhal
Aufmerksamkeit wird, d. h. ohne dass die Vorstellung in
Grad und mit grosser Freiheit psychische Kraft aneigne
behauptet. Der Grad der Aufmerksamkeit einem Objekt g
über ist eben nicht eine Sache, die man sich beliebig vorne
kann. Oder vielmehr: vornehmen kann man sich dergl

freilich; aber der Erfolg ist immer davon abhängig, ob die sonstigen psychischen Bedingungen gegeben sind.

Zu diesen psychischen Bedingungen gehört aber allerlei, beispielsweise und vor allem die ursprüngliche Beanlagung, die ursprüngliche Abgestimmtheit oder Adaptirtheit der individuellen oder allgemeinen psychischen Organisation auf den Vollzug einer bestimmten Vorstellung. Und diese können wir uns nicht geben. Dem geborenen Musiker ist eine solche ursprüngliche Abgestimmtheit auf Tonvorstellungen eigen. Seine psychische Organisation wirkt für den Vollzug der Tonvorstellungsvorgänge als ein förderlicher Boden. Tonvorstellungen besitzen darum in ihm von Hause aus eine erhöhte psychische Energie, d. h. eine erhöhte Fähigkeit, die psychische Kraft oder die Aufmerksamkeit anzueignen und zu absorbiren. Eben darum bedarf es bei ihm geringer „Aufmerksamkeit", ich meine geringer Bemühung des Aufmerkens, damit Töne Gegenstand seiner „Aufmerksamkeit" werden. Umgekehrt ist beim Unmusikalischen eben die „Aufmerksamkeit", deren er bedarf, wenn bei ihm Tonvorstellungen und Verbindungen von solchen nicht nur im Bewusstsein sein, sondern darin einigermassen frei sich behaupten und herrschen sollen, der deutlichste Beweis dafür, dass bei ihm jene Bedingung der Aufmerksamkeit auf Töne in geringerem Masse gegeben ist. Eben die Anstrengung der Aufmerksamkeit weist auf ein nur mühsames, also mit geringerem Erfolge geschehendes Aufmerken hin.

Ich bestimme dies noch etwas genauer. Auch die „Thätigkeit" des Aufmerkens ist kein besonderer psychischer Thatbestand. Sie ist die natürliche Wirksamkeit der Beziehungen, in die Vorstellungen verflochten sind. Das Problem der Aufmerksamkeit ist entweder gar kein psychologisches Problem, oder es ist das Problem der Psychologie.

Jene Wirksamkeit der Beziehungen nun ist von einem Gefühl der Thätigkeit oder der Spannung begleitet, nicht jederzeit, sondern in dem Masse, als sie gehemmt ist. Je grösser die Hemmung, um so stärker ist, unter im übrigen gleichen Umständen, dies Spannungs- oder Thätigkeitsgefühl. Und nur

in diesem Spannungsgefühle kommt uns die „Thätig
Aufmerksamkeit unmittelbar zum Bewusstsein. Je sti
die Hemmung, um so mehr sind wir uns einer Thäti
Aufmerksamkeit bewusst. Die Hemmung aber ist da
teil der Freiheit. In jedem Falle also ist das Aufmei
das Zur-Geltung-Kommen eines psychischen Inhaltes, ¿
Gefühl einer „Spannung" oder „Thätigkeit" der Auf
keit besteht, kein freies. Die vollkommen freie Aneig
psychischen Kraft oder das vollkommen freie Aufm
nur möglich als Auftauchen der Vorstellung ohne
wusstes Zuthun.

Im Uebrigen ist dann noch Folgendes zu bedenl
richte etwa meine Aufmerksamkeit gespannt auf d:
eines Redners. Ich meine wenigstens, dass ich dies {
Wahrheit ist Gegenstand meiner Aufmerksamkeit der {
Worte. Und dieser Sinn der Worte, ja der Sinn eines
Wortes, kann in einem Komplex von gar vielen Vors
bestehen und hineinreichen in die allermannigfaltigs
stellungszusammenhänge. Das Wort ist der Mittelpun
Komplexes. Das Wort ist darum zunächst im Bev
Demgemäss erscheint mir im Bewusstsein die Aufmei
zunächst oder einzig auf das Wort bezogen. Dies hinc
nicht, dass der ganze grosse und vielverzweigte Kon
Vorstellungen, der den Sinn des Wortes ausmacht, dei
lichen Gegenstand der Aufmerksamkeit bildet, d. h. dai
jenige ist, was mich absorbirt oder meine psychische
Anspruch nimmt. Ist es aber so, dann ist meine schei
Worte konzentrirte Aufmerksamkeit in Wahrheit gete
die Elemente des Komplexes, oder: Die Aufmerksai
gerichtet auf den Komplex als Ganzes, also nicht spe
die einzelnen Elemente, auch nicht auf das Wort.

Dies können wir verallgemeinern. Alles, was w
nehmen und vorstellen mögen, hat seinen Sinn oder ;
deutung, d. h. es ist in weniger enge oder engere, sc
in sehr enge Beziehungen mit allerlei anderen Vorst
verflochten. Alles ist Element in mannigfachen und

fach sich verzweigenden Vorstellungszusammenhängen. Und immer, soweit dies der Fall ist, ist die Aufmerksamkeit, die wir auf einen Punkt gerichtet glauben, in Wahrheit verteilt auf viele Punkte.

Soweit aber die Aufmerksamkeit in solcher Weise zerteilt ist oder einem Ganzen als Ganzem zu Gute kommt, können wir nicht erwarten, dass der einzelne Vorstellungsinhalt in einer dem Grade der Aufmerksamkeit entsprechenden Weise in seiner sinnlichen Frische gesteigert erscheine.

Dagegen wird die Aufmerksamkeit allerdings eine erhöhte sinnliche Frische bedingen müssen, wenn sie auf einzelne Vorstellungsinhalte als solche sich konzentrirt, wenn es uns also gelingt, in unserem Aufmerken die Vorstellungszusammenhänge, in welche die einzelnen Elemente verflochten sind, zurücktreten zu lassen oder von ihnen „abzusehen". Aber dies ist wiederum nicht Sache unseres Entschlusses. Wir können die Associationen zwischen einem Vorstellungsinhalt und dem, was daran sich heftet und mit ihm zu einem einzigen Vorstellungskomplex verbunden ist, nicht durch einen Akt unseres Wollens einfach verschwinden lassen. Wir können sie auch nicht beliebig ausser Wirkung setzen.

Zur Erläuterung erinnere ich an Folgendes: Wir sehen die im Raum sich ausbreitenden Linien und Formen in einer Fläche. Wir sehen insbesondere die in die Tiefe sich erstreckenden Linien und Formen so, wie sie im flächenhaften Sehfelde sich projiziren. Aber hiemit verbindet sich, von allem Anderen abgesehen, die Vorstellung der Beschaffenheit, die den Linien und Formen im Raum von drei Dimensionen wirklich zukommt. Wir übersetzen das Flächenbild in das entsprechende Körperbild. Dies Uebersetzen ist ein so zwingendes, dass wir meinen, das Resultat desselben gleichfalls zu sehen.

Nun wollen wir perspektivisch zeichnen, d. h. wir wollen zeichnen, was wir thatsächlich sehen. Dies setzt voraus, dass wir uns von jener dreidimensionalen Umdeutung frei machen, also das Gesehene von dem Hinzugedachten isoliren und isolirt zum Gegenstand unserer Aufmerksamkeit machen. Dazu nun

genügt, wie jeder weiss, wiederum nicht ein blosser
Entschluss. Es gehört dazu Uebung und auch urspr
Talent. Fehlt uns beides, dann merken wir auf das u
das fest, nicht was wir sehen, sondern was wir zu sehen

　　Jenes eben bezeichnete Talent muss der zeichnende
haben. So ist überhaupt die Fähigkeit des beachten
lirens oder Heraushebens, der bestimmten und sichu
fassung der einzelnen Formen als solcher, ein Haupt
der Begabung des Formen wiedergebenden Künstlers.
nügt nicht, dass er lebhafte Totaleindrücke gewinnt.
auch wissen, woran es im Einzelnen liegt. Es muss
Einzelne für ihn heraustreten. Das Einzelne muss
in voller Isolirung, die Kraft seiner Seele oder seine A
samkeit in Anspruch nehmen und festhalten können
diese isolirte Auffassung und Festhaltung wird, je sicl
sich vollzieht, um so weniger eine Bemühung der Aufa
keit in sich schliessen. Ohne weiteres „fällt" das l
der einzelne charakteristische Zug „auf" und fesselt.
isolirten, sicher abgegrenzten Beachten und Festhal
spricht dann auch ein gleichartiges Haften im Gedäch
nachheriges Reproduziren. Ohne diese Fähigkeit ist re
eine sichere Beurteilung der fertigen Wiedergabe von
im Ganzen möglich, ein sicherer Eindruck von der fei
liegenden künstlerischen Leistung, aber nicht die küns
Leistung selbst; da diese nun einmal successive, also
Teil, Zug für Zug vollbracht werden muss.

　　So ist es denn auch aus diesem Grunde nicht ver
lich, wenn der zeichnende Künstler oder der küns
Zeichner einer besonderen sinnlichen Anschaulichkei
Gesichtsvorstellungen sich erfreut. Dass die einzelnen l
oder Züge der Gesichtsobjekte auch als einzelne ihm
oder für ihn bedeutsam heraustreten, dies muss diese
Anschaulichkeit begünstigen.

　　Dass der künstlerische Zeichner eine ursprünglich
freilich gewiss auch durch Uebung gesteigerte besond
fassungsfähigkeit für Formen hat, dies können wir

ausdrücken, dass wir sagen, die Vorstellungen von Formen besitzen in ihm an sich eine besondere „Energie". Die Energie der Vorstellungen ist ja, wie wir sahen, nichts Anderes als die Fähigkeit der Auffassung der Vorstellungsinhalte oder die in den Vorstellungsvorgängen liegende Möglichkeit derselben, zur Geltung zu kommen oder psychische Kraft zu gewinnen und als das, was sie sind, sich zu behaupten. Eine Vorstellung hat an sich eine solche Energie, dies heisst: sie hat sie von Hause aus oder unabhängig von den Zusammenhängen, in welche Vorstellungen verflochten sind, demnach auch unabhängig von der Bemühung des Aufmerkens. In gleichem Sinne müssen wir auch vom geborenen Musiker sagen, die Tonvorstellungen haben bei ihm an sich eine besondere Energie.

Aus dem bisher Gesagten sind auch sonstige Unterschiede der sinnlichen Frische oder Anschaulichkeit von Vorstellungen begreiflich. Manche, vor allem wissenschaftliche Thätigkeit erfordert in besonderem Masse die Fähigkeit, mit Begriffen, die vielerlei zumal umfassen, zu operiren; oder sie macht es nötig, dass wir in einem und demselben Momente vielerlei verschiedenartige Thatsachen und Zusammenhänge von solchen zumal in uns wirken lassen. Denen nun, welche speziell die Fähigkeit zu solcher geistigen Thätigkeit besitzen, stehen überall solche gegenüber, die das charakteristische Einzelne, das Individuelle, das bestimmte und eng begrenzte Jetzt und Hier fesselt und geistig beschäftigt. Man wird nicht fehl gehen, wenn man bei denen, die ihrer Natur nach zu jener Weise geistiger Bethätigung neigen, im allgemeinen ein besonders geringes Vermögen sinnlich frische und anschauliche Vorstellungen zu haben voraussetzt, dagegen denen, die in dieser Weise begabt sind, ein solches zuschreibt. Wenn wir dem abstrakten und ins Allgemeine gehenden Denken die Lebhaftigkeit der „Phantasie" entgegensetzen, so pflegen wir in dem letzteren Begriffe schon im gewöhnlichen Leben Beides zu vereinigen, die Fähigkeit, das Einzelne und Konkrete für sich uns zu vergegenwärtigen, und zugleich die Fähigkeit, es zu besonderer sinnlicher Anschaulichkeit zu erheben.

Doppelte „Energie" der Vorstellungen

Die Kraft und Freiheit, mit der die einzelne \
in der Seele zur Geltung kommt, so sagten wir, sei
der sinnlichen Frische oder Anschaulichkeit der Vor
Zugleich haben wir bereits den Unterschied zweie:
keiten angedeutet: Dass das Einzelne an sich die E
sitze, kraftvoll zur Geltung zu kommen, und dass ihr
lichkeit dazu eigne, weil es die psychische Kraft in
Masse mit Anderem zu teilen genötigt sei. Diesen I
werden wir festhalten müssen.

Beide Möglichkeiten können wiederum verschied‹
haben. Die erstere Möglichkeit hat auch solche G
wir nicht näher beschreiben können. Wir wissen s
zu sagen, wie es zugeht, dass die Seele des musikal
lagten von Klängen in so besonderem Masse in An‹
nommen wird. Wir wissen ebensowenig genauer
worin die krankhafte Reizbarkeit oder Erregbark‹
wisse einzelne Vorstellungen besteht, die dann vorzulie‹
wenn — ohne Suggestion — einzelne Vorstellungen a
vorstellungen auftreten. Haben dieselben halluci‹
Charakter, so beruht dieser Charakter auch hier
dieser Weise des Auftretens, d. h. auf der besonder‹
und Ungehemmtheit des Vorstellungsvorganges, nicht
qualitativ eigenartigen Vorgang. Aber wir wissen,
psychologisch, nicht zu sagen, was jene besondere
keit, soweit nämlich eine solche angenommen wer
verschuldet.

Indessen mit allem dem haben wir in diesem
hang, ich meine im Zusammenhang der Suggestionsf‹
eigentlich zu thun. Was uns speziell interessirt,
zweite Möglichkeit, d. h. diejenige, die darin besteht,
stellungen die psychische Kraft in besonderem Mass
besonderer Freiheit in Anspruch nehmen und dami
erhöhte sinnliche Frische gewinnen, nicht weil sie a
sondere Energie besitzen, oder genauer gesagt, weil

Dasein zu Grunde liegende reproduktive Vorgang diese besondere Energie besitzt, sondern weil ihnen der Zusammenhang des seelischen Geschehens die vollkommenere und freiere Aneignung der psychischen Kraft verstattet.

Freilich schliessen diese beiden hier unterschiedenen Möglichkeiten sich nicht aus. Auch in Fällen, wo wir zunächst die erstere als gegeben ansehen müssen oder können, muss das Hinzutreten der zweiten die Wirkung erhöhen. Oder es würde auch wohl der Erfolg, d. h. die erhöhte sinnliche Anschaulichkeit oder die Hallucination, gar nicht sich einstellen, wenn nicht beide zusammenwirkten.

Ich nahm soeben an, dass den Hallucinationen geistig Gestörter eine besondere Reizbarkeit für die bestimmten Vorstellungen zu Grunde liege. Angenommen aber, bei einem sonst normalen Individuum bestände aus irgendwelchem Grunde eine solche erhöhte Reizbarkeit, so würde doch die mit besonderer Energie auftretende Vorstellung sich in den Zusammenhang seiner sonstigen Vorstellungen und Wahrnehmungen eng einordnen. Die psychische Bewegung würde vermöge dieses Zusammenhanges mit gewisser Energie zu Anderem fortgeleitet. Die der Zwangsvorstellung widersprechenden Wahrnehmungen und Erfahrungen würden auf Unterdrückung derselben hinwirken. So beständen allerlei Gründe für die Verminderung der Kraft jener Vorstellung. Und diese Gründe könnten genügen, jener Vorstellung den hallucinatorischen Charakter zu nehmen.

Umgekehrt können dann, wenn solche hallucinatorische Zwangsvorstellungen auftreten, Hemmungen ableitender und entgegenwirkender psychischer Erregungen wenigstens einen Teil der Schuld tragen. Die Vorstellung kann als Zwangsvorstellung und damit zugleich als Hallucination auftreten auch darum, weil sie relativ isolirt ist, weil dem Individuum die beim Normalen vorhandenen Wege fehlen, darüber hinwegzukommen oder sie zu überwinden. Ja es könnte dieser negative Grund der einzige sein, so dass jene abnorme Reizbarkeit gar nicht angenommen zu werden brauchte.

Oder man nehme einen Fall, der vorhin nicht erwähnt

wurde. Ich habe mich länger mit bestimmten orn
Formen beschäftigt. Nun geschieht es mir, dass
Eintritt in einen dunklen Raum ein solches Orna
voller sinnlicher Frische, also hallucinatorisch sich
Hiebei ist mir zunächst auffällig, dass mir dies jetzt
während ich sonst dergleichen nicht zu erleben pflegte
mir: Die längere Beschäftigung mit solchen Formen ha
stellung solcher Formen eine grössere Energie verlieh
da ich auch sonst schon mit Formen mich länger b
hatte, ohne dass dergleichen geschehen ist, so muss i
dem eine besondere jetzt zufällig stattfindende Reizba
Empfänglichkeit für die fragliche Vorstellung voraus

Andererseits übersehe ich aber auch den Umsta
dass mir beim Eintritt ins Dunkle, also beim plötzli
schwinden der optischen Wahrnehmungsbilder, die v
aufdrängten und einen Teil meiner Aufmerksamkeit in
nahmen, diese Hallucination entsteht. Ich muss also a
dass dies Zurücktreten der optischen Wahrnehmungsbi
die grössere Freiheit, mit der die Reproduktion jener
talen Formen sich vollziehen kann, an der Hallucina
beteiligt ist. — Nebenbei bemerkt berichte ich hier e
Erlebnis. Jedermann kennt aber allerlei Berichte und
völlig gleichartige Erlebnisse.

Wie immer aber es sich in diesem und dem v
wähnten Falle verhalten mag; in jedem Falle ist die
nete negative Bedingung der Hallucinationen entsche
weiteren jedermann bekannten Fällen der Hallucina
meine die Hallucinationen beim Einschlafen und di
hallucinationen.

Dass hier eine abnorm gesteigerte Erregbarkei
hallucinatorischen Vorstellungen vorliege, dies anzune
steht kein Grund. Eine solche Annahme wäre auc
verständlich. Es ist schwer einzusehen, wie die allge
müdung, die der Grund des Einschlafens zu sein pfle
seits eine Abstumpfung der Fähigkeit zum Vollzug
pfindungen und Vorstellungen, andererseits eine beson

barkeit für bestimmte reproduktive Vorgänge in sich schliessen
sollte. Wir werden vielmehr annehmen müssen, dass hier die
psychische Erregbarkeit überhaupt eine Herabminderung erfahren habe, dass aber von dieser Herabminderung nicht oder
nicht sofort alle Punkte der Psyche in gleichem Masse betroffen
werden. Gewisse Vorstellungen bleiben zufällig, d. h. aus Gründen, die wir nicht näher bezeichnen können, relativ erregbar.

So sehen wir ja auch beim Einschlafen thatsächlich das
Empfindungsleben eine Herabsetzung erfahren. Zugleich ver-
wirren sich die Vorstellungen. Auch diese Verwirrung der
Vorstellungen kann man nicht deuten wollen auf eine besondere verwirrende Kraft. Sondern sie ist die natürliche Folge
davon, dass nur jene „zufällig" noch erregbareren Vorstellungen
auftauchen, dagegen die Wahrnehmungen und die allgemeinen
und umfassenden Vorstellungszusammenhänge, insbesondere die
Zusammenhänge von Erfahrungen, in welche sich im wachen
Leben die einzelnen Vorstellungen einordnen, und durch deren
Wirkung in den Verlauf unseres wachen Lebens Ordnung und
sinnvoller Zusammenhang kommt, nicht mehr zur Wirkung gelangen, also nicht mehr lenkend und korrigirend, damit auch
ablenkend und unterdrückend, eingreifen können. Soweit immerhin noch ein genügendes Mass von psychischer Kraft, oder von
Fähigkeit überhaupt vorstellend thätig zu sein, besteht, wird
dann diese Kraft diesen zufällig auftretenden einzelnen Vorstellungen zu Teil oder in ihnen aktuell; und sie wird ihnen
als einzelnen zu Teil. Und damit ist ihr hallucinatorischer Charakter völlig begreiflich. Umgekehrt muss man dann auch
den hallucinatorischen Charakter der Vorstellungen aus diesen
Thatsachen zu begreifen suchen.

Das bisher Gesagte wird nachher noch weiter auszuführen
sein. Schon jetzt aber können wir zusammenfassend erklären:
In der Natur oder Beschaffenheit der reproduktiven Vorstellung
allein liegt der genügende Grund für einen beliebig hohen Grad
der sinnlichen Frische der Vorstellungen, also auch der genügende Grund für einen hallucinatorischen Charakter derselben.
Es ist dazu nur erforderlich, dass der reproduktive Vorgang

mit seiner vollen Energie und mit genügender Freihei
lich Freiheit von dem Gegeneinanderwirken der psy
Vorgänge, sich vollziehen kann. Nicht dass wir zuweile
cinationen unterliegen, sondern, dass wir ihnen nicht
unterliegen, ist das eigentlich der Erklärung Bedürfti
das positiv zu Begründende. Der Grund dafür liegt
dem Aufgehen oder relativen Untergehen der einzeln
stellungen in dem Ganzen des gleichzeitigen psychischen
Das Ganze wirkt hemmend oder aufhebend für das F
Oder anders ausgedrückt: Nicht das Vorstellen mit dem
der sinnlichen Frische des Vorgestellten, sondern das I
niren ist für die einzelne Vorstellung das eigentlich N
Die Hallucination ist die volle Vorstellung; sie ist d
derselben; wenn wir nämlich die einzelne Vorstellung
betrachten. Andererseits ist doch wiederum die Vor
mit ihrem Mangel sinnlicher Frische das Normale, so
Einordnung der einzelnen Vorstellungen in den Kont
Fluss einer umfassenden und einheitlichen psychisch
wegung, und damit die Teilung der Aufmerksamkeit c
psychischen Kraft, vor allem auch das Zurücktreten d
stellungen hinter den von der Wirklichkeit unmittelbar
gebenden Empfindungen und Komplexen von solchen
das Normale ist.

Es wird nicht dieser ganze Sachverhalt, wohl a
Seite desselben getroffen und zugleich das Wesentliche
anerkannt in der Erklärung Hobbes', that mental im
obscured by sense impressions, as the light of the sun ol
the light of the stars, and that the vivacity of the
imagery in dreams is comparable with the appearance
stars at night, when the sun has set.

Die Sterne haben in der Nacht nicht eine grössere
kraft als am Tage. So haben wir keinen Grund, dem
duktiven Vorgang, durch welchen die Gebilde der
phantasie für uns entstehen, an sich eine grössere Ene
zuschreiben, als sie auch im wachen Leben haben
Aber wie die Sterne in der Nacht der sinnlichen Wahrn

sich darstellen, weil sie nicht mehr von der Sonne überstrahlt werden, so gewinnen diese Traumphantasmen sinnliche Lebhaftigkeit, weil die sinnlichen Empfindungen und die vielverzweigten Vorstellungsgewebe des wachen Lebens zurücktreten, und ihnen dadurch erlauben mit voller Kraft und Freiheit herauszutreten.

Herabsetzung der psychischen Bewegung.

Das im Vorstehenden Gewonnene erfordert nun noch mehrfache Ergänzungen. Wir müssen erstlich ein genaueres Bild davon gewinnen, wie Vorstellungsvorgänge durch das Dasein oder Entstehen anderer herabgesetzt werden können. Dieser Frage stellen wir dann gegenüber die Frage nach den Bedingungen der besonderen Energie der Vorstellungsvorgänge.

Vorstellungen, die in mir geweckt werden, können in verschiedener Weise durch andere psychische Vorgänge um die Möglichkeit, psychisch zur Geltung zu kommen, gebracht werden. An eine dieser Möglichkeiten war im Bisherigen vorzugsweise gedacht.

Eine Vorstellung entstehe. Dann tritt dieselbe jederzeit zu bereits vorhandenen Empfindungen und Vorstellungen hinzu. Andere entstehen während ihres Vollzuges oder Ablaufes. Sie selbst reproduzirt Vorstellungen. Sie fügt sich so ein in ein Gewebe von Empfindungen und Vorstellungen, das sich ausbreitet und mannigfach verzweigt. Mit allen diesen Empfindungen und Vorstellungen muss jene Vorstellung um die psychische Kraft konkurriren.

Dabei ist nicht blos an solche Empfindungen und Vorstellungen gedacht, die zum Bewusstsein kommen. D. h. es sind nicht blos die durch physiologische Reize ausgelösten und die reproduktiven psychischen Vorgänge gemeint, die ihr Ziel, die Erzeugung eines Bewusstseinsinhaltes, erreichen. Sondern daneben stehen die unbewussten Empfindungen und Vorstellungen, d. h. die durch physiologische bezw. reproduktive Reize ausgelösten psychischen Vorgänge, die nicht bis zu diesem Ziele gelangen.

Wir haben aber Grund anzunehmen, dass dasjenig
von unseren Empfindungs- und Vorstellungsvorgänge
Komplexen von solchen bis zur „Schwelle des Bewuss
durchdringt, also in einem entsprechenden Bewusstsein
von seinem Dasein uns unmittelbar Kunde gibt, jederze
wenig ist im Vergleich mit denjenigen Vorgängen, di
Bewusstsein sich völlig entziehen; dass also die ganze
psychische Erregungsmasse nur in wenig Höhepunkte
Bewusstsein sich darstellt. Demgemäss haben wir un
die Konkurrenz der psychischen Vorgänge um die psyc
Kraft jederzeit als eine sehr viel weitergehende zu denk
sie dem nur auf die Bewusstseinsinhalte gerichteten Bli
scheinen könnte.

Diese Konkurrenz ist nun doch nicht zu denken
Kampf Aller gegen Einen und Eines gegen Alle. Die m
fachen gleichzeitigen Vorstellungen bilden Zusammenhäng
wiederum mannigfach unter einander verbunden sind.
Zusammenhänge bestehen entweder schon, indem die
stellungen entstehen, oder sie knüpfen sich, indem sie zu
kommen und nebeneinander sich vollziehen. Schliesslic
binden sich alle gleichzeitigen psychischen Vorgänge zu
psychischen Gesamtvorgang, zu einer Gesamtwellenbew
von komplizirter Gesamtwellenform, in welcher die ein
Wellen nur ein relativ selbständiges Dasein haben. All
zelnen psychischen Vorgänge werden in diesen Gesa
gang aufgenommen oder von ihm „angeeignet". In dem
als dies geschieht, verwandelt sich die Konkurrenz u
psychische Kraft in freie Ausgleichung derselben. Jede
kurrenz psychischer Vorgänge geht stetig — obgleich, j
der Beziehung des einzelnen Vorganges zum Ganzen,
hemmungsloser und rascher, bald weniger hemmungslo
rasch — in eine solche Ausgleichung über.

Die Zusammenhänge zwischen Vorstellungen, die
stehen von Vorstellungen bereits geknüpft sind od
ihres Vollzuges oder ihres „Aufsteigens" sich knüpfen
doppelter Art, wechselseitige oder einseitige, simultane od

cessive, Komplexe oder Ketten. Die wechselseitigen Zusammenhänge sind wiederum Zusammenhänge des Gleichartigen, also
Zusammenhänge, deren Glieder durch Aehnlichkeitsassociation
aneinander gebunden sind, oder aber sie sind erfahrungsgemässe
Zusammenhänge. Empfindungen oder Vorstellungen, die entstehen, finden ihnen Gleichartiges vor oder reproduziren solches. Immer besteht dann die Regel der Ausgleichung: In
der psychischen Bewegung liegt jederzeit die Tendenz zwischen
Gleichartigem sich auszugleichen. Dabei muss dem Begriff der
Gleichartigkeit und diesem Gesetz der Ausgleichung eine sehr
viel weitere Geltung zugeschrieben werden, als man vielfach
geneigt zu sein scheint. Vor allem ist zu berücksichtigen, dass
es sich hier um Gleichartigkeiten oder Aehnlichkeiten von
psychischen Vorgängen handelt, und dass diese keineswegs
zugleich als Gleichartigkeiten oder Aehnlichkeiten der entsprechenden Bewusstseinsinhalte sich darzustellen brauchen.
Ja es muss aufs bestimmteste betont werden, dass die in jedem
Betracht wirksamsten Gleichartigkeiten von psychischen Vorgängen unter denjenigen zu finden sind, die in den entsprechenden Bewusstseinsinhalten kein „Fundament“ haben. Solche
Gleichartigkeiten sind etwa die musikalischen Verwandtschaften;
dann vor allem allerlei Aehnlichkeiten von Verhältnissen oder
Beziehungen zwischen den Elementen eines Ganzen, von Weisen
der Elemente sich zu einem Ganzen zu verweben, sich zu
einander förderlich oder gegensätzlich zu verhalten.

Die auf solchen Gleichartigkeiten beruhende Ausgleichung
ist nun jederzeit ein relatives Untergehen des Einzelnen in der
Menge des Gleichartigen. Hat ein psychischer Vorgang von
ausgeprägter Eigenart vielerlei Gleichartiges geweckt, das eben
um seiner Mannigfaltigkeit willen nicht im Einzelnen bewusst
werden kann, so reden wir von einer durch jenen Vorgang
hervorgerufenen Stimmung. In dieser Stimmung kann jener
Vorgang sich lösen und schliesslich fürs Bewusstsein völlig
darin untergehen.

Nicht minder besteht die Tendenz der Ausgleichung der
psychischen Bewegung innerhalb jedes Zusammenhanges, dessen

Elemente durch wechselseitige Erfahrungsassociati
knüpft sind. Die Erfahrungsassociation ist wechselseiti
ein Element des Zusammenhanges weist auf ein anderes
wohl hin, wie dieses auf jenes. Dieses „Hinweisen" is
Anderes als die Tendenz des Ueberganges der psychisc
wegung von dem einen Element auf das andere u
gekehrt. Genauer gesprochen ist hier die psychische Be
gar nicht als eine solche zu betrachten, die den Ele
angehörte. Sie ist vielmehr gebunden an das Ganze
faßt das Einzelne nur so weit es das Ganze erlaubt.

Grösser noch ist die das Einzelne negirende, d. h
ihm verwirklichte psychische Bewegung herabsetzende V
der „Ketten". Alle unsere Vorstellungen sind im 1
unseres Lebens schon irgendwie zu Gliedern nicht nu
sondern vieler solcher Ketten geworden. D. h. wir sin
früher von gleichen Vorstellungen oder von Vorste
ähnlichen Inhaltes oder Charakters in verschiedener R
zu anderen Vorstellungen oder auch zu anderen Empfin
oder Wahrnehmungen übergegangen. Auf Grund davon
in der Folge die Geneigtheit zu erneutem Vollzug dies
gangs, also zum erneuten Vollzug dieser von den fr
Vorstellungen fortleitenden Bewegung. Speziell das,
als ein Bekanntes, Gewohntes, Vertrautes, uns Geläufi
zeichnen, unterliegt dieser „psychischen Abflusstendenz
jeder weiss, wie diese Abflusstendenz die Energie, mit d
stellungen sich aufdrängen, uns in Anspruch nehmen
Interesse wecken, vermindert. Jeder kennt die Wirkung
angeblichen psychischen „Ermüdung". Wegen des Ge
verweise ich auf meine „Grundthatsachen des Seelen
S. 376 ff.

Hiemit haben wir zwei prinzipiell verschiedene
kennen gelernt, wie Vorstellungen durch andere
chische Kraft gebracht werden können. Es ist etwas
wenn Vorstellungen durch beliebige andere zurückg
oder durch den Wettstreit mit anderen gewaltsam niederg
werden, etwas Anderes, wenn Vorstellungen ihre psy

Kraft einbüssen und schliesslich verschwinden, weil sie „freiwillig" in andere übergehen. Es ist etwas Anderes um die Wirkungsweise des Gesetzes der Konkurrenz um die psychische Kraft, etwas Anderes um die Wirkungsweise des Gesetzes der Ausgleichung und des Abflusses der psychischen Bewegung. Der Erfolg ist darum doch beidemale die Minderung oder Aufhebung der in den einzelnen Vorgängen verwirklichten psychischen Bewegung oder die Herabsetzung dieser Vorgänge.

Endlich tritt zu diesen beiden Weisen der Herabsetzung psychischer Vorgänge eine dritte, für uns vor allem bedeutsame. Im Grunde zerfällt sie wiederum in zwei. Die eine ist gegeben durch die Thatsache des qualitativen Vorstellungsgegensatzes, etwa des Gegensatzes, der zwischen disharmonischen Tönen oder sich unregelmässig durchkreuzenden Rhythmen besteht. Die andere ist gegeben durch die Thatsache des logischen Widerspruches oder des Gegensatzes zwischen sich ausschliessenden psychischen Vorgängen. Für uns kommt aber speziell die Wirkung des letzteren Gegensatzes in Betracht. Es mag gleich bemerkt werden, dass dieser, ebenso wie jener andere Gegensatz unter gewissen Bedingungen auch die entgegengesetzte Wirkung haben kann. D. h. beide Arten des Gegensatzes können auch steigernd wirken. Man spricht dann wohl — mit einem an sich nichtssagenden Namen — von einem „Kontrastgesetz". Zunächst aber interessirt uns nicht die steigernde, sondern die herabsetzende Wirkung des Gegensatzes, und zwar speziell des logischen Gegensatzes.

Der Himmel kann heiter sein und trübe. Aber er kann nicht beides zugleich sein. Wir können ihn nicht zugleich heiter und trüb vorstellen. Vollziehen wir die eine Vorstellung, so wird die andere niedergehalten. Mein Vorstellen kann von der Vorstellung des Himmels aus in der einen oder in der anderen Richtung fortgehen. Ist zu beiden Vorstellungsbewegungen gleich viel Anlass, so halten sich die Antriebe in der einen und in der anderen Richtung weiterzugehen die Wage. Keine von beiden Bewegungen kommt zu Stande. In Wahrheit wird es freilich niemals bei diesem Gleichgewichtszustande bleiben.

Unser Vorstellen wird hin und hergehen, zwischen beidem schwanken. Dabei verrät sich im Gefühl des Zweifels der Gegensatz der Antriebe. Die Vorstellungen der Trübheit und der Heiterkeit des Himmels kommen nacheinander zu Stande, aber jede durch die andere, oder den Antrieb zum Vollzug der anderen, gehemmt, also unfrei.

Man wird hierzu vielleicht bemerken, der Zustand, in dem beide Vorstellungsantriebe sich die Wage halten, sei überhaupt undenkbar. Die Vorstellung eines Himmels, der weder heiter noch trübe sei, überhaupt keine bestimmte Beschaffenheit habe, sei an sich ein Unding. Dies ist richtig, wenn man unter der Vorstellung die Vorstellung im Sinne des Bewusstseinsinhaltes versteht. Es ist unrichtig, wenn man darunter den an sich unbewussten Vorgang versteht, der auf Erzeugung eines Bewusstseinsinhaltes abzielt. Den Unterschied aber zwischen psychischen Vorgängen und ihnen entsprechenden Bewusstseinsinhalten habe ich bereits mehrfach vorausgesetzt. Ich betone hier noch ausdrücklich, dass dieser Unterschied überall festgehalten werden muss, dass ohne ihn keine Psychologie möglich ist. Bewusstseinsinhalte sind für die Psychologie überall die Ausgangspunkte; den eigentlichen „Gegenstand" der Psychologie aber bilden die an sich unbewussten, den Bewusstseinsinhalten zu Grunde liegenden Vorgänge. Jene sind die Symptome, diese die wirkenden Faktoren.

Ein Bewusstsein von einem Himmel, der weder heiter noch trübe, obzwar der Möglichkeit nach beides ist, ein Bewusstsein dieses Abstraktums, ist zweifellos unmöglich. Es gibt in diesem Sinne keine abstrakten Vorstellungen. Um so sicherer ist, dass die unseren abstrakten Begriffen entsprechenden psychischen Vorgänge allerdings existiren und relative psychische Selbständigkeit besitzen. Die Thatsache der Abstraktion beruht eben auf dieser relativen psychischen Selbständigkeit des Abstrakten. Insbesondere gilt der Satz: Haben psychische Vorgänge etwas Gemeinsames, so ist dies Gemeinsame ein jenen psychischen Vorgängen gegenüber Neues und relativ Selbständiges, zu relativ selbständigem Dasein und Wirken Fähiges; es eignet diesem Gemeinsamen relativ selbständige psychische Energie. Dieser Satz bildet eine Ergänzung des anderen, dessen Geltung oben schon gelegentlich vorausgesetzt wurde: Sind zwei psychische Vorgänge zumal gegeben und zu einem Ganzen verbunden, so schliesst jederzeit dies Ganze etwas jenen psychischen Vorgängen gegenüber Neues und relativ Selbständiges in sich. Wir können dieses Neue kurz die Einheitsfunktion nennen. Beides zusammenfassend können wir sagen: Wo zwei psychische Vorgänge nebeneinander gegeben sind, sind jederzeit in einem einzigen Vorgang vier relativ selbständige psychische Vorgänge gegeben, nämlich jene zwei, das ihnen Gemeinsame, und die Einheitsfunktion oder die Weise ihres sich Verbindens zum Ganzen. Alle diese relativ selbständigen Vorgänge sind Momente in dem einen Gesamtvorgang. Rechnen wir hinzu das, was die beiden ursprünglichen Vorgänge unterscheidet, so haben wir zwei weitere relativ selbständige psychische Vorgänge. Schliesslich ist die Anzahl der in einem psychischen Gesamtvorgang, ja schon in einem einzelnen Empfindungs- und Vorstellungsvorgang der Möglichkeit nach gegebenen relativ selbständigen psychischen Vorgänge unendlich gross.

Doch dies beschäftigt uns hier nicht. Was hier in Betracht kommt, ist lediglich die relative Selbständigkeit des Gemeinsamen. Ein solches liegt hier vor in dem einerseits heiteren, andererseits trüben Himmel. Der Himmel, abgesehen von seiner Heiterkeit oder Trübheit, dies Abstraktum, ist hier das Gemeinsame. Und dies Gemeinsame hat relative psychische Selbständigkeit. Der ihm zu Grunde liegende psychische Vorgang kann für sich da sein und psychisch funktioniren. Nur ist mit diesem Abstraktum zugleich die Tendenz vorhanden, zu dem Vorgang, der der bewussten Vorstellung des heiteren oder des trüben Himmels zu Grunde liegt, sich zu ergänzen oder näher zu bestimmen. Das Bewusstsein des heiteren oder des trüben Himmels ist ja eine nähere Bestimmung des Abstraktums Himmel, es ist nicht etwa eine Verbindung der beiden Vorstellungen Himmel und Heiter oder Trübe.

27*

Worauf es nun hier speziell ankommt, das ist eben
Tendenz psychischer Vorgänge sich näher zu bestimmen,
der Gegensatz der Tendenzen, nach entgegengesetzten, mit
nander unverträglichen Richtungen sich näher zu bestim
Dabei dürfen wir nicht bei dem heiteren oder trüben Hir
oder ähnlich einfachen Fällen bleiben. Alle unsere Vo:
lungen und Vorstellungszusammenhänge sind mit weiteren
stellungen und Vorstellungszusammenhängen erfahrungsge
verflochten. Alle unsere geistigen Inhalte stehen in e
durchgängigen unmittelbaren oder mittelbaren Zusammenl
Jede Vorstellung und jeder Vorstellungszusammenhang,
wir vollziehen mögen, schliesst auf Grund davon die Mög
keit und den Antrieb in sich, weitere Prädikate, neue zeitl
räumliche, kausale Bestimmungen zu gewinnen. Und ir
wieder kann es dabei geschehen, dass neben möglichen P
katen oder näheren Bestimmungen andere stehen, die j
widersprechen und zu deren Vollzug gleichfalls ein An
besteht. Jede Frage, jeder Zweifel, ob ein Ding so ode
sei, jeder mögliche Gedanke, mit einem Objekte unseres :
kens könne es so und auch anders bestellt sein, ist ein B(
für das Dasein solcher sich widersprechender Antriebe zu
näheren Bestimmung eines psychischen Vorganges. Wir kö
dies auch so ausdrücken, dass wir sagen, jede Vorstellung
jeder Vorstellungszusammenhang, den wir vollziehen möger
im Grunde ein Abstraktum, das als solches nach näherer
stimmung und Umwandlung in ein Konkretum oder ein
kommen selbständiges Ganzes verlangt, und immer wieder I
es geschehen, dass entgegengesetzte Antriebe zu solcher
waudlung einander gegenüber stehen. Eine vollkommen
krete Vorstellung ist nur der Zusammenhang aller unserer
stellungen überhaupt.

Soweit nun aber ein solcher Widerstreit der Antrieb
entgegengesetzter näherer Bestimmung oder Prädizirung
Vorstellung oder eines Vorstellungszusammenhanges bes
wird immer die nähere Bestimmung, die wir vollziehen, gen
gesagt: es wird der Vorstellungsvorgang, in welchem

nähere Bestimmung besteht, in seinem Vollzug gehemmt oder
ihm die Möglichkeit freier Aneignung psychischer Kraft relativ
genommen. Es findet eine Hemmung unserer Vorstellung oder
unserer psychischen Bewegung statt, soweit immer in uns die
Möglichkeit einer entgegengesetzten Vorstellungsbewegung besteht und zur Wirkung gelangt. Nur soweit eine in bestimmter
Richtung geschehende Bewegung für uns den Charakter nicht
blos hoher und beliebig hoher Wahrscheinlichkeit, sondern der
absoluten jede Möglichkeit des Zweifels ausschliessenden Selbstverständlichkeit besitzt, kann solche Hemmung fehlen.

Eine dreifache Weise, wie Vorstellungsvorgänge in der
Möglichkeit und Freiheit ihres Zustandekommens oder ihrer
Kraftaneignung verhindert sein können, kennen wir also jetzt:
die Konkurrenz aller psychischen Inhalte mit allen um die
begrenzte psychische Kraft, die Tendenz der Ausgleichung und
des Abflusses, und den Gegensatz sich unmittelbar aufhebender
psychischer Bewegungen. Jede dieser drei Möglichkeiten müssen
wir uns im normalen Leben oder bei normaler psychischer Reg-
samkeit in sehr viel weiterem Umfange verwirklicht denken,
als uns die Erfahrung unmittelbar anzeigt. Vieles, das in
unserem Bewusstsein nicht repräsentirt ist, konkurrirt mit jeder
Vorstellung, die wir vollziehen mögen, vieles wirkt ausgleichend
oder bietet einen Weg für die Abflusstendenz, und vielerlei
kann jederzeit einen Antrieb zu einer entgegengesetzten Vorstellungsbewegung in sich schliessen.

Steigerung der psychischen Vorgänge.

Achten wir nun andererseits auch etwas genauer, als wir
es vorhin thaten, auf die Möglichkeiten der Steigerung der
in einem psychischen Vorgang verwirklichten psychischen Bewegung. Ich beschränke mich dabei auf Einiges, das uns hier
speziell wichtig ist.

Der Musiker ist für die Auffassung und Festhaltung von
Klängen und Klangverbindungen speziell beanlagt. Zu solchen
„Anlagen", im engeren Sinn, fügen wir die Temperamente,

das Naturell, die ursprünglichen Charaktereigenschaften,
die körperlich oder durch vorausgegangene psychische E
nisse bedingten Dispositionen u. s. w.

Mit allen diesen Namen bezeichnen wir Weisen, wie
beschaffen bin, im Gegensatz zu dem, was jetzt in mir
geht. Und alle diese Weisen zeigen sich darin wirksam,
sie diese oder jene Art von psychischen Vorgängen oder
sammenhängen von solchen leichter in mir zu Stande kom
lassen, also die Fähigkeit derselben, die psychische Kraft
anzueignen, mit einem Worte ihre psychische Energie, erb

Es gibt aber nicht nur individuelle, sondern auch
gemeine Beschaffenheiten. Es gibt neben den Eigentüml
keiten der psychischen Organisation oder Konstitution, we
die Individuen scheiden, auch solche, die ihnen gemeinsam (
Es gibt eine allgemeine psychische Natur. Auch diese i
sich darin erweisen, dass diese oder jene Art des psychis
Geschehens vor anderen Energie gewinnt.

Das Verhältnis bestimmter psychischer Vorgänge zu
oder meiner psychischen Natur, worauf diese Energiesteige
beruht, die grössere oder geringere Angemessenheit derse
an mich, oder umgekehrt ausgedrückt, die grössere oder
ringere Adaptirtheit meiner auf diesen oder jenen Vorg
verrät sich meinem Bewusstsein gleichzeitig in einem Ge
der Lust bezw. der Unlust. Was meiner Natur in gewi
Masse entspricht oder worauf meine Psyche ihrer Natur (
in gewissem Grade gerichtet ist, das wird Gegenstand der I
was ihr widerstreitet und darum ihr „abgenötigt" werden n
ist Gegenstand der Unlust.

Wir können somit sagen: Eine besondere psychische Ene
besitzt die Vorstellung, die mit Lust verbunden ist. Nicht
besässe sie Energie, weil ein Lustgefühl sie begleitet.
gibt psychologisch keinen Sinn. Sondern sie hat die Ene
vermöge desselben Umstandes, der auch das Lustgefühl bedi
oder: Sie ist von Lust begleitet vermöge eben des besond
Umstandes, auf welchem ihre Energie beruht.

Neben dieser Thatsache steht aber eine. andere, schei

damit unverträgliche. Nämlich die Thatsache, dass auch das
mit starker Unlust Verbundene grosse psychische Energie an
den Tag zu legen, dass etwa Vorstellungen des Schrecklichen,
Entsetzlichen u. s. w. sehr energisch sich aufzudrängen pflegen.

Hier nun kommt die Thatsache der „Ausgleichung" in
eigentümlicher Weise zur Geltung. Stimmt ein Vorgang von
bestimmtem Charakter, vermöge dieses Charakters, in besonderem
Masse mit der Natur der Seele überein, so müssen durch ihn
nach dem Gesetz der Aehnlichkeitsassociation andere Vorgänge
von gleichartigem Charakter erregt werden; und dieselben
müssen besonders leicht erregt werden. Besonders leicht, weil
ja auch diese anderen Vorgänge vermöge ihres gleichartigen
Charakters in der Seele einen besonders empfänglichen Boden
besitzen. Allgemeiner gesagt: die der Natur der Psyche besonders gemässe psychische Bewegung muss eben als solche
besonders leicht von ihrem Ausgangspunkte aus in der Seele
sich ausbreiten oder ausstrahlen.

Daraus aber ergibt sich eine relative Ausgleichung der
psychischen Bewegung. Das mit Lust Verbundene gewinnt
also besonders leicht psychische Energie, wird dann aber auch
wiederum leicht zu einem relativ zurücktretenden Element in
einer psychischen Gesamtbewegung, einer umfassenderen Stimmung; allerdings in einer psychischen Gesamtbewegung, die
als ganze grosse Energie besitzt.

Nicht so verhält es sich mit dem Gleichgiltigen. Das
Gleichgiltige ist das Mittlere, Gewöhnliche, Durchschnittliche;
es bezeichnet die normale Mitte oder allgemeine Basis, aus der
sich das sehr Erfreuliche, wie das sehr Unlustvolle, als besonderer
Fall heraushebt. Dies Gleichgiltige findet in der Natur der
Seele keinen erheblichen Widerhall; aber es ist nun einmal das,
was die Seele zumeist erlebt. Wir werden aber annehmen
müssen, dass jedes solche Gleichgiltige dem vielfachen Anderen,
das daneben sich vollzieht und ebenso gleichgiltig ist, in gewisser Weise gleichartig ist, dass die entsprechenden psychischen Vorgänge einander irgendwie verwandt sind, dass etwa
die graue Farbe mit der sonstigen grauen Alltäglichkeit ein

Gemeinsames hat. Oder vielmehr: wir müssen dies zw
annehmen. Eben diese Neutralität, diese Weise, die Seelo
positiv noch negativ in starke Mitleidenschaft zu ziehen, s
einen gemeinsamen Charakter in sich. Das einzelne
giltige gleicht sich also naturgemäss gegen vielerlei
artige Vorgänge, die zugleich Vorgänge von geringer
sind, aus; die in ihm verwirklichte psychische Bewegun{
vermöge solcher Ausgleichung mit vielen Elementen v
ringer psychischer Höhe selbst rasch auf ein geringes
herab.

Das mit hoher Unlust Verbundene endlich tritt zur
in Gegensatz. Es kann also nur in Ueberwindung dieses
satzes psychisch zur Geltung kommen oder psychische
aneignen. Zugleich aber kann es nicht wie das Erfi
und in anderer Weise das Gleichgiltige — vom ersten
seines Zustandekommens an und weiterhin immer wie
diese psychische Kraft weitergeben oder ausgleichen. S
es behauptet Schritt für Schritt die angeeignete Kraft.
das Unerfreuliche reproduzirt Anderes, das mit ihm g
Charakter besitzt, insbesondere in gleichartiger Wei
Organisation der Psyche in Gegensatz steht. Aber au
Andere vollzieht sich nur unter Ueberwindung einer Hen
In entsprechendem Masse fehlt dem Unerfreulichen di
lichkeit leichter Ausgleichung.

So ergibt sich aus entgegengesetzten Gründen das (
Das Lustvolle wird Gegenstand der Aufmerksamkeit, \
die Aufmerksamkeit leicht auf sich zieht; das Unlustvoll
es jedes Mass von Aufmerksamkeit, das es mühevoll ar
besonders sicher festhält. Jenes ist der leichte Erwerb
gleichstrebenden Freunden leicht mitteilt; dies der m{
Sammler, der das Erworbene wegzugeben mindere Lu
mindere Gelegenheit hat. Dem Erfreulichen wenden \
innerlich leicht zu, das Unerfreuliche werden wir, nach
sich in Gegensatz zu unserem eigenen Wesen aufgedrün
nicht leicht innerlich wieder „los".

Die Fähigkeit psychische Kraft anzueignen bezw.

haupten, von welcher bisher die Rede war, haftet an den Vorstellungen — des Erfreulichen oder in hohem Grade Unlustvollen — als solchen; genauer: sie haftet an ihrem Verhältnis
zur psychischen Organisation oder Disposition. Die Energie
dieser Vorstellungen ist eine solche, die den Vorstellungen an
sich oder von Hause aus eignet. .

Im Uebrigen kann in der mannigfachsten Weise, auf Grund
von Associationen, Vorstellungen solche Fähigkeit oder
Energie zu Teil werden bezw. erhalten bleiben. Ein Vorstellungsinhalt drängt sich mir auf als Mittel zu einem Zweck,
oder weil er erwartet wurde, oder weil mit ihm andere Vorstellungen, die psychische Energie besitzen, zu ·einheitlichen
Vorstellungskomplexen verbunden sind. Auf diese verschiedenen
Möglichkeiten gehe ich hier nicht ein. Eine teilweise nähere
Beschreibung findet sich wieder in dem oben citirten Werke.

Auch darauf will ich nur im Vorbeigehen hinweisen,
dass wir hier wiederum auf einen Gegensatz zweier Möglichkeiten
der psychischen Kraftaneignung stossen, der dem vorhin auf-
gezeigten völlig analog ist. Wie einerseits das Erfreuliche,
andererseits das recht Unerfreuliche, so zieht einerseits das
sicher Erwartete, andererseits das zu aller Erwartung in Gegensatz Tretende, also das völlig Unerwartete, die Aufmerksamkeit
in besonderem Masse auf sich, während das zwischen beiden in
der Mitte Liegende an diesem Vorzug keinen Anteil hat.
Wiederum besteht dabei zugleich der Gegensatz: Wir wenden
uns dem Erwarteten leicht zu; das Unerwartete dagegen lässt
uns, nachdem es im Widerspruch mit uns d. h. unserer Erwartung sich aufgedrängt hat, nicht leicht los. Dem entspricht ein Gegensatz der Gründe für die besondere Inanspruchnahme der Aufmerksamkeit, der dem Gegensatz der Gründe für
die Inanspruchnahme der Aufmerksamkeit, einerseits durch das
Erfreuliche, andererseits durch das Unerfreuliche, durchaus
analog ist. Obgleich diese Analogie dazu dienen müsste, das
oben über den letzteren Punkt Gesagte unmittelbarer einleuchtend zu machen, muss ich doch hier auf nähere Darlegung derselben verzichten.

Dagegen liegt es in unserem Interesse, auf eine Ҭt
zu achten, die der Thatsache, dass das Unerwartete in
derem Masse die Aufmerksamkeit auf sich zieht, verwa
Ich meine die Thatsache des sogenannten Reizes der I
Das Neue — das ein erwartetes oder unerwartetes sei
— reizt und fesselt. Aber diese Thatsache hat keine pൈ
sondern nur negative Gründe. Neuheit ist Ungewohnthe
Neue steht im Gegensatz zu dem, was wir immer wied
haben und was demnach in allerlei erfahrungsgemäß
stellungszusammenhänge verwoben ist. Dadurch ist ൴
grösseren oder geringeren Tendenz der Ausgleichung ⅰ
Abflusses verfallen. Der Reiz des Neuen und Ungew
ist also nichts anderes als der Reiz d. h. die Fähigk
Inanspruchnahme und der Festhaltung psychischer Kr
einem Vorstellungsinhalte oder Komplex von solchen zu
ehe diese Fähigkeit durch die auf Erfahrungsassociation
ruhende Tendenz der Ausgleichung und des Abflusses ൳ⅰ
mindert hat. Der Reiz des Neuen ist nichts als der
minderte Reiz des Objektes.

Alles ist ursprünglich neu. Der Reiz des Neuen
der ursprüngliche Reiz der Objekte. Daraus folgt, nebeⅰ
merkt, dies: Wir können aus dem Reize des Neuen oder
was uns wiederum neu d. h. ungewohnt geworden iൠ
weise ersehen, welcher Reiz oder welche psychische
einem Objekte an sich eignet. Oder umgekehrt: wir
daraus teilweise die Macht — nicht der Tendenz dൠ
gleichung überhaupt, wohl aber der auf Erfahrungsasൠ
beruhenden Tendenz der Ausgleichung, und die Macht ⅰ
flusstendenz erkennen. Wir können dies nur teilweise, ൠ
schliesslich für uns absolut Neues nicht mehr gibt,
immer, wenn wir etwas Neues erleben, wenigstens irൣ
Aehnliches auch sonst schon von uns erlebt wurde.
absolut Neue würde uns die Energie, die Vorstellun
sich besitzen, und andererseits die Macht der Ausgleichu
Abflusstendenz vollkommen zeigen.

Das Streben.

Wir haben im Vorstehenden gewisse Bedingungen kennen gelernt, unter denen Vorstellungen eine grössere Energie an den Tag legen, also eine grössere Fähigkeit bekunden, ein Mass der psychischen Kraft in sich aktuell werden zu lassen oder ein Mass der möglichen psychischen Gesamtbewegung in sich zu verwirklichen.

Nun sagten wir vorher: jede reproduktive Vorstellung hege in sich die Tendenz, zur Empfindung zu werden, und diese Tendenz sei um so grösser, je mehr Energie sie besitze. Darnach müssen jene Bedingungen der erhöhten Energie von Vorstellungen zugleich als Bedingungen der erhöhten Tendenz des Ueberganges von Vorstellungen in die entsprechenden Empfindungen sich ausweisen; umgekehrt: trifft dies Letztere zu, so liegt darin eine neue Bestätigung jenes Satzes.

Man könnte hier zunächst den schon mehrfach gebrauchten Begriff der Tendenz bemängeln. In der That besteht kein Recht, diesen Begriff zu gebrauchen, ohne nähere Bestimmung seines Sinnes. Ich benütze darum die Gelegenheit zu sagen, was ich darunter verstehe.

Was ist eine „Tendenz" auf physischem Gebiete? Ein in Bewegung befindlicher Körper hat die Tendenz, in gleicher Richtung und Geschwindigkeit weiterzugehen. Dies heisst nichts anderes als: In der jetzigen Bewegung des Körpers liegt die Bedingung, ich meine die genügende Bedingung für solches Weitergehen. Der Körper braucht nur sich selbst überlassen zu bleiben, und er geht in jener Weise weiter. Es bedarf dazu keines neuen Anstosses. So bezeichnet überhaupt eine „Tendenz" das Dasein der zu einem Geschehen erforderlichen Bedingungen. Die „Tendenz" ist nur ein anderer Ausdruck für eine bestehende Gesetzmässigkeit.

Genau denselben Sinn nun hat der klargedachte Begriff der Tendenz oder des Strebens auch auf psychischem Gebiete. Es kann darnach auch die Behauptung, es liege in jeder reproduktiven Vorstellung als solcher eine Tendenz des Ueber-

ganges zur Empfindung, nichts anderes besagen als:
in dem Vorstellungsvorgange oder dem Vorgange de
duktion die Bedingungen enthalten für das Zustand
einer Empfindung.

Dazu ist doch noch ein Zusatz erforderlich. D
denz' ist das Dasein der Bedingungen eines Gescheh
sich betrachtet, d. h. abgesehen von dem Erfolg
dingungen. Die Tendenz als solche, oder die blos
denz besteht also, wenn der naturgemässe Erfolg der
ungen noch nicht eingetreten oder am Eintreten verhi
So eignet eine blosse Tendenz zu fallen dem Körper,
einer Unterlage liegt. Die Bedingungen seines Falles
seinem blossen Dasein und dem Dasein der Erde, i
„Schwere" oder der „Anziehungskraft" der Erde gege
bedarf, damit er thatsächlich fällt, keines neuen Bev
anstosses; es ist dazu nur erforderlich, dass das H
weiche. Weicht dasselbe, so „geht" die „Tendenz" de
„von selbst" in wirkliches Fallen „über"; damit ist
die Tendenz „als solche" verschwunden.

Ebenso ist auch auf psychischem Gebiete eine
als solche oder eine blosse Tendenz gegeben, wenn die
ungen für ein psychisches Geschehen oder für den
eines Geschehens in bestimmter Richtung fertig vorlie
Geschehen oder dieser Fortgang desselben aber auf Hi
stösst oder Hindernisse zu überwinden hat.

Indem ich hier die psychische mit der physischen ,
in eine Linie stelle, will ich doch nicht etwa sagen, da
Begriffe gleich ursprünglich oder dass gar der psych
Begriff der Tendenz von dem physikalischen abgel
Letztere Annahme müsste vielmehr direkt umgekehrt
Die Tendenz, von der wir zunächst wissen, ist die ps

Aber auch hier ist nicht der soeben als psychische
bezeichnete Thatbestand das ursprünglich Gegebene
dem Worte „Tendenz" Gemeinte. Der zunächst, ja de
unmittelbar von uns erlebte Sinn dieses Wortes ist viel
geben in einem jenen Thatbestand jederzeit begleitende

artigen Gefühl. Wir würden gar keinen Anlass haben, von einem psychischen Streben, als einem eigenartigen psychischen Thatbestand, überhaupt zu reden, wenn nicht dies eigenartige Gefühl von uns vorgefunden würde. Dies Gefühl muss demnach auch den einzigen ursprünglichen Sinn des Begriffes der Tendenz oder des Strebens bezeichnen. Wir fühlen in uns eine Tendenz oder ein Streben, das heisst, wir haben jenes eigentümliche, nicht näher beschreibbare Gefühl, das wir dem nun einmal bestehenden Sprachgebrauch zufolge als Gefühl der Tendenz oder des Strebens oder auch der Spannung, der Thätigkeit oder endlich — wenn wir dies Wort möglichst allgemein nehmen — als Gefühl des Wollens bezeichnen. Von da aus nennen wir dann auch erst dasjenige, was wir diesem Gefühle meinen zu Grunde legen zu müssen, mit dem gleichen Namen: Tendenz, Streben, innere Spannung oder Anspannung, Thätigkeit, Wollen. Wir bezeichnen als Streben, Tendenz, Thätigkeit etc. jenen vorhin charakterisirten Thatbestand, weil er es ist, der von dem Strebungsgefühl begleitet ist, so wie wir als Wärme die Beschaffenheit von Objekten bezeichnen, die der Wärmeempfindung zu Grunde liegt. Wir bezeichnen dann weiterhin auch analoge physische Thatbestände mit dem gleichen Namen.

Hier sind wir auf eine merkwürdige Thatsache gestossen. Wir nennen jenes Gefühl Gefühl des „Strebens" und wir nennen zugleich das Dasein von Bedingungen eines physischen Vorganges, etwa des Falles, der doch wegen eines bestehenden Hindernisses nicht ohne Weiteres sich vollziehen kann, ein „Streben". Wir thun Beides nicht erst im Zusammenhang des wissenschaftlichen, sondern schon im gewöhnlichen Leben. Durch diese gleiche Benennung geben wir, ohne uns darüber Rechenschaft abzulegen, zu erkennen, dass wir wissen, was unserem Strebungsgefühl zu Grunde liegt. Wir könnten nicht in den beiden Fällen den gleichen Namen gebrauchen, wenn wir es nicht als einigermassen selbstverständlich betrachteten, dass das, was sich in unserem Strebungsgefühl verrät, nichts Anderes ist als das Dasein einer Bedingung eines Geschehens,

das doch in seinem Vollzug gehemmt ist. Dies ist
wert, weil hier einer der Fälle vorliegt, wo die ι
Psychologie instinktiv das Richtige trifft, wo sie ei
Bewusstsein des wahren Sachverhaltes an den Ta
gelegentlich die psychologische Wissenschaft. Ich
insbesondere an die psychologische Wissenschaft,
Streben oder Wollen eine besondere psychische Kra
glaubt.

In der That verhält es sich zweifellos so: Das
gefühl stellt sich unter der eben bezeichneten Vo
ein. Wir finden es in uns, wenn psychische Fakto
welcher Art in uns wirksam sind und das nach
schen Gesetzen zu erwartende Ergebniss dieser Wirl
seiner Verwirklichung gehemmt ist. Das Strebun₁
die Begleiterscheinung des in seinem natürlichen
hemmten psychischen Geschehens. Das Streben
eben dies Geschehen oder die Wirksamkeit jener B
Nehmen wir das Wollen, wie schon oben, in ι
gemeinsten Sinne, so haben wir damit zugleich
schaftliche Definition des Wollens gewonnen.

Empfindungsstreben.

Kehren wir nun zur Tendenz der reproduktiven
in Empfindung sich zu verwandeln, zurück. Ist es
sagten, dass in dem reproduktiven Vorgang die Bedi
für das Zustandekommen einer Empfindung, und ver
andererseits mit dem Streben und Strebungsgefühl
eben sahen, dann könnte man erwarten, dass jede r
Vorstellung, die nicht ohne weiteres in die entspre
pfindung sich verwandelt, ein bewusstes, d. h. von
bungsgefühl begleitetes Streben nach der entsprech
pfindung in sich schlösse.

Diese Erwartung bestätigt sich nicht. Wir wisse
schon, warum sie sich nicht bestätigen kann. Der
eben in der Natur des Strebens.

Das Streben, sagten wir, sei das Dasein der Bedingungen eines psychischen Geschehens oder der Verwirklichung eines psychischen Thatbestandes. Diese Bedingungen können unmittelbar immer nur gegeben sein in einem Vorgang. Das Streben ist das Dasein eines psychischen Vorgangs, sofern mit ihm die Bedingung für den Uebergang in einen anderen Vorgang bezw. in ein anderes Stadium desselben Vorgangs gegeben ist. Die Kraft des Strebens ist die Kraft dieses Vorganges. In dem Falle also, der uns beschäftigt, d. h. beim Streben zum Uebergang von einer Vorstellung in die entsprechende Empfindung, ist die Kraft des Strebens gleichbedeutend mit der Kraft, welche die Vorstellung besitzt.

Demnach muss jenes Streben gemindert werden durch alles, was die Kraft der Vorstellung mindert oder die in ihr sich verwirklichende psychische Bewegung herabsetzt. D. h. zunächst: es muss gemindert werden durch die Konkurrenz und die Tendenz der Ausgleichung und des Abflusses. Was die letzteren Momente betrifft, so können wir auch sagen: Die Tendenz der Vorstellung, in einer Empfindung zu münden, wird abgelenkt und damit aufgehoben durch die Tendenz der Vorstellung oder der in ihr verwirklichten psychischen Bewegung in andere Vorgänge überzugehen oder in andere Bewegung sich umzusetzen. Die „Spannung", die damit gegeben ist, dass die Vorstellung in die entsprechende Empfindung übergehen müsste, aber nicht in sie übergehen kann, löst sich durch den thatsächlichen Fortgang der Bewegung in anderer Richtung.

Umgekehrt müssen wir dann natürlich annehmen, dass das Streben einer Vorstellung zum Uebergang in die entsprechende Empfindung oder kurz das Empfindungsstreben jedesmal aktuell wird, wenn jene ablenkenden Faktoren fehlen, d. h. beispielsweise, wenn die Abflusstendenz nicht besteht oder gering ist, d. h. wenn eine Vorstellung neu ist. Dies ist in der That der Fall. Wir reden von Neugier, von Schaulust, die auf das Neue, Ungewohnte, Ausserordentliche, Seltsame gerichtet ist. Neues, Unerhörtes, das uns beschrieben wird, wollen wir sehen, überhaupt sinnlich wahrnehmen. Für das Kind und den

Ungebildeten gibt es mehr Neues. Daher begegnen
vor allem dieser Neugier oder diesem Streben zu sch
Nicht minder muss immer dann, wenn eine Vorst
sich grössere Energie besitzt, also in grösserem Masse
kurrenzkampf bestehen kann, auch das entsprechende
dungsstreben gesteigert erscheinen. Nun sehen wir,
mit Lust verbundenen Vorstellungen eine grössere En
sitzen, als die gleichgiltigen; dass andererseits, und aus
Grunde, auch dem Unlustvollen eine besondere Energi
Demgemäss weckt die Vorstellung des Angenehmen ode1
das Streben zu empfinden, die Vorstellung des angenel
schmacks die Begierde des Schmeckens, die Vorstel
schönen Bildes die Begierde des Sehens.

Ebenso hat der Gedanke, das vorgestellte Hässliche,
liche, Entsetzliche wahrnehmend zu erleben, einen e
lichen und vielleicht zwingenden Reiz. Hier wirkt den
nach thatsächlichem Erleben dasjenige entgegen, was
fühl der Unlust zu Grunde liegt, d. h. kurz gesagt un
sönlichkeit. Wir sträuben uns dagegen. Dem steht ab(
über das zwangsweise Streben oder Begehren, das
Energie der Vorstellung, ihrer Weise uns nicht lossula
geben ist. Es ergibt sich als Resultat aus beidem d
artig widerwillige Wollen oder Angezogen-werden.
ziehungskraft kann so gross werden, dass sich das
darnach bestimmt. Mord- und Selbstmordepidemien
extremsten Ergebnisse dieses psychologischen Thatbes

Empfindungsstreben und Hallucination. Neg1 Empfindungen.

Wir kehren von hier aus endlich wiederum zur
nation zurück, indem wir eine Frage stellen, die n
sich aufdrängt, wenn wir das hier über das Empfindu1
Gesagte mit dem in Beziehung setzen, was über das V
von Vorstellung und Hallucination ehemals gesagt wu
Frage lautet: Wenn in jeder Vorstellung nach Massg1

Energie die Tendenz, d. h. die Bedingung zum Uebergang
in die entsprechende Empfindung enthalten liegt, warum verwirklicht sich diese Tendenz oder diese Bedingung nicht in den
hier besprochenen Fällen? Warum sieht der Neugierige oder
Schaulustige nicht, was er zu sehen begehrt? Warum verwirklicht sich nicht das Streben nach einer angenehmen Geschmacksempfindung, gar nach einer Wollustempfindung ohne weiteres?

Darauf könnte zunächst geantwortet werden, dass auch dies
in der Natur des „Strebens" liege. Wenn wir ein Streben verspüren, so heisst dies, dass der Verwirklichung des Strebens ein
Hemmniss entgegensteht. So käme etwa das Streben nach einer
Geschmacksempfindung gar nicht als dies Streben zum Bewusstsein, wenn nicht der Verwandlung der Geschmacksvorstellung
in die entsprechende Empfindung ein Hemmniss entgegenstände.

Aber man wird fragen: Worin besteht hier dies Hemmniss.
Darauf antworte ich einfach: Eben darin, dass die Geschmacks-
empfindung nicht da ist. Dies klingt paradox oder widersinnig.
Und doch verhält es sich so.

Das Nichtdasein einer Empfindung scheint etwas Negatives.
Ein rein Negatives aber kann nicht Hinderniss sein für irgend
etwas. So kann auch das Nichtdasein einer Empfindung nicht
verhindern, dass eine Vorstellung zur Empfindung werde.

In Wahrheit aber ist das Nichtdasein einer Empfindung
etwas Positives, nicht ihr Nichtdasein als solches, aber das
Nichtdasein in dem Gesamtzusammenhange unseres psychischen
Geschehens. Es ist ein genau ebenso positiver psychischer Thatbestand wie die Empfindung selbst. Es ist nicht eine Empfindung, aber eine bestimmte Weise unseres Empfindens.

Wir kommen hier auf einen Gedankengang, der uns nicht
mehr fremd ist. Empfindungen, die wir haben, sind nicht
nur da, sondern sie ordnen sich ein in den Zusammenhang
des psychischen Geschehens überhaupt, speziell in den Zusammenhang unseres Empfindens. Sie werden Momente in
unserem Gesamtempfinden. Und dieser Zusammenhang, dieses
Gesamtempfinden, ist eine Einheit, ein einziger einheitlicher
Vorgang. Wir sahen schon: Es gibt nicht nebeneinander be-

stehende psychische Vorgänge, sondern immer n
gang, in dem doch freilich die einzelnen Momente
ständigkeit besitzen. Wenn wir von einzelnen psy
gängen sprechen, als beständen diese für sich, s
jedesmal einen Akt der Abstraktion, nicht vie
wenn wir von einer Klangfarbe sprechen, als {
dergleichen ohne Klanghöhe und Klangstärke.

Dementsprechend wird, wenn in einen Zusar
psychischen Geschehens ein Vorgang hineintritt,
sammenhang nicht nur etwas hinzugefügt, sonde
ganze Zusammenhang ein anderer. Dass der V{
Zusammenhang hineintritt, und die Weise, wie
ist jedesmal etwas, das dem Gesamtvorgang g{
ihm als Ganzem widerfahrene Modifikation; so w
nicht nur um einen Ton vermehrt wird, wenn {
zu ihm hinzutritt, sondern im Ganzen zu einem
immer anderen Akkord wird, je nach der Nat
Tones und der Weise, wie er in den Akkord sich
psychische Geschehen ist jederzeit ein, leider nicl
monischer, Akkord, die einzelnen Vorgänge Töne

Umgekehrt ist dann auch der psychische G
ein anderer, wenn ein Vorgang, speziell ein Em
gang in ihm fehlt. Es ist etwas anderes, wei
Gesamtkörperempfindung eine Schmerzempfindu{
wenn die Schmerzempfindung da ist; nicht in de
nur einfach die Gesamtempfindung in jenem Fall{
ment ärmer wäre als in diesem, im übrigen abe{
empfindung dieselbe bliebe, sondern in dem Si
Gesamtkörperempfindung als Ganzes vermöge de
Schmerzempfindung ein eigenartiges Gepräge h{
auch, als Ganzes, ein eigenartiges Gepräge gewi{
Dasein der Schmerzempfindung. Es ist in gleicher
anderes, wenn die Gesamtempfindung von der m
den Welt das eine Mal der besonderen Modifikati
welche gehörte Töne oder Geräusche in ihr herv
wenn die Elemente dieser Gesamtempfindung-

treten einer solchen Empfindung zu einem Ganzen sich verweben. Es gibt nicht eine Empfindung der Stille, wohl aber einen eigenartigen Zustand meiner Gesamtempfindung, der dem Worte Stille entspricht, und dessen Verknüpfung mit dem Worte Stille diesem seinen spezifischen Sinn gibt. Das Wort bezeichnet nicht Nichts, sondern es bezeichnet diesen positiven psychischen Zustand. Der fragliche Zustand besteht in der eigenartigen Weise psychischer Vorgänge zur Einheit sich zu verweben, wie sie einzig und allein unter der Bedingung des Fehlens von Tönen und Geräuschen möglich ist und stattfindet. So ist es überhaupt etwas Eigenartiges, eine eigenartige positive Charakteristik des psychischen Gesamtzustandes liegt vor, wenn in unserem Gesamterleben irgendwelche Empfindung nicht gegeben ist. Immer besteht diese Charakteristik in der spezifischen, durch das Fehlen eben dieser Empfindung bedingten Weise des Sichverwebens von Elementen zum Ganzen.

Auf Grund dieses Sachverhaltes ist es auch einzig möglich, dass wir beispielsweise uns erinnern, etwas nicht gesehen oder nicht gehört zu haben. Erinnern wir uns in solchem Falle des Nichtgesehenen, des Nichtgehörten, haben wir mit andern Worten ein Erinnerungsbild ohne Inhalt? Oder besteht unsere Erinnerung darin, dass Allerlei Gegenstand unserer Erinnerung ist, und nur ein bestimmtes Gesichts- oder Gehörsbild in der Erinnerung nicht vorkommt. Von Beidem kann keine Rede sein. Die Erinnerung, dass wir etwas nicht sahen, ist weder eine Erinnerung an Nichts, noch eine Nichterinnerung an Etwas, sondern sie ist eine Erinnerung, die eben dies, dass ich etwas Bestimmtes nicht gesehen habe, zum positiven Inhalte hat. Sie ist eine Reproduktion dieser psychischen Thatsache. Also muss doch mein Nichtgesehenhaben dieses bestimmten Objektes oder dies Fehlen einer Empfindung eine psychische Thatsache sein.

Und worin besteht diese Thatsache? Unmöglich kann sie in etwas Anderem bestehen, als dem eben Bezeichneten. Sie besteht in dem ehemaligen psychischen Gesamterlebniss, sofern dasselbe durch das Fehlen der Empfindung bestimmt war. Sie besteht in der besonderen Charakteristik, die diesem Ge-

samterlebniss dadurch zu Teil wurde, dass es o
der bestimmten Gesichtsempfindung als Gesam
vollzog. Damit ist jene Erinnerung verständ
Wir erinnern uns etwas nicht gesehen zu hab
versuchen die Gesichtswahrnehmung des betrei
standes in jenem Gesamterlebniss unterzubringe
es, dass dies nicht gelingt, d. h. dass das (
Opposition erhebt. Nicht diese oder jene Elemen
erlebnisses erheben Opposition, sondern das Gesa
Ganzes oder das Charakteristische desselben, ·
Fehlen der Gesichtswahrnehmung in dasselbe l
erweist sich also hier dies Charakteristische nich
Thatsache, sondern als eine solche, die Oppositio
widersprechen kann.

Verhält es sich aber so, dann ist auch dies
eine bestimmte Empfindung, etwa die des Schmer
eine gleichartige psychische Thatsache oder ei
Moment in meinem jetzigen Erleben. Und auch ⟨
muss gegen das ihr Widersprechende Widers
können. Sie muss insbesondere Widerspruch er
wenn die ihr unmittelbar widersprechende Vor
die Vorstellung von dem Inhalte eben dieser Er
aufdrängt und das Streben zum Uebergange in
dung in sich schliesst.

Damit ist das Moment, das in einem solch
Rolle des Hemmenden spielt, genauer bezeichnet
nach Empfindung eines Vorgestellten, so kör
sagen, kann sich nicht ohne Weiteres verwirklic
wenn seine Verwirklichung in meinen psychi
zustand nicht hineinpasst, weil oder wenn insl
gegenwärtiges Gesamtempfinden ein Moment in
demjenigen Momente, das ihm durch die Verw
Strebens zu Teil werden würde, widerspricht.

Noch in einer Richtung muss das Gesagte e
Ich nannte das Nichtdasein einer bestimmten Er
Eigentümlichkeit oder ein Moment des

erlebens und insbesondere der Gesamtempfindung. Hinzugefügt
muss noch werden, dass diese Eigentümlichkeit, wie jede in
abstracto unterscheidbare Eigentümlichkeit eines psychischen
Geschehens, relative psychische Selbständigkeit besitzt, relativ
selbständig wirken kann, relativ selbständige „Energie" besitzt.
Verstehen wir unter einer Empfindung nicht einen Empfindungs-
inhalt, sondern den diesem zu Grunde liegenden Empfindungsvorgang, und berücksichtigen, dass auch der einzelne Empfin-
dungs- oder Vorstellungsvorgang nur relative psychische Selbständigkeit besitzt, so können wir sagen: Das Nichtdasein einer
Empfindung bestimmter Art ist der Empfindung psychisch
gleichwertig. Nicht bloss die Stille oder die Schmerzlosigkeit,
sondern jedes Nichtdasein einer Empfindung ist hinsichtlich
seiner psychologischen Bedeutung eine Art der Empfindung.
Es ist eine „Quasi-Empfindung".

Wenden wir jetzt unseren Blick zurück, so können wir
zusammenfassend sagen: Wir fanden zunächst einen Hinderungs-
grund für die Entstehung der Tendenz des Uebergangs
von einer Vorstellung in die entsprechende Empfindung darin,
dass Vorstellungen im Konkurrenzkampf mit anderen Vorstellungen oder Empfindungen verdrängt werden, der Tendenz
der Ausgleichung und des Abflusses verfallen, endlich von
widersprechenden Vorstellungen unterdrückt werden. Wir sind
dann hier dem Hemmniss der Verwirklichung jener Tendenz
begegnet, das in dem thatsächlichen Gesamtempfinden gegeben
ist. Angenommen, es fielen nicht nur jene Hinderungsgründe
weg, sondern es würde auch dieses Hemmniss beseitigt, d. h.
diese Gesamtempfindung oder das, was an ihr der Verwirklichung jener Tendenz widerspricht, würde unwirksam, so müsste
die Vorstellung zur Empfindung werden; die Hallucination
müsste eintreten.

Empfindungssuggestion als Autosuggestion.

Damit kehren wir zur Empfindungssuggestion zurück. Wir
bleiben speziell beim Beispiel der Schmerzsuggestion. Eine
Schmerzempfindung, zu welcher kein physiologischer Grund

vorliegt, werde mir suggerirt. Vielleicht genügt
ich von einer bestimmten Art von Schmerzen, die
jener erlitten hat, sprechen höre. Ich „bilde" mir
„ein", den Schmerz zu empfinden; d. h. ich empfind
lich. nur ohne physiologischen Grund. Was liegt hi
was kann hier vorliegen?

Diese Frage können wir nach oben Gesagtem
worten durch Beantwortung der Gegenfrage.: Wa
uns vor, wenn wir einer solchen Suggestion nicht
Wie für den Suggestibeln, so ist auch für uns d
vorstellung als Vorstellung eines mit starker Unl
denen Erlebnisses eine eindrucksvolle, d. h. sie besi
angegebenen Grunde ein hohes Mass von psychiscl
Sie besitzt an sich erhebliche Fähigkeit, wenn
wird, sich aufzudrängen und festzusetzen. Wa
Schmerz öfter die Rede, so erhöht sich diese Aufd

Damit ist nicht gesagt, dass die Vorstellung de
in uns mit grosser Energie wirke. Auf eines sei
von vornherein hingewiesen: Die Schmerzvorstellu
wir reden, tritt uns entgegen als Vorstellung de
Anderer. Dies ist doch nicht der ursprüngliche
Schmerz können wir niemals unmittelbar erleben a
Das Wort Schmerz konnte also für uns nur sein
winnen, indem ein erlebter eigener Schmerz mit
sich verband. Das Wort weckt also zunächst die
eigenen Schmerzes. Erst indem wir den Schme
irgend einmal selbst erlebt haben, auf Andere über
in Gedanken mit der fremden Persönlichkeit verbin
den Zusammenhang ihres Empfindens einfügen,
uns die Vorstellung fremden Schmerzes.

Indem wir nun dies in dem vorliegenden Falle
wir die Schmerzvorstellung bereits in einen Zus
eingefügt: und zwar in einen von uns ablenkenden
hang. Je sicherer die Einfügung geschieht, je meh
den Träger des Schmerzes für mein Vorstellen un
die Schmerzvorstellung sich heften, um so weniger

der blossen Vorstellung dieses Schmerzes, um so weniger kann
ich der Vorstellung des Schmerzes, als sei er mein eigener,
mich überlassen.

Dieser von der Vorstellung des eigenen Schmerzes und der
isolirten Vorstellung des Schmerzes überhaupt ablenkende Vorstellungszusammenhang kann nun beliebig sich erweitern. Die
Vorstellungsbewegung geht, sei es auch ohne dass ich mir dessen
bewusst werde, fort in der Richtung der näheren Umstände,
der Gründe, der Konsequenzen u. s. w. dieses fremden Schmerzes.
Sie geht andererseits fort in der Richtung auf ähnliche uns
bekannte Erlebnisse u. s. w. Es vollzieht sich so in mir eine
doppelte Ausgleichung. Dazu tritt die Abflusstendenz: Solche
Schmerzen sind mir nichts absolut Neues. Man denke ausserdem an die Vorstellungen und Empfindungen, die unabhängig
von der Schmerzvorstellung sich mir aufdrängen und mit der
Schmerzvorstellung konkurriren. Endlich kann auch darauf
hingewiesen werden, dass dann, wenn ich öfter von den Schmerzen reden höre, dies für mich eher ein Grund ist, immer weniger,
als immer mehr darauf zu „achten".

Vor allem aber müssen wir Gewicht legen auf den Haupt-
umstand. Ich bin thatsächlich schmerzlos. Möchte ich also
auch die Verbindung des Schmerzes mit den fremden Personen
nicht sicher vollziehen und mich demnach auch der Vorstellung
des Schmerzes schlechtweg, oder der Vorstellung des Schmerzes,
als sei er mein eigener, überlassen, und möchte diese Vorstellung
in mir sehr erhebliche Kraft gewinnen, so würde ihr doch die
thatsächliche Schmerzlosigkeit, diese Quasi-Empfindung, widersprechen, also den freien Vollzug derselben verhindern.

Alles nun, was hier über die Gründe gesagt wurde, aus
welchen in uns die Vorstellung des Schmerzes nicht ihre volle
psychische Energie entfalten und völlig frei sich auswirken
kann, gilt nur unter Voraussetzung eines in bestimmtem Grade
geistig normalen Individuums, oder einer bestimmten normaler
Weise vorhandenen psychischen Gesamtverfassung. Es ist vorausgesetzt, dass die bezeichneten psychischen Vorgänge stattfinden können und thatsächlich stattfinden. Sie können aber

stattfinden unter Voraussetzung einer allgemeinen
Erregbarkeit von bestimmter Grösse. Lassen wir c
barkeit vermindert sein, so ändert sich das Bild.
sie genügend vermindert sein, so sind die Bedingung
unter denen nach oben Gesagtem die Schmerzvors
hallucinatorischen Schmerzempfindung wird. Also
derte psychische Erregbarkeit der Grund, wenn
Worte, die von Schmerzen anderer berichten, diese
suggerirt werden. Die „Suggestibilität" besteht i
gemeinen Herabsetzung der psychischen Erregbark

Was heisst dies: verminderte psychische Erregb
heisst nicht etwa: Verminderung der psychischen
„psychische Kraft" ist für uns, wie man sich e
Möglichkeit, dass überhaupt psychisch etwas gesc
Grösse ist die Grösse der in einem Augenblick mög
chischen Gesamtbewegung oder die mögliche psy
samtwellenhöhe eines Momentes. Dagegen versteh
der psychischen Erregbarkeit die Möglichkeit, da
psychische Erregungen zu Stande kommen und ei
jener möglichen Gesamtbewegung in sich verwirk
verstehe unter der Verminderung der psychischen
die Verminderung dieser Möglichkeit, die Herab
Energie der Einzelerregungen, der Empfindunger
stellungen und der Zusammenhänge zwischen ihnen
mung der Fähigkeit jedes einzelnen psychischen
die psychische Kraft sich anzueignen und in i
Bahnen zu lenken. Diese verminderte psychische
ist so wenig verminderte psychische Kraft, dass ic
indem ich davon spreche, die Unvermindertheit o
Unvermindertheit dieser letzteren ausdrücklich vor

Man versteht ohne Weiteres, was daraus si
muss. Eine Vorstellung oder ein Vorstellungskon
in uns erregt. Mit A sei ein B, mit B ein C u. s
wie verknüpft. Dann kann die Erregung um so ra
zu B, von da zu C u. s. w. fortgehen, je grösser di
Erregbarkeit ist. Wir müssen aber annehmen,

psychisch normal Erregbaren die Erregung blitzartig nicht nur
eine, sondern viele solche Reihen durchlaufen kann.

Nehmen wir jetzt an, die Erregbarkeit sei herabgesetzt.
Dann muss A zu grösserer psychischer Höhe sich erheben, ehe
es B reproduciren oder ihm eine Erregung mitteilen kann.
Und wird B erregt, so ist doch zu berücksichtigen, dass seine
Erregung von der Energie, mit der die Erregung von A zu
ihm übergeht, abhängig ist. Sie ist also geringer, als sie beim
normal Erregbaren sein würde. Soll aber weiterhin durch B
das C erregt werden, so bedarf es dazu unter der gemachten
Voraussetzung wiederum nicht einer geringeren, sondern einer
grösseren psychischen Höhe des B.

Daraus ergibt sich das Bild einer Verkürzung der Strecke,
längs welcher die psychische Erregung von A aus fortstrahlt.
Es ergibt sich, wenn wir andere Reihen, für welche A gleichfalls Ausgangspunkt ist, hinzunehmen, eine Minderung des
Umfanges der Irradiation der psychischen Bewegung von diesem
Ausgangspunkte aus. Die psychische Bewegung bleibt relativ
bei A, und dem, was am nächsten und engsten mit ihm verknüpft ist.

Nun ist aber zugleich, wie wir voraussetzen, die psychische Kraft unvermindert oder relativ unvermindert.
Diese psychische Kraft steht also dem A und dem, was ihm
zunächst liegt, ausschliesslich oder ausschliesslicher als sonst
zur Verfügung. Sie wird davon trotz oder vielmehr eben vermöge der verminderten psychischen Erregbarkeit, leicht und
ungeteilt angeeignet. Indem also der Umfang der psychischen
Bewegung abnimmt, nimmt die Höhe derselben oder das Mass
der psychischen Kraft, die in ihr aktuell wird, zu.

Machen wir hievon die Anwendung auf unsere Schmerzvorstellung. Sie besitzt aus den oben angegebenen Gründen
an sich eine höhere Energie. Ist die psychische Erregbarkeit
allgemein gemindert, so ist natürlich auch diese Energie herabgesetzt. Zugleich aber mindert sich in höherem Masse die
Wirksamkeit der Faktoren, die normaler Weise die Wirkung
dieser Energie herabsetzen. Und je geringer die Energie dieser

Faktoren im Vergleich mit der Energie der Schmerzvorste
von Hause aus ist, um so grösser muss bei der allgem
Herabsetzung der psychischen Erregbarkeit ihre verhäl{
mässige Einbusse sein.

Diese allgemeine Herabsetzung der psychischen Erre{
keit bedingt nun zunächst, dass die Schmerzvorstellun{
höherem Masse von den fremden Trägern des Schmerzes
gelöst erscheint, also in höherem Masse als Vorstellung eig
Schmerzes wirkt. Weiter ist unter der gemachten Vo{
setzung erst recht der Fortgang der psychischen Bewe{
zu den Gedanken, in welche die Schmerzvorstellung weit{
verwoben ist, gehemmt. Es fehlt in grösserem oder gering
Masse die Möglichkeit der Ausgleichung und des Abflu
Die Vorstellung wirkt wie eine neue. Sie ist nach allen S
hin relativ isolirt und vermag sonach in einer Weise und
einer Kraft psychisch zur Geltung zu kommen, wie es
normal Erregbaren unmöglich wäre.

Vor allem schliesst endlich die verminderte psych{
Erregbarkeit dies in sich, dass die thatsächlich gegebene,
Schmerz überhaupt oder von dem bestimmten Schmerz
Gesamtkörperempfindung und demnach auch jene Eigentüm
keit, jene Quasi-Empfindung, in welcher die Schmerzlosi{
psychologisch betrachtet besteht, in ihrer Wirkung gehe
ist. Die thatsächliche Gesamtkörperempfindung hat an
eine geringere Energie oder Fähigkeit die Aufmerksamkei
erregen. Und dazu kommt, dass auch der Weg zu dieser
samtkörperempfindung relativ ungangbar, d. h. die Wirl
der Association zwischen der Vorstellung des suggerirten Kö{
zustandes und dieser Gesamtempfindung gehemmt ist.
Empfindung fehlt nicht überhaupt: Aber, worauf es hier
kommt, das ist ihr Zur-Geltung-Kommen im gesamten Zu.
menhange des gegenwärtigen psychischen Geschehens oder
Grad der Aufmerksamkeit, der ihr zu Teil wird. Je mehr
dieser Empfindung die Fähigkeit von sich aus die Aufm
samkeit zu beanspruchen oder zu erzwingen — Gegens
der „passiven" Aufmerksamkeit zu werden — abgeht, u{

mehr ist Bedingung für jenes Zur-Geltung-Kommen die Möglichkeit, dass ihr von dem Zusammenhange des sonstigen psychischen Geschehens aus, auf associativem Wege, Aufmerksamkeit — „aktive“ Aufmerksamkeit — zugewendet oder dass die psychische Bewegung zu ihr hingelenkt werde. In dem Masse, als Beides nicht geschieht, muss auch der Widerspruch dieser Gesamtkörperempfindung gegen die Schmerzvorstellung aufhören. Diese kann also frei zur Geltung kommen.

Noch eines muss hinzugefügt werden. Jede Weise des psychischen Geschehens — nicht bloss jede Empfindung und Vorstellung — hinterlässt eine entsprechende Disposition und vollzieht sich in der Folge leichter und schliesslich mit Zwang. Nehmen wir nun an, die Schmerzvorstellung habe bei ihrem ersten Auftreten in der Seele des Suggestibeln oder bei ihrer ersten Reproduktion, vermöge der bezeichneten Umstände, nur in gewissem Grade über die ihr widersprechende Thatsache der Gesamtkörperempfindung das Uebergewicht gewonnen oder sie habe sich auch nur in gewissem Grade gegen diese Empfindung behauptet. Es sei also das normale Verhältniss zwischen der reproduktiven Vorstellung und der thatsächlichen Schmerzfreiheit — das in der absoluten und selbstverständlichen Abweisung des Gedankens an das eigene Erleben des Schmerzes sich kundgäbe — einigermassen zu Gunsten der Schmerzvorstellung verschoben; mit einem Worte: die Schmerzsuggestion sei zunächst nicht gelungen, aber es sei ein Anfang dazu gemacht worden. Dann besteht von da an eine Disposition zu diesem Uebergewicht oder dieser Verschiebung, also eine Disposition zur Schmerzsuggestion. Die Schmerzvorstellung gewinnt dann das Uebergewicht im zweiten Falle. d. h. bei der zweiten Reproduktion derselben, wo wiederum die gleiche Bedingung der verminderten psychischen Erregbarkeit vorliegt, leichter und vollständiger u. s. w.

Das Gleiche gilt nicht minder rücksichtlich der „Isolirung“. Auch diese Isolirung oder die Herauslösung aus dem engeren und weiteren Zusammenhang, in welche die Schmerzvorstellung verflochten ist, vor allem aus dem Zusammenhange mit den

fremden Personen, vollzieht sich, nachdem sie einmal
hat, in der Folge leichter und vollständiger. Will
geläufigen Begriff der „Gewöhnung" hier anwenden
man sagen, die suggestible Person „gewöhnt sich
isolirten Vollzug von Vorstellungen.

So kann man überhaupt an den isolirten Vo
psychischen Akten sich gewöhnen. Man denke et
wie Kinder zunächst eifrig nach der Bedeutung vo
oder Sätzen, die sie lernen, zu fragen pflegen. Ma
aber nur solche Fragen oft genug abzuschneiden
solche Sätze lernen zu lassen, die für das Kind kei
tung haben können, und man bringt es leicht zu V
das Kind das Fragen sich abgewöhnt und in der
dankenlos lernt, was man ihm vorsetzt. Das I
„suggestibler".

Oder ein anderes aus der Menge der Beispiele
angeführt werden könnten: Ich sage mir ein Wort
vor und konzentrire meine Aufmerksamkeit auf de
desselben. Nach einiger Zeit erreiche ich es dann
dass das Wort mir gar keinen Sinn oder gar keine
zu dem bezeichneten Gegenstand mehr zu haben sc

Beachtet man diese Macht der Gewöhnung, so
wir, wie der Suggestible in eine Vorstellung mehr
sich hineindenkt oder hineinarbeitet; wie diese V
mehr und mehr als diese isolirte und zugleich unwide
Vorstellung in ihm Macht gewinnt oder über ihn
Die Suggestion vollzieht sich, weil die Bedingungen
in gewissem Grade gegeben sind, nicht mit einem I
sie vollzieht sich, weil die Wirkungen der Bedingu
addiren, allmälig.

Empfindungssuggestion und Glaubens...

Eine Suggestion von der im Vorstehenden an
Art wird man nicht wohl als eine Fremdsuggestio
als eine Autosuggestion bezeichnen. In jedem Fall

zwischen beiden in der Mitte. Sie ist freilich angeregt durch
die fremden Worte. Aber irgendwie angeregt muss natürlich
auch jede Autosuggestion sein. Und die fremden Worte zielen
ja der Voraussetzung nach nicht auf die Erzeugung der Suggestion ab. Es ist dem Suggestibeln nicht gesagt worden,
dass er selbst Schmerz empfinde.

Wir können uns nun zunächst die Bedingungen der Autosuggestion günstiger denken. Die Schmerzvorstellung passt
vielleicht in eine körperliche oder psychische Gesamtstimmung.
Wir werden eine solche wohl als eine Stimmung der Gedrückt-
heit bezeichnen dürfen. Oder es heftet sich an die Vorstellung
des Schmerzes die Vorstellung, dass man durch solchen Schmerz
wichtig, interessant, Gegenstand des Mitleides oder der Fürsorge
werde, und wiederum liegt es, so wollen wir annehmen, in der
Verfassung der suggestibeln Person, dafür in besonderem Masse
empfänglich zu sein.

Gehen wir aber jetzt über zu der anderen Möglichkeit,
der Fremdsuggestion. Dann kommt sofort ein neues Moment,
die Suggestion begünstigend, hinzu. Man sagt mir und sagt
mir vielleicht wiederholt, dass ich von dem Schmerz befallen
sei. Ein doppeltes neues Moment sogar liegt in dieser Aussage. Einmal ist hier der Schmerz sofort als mein eigener
charakterisirt. Zum Anderen gibt mir die Behauptung mehr
als eine blosse Vorstellung des Schmerzes.

Den Behauptungssatz, also etwa einen Satz von der Form
A ist B, habe ich verstehen gelernt, indem ich solche Sätze
hörte und gleichzeitig mich überzeugte, also das positive Urteil
vollzog, A sei wirklich B. Wie mit den einzelnen Worten die
einzelnen Sachvorstellungen, so verband sich auf Grund davon
mit der Form des Behauptungssatzes oder der Behauptung als
solcher die Funktion des positiven Urteils. Und wie demgemäss durch die Worte die Sachvorstellungen, so wird durch
die Form der Behauptung die Funktion des Urteilens in mir
reprodncirt.

Dabei ist wiederum zu beachten, dass alle Beziehungen,
die einmal in mir geknüpft sind, dass also auch die eigenartige

Vorstellungsbeziehung, in welcher die Urteilsfunktio
relative psychische Selbständigkeit besitzt. Und d
hier wie überall eingeschlossen, dass die Urteilsfunkt:
Reproduktion auf andere Sachvorstellungen übertrage
nen, also ohne Weiteres als Beziehung zwischen diese
Sachvorstellungen auftreten kann. Demgemäss ist
nötig, dass ich schon einmal das bestimmte Urteil,
vollzogen habe, wenn die Behauptung, A sei B, d
A sei B, in mir reproduciren soll. Sondern es ger
einerseits mit den Worten A und B die entsprechen
vorstellungen, andererseits mit irgendwelchen anderer
tungssätzen die Funktion des positiven Urteilens er
gemäss sich verknüpft hat.

Zur Illustrirung dieser Behauptung verweise ic
Melodie. Ich habe eine Melodie in irgendwelcher Tonla
d. h. ich habe Töne gehört und zwischen diesen hat
möge der Tonverwandtschaften bezw. der Gegensätze
den Tönen, das System von Beziehungen geknüpft
speziell als „Melodie" bezeichne. Diese Melodie,
System von Beziehungen, kann ich dann ohne W
anderer Lage reproduciren. Die Disposition zu j
ziehungen und dem System derselben ist ohne We
gleich eine Disposition für das psychische Zustan
derselben Melodie in beliebiger anderer Lage oder si
Weiteres eine Disposition zur psychischen Verwirklich
gleichartigen Systemes von Beziehungen zwischen irge
Tönen, die ihrer Natur nach in diese Beziehungen s
können. Die Melodie ist übertragbar und überträgt
sächlich auf andere Tonlagen.

Nun sahen wir aber: Jede Reproduktion träg
die Tendenz des erneuten Erlebens. Dies gilt, wie
Reproduktion des einzelnen Empfindungsvorgangs, so
der Reproduktion irgendwelcher Beziehungen, denn
von der Reproduktion derjenigen Vorstellungsbezie
welcher das Urteilen besteht. Der Behauptungssatz
höre und verstehe, schliesst für mich also ohne We

Tendenz zum Vollzug des in ihm ausgesprochenen Urteiles in sich, oder was dasselbe sagt, er involvirt für mich eine Nötigung ihm zu glauben. So liegt auch in der Behauptung, dass ich Schmerz empfinde, für mich eine Nötigung daran zu glauben.

Diese „Tendenz" zu glauben hat hier denselben Sinn wie überall. Sie besagt: Es liege in der Reproduktion des Urteilsvorganges an sich die Bedingung für den thatsächlichen Urteilsvollzug. Dann muss dieser Urteilsvollzug oder der Glaube an den Inhalt des Urteils sich thatsächlich einstellen, wenn kein Hinderniss für seinen Eintritt vorliegt, d. h. insbesondere, wenn keine Erfahrungen vorliegen, die das Glauben verhindern.

So ist es in der That. Für uns gibt es, wenn wir eine Behauptung hören, jederzeit erfahrungsgemässe Bedenken. Soweit aber das Kind Erfahrungen, die zu solchen Bedenken Anlass geben, noch nicht gemacht hat, glaubt es jeder verstandenen Behauptung. Es glaubt blind, d. h. lediglich weil eine Behauptung ausgesprochen und von ihm verstanden worden ist, und weil die Form der Behauptung erfahrungsgemäss mit dem entsprechenden Urteil oder dem Bewusstsein der Thatsächlichkeit des Behaupteten sich verbunden hat und demgemäss jetzt eine Reproduktion des Urteilsvorganges sich vollzieht.

Ich mache hier darauf aufmerksam, wie umgekehrt aus dem blinden Glauben des Kindes unsere Behauptung, die Reproduktion eines psychischen Vorganges trage in sich die Möglichkeit und Tendenz des Ueberganges zur entsprechenden Empfindung, bestätigt wird. So gewiss die Reproduktion der Urteilsfunktion von sich aus zum erneuten Urteilsvollzug werden kann, so gewiss muss die reproduktive Vorstellung von sich aus zum erneuten vollen Erleben des Vorgestellten, also zur Empfindung werden können. Wollten wir diesem Parallelismus paradoxen Ausdruck geben, so könnten wir den blinden Glauben, ebenso wie die aus reproduktiven Vorstellungen ohne Weiteres sich ergebenden Empfindungen, als Hallucination bezeichnen, und darauf den allgemeinen Satz anwenden, der Fortschritt von der Reproduktion zur Hallucination sei psychologisch das ursprünglich Naturgemässe.

Gehen wir aber in unserem Gedankengange w‹
heisst dies: Ich glaube an eine Behauptung oder v‹
entsprechende Urteil. Wenn ich weiss oder zu wi‹
A sei B, so sagt dies: die Vorstellungsverbindung A
jede Vorstellungsverbindung A non-B die volle
Uebermacht. Dies wiederum sagt: die Vorstellung
geht notwendig und unbeirrt durch jede Nötigung,
ein non-B zu verbinden, den Weg von A nach B
denke, d. h. in meinem Vorstellen mich einzig
lasse durch die Weise der Objekte, ohne mein Zut‹
aufzutreten; oder negativ gesagt, falls bei meinem
und Fortgehen von Vorstellung zu Vorstellung jede
der vorgestellten Objekte zu „mir" oder jede Beding‹
Daseins durch mich ausser Betracht bleibt, also j‹
nahme meiner an der Beschaffenheit der Objekte z‹
samkeit verurteilt ist, jedes Interesse daran, ob A
als non-B von mir vorgestellt werde, schweigt.‹
meine „Grundzüge der Logik".

Hier nun haben wir es nur zu thun mit Erfahru‹
nicht etwa mit mathematischen Urteilen und solchen
gleichartig sind. Wir haben es zu thun mit solch‹
die ich sonst als „materiale Urteile" bezeichne. Sol‹
bestehen in der objektiven Uebermacht einer erf‹
gemässen Beziehung A B, oder der Uebermacht
ziehung über jede mögliche erfahrungsgemässe B‹
non-B, sie bestehen in der damit gegebenen Nötigun‹
stellung von A zu B und nicht nach einem non-B
also in einer Nötigung, von A zu B zu gehen, di‹
die Nötigung des Nichtstattfindens der Bewegung v‹
einem non-B in sich schliesst. Damit ist nicht g‹
ich nicht von A nach einem non-B gehen könne.‹
es, aber nur willkürlich oder unter der Voraussetzu‹
mir subjektive Bedingungen des Vorstellens wirks‹
Ich kann es nicht, sofern ich denke, d. h. alle W‹
subjektiver Bedingungen aufhebe.

Damit ist die Tendenz zum Vollzug des Urte‹

bestimmt. Sie ist die Tendenz zur Wiederherstellung jenes Zustandes der objektiven Uebermacht, jener Beziehung zwischen
möglichen Vorstellungsbewegungen AB und A non-B, die darin
besteht, dass die eine, AB, sich vollzieht und die andere, A
non-B, unvollzogen bleibt. Sie ist die Weckung des Antriebes
zu jener Vorstellungsbewegung und damit zugleich zur
Unterdrückung dieser Vorstellungsbewegung. Oder mit
einem Worte: Sie ist eine Weckung des Antriebes zu jener
Vorstellungsbewegung auf Kosten dieser zu ihr in Widerspruch stehenden Vorstellungsbewegung.

So ist insbesondere auch die mit der Behauptung, ich
empfinde Schmerz, in mir wachgerufene Tendenz, an die Behauptung zu glauben, die Weckung eines Antriebs, mich als
diesen Schmerz erleidend vorzustellen und die gegenteilige Vorstellung oder Empfindung abzuweisen, d. h. in mir unwirksam
werden zu lassen. Sie ist ein auf diese Unwirksamkeit hin-
wirkender psychischer Faktor.

Urteilskontrast.

Jetzt stelle ich wiederum, ähnlich wie schon einmal, die
Frage: Wenn uns normalen Menschen, während wir uns voller
Schmerzlosigkeit erfreuen, die Behauptung entgegentritt, wir
seien von einem Schmerz befallen, was geschieht? Oder allgemein gesagt, wenn wir wissen oder wahrnehmen, A sei non-B,
was bewirkt in uns die Behauptung, A sei B? Wie jeder weiss,
ist die Folge dieser Behauptung, dass mir mein Wissen, A sei
non-B, nun erst recht zum Bewusstsein kommt.

Hierin liegt wiederum ein besonderes psychologisches Problem. Dasselbe löst sich aus dem Gesetz der „psychischen
Stauung".

Man könnte zunächst versuchen, den fraglichen Thatbestand einfacher zu erklären. Wenn ich etwa höre, Napoleon
sei in Paris gestorben, so sage ich sofort: Nein, er ist auf
St. Helena gestorben. Hier könnte man meinen: Jene Behauptung weckt die Vorstellung nicht nur Napoleons, sondern

auch seines Todes und diese weckt zugleich· die Frage
Todesort. Diese Frage beantworte ich dann auf Gru:
früher erworbenen Kenntniss.

Indessen dies genügt nicht. Nicht darum handel
dass mir mein Wissen zum Bewusstsein kommt, sor
es in solcher Weise in mir auftritt, dass es durch ·
unverträglichen Gedanken, der mir aufgenötigt wird, :
man erwarten könnte, unterdrückt wird, dass es vielm
vermöge des Widerspruches, den ihm die Behauptung
stellt, mit besonderer Energie sich Geltung verschaf
es einen Augenblick mich ganz beherrscht. Es ha:
um die allgemeine Thatsache, dass nichts so sicher
solcher Heftigkeit ein in mir latentes Wissen zum Be
und zur „psychischen Geltung" zu bringen geeigne
die widersprechende Behauptung.

Ich gab soeben zu, dass, wenn vom Tode Napo
sprochen werde, die Vorstellung des Ortes, wo er th:
starb, mir zum Bewusstsein komme, auch wenn dieser
genannt wird. Es gibt aber auch Fälle, wo die ·
widersprechende Behauptung in den „Mittelpunkt des
seins" gerückte Vorstellung ohne eine solche Behaup
nicht zum Bewusstsein gekommen wäre. Ich kann vo
farbe beliebig sprechen hören und mir diese Farbe
als schwarz vorstellen. Obgleich ich „weiss", dass
hellfarbige Neger gibt, so kommt mir dieser Umstand
gewöhnlich nicht in den „Sinn". Dagegen wird die
tung, alle Neger seien schwarz, sofort jene hellfarbig
in mir auf den Plan rufen. Der Widerspruch wird
wusste Erinnerung an ihre Existenz wachrufen. Oder
von der Form des Dreiecks reden und stelle mir als Bei
ein einziges, etwa ein spitzwinkeliges, vor. Sagt abe
allgemein: Die Dreiecksform ist die spitzwinkelige, so
sofort die recht- und stumpfwinkeligen bewusste Ei

Wie dem nun sein mag; mag ich ohne die widersp
Behauptung zum bewussten Vollzug der Vorstellung, d
sprochen wird, gar nicht veranlasst sein, oder mag

Energie, mit welcher diese Vorstellung in mir sich Geltung
schafft, gesteigert werden: In jedem dieser beiden Fälle muss
die Vorstellung, deren Energie durch den Widerspruch gesteigert wird, schon abgesehen von diesem Widerspruch in mir
erregt sein. Nur wenn und soweit — nicht der Vorstellungsinhalt, wohl aber der Vorstellungsvorgang da ist, kann dieser
Vorstellungsvorgang durch den Widerspruch getroffen und gesteigert werden. Ist der Vorstellungsinhalt, abgesehen von
der Wirkung des Widerspruches, nicht da, d. h. vermochte der
Vorstellungsvorgang den ihm zugehörigen Inhalt vorher nicht
zu erzeugen, so wird er nun eben durch diese Steigerung dazu
in den Stand gesetzt.

Die Vorstellung, der durch die Behauptung widersprochen
wird, wird also in jedem Falle erregt und dann durch den Widerspruch in ihrer Fähigkeit zur Geltung zu kommen gesteigert.
Sie würde ohne die widersprechende Behauptung mehr oder
minder nur die Bedeutung eines Durchgangspunktes für die
psychische Bewegung haben. Durch den Widerspruch wird
diese Bewegung in ihrem Vollzug gehemmt. Sie bleibt also
bei der Vorstellung, die den Widerspruch erfährt; sie sammelt
sich da an, wächst zu grösserer Höhe. So geschieht es, dass
diese Vorstellung sei es erst zum Bewusstsein kommt, sei es
zu besonderer Wirkung gelangt.

Das allgemeine Gesetz, das hier vorliegt, und das ich
bereits als Gesetz der „psychischen Stauung" bezeichnet habe,
besagt: Wird irgend ein im Ablauf begriffenes psychisches
Geschehen in irgend einem Punkte seines Ablaufes gestört,
d. h. geschieht es, dass irgend ein Stadium des Geschehens
nicht frei in dasjenige folgende Stadium übergehen kann, in
das es übergehen würde, wenn es lediglich sich selbst überlassen bliebe, so vollzieht sich eine psychische Stauung, d. h.
die psychische Bewegung, die nicht in ihrer natürlichen Bahn
weitergehen kann, bleibt bei dem Punkte der Hemmung stehen
und sammelt oder konzentrirt sich da. Sie gewinnt damit eine
gesteigerte Höhe und demnach eine gesteigerte Wirkungs-
fähigkeit.

Dieses Gesetz findet nun insbesondere auch
auf die Vorstellungszusammenhänge, die wir Urt
Der Urteilsvorgang, der im Begriff ist sich zu volli
zieht sich mit erhöhter Energie, wenn ein psychische
hinzutritt, das seinen freien Ablauf hemmt. Könnt
sich frei vollziehen, so würde die psychische Beweg
sie zu ihm fortgegangen ist, auch wiederum von
Anderem weitergehen, sodass das Urteil nur eine
geringer Höhe zu repräsentiren brauchte. Dieser
gang oder dieser „Abfluss" ist durch die Störun
Widerspruch aufgehoben. Damit ist die Stauung

Kontrast und Ausgleichung der Urteilsan

Hier ist nun doch noch ein wesentlicher Zusa
lich. Man könnte aus dem Gesagten den allgemei
ziehen: Also müssen alle einander entgegengesetz
antriebe sich in ihrer Wirkung wechselseitig stei
könnte auch hier ein allgemeines „Kontrastgesetz
Dies würde doch hier, wie überall, sofort durch
widerlegt.

Machen wir folgende Annahme: Ich meine zu
Mensch sei eines Verbrechens schuldig. Ich befind
Besitze dieses potentiellen Urteils; genau so, wie i
dem oben angeführten Falle in dem potentiellen
Urteils befand, Napoleon sei auf St. Helena gesto
geschieht es, dass — nicht jemand behauptet, der
unschuldig, sondern dass ich selbst „zufällig" einer
mich erinnere, die für die Unschuld des Menschen spi
Thatsache nötigt mir dann das entsprechende Urteil
hier kann die nächste Folge die sein, dass jenes
wonnene Schuldurteil nicht nur überhaupt, sonde
sonderer Energie in mir reproduzirt wird, also der
die Schuldindizien und den daran sich heftenden
Schuld besonders lebhaft sich mir aufdrängt. Diese
sogar um so sicherer eintreten, je weniger ich vorh

Unschuldindizium gedacht habe, je mehr es also jetzt isolirt
in mir auftaucht, sozusagen aus einer verborgenen Ecke meines
Gedächtnisses, ohne dass es noch mit den Schuldindizien in
gedankliche Verbindung gebracht worden wäre.

Diese gedankliche Verbindung, die vorher nicht da war,
entsteht aber jetzt in mir. Ich halte die Gründe für und wider
nebeneinander. Es wird aus ihnen ein einheitlicher psychischer
Komplex.

Damit ändert sich der Sachverhalt. Es gilt jetzt nicht
mehr das Gesetz des Kontrastes, sondern ein Gesetz des freien
Ausgleichs der Gegensätze. Ueberlasse ich mich den Schuldindizien, so unterliege ich dem Antrieb, das auf „Schuldig"
lautende Urteil zu fällen. Zugleich regt sich der entgegengesetzte Urteilsantrieb. Dieser letztere bewirkt aber jetzt nicht
mehr, dass jenes Urteil lebhafter oder mit grösserer Heftigkeit
sich vollzieht, sondern mindert vielmehr die Energie desselben.
Und denken wir uns — nachdem die Gründe für und wieder
zu einem einzigen psychischen Komplex verwoben sind — die
Kraft, mit der das Unschuldindizium mein Urteil bestimmt,
stärker und stärker, so nimmt eben damit die Fähigkeit der
Schuldindizien, es nach entgegengesetzter Richtung zu bestimmen, beständig ab. Schliesslich gehe ich über den Gedanken
der Schuld des Menschen, falls er überhaupt noch sich regt,
ruhig zur Tagesordnung über. Er hat jede Fähigkeit, mich
in Anspruch zu nehmen, verloren.

Was ich hier sage, ist eine jedermann wohl bekannte Sache.
Aber es liegt auch darin wiederum ein psychologisches Problem,
über das die Psychologie nicht leicht hinweggehen darf. Um
es zu verstehen und zu lösen, müssen wir das Gegeneinanderwirken entgegengesetzter Urteilsantriebe genauer ins Auge
fassen. Wir müssen zwei Möglichkeiten desselben unterscheiden.

Wir haben bei jedem psychischen Vorgang wohl zu
unterscheiden die Auslösung desselben und die damit gegebene
Tendenz desselben in bestimmter Weise und Richtung sich
zu vollziehen oder abzulaufen einerseits, und diesen Vollzug oder Ablauf selbst andererseits. Daraus ergibt sich der

doppelte Sinn jenes Gegeneinanderwirkens. Ein Vorg
durch einen ihm entgegenwirkenden in seinem Voll
hemmt werden, während doch zugleich die Tendenz
zuges bestehen bleibt. Vielmehr: Indem diese Tendei
Verwirklichung gehemmt wird, bleibt sie nicht nur
sondern steigert sich.

Und zweitens: Ein Vorgang kann durch einen
gegenwirkenden gehemmt oder relativ aufgehoben v
dem Sinne, dass eben die Tendenz des bestimmt
Vollzuges vermindert wird. Wie man weiss, beste
beiden Möglichkeiten auch auf physikalischem Geb
in seinem Fortgang gehemmte Strom wird durch die
hinsichtlich der „Kraft“, mit der er fortzugehen s
steigert. Wirkt dagegen auf einen nach oben gesc
Körper gleichzeitig die Schwerkraft, so wird der A
jener Bewegung durch die Schwerkraft aufgehoben.

Ein analoger Gegensatz besteht nun auch ül
psychischem Gebiete. Ueberall bestehen die Möglich
Steigerung und der Herabminderung der Energie (
chischen Bewegung durch Bewegungsantriebe, die in
gesetzter Richtung wirken. Ueberall besteht der Geg
Hervorrufung einer Reaktion durch eine Einwirkun
passiven Unterliegens.

Es ist aber auch leicht zu verstehen, wann die
wann die andere Möglichkeit sich verwirklicht. Sii
angeführten Beispiel die Gründe für Schuldig und Nic
eines Menschen von mir in einen einzigen Gedankens
hang verwoben, so ist die davon ausgehende logi
stellungsbewegung gleichfalls eine einzige, der einfa
vergleichbar. Und diese einzige Bewegung trägt, di
von einem Punkte aus — in unserem Falle von der S
des Menschen aus — in einer, und ebensowohl die Te
eben diesem Punkte aus in entgegengesetzter Ric
gehen, zumal in sich. Sofern die Bewegung eine e
ist auch diese Tendenz nur eine einzige. D. h. die
gesetzten Tendenzen gleichen sich gegeneinander au

ist zu bedenken, dass ja die „Tendenz" gar nichts ist als die
Wirksamkeit der Bedingungen der Bewegung, in unserem Falle
also die Wirksamkeit der Gründe für Schuldig und Nichtschuldig. Und die Einheit, zu welcher diese Gründe verwoben
sind, kennen wir nur als die Einheit ihres Wirkens.

Damit ist, wie schon anerkannt, nicht ausgeschlossen, dass
ich mich den Gründen für das Schuldig oder für das Nichtschuldig in meinen Gedanken speziell überlassen kann. Diese
Gründe bleiben ja relativ selbständig. Zugleich sind sie
doch nur relativ selbständig. Wirken in mir in einem Momente speziell die Gründe für das Schuldig, so sind dieselben
doch zugleich mit den Gegengründen behaftet: sie sind zugleich
in gewisser Weise die Einheit aus beiden. Und indem ich mich
dann daneben auf die Gründe für das Nichtschuldig besinne,
vervollständigt sich diese Einheit. Sie wirkt jetzt als diese
Einheit, oder als dies einheitliche, dem einfachen psychischen
Elemente vergleichbare Ganze. Sie wirkt als Einheit, d. h. als
Träger der einheitlichen, ausgeglichenen Tendenz des Urteilens.
Es besteht also nicht mehr die Tendenz, das eine Urteil, und
daneben die Tendenz, das andere Urteil zu vollziehen, sondern es besteht die Tendenz, das eine zu vollziehen, sofern
nicht die Tendenz, das andere zu vollziehen, besteht und wirksam ist. Mit einem Worte, es besteht die Tendenz, das eine
oder das andere Urteil zu vollziehen. Die einheitliche psychische Bewegung zielt, als diese einheitliche, nicht darauf ab,
dass das eine und dass das andere Urteil zu Stande komme,
sondern sie zielt, gegen beide Möglichkeiten neutral, darauf ab,
dass überhaupt ein Urteil zu Stande komme, oder sie zielt
ab auf Entscheidung zwischen beiden. Welches Urteil auch
den Sieg davon trage, in jedem Falle ist die Bewegung in sich
zur Ruhe gekommen. Es hat sich das vollzogen, was wir
freie logische oder freie Urteilsentscheidung nennen.

Völlig entgegengesetzt verhält es sich, wenn nicht eine
aus einem einheitlichen Quell stammende psychische Bewegung
entgegengesetzte Antriebe in sich trägt, sondern zwei psychische
Bewegungen, aus Quellen stammend, die selbständig nebenein-

ander gegeben, also nicht oder noch nicht in ein
Einheit verwoben sind, gegeneinander wirken. E
Tendenzen des Ablaufes der Bewegungen, eben we
Wirksamkeit gesonderter psychischer Momente bes
eine, sondern zwei. Sie gleichen sich nicht aus, son
was sie sind. Sie steigern sich demnach in den
sie sich in ihrer freien Verwirklichung hemmen.
Verwirklichung dennoch geschieht, wird sie ein
Habe ich den Choc, den meine Ueberzeugung von
durch die gegenteilige Behauptung erfährt, überw
besinne ich mich auf mein wirkliches oder ve
Wissen, so bricht dies eben wegen des Chocs ode
mung heftiger hervor.

Dies Gesetz des „Urteilskontrastes" erweist si
anderen Fällen als wirksam. Im Ganzen können w
unterscheiden. Einer von ihnen weist hin auf
Bestimmung, deren das Obige noch bedarf. Ich
dass etwas nicht sei, von dem ich doch weiss, dass
jener Wunsch in mir rege, so wird nicht nur auch
in mir lebendig, sondern dies bekommt durch den G
meinem Wunsche eine eigentümliche Schärfe. B
Wunsch nicht, und würde ich s o n s t irgendwie a
lichen Sachverhalt erinnert, so würde derselbe vo
leicht nicht weiter beachtet. Der gegenteilige V
richtet darauf meine Aufmerksamkeit.

Auch hier sind zwei Vorstellungsbewegungen
sich zu vollziehen. Und auch hier stammen di
verschiedenen Quellen. Aber der Unterschied der
hier ein eigentümlicher. Es ist der Unterschie
Urteilen und Wünschen, also nicht ein Unterschi
zwei psychischen Inhalten, sondern zwischen zwei
Bezogenseins von psychischen Inhalten oder von
wie psychische Vorgänge in ihrem Dasein und Ab
sind. Das Urteilen ist ein objektiv bedingtes, der
subjektiv bedingtes psychisches Geschehen. Diese be
der psychischen Bewegung sind nicht nur verschied

einander fremde, so dass sie niemals in der Weise wie Gründe
und Gegengründe zum einheitlichen Quell einer einzigen psychischen Bewegung zusammenfliessen können. Die aus beiden
Quellen entspringende psychische Bewegung ist ein für allemal
eine Zweiheit nebeneinander verlaufender Bewegungen, nicht,
weil sie verschiedene psychische Inhalte zum Ausgangspunkte hat — dies ist keineswegs vorausgesetzt —, sondern
weil sie eine qualitativ zwiespältige ist. — Es gilt also die
obige Behauptung, entgegengesetzte Bewegungen unterlägen
dem Gesetz des Ausgleichs der Gegensätze, soferne sie ein Aus-
einandergehen einer einzigen Bewegung darstellen, nur unter
der Voraussetzung, dass diese einzige Bewegung auch eine
einzige ist im Sinne der qualitativen Einheitlichkeit.

Hieran darf eine allgemeine Bemerkung geknüpft werden.
Es ist ein Grundfehler einer gewissen Richtung in der modernen
Psychologie, zu meinen, die eigentlich letzten psychischen
Unterschiede seien die Unterschiede zwischen psychischen
Inhalten, etwa Farben und Tönen. Die letzten und funda-
mentalsten Unterschiede sind in Wahrheit die allgemeinsten
Arten der Beziehung von psychischen Vorgängen oder die all-
gemeinsten Weisen des Bedingtseins des Vorstellungsverlaufes.
Ich könnte auch sagen: Die fundamentalsten psychischen Selb-
ständigkeiten liegen vor in gewissen allgemeinsten Richtungen
des psychischen Geschehens. Eine solche allgemeinste Richtung
oder Weise des Bedingtseins ist gegeben im Denken oder der
„Verstandesthätigkeit“, eine andere im ästhetischen Verhalten,
eine andere in der praktischen und speziell praktisch-ethischen
Richtung des Vorstellungsverlaufes. Ihre Selbständigkeit gegeneinander und die darauf beruhende Möglichkeit einerseits sich
zu isoliren, andererseits in einer den Ausgleich der Gegensätze
ausschliessenden Weise gegeneinander zu wirken gibt jener
alten Vermögenslehre, der Verselbständigung des Verstandes,
des auf die Aussenwelt gerichteten Willens, der ästhetischen
Phantasie ihren guten Sinn, dessen Anerkennung wichtiger ist,
als die Polemik gegen die einleuchtenden Fehler jener Anschauungen. Mein Vorstellungsverlauf kann bedingt sein das

eine Mal logisch, das andere Mal praktisch, oder
Mal durch „Gründe“, das andere Mal durch „Moti·
Motive können sich den Gründen und Gründe de
widersetzen. Und doch sind Gründe und Motive
schiedene Vorstellungen, sondern verschiedene Beziel
welche dieselben Vorstellungen verflochten sind, ode
dene Weisen, wie ihr Dasein und ihr Ablauf bedingt
Diese Beziehungen oder Weisen des Bedingtseins, di
Abstrakta, besitzen also die Kraft, sich wechselsei
schliessen oder unwirksam zu machen, eine auf I
andern die Seele zu beherrschen, sich einander zu w
wechselseitig durch Kontrast sich zu steigern u. s. w.
die eigentlich selbständigen psychischen Faktoren.

Für den zweiten Fall der hier in Rede stehenden
wirkung, d. h. der Steigerung der Energie des Urteil
durch den Gegensatz, wurde schon oben ein Beispiel
Wir wollen dasselbe hier etwas modifiziren. Ich gla
B, und eine neue Wahrnehmung, die ich jet:
widerspricht dem. Auch hier wird durch die Wah
mein vermeintliches Wissen nicht nur reproducirt, s
erhöhter Lebendigkeit gebracht. Ich sage vielleicht n
keit: Das kann nicht sein, das ist unmöglich. Fre
dann die neue Wahrnehmung von mir angeeignet u
Zusammenhang mit den Erfahrungen, die mein verr
Wissen begründeten, eingeordnet. In dem Masse, al
schiebt, tritt auch hier an die Stelle der Kontrastwi
Ausgleich der Gegensätze.

Gleichartiges endlich findet statt in dem Falle
hier eigentlich beschäftigt, d. h. wenn meinem W
Glauben eine entgegengesetzte Behauptung gege
Der Grund der Kontrastwirkung liegt auch hier in
stande, dass der mit dem Verständniss der Behau
mich gegebene Urteilsantrieb dem Zusammenhan
Gründe fremd ist. Freilich entstammt ja dieser Urt
gleichfalls aus mir, sofern er sich nämlich ergib
Reproduktion eigenen Urteilens. Und dies eigene

— das Abstraktum „Urteilsfunktion" — steht den jetzt in
mir wirkenden Gründen nicht fremd gegenüber. Aber die
Reproduktion ist in diesem Falle b e w i r k t durch ein Fremdes,
von aussen her mir sich Aufdrängendes. Sie ist insofern selbst
ein Fremdes, nicht dem Zusammenhang meines geistigen Besitzes
Angehöriges.

Es braucht nicht gesagt zu werden, welche teleologische
Bedeutung alle diese Kontrastwirkungen haben. Erfahrungen
und erfahrungsgemässe Zusammenhänge sollen den Verlauf
unseres Vorstellens und damit weiterhin unser praktisches
Verhalten regeln. Dies ist nur möglich, wenn Erfahrungen,
da wo eine solche Regelung erforderlich ist, in uns nicht nur
reproducirt werden, sondern ihre volle Wirkung üben. Und
dies wiederum ist nur möglich, wenn das den Erfahrungen
Widersprechende selbst diese Erfahrungen auf den Plan ruft
und sie veranlasst, ihre volle Energie geltend zu machen, oder:
wenn Störungen des erfahrungsgemässen Vorstellungsverlaufes selbst den Process erzeugen, durch welchen
die Störungen unwirksam gemacht werden können.
Dass es so sich verhält, ist ein Grundgesetz des psychischen
Lebens.

Urteils- und Empfindungssuggestion.

Das Beispiel, von dem wir bei der Betrachtung der
bezeichneten Kontrastwirkungen ausgingen, war die Suggestion
einer Schmerzempfindung. Wir normale Menschen unterliegen
derselben nicht, wegen der Kontrastwirkung: Das Bewusstsein
der Schmerzlosigkeit regt sich in uns mit erhöhter Energie.
Nun nehmen wir aber wiederum an, die psychische Erregbarkeit sei herabgesetzt. Dann hat die Thatsache der Schmerzlosigkeit geringere psychische Energie, und zugleich ist der
Weg, der die psychische Bewegung von der Vorstellung des
Schmerzes durch das körperliche Gesamtempfinden hindurch
zur „Quasi-Empfindung" der Schmerzlosigkeit hinführt, relativ
ungangbar. In dem Masse, als dies Beides der Fall ist, ist
auch die steigernde Wirkung, welche die Behauptung auf die

Quasi-Empfindung der Schmerzlosigkeit, genauer auf
zug derselben, ausübt, vermindert oder relativ a
Ist diese Aufhebung eine genügende, so kann die
der Behauptung zu glauben, übermächtig werden.
schliesslich ungehindert sich verwirklichen. Die V
oder der Impuls, zu glauben, den auch wir Normale
Augenblick verspüren, bleibt bestehen, weil die Real
elastische Rückwirkung ausbleibt oder kraftlos gesch
Vorgang ist im Princip nicht verschieden von demjen
unter anderen Voraussetzungen, auch bei uns jede
vollziehen kann. Auch wir glauben oft genug, d
sicher auftretende Behauptung veranlasst, sei es
Augenblick, sei es auf die Dauer, dasjenige, für
zwingende Gegengründe hätten. Es fallen uns nur
Gegengründe jetzt nicht ein. Auch hier fehlt — nicl
nügende psychische Erregbarkeit überhaupt, aber die
Erregbarkeit der Gedächtnissspuren, auf die es g
kommt. Sie sind an sich nicht genügend erregbar, t
nicht sofort „präsent", oder sie sind nicht genügt
liegend, d. h. nicht durch genügend enge und wirkt
Associationen mit den Vorstellungen, die jetzt unm
uns erregt werden, verbunden. Wir brauchen uns,
vorliegt, nur gesteigert und verallgemeinert zu denke
gelangen zunächst zur Leichtgläubigkeit, und dann
gestibilität im engeren Sinne.

Die Suggestion eines Urteiles oder des Glauben
ausgesprochene Behauptung wurde hier nur bereing
Zusammenhang der Empfindungssuggestion. Wir mei
das freie Sichhineinleben in die Vorstellung eines
könne die Scheinempfindung des Schmerzes erzeuj
durch die Behauptung, dass ich von dem Schmerze be
mir aufgenötigte Glaube fügt aber dazu eine beson
gung, die Schmerzvorstellung frei zu vollziehen, d. h.
vorstellung der Schmerzlosigkeit zu unterdrücken,
wird die Scheinempfindung begünstigt.

Hier ist aber noch ein Einwand möglich. Man kann fragen, warum denn beim Suggestibeln nicht jede Urteilssuggestion zur Hallucination führe. Diese Frage beantwortet sich einfach, wenn wir wiederum zurückgehen auf die allgemeine Bezeichnung des Grundes der Hallucination. Die Bedingung der Scheinempfindung, so meinten wir, liege von Hause aus in jeder Reproduktion. Die Reproduktion führe notwendig zur Scheinempfindung, wenn sie genügend vollkommen und frei sich vollziehe. Nun ist das Wissen oder Glauben, A sei B, in gewissem Sinne allerdings eine besonders freie Reproduktion, nämlich frei vom Widerspruch der erfahrungsgemässen Gegenassociationen A non-B. Sie ist aber in anderem Sinne auch wiederum nicht unter allen Umständen eine freie Reproduktion.

Die Reproduktion, von der ich hier rede, ist Reproduktion eines sinnlichen Wahrnehmungsinhaltes. Jede Wahrnehmung aber haftet an allerlei Bedingungen. Das Wahrgenommene muss meinen Sinnen unmittelbar gegenwärtig sein; das Sichtbare, das ich wahrnehme, ist ein der Zeit nach Gegenwärtiges, es befindet sich räumlich vor mir, mein Auge ist offen und darauf gerichtet. Dagegen ist dasselbe sichtbare Objekt nach Aussage meiner Erfahrung für mich niemals da, wenn es einer von der Gegenwart verschiedenen Zeit angehört, oder wenn es nicht vor mir sich befindet, oder wenn mein Auge nicht offen und darauf gerichtet ist.

Soweit ich nun von solchen Bedingungen einer Wahrnehmung beim Akte des Wahrnehmens Kenntniss gewinne, fügt sich der Wahrnehmungsvorgang für mich ein in den Zusammenhang dieser Bedingungen. Der Wahrnehmungsvorgang ist psychisch gar nicht mehr dieser Wahrnehmungsvorgang, sondern ein Moment des Komplexes, zu dem ausserdem jene Bedingungen gehören. Er hat relative psychische Selbständigkeit, anderseits ist er doch in seinem Dasein und Vollzug an diese Bedingungen gebunden.

Ebenso ist an das Nichtdasein des Komplexes oder eines Elementes desselben, also an das Nichtdasein irgend einer der

Bedingungen, das Nichtdasein der Wahrnehmung gebunden.
Damit ist gesagt, dass die Reproduktion des Wahrnehmungs-
vorganges als volle und freie Reproduktion eben dieses Vorganges nur sich vollziehen kann in Einheit mit dem Komplex,
also unter der Voraussetzung, dass auch die Bedingungen der
fraglichen Wahrnehmung sich wieder herstellen. Eben sofern
die Tendenz der Reproduktion Tendenz der Wiederkehr der
Wahrnehmung ist, ist sie zugleich Tendenz der Wiederkehr.
d. h. des erneuten thatsächlichen Erlebens oder Vorfindens
der erfahrungsgemässen Bedingungen der Wahrnehmung. In
gewöhnlicher Sprache ausgedrückt: Wenn ich wünsche etwas
zu sehen, so wünsche ich zugleich, dass es gegenwärtig sei,
jetzt vor mir sich befinde, mein Auge offen und darauf gerichtet sei. Oder: Ich „erwarte" das Objekt zu sehen, wenn
es, soviel ich weiss, der Gegenwart angehört, vor mir sich
befindet, mein Auge geöffnet und darauf gerichtet ist.

Dagegen ist umgekehrt die Freiheit des Reproduktions-
vorganges gehindert, wenn, soviel ich weiss, eine jener Bedingungen nicht erfüllt ist. Wie eben gesagt, war ja mit dem
Nichtdasein einer der Bedingungen das Nichtdasein der
Empfindung erfahrungsgemäss verbunden. Verhält es sich also
wirklich so, wie wir sagen, dass die Entstehung der Scheinempfindung an eine vollkommen frei sich vollziehende Reproduktion gebunden ist, so können Hallucinationen nur eintreten,
wenn das Nichtdasein von Bedingungen, unter welchen eine
Wahrnehmung sich vollzog oder zu vollziehen pflegt, oder
wenn die psychische Thatsache, in welcher dies Nichtdasein
besteht, ausser Wirkung gesetzt ist.

Dagegen bedarf es zum Glauben der Erfüllung
Voraussetzung nicht. Der Glaube, A sei B, ist freie Reproduktion nur in dem Sinne der Freiheit von der Gegenwirkung
des ihm unmittelbar entgegengesetzten Gedankens, A sei ein
non-B. Der Gegensatz zwischen AB und A non-B' ist der
logische Gegensatz. Die Urteilssuggestion ist also gebunden
einzig und allein an die Befreiung einer Reproduktion von
dem, was zu ihr oder dem zu Reproduzirenden in logischem
Gegensatz steht.

Die Empfindungssuggestion dagegen ist gebunden an die Befreiung der Reproduktion von jeder Art des Gegensatzes; ausserdem ist sie, wie wir sahen, bedingt durch möglichste Energie der Reproduktion. Nehmen wir an, es erweitere sich die Befreiung der Reproduktion vom logischen Gegensatz zur Befreiung der Reproduktion auch von den gegensätzlichen Elementen, die im Nichtdasein der erfahrungsgemässen Bedingungen der Wahrnehmung bestehen, dann glaube ich nicht nur, dass etwas ist, sondern ich erwarte es zu empfinden. Wir können also sagen: Eine Bedingung der Empfindungssuggestion ist die Möglichkeit der Erwartung der Empfindung.

Hiemit erst sind die Bedingungen der Möglichkeit der Empfindungssuggestion — Suggestibilität überhaupt vorausgesetzt — vollständig bezeichnet. Für unser ursprüngliches Beispiel, die Schmerzsuggestion, hat das hier zuletzt Vorgebrachte nicht notwendig Bedeutung. Es gibt ja Schmerzen, die eintreten, ohne dass wir von Bedingungen ihres Eintrittes in unmittelbarer Erfahrung Kenntniss haben. Angenommen aber, es solle ein Schmerz suggerirt werden, der erfahrungsgemäss an das Dasein und die Einwirkung eines bestimmten Objektes geknüpft ist, so muss allerdings das Wissen vom Nichtdasein eines solchen Objektes oder der Glaube daran die Suggestion hindern; es muss umgekehrt die geflissentliche Weckung des Glaubens an das Dasein desselben, etwa an das Dasein eines schmerzerzeugenden Pflasters oder eines glühenden Instrumentes, die Suggestion begünstigen oder erst möglich machen.

In keinem Falle dagegen dürfen wir erwarten, dass die Suggestion des Glaubens, man habe etwas erlebt, oder werde später etwas erleben, eine entsprechende gegenwärtige Hallucination erzeuge. Sofern die Suggestion das Erlebniss an die Vergangenheit oder Zukunft knüpft, wirkt sie ja vielmehr der gegenwärtigen Hallucination unmittelbar entgegen.

Unter denselben Gesichtspunkt wie die Suggestion einer Empfindung fällt auch die Suggestion des Nichtdaseins einer Empfindung oder die Suggestion einer negativen Hallucination.

Was hier suggerirt wird, ist die Eigentümlichkeit ode
tümliche Bestimmtheit, welche ein Gesamtempfinden
gewinnt, dass in ihm eine Empfindung fehlt. Man
sich des auf S. 431 ff. Gesagten. Diese Eigentümlichk
reproducirt und diese Reproduktion steigert sich zum
wirklichen Erleben unter der Voraussetzung, dass die ps
Erregbarkeit überhaupt und damit speziell die Ener
welcher die thatsächliche Empfindung psychisch zur
kommt und wirkt, genügend herabgesetzt ist.

Urteilstäuschung durch Fremdsuggestion.

Wir brauchen jetzt nicht mehr den Uebergang zu
von der Empfindungs-Suggestion zur Urteils-Suggestion
Suggestion des Glaubens an eine Behauptung, da wir
in die Erörterung der Empfindungs-Suggestion bereits
gezogen haben. Es scheint aber zweckmässig, dass wir 1
anderweitige Fälle der Urteils-Suggestion besonders ac
Mir sagt jemand, ich sei an irgend einem Orte
irgend einer Zeit — wir nehmen der Bequemlichkeit (
drucks halber an: gestern — angefallen und beraubt
Auch diese Behauptung erzeugt in mir eine Tend(
glauben, es sei mir das fragliche Erlebniss wirklich b(
Wiederum aber werde ich, wenn ich nicht oder nich
nügendem Masse suggestibel bin, widersprechen. Wo
ruht der Widerspruch in diesem Falle?
Offenbar ist das, was hier eigentlich den Wid(
vollzieht, nichts Anderes als mein Wissen von dem,
am gestrigen Tage thatsächlich begegnet ist. Dies
also muss sich in mir regen. Und zwar muss sich
das Wissen von den thatsächlichen Erlebnissen des
gestrigen Tages regen. Ich muss in gewisser Weise d(
gestrige Erleben reproduktiv durchlaufen. Es genüg
dass dasjenige in mir reproducirt wird, was ich gester
ersten oder den zwei ersten Stunden erlebt habe, d
Beraubung könnte ja in der zweiten bezw. dritten Stun(

gefunden haben u. s. w. Es darf überhaupt in der Reproduktion meines gestrigen Erlebens keine Lücke sein, in welche sich die behauptete Beraubung widerspruchslos einfügen könnte. Und alles muss reproducirt werden mit solcher Bestimmtheit, dass der Gegensatz zwischen dem, was ich thatsächlich erlebt habe, und dem, was mir suggerirt werden soll, genügend zur Geltung gelangt.

Ich muss das ganze gestrige Erleben „in gewisser Weise" reproduktiv durchlaufen. Diese Weise lässt sich genauer bestimmen. Zunächst ist damit nicht gesagt, dass die ganze Reihe der gestrigen Erlebnisse sich jetzt meinem Bewusstsein wieder darstellen müsste. Setze ich mich der Behauptung, die ich höre, sofort und ohne Besinnen entgegen, habe ich sofort das Bewusstsein: „Es ist nicht so", dann wird kaum ein Rudiment des gestrigen Erlebens mir zum Bewusstsein kommen. In jedem Falle ist die Reproduktion der Hauptsache nach eine unbewusste.

Sie kann aber auch nicht eine successive Reproduktion der an sich jederzeit unbewussten Vorgänge sein, die den gestrigen Bewusstseinserlebnissen zu Grunde lagen, in der Weise, dass jetzt in meiner Erinnerung ein Erlebniss in das andere überginge, oder von ihm abgelöst würde, so wie dies gestern thatsächlich geschah. Denn mein Wissen, dass ich gestern nicht beraubt worden bin, besteht nicht in den successiven Akten des Wissens, dass ich in einem ersten, und in einem zweiten, und in einem dritten Momente des gestrigen Tages nichts Dergleichen erlebt habe, sondern in dem einheitlichen und in einem Momente gegebenen Bewusstsein, dass in dem Ganzen, was ich als gestrigen Tag bezeichne, die Beraubung nicht vorkam. Angenommen aber auch, ich dächte die Teile des gestrigen Tages successive bewusst oder unbewusst durch, so dürfte ich doch keinen Teil des gestrigen Tages über dem anderen verlieren. Ich müsste schliesslich doch alle die Teile in Eines zusammenfassen, wenn ich jenes zusammenfassende Bewusstsein haben sollte.

Andererseits sind doch die Erlebnisse des gestrigen Tages

nicht nur überhaupt von einander verschiedene Erleb
dern sie verhalten sich auch so zueinander, dass sie
als diese einzelnen Erlebnisse gleichzeitig reproduci
können. Um nur eines zu erwähnen: Ich war ges
da, bald dort. Ich kann aber unmöglich mich gl
als da und als dort befindlich vorstellen. So schlie
haupt meine gestrigen Erlebnisse für mein Vors
mannigfachster Weise sich wechselseitig aus. Was
mir in dem einen Momente reproducirt oder — falls
successive reproducirt werden — schliesslich, bei der Zı
fassung, in einem Momente mir gegenwärtig ist od
mir regt, muss etwas von den einzelnen Erlebnis
schiedenes sein.

Und wir wissen auch schon, worin dies von den
Erlebnissen Verschiedene besteht. Es ist das Gesamt
oder das gestrige Erleben als psychischer Gesamtvoı
ist das Ganze im Unterschied von den Teilen und de
der Teile, es ist die von den Tönen und ihrer Auf
folge verschiedene, und, obgleich darin verwirklichte,
von unabhängige Melodie.

Damit sind wir wieder bei dem Ergebniss ange
dem wir schon einmal bei ähnlicher Gelegenheit h
wurden: Das gestrige Gesamterlebniss erhebt gegen
hauptung Opposition. Natürlich kann es diese Oppos
erheben, wenn es etwas in sich schliesst, das dem I
Behauptung entgegengesetzt ist, d. h. wenn der nega
stand, dass ich gestern nicht beraubt worden bin, e
tive psychische Thatsache ist, deren Reproduktion dı
zeitige Vorstellung des Beraubtwordenseins ausschli
wenn diese positive psychische Thatsache in dem
Gesamterlebniss eingeschlossen ist. Diese positive
aber kann in nichts Anderem bestehen, als in der W
die Erlebnisse des gestrigen Tages zum Ganzen sich
nämlich der Weise ihrer Verwebung, die eben dadurch
war, dass ich gestern nicht beraubt worden bin, oder
Erlebniss in dem Gesamterlebniss fehlte.

Der hier bezeichnete Thatbestand, — dass dann, wenn
viele Erlebnisse sich folgten, das Gesamterlebniss aus diesen
Erlebnissen in einem Momente, und ebendamit unabhängig von
den einzelnen sich folgenden Erlebnissen in mir gegenwärtig
und wirksam sein kann — mag verwunderlich erscheinen. Dies
hindert nicht, dass Dergleichen immer wieder in uns stattfindet.
Es mag aber im Vorbeigehen daran erinnert werden, dass dabei
der Vielheit der Erlebnisse keine Grenzen gesteckt sind. Nicht
bloss das Ganze dessen, was ich gestern erlebte, sondern
mein ganzes Leben, soweit es im Gedächtniss nicht völlig ausgelöscht ist, kann als Ganzes in einem und demselben Momente
in mir gegenwärtig und wirksam sein. Wir müssen sogar
annehmen, dass es so sei, immer dann, wenn wir etwa der
Behauptung, dass wir irgend einmal in unserem Leben eine
bestimmte That gethan, sagen wir: einen Selbstmordversuch
gemacht haben, das Bewusstsein entgegensetzen, dass diese
Behauptung nicht zutreffe. Bezweifelt man, dass dergleichen
möglich sei, so beweist man, dass man von psychischem Geschehen überhaupt eine irrige Vorstellung hat. Das psychische
Geschehen sieht in Wahrheit völlig anders aus, als diejenigen
sich träumen lassen, die es aus einzelnen Empfindungen, Vorstellungen, Gefühlen, kurz einzelnen „Inhalten", meinen zu-
sammensetzen zu können.

Nehmen wir jetzt an, die psychische Erregbarkeit sei vermindert. Dies heisst: Es werden durch die Behauptung zwar
die unmittelbar an die Worte geknüpften Vorstellungen in mir
geweckt; ich verstehe die Worte und erfahre damit zugleich die
Nötigung, an sie zu glauben. Der weitere psychische Vorgang
aber, der normalerweise sich daran anschliesst, jene momentane
oder blitzartige Reproduktion des thatsächlichen gestrigen Gesamterlebens vollzieht sich träge, also widerstandsunfähig.

Dabei ist noch von besonderer Bedeutung, dass es sich
um ein Gesamterleben handelt. Bin ich — in dem hier überall
vorausgesetzten Sinn — in minderem Grade psychisch „erregbar"; so haben sich in mir die psychischen Erlebnisse des
gestrigen Tages in minderem Masse in ein Ganzes verwoben;

30*

das einzelne Erlebniss vollzog sich relativ isolirt,
relativ dem Augenblick hingegeben. Daraus ergibt
eine weniger energische Reproduktion des Ganzen,
eines Ganzen.

Wiederum können hier zur Erläuterung Erfahr
gewöhnlichen Lebens herangezogen werden. Ich h
nicht gethan, was ich eigentlich hätte thun sollen.
etwa einen Brief nicht, wie ich sollte, in den Postb
geworfen. Nachher aber rede ich mir ein, dass ich
habe. Dass der Brief, soviel ich weiss, nicht meh
genügt mir als Grund meiner Annahme. Dies kann
schehen, wenn ich in dem betreffenden Zeitabschn
einander allerlei gethan habe, was in keinem eng
sammenhange stand. Es wird nicht so leicht geschel
mein ganzes in jenen Zeitabschnitt fallendes Thun un
einem einheitlichen Zusammenhang angehörte. Ich f
in diesem Zusammenhange für die Vorstellung der
keinen Platz.

Und: Die fragliche Erinnerungstäuschung wird j
leichter vorkommen können bei einem Menschen der „
ist, d. h. jedesmal auf das, was er thut, seine Aufme
konzentrirt, und was er eben gethan hat oder nach
wird, dabei aus dem Auge verliert. Sie wird nicht l
kommen bei dem „Nichtzerstreuten", d. h. bei de
dessen Aufmerksamkeit von dem, was ihn gerade be
jederzeit zugleich zum Vergangenen und Zukünftigen
gleitet, bei dem also alles, was er thut, in höherem
einen einzigen Zusammenhang sich verwebt.

Urteilssuggestion als Autosuggestion.

Bilde ich mir, ohne dass ein anderer es behau
ich habe den Brief, der thatsächlich in meiner Tasche
ist, in den Postbriefkasten geworfen, so unterliege
Art von Autosuggestion. Im Uebrigen wurde bisbe
gesetzt, dass die Urteilssuggestion Fremdsuggestion

müssen jetzt aber auch auf die Autosuggestion von Urteilen noch speziell einen Blick werfen.

Die Bedingungen sind dabei dieselben. Glaubt jemand seinen eigenen Phantasiegebilden, so redet man wohl von besonders lebhafter Phantasie. In der That müssen wir in gewissem Sinne das Gegenteil voraussetzen. Auch die Verwandlung der Phantasiegebilde in Scheinerinnerungen — an Erlebtes oder Mitgeteiltes — verträgt nur eine negative Erklärung, allgemein gesagt, eine Erklärung aus dem Mangel von Hemmungen. Und dieser Mangel ergibt sich aus verminderter psychischer Erregbarkeit.

Ich erzähle ein Erlebniss, das ich mitangesehen habe, und indem ich es erzähle, füge ich einen Zug hinzu, der wohl dazu gehören könnte, aber nicht dazu gehört. Vielleicht glaube ich sofort, dass es sich wirklich so verhalten habe. Wenn nicht, so glaube ich vielleicht daran, wenn ich die Geschichte zum zweiten oder dritten Male erzähle. Ein anderer fügt dann das Seinige hinzu. Schliesslich ist aus einer Kleinigkeit eine grosse Sache geworden. Nicht durch bewusstes Lügen, sondern durch unbewusste Selbsteingebung.

Kinder erzählen leicht Geschichten, die sie selbst erfunden haben, im Tone des Berichtes über Thatsächliches, und unterscheiden dabei selbst nicht Wahrheit und Dichtung. Man sollte in solchen Fällen mit dem Vorwurf der Lüge vorsichtig sein. Es gibt ein Stadium, wo Phantasie und Lüge noch nicht von einander geschieden sind.

Oder: Es ist ein ausserordentliches Verbrechen geschehen. Alle Welt redet von dem „sensationellen“ Ereigniss. Gewisse geheimnissvolle Nebenumstände machen den Fall und den unbekannten Thäter noch besonders interessant. Ich höre von der That und höre davon immer wieder; ich beschäftige mich, wie alle Welt. in Gedanken damit. Ich thue es besonders häufig und intensiv, weil ich dazu die nötige Zeit habe. Ich betrachte auch die Sache nicht etwa von allgemeinen Gesichtspunkten, gebe nicht in meinen Gedanken zu den möglichen Gründen und Folgen fort; der Fall ist für mich nicht einer

unter vielen möglichen; er ordnet sich nicht in
fassenderen, etwa socialen Gesichtspunkt. Sondern
ordentliche Ereigniss als solches nimmt meine Pl
fangen. Es thut dies, nicht weil ich eine lebhafte
besitze als andere, sondern weil ich geistig wen
oder beweglich bin. Ich brauche längere Zeit, u
überhaupt aufzufassen. Nachdem dies aber gelunge
ich nicht mehr aus ihr heraus. Ich denke mich al
hinein. Da das Quantum der in mir überhaup
geistigen Bewegung doch nicht geringer oder ni
der Minderung der psychischen Erregbarkeit en
Masse geringer ist als in anderen, so gewinnt dasje
ich geistig eingeengt bleibe, der Gedanke an das
also, allerdings besondere Lebhaftigkeit oder psyc

Dass ich die Sache nicht in einen weiteren
hang hineinstelle, vor allem nicht in den Zusamm
objektiv gegebenen Umstände, begünstigt die
Hineinversetzung meiner selbst in die Situation, d.
stellung, dass ich selbst der interessante Verbreche
mit mir alle Welt so eifrig sich beschäftigte.
andere, der von der Sache gehört hat, kann nich
gewisser Weise sich mit dem Verbrecher zu identi
Frage, wie der Verbrecher dazu gekommen ist, wi
gefangen hat, wie er jetzt sich verhält u. s. w. ist
wie könnte ich dazu kommen, wie würde ich es an
würde ich mich verhalten etc. Aber während and
flüchtig hinweggehen, bleibe ich dabei. Die Mi
Umfanges der geistigen Bewegung stellt sich dar al
an dem Punkte, von dem aus wir schliesslich alles
Thun, wie auch alles menschliche Erleben beurteil
ein Haften an mir. Wie schon oben angedeutet: Ni
Objektivirung menschlichen Thuns, Erleidens, Wolle
u. s. w., sondern die Beziehung auf mich ist notwe
das Erste und Nächstliegende. Ein Haften an die
liegenden ist jeder Egoismus.

Endlich geschieht es, dass ich in die Vorstell

der Verbrecher, festgebannt bin. Ich gebe mich selbst dem
Gerichte an, unter Erzählung von allerlei erdichteten Neben-
umständen. Die Antwort auf jene Fragen, wie etwa ich mich
in dem Falle verhalten haben würde etc., ist für mich zu der
Thatsache geworden, dass ich mich so verhalten habe.

Dabei ist allerdings noch Eines, wenn man will, ein
Doppeltes vorausgesetzt. Einmal dies: Die ganze Autosuggestion
ist auf bestimmte Weise in mir entstanden. Ich habe von der
Thatsache erst durch Gespräche oder aus der Zeitung erfahren
und dann allmälig mich hineingedacht. Dies Beides verträgt
sich mit dem Gedanken, ich sei der Verbrecher, nicht. Die
erfahrungsgemässe Entstehung des Phantasiegebildes charakterisirt es als Phantasiegebilde. Wäre es Wirklichkeit, so müsste
es in anderer Weise in den Zusammenhang mit dem, was ich
vorher thatsächlich erlebt habe, sich einfügen. Andererseits
fügt sich die vermeintliche That ebensowenig ohne Widerspruch
ein in den Zusammenhang mit dem, was ich nachher thatsächlich erlebte. Die vermeintliche That müsste nicht nur
Voraussetzungen, sondern auch Folgen haben, die ich thatsächlich nicht erlebt habe.

Und zweitens: Die vermeintliche That widerspricht in
ihrem ganzen Verlauf unmittelbar dem, was ich während der
ganzen Zeit erlebt habe. Damit ist die That allseitig als
Phantasiegebilde charakterisirt.

Aber in der herabgesetzten psychischen Erregbarkeit liegt
eben auch dies, dass der Zusammenhang mit dem vor und nach
der vermeintlichen That Erlebten in der Erinnerung schwächer
wirkt, und in der Folge, bei erneuter Vorstellung der That, mehr
und mehr sich löst; dass ebenso die Vorstellung des gleichzeitig
Erlebten schon beim ersten Hineindenken in den Gedanken,
dass ich die That gethan hätte, schwächer sich regt, und in der
Folge zu voller Unwirksamkeit gebracht wird. Hat der Gedanke
einmal vermöge der verminderten psychischen Erregbarkeit begonnen sich zu isoliren und den Gegenvorstellungen zum Trotz
standzuhalten, so geht auch hier, wie in dem auf S. 441 f. besprochenen Falle, der Prozess in gleicher Richtung weiter.

Verallgemeinern wir dies. Was unterscheidet f
Phantasiegebilde von dem Thatsächlichen? Die Antw
sich aus früher Gesagtem. Thatsächlich, so könner
sagen, ist für uns das Vorgestellte, das so ist, wie es
unser Zuthun, oder gleichzeitig ob wir wollen
Ein Phantasiegebilde ist das Vorgestellte, das so ist,
vermöge unseres Thuns. Es könnte auch ander
wenn wir auf unser Thun verzichteten, so wäre es a
ein Anderes würde an seine Stelle treten. Dass es a
könnte, bezw. wenn wir auf unser Thun verzichtet
wäre, dass mit anderen Worten Antriebe oder N
der Andersvorstellung vorliegen, dies eben ist es, w
fühl des Thuns oder der Aktivität, das die Phant
charakterisirt, erzeugt.

Dies ist noch nicht völlig genügend. Ein Ste
weckt in mir die Vorstellung eines an seine Formen g
Lebens. Auch diese Vorstellung ist nur ein Phanta
Dabei habe ich aber kein Gefühl des freien Thuns, k
das das Phantasiegebilde als von mir frei ins Dasei
erscheinen lässt. Ich habe es nicht, weil im Akte
tischen Anschauung die Phantasie sich isolirt, sodass
nach der Wirklichkeit gar nicht besteht.

Indessen, wir müssen eben Phantasie und Phants
scheiden. Das Phantasiegebilde eines in den Formen
werks waltenden Lebens ist für uns nicht ein Phant
wie die Gebilde unserer freien Phantasie. Es ist ein
gebilde mit Realität, nämlich ästhetischer Realität.
ruht eben darauf, dass die Frage nach der Wirklich
Wirkung gesetzt ist.

Andererseits ist doch diese Realität nur äst
Realität. Es ist so, als ob das vorgestellte Leber
wäre. Aber ich glaube nicht, dass es so sei; ich
keiner Täuschung. Die ästhetische Realität ist nur ä
d. h. sie ist für mich da nur im Akte der ästheti
schauung. Aus dieser aber kann ich heraustreten.
für mich das Phantasiegebilde wiederum Phantasiege

weiss: der Stein ist Stein, also tot. Mein Wissen vom wirklichen Sachverhalt war unwirksam gemacht, ich hatte davon abstrahirt, aber es ist nicht seine Fähigkeit, in mir wirksam zu werden, vermindert. Das fragliche Wissen regt sich ja jetzt wiederum in mir mit voller Leichtigkeit und Selbstverständlichkeit.

Nun nehmen wir aber an, es sei, während ich einem Phantasiegebilde hingegeben bin, das Wissen von der entgegenstehenden Wirklichkeit in seiner Fähigkeit, in mir wirksam oder aktuell zu werden, vermindert; es seien überhaupt die Gegenvorstellungen in gewissem Grade, und schliesslich ganz und gar, in mir unwirksam. Dann ist mir auch das Phantasiegebilde nicht mehr in ein ästhetisch, sondern in ein im gewöhnlichen Sinne des Wortes Reales verwandelt. Es ist in mir nicht mehr vorhanden vermöge eines die entgegenstehende Realität überwindenden Thuns, sondern es ist einfach da, gleichgiltig ob ich will oder nicht.

Wie schon angedeutet, liegt hierin nur eine Steigerung dessen, was auch dem Normalsten begegnen kann. Wir alle wissen gelegentlich nicht, ob etwas Phantasiegebilde ist oder Wirklichkeit. Das wirklich Erlebte verblasst in gewissen Zügen und wird dann ohne Gefühl des Widerspruches in der Phantasie ergänzt; zunächst wohl mit dem leisen Gedanken, es könne auch anders sich verhalten haben. Aber die Wiederkehr dieses ergänzten Bildes lässt diesen Gedanken nicht wiederkehren. Ich erzeuge ja jetzt das ergänzte Bild thatsächlich nicht mehr. Sondern es ist mir fertig gegeben. Und die Erinnerung daran, dass ich die Ergänzung ehemals erzeugte, ist verloren. Demgemäss sage ich mit voller Zuversicht: So habe ich die Sache erlebt. Es ist schon einiges Bewusstsein davon, wie leicht wir in der Erinnerung Erlebtes verändern, erforderlich, wenn ich misstrauisch sein soll. Und hege ich solches Misstrauen, so hege ich es vielleicht ein ander Mal am unrechten Orte: Ich misstraue der Wirklichkeit dessen, was ich thatsächlich erlebt habe.

Das Kind, das noch in geringerem Masse Solches erlebt ~~hat, was seinen Phantasiegebilden~~ widersprechen kann, glaubt

ihnen naturgemäss leichter. Vorstellungen reihen sich
sprochen, also ohne Gefühl eigenen freien Thuns
stellungen. Soweit dies der Fall ist, sind die Phanta
für das Kind Wirklichkeiten. Das Kind ist also im
Masse autosuggestibel. Diese Autosuggestibilität ist
das Kind nicht abnorm, sondern normal. Sie fäll
ebenso wie das blinde Glauben und, so können wir gl
zufügen, das blinde Gehorchen und Nachahmen des
nicht unter unseren Begriff der Suggestion.

Willenssuggestion. Verständniss des Befeh

Auch für das Verständniss der dritten Möglic
Suggestion, der Willenssuggestion, sind wir durch d
Erörterte schon einigermassen vorbereitet.

Das Wollen ist nicht ein besonderer psychischer
sondern: Wollen, zunächst im allgemeinsten Sinne ge
ist Wirksamkeit psychischer Faktoren überhaupt. Je
chische Geschehen ist ein Wollen, sofern es seiner Nat
oder seiner psychologischen Gesetzmässigkeit zufolge,
bestimmten Erfolg abzielt, oder sofern das Stadium, i
jetzt sich befindet, naturgemässe Bedingung ist, für de
gang in ein bestimmtes weiteres Stadium. Eben dies
was wir ehemals als den Sinn des psychischen Stre
zeichneten. Mit diesem Streben fällt aber das Woller
hier vorausgesetzten allgemeinsten Sinne des Wortes zu

Allerdings ist damit nicht dasjenige bezeichnet,
zunächst mit dem Worte „Streben" oder „Wollen"
Was uns zur Ausbildung dieses Begriffes Anlass
meinten wir auf S. 426 f., sei das von uns erlebte Wille
Strebungsgefühl. Dies aber gesellt sich nicht zu je
chischen Vorgang, sondern nur zu demjenigen, der in
reichung seines Zieles oder seines natürlichen Erfolges
wird. Das Strebungs- oder Willensgefühl ist der Bew
reflex oder das begleitende Phänomen dieses psychisch
bestandes. So ist Wollen zunächst gehemmte p

Thätigkeit oder gehemmte psychische Bewegung. Die Hemmung bewirkt, wie wir sahen, eine Stauung der psychischen Bewegung. Diese Stauung vermag dann eventuell die Hemmung zu beseitigen oder sie bewirkt die Eröffnung eines Weges, durch welchen dieselbe unwirksam gemacht werden kann. In dieser Stauung besteht das Wollen; die Wirksamkeit des Wollens ist diese Wirksamkeit der gestauten und dadurch in ihrer Energie gesteigerten psychischen Bewegung.

Indessen diese Hemmung und Stauung, und das damit verbundene Willensgefühl, ist hier für uns nicht das Wesentliche. Es handelt sich uns hier gar nicht eigentlich um das Wollen als solches, sondern um seine Wirkung. Oder genauer gesagt, es handelt sich uns um die Wirkungsweise eines psychischen Vorganges, gleichgiltig ob diese Wirkung eine gehemmte und demnach vom Willensgefühl begleitete ist, oder nicht.

Wir sahen nun schon: In jeder Vorstellung liegt die Tendenz der Verwirklichung des Vorgestellten in der Empfindung. Oder allgemeiner: In jeder Reproduktion eines psychischen Vorganges liegt die Tendenz des erneuten wirklichen Erlebens dieses Vorganges. Eine Reproduktion wird aber jederzeit vollbracht, wenn irgend ein Befehl an mich ergeht, und ich denselben verstehe. Also ist mit jedem solchen Befehl eine Tendenz der Verwirklichung des Befehles gegeben.

Doch dies genügt nicht. Wie eine Behauptung, so schliesst auch ein Befehl mehr in sich als die Reproduktion einer Vorstellung. Der Befehl weckt in mir zugleich die Vorstellung eines fremden Wollens. Worin besteht diese Vorstellung? Worin besteht überhaupt die Vorstellung von dem, was in einer fremden Person vorgeht?

Offenbar habe ich von Vorgängen in einer fremden Person, überhaupt von der fremden Person keine unmittelbare Kenntniss. Wir sehen nicht die Person, sondern gewisse Lebensäusserungen derselben. Auf Grund davon erzeugen wir das Bild der fremden Persönlichkeit. Wir können dies aber nur so gewinnen, dass wir die Züge derselben aus der eigenen Persönlichkeit, die uns was einmal einzig und allein unmittel-

bar gegeben ist, entnehmen. Jeder Zug der fremden
lichkeit ist die Reproduktion eines analogen Zuges der
Persönlichkeit. Ich sage: eines „analogen". Denn i
fremde Lebensäusserung uns veranlasst, einen Zug der
Persönlichkeit zu reproduziren, kann sie uns zugleich
ihrer besonderen Eigentümlichkeit nötigen, diesen
modifiziren, zu steigern, herabzumindern, oder Eleme
selben in anderer Weise zu verbinden.

Eine solche modifizirende Reproduktion von Zügen
eigenen Persönlichkeit findet auch sonst statt: Wir ste
vor, wir erlebten etwas, oder verhielten uns innerlich
bestimmten Weise, ohne dass wir doch schon einmal e
erlebt oder genau in solcher Weise uns verhalten hätt
dieser Weise der Reproduktion aber unterscheidet sich
produktion, von der hier die Rede ist. Stelle ich mir
erlebte jetzt etwas innerlich, so ist dies eine willkürli
stellung. Ihr wirkt entgegen das Wissen, dass ich do
sächlich nichts Dergleichen erlebe. Dagegen ist, w
eine fremde Lebensäusserung die Vorstellung eines bes
inneren Verhaltens weckt, die Reproduktion eine di
wahrgenommene fremde Lebensäusserung aufgenötigt
fremde Verhalten ist Gegenstand eines Wissens.
diesem Wissen liegt, wie in jedem Wissen oder Urteil
Uebermacht des Gewussten oder des Urteilsinhaltes ü
entgegengesetzten Gedanken.

Nicht minder unterscheidet sich die Reproduktion,
es sich hier handelt, auch von der Reproduktion, die
uns vollzieht, wenn wir uns eines wirklichen eigenen
Verhaltens erinnern. Das Erinnerungsbild verlegen
die Vergangenheit. Dieser steht die Gegenwart geg
Dagegen ist die Reproduktion eines inneren Verhalt
sie durch die fremde Lebensäusserung erzeugt wird,
duktion eines Gegenwärtigen. Dies fremde Verhalten
zwar meinem eigenen gegenwärtigen Verhalten entgeger
aber es ist doch, ebenso wie dies, gegenwärtige Wirk
Es hat in mir die Kraft des gegenwärtig Wirklichen.

Achten wir jetzt aber auch darauf, dass das in mir durch den Befehl Reproducirte nicht irgend ein Vorgang, sondern ein Wollen ist. Ich sagte, jede Vorstellung sei von Hause aus ein Wollen. Diese Behauptung bedarf einer genaueren Bestimmung. Das „Wollen" nämlich ist doppeldeutig. Oben war darunter jede beliebige Willensregung verstanden, auch diejenige, die durch eine andere niedergehalten wird. Um dies „Wollen" nun handelt es sich jetzt nicht mehr; sondern um das Wollen im Sinne eines ·Entscheides. Dieser Entscheid besteht nicht im blossen Dasein einer Vorstellung.

Sondern er besteht in der Wirksamkeit eines Vorstellungsvorganges auf Kosten möglicher entgegengesetzter Vorstellungsvorgänge. Das Wollen, von dem wir hier reden, ist also zugleich ein Nichtwollen des· Gegenteils, ein Niedergehaltensein der entgegengesetzten psychischen Bewegung.

Dieser Vorgang also wird durch den Befehl in mir reproducirt und mit der besonderen Kraft und Freiheit reproducirt, wie sie in jenem Bewusstsein der gegenwärtigen Wirklichkeit des Reproducirten eingeschlossen liegt.

Doch damit ist noch nicht alles gesagt. Das Wollen eines Andern, von dem ich weiss, kann gerichtet sein auf eine eigene Handlung des Wollenden. Ich „sehe", oder weiss, der Andere will etwas thun oder thut etwas mit Willen. Damit ist die zu vollbringende Handlung von mir losgelöst. Ich stelle sie zunächst freilich vor als meine Handlung, aber ich verlege sie dann in die fremde Persönlichkeit. Insofern wird nicht unmittelbar ein auf eine eigene Handlung gerichtetes Wollen in mir reproducirt.

Anders bei dem durch den Befehl reproducirten Wollen. Dies ist ausschliesslich ein auf eine eigene Handlung gerichtetes Wollen.

Wie nun jede Reproduktion, so ist auch die
ohne weiteres eine Tendenz zu erneutem Erleben
cirten. Und auch hier liegt es in der Natur de:
sich zu verwirklichen, sofern genügend energisch
Gegenwirkungen fehlen. Darnach muss auch dies,
„Wahrnehmung" eines fremden Wollens, sei e
Befehl in mir reproducirte Wollen, zum aktue
werden können. Zugleich muss dies aus dem
Grunde im letztern Falle. d. h. beim Befehl, leicht
können.

Daran ist nun auch kein Zweifel. Zu den uns
Thatsachen gehört der Trieb der Nachahmung.
werden gesehen. Wir wollen annehmen, es seien
liche, also solche, die grosse Kraft, Sicherheit, Ge
verraten. Dann kommen wir leicht dazu, auch
wissen oder zu „wollen", ähnliche Bewegungen w
deutungsweise zu vollziehen. Wir sehen hier n
Bewegungen, sondern gewinnen zugleich die „Vor
kraftvollen, sicheren, spielenden Wollens, das ihne
liegt oder zu Grunde zu liegen scheint. Auf (
entsteht ein analoges, zugleich mit dem wahrgene
halt sich erfüllendes eigenes Wollen. Das vorges
hat hier freilich fremde Bewegungen zum Inhalt
schon oben gesagt, auch die fremden Bewegungen,
Bewegungsvorstellungen, sind zunächst Vorstellu
Bewegungen, eigener Muskel-, Sehnen- und Gel
die wir erst auf die fremden Personen übertragen

Der Trieb der Nachahmung steigert sich, wer
Wollen aus einer heftigen Gemütsbewegung erwä
erwachsen scheint, und die Reproduktion dieser
gung in uns geringem Widerstande begegnet.
hören die „Suggestionen" der Panik, der kriegeri
des Hurrahpatriotismus, des „Hosiannah" und „K
blinden Masse.

Andererseits kann auch Lebloses, das die Vorstellung eines Wollens oder Thuns erweckt, ein gleichartiges Wollen und Thun in uns erzeugen. Ich sehe eine Säule. Dieselbe hat für mich nicht nur eine aufrechte Stellung, sondern sie richtet sich auf, d. h. sie scheint diese Form zu gewinnen oder zu behaupten, durch eine innere Bemühung, ein Streben, ein Wollen. Es wird in mir durch den Anblick der Säule die Weise reproduzirt, wie ich mich innerlich verhalte, wenn ich selbst freiwillig mich aufrichte. Und vielleicht bewirkt dies, dass ich jetzt thatsächlich mich so verhalte: Ich richte mich freier auf, recke oder strecke mich. Die Säule hat mir, wenn man so will, ein ihrem Verhalten entsprechendes Verhalten „suggerirt".

Endlich kann ein Wollen oder Streben nach Vollzug körperlicher Bewegungen auch schon in mir erzeugt werden, wenn ich von kraftvollen oder kühnen Bewegungen nur höre. Es ist mir kein Zweifel, dass eine feiner ausgebildete Kunst der Registrirung und Messung kleiner körperlicher Bewegungen bei Menschen, die von solchen Bewegungen berichten hören, gleichartige Bewegungsantriebe entdecken würde, sodass daraus auf den Inhalt des Berichtes geschlossen werden könnte.

In allen diesen Fällen ist die Bewegung nicht befohlen. Geschieht dies, so ist die Nötigung zum Vollzug der Bewegung eine unmittelbarere. Die Mitteilung, dass jemand aufgestanden sei oder sich niedergesetzt habe, oder auch die Wahrnehmung solcher wenig interessanter Vorgänge, lässt gewiss auch eine Tendenz zum Vollzug gleichartiger Bewegungen in mir entstehen. Aber dieselbe setzt sich nicht in That um. Dagegen kann es recht wohl geschehen, dass die plötzliche Aufforderung zu einer solchen Bewegung, wenn ich davon überrascht werde, mich veranlasst, die Bewegung „automatisch" zu vollziehen.

Noch Eines muss hinzugefügt werden. Eine ähnliche Bedeutung wie der Befehl hat die Erklärung, ich könne etwas nicht thun. Man kennt die entmutigende, d. h. den Willen schwächende Wirkung des Misserfolges und des durch Andere geweckten Zweifels an der Möglichkeit, Gewolltes zu voll-

bringen. Andererseits die ermutigende Wirkung des
an das Gelingen.

Beides wird verständlich aus der Natur des Glau
des Wollens, genauer: aus der Natur des Urteils
Willensentscheides.

Letzterer ist, wie vorhin betont, ein Zur-Geltung
einer Vorstellungsbewegung auf Kosten der ihr wider
den, ein freies Zur-Geltung-Kommen in diesem Sinne
Thatbestand wird unmittelbar aufgehoben durch de
das Gewollte könne oder werde nicht geschehen. I
Urteil besteht vielmehr im freien Zur-Geltung-Kos
entgegengesetzten Vorstellungsbewegung. Der Unters
steht lediglich in der Weise des Bedingtseins. Der
entscheid ist ein Entscheid auf dem Gebiete des subje
Urteilsentscheid ein solcher auf dem Gebiete des obj
dingten Vorstellens.

Nun haben wir ehemals gesehen, dass Urteils- und
antriebe, eben wegen dieses Gegensatzes der objekt
der subjektiven Bedingtheit oder wegen dieser qu
Verschiedenheit der „Quellen", relativ von einander un
sind und demgemäss hinsichtlich der Energie ihres '
sich wechselseitig steigern können. Dabei bleibt es r
Unmögliches „wünschen" wir leicht um so heftiger.

Aber darum handelt es sich jetzt nicht mehr. V
vom Willensentscheid. Das „Wollen" hat für uns d
ziellere Bedeutung bekommen. Wir können dies We
zeichnen als das kategorische Wollen. Im Vergleich
das Wünschen ein hypothetisches Wollen. Dies hei
das Wünschen sei in sich hypothetisch. Wir können r
Entschiedenheit, also bedingungslos wünschen, dass
sei, von dem wir vollkommen sicher wissen, dass es n
wird. Aber wir können es wollen nur unter der
setzung, dass wir von dem Inhalte unseres Wissens
d. h. das Wissen, diesen objektiv bedingten Vorstellung
zur Unwirksamkeit bringen. Nicht das Wünschen aber
das Wollen, im Sinne des Willensentscheides führt zum

Das Wollen setzt den Glauben an die Möglichkeit des Gelingens voraus oder schliesst ihn in sich. Das vollkommene Wollen ist zugleich Wissen, dass das Gewollte geschehen werde. Steigert der entgegengesetzte Urteilsantrieb die Heftigkeit des Wünschens, so muss dagegen das Wollen in dem Masse, als bei ihm entgegengesetzte Urteilsantriebe fehlen, an Heftigkeit einbüssen. Das vollkommene Wollen muss das wenigst heftige und demgemäss im geringsten Masse von einem Willensgefühl begleitete sein. So verhält es sich in der That. Das völlig sichere Wollen ist ein völlig ruhiges Wollen. Das völlig sichere „Ich will" ist gleichbedeutend mit dem „Ich werde so oder so handeln". Diesem „Ich werde" folgt das Handeln.

„Kontrastgesetz" des Wollens.

Wiederum haben wir jetzt die Frage zu beantworten: Wie pflege ich als normales Individuum mich dem Befehl gegenüber zu verhalten? Und wie gegenüber der Erklärung, ich könne dies oder jenes nicht thun?

Neben der Möglichkeit, etwas zu wollen, steht für mich immer die Möglichkeit des gegenteiligen Wollens. Neben der Möglichkeit aufzustehen, die Möglichkeit des Sitzenbleibens. Und es bestehen für mich Anlässe, das Letztere zu wollen, wenn mir das Erstere befohlen wird. Es ist mir jedenfalls bequemer sitzen zu bleiben. Vielleicht kommt dazu die Ermüdung.

Nun entstehe in mir, zunächst irgendwie, ein Antrieb, aufzustehen. Im Gedanken aufzustehen liegt dann in jedem Falle die abstrakte „Vorstellung" eines körperlichen Verhaltens überhaupt und diese weckt in mir die Vorstellung des Sitzenbleibens. Diese wiederum wird zu einem Antrieb des Sitzenbleibens. Die Energie desselben ist mit der Energie, welche die Vorstellung des Sitzenbleibens gewinnt, gleichbedeutend. Wir nahmen soeben an, dass diese Energie durch die grössere Bequemlichkeit des Sitzenbleibens, auch wohl durch einen Grad der Ermüdung, gesteigert werde. Dieser Antrieb des Sitzenbleibens tritt dem Antrieb des Aufstehens gegenüber.

Hiebei nun bestehen genau die beiden einander (
stehenden Möglichkeiten, die wir beim Gegensatz zweie
antriebe kennen gelernt haben. Die eine ist diese: D
für beide Willensantriebe sind in einen einzigen ps
Zusammenhang verwoben. Dann ist auch die aus ihr
mende psychische Bewegung eine einzige. Insoweit
Fall ist, vollzieht sich ein Ausgleich der Wirkungen
gegengesetzten Motive. Es sind also die Bedingungen
für die freie oder kampflose Willensentscheidung.

Oder aber die entgegengesetzten Willensantriebe
men psychisch isolirten Quellen. Dann tritt das „1
gesetz" oder Gesetz der wechselseitigen Stauung und S(
der entgegengesetzten psychischen Bewegungen in K
steigert sich die Energie, mit der die entgegengeset
triebe auftreten.

Wie beim Gegensatz der Urteilsantriebe, so kön
hier drei Fälle solcher Steigerung unterschieden werd
eine Fall ist gegeben, wenn mir, während ich entschiede
eine dem Zusammenhang der in mir wirkenden Motiv
Thatsache „einfällt" oder eine neue Wahrnehmung (
aufdrängt, in der ein Antrieb zu entgegengesetztem
enthalten liegt. Mein vorheriges ruhiges Wollen w
zum heftigen Wünschen, zur heftigen Gegenwehr g(
Ansprüche des neuen Motivs. Erst die successive Ve
des neuen Motivs in jenen Zusammenhang oder seine
Aufnahme in die Einheit desselben lässt auch das ne
dem Gesetz des Ausgleiches der gegensätzlichen Motive v

Der zweite Fall ist der schon erwähnte: Das in m
entstehende Urteil, das Gewollte werde oder könne nicl
finden, lässt den Wunsch, dass es stattfinde, heftiger a

Der dritte Fall endlich ist derjenige, der uns hier
beschäftigt. D. h. derjenige, der gegeben ist, wenn
eigenen Wollen oder Willensantrieb von aussen her, du
Behauptung oder einen Befehl, ein entgegengesetzter
bezw. ein entgegengesetzter Willensantrieb gegenübertri
hier stellt sich der gleiche Erfolg ein.

Vielleicht hätte ich in solchem Falle, was mir verboten oder als unmöglich bezeichnet wird, ohne den Versuch der Beeinflussung gar nicht ernstlich gewollt. Dies kann einen doppelten Sinn haben. Einmal diesen: Ich hätte gar nicht daran gedacht, es zu wollen. Die Motive dazu wären in mir gar nicht lebendig geworden. Das Gebot oder die Erklärung, ich könne nicht, erinnert mich erst daran.

Oder: Ich hätte das Verbotene oder für unmöglich Erklärte ohne die versuchte Beeinflussung zwar „gewollt", d. h. mein Wollen wäre in dieser Richtung gegangen. Aber es wäre, wenn ich mir selbst überlassen geblieben wäre, zu keinem entsprechenden Willensentscheid gekommen. Neben der Möglichkeit, mich in der bestimmten Weise zu verhalten, bestand die Möglichkeit, mich anders zu verhalten. Und die letztere Möglichkeit hätte das Uebergewicht gewonnen. Ich hätte mich frei in dieser letzteren Richtung entschieden. Nun wird aber jene, nicht diese psychische Bewegung am freien Ablauf verhindert. An jener vollzieht sich also die Stauung. So veranlasst mich schliesslich das Verbot oder die Unmöglichkeitserklärung, dasjenige zu thun, was ich sonst unterlassen hätte.

Dergleichen wird um so eher geschehen, je mehr mir das Verbot oder die Unmöglichkeitserklärung als etwas Fremdes entgegentritt, d. h. je weniger dieselben für mich ein eigenes Motiv des Wollens, oder einen Grund des Glaubens in sich schliessen. Andererseits um so eher, je mehr es in mir ein starkes und sicheres eigenes Wollen, bezw. Denken gibt, allgemeiner gesagt: Je mehr eigene, aus mir selbst stammende Erregungen psychische Energie besitzen. Umgekehrt: Je geringer diese Energie ist, um so leichter kann der Befehl oder die Unmöglichkeitserklärung meinen Willen ausschliesslich bestimmen. So ist bei Willensschwachen und gedanklich Stumpfen der Befehl oder die Versicherung, man könne nicht, ein Mittel, Gehorsam zu erzielen. Dagegen ist bei Willensstarken und gedanklich Regsamen Beides ein Mittel, den Widerspruch zu erregen.

Befehlsautomatie und Eigensinn.

Auch der an sich nicht Willensschwache kann d‹
Befehl zum Gehorsam, ich meine, zum Gehorsam ohn
Motive, gebracht werden, wenn für ein eigenes Wo‹
diesem Befehl entgegentreten könnte, noch der Inh‹
wenn also die dem Befohlenen entgegenstehende Zwe
Zielvorstellung noch nicht vorhanden ist; oder wenn d
stellung zwar vorhanden, aber vermöge der besonde
chischen Verfassung der Persönlichkeit in minderem G
regbar ist. Jenes ist der Fall bei Kindern, dies, nach
Voraussetzungen, bei den Suggestibeln.

Bei Kindern begegnen wir darum einem auton
Gehorsam oder einer Befehlsautomatie. Und die Sug‹
sind aus demselben Grunde, aus dem sie für Empf
und Urteilssuggestionen empfänglich sind, auch emp
für Willenssuggestionen. Es ist nicht erforderlich,
noch einmal auf diesen Grund, die verminderte psychi‹
regbarkeit bei unverminderter oder relativ unvertminder
chischer Gesamtkraft, besonders hinweise. Alle die ‹
nauer bezeichneten Folgen dieser Verminderung, al
diejenigen, die darin bestehen, dass die suggerirte
stellung nicht mit gleicher Leichtigkeit wie beim no
Individuum in andere damit verknüpfte Vorstellunge
geht oder gegen dieselben sich „ausgleicht", dass sie ‹
eines relativ Neuen spielt, d. h. in geringerem Masse ‹
flusstendenz" unterliegt, — wirken auch hier mit. Das
licbste bleibt doch immer das oben Erwähnte, d. h. ‹
stand, dass Vorstellungen, die den durch den Akt ‹
gestion unmittelbar geweckten entgegenstehen, minder
nicht erregt werden.

Einen Einwurf wird man aber noch gegen da‹
Gesagte erheben. Kinder sind nicht bloss in besondere
zu blindem oder ohne eigene Motive sich vollziehen‹
horsam geneigt, sondern sie sind auch in besondere‹
eigensinnig. Dies setzt einmal eine gewisse Stärke des

Willens voraus. Im Uebrigen beruht dieser Eigensinn auf dem
gleichen Grunde, wie der blinde Gehorsam. Was wir speziell
als Eigensinn bezeichnen, das ist der unvernünftige Eigensinn,
d. h. derjenige, der sich einem Befehl entgegensetzt, der für
den Eigensinnigen eigene Motive des Gehorsams in sich schlösse.
Angenommen, solche Motive werden in einem Kinde nicht erregt, d. h. das Kind hört den Befehl, der an denselben sich
knüpfende Gedanke aber, dass und warum es gut thäte, dem
Befehle gemäss zu handeln, wird in ihm nicht lebendig und
wirksam, so fehlen die Faktoren, die sein eigenes Wollen frei
in die Richtung des Befohlenen hinüber lenken würden. Es
bleibt dann nur der Gegensatz zwischen dem Befehl und dem
abgesehen von jenen Motiven bestehenden eigenen Willensantrieb. Und daraus kann sich, wenn dieser letztere genügende
Stärke besitzt, nichts Anderes als eine Steigerung der Heftigkeit desselben ergeben.

Darnach ist also blinder Eigensinn im Princip dasselbe
wie blinder Gehorsam. Beide beruhen auf dem Nichtdasein
oder der ungenügenden Energie von Erregungen, die beim
normalen und geistig ausgebildeten Individuum auftreten oder
eine grössere Energie zeigen würden.

Dann kann es auch nicht verwundern, wenn ebenso beim
suggestibeln Erwachsenen Beides angetroffen wird. Der grösste
Grad der Suggestibilität, d. h. der Herabminderung der geistigen
Erregbarkeit, bedingt die Willensautomatie. Hier wirkt ausschliesslich oder übermächtig der im Befehl eingeschlossene
Willensantrieb. Ein geringerer Grad der Suggestibilität dagegen
kann neben der Willensautomatie das blinde Zuwiderhandeln
gegen den Befehl erzeugen. Vielleicht gibt es in einem gegebenen
Falle für den minder Suggestibeln gar keine eigenen Motive,
einem bestimmten Befehle zu gehorchen, insbesondere auch
nicht diejenigen, die in dem nachher zu besprechenden „Rapport" eingeschlossen liegen. Oder die in Betracht kommenden
Motive liegen zu weit ab, sie sind insbesondere mit dem Befehl
weniger eng und unmittelbar verknüpft, als die Vorstellung
eines möglichen entgegengesetzten Wollens, sodass diese letztere

Vorstellung mit einiger Energie sich regt, jene Mo
unwirksam bleiben. Oder es hat gar in dem in ni
hohem Grade Suggestibeln das dem Befehl entgegt
Wollen zufällig ein besonderes Interesse. Oder das
spricht einer gegenwärtigen Stimmung oder Laune
darum grössere Energie. Oder die fragliche Person
autosuggestiv in eine Rolle, vielleicht gar die Rolle d
spänstigkeit hineingearbeitet und ist nun davon b
Sie fühlt sich vermöge ihrer geistigen Eingeengtheit
Rolle gross und wichtig. Unter solchen Umständen v
die geringere geistige Erregbarkeit, die sonst Befehls
erzeugt, das Gegenteil derselben herbeiführen könn
müssen.

Besonders müssen wir jetzt noch auf die suggest
kung der Behauptung, eine Handlung könne nicht
werden, zurückkommen. Ich sage Jemandem, er kön
Arm nicht heben, und er kann es in der That nic
habe ich durch meine Versicherung in dem Suggesti
Gedanken, der Arm werde in seiner Lage verharren, z
schaft gebracht, vor allem auch in dem Sinne, dass
den Gedanken, der Arm könne bewegt werden, da
gewicht hat. Der Suggestible glaubt an die Bewegu
keit und glaubt nicht an die Möglichkeit der Bewegu
mit ist nicht ausgeschlossen, dass er wünscht, den
bewegen. Er mag es immerhin wünschen: Daraus
solange die Energie des Gedankens der Bewegung
überwiegt, eine entsprechende Handlung so wenig,
der noch so lebhafte Wunsch, spazieren zu gehen, zum S
gehen veranlasst, wenn ich zugleich aus Rücksicht au
welche Pflicht entschlossen bin, zu Hause zu bleiben.
Glauben oder dieses Uebergewicht des Gedankens, das
Arm unbewegt halten werde, ist aber, wenn nicht se
sprung nach, so doch an sich mit dem Entschluss ode
ihn unbewegt zu halten, gleichbedeutend. Wie jener
Bewusstsein der Pflicht beruhende, so hat dieser W
gegenteiligen Wunsch gegenüber einen Charakter des

Das Festhalten des Armes ist eine zwangsmässige Muskelinnervation, es ist eine Art psychisch bedingten Krampfes.

Nehmen wir an, es gewinne schliesslich der Wunsch, den Arm zu heben, das Uebergewicht; er werde seinerseits zum Wollen; und es werde demgemäss der Arm gehoben. Dann ist doch diese Armhebung nicht ohne weiteres gleichartig mit gewöhnlicher freier Armhebung. Sie kann ihr nicht gleichartig sein, wenn jener Wille, den Arm festzuhalten, während des Aktes der Armhebung noch weiter besteht, oder was dasselbe sagt, wenn jener Gedanke, der Arm werde unbewegt bleiben, nicht darum sein Uebergewicht verloren hat, weil er an sich unwirksam wurde und dem anderen Gedanken d. h. dem Gedanken einer Bewegung des Armes Platz machte, sondern darum, weil dieser letztere Gedanke jenen an Energie zu überragen begann.

Hierbei ist zunächst zu bedenken, dass der Wille, den Arm zu heben, auch beim Normalen keineswegs den Willen, den Arm in Ruhe zu erhalten, ausschliesst. Ich kann jederzeit meinen Arm heben und dabei zugleich freiwillig den Arm so inneviren, wie es zur Festhaltung der Lage des Armes erforderlich ist. Meine Hebung des Armes ist dann eine eigentümlich angestrengte. Dies thue ich allerdings für gewöhnlich nicht. Meine Armhebung hat in der Regel den Charakter des freien Willensentscheides, und diesem ist, wie wir wissen, die freie Ausgleichung der entgegengesetzten Willensantriebe, insbesondere das Entschwinden des einen Willensantriebes, in dem Masse, als der andere das Uebergewicht gewinnt, eigentümlich.

Ein solcher freier Willensentscheid liegt aber eben hier nicht vor. Der Antrieb der Festhaltung der Armlage und der Antrieb der Hebung des Armes entstammen aus gegeneinander selbständigen Quellen, jener aus den Worten des Suggerirenden, dieser aus dem Suggestibeln. Hier findet also eine solche Ausgleichung nicht statt, d. h. der Antrieb, den Arm in Ruhe zu halten, wird durch den Antrieb, den Arm zu heben, nicht aufgehoben, sondern kann durch ihn nur überboten werden. Bleibt aber jener Willensantrieb, d. h. bleibt die Energie des Ge-

dankens, der Arm werde unbewegt bleiben, an
so bleibt auch die daraus fliessende Innervation
stehen. Und wird jener Gedanke nur durch die gr
des entgegenstehenden Gedankens, also gewaltsam
so ist die daraus sich ergebende Armhebung ein
Aufhebung jener Innervation. Sie ist demgemäi
Empfindung der gewaltsamen Anstrengung beg
kann erheblich schmerzhaft sein. Daraus mag d
Vorstellung entstehen, dass ein magischer äusser
wirkt habe und jetzt durch psychische Thätigkei
sei. In Wahrheit ist hier lediglich eine psych
Wirkung durch eine andere ebenso psychisch bedi
überwunden.

Noch eine Bemerkung muss schliesslich di
über Willenssuggestion hinzugefügt werden. Ic
mals, warum nicht jedes Empfindungsstreben zur
führe. Jetzt könnte die weitere Frage gestellt w
nicht jedes erfolgreich suggerirte Wollen zur
führe. Suggerire ich eine Armbewegung, so mach
stellung der Armbewegung zur herrschenden; di
mit besonderer Kraft und Freiheit zur Geltung.]
ja die Bedingung der Hallucination. Man kö
meinen, es müsste der Befehl, den Arm zu bewe
sprechende Bewegungsempfindung erzeugen könne
dass die Bewegung thatsächlich ausgeführt we:
Darauf ist die Antwort wiederum einfach: V
ich solle den Arm bewegen, sagt mir eben damit
nicht in der betreffenden Bewegung begriffen ist
wirkt also der Hallucination direkt entgegen.

Der „Rapport". Allgemeine Be

Im Bisherigen sind die Bedingungen der Sugg
wegs vollständig bezeichnet. Es wurde von der
psychischen Erregbarkeit gesprochen. Aber es
Rede von den Mitteln, durch welche dieselbe kün

bezw. gesteigert werden kann. Vor allem nicht von den Bedingungen, die bewirken, dass speziell diejenigen psychischen
Erregungen, die den suggerirten unmittelbar entgegenwirken,
kraftlos werden.

Solche Bedingungen nun schliesst der Begriff des sugge-
stiven „Rapports“ in sich. Wir verstehen darunter zunächst
allgemein die Beziehungen zwischen dem Suggerirenden und
dem Perzipienten — d. h. seinem Opfer —, vermöge welcher
die Suggestion Kraft gewinnt. Die in jedem Falle stattfindende
Beziehung haben wir bereits kennen gelernt. Sie besteht in
der Thatsache, dass jede fremde Persönlichkeit für uns nichts
ist, als die modifizirte und objektivirte eigene Persönlichkeit,
jedes Wissen von dem, was in der fremden Persönlichkeit vorgeht, also jedes Verstehen irgendwelcher Worte, Zeichen. Handlungen derselben, ein Hineintragen modifizirter eigener Erlebnisse in die fremde Persönlichkeit; oder umgekehrt gesagt, ein
Herauslesen eigener Erlebnisse aus der fremden Persönlichkeit.
Das Geschehen in der fremden Persönlichkeit, von dem wir
wissen, ist zunächst modifizirte Reproduktion eines Geschehens
in der eigenen — mit der oben, insbesondere auf S. 474 —
gegebenen näheren Bestimmung. Aber diese schliesst die Tendenz zum Uebergang in das entsprechende thatsächliche eigene
Erleben in sich.

Es handelt sich uns aber jetzt um die besonderen Bedingungen oder Momente dieses Rapports. Soweit die Urteils-
suggestion — von der freilich, wie wir sahen, die Empfindungssuggestion und Suggestion von Handlungen abhängig ist — in
Frage steht, kommt in erster Linie die Glaubwürdigkeit in
Betracht, welche die Aussage des Suggerirenden für den Perzipienten besitzt.

Hier müssen wir bedenken, dass wir im Laufe unseres
Lebens allerlei erlebt haben, was menschliche Glaubwürdigkeit
überhaupt zu erschüttern vermag. Menschen können erfahrungsgemäss irren, lügen, mit uns spielen, uns zu Versuchsobjekten
machen und dergleichen. Je mehr beim Anhören einer Behauptung solche Erfahrungen in uns miterregt werden, um so

mehr fehlt auch dem Glauben an die Behauptung S
Um so mehr wird uns neben dem Glauben zugleich Ui
keit suggerirt. Dass wir der Behauptung glauben, di
ja auf Erfahrungen, die Behauptungen mit den bel
Thatsachen einstimmig zeigten. Ebenso ergibt sich
gegenteiligen Erfahrungen ein Antrieb zum Nichtglau
zum Glauben, dass etwas dem Behaupteten Entgege
stattfinde.

Nun sind suggestible Menschen solche Menschen, l
Vorstellungen, die mit einer gegebenen Vorstellung zu
hängen, von dieser Vorstellung aus in minderem Grac
werden. Zugleich müssen, wenn wir in dem Suggest
psychische Erregbarkeit im Ganzen um ein gewis
herabgesetzt oder überall ein gleich grosses Hemmni:
Erregungen entgegenstehend denken, Vorstellungen, di
schon weniger leicht erregbar sind, von dieser Hera
oder Hemmung in relativ höherem Grade betroffen
Solche minder erregbare Vorstellungen sind aber in
meinen diejenigen, die uns an den Behauptungen von l
zweifeln lassen, im Vergleich mit denjenigen, die
Glauben an die Behauptungen bedingen. Das Glauben l
von besonderen Bedingungen abgesehen, näher als d
trauen. Also müssen die den Zweifel bedingenden
lungen bei dem Suggestibeln zu Gunsten derer, die den
bedingen, zurücktreten. D. h. zur Suggestibilität geh
wendig, von besonderen Gründen abgesehen, ein Grad
trauensseligkeit, also auch eine gesteigerte Wirkung
der Absicht der Suggestion ausgesprochenen Behaupti

In gleicher Weise müssen dann auch die besondere
die der Suggerirende anwendet, um seinen Worten e
gestive Wirkung zu geben, in ihrer Wirkungsfähig
steigert erscheinen. Allen diesen Mitteln kommt die vei
volle Hingabe zu Gute.

Was nun diese besonderen Mittel betrifft, so ist
Folgendes zu bedenken: Das Urteil und ebenso das
das wir aus den fremden Worten herauslesen, ist für u

als fremdes Urteilen oder Wollen, verflochten in den Zusammenhang der fremden Person, ihrer äusseren Erscheinung und ihres
inneren Wesens; in einen bestimmteren oder einen unbestimm-
teren Zusammenhang, je nachdem wir von der fremden Person
ein bestimmteres oder weniger bestimmtes Bild oder einen bestimmteren oder weniger bestimmten, sei es auch irrigen, Eindruck haben. Mit diesem „Verflochtensein" müssen wir aber,
hier wie überall, vollen Ernst machen. Das fremde Urteilen
oder Wollen ist für uns nicht bloss dies Urteilen oder Wollen,
sondern es ist das Urteilen oder Wollen dieser Person. Das
fremde Urteilen oder Wollen besitzt, sofern wir von ihm wissen,
in uns relative, aber eben doch auch nur relative Selbständigkeit. Indem es in uns wirkt, wirkt in uns immer zugleich das
Ganze der fremden Persönlichkeit.

Andererseits tritt doch das fremde Urteilen oder Wollen, indem wir davon wissen, hinein in den Zusammenhang unserer
Persönlichkeit. Es wird ein Moment im Zusammenhang unseres
gegenwärtigen Gesamterlebens. Nehmen wir dies mit dem
soeben Gesagten zusammen, so ergibt sich, dass die Frage, wie
weit das durch die fremden Worte in uns reproducirte Urteilen
oder Wollen zu unserem eigenen thatsächlichen Urteilen bezw.
Wollen werden kann, — von allen übrigen Bedingungen abgesehen — zusammenfällt mit der Frage, wie weit die urteilende
oder wollende fremde Persönlichkeit, und insbesondere dasjenige
an derselben, was sich irgendwie in dem Urteil oder der Kund-
gabe ihres Wollens ausspricht, zugleich meine eigene Persönlichkeit ist oder werden kann bezw. nicht ist und nicht werden
kann; d. h. wie weit die wollende oder urteilende fremde Persönlichkeit mit meiner eigenen Persönlichkeit, und insbesondere
mit den Momenten derselben, die für das fragliche Urteilen
oder Wollen speziell in Betracht kommen, übereinstimmt oder
in Gegensatz steht.

Jedes Urteil tritt nun für uns zunächst in einen Zusammenhang mit den Gründen des Urteils. Ein fremdes Urteil wird
also mein eigenes werden können, zunächst soweit ich annehmen kann, dass sein Urteil durch Gründe bestimmt ist, die

auch für mich Gründe sein würden. Diesen Sa
korrigiren. Wirkliche Gründe für ein Urteil sin
jedermann Gründe. Andererseits sind Gründe im
des Wortes immer zwingende Gründe. Soweit
nehmen darf, das fremde Urteil sei für die fremd
keit begründet, ist es für mich ebensowohl begrü
muss mein eigenes Urteil werden.

Indessen, Urteile können nicht nur bedingt
Gründe. sondern auch durch Motive. Sie sind i
soweit motivirt, d. h. subjektiv bedingt, als sie nicl
also objektiv bedingt sind. Und Motive für Ur
beim Einen diese, beim Anderen jene sein.

Wir müssen also sagen: Ein fremdes Urteil,
Kenntniss habe, wird zu meinem eigenen Urteil ii
als, meines Wissens oder meinem Eindruck zufol
keine Motive das fremde Urteil bestimmen, oder
mit den meinigen nicht im Widerstreite stehen.
Urteil, sofern es durch Gründe, im eigentlichen, a
Sinne. bedingt ist, ist ein unpersönliches; es ist, so
Motive bedingt ist, ein persönliches. Darnach kö
klären: Ein fremdes Urteil kann für mich zum ei
werden, in dem Masse, als entweder die Persönlic
dem Urteil sich ausspricht, mit der meinigen, nie
oder Eindruck gemäss, übereinstimmt oder das Url
den Charakter des Unpersönlichen hat.

Hieraus geht zugleich hervor, wie es sich
des fremden Wollens verhalten muss. Dies ist
durch Motive bestimmt. Hier lautet demnach di
fach und von vornherein: Wie verhalten sich
die im fremden Wollen sich kund geben oder
scheinen, zu den in mir wirksamen oder möglichen
Wollen oder die an mich gestellte Forderung kan
eigenen Wollen werden, in dem Masse, als die fre
die meinigen werden können, oder wenigstens k
gearteten Motive in der fremden Willensäusseru
kundgeben. — Auch bei der Willenssuggestion b

derem Sinne als oben, ein Gegensatz des Persönlichen und des Unpersönlichen statuirt werden. Die nur allgemein menschliche Motive verratende Willensäusserung kann unpersönlich heissen.

Mein Bewusstsein oder mein Eindruck, wie es mit den Gründen bezw. Motiven des fremden Urteilens oder Wollens bestellt sei, richtet sich aber nicht bloss nach dem speziellen Falle, sondern folgt allgemeinen Regeln, denen wir dann die einzelnen Fälle unterordnen. Demgemäss muss auch dann, wenn ich jetzt Anlass hätte, einem Urteil zu misstrauen oder einem Befehle mich zu widersetzen, die Erfahrung, dass sonst bei solchen Urteilen oder Befehlen, insbesondere bei Urteilen oder Befehlen derselben Person, kein solcher Anlass bestand, die suggestive Kraft des Urteiles oder Befehles erhöhen.

Dass es so ist, unterliegt denn auch keinem Zweifel. Ich glaube auch in zweifelhafteren Fällen leichter demjenigen, von dem ich weiss, dass er sonst in seinen Urteilen sich durch Gründe bestimmen liess. Dagegen: Wer einmal lügt, dem glaubt man nicht. Ich erfülle ebenso leichter Forderungen bestimmter Personen, wenn die Erfüllung ihrer Forderungen in anderen Fällen irgendwie als in meinem Interesse gelegen sich auswies, sei es auch nur in dem Sinne, dass die Nichterfüllung derselben mir Unangenehmes zuzog.

Speziellere Bedingungen des Rapports.

Indessen es liegt mir hier an einigen spezielleren Punkten. Ein gehörtes Urteil gewinnt für uns den Charakter grösserer Unpersönlichkeit, wenn wir es von verschiedenen Seiten her hören. Bei jedem einzelnen Individuum mögen wir individuelle Motive voraussetzen. Indem wir das Urteil von verschiedenen Menschen hören, wird es von den Motiven der Einzelnen unabhängig oder aus dem Zusammenhang derselben herausgelöst. Daher die suggestive Kraft des „Man sagt", das leicht zum „Jedermann urteilt so" wird. Gleicher Art ist die suggestive Kraft des „Jedermann thut dies", der Mode, der Forderungen der guten Gesellschaft.

Unpersönlicher noch, und darum von noch stär
kung, als das „Man sagt", ist für den naiven Me
gedruckte Wort, das wie eine vom Himmel gefal
barung ihm entgegentritt: „Da steht es". Aehnlic.
Behauptung eines beliebigen Unbekannten wirken,
wenn er irgendwie seltsam auftritt und darum 1
weiteres unter den gewohnten Begriff irrender ode
Menschen fällt.

Vor allem wichtig ist dann weiterhin der Ton
Jemand rede in zweifelndem oder ironischem To
suggerirt er durch den Ton seiner Rede den Zw
zweifelnden oder ironischen Ton habe ich ja a
wiederum nur dadurch kennen oder verstehen lern
dass sich Behauptungen, die in solchem Tone v
wurden, als zweifelhafte oder nicht ernstgemeinte, al
Thatsachen widersprechende bezw. gelegentlich wider
auswiesen. In gleicher Weise relativ antisuggestiv
unsichere Forderung. Auch sie schliesst in gewis
die Forderung des Gegenteiles in sich oder weckt
stellung eines möglichen gegenteiligen Verhaltens.

Diesem zweifelnden oder ironischen Tone steht
der überzeugte, also jede Nebenvorstellung der M
des Gegenteils ausschliessende, der ruhig sichere, 1
der Ton der Rede, als handle es sich um etwas völ
verständliches. Der Ton der Selbstverständlichkeit we
er als solcher erscheint, in mir den psychischen Gesa
in welchem ich mich zu befinden pflege, wenn mir se
selbstverständlich ist. Die daraus sich ergebende Te
thatsächlichen Wiederkehr dieses Zustandes weckt
keinen Zweifel, sondern wirkt dem Zustandekommen
fels entgegen.

Wie die ruhig sichere Behauptung die Urteils
so begünstigt die ruhig sichere Forderung die Willens
Auch Forderungen können den Charakter der Selbs
lichkeit gewinnen. Man sagt mir: Du wirst dies
könne ein entgegengesetztes Wollen den Umständen

nicht stattfinden. Diese Weise ist suggestiver als der eigentliche Befehl.

Menschen wollen naturgemäss Sicherheit. Sie wollen etwas, woran sie sich halten können. Und sie wollen es womöglich in einem kurzen Wort. Daher die besondere Wirkung des im prophetischen Tone in die Masse geschleuderten Schlagwortes, der Parole, besonders wenn ein solches Wort öfter und von verschiedenen Seiten wiederholt wird. Oder die Wirkung des Vortrages, der die eigentlichen Schwierigkeiten umgehend, im Tone des Orakels scheinbar verständliche Worte oder gar ein übersichtliches System solcher Worte gibt.

In solcher Weise überzeugend zu reden und sich zu geberden ist nicht Sache eines einfachen Entschlusses. Es gelingt am sichersten dem, der selbst, sei es auch nur für den Moment, vollkommen überzeugt ist. Was von Herzen kommt geht zu Herzen. Starke Autosuggestibilität ist die günstigste Bedingung für die suggestive Wirkung auf andere. Selbstvertrauen flösst anderen Vertrauen ein. Eigene Sicherheit macht andere sicher. Ich meine Selbstvertrauen und Sicherheit, die im Tone der Rede, und zugleich in der ganzen Weise des Auftretens sich verraten.

Mit dem Tone der Selbstverständlichkeit ist, wie schon angedeutet, nicht mehr bloss die Gegensuggestion vermieden, sondern zugleich eine Art der Einschläferung, wenn man will, der „Hypnotisirung" — im weitern Sinne des Wortes — gegeben.

Die suggestive Wirkung wird weiter in besonderem Masse unterstützt durch Anknüpfung an eigene Gedanken oder Motive dessen, der diese Wirkung erfahren soll, durch Eingehen in seine Denk- und Sinnesweise, seine Verfassung und Stimmung, auch in die Form, in welcher er selbst, was in ihm ist, kundzugeben pflegt. Man redet meine Sprache, gebraucht meine Wendungen, zugleich so, dass mir durch die Art, wie dies geschieht, durch den Zusammenhang, dies Eigene in neuem und bedeutsamem Lichte erscheint. Man bewirkt damit, dass mir der suggerirte Inhalt wie ein eigener Gedanke oder Ent-

schluss sich darstellt und zugleich als solcher Wi
winnt. Man gibt mir nicht nur Fremdes als Eige
schmeichelt es mir als solches vor. Oder mat
von dem, was ich anerkenne oder will, unverme
was man mir eingeben will oder von mir forderi
keit oder erfahrungsgemässer Zusammenhang oder
bare logische Konsequenz bezeichnen die Wege
dies geschehen kann. Man schleicht sich so in m
Behauptung ist scheinbar ein blosser Hinweis auf
Meinung oder ihre natürliche Konsequenz. Die Fo
oder der höflichen Aufforderung ist ein besonderes
von mir gefordert wird, als mein Wollen oder als
„Gefälligkeit" erscheinen zu lassen.

Die Wirkung von allem dem wird verstand
wir die entgegengesetzte Weise zu behaupten ode
dagegenstellen. Ich meine etwa die heftige Beha
Versicherung, als habe man ein Interesse daran m
stimmung zu zwingen; die herrische Forderung, di
der Erfahrung die Vorstellung eines dem eigenen
oder gegnerischen Willens weckt. Die Vorstellung d
satzes schliesst die Reproduktion eigener Gegenregu
Zugleich werden diese eben durch den Gegensatz i
kung gesteigert. Der Widerspruch wird gereizt
wird durch jenes „sich Einschleichen" in meine P
meine psychische Bewegung von eigenen Gegenm
gelenkt, mit Vermeidung des Konfliktes an ihnen
in anderer Richtung geführt.

Damit ist nicht gesagt, dass nicht auch der V
solchen Einschleichens zum Widerspruch reizen
brauche nur die Absicht zu merken und ich werd
Aber dass ich die Absicht merke, dies heisst eben ni
als dies, dass trotz der Bemühungen, die fremde
oder Motive als meine eigenen oder als mit ihnen
erscheinen zu lassen, sie mir doch als fremde erso
eigene, davon abweichende und ihnen entgegenst
gungen mit gewisser Stärke zur Geltung kommen

wird geschehen in dem Masse, als überhaupt meine psychische
Bewegung nicht auf die durch die Suggestion unmittelbar erweckten Vorstellungen beschränkt bleibt, sondern weiter sich
verbreitet, d. h. in dem Masse, als ich nicht „suggestibel" bin.
Darnach muss, wer will, dass Andere seine Behauptungen
gläubig aufnehmen und seinen Forderungen sich fügen, individualisiren. Er muss wissen, wem er blinden Glauben und
automatischen Gehorsam zumuten kann, bezw. welchen Grad
dieses Glaubens oder Gehorsams er von ihm erwarten darf.
Und darnach muss er die Mittel wählen. Er muss andererseits stufenmässig vorgehen.

Wo sehr geringe Ausbreitung der psychischen Bewegung
von dem zunächst erregten Punkte aus, insbesondere geringe
Erregbarkeit von Gegenvorstellungen, schwaches oder gehemmtes
Sichregen der Gegengründe oder des Gegenwollens vorausgesetzt werden darf, kann die Suggestion mit gröbstem Geschütz
wirken. Das heftige, ja drohende Behaupten, der herrische,
„schneidige" Befehl, das sic volo, kann den sichersten Erfolg
haben. Wo dagegen die Bedingungen weniger günstige sind,
wo eine einigermassen regsame und starke Individualität vorliegt oder zu befürchten ist, muss die auf blinden Glauben und
blinden Gehorsam abzielende Lebens-, Erziehungs-, Regierungs-
und Heilkunst sanftere Mittel wählen und Umwege einschlagen.
Das Suggeriren und Gefügigmachen muss zuletzt der raffinir-
testen Mittel des Sich-Einschleichens und Sich-Einschmeichelns,
des Köderns, des Spekulirens auf menschliche Schwächen sich
bedienen.

Und stufenmässig muss solche Kunst vorgehen; es sei denn,
dass vermöge der Natur des „Perzipienten", oder weil ihm
schon durch Andere eigenes Denken und Wollen abgewöhnt
ist, von vornherein die stärksten Mittel am Platze sind. Solches
stufenmässige Vorgehen kann zuletzt eine volle Abhängigkeit
einer Person von einer bestimmten anderen Person herbeiführen.

Ich nehme an, es liege in der Natur einer Behauptung
oder Forderung, die mir entgegentrat, oder es liege in der
vorsichtig einschmeichelnden Weise, wie sie mir entgegen-

gebracht wurde, dass ich leicht dazu gebracht werden
über mögliche eigene Gegengründe oder Gegenmotive,
Bedenken hinwegzuleiten und demnach su glauben
gehorchen. Dann ist damit zugleich eine Disposition
für zukünftiges gleichartiges Hinweggleiten. Zugleich
ich mich schon in einer Abhängigkeit von einer bes
Person. Schon jenes erste Glauben oder Wollen w
ein Glauben oder Wollen, jenes erste Hinweggleiten n
Hinweggleiten überhaupt, sondern ein durch die fremde
bedingtes, also eigenartiges. Es ist gebunden und bleib
bis zu einem gewissen Grade gebunden an die fremde
auch an ihre äussere Erscheinung, ihre Stimme, ihre
Dieser Zusammenhang kann sich wiederum lösen; er ka
auch sich steigern. Und er muss sich steigern, wen
Gleichartiges geschieht, d. h. wenn wiederum dieselbe
mir über eigene Antriebe des Urteilens und Wollens g
hinweghilft.

Dieser Prozess braucht sich nicht in jedem einzelne
völlig widerspruchslos zu vollziehen. Mag immerhin
das, was mir angesonnen wird, ein dem Angesonnenen
sprechendes eigenes Denken oder Wollen erregt und
den Gegensatz zu lebhafterer Wirkung gebracht werden.
nur diese Erregung an sich genügend schwach oder g
sich vollzieht, und demnach auch durch den Gegens
minderer Höhe gesteigert wird, so kann doch das aufge
Urteil oder Wollen in mir Herr werden. Dann beste
wiederum eine entsprechende Disposition für die Zukun
ein Grad der Abhängigkeit von der Person. Der Wide
wird bei erneuter gleichartiger Einwirkung und erneutem
liegen schwächer und verstummt vielleicht zuletzt. Imme
kann sich in der Folge die Einwirkung der fremden Pe
keit dem eigenen Denken und Wollen widersetzen, ohn
wirkungsvollen Widerspruch befürchten su müssen.

Die so sich steigernde Abhängigkeit von der f
Persönlichkeit besteht zunächst vielleicht mit Rücksic
gewisse Gebiete, sie kann aber sich verallgemeinern un

allgemeinert sich, wenn sie einmal auf irgendwelchen Gebieten entstanden ist, leicht. Es bildet sich schliesslich in mir eine Gewohnheit oder ein Zwang aus, den Urteils- und Willensantrieben zu folgen, die das Eigentümliche haben, von dieser Person auszugehen. So können Freunde und Liebende, aber auch solche, die weder Freunde noch Liebende, aber vielleicht selbstherrliche, in ihrer Gottähnlichkeit sich spiegelnde Egoisten sind, zu Tyrannen werden, die schliesslich, auch wenn sie noch so tyrannisch behaupten oder fordern, keinen wirkungskräftigen Widerstand mehr zu befürchten haben. Eine Persönlichkeit ist mit einer anderen verwachsen und um sich selbst betrogen. Sie ist als eigene Persönlichkeit eingeschläfert.

Hiemit haben wir den „Rapport" im eigentlichen Sinne, nämlich als psychische Abhängigkeit einer Person von einer anderen. Der stärkste Rapport dieser Art ist nicht verwunderlicher als der schwächste, oder der schwächste nicht weniger verwunderlich als der stärkste.

Welcher Grad dieses Rapportes zwischen zwei Personen eintritt, ist nun natürlich nicht nur von jener Kunst der successiven psychischen Unterwerfung, und der ursprünglich bestehenden Suggestibilität, sondern auch von dem ursprünglichen Verhältniss der beiden Personen abhängig. Der Rapport wird um so leichter entstehen, je mehr schon ohne jede beeinflussende Thätigkeit die beeinflussende Person der zu beeinflussenden sympathisch ist, dies Wort im allgemeinsten Sinne genommen: d. h. um so leichter, je mehr die beeinflussende Person irgendwie der zu beeinflussenden imponirt, sie anzieht oder ihr zusagt, oder je mehr in der Weise jener Persönlichkeit, aufzutreten, zu urteilen, zu handeln, weiterhin in ihrer äusseren Erscheinung, ihren Geberden, ihrem Blick, dem Ton oder Tonfall ihrer Stimme etwas liegt, das in der zu beeinflussenden Person Widerhall findet. In allem dem liegen für den Rapport Anknüpfungspunkte. Sofern diese Sympathie gar nichts anderes ist, als eine Art des Rapportes, können wir auch sagen: Der Rapport entsteht um so leichter, je mehr er bereits ursprünglich besteht.

Andererseits ist dann freilich auch der ursprüngl
der Suggestibilität, d. h. der verminderten psychisch«
barkeit, in dem oben näher bezeichneten Sinn, Bedin
leichten Erzeugung des Rapportes. Bei hoher Sugg
kann der Weg seiner Entstehung ein sehr kurzer sei
der Rapport nichts ist als eine gesteigerte Suggestibilitä
wir auch sagen: Die Suggestibilität steigert sich um s
je grösser sie ursprünglich ist.

Immer aber ist auch der höchst gesteigerte Rap
die höchst gesteigerte Suggestibilität nichts anderes, al
den besonderen Bedingungen wohl verständliche Steige
alltäglichsten Beeinflussbarkeit von Menschen durch]

Hypnose und Schlaf.

Speziell interessirt uns nun noch der Rappor
Hypnose und die Hypnose selbst, bezw. der Zustan
gesteigerter Suggestibilität, der in der Hypnose vorli
Die Hypnose ist ein Schlafzustand und insofern
wöhnlichen Schlafe gleichartig. Worin dieser phy
betrachtet besteht, diese Frage berührt uns nicht.
logisch betrachtet besteht er in jedem Falle in einer
psychischen Erregbarkeit. Die Energie, mit welcher
dungen sich aufdrängen und Vorstellungen reproduzir
und die psychische Kraft beanspruchen, ist herabgese
zufällig, d. h. aus im Einzelnen nicht näher fest
Gründen dieser oder jener Punkt der Psyche relativ
geblieben ist, und die da entstehende Erregung den d
mittelbar zusammenhängenden Punkten sich mitteilt
das sonderbar launenhafte Traumleben begreiflich.
gleich im Traume blosse reproduktive Vorstellungen
rakter von Hallucinationen besitzen, dies macht die]
nötig, dass die psychische Kraft oder das Mass der ü
möglichen psychischen Erregung nicht in gleichem Mass
gesetzt ist, wie die Erregbarkeit an den einzelnen Pu
Nicht minder nun ist auch die Hypnose ohne alle

ein Zustand der verminderten psychischen Erregbarkeit. Und auch dabei gilt, dass die Herabsetzung der psychischen Kraft mit der Verminderung der psychischen Erregbarkeit nicht gleichen Schritt hält. Dagegen haben wir hier nicht mit jener zufälligen stärkeren Erregbarkeit an diesen oder jenen Punkten zu rechnen. Mag dieselbe auch stattfinden. Was für uns hier in Betracht kommt, ist etwas Anderes und Entgegengesetztes, nämlich die höhere Erregbarkeit an einem bestimmten Punkte, d. h. dem Punkte, der bezeichnet ist durch die Person dessen, der mit dem Hypnotisirten in Rapport steht oder in Rapport tritt.

Die Hypnose ist ein auf suggestivem Weg erzeugter Schlafzustand, der zugleich eine erhöhte Möglichkeit der Suggestion in sich schliesst. Sagen wir, die Hypnose sei auf suggestivem Wege erzeugt, so müssen wir freilich die Suggestion im engeren und weiteren Sinne nehmen. Der hypnotische Schlafzustand ist im engeren Sinne suggerirt, wenn er erzeugt wird nicht durch Weckung irgendwelcher Vorstellungen, sondern durch Weckung der Vorstellung des Schlafes. Man sagt mir, ich sei schläfrig, würde schlafen, sei im Begriffe einzuschlafen, schlafe, solle schlafen. Man schliesst meine Augen, wie sie im Schlafe geschlossen zu sein pflegen. Schliesslich genügt vielleicht eine Bewegung, die mich daran erinnert, dass ich schlafen soll, oder der Anblick der Photographie dessen, der mich öfters in hypnotischen Schlaf versetzt hat. Die Suggestion ist in diesem Falle eine Willenssuggestion von der oben charakterisirten Art.

Ich rede hier von der „Vorstellung" des Schlafes. Man wird einwenden: Eine solche Vorstellung gibt es nicht. Die Vorstellung des Schlafes ist eine Vorstellung ohne Inhalt, genau so wie die Vorstellung der Stille oder der Schmerzlosigkeit.

So verhält es sich in der That. Schlaf ist ein psychischer Allgemeinzustand. Das Wort Schlaf hat seinen Sinn gewonnen durch die Verknüpfung dieses Allgemeinzustandes mit dem Worte. Aber wir wissen, psychische Allgemeinzustände oder dasjenige, was sie charakterisirt, können reproduzirt werden, ebensowohl wie einzelne psychische Vorgänge. Und auch ihre

Reproduktion schliesst in sich die Tendenz des ernet
sächlichen Erlebens. Gilt einmal dieser Satz, dann
auch hier gelten.

Vorausgesetzt ist ein genügender Grad der Sugg
einschliesslich des „Rapports"; also eine verminderte ¡
Erregbarkeit, insbesondere eine verminderte Gegenwirl
gegengesetzter Empfindungen oder Vorstellungen. S(
hier alle Empfindungen und Vorstellungen überhat
sofern sie diesen bestimmten Inhalt haben, sondern s
Vorgängen, die den Empfindungs- oder Vorstellun$
zu Grunde liegen, die Eigentümlichkeit anhaftet, d
Wachempfindungen und Wachvorstellungen macht.

Dies klingt sonderbar. Aber wir können versu
Sonderbarkeit zu vermindern. Es wurde soeben s
gedeutet, dass die Hypnose noch in anderer Weise „s
werden könne. Die Mittel sind bekannt: Etwa gle
fortgehende Geräusche, vom Hypnotisator ausgeführ
mässige Bestreichungen des Körpers des Einzuschl
dauerndes Anblicken eines glänzenden Objektes durch
teren. Gewiss ist es unrichtig zu sagen, dass auch
der Gedanke, es solle durch solche Mittel das Ei
bewirkt werden, das Einschlafen herbeiführe. Die
suggestion kann hier mitwirken; und ist die Einscl
auf solchem Wege einmal gelungen, so wird sie
ständlich mitwirken. Jene Mittel haben aber zugl
selbständige Wirkung.

Gleichartige Mittel können ja auch den natürlich
bedingen oder seinen Eintritt erleichtern. So das gleic
Rauschen eines Wasserfalles, die eintönige Predigt.
Langeweile.

Wie wirkt die letztere? Der Langeweile steht
die Konzentration des psychischen Geschehens auf eine
Nicht auf einen Punkt im eigentlichen Sinne des Wo
uns interessirt und die psychische Thätigkeit konzentrir
wie schon oben gesagt, ein Vielfaches zu sein, ein n
weniger umfassender und weitverzweigter einheitlicher

Die psychische Bewegung verteilt sich unter die Elemente des
Komplexes, die Einheit des Komplexes aber hält wiederum die
psychische Bewegung innerhalb des Komplexes fest. Dies erst
macht die „Konzentration".

Im Gegensatz dazu ist die Langeweile ein Mangel der
Konzentration, ein Diffundiren der psychischen Bewegung
nach verschiedenen Richtungen. Vieles, das in keinem engeren
Zusammenhange steht, wird gleichzeitig und mit annähernd
gleicher Stärke erregt. Es entsteht nicht an einer Stelle ein
alles beherrschender psychischer Wellenberg, sondern die psychische Bewegung hat sich ausgeglichen. Die höchste Intensität der psychischen Bewegung ist herabgesetzt.

Ein gleichartiges Bild ergibt sich, wenn wir die anderen
vorhin angeführten psychischen Bedingungen des natürlichen
Schlafes betrachten. Wird etwa dem Kinde ein Lied in ein-
tönigem Rhythmus vorgesungen, so entsteht in seiner Psyche
eine gleichartig fortgehende Erregung. Diese absorbirt in gewissem Grade die psychische Kraft. Die psychische Bewegung
wird in der Reihe der von Moment zu Moment sich folgenden
gleichartigen Erregungen eben wegen der Gleichartigkeit derselben in gewissem Grade festgehalten. Und es ist nötig, dass
dies in gewissem Grade geschehe, wenn die einschläfernde
Wirkung statthaben soll. Wer an ein gleichmässiges Geräusch
gewöhnt ist, so sehr, dass er, ohne dadurch in Anspruch genommen zu sein, seinen Gedanken nachgehen kann, wird dadurch nicht mehr eingeschläfert. So ist es auch bei dem
glänzenden Gegenstand, dessen dauernde Betrachtung ein-
schläfernd wirkt, wichtig, dass er glänzend ist, also die Aufmerksamkeit auf sich zieht.

Andererseits wird doch die gleichmässig fortgehende psychische Erregung allmälig und immer rascher Gegenstand der
Abflusstendenz. Die Aufmerksamkeit wendet sich von ihr
mehr und mehr ab. Anderes kann daneben ungehindert oder
relativ ungehindert zur Geltung kommen.

Von einander relativ unabhängige psychische Bewegungen
gehen also auch hier nebeneinander her. Die psychische Kraft

ist nicht mehr auf einen einheitlichen Komplex konzent
Sie ist zerteilt und damit wiederum die höchste Intensität
psychischen Bewegung herabgesetzt.

Zum selben Resultate gelangen wir, wenn wir zusel
womit wir denn den Schlaf Anderer künstlich zu brechen pfle{
Wir thun dies durch Weckung starker psychischer Erregun.
laute Zurufe und dergleichen. Nicht die Heftigkeit der l
wirkung auf die Sinne ist hier das Entscheidende. Die Mut
die im Uebrigen fest schläft, wird durch das leise Wimm
des kranken Kindes geweckt. Dies Wimmern ist eben ni
ein beliebiges Geräusch, sondern eine für die Mutter höc
bedeutungsvolle Sache. Ein besonders leicht erregbarer,
besonders hoher „latenter psychischer Energie" ausgestatt{
Vorstellungskomplex wird durch den schwachen Reiz ausge
und ergibt vermöge jener latenten Energie eine intensive p
chische Bewegung.

Verhindert nun solche intensive psychische Bewegung
einem Punkte die Fortdauer des Schlafes, dann muss Man
einer solchen eine Bedingung des Schlafes sein. Er ist
psychische Bedingung des Schlafes. Die psychische
dingung des Schlafes ist möglichst geringe Intensität psyc
scher Bewegungen.

Jetzt werden wir nicht mehr sagen, die Aufforderung
schlafen oder die Versicherung, dass man schlafe, reprodu{
den Schlafzustand, sondern sie reproduzire die psychische
dingung desselben, d. h. einen Zustand der Ausgleichung
damit der Herabsetzung der Intensität psychischer Bewegun{
Für diesen Zustand oder diese Weise des psychischen
schebens besteht in uns, wenn sie sich einmal vollzogen l
eine Disposition, wie für jede Weise des psychischen Geschehe
die einmal in uns aktuell gewesen ist, eine Disposition best{
Und diese Disposition kann wie jede psychische Disposition
dem Wege der Association reproduzirt werden und schlit
dann notwendig die Tendenz der vollen Wiederkehr je
Weise des psychischen Geschehens in sich. Diese Tendenz m
aber um so leichter sich verwirklichen, je geringer die p

chische Erregbarkeit ist. Daraus ergibt sich dann eine weitere
Verminderung der psychischen Erregbarkeit, d. h. die Hypnose.
Andererseits sind notwendig alle die vorhin unter dem Begriffe des Rapports zusammengefassten besonderen Bedingungen
der Suggestion auch Bedingungen für die Eingebung der Hypnose. D. h. soll eine Hypnose überhaupt oder mit bestimmter
Leichtigkeit zu Stande kommen, so fragt es sich jedesmal, wie
weit durch vorangegangene Suggestion überhaupt oder durch
vorangegangene suggestive Einschläferung eine „Gewohnheit"
oder Geneigtheit des Zurücktretens eigener psychischer Erregungen zu Gunsten des durch die fremde Person Aufge-
nötigten sich ausgebildet hat. Es fragt sich insbesondere auch,
wie weit eine psychische Abhängigkeit von der bestimmten
Person, die jetzt die Hypnose herbeiführt, bereits zu Stande
gekommen ist.

Suggestion in der Hypnose.

Die Hypnose sagte ich, entstehe durch Suggestion und sei
ein Grund erhöhter Suggestibilität. Dies Letztere hat wiederum
verschiedene Seiten: Die eine, die herabgesetzte psychische Erregbarkeit, ist damit gegeben, dass die Hypnose ein Schlafzustand ist. Was uns aber jetzt beschäftigt, ist die positive
Bedingung der Eingebungen, der Rapport. Die Hypnose ist,
wie eben gesagt, durch einen Rapport bedingt. Sie schliesst
dann wiederum einen erhöhten Rapport in sich. Der Hypnotisirte ist insbesondere zugänglich für jede Art von Suggestion,
die von dem Hypnotisator ausgeht.

Dieser Rapport in der Hypnose nun besteht ohne Weiteres,
wenn durch den Befehl oder die Versicherung des Hypnotisators die Hypnose zu Stande gekommen ist. Der Schlafzustand
oder die psychische Bedingung desselben ist an das Wort des
Hypnotisators, an seine Stimme, weiterhin überhaupt an die
Person des Hypnotisators geknüpft. Ebenso ist dann umgekehrt
der Schlafzustand geknüpft an den Hypnotisator. Dieser Schlafzustand ist nicht ein Schlafzustand überhaupt, sondern ein

durch den Hypnotisator erzeugter. Die Vorstellung der Pe
des Hypnotisators ist ein Moment in demselben. Sie m
mit der psychischen Gesamtverfassung des Hypnotisirten
sammen einen Gesamtthatbestand im Hypnotisirten aus. D
psychische Gesamtthatbestand besteht also in einer Minde
der psychischen Erregbarkeit oder einer Herabsetzung
eigenen Energie jeder Erregung, in welcher doch zugleich
besondere Erregbarkeit durch jene Person, so wie sie in
Schlafzustand mit hinübergenommen wurde, sich verbinde
Damit sind schon teilweise die Thatsachen der hypnotis
Suggestion verständlich. Die hypnotische Suggestion ist
Steigerung der Wachsuggestion, die sich notwendig ergibt
der Steigerung der Bedingungen, genau so, wie die Wach
gestion eine Steigerung der alltäglichsten Beeinflussung
Personen zu Personen ist, wiederum unter gesteigerten
dingungen. Insbesondere ist die Herrschaft des Hypnotis
über den Hypnotisirten eine Steigerung der Herrschaft
Individuums über andere Individuen, wie sie in unendlich vi
Graden im alltäglichen Leben vorkommt.
Wir sprachen hier zunächst von der im engeren S
suggerirten Hypnose. Aber auch wenn die Hypnose auf
vorhin erwähnten anderen Wegen zu Stande kommt, ver
sich die Sache nicht anders. Durch welche Manipulati
auch der Hypnotisator die Einschläferung bewirken mag, im
steht doch das psychische Erlebniss des Einschlafens zur
stellung des Hypnotisators in Beziehung; immer kann da
diese Vorstellung zum herrschenden Mittelpunkt des hypr
schen Traumlebens werden.
Im Uebrigen aber kann auch nach vollzogener Einschl
rung ein Einschleichen in das Traumleben des Hypnotis
stattfinden und eine Herrschaft über dasselbe zu Stande komr
Jede gelungene Herstellung einer Beziehung erleichtert dann
Herstellung einer allgemeinen Beziehung zwischen dem psy
schen Geschehen im Hypnotisirten einerseits und der bestimr
Person andererseits. Auch der natürliche Schlaf schliesst
wenn er weniger tief ist oder weniger tief geworden ist,

Herstellung solcher Beziehungen nicht aus. Auch hier können Vorstellungen suggerirt, es können die Träume durch Worte gelenkt werden. Alles wird hier freilich darauf ankommen, dass der Beeinflussende an das, was in dem Schlafenden stattfindet, anzuknüpfen weiss. Diese Anknüpfung ist dann zugleich eine Verknüpfung mit dem gesamten psychischen Dasein des Schlafenden. Soweit beim Hypnotisirten vermöge des Aktes der Einschläferung eine solche Verknüpfung oder ein „Rapport" bereits besteht, muss aber natürlich bei ihm jede weitere Verknüpfung oder jede weitere Herstellung eines Rapportes leichter zu Stande kommen.

Im weniger tiefen natürlichen Schlafe, sagte ich, seien Suggestionen möglich. Dies führt uns auf ein weiteres Charakteristikum der Hypnose. Auch bei ihr wird der Schlaf ein minder tiefer sein müssen.

Dies kann aber einen doppelten Sinn haben. Ein Schlaf ist weniger tief, dies kann einmal heissen: Das, was wir Herabsetzung der psychischen Erregbarkeit nennen, ist in minderem Grade gegeben. Eine solche geringere Herabsetzung der psychischen Erregbarkeit kann nicht das Charakteristikum der Hypnose im Vergleich mit dem tiefen natürlichen Schlafe sein. Die Sicherheit der Suggestion ist, wie wir sahen, durchaus von dieser Minderung der psychischen Erregbarkeit abhängig. Je grösser und verblüffender also jene in der Hypnose ist, um so grösser muss diese gedacht werden.

Sondern: Die mindere Tiefe des Schlafes, die für die Hypnose charakteristisch ist, muss in einer geringeren Minderung der psychischen Kraft, einem höheren relativen Intaktbleiben derselben bestehen. Auch darauf weist jene Sicherheit der Suggestion. Denn nicht die Minderung der psychischen Erregbarkeit als solche, sondern diese Minderung bei relativ unverminderter psychischer Kraft ist ja die allgemeine Bedingung der Suggestion. Zugleich ist diese relative Grösse der psychischen Kraft aus den Bedingungen der Hypnose begreiflich. Dieselbe ist nicht, wie der natürliche Schlaf zu sein pflegt, durch Ermüdung bedingt. Die Verminderung der psychischen

Kraft wird man aber selbstverständlich zu dieser F
die ja eben Kraftverbrauch ist, in ursächliche Beziehur

Besonderheiten der hypnotischen Suggesti

Nach dem früher über das Zustandekommen der
denen Arten der Suggestion Gesagten ist es nun ni
erforderlich, dass wir auf die möglichen Arten oder W
der hypnotischen Suggestion, die Hervorrufung von
empfindungen oder die Ausschaltungen vorhandener
dungen aus dem Bewusstsein, oder die Befehlsautom
sonders eingehen.

Wir brauchen auch nicht besonders zu erörtern die
von Erinnerungen an scheinbar Vergessenes oder sol
ehemals gar nicht zum Bewusstsein kam. Besteht ü
von solchen Erlebnissen noch eine Gedächtnissspur,
die durch den Suggerirenden auf sie hingelenkte p
Bewegung dieselben erregen; und diese Erregungen
so schwach sie an sich sein mögen, vermöge der Aussch
keit, mit welcher die psychische Kraft ihnen zur V
steht, zum Bewusstsein kommen können. Was die Er
an ehemals unbewusst Gebliebenes betrifft, so muss
nur eben an den Gedanken gewöhnen, dass auch un
psychische Vorgänge Gedächtnissspuren hinterlassen.

Es hat weiterhin auch für uns nichts Verwun
mehr, wenn ein Hypnotisirter in eine weit zurückliegen
seines Lebens zurückversetzt wird und sich nun so
als wäre er jetzt derjenige, der er damals war. Die Er
gewinnt den Charakter des wirklichen Erlebens wiederu
weil die seelische Bewegung darauf sich konzentrirt
zugleich die der Vergangenheit entgegenstehende G
ausgelöscht ist.

Dass neben den befohlenen Bewegungen, von Hyp
deren Auge geöffnet wurde oder sich wiederum geöf
Bewegungen des Hypnotisators automatisch nachgeahm
während andere Objekte der Gesichtswahrnehmung

Hypnotisirten gar nicht vorhanden scheinen, ergibt sich gleichfalls aus der Natur der Hypnose und des Rapports, andererseits aus dem oben über den Nachahmungstrieb Gesagten. Hiermit können die Erscheinungen der sogenannten kataleptischen Starre Hypnotisirter in Zusammenhang gebracht werden. Der Ausdruck ist nicht glücklich. Auch diese Erscheinung ist rein psychologisch verständlich. Die Thatsache besteht, wie man weiss, darin, dass die Glieder des Hypnotisirten in der ihnen angewiesenen Lage, auch wenn diese der Art ist, dass sie vom Wachenden nur mit grosser Anstrengung festgehalten werden könnte, unbeweglich verharren.

Immerhin ist hier eine doppelte Bemerkung zu machen. Einmal ist daran zu erinnern, dass auch bei uns die Lagen, die wir unseren Gliedern gegeben haben, nicht etwa ohne Weiteres aufgehoben werden, wenn wir aufhören, sie bewusst zu wollen. Ich habe etwa mit der Hand einen Gegenstand, einen Stock oder dergleichen umfasst. Es wäre übel bestellt, wenn es, damit diese bestimmte Lage der Teile meiner Hand bestehen, also der Stock von meiner Hand umschlossen bleibe, eines beständigen neuen Wollens bedürfte. Jedenfalls ist es nicht so. Es genügt, dass ich den Stock einmal mit Willen umfasst, also die betreffende Innervation erzeugt habe. Der Stock entgleitet mir nicht, es sei denn, dass ich ihn nicht mehr halten will, d. h. dass ich wollend die Innervation aufhebe, oder dass Ermüdung einen Antrieb zu solcher Aufhebung auslöst. Das Aufhören einer durch den Willen herbeigeführten Innervation geschieht erst auf Grund eines Gegenantriebs. Der einmal ausgeführte Befehl an die motorischen Nerven wirkt, bis der Gegenbefehl kommt. Und dieser Gegenbefehl ist nicht etwa gleichbedeutend mit dem Befehl zu einer anderen Innervation, sondern er ist eine selbständige psychische oder psychophysische Thatsache. Lasse ich den gehobenen Arm fallen, d. h. überlasse ich ihn der Schwere, so ist dies Fallenlassen, d. h. das Nichtmehrwollen, dass der Arm gehoben sei, etwas Eigenes und von dem Wollen, durch welches der Arm herabgezogen wird, Verschiedenes.

Nehmen wir nun an, der Arm des Hypnotisirten gehoben, so entsteht in ihm zunächst eine passive empfindung, die genauer gesagt als Komplex von Gelenl Tastempfindungen sich darstellt. Damit aber hängt die Lageempfindung oder das für sie Charakteristische, ein plex von Spannungsempfindungen der Muskeln und S unmittelbar zusammen. Bei jeder freiwilligen Herbeifi der Lage waren ja diese mit jenen Empfindungen zuglei Diese aktive Lageempfindung wird also reproduzirt. Reproduktion ist gleichbedeutend mit einer Tendenz der W herstellung der aktiven Lageempfindung. Und in dies steht der auf diese Lage gerichtete Wille. Der Hypn will also die fragliche Lage; er vollzieht demgemäß treffende Innervation. Und diese bleibt in dauernder W weil der Gegenbefehl ausbleibt. Auch Ermüdung und Sc empfindung kann keinen solchen erteilen, weil diese E dungen nicht mit genügender Energie zu Stande komm

Hier ist nur noch eine Frage zu beantworten. We Ermüdungs- und Schmerzempfindung kraftlos bleibt, bleibt die passive Lageempfindung und die von ihr ausg Reproduktion der aktiven Lageempfindung nicht ebenso kr

Die Antwort hierauf gibt der „Rapport". Jene Lageempfindung wird suggerirt, Ermüdung und Schmerze dung werden es nicht. Jene Empfindung ist in den R mit eingeschlossen, diese sind es nicht.

Nehmen wir, um dies zu verstehen, einmal Folgend Ich weiss, ein bestimmter Mensch ist in meiner Nähe war eben mit ihm beschäftigt; er hat allerlei mit mir nommen. Jetzt fühle ich, wie mein Arm bewegt wir gewinne eine passive Lageempfindung. Dann werde ic selbe mit jenem Menschen in Verbindung bringen. Weiteres erscheint er als derjenige, der die Bewegung führt und die Lage herbeigeführt hat. Sein Wille war gerichtet. Dies macht vielleicht auf mich geringen Ein so geringen, dass die Schwere oder die Ermüdung, d gleichzeitig fühle, den Arm sofort wiederum herunter

Angenommen aber, ich bin genügend suggestibel, so wird das
erkannte Wollen des Anderen zu meinem Wollen, ich halte
also jetzt den Arm in seiner Lage fest.

Eben dies nun vollzieht sich beim Hypnotisirten. Ich sei
der Hypnotisirte. Dann herrscht in mir das Bild des Hypnotisators. Dies ist nicht das Bild eines Menschen überhaupt,
sondern eines solchen, der auf mich eingewirkt hat und ein-
wirkt. Nun entstehe in mir die passive Lageempfindung.
Diese hat an sich so wenig Energie, wie jede andere Empfindung. Aber sie ist eine passive Lageempfindung, d. h. eine
solche, die erfahrungsgemäss durch Einwirkung eines Anderen
zu Stande zu kommen pflegt. Diesem Gedanken begegnet jene
Vorstellung des auf mich einwirkenden Hypnotisators und reicht
ihm die Hand. Damit gewinnt jener Gedanke Bedeutung, so
etwa wie für den Liebenden eine Berührung, auf die er sonst
nicht geachtet haben würde, Bedeutung gewinnt, wenn zur
Vermutung Grund ist, dass sie von der Geliebten herstamme.
Zugleich entsteht der Wille, diese passiv gewonnene Lage festzuhalten, einmal, weil durch das Hervortreten der Lageempfindung eine wirkungsvollere Reproduktion der aktiven Lageempfindung ermöglicht ist, zum anderen, weil diese Lage als
vom Hypnotisator gewollt erscheint. Dieser Wille erzeugt die
entsprechende Innervation. Und diese bleibt, wie schon gesagt,
in Wirkung, weil der Gegenbefehl, für den kein suggestiver
Anlass gegeben ist, eben deswegen ausbleibt.

Nicht minder rein psychologisch verständlich ist die Nichterinnerung an das in der Hypnose Suggerirte und ihr Gegenstück, die posthypnotische Wirkung von Suggestionen. Die
suggerirten Vorstellungen haben sich, indem sie entstanden,
nicht durch „Berührungs"- oder Erfahrungsassociation in den
Zusammenhang der Empfindungen, Vorstellungen, Gedanken,
Interessen des wachen Lebens verflochten, sondern sind diesen
gegenüber isolirt geblieben. Sie können also auch nicht von
Elementen dieses Zusammenhanges aus auf dem Wege der Erfahrungsassociation reproduzirt werden.

Dagegen gehören die in der Hypnose zu Stande gekom-

menen psychischen Vorgänge der eigenartigen Sphäre des hyp
notischen Traumlebens an. Sie sind mit dem hypnot
Seelenzustande als ihrer Basis behaftet oder mit ihm als
Hintergrunde verwachsen. Ich brauche nicht noch ein
sagen, dass einzelne psychische Vorgänge Abstraktione
dass jeder einzelne psychische Vorgang ein obzwar
selbständiges Moment ist in dem jeweiligen psychisch
samtthatbestand. Es ist darum nicht zu verwundern,
in erneuter Hypnose die Erinnerung an das in einer fr
Hypnose Erlebte geweckt werden kann, dass es auch w
natürlichen Schlaf wiederkehren kann. Es geschieht dies
nach dem gleichen Gesetz, nach welchem das Ereignis
von mir in einer bestimmten Gemütsverfassung erlebt
mir wiederum einfällt, wenn ich in dieselbe Gemütsverf
gerate, während es mir in der Zwischenzeit, wo die G
verfassung eine andere war, nicht einfiel. Psychische G
zustände, seien sie nun Gemütsverfassungen oder seien
der eigentümlichen Weise charakterisirt, wie Wachen, Sc
Hypnose, sind jederzeit wesentliche reproduktive Faktor

Posthypnotische Wirkungen. Hallucinationen

Trotz jenes Umstandes nun, dass zwischen den
Hypnose suggerirten Inhalten und den psychischen Vor
des wachen Lebens kein erfahrungsgemässer Zusammenha
hat knüpfen können, und trotz der Verschiedenheit der
schen Gesamtzustände im wachen Leben und in der Hy
muss doch das Suggerirte im wachen Leben wirksam
können. Die suggerirten Vorgänge haben doch in dem
Wesen sich vollzogen, das nachher sein wachen Lebe
und sie haben sich in ihm wirklich vollzogen. Sie unte
darum so gut wie die wachen Vorgänge den allgemeine
setzen des psychischen Lebens in dieser Persönlichkeit.
insbesondere, wenn die Hypnose vorüber ist, nicht, als
sie nicht gewesen, sondern es bestehen von ihnen au
nachfolgenden Wachzustande Dispositionen oder Gedäcl

spuren. Und diese müssen lebendig und wirksam werden können, sobald die Bedingungen ihrer Wiederbelebung gegeben sind. Diese sind aber gegeben, wenn im wachen Leben etwas erlebt wird, das mit dem, was suggerirt wurde, oder mit einem Teile desselben, inhaltlich identisch ist. Bedenken wir zugleich, dass doch andererseits die in der Hypnose suggerirten Vorgänge innerhalb der Hypnose in eigentümlicher, eben durch die Hypnose bedingter Weise da waren, und demnach nur mit dieser Daseinsweise behaftet reproduzirt werden können, so sind die posthypnotischen Wirkungen ohne Weiteres gegeben. Sie können nicht anders sein, als sie sind.

Es sei mir etwa in der Hypnose suggerirt, ich werde zu bestimmter Zeit und an bestimmtem Orte etwas Bestimmtes — das doch gar nicht existirt — sehen. Dann glaube ich zunächst an das mir Suggerirte. Dieser Glaube schliesst aber zugleich etwas Anderes in sich, nämlich dies, dass ich die Wahrnehmung erwarte, sobald die Bedingungen, unter welchen sie nach Aussage der Suggestion eintreten soll, gegeben sind und ich davon weiss.

Nun erlebe ich den Eintritt der Bedingungen, die Zeit und den Ort, wo die Wahrnehmung eintreten soll. Es entsteht also in mir die Erwartung. Nicht als wüsste ich, wie die Erwartung zu Stande kommt. Ich befinde mich nur eben thatsächlich und bewusst an dem Orte und in der Zeit. Und weil dieser jetzige psychische Inhalt oder dieser jetzt in mir ausgelöste psychische Vorgang — nämlich derjenige, in welchem die Vorstellung des Ortes und der Zeit besteht — sich deckt mit demjenigen, der ehemals in der Hypnose in mir lebendig, dort aber zugleich mit dem Glauben an die bestimmte Wahrnehmung oder mit der bedingungsweisen Erwartung der Wahrnehmung verbunden war, darum verbindet sich auch jetzt wiederum mit diesem Vorgang, ohne dass ich den Grund kenne, der gleiche Glaube oder die gleiche Erwartung. Nur dass dieser Glaube oder die ehemalige bedingungsweise Erwartung, jetzt wo die Bedingungen erfüllt sind, d. h. der fragliche Ort und die fragliche Zeit für mich nicht mehr bloss vorgestellt,

sondern wirklich sind, den Charakter der ~~thatsächlich~~
bedingungslosen oder unmittelbaren Erwartung ~~mann~~
erwarte also jetzt, ohne irgend zu wissen warum.

Bei dieser Erwartung aber bleibt es ~~nicht~~. ~~J~~
Dieselbe kommt als blosse Erwartung gar nicht ~~z~~
Wir sahen ehemals — auf S. 461 —: Mit der E
einer Wahrnehmung sind die positiven Bedingungen
entsprechende Hallucination vollständig gegeben. ~~Und~~
für den Eintritt derselben noch die negative ~~Bedingung~~
nun besteht im Unwirksamwerden des psychischen Th
des, der in mir durch das thatsächliche Nichtdasein
warteten Wahrnehmung gegeben ist, genauer in dem
samwerden meiner gegenwärtigen ~~thatsächlichen Geem~~
nehmung, sofern diese in ihrer Eigentümlichkeit ~~durch d~~
dasein jener Wahrnehmung bestimmt ist. Unter ~~der~~
setzung, die wir hier machen, dass mir ~~nämlich saga~~
ich werde an dem bestimmten Ort und zu der bestim
etwas Bestimmtes sehen, ist dies Nichtdasein der e
Wahrnehmung zugleich das Dasein einer anderen V
mung an Stelle derselben. Diese also muss, wenn die s
posthypnotische Hallucination zu Stande kommen soll,
sam werden.

Diese Wahrnehmung muss aber thatsächlich u
werden. Wie gesagt: Werden die in der ~~Hypnose sug~~
Vorgänge reproduziert, so können sie nur ~~reproduzi~~
als diejenigen, die sie waren, d. h. als hypnotische, od
Daseinsweise, die ihnen in der Hypnose eignete. Nun
die Daseinsweise der Vorstellung der zukünftigen ~~Wahr~~
oder, wie wir auch sagen können, die Daseinsweise
zipirten Wahrnehmung, innerhalb der Hypnose zunä
in jedem Falle darin, dass diese Vorstellung oder di
zipirte Wahrnehmung die absolute ~~Herrschaft~~ über jed
vorstellung besass, dass sie vollkommen ~~frei~~ zur Geltu
oder, negativ ausgedrückt, darin, dass Gegenvorstellu
gegenüber keinerlei Macht besassen. Die fragliche Das
bestand — nicht im Dasein der Vorstellung oder ~~ant~~

Wahrnehmung überhaupt, sondern zugleich in diesem Verhältniss oder dieser Beziehung zu möglichen Gegenvorstellungen.
Wird also jene Vorstellung jetzt in mir wiederum lebendig,
so ist damit auch die Tendenz der Wiedererneuerung dieser
Herrschaft, dieser vollkommenen Freiheit ihres Daseins, dieses
Verhältnisses oder dieser Beziehung zu Gegenvorstellungen notwendig verbunden. Es haftet der Vorstellung des zu erwartenden Gesichtsbildes oder der Antizipation desselben das Vermögen an, aufzutreten und sich zu behaupten auf Kosten d. h.
mit gleichzeitiger Unterdrückung der Gegenvorstellungen. Und
damit ist die Möglichkeit der Hallucination ohne Weiteres gegeben. Ich sehe, was ich der Suggestion zufolge sehen sollte,
und sehe nicht, was ich ihr zufolge nicht sehen sollte.

Das hier Gesagte können wir auch noch anders ausdrücken.
Die Vorstellung des Objektes, das ich zu der bestimmten Zeit
und an dem bestimmten Orte wahrnehmen sollte, war als hypnotische Vorstellung ein Element in dem hypnotischen Ge-
samtzustande. Sie kann also nur als solches reproduzirt werden.
D. h. ihre Reproduktion ist zugleich eine Wiederkehr der Hypnose und zunächst eine Wiederkehr der Hypnose an dem
Punkte oder in dem Bezirke des psychischen Lebens, dem diese
Vorstellung angehörte. Die Hypnose besteht aber in der verminderten psychischen Erregbarkeit für alles das, was ausserhalb der Suggestion liegt und ihr entgegensteht. Und die
Hypnose an dem Punkte oder in dem Bezirke des psychischen
Lebens, dem die Vorstellung des wahrzunehmenden Gesichts-
objektes angehört, besteht zunächst in der minderen Erregbarkeit durch Gesichtsobjekte, die dieser Gesichtsvorstellung
entgegenstehen. Ich befinde mich also in dem Momente, wo
ich den Ort und die Zeit, wo die Wahrnehmung eintreten soll,
erlebe, in erneuter Hypnose, die in grösserem oder geringerem
Umfange stattfinden kann, jedenfalls aber besteht für meinen
auf den bestimmten Ort gerichteten Blick. Ich sehe also dort,
was ich dort sehen soll.

Auch hier können wir schliesslich wiederum Vorgänge
des normalen Lebens zur Hilfe herbeirufen. Jemand hat eine

Behauptung aufgestellt und ich habe sie rückhaltlos g
Jetzt erlebe ich Dinge, die offenkundig das Gegenteil b
Dann gebe ich mich diesen nicht so frei hin, wie ich
wenn jene Behauptung nicht gewesen wäre. «Dass ich
an jene angebliche Thatsache geglaubt habe, oder dass
die durch die Behauptung mir aufgenötigte Vorstellu
selben in mir zur Herrschaft über Gegenvorstellungen
ist, wirkt in mir nach und erzeugt in mir einen Wid
den ich jetzt überwinden muss. Vielleicht ist dieser
stand nicht stark. Aber er kann stärker und zuletzt
stark werden. Ich brauche die Behauptung nur immer
gehört und, weil kein Gegengrund vorlag, geglaubt zu
Dann setzt sich schliesslich in mir der Glaube so fe
die zwingendsten Gründe nichts mehr dagegen vermögen
hier also erzeugt der Glaube eine Disposition weite
glauben, d. h. die einmal gegebene Herrschaft einer Vor
über Gegenvorstellungen bewirkt in der Folge eine '
zu erneuter Herrschaft dieser Vorstellung über Gegen
lungen. Nicht bloss die Vorstellung wird reproduzirt,
zugleich diese bestimmte Weise ihres ehemaligen Dasei
besondere dies, dass sie ehemals auf Kosten von Ge
stellungen oder unter gleichzeitiger Lahmlegung von
in mir zu Stande kam. Jener Glaube an die Behauptu
etwas der Suggestion Vergleichbares, die Bedingung de
d. h. dies, dass mögliche Gegenvorstellungen in mir sie
regten, war etwas der Hypnose Vergleichbares. Dieser
hypnotische Glaube wirkt jetzt in mir nach und zwar al
quasi-hypnotische. Die Vorstellung des angeblichen
standes wird in mir reproduzirt mit der Beigabe
schläfertheit der Gegenvorstellungen.

Keine besondere Bemerkung erfordert die posthypr
negative Hallucination, d. h. die Nichtwahrnehmung
von dem mir in der Hypnose gesagt wurde, ich werde e
wahrnehmen. Wir sahen, auch die Nichtwahrnehmung
Nichtempfindung eines bestimmten Objektes ist ein p
psychischer Thatbestand, eine positive Weise des psyc

Geschehens, die als solche suggerirt werden kann. Sie ist eine
Quasi-Empfindung, die psychologisch unter den gleichen Gesichtspunkt fällt, wie die Empfindung.

Posthypnotische Wirkungen. Handlungen.

Endlich verhält es sich mit der posthypnotischen Ausführung von Befehlen, die in der Hypnose gegeben wurden,
nicht anders als mit den posthypnotischen Hallucinationen.
Der hypnotische Befehl erzeugt das Wollen und zwar das rück-
haltlose „triebartige" Wollen, zugleich doch ein Wollen, das
gewissen Bedingungen unterliegt, d. h. in dessen Natur es
liegt, perfekt oder zum unmittelbaren Wollen zu werden,
wenn gewisse Bedingungen erfüllt sind. Der Befehl lautet:
Du sollst oder du wirst dies oder das thun, wenn du dies oder
das erlebst, oder wenn diese oder diese Zeit abgelaufen ist.
Dies Wollen, d. h. wiederum: diese durch keine Gegenvorstellungen gehemmte oder in ihrer Freiheit bedrohte Vorstellung, wird reproduzirt, wenn der Hypnotisirte nach dem Erwachen die Bedingungen verwirklicht findet. Zugleich wird
jetzt das bedingte Wollen zum unbedingten oder unmittelbaren
Wollen. Es wird dazu, genau so, wie bei jedermann ein bedingtes Wollen oder ein Wollen, das perfekt werden soll, wenn
gewisse Bedingungen erfüllt sind, nach dem bewussten Eintritt
der Bedingungen thatsächlich perfekt wird; genau so etwa,
wie ich jetzt einen Besuch machen will, nachdem ich mir vor
24 Stunden vorgenommen habe, den Besuch nach 24 Stunden
oder „morgen um dieselbe Zeit" zu machen. Dass es jetzt
dieselbe Zeit ist, oder dass jetzt 24 Stunden verflossen sind,
dies weckt in mir die Erinnerung des Entschlusses und macht
ihn zugleich perfekt.

Darum besteht doch ein Unterschied zwischen der späteren
Ausführung eines früheren Entschlusses und der posthypnotischen Handlung. In jenem Falle erinnere ich mich des ehemals gefassten Entschlusses. Dies Moment fehlt bei der posthypnotischen Handlung. Es muss hier selbstverständlich fehlen.

Ein Entschluss wurde ja nicht gefasst. Sondern das l
Wollen war einfach da, d. h. die Vorstellung der
bringenden Handlung war in mir herrschend, entgegen
in der vollkommen uneingeschränkten Weise, wie sie
wenn ich jetzt unmittelbar will. Demgemäss ist aus
die Vorstellung einfach da und herrschend, nur we
Einschränkung weggefallen ist, vollkommen uneinges
herrschend.

Und dabei bleibt es, die Vorstellung wird also zu
wenn nicht etwa allgemeinere Motive, die jetzt in mir sic
können und regen, vor allem etwa sittliche Motive, die
die Macht jener Vorstellung ein Gegengewicht bietei
Macht brechen. Dabei ist zu bedenken, dass ich ja jetz
bin, also allerlei Motive des Handelns in mir ihre W
üben. Auch hier erneuert sich die Hypnose an dem
oder in dem Bezirke, dem die suggerirte Vorstellung
Hypnose angehörte. Aber die Motive, von denen ich hi
sind, als allgemeinere, ausserhalb dieses Bezirkes liegen
entstehen aus Ueberlegungen, die in allen möglichen vo
Vorstellung weit abliegenden Punkten ihren Ursprung
können. Auch solchen Motiven gegenüber wird die suj
Vorstellung sich regen, und als Drang des Handelns, vor
Ursprung ich nichts weiss, wirken. Es fragt sich da
eben, wie stark meine sonstige, wache Persönlichkeit d
reagirt.

Was diesen letzteren Punkt betrifft, so kann da
innert werden, dass auch im gewöhnlichen Leben, we
Gründe habe, einen ehemaligen freien Entschluss
dieser Entschluss dennoch als ein Drang in mir nac
Ich habe mich etwa entschlossen heute Abend ins The
gehen, weil ich ein bestimmtes Theaterstück sehen woll
will nur dahin gehen dieses Stückes wegen. Davon ab
würde ich das Zuhausebleiben vorziehen. Aber nachd
den Entschluss gefasst habe, bin ich innerlich darauf
richtet", ihn auszuführen. Dann ist es mir unangeneh
Entschluss aufzugeben, auch wenn sich herausstellt, d

fragliche Stück nicht gegeben wird, also der Grund für meinen
ehemaligen Entschluss wegfällt und vielmehr Grund für das
Gegenteil besteht. Ich möchte jetzt noch hingehen oder es
drängt mich in gewissem Grade hinzugehen, lediglich weil dies
Wollen nun einmal in mir entstanden, oder weil sich in mir
einmal die Vorstellung des Theaterbesuches festgesetzt und
über die Gegenvorstellung, die Vorstellung des Zuhausebleibens,
die Herrschaft gewonnen hat.

Noch ein Punkt muss schliesslich besonders erwähnt
werden. Ich spielte schon an auf die posthypnotischen Suggestionen auf einen bestimmten „Termin", d. h. die Befehle,
nach Ablauf einer bestimmten Zeit eine Handlung auszuführen.
Ich sagte, dass ich auch im normalen Leben mir vornehmen
kann, nach Ablauf einer bestimmten Zeit, etwa von 24 Stunden,
eine Handlung zu vollbringen, mit dem Erfolge, dass ich sie
dann wirklich vollbringe.

Dabei nun ist offenbar vorausgesetzt, dass eine Zeit von
24 Stunden, oder der Zeitraum eines und nur eines Tages, ein
eigenartiges und mit relativer Selbständigkeit ausgestattetes
psychisches Erlebniss ist, dass es — nicht eine Vorstellung,
aber eine Quasi-Vorstellung dieses Inhaltes gibt.

Aber dass es dieselbe gibt, ist eben Thatsache. Es gibt
keine Vorstellung dieses Inhaltes, denn dies wäre eine Vorstellung ohne Inhalt. Eine Zeitstrecke ist nicht vorstellbar
ohne sie ausfüllende Erlebnisse. Und der Gedanke, ich wolle in
24 Stunden etwas Bestimmtes thun, ist ja nicht der Gedanke,
ich wolle dies thun, nachdem ich dies und jenes u. s. w. gethan
oder erlebt habe. Zudem habe ich jenen Gedanken in einem
einzigen Momente. Die Vorstellung der successiven Erlebnisse
aber, durch welche eine Zeit von 24 Stunden — oder gar
eines Jahres — ausgefüllt würde, könnte nur successive sich
vollziehen. Und um sie genau zu vollziehen, brauchte ich
eben die Zeit, die für den thatsächlichen Vollzug der Erlebnisse erforderlich wäre.

Hiemit sind wir wiederum bei einem schon besprochenen
Punkte angelangt. Wir können, so sagte ich ehemals, ein eine

beliebig lange Zeit ausfüllendes Gesamterlebniss als
einem Momente innerlich gegenwärtig haben. Das
erlebniss" war dabei von den einzelnen Erlebnissen ve
wie die Melodie von den Tönen verschieden ist. Da
kam dies Gesamterlebniss für uns in Betracht als
bestimmtes. Jetzt hat es für uns Bedeutung als qu
d. h. zeitlich bestimmtes. Mit anderen Worten W
dass auch die Eigentümlichkeit eines Gesamterlebni
dadurch bedingt ist, dass dasselbe eine bestimmte Ze
spruch nahm, ein eigener und relativ selbständiger ps
Thatbestand ist, ein Erlebniss, das in uns selbständig
und wirken kann, kurz eine eigene Quasi-Vorstellung

Eine solche Quasi-Vorstellung nun bildet auch ei
des Gesamtvorganges, der mir suggerirt wird, wenn
sagt, ich werde nach Ablauf einer bestimmten Zeit,
mente des Erwachens aus der Hypnose an gerechnet,
stimmtes thun. Und der Inhalt eben dieser Quasi-V
ist nicht mehr als bloss vorgestelltes, sondern als that
Erlebniss in mir gegenwärtig, wenn ich die bestin
durchlebt habe und weiss, dass ich sie durchlebt hab
hier erinnere ich mich nicht der mir suggerirten Zeitvc
als solcher oder als suggerirter. Es genügt, dass die l
Zeitstrecke als durchlaufen vor mir liegt, es genügt di
wärtige psychische Thatsache, die ich nicht vorste
meine, d. h. die jetzt in mir lebendig und wirksam
ich sage, jetzt ist diese bestimmte Zeit verlaufen. Di
sache ist dieselbe, die mir suggerirt wurde, und sie läs
ohne dass ich weiss wie oder warum, den Willen,
gerirte Handlung zu vollziehen, in mir entstehen.

Schluss.

Ich breche hiemit ab. Ich weiss, dass noch e
Fragen gestellt werden könnten, die ich nicht beso
antwortet habe. Aber ich sehe keine hierhergehörig
konstatirte psychologische Thatsache, die nicht au

unserer Voraussetzungen beantwortet werden könnte oder zum
mindesten widerspruchslos sich in dieselben einfügte.

Diese Voraussetzungen sind: Einmal ein richtiges Bild
vom psychischen Geschehen überhaupt. Ich habe gewisse Züge
des Bildes, das ich für das richtige halte, wo es nötig schien,
angedeutet. Es ist meine Meinung, dass das Bild, das die
Psychologie vom psychischen Geschehen und damit von ihrer
eigenen Aufgabe zu haben pflegt, in entscheidenden Punkten
einer Umgestaltung bedarf. Ich lese in einem in den letzten
Tagen erschienenen Aufsatze den Satz: „In Spekulationen über
die hinter den Bewusstseinsinhalten liegenden, sie erzeugenden
Funktionen, will, eingestandenermassen wenigstens, heutzutage
niemand sich stürzen." Ist es so, dann bekenne ich mich offen
als dieser „Niemand". Freilich in „Spekulationen" will ich mich
nicht stürzen. Aber ich will Psychologie treiben. Und die
Psychologie hat es überall, wenn auch nicht „eingestandenermassen", mit diesen Funktionen, d. h. den für das Bewusstsein
als solche nicht vorhandenen Vorgängen und ihren Beziehungen
zu thun. Sie zielt auf die Erkenntniss derselben ab. Die Bewusstseinsinhalte sind dafür nur Zeichen, so wie für den Phy-
siker die besonderen Bewusstseinsinhalte, die man sinnliche
Empfindungs- oder Wahrnehmungsinhalte nennt, nur Zeichen
sind für das, womit er eigentlich zu thun hat. Die Psychologie
sucht überall, wie die Physik, ausgehend von den in den Bewusstseinsinhalten gegebenen Zeichen, dasjenige zu gewinnen
und zu bestimmen, was ihnen diese Zeichen verständlich macht.
Sie sucht überall, wie die Physik, die Erscheinungen zu begreifen aus dem nicht unmittelbar Erscheinenden, das ihnen
zu Grunde liegt d. h. aus Anlass der Erscheinungen ihnen zu
Grunde gelegt wird. Sie ist Wissenschaft, sofern sie nicht
„spekulirt", sondern aus den Zeichen schliesst und das ihnen
zu Grunde Gelegte in der Weise und nur in der Weise bestimmt,
wie sie es vermöge der sicheren Beobachtung der Zeichen bestimmen kann.

Ich sage die Psychologie thut dies. Dass sie es nicht
überall „eingestandenermassen" thut, dass sie vielfach ein

Versteckspiel treibt, dass sie auf Schritt und Trit
wusstseinsinhalten, Bewusstseinsvorgängen, bewusst
dungen und Vorstellungen redet, die es nicht gibt
geben kann, dass sie nicht klar das im Bewusstsein
Erlebte und das nur Erschlossene unterscheidet, da
wusstseinsinhalte bewirken lässt, was sie nicht bewirl
— als ob es überhaupt einen Sinn hätte, Bewussts
irgend etwas bewirken zu lassen — in dieser Unklarl
der Fehler, von dessen Beseitigung die gesunde Fo
lung der Psychologie und aller psychologischen
abhängt.

Und damit hängt zusammen der andere Punkt:
an die Zusammensetzbarkeit des psychischen Lebens
Elementen oder an die Auflösbarkeit desselben in feste
die Verkennung der überall sich aufdrängenden Thats
psychologisch das Ganze jederzeit mehr und in gewi
jederzeit eher ist als die Teile, dass jedes Ganze und
einer Verbindung oder Beziehung wiederum Element
jedes Element in unendlich vielfacher Weise ein G
Elementen sein kann, dass Alles in beständigem Flus
findet und alles Einzelne nur in diesem Fluss und Z
hang betrachtet werden darf, alles vermeintlich Ide
immer Anders und Anders ist, je nach dem Ganze
angehört, mag auch das Bewusstsein, das aus dies
lichen Reichtum und Wechsel nur Weniges grob he
uns davon keine unmittelbare Kunde geben.

Die andere Voraussetzung, auf welcher der im
den gemachte Versuch der Erklärung der Suggestion
nose beruht, ist die Annahme, dass es in Menschen in
denen Graden dasjenige geben kann, was ich als v
psychische Erregbarkeit bei relativ unverminderter p
Kraft bezeichnet habe. Man wird hier fragen: Wie
psychische Erregbarkeit in jedem Punkte und von
Punkt herabgesetzt sein, und gleichzeitig die psychi
die doch nichts anderes ist, als die Möglichkeit, dass
psychische Erregung stattfinde, relativ unherabgesetz

Darauf lautet die Antwort, dass dieser Gegensatz der „Kraft"
und „Erregbarkeit" nun einmal bestehe. Auch die Psyche als
Ganzes ist mehr, also noch etwas Anderes, als die Summe
oder auch als der „Zusammenhang" der in ihr vorhandenen
erregungsfähigen Punkte. Will man sich diesen Gegensatz
der psychischen Kraft und der auf dieselbe Anspruch machenden psychischen Vorgänge verbildlichen, so nehme man ausserhalb des Ortes, wo die psychischen Vorgänge ausgelöst werden
und sich wechselseitig auslösen, ein Kraftreservoir an, aus dem
jeder Vorgang schöpft und schöpfen muss, wenn er im Zusammenhang des Ganzen etwas bedeuten will. Jeder Vorgang
schöpft daraus einerseits in dem Masse, als er seiner Natur
nach schöpfen kann oder andere Vorgänge die Kraft ihm zu-
fliessen lassen, und anderseits in dem Masse, als das Reservoir
Kraft enthält und diese Kraft nicht von anderen Vorgängen
weggenommen wird. Man denke sich jene Fähigkeit zu schöpfen
und zugleich die Fähigkeit das Geschöpfte weiterzugeben vermindert, den Inhalt des Reservoirs aber relativ unvermindert,
also leicht zufliessend.

Jene Minderung bedingt eine mindere Ausbreitung der
psychischen Bewegung von jedem einmal erregten Punkte aus
und vor allem eine Minderung der indirekt ausgelösten Gegen-
bewegungen, also eine erhöhte Lebhaftigkeit und Freiheit der
psychischen Bewegung in jenen Punkten.

Jenes Kräftereservoir wird man vielleicht als „Apper-
ceptionscentrum" bezeichnen. Dann wäre die Suggestion bedingt
durch eine relative Intaktheit der Leistungsfähigkeit dieses
Centrums, und eine mindere Fähigkeit der psychischen Einzelvorgänge und Associationen, die ihrer Gesamtgrösse nach relativ
unverminderten Wirkungen desselben in sich aufzunehmen bezw.
weiterzuleiten. Da die Gesamtgrösse dieser Wirkungen relativ
unvermindert ist, so erfahren die Einzelvorgänge diese Wirkungen doch, aber in anderem quantitativen Verhältnisse. In
diesem veränderten quantitativen Verhältnisse besteht das
eigentlich Charakteristische der Suggestibilität.

. Sofern die verminderte psychische Erregbarkeit zugleich

verminderte Wirkung der Associationen ist, kann sie al
Zustand relativer psychischer Dissociation bezeichnet we
Es braucht aber nicht mehr auf die Thatsachen hingew
zu werden, die zeigen, dass die einfache Gleichsetzun[
Suggestibilität mit relativer psychischer Dissociation nich[
lässig ist. Zudem sind Associationen psychologisch nicht e
neben dem Associirten Bestehendes. Der psychische Gesamt
bestand setzt sich nicht aus Elementen und ihren Associati
zusammen, sondern das Ganze ist ein einheitliches Ganze.

Noch eine Schlussbemerkung. Das im Vorstehenden
gebrachte wird den Leser in gewissen Grundgedanken an Wu
Abhandlung über Suggestion und Hypnose erinnern. Die
kein Wunder. Wundts Abhandlung hat zum erstenmale
Frage der Suggestion und Hypnose in die richtigen Wege
lenkt, nämlich in die Wege einer von den allgemeinen psy
logischen Thatsachen ausgehenden Untersuchung. Ich ko
nur versuchen diese Wege weiterzugehen. Ich darf mich ;
der Uebereinstimmung mit Wundt, soweit eine solche stattfi[
um so mehr freuen, als sich meine Ueberzeugungen unabhä[
von Wundts Schrift aus meinen allgemeinen psychologis[
Anschauungen heraus ergeben haben. Wiefern ich von W[
auch in den Grundgedanken und der letzten Formulirun[
weiche, wird der Leser leicht sehen. Wäre aber auch die Ue[
einstimmung grösser, so hätte ich doch eine eingehendere
gründung, eine breitere psychologische Fundamentirung,
sorgfältigere und vollständigere Einfügung in die allge[
psychologische Gesetzmässigkeit, als sie in der Absicht de[b[
brechenden Wundt'schen Abhandlung lag, für wünschens[
gehalten.

Zur kleinasiatischen Münzkunde.

Von **Hans Riggauer**.

(Vorgetragen in der historischen Classe am 6. November 1897.)

Die beiden verdienstvollen Forschungsreisenden Herr Roman Oberhummer und Herr Dr. Zimmerer, welche im vorigen Jahre sich aus unserer Stadt aufmachten, um neue Kunde über ein wenig besuchtes, weil schwer zugängliches Land, über Kappadokien, zu bringen, haben auch eine kleine numismatische Ausbeute gemacht, die in mehrfacher Beziehung erwähnenswerth ist. Obwohl diese kleine Sammlung nicht systematisch angelegt wurde, sondern das Resultat zufälliger Erwerbungen ist, bietet sie doch eine hübsche Illustration zur Geschichte Kappadokiens und seines Münzwesens und enthält auch von den Kappadokien umgebenden Ländern manches seltene Stück, ja ein paar bisher unbekannte und interessante Stücke, sodass eine kurze Besprechung angezeigt erscheinen dürfte.

Das Münzwesen Kappadokiens hat bis heute keine eingehende Bearbeitung gefunden. Die ältesten Münzen dieses Landes sind wohl die persischen gewesen. Seit 380 v. Chr. ungefähr regierte hier die Dynastie des Datames, die mit der Einsetzung des Sohnes des grossen Mithradates, Ariarathes IX, c. 96 ihr Ende erreichte, worauf eine zweite Dynastie folgte, die mit Archelaos endete, der zu Rom 17 n. Chr. starb, worauf Kappadokien römische Provinz wurde. Die Dynastenreihe ist nur mit einer Münze belegt und zwar mit einer Silbermünze des Ariarathes X, übereinstimmend mit Mionnet Suppl. VII, 781 n. 25.

Von den Städten Kappadokiens ist die hervorrag
eigentliche Hauptstadt Kaisareia, wie sie von Ti
nannt wurde, eigentlich Mazaca, heut Kaisari, seit
Eusebes ihm zu Ehren Eusebeia genannt. Die frühest
dieser Stadt führen die Inschrift ΕΥΣΕΒΕΙΑΣ un
das halbe Jahrhundert vor Tiberius, dann komme
mit ΕΥΣΕΒΕΙΑΣ ΚΑΙΣΑΡΕΙΑΣ unter Tiberius,
ΚΑΙΣΑΡΕΙΑΣ allein oder mit dem Ethnicon ΚΑΙ
und dem erläuternden Beisatz ΤΩΝ ΠΡΟΣ ΑΡΓΑ
sareia lag nämlich am Fuss des 3800 m hohen vu
Berges Argaios, der auch den Haupttypus der M
Kaisareia bildet. Als Inschrift erscheint meist auch d
des Regierungsjahres des Kaisers mit dem vorges
ΕΤ(ους), oder die Zahl des Consulats und der
potestas.

Die Münzen von Kaisareia dürfen wir wohl
Löbbeke in Braunschweig, dem ein vorzügliches Mat
1400 Stück) und gediegene Kenntnisse zur Verfügu
in sachgemässer Beschreibung erwarten; hier möge
Hinweis auf die hervorragenderen Stücke unserer klei
tion genügen.

Autonome Münzen.

1. Weiblicher Kopf mit Mauerkrone nach rech

   ℞ Pyramide ΕΤ — ΑΚ   Æ.

Eine ganz ähnliche Münze ist von Combe, Museum Hu
taf. 56, n. 24 fälschlich nach Tarsus Ciliciae gelegt;

Kaiserliche Münzen.

1. Tiberius. Kopf des Kaisers n. r. ... CAP CE
   Contremarque mit dem Argaios und ΚΛΘ

   ℞ Argaios mit einer Statue auf dem Gipfe
   schnitt ΚΑΙCΑΡ · ΕΤΗ Ε und Τ oben
   Η bedeutet das 8. Regierungsjahr des Ti

In dieser Weise werden die Münzen Kaisareias
Kaiser datirt.

2. Trajan. ... ΚΑΙϹΝΕΡΤΡΑΙΑΝΩΑΡΙϹΤΩϹΕ ...
Kopf des Kaisers n. r. Lorbeerkranz und Paludamentum. ...

℞ ΔΗΜΑ(*ρχια εξ υπατο* ...) Æ Weibliche Büste
nach links mit einem Lämpchen in der Linken und
Lanze in der Rechten.

Interessant ist diese weibliche Büste, die an Hestia erinnerte,
wenn sie verschleiert wäre; sollte in ihr eine Personification
der ΔΗΜΑΡΧΙΑ gegeben sein?

3. Hadrian. ΑΥΤΟΚΑΙϹΤΡΑΙΑΔΡΙΑΝΟϹϹΕΒΑϹ
Brustbild des Kaisers mit Lorbeerkranz und Paludamentum n. r.

℞ Victoria n. r. mit Kranz und Palme. ΕΤΕ(?) Æ
Quinar. (Mionn. Suppl. VII 671, 71.)

Imhoof-Blumer hat in seinen Monnaies grecques p. 416 ff.
einige interessante, bisher unbekannte Typen von Kaisareia
bekannt gegeben, darunter den Argaios mit der Darstellung
eines in voller Flucht befindlichen sich umblickenden vier-
füssigen Thieres, das von einem andern Vierfüssler verfolgt
wird, also eine Jagdszene, und ferner die veritable Darstellung
einer Bergbesteigung; auf dem Gipfel des Argaios befindet sich
eine Gesellschaft von vier Personen, eine ist mit einem Berg-
stock versehen.

Häufig ist beim Argaios auch der Krater in Form einer
Höhle, aus der manchmal Flammen schlagen, dargestellt. Der
Berg erscheint auch oft auf einen Altar gestellt, was vielleicht
mit der göttlichen Verehrung, die Argaios bei den Kappa-
dokiern[1]) genoss, zusammenhängt. Von diesem letzten Typus
sind mehrere schöne Exemplare von Commodus, der Julia
Domna, Caracalla, Severus Alexander, Gordianus pius in unserer
Collection, deren Beschreibung aber nichts Neues liefert. Bei
Commodus ist der Typus mit den 4 Aehren über dem Altar

---

[1]) Max. Tyr. Diss. VIII.

mit dem Jahr **IA** (11) vorhanden und zwar in einer
zu den bereits bekannten:

... **KOMO ANTΩNINO** · Brustbild. Kopf de
nach rechts, Lorbeerkranz und Paludamentu
Ḅ МНТРОПО KAICAPEIAC Altar, auf
Aehren stehen.

Auch der Typus mit den 3 Aehren findet sich in
Exemplaren des Severus Alexander.

Von Trebonianus Gallus existiren meines Wis
letzten Münzen, die Kaisareia als Münzstätte nennen.

In der nun bald folgenden byzantinischen Zeit
Kaisareia keine Münzstätte gewesen zu sein. Diese Z
durch einige seltene Silbermünzen illustrirt. So ist ￼
Silbermünze des Constantin X und Romanus II 948—
schrieben bei Sabatier, Description générale des monn
tines n. 16, dann die des Nikephoros II 963—969, bei
n. 4, und endlich die sehr seltene des Romanus IV 1
1068—1070, bei Sabatier n. 4, vorhanden. Interessant
obiger Nikephoros vor seiner Erhebung zum Kaiser St￼
in Kappadokien war.

Es folgen einige Seldschukenmünzen, darunter eine
münze von Kaichosru I ibn Kilidch Arslân 1192—1￼
eine Silbermünze des Kaichosru ibn Kaikobad 1236—1￼
zwei Silbermünzen des Königreichs Cypern, und zv
Pierre I oder II von Lusignan (de Sauley, Numismat
Croisades p. 107) und Heinrich II (de Sauley 105), w￼
Periode der Kreuzzüge beleuchtet ist.

Die Kappadokien umgebenden Länder sind mit
seltenen und schönen Stücken vertreten. Beginnen
Norden mit Pontus. Hier ist von **Amaseia** die ￼
Bronzemünze des Caracalla mit der Darstellung des A￼
Zeus Stratios, der bei Appian Mithradates erwähnt w
dem Baum zur Linken vorhanden und eine Varietät der
münze desselben Kaisers mit dem stehenden Asklep
Imhoof, Griech. M. p. 560, n. 6 beschreibt. Statt des J￼
hat unsere Münze **CH** 208 = 206 n. Chr.

Von Amisos ist die Bronzemünze mit dem Perseuskopf auf der Vorder- und dem trinkenden Pegasus auf der Rückseite vorhanden, ferner die Bronzemünze mit der n. r. schreitenden Nike, die eine Palme mit Tänie über der linken Schulter trägt und dieselbe mit dem zurückgebeugten rechten Arm stützt. Dieses künstlerisch schöne Motiv ist wahrscheinlich auch auf ein statuarisches Vorbild zurückzuführen. Ferner die kleine Bronzemünze mit dem jugendlichen Perseuskopf mit kleinen Flügeln an den Schläfen auf der Vorder- und dem Füllhorn zwischen den Pilei der Dioskuren auf der Rückseite. Endlich die schöne grosse Bronzemünze mit dem behelmten Athenekopf und dem stehenden Perseus auf der Rückseite, der in der ausgestreckten Rechten die Harpe, in der Linken das Haupt der Medusa trägt, deren Rumpf zu Boden liegt. Das schöne Motiv ist in den beiden Exemplaren unserer Collection variirt, in der Weise, dass das linke Bein des Perseus etwas nach rückwärts auf den Rumpf der Medusa gestellt ist, wodurch das Motiv bedeutend an Feinheit gewinnt. Es scheint diesen Münzen ein statuarisches Werk als Vorbild gedient zu haben.

Galatien ist nur durch eine Münze vertreten, nämlich durch eine Bronzemünze der bedeutendsten Stadt Ankyra von vorzüglicher Erhaltung. Die Hauptseite zeigt das Brustbild der Julia Domna n. r. mit der Umschrift IOYΛIA CEBACTH. Auf der Rückseite ist die stehende Tyche der Stadt n. l. mit Füllhorn und Anker und der Umschrift: MHTPOΠOΛEΩC ANKYPAC.

Von phrygischen Münzstätten ist nur Dokimia zu erwähnen, das mit einer Bronzemünze der Julia Domna vertreten ist. Die Hauptseite zeigt das Brustbild der Julia Domna mit IOYΛIA CEBACTH; die Rückseite die Tyche mit Füllhorn und Steuer; Umschrift ΔOKIMEΩN.

Reich ist die Zahl von Münzen Kilikiens. Voran die Stadt Anemurium mit einer Bronzemünze Valerians des ~~Vaters mit der Artemis-Aiphaea~~ auf der Rückseite, eingehüllt

mit Bändern und mit einem Schleier bedeckt, zu ihı
ein Hund; Umschrift: ЄΤΓΑΝЄΜΟΥΡΙЄΩΝ.

Nun folgt eine ausserordentlich interessante M
Anazarbus, die schon einmal, aber an einem entlı
besprochen wurde, und zwar von Waddington; eı
grosse Bronzemünze des jugendlichen Elagabal, di
Rückseite in einem Kranze die Inschrift trägt: ΔΗΜ
ΑΝΤΩΝЄΙΝΟΥ ЄΤ · ΜС, um den Kranz die
ΑΝΑΖ · ЄΝΔΟΞ · ΜΗΤΡΟΠ · ΤΡΟΠ · Α · Μ · Κ · Γ
Münze erwähnt Waddington gelegentlich der Erkläı
Inschrift von Tarsus in Voyage archéologique en G
Asie mineure par le Bas Explic. des inscriptions Ι
Die Würde eines δημιουργός wird nur von Dion Chı
(Orationes XXIV an die Einwohner von Tarsos) erwä
Inschrift von Athen C. I. G. 318 gibt dem Tiberius o
Mitglied der Familie des Augustus den Titel θεὸς δı
Von Elagabal wissen wir, dass er auch als Kaiser ᵈ
eines Sonnenpriesters in Emisa in Syrien beibehielt, u
er wohl Anazarbus dadurch ehren wollen, dass er
Würde eines δημιουργός annahm. Die Legenden
Münzen von Tarsos mit Caracalla und Elagabal,
Cilicien n. 481, 493 sind demnach auf δημιουργία zu
Die Umschrift um den Kranz ist zu lesen *ΑΝΑ*
ἐνδόξου μητροπόλεως, τροπαιοφόρου πρώτης μεγίστης
γράμματι βουλῆς.

Mit der Sammlung Waddington ist dieses schö
essante Stück nun in den Besitz des Pariser Müı
übergegangen. Unser Exemplar ist zwar nicht gut
aber ausser dem Pariser wahrscheinlich das einzig e
und ich glaubte sie hier besonders erwähnen zu dürı

Von Olba am Fuss des Taurus, wo ein berühmter Z
war, dessen Hohepriester den Titel Toparch von Ken
Lalassis führte und um Augustus' Zeit eine gewisse Sel
keit hatte, ist eine Bronzemünze vorhanden mit dem
Augustus auf der Vorderseite und der Aufschrift ΑΡΧ
ΑΙΑΝΤΟΣ ΤЄΥΚΡΟΥ ΤΟΠΑΡΧΟΥ, mit Blitz

Rückseite, wie Mionn. Suppl. VII, 238. Dieser Ajas, Sohn des
Teukros, ist nur durch Münzen nachgewiesen; der einzige Autor,
der dieses Reich von Olba überhaupt erwähnt, Strabo (672),
sagt, dass die meisten Grosspriester sich Teukros oder Ajax
nannten. Der homerische Ajax, Sohn des Teukros, soll die
Stadt und den Zeustempel gegründet haben. Auf den Zeus-
kult weist auch der Blitz auf unserer Münze hin. Ueber diese
Münzen hat ausser v. Sallet in seinen Beiträgen zur Geschichte
und Numismatik des Bosporus Waddington, Sur la chronologie
des rois du Pont ... et des princes d'Olba, Revue numism.
1866 p. 417, ausführlich gehandelt.

Von Seleukia am Kalykadnus in Kilikien ist die Bronzemünze des Septimius Severus und der Julia Domna mit den
gegenübergestellten Brustbildern der Beiden auf der Vorderseite und dem von zwei Panthern gezogenen Dionysos auf der
Rückseite vorhanden. Vor dem Dionysos über den Panthern
ein springender Satyr (Mionn. III, p. 601, n. 301).

Von Seleukia hat Imhoof in einer Abhandlung, Beiträge
zur griechischen Münzkunde, Z. f. Numism. XIII, p. 136, den
schönen Typus der zu Fuss auf einen Giganten einstürmenden
Athene bekannt gemacht; eine sehr gute Variirung der Composition liegt uns in einer Bronzemünze unserer Sammlung aus
Caracallas Zeit vor.

Von Tarsus sind mehrere und interessante Typen vorhanden. Von Caracalla die Nummer 476 Mionn. III, p. 634 in
einer Variation. Ueber der den Romulus und den Remus
säugenden Wölfin im Feld Δ K durch ein unkenntliches Bei-
zeichen getrennt. Der Kopf des Kaisers ist n. l. und es steht
auch hier im Feld vor dem Kaiserkopf ein unkenntliches Mono-
gramm.

Ferner ist von Tarsus vorhanden eine minder erhaltene
Bronzemünze von Gordianos mit der Artemis auf einem von
zwei Stieren gezogenen Wagen wie Mionn. III, 552, eine schlecht
erhaltene Bronzemünze des Caracalla mit der Nike wie Mionn.
Suppl. VII, p. 366, 433, endlich ein schönes Exemplar der
bei Mionn. III, 630, n. 453 beschriebenen Bronzemünze der Julia

34*

Domna, auch mit dem Stempelfehler ΔOMA, mit d[
Felsen sitzenden Stadttyche, zu deren P.....

Von der Insel Eläusa ist ein Exemplar der B
mit Zeuskopf und schreitender Nike vorhanden. D
sich mehrere Münzen Syriens und zwar meist vor
die aber zu Bemerkungen keinen Anlass geben,
Münzen von Königen Syriens.

Sehr interessant und eigentlich die Veranlassu
sprechung unserer Sammlung an dieser Stelle ist ε
welche ein Unicum bis jetzt ist und nur in einer
Berliner Sammlung ein bereits mehrfach besproche
stück hat. Hier die Beschreibung und Abbildung.

Hauptseite: Bartloser männlicher Kopf nach
     der Umschrift FELIX PRINCEPS
Rückseite: Pallas ohne Waffen, das Haupt wah
     mit Helm bedeckt, n. l. stehend mit einer kran
     Nike auf dem rechten Arm. Beigeschrieben
     (ligirt, Monogramme von Eigennamen) COLON
     II·VR·

Das Berliner Gegenstück zeigt nach der Beschr
Katalogs einen männlichen Kopf n. r., genau überei
mit dem der vorigen Münze, mit der Umschrift
FELIX Die Rückseite zeigt ein Ochsenzweigespan
Deichsel und die Inschrift COLON IIVIR· IVL I
gramme sind dieselben wie auf der vorigen Münz
oder Veturius und Petilius oder Petronius; Imhoof,
grecques p. 90).

Diese Berliner Münze hat J. Friedländer 1870 im Bullettino dell' Inst. archeol. p. 193 besprochen und den Kopf für den des Brutus gehalten. A. von Sallet hat bereits auf die Schwierigkeiten hingewiesen, die ein Brutuskopf auf einer Münze einer Colonia Julia, also einer Gründung Cäsars, der Interpretation bieten würde, umsomehr, wenn sie mit dem Dativ Principi als Huldigungsmünze aufgefasst werden muss. Ausserdem bleibt noch sehr auffallend die ungewöhnliche Trennung des Adjectivs ‚Felix' auf der Hauptseite, von seinem Substantiv Colonia auf der Rückseite.

Imhoof hat (Monnaies grecques p. 89 und Griechische Münzen p. 772) den Kopf wohl richtig für Augustus erklärt.

Auch Fröhner hat sich mit dieser Münze beschäftigt (Analecta critica, Philol. Suppl. V, p. 84) und geistreich die Inschrift als PRINCIPIVM FELIX gelesen, analog dem SPES COLONIAE PELLENSIS bei Pella in Makedonien.[1]) Hart und befremdend bleibt immer die Umschrift PRINCIPIVM FELIX beim Kopf des Augustus, während bei der Pellamünze, die ja auch merkwürdig ist, die ganze Inschrift SPES COLONIAE PELLENSIS mit der Darstellung der Spes auf der Rückseite ist und die Vorderseite mit dem Kopf des Octavian eine wenigstens zur Hälfte auf ihn bezügliche Inschrift trägt; die andere nennt einen Duumvir L. Arruntius.

All diese Müh ist aber umsonst aufgewendet, denn die Vermuthung, die ich von Anfang hegte, hat sich bestätigt. Eine genaue Revision des Berliner Exemplars hat ergeben, dass es wie das unsrige die Aufschrift PRINCEPS FELIX trägt. Das Berliner Exemplar ist also übereinstimmend mit dem unsrigen, was die Hauptseite betrifft; aber doch eine Varietät des Stempels, insofern die Umschrift PRINCEPS FELIX beim Berliner Exemplar aneinandersteht, während auf dem Exemplar unserer Sammlung die beiden Wörter durch den Kopf getrennt sind.

Imhoof hat in seinen Monnaies grecques p. 89 darauf hin-

---

[1]) Beschreibung der antiken Münzen. Berlin II, p. 112.

gewiesen, dass, wenn die Münze wegen der
Spesmünze (die ja jetzt eigentlich wegfällt) nach Pel
werden soll, dies desswegen nicht angeht, weil die Mü
Pella nach der Schlacht von Philippi noch griechische
haben, und die Verlegung nach Dium in Makedonie
Friedländer durch die Darstellung der Rückseite, ein
zweigespann an einer Deichsel, mitveranlasst wurde,
zwingend, denn diese Darstellung könnte für jede
münze passen. Friedländer, v. Sallet und Imhoof hal
Münze für makedonisch gehalten, wenn sie auch die b
Zutheilung zu einer Stadt vermieden haben. Intere
mir eine Mittheilung Gäblers, des Bearbeiters des Band
donien für das Corpus numorum, der mir schreibt: D
Fabrik ist entschieden nicht makedonisch und weist v
auf Syrien oder Phönike hin. Wenn dem Speciali
Makedonien, dessen kritischer Blick bei der Behandlu
Tausende von makedonischen Münzen gewiss geschärft
Fabrik fremd erscheint, so ist das gewiss auffallend u
Ansicht Gäblers scheint eine Unterstützung zu erfahre
die Provenienz unserer Münze; denn in dieser Collectio
sich keine makedonische Münze, wohl aber mehrfach
Münzen und diese kleine Sammlung ist dort in der I
worben worden.

Wenn also unsere Münze auch die Schwierigkeit
lösen vermag, so giebt sie vielleicht durch die Darstell
Rückseite Anhaltspunkte für die Veranlassung der Mün
Waffenlosigkeit der Athene, die in der Linken vielleie
einen Granatapfel hält, in Verbindung mit der Nike
sie vielleicht zur Athene Nike, der auf der Akropolis i
ein Tempel geweiht war, und passt vorzüglich zur B
beim Kopf des Kaisers PRINCEPS FELIX. Der lang
Friede, den Augustus schuf, mag der uns bis jetzt n
bekannten Colonie zur Ausprägung dieser Münze den
gegeben haben. Jedenfalls wird die Bekanntgabe dies
die Fachgenossen interessiren.

Hier ist schliesslich noch eine kleine Bronzemünze (oder Marke?) anzureihen (Durchmesser 16 mm), die mir denselben Kopf zu tragen scheint, wie die vorhergehende; die Rückseite zeigt eine Prora. Schrift ist nicht vorhanden und eine Zutheilung vermag ich nicht zu geben.

Der Rest der Münzen besteht aus spätrömischen Kaisermünzen, unter denen als etwas seltener die Münze der Fausta (Cohen-Feuardent n. 1 Fausta) erwähnenswerth ist, ferner eine grosse Zahl meist schlecht erhaltener byzantischer Kupfermünzen.

Von Münzstätten des eigentlichen Griechenlands sind nur Histiaea vertreten mit dreien der äusserst zahlreichen Tetrobolen und der achäische Bund mit einer Silbermünze (Br. Mus. Cat. Peloponnes n. 66).

Zusatz zu S. 139.

Während ich oben S. 139 den eigentüm:
förmigen Ohrschmuck, in welchem ich die homeri:
vermuthet habe, nur von altcyprischen und di:
rhodischen (vgl. Jahrb. d. Inst. I, 1886, S. 154 :
kannte, bin ich jetzt im Stande auf Beispiele
die auf einstige viel grössere Ausbreitung die:
Kreise ionischer Kultur deuten. Diese neuen Beispi
zugleich, wie der auf Taf. X abgebildete cyprisc:
alten kelchförmigen Schmuck mit dem kreisrunder
der jünger archaischen Kultur Joniens. Es ist zu:
Perserschutte der athenischen Akropolis gefund:
Stirnziegel mit der Medusenmaske, der von L. R
Archäol. Aufsätzen 1, Tf. 5 veröffentlicht ward
Roscher's Lexikon I, 1716); die Abbildung ist un:
der Zeichner den glockenförmigen Ohrschmuck nic:
und aus der Rundung des Kelchs mit den Einkerb
fälschlich gerade Rundstäbe gemacht hat. An d
liegenden Abgusse ist die den cyprischen Sculp
entsprechende kelchförmige Bildung ganz deutlich.
deckt den grösseren oberen Teil des Ohres, der
durch den unmittelbar anschliessenden kreisförmi:
verdeckt. Der Stirnziegel ist, wenn nicht sell
Fabrikat, so jedenfalls nach ionischem Vorbilde ge
Stil und Typus des Gorgoneions zeigen. — Das an
findet sich auf ionischem Gebiete selbst; es sind d
des archaischen Stiles angehörigen Silbermünzen vo
mit dem Doppelkopfe (Brit. Mus., catal., Mysia, pl
wo wiederum deutlich der gekerbte Glockenkelch m
förmigen Schmucke darunter verbunden ist.

Verzeichniss der eingelaufenen Druckschriften

Juli bis December 1897.

Die verehrlichen Gesellschaften und Institute, mit welchen unsere Akademie in Tauschverkehr steht, werden gebeten, nachstehendes Verzeichniss zugleich als Empfangsbestätigung zu betrachten.

Von folgenden Gesellschaften und Instituten:

Geschichtsverein in Aachen:
Zeitschrift. 19. Band. 1897. 8⁰.

Société d'Émulation in Abbeville:
Mémoires. Tome I, fasc. 2. 3. 1895/96. 4⁰.
Bulletin. Année 1894 No. 3. 4, 1895 No. 1—4. 8⁰.

Royal Society of South-Australia in Adelaide:
Transactions. Vol. XXI, 1. 1897. 8⁰.

Observatory in Adelaide:
Meteorological Observations in the year 1894. 1897. fol.

Südslavische Akademie der Wissenschaften in Agram:
Ljetopis za godinu. 1896. 1897. 8⁰.
Rad. Bd. 130. 131. 1897. 8⁰.
Grada za povjest Knízevnosti Hrvatske. Bd. 1. 1897. 8⁰.

Archäologische Gesellschaft in Agram:
Vjesnik. II. Ser., II. Bd. 1896/97. 1897. 8⁰.

New-York State Library in Albany:
New-York State Museum. 48th annual Report for 1894. 3 vols. 1896. 8⁰.
New-York State Library. 77th annual Report for 1894. 1897. 8⁰.

University of the State of New-York in Albany:
Additions. No. 3. 4. 1896—97. 8⁰.

Société des Antiquaires de Picardie in Amiens:
Bulletin. Année 1895 No. 4, 1896 No. 1. 1896. 8⁰.

K. Akademie der Wissenschaften in Amsterdam:
Verhandelingen. Afd. Natuurkunde 1. Sectie. Deel V, No. 3—8. 1896. 4⁰.
    II. Sectie. Deel II u. V, No. 4—10. 1896—97. 4⁰.
Zittingsveralagen. Afd. Natuurkunde. Jaar 1896—97. 1897. 4⁰.
Verslagen en Mededeelingen. Afd. Letterkunde 3e Reeks, Deel XII und
    Register za Deel I—XII. 1896. 8⁰.
Jaarboek voor 1896. 1897. 4⁰.
Prijsvers: Reditus Augustii. 1897. 8⁰.

Historischer Verein für Schwaben und Neuburg in Augsburg:
Zeitschrift. XXIII. Bd. 1896. 8⁰.

Texas Academy of Science in Austin:
Transactions. Vol. I, No. 5. 1897. 8⁰.

Peabody Institute in Baltimore:
30ᵗʰ annual Report. 1897. 8⁰.
Catalogue of the Library of the Peabody Institute. Part I. II. 1896. 4⁰.

Johns Hopkins University in Baltimore:
Circulars. Vol. XVI, No. 131; Vol. XVII, No. 132. 133. 1897. 4⁰.
American Journal of Mathematics. Vol. XVIII, 3. 4; Vol. XIX, 1—3. 1896/97. 8⁰.
The American Journal of Philology. Vol. XVII, 1—4. 1896. 8⁰.
American Chemical Journal. Vol. 18, No. 7—10; Vol. 19, No. 1—4. 1896—97. 8⁰.
Bulletin of the Johns Hopkins Hospital. Vol. VIII, No. 75—80. 1897. 4⁰.
Studies in historical and political Science. XIV. Series, No. VIII—XII; XV. Series, No. I—V. 1896—97. 8⁰.

Historischer Verein in Bamberg:
56. u. 57. Bericht für die Jahre 1894—96. 1897. 8⁰.
Der Dom zu Bamberg. Von Michael Pfister. 1896. 8⁰.

Naturforschende Gesellschaft in Basel:
Verhandlungen. Band XI, 3. 1897. 8⁰.

Bataviaasch Genootschap van Kunsten en Wetenschappen in Batavia:
Tijdschrift. Deel 39, afl. 4—6. 1896—97. 8⁰.
Notulen. Deel 34, afl. 3. 4. 1896—97. 8⁰.
Verhandelingen. Deel 48, 3; 50, 3. 1896—97. 4⁰.
Dagh-Register Anno 1668—1669. 1897. 4⁰.

Observatory in Batavia:
Observations. Vol. XVIII, 1895; Vol. XIX, 1896. 1896—97. fol.
Regenwaarnemingen. XVII. Jahrg. 1895; XVIII. Jahrg. 1896. 1896—97. 8⁰.
Wind, weather, currents, tides an tidal, streams in the Indian Archipelago. 1897. fol.

K. natuurkundig Vereeniging van Nederlandsch Indië in Batavia:
Natuurkundig Tijdschrift. Deel 56. 1897. 8⁰.
Boekwerken ter tafel gebracht in de vergaderingen 1896. 1897. 8⁰.

Historischer Verein in Bayreuth:
Archiv. Band XX, 1. 1896. 8⁰.

K. Serbische Akademie in Belgrad:
Glas. No. 52. 54. 1897. 8⁰.
Spomenik. No. 32. 1897. fol.

Museum in Bergen (Norwegen):
G. O. Sars, An Account of the Crustacea of Norway. Vol. II, part 5—8. 1897. 4⁰.

University of California in Berkeley:
Schriften aus den Jahren 1895—96.

K. preussische Akademie der Wissenschaften in Berlin:
Statuten und Reglements. 1896. 4⁰.
Abhandlungen aus dem Jahre 1896. 1896. 4⁰.
Sitzungsberichte. 1897, No. 26—39. 4⁰.
Corpus inscriptionum graecarum. Vol. III, fasc. 1. 1897. fol.
K. geolog. Landesanstalt und Bergakademie in Berlin:
Abhandlungen. Neue Folge. Heft 21—23. 1896. 4⁰.
Geognostische Uebersichtskarte des Thüringer Waldes. 1897.
Deutsche chemische Gesellschaft in Berlin:
Berichte. 30. Jahrg., No. 11—18. 1897. 8⁰.
Deutsche geologische Gesellschaft in Berlin:
Zeitschrift. Band 49, Heft 1 u. 2. 1897. 8⁰.
Physikalische Gesellschaft in Berlin:
Namenregister zu den Fortschritten der Physik. Bd. 21—43. I. Hälfte.
    1897. 8⁰.
Die Fortschritte der Physik im Jahre 1891. 47. Jahrg., Abth. I—III
    Braunschweig 1897. 8⁰.
Verhandlungen. Jahrg. 16, No. 8—10. 1897. 8⁰.
Physiologische Gesellschaft in Berlin:
Centralblatt für Physiologie. Bd. X, Literatur 1896 Register; Bd. XI,
    No. 7—19. 1897. 8⁰.
Verhandlungen. Jahrg. 1896—97, No. 5—17. 8⁰.
J. Rosenthal, Gedächtnissrede auf Emil du Bois-Reymond. 1897. 8⁰.
Kaiserlich deutsches archäologisches Institut in Berlin:
Jahrbuch. Band XII, Heft 1—3. 1897. 4⁰.
K. preuss. meteorologisches Institut in Berlin:
Bericht über das Jahr 1896. 1897. 8⁰.
Ergebnisse der meteorolog. Beobachtungen in Potsdam im Jahre 1894
    u. 1895. 1897. 4⁰.
Ergebnisse der Gewitterbeobachtungen in den Jahren 1892—94. 1897. 4⁰.
Ergebnisse der Beobachtungen an den Stationen II. und III. Ordnung
    im Jahre 1893 und im Jahre 1897. 1897. 4⁰.
Jahrbuch über die Fortschritte der Mathematik in Berlin:
Jahrbuch. Band XXVI, Heft 1. 2. 1897. 8⁰.
Kuratorium der Savigny-Stiftung in Berlin:
Zeitschrift für Rechtsgeschichte 1.—13. Bd. (1861—1878).
Namen- und Sachregister zum 1.—13. Bd. (1880).
Zeitschrift der Savigny-Stiftung für Rechtswissenschaft (1880—1897) und
    zwar: German. Abtheilung 1.—18. Bd., Roman. Abtheilung 1.—18. Bd.
    Weimar. 8⁰.
*Verein zur Beförderung des Gartenbaues in den preuss. Staaten
    in Berlin:*
Gartenflora 1897. Heft 13—24. 1897. 8⁰.
Verzeichniss der grossen allgemeinen Gartenbauausstellung zu Berlin im
    April—Mai 1897. 1897. 8⁰.
Naturwissenschaftliche Wochenschrift in Berlin:
Wochenschrift. Band XII, Heft 7—12. 1897. fol.
Zeitschrift für Instrumentenkunde in Berlin:
Zeitschrift. 17. Jahrg., 1897. No. 7—12, Juli-December. 4⁰.

Allgemeine geschichtsforschende Gesellschaft der Schweiz in 1
Jahrbuch für Schweizerische Geschichte. 22. Bd. Zürich 1897.

Allgemeine Schweizerische Gesellschaft für die gesammten Natu
schaften in Bern:
Neue Denkschriften. Bd. 35. Basel 1896. 4°.
Verhandlungen der Jahresversammlung zu Zürich 1896 und zu
   1897 mit je 1 französischen Compte-rendu. Genf 1896 um
   1896. 8°.

Historischer Verein in Bern:
Archiv. Band XV, Heft 1. 1897. 8°.

Niederrheinische Gesellschaft für Natur- und Heilkunde in E
Sitzungsberichte 1896, II. Hälfte; 1897, I. Hälfte. 8°.

Universität in Bonn:
Schriften aus dem Jahre 1896/97 in 4° u. 8°.

Verein von Alterthumsfreunden im Rheinlande in Bonn:
Bonner Jahrbücher. Heft 104. 1897. 4°.

Naturhistorischer Verein der preussischen Rheinlande in Bo
Verhandlungen. 53. Jahrg., 2. Hälfte, 1896; 54. Jahrg., 1. Hälfte, 1

Société Linnéenne in Bordeaux:
Actes. Vol. 48. 1895. 8°.

Société de géographie commerciale in Bordeaux:
Bulletin. 1897, No. 12—22. 8°.

American Academy of Arts and Sciences in Boston:
Proceedings. Vol. XXXII, No. 2—17, 1896/97; Vol. XXXIII, N
   1897. 8°.
Memoir of George Brown Goode, by S. P. Lanley. Washington 18

American Philological Association in Boston:
Transactions. Vol. 27. 1896. 8°.

Public Library in Boston:
45th annual Report for 1896—97. 1897. 8°.

Boston Society of natural History in Boston:
Proceedings. Vol. 27, No. 14; Vol. 28, p. 1—115. 1897. 8°.

Verein für Naturwissenschaft in Braunschweig:
10. Jahresbericht für 1895/96 und 1896/97. 1897. 8°.
Braunschweig im Jahre 1897. Festschrift. 8°.

Schlesische Gesellschaft für vaterländische Cultur in Bresla
74. Jahresbericht nebst Ergänzungsheft. 1897. 8°.

Verein für die Geschichte Mährens und Schlesiens in Brün
Zeitschrift. Jahrg. I, Heft 3. 4. 1897. 8°.

Académie Royale de médecine in Brüssel:
Mémoires couronnés. Tome XV, fasc. 1. 1897. 8°.
Bulletin. IV. Série. Tome XI, No. 6—10 et Tables alphabétiq
   tomes 1 à 20 de la III° Série. 1897. 8°.

Académie Royale des sciences in Brüssel:
Mémoires couronnés in 4^0. Tome 54. 1896. 4^0.
Mémoires couronnés in 8^0. Tome 48, vol. 1; 49; 50 vol. II; 53 et 54.
  1896. 8^0.
Biographie nationale. Tome XIII, 2; XIV, 1. 1894—96. 8^0.
Bulletin. 3. Série. Tome 33, No. 5—6; Tome 34, No. 7—11. 1897. 8^0.
Notices biographiques et bibliographiques 1896. 1897. 8^0.
Règlements 1896. 8^0.
Collection de Croniques Belges inedités 1895—96. 7 vols. in 4^0 u. 2 vols. in 8^0.

Société des Bollandistes in Brüssel:
Analecta Bollandiana. Tome XVI, fasc. 3. 1897. 8^0.

Société belge de géologie in Brüssel:
Bulletin. IIe Série. Tome 10, fasc. 1 u. Tome 11, fasc. 1. 1897. 8^0.

K. ungarische Akademie der Wissenschaften in Budapest:
Almanach. 1897. 6^0.
Nyelvtudományi Közlemények. (Sprachwissenschaftliche Mittheilungen.)
  Bd. XXVI, 3. 4; XXVII, 1. 2. 1896—97. 8^0.
Történettud. Értekezések. (Historische Abhandlungen.) XVI, 8—12;
  XVII, 1. 1896—97. 8^0.
Monumenta comitiorum regni Transylvaniae. Vol. XIX. 1896. 8^0.
Tarsadalmi Értekezések. (Staatswissenschaftl. Abhandlungen.) XI, 12;
  XII, 1. 2. 1896—97. 8^0.
Nyelvtudomán. Értekezések. (Sprachwissenschaftliche Abhandlungen.)
  XVI, 8. 9. 1896. 8^0.
Archaeologiai Értesítő. Neue Folge. Bd. XVI, 3—5; Bd. XVII, 1—3.
  1896—97. 4^0.
Monumenta Hungariae historica. Sectio I, Vol. 28; Sectio II, Vol. 35.
  1896—97. 8^0.
Mathematikai Értesítő. (Mathemat. Anzeiger.) Bd. XIV, 3—5; XV, 1—3.
  1896—97. 8^0.
Mathematische und naturwissensch. Berichte aus Ungarn. Bd. XIII, 2.
  1897. 8^0.
Rapport. 1896. 1897. 8^0.
B. Munkácsi, Sammlung vogulischer Volksdichtungen. Bd. IV, 1. 1897. 8^0.
Pastor Roseus, L. von J. S. von Petényi. 1896. 4^0.

K. ungarisches Ackerbauministerium in Budapest:
Landwirthschaftliche Statistik der Länder der ungarischen Krone. Bd. I.
  1897. 4^0.

K. ungarische geologische Anstalt in Budapest:
Mittheilungen. Band XI, Heft 4. 5 mit einem Atlas. 1897. 8^0.
Földtani Közlöny. Bd. 27, Heft 5—7. 1897. 8^0.

Museo nacional in Buenos Aires:
Anales. Tomo V (= 2^a Seria, tomo 2) 1896—97. 4^0.
Memorias correspondiente el año 1894, 1895 y 1896. 1897. 4^0.

Botanischer Garten in Buitenzorg (Java):
Prodrome de la Flore algologique des Indes Néerlandaises par É. de Wilde-
  man. Batavia 1897. 8^0.
Mededeelingan. No. XX. Batavia 1897. 4^0.
Verslag over het jaar 1896. Batavia 1897. 4^0.

Academia Romana in Bukarest:
Analele. Serie II. Tome XVIII. Partea administrati
secțiuniĭ istorice; Tome XIX, Partea administrat
Trei-deci de ani de domnie aĭ Regelui Carol I. 2 vo
Eudoxiu de Hurmuzaki, Documente privitóre la Istoria *
u. Suppl. I, Vol. 2. 1897. 4⁰.

Société Linnéenne de Normandie in Cᴇ
Bulletin. 4ᵉ Série. Vol. 10, fasc. 1. 2. 1896. 8⁰.

Meteorological Department of the Government of In
Monthly Weather Review 1897. Januar—July. 1897
Indian Meteorological Memoirs. Vol. VII, part 7. 8
Report on the Administration 1896—97. 1897. fol.
India Weather Review Annual Summary 1896. 1897

Government of India, Department of Revenue and Agri
Memorandum on the snowfall in the mountain district

Geological Survey of India in Calcutt
Records. Vol. 30, part 2—4. 1897. 4⁰.

Asiatic Society of Bengal in Calcutta
Bibliotheca India. New Ser. No. 886—900. 1897.
Journal. No. 359—361. 1897. 8⁰.
Proceedings. 1897. No. I—IV. 1897. 8⁰.

Astronomical Observatory at Harvard College in Ca
52ᵗʰ annual Report for 1896/97. 1897. 8⁰.
Annals. Vol. XXVI, part 2; Vol. XXVIII, part 1; Vol. XX

The Adams Memorial Committee in Camb
The Scientific Papers of John Conch Adams. Vol. I.

Philosophical Society in Cambridge:
Proceedings. Vol. IX, 6. 1897. 8⁰.
Transactions. Vol. XVI, 2. 1897. 4⁰.

Museum of comparative Zoology at Harvard College in
Bulletin. Vol. 31, No. 1—4. 1897. 8⁰.
Memoirs. Vol. XIX, 2; XX; XXI und Atlas; XXIII,
Annual Report for 1896—97. 1897. 8⁰.

Department of Agriculture in Cape To
First annual Report of the Geological Commission 18
Geological Commission, Colony of the Cape of Good H
Bibliography of South African Geology by H. P. Saund
1897. 4⁰.

Accademia Gioenia di scienze naturali in (
Bullettino mensile. Nuova Ser. Fasc. 47—49. 1897

Physikalisch-technische Reichsanstalt in Char
Die Thätigkeit der physikalisch-technischen Reichsans
Berlin 1897. 4⁰.

K. sächsisches meteorologisches Institut in L
Abhandlungen. Heft II, Leipzig 1897. 4⁰.
Das Klima des Königreichs Sachsen. Heft IV. 1897

Academy of sciences in Chicago:
39th annual Report for the year 1896. 1897. 8⁰.
Bulletin. No. 1 of the Geological and Natural History Survey. 1896. 8⁰.

John Crerar Library in Chicago:
1[t] and 2[d] annual Report. 1895. 1896. 1897. 8⁰.

Field Columbian Museum in Chicago:
Publications. No. 15—21. 1897. 8⁰.
Second annual Exchange Catalogue for the year 1897—98. 1897. 8⁰.

Zeitschrift „The Monist" in Chicago:
The Monist. Vol. VII, No. 9; Vol. VIII, No. 1. 1897. 8⁰.

Zeitschrift „The Open Court" in Chicago:
The Open Court. Vol. XI, No. 7—12. 1897. 8⁰.

K. Norwegische Universität in Christiania:
Universitets Aarsberetning for 1895—96. 1897. 8⁰.
Archiv for Mathematik. Bd. XIX, Heft 3. 1897. 8⁰.
4 juristische Dissertationen. 1897. 8⁰.

Videnskabsselskabet in Christiania:
Forhandlinger. Aar 1895. 1896. 1896—97. 8⁰.
Skrifter. 1895, I. II. 1896, I. II. 1896—97. 4⁰.

Editorial Committee of Den Norske Nordhavs-Expedition 1876—1878 in Christiania:
No. XXIV. Botanik. Protophyta of H. H. Gran. 1897. fol.

Naturforschende Gesellschaft Graubündens in Chur:
Jahresbericht. Bd. 40, 1896/97. 1897. 8⁰.

Museum Association in Cincinnati:
16th annual Report 1896. 1897. 8⁰.

Chemiker-Zeitung in Cöthen:
Chemiker-Zeitung 1897. No. 47—104. fol.

Academia nacional de ciencias in Córdoba (Republ. Argent.):
Boletin. Tomo XV, 2. 3. Buenos Aires 1897. 8⁰.

Franz-Josephs-Universität in Czernowitz:
Verzeichniss der Vorlesungen. Winter-Semester 1897/98. 1897. 8⁰.
Uebersicht der akademischen Behörden 1897/98. 1897. 8⁰.

Historischer Verein für das Grossherzogthum Hessen in Darmstadt:
Oberhessisches Wörterbuch von W. Crecelius. Lfg. 2. 1897. 8⁰.

Davenport Academy of natural sciences in Davenport:
Proceedings. Vol. VI. 1897. 8⁰.

Colorado Scientific Society in Denver, Colorado:
R. C. Hills, The Oscuro Mountain Meteorite. 1897. 8⁰.
Ferric Sulphate in Mine Waters by L. J. W. Jones. 1897. 8⁰.
Wm. P. Headden, Some products found in the hearth of an old furnace. 1897. 8⁰.

Gelehrte estnische Gesellschaft in Dorpat:
Sitzungsberichte 1896. Jurjew 1897. 8⁰.

Union géographique du Nord de la France in Douai:
Bulletin. Vol. 16, trimestre 2 et 3. 1897. 8⁰.

K. sächsischer Alterthumsverein in Dresden:
Jahresbericht 1896/97. 1897. 8⁰.
Neues Archiv für sächsische Geschichte. Bd. XVIII. 1897. 8⁰.

Generaldirektion der k. Sammlungen in Dresd
Bericht über die Jahre 1894 und 1895. 1897. fol.
Royal Irish Academy in Dublin;
Proceedings. Ser. III. Vol. IV, No. 2. 3. 1897. 8⁰.
Pollichia in Dürkheim:
Mittheilungen. 53. Jahrg., No. 10, 1895; 54. Jahrg., No
Der Drachenfels von C. Mehlis. II. Abth. Neustadt 189
American Chemical Society in Easton, Pa.:
The Journal. Vol. 19, No. 7—12. 1897. 8⁰.
Royal Society in Edinburgh:
Proceedings. Vol. XXI, p. 813—472. 1897. 8⁰.
Verein für Geschichte der Grafschaft Mansfeld in J
Mansfelder Blätter. 11. Jahrg. 1897. 8⁰.
Gesellschaft für bildende Kunst und vaterländische Alterthü
Jahrbuch. XII. Band, Heft 1 u. 2. 1897. 8⁰.
Naturforschende Gesellschaft in Emden:
81. Jahresbericht für 1895/96. 1897. 8⁰.
K. Universitätsbibliothek in Erlangen:
Schriften aus dem Jahre 1896/97 in 4⁰ und 8⁰.
Reale Accademia dei Georgofili in Florenz:
Atti. IV. Ser. Vol. 20, disp. 2. 1897. 4⁰.
Società Asiatica Italiana in Florenz:
Giornale. Vol. I—X. Roma-Firenze-Torino 1887—97. 8'
Senckenbergische naturforschende Gesellschaft in Fran
Abhandlungen. Band XX, 1; XXIII, 3. 4. 1897. 4⁰.
Bericht 1897. 8⁰.
Physikalischer Verein in Frankfurt a/M.:
Jahresbericht f. d. Jahr 1895/96. 1897. 8⁰.
Naturwissenschaftlicher Verein in Frankfurt a
Helios. Band 14. Berlin 1897. 8⁰.
Societatum Litterae. Jahrg. X, 7—12; XI, 1—6. 1896—
Breisgau-Verein Schau-ins-Land in Freiburg
„Schau-ins-Land." Jahrgang 23 u. 24. 1896 u. 1897.
Universitätsbibliothek in Freiburg i/Br.:
Schriften aus d. J. 1896/97 in 4⁰ u. 8⁰.
Universität Freiburg in der Schweiz:
Collectanea Friburgensia. Fasc. VII. 1897. 4⁰.
Behörden, Lehrer und Studirende. Winter-Semester 1897l
Bibliothèque publique in Genf:
Compte-rendu pour l'année 1896. 1897. 8⁰.
Institut national in Genf:
Bulletin. Tome 84. 1897. 8⁰.
Société de physique et d'histoire naturelle in Ge
Mémoires. Tome 32, partie II. 1896—97. 4⁰.
Universität in Genf:
Schriften aus d. J. 1896/97 in 8⁰.

Museo civico di storia naturale in Genua:
Annali. Serie II. Vol. 17. 1897. 8⁰.

Universität in Giessen:
Schriften aus d. J. 1896/97 in 4⁰ u. 8⁰.

Oberlausitzische Gesellschaft der Wissenschaften in Görlitz:
Neues Lausitzisches Magazin. Band 78, Heft 1. 1897. 8⁰.
Codex diplomaticus Lusatiae superioris II. Heft 2. 1897. 8⁰.

K. Gesellschaft der Wissenschaften in Göttingen:
Göttingische gelehrte Anzeigen. 1897. No. VII—XII (Juli—December).
Berlin 1897. 4⁰.
Nachrichten. a) Mathem.-phys. Classe. 1897, Heft 2. 4⁰.
b) Philol.-hist. Classe. 1897, Heft 2. 4⁰.
Abhandlungen. N. F. Band I, No. 1. 6—8; Band II, No. 1—3. Berlin
1897. 4⁰.

Lebensversicherungsbank für Deutschland in Gotha:
68. Rechenschaftsbericht f. d. Jahr 1896. 1897. 4⁰.

Universität in Gothenburg:
Göteborgs Högskolas Arsskrift. Tome III. 1897. 8⁰.

The Journal of Comparative Neurology in Granville (U. St. A.):
The Journal. Vol. VII, 2. 1897. 8⁰.

Historischer Verein für Steiermark in Graz:
Mittheilungen. 45. Heft. 1897. 8⁰.
Beiträge zur Kunde steiermärkischer Geschichtsquellen. 28. Jahrgang.
1897. 8⁰.

Landesmuseum Joanneum in Graz:
85. Jahresbericht für das Jahr 1896. 1897. 8⁰.

Naturwissenschaftlicher Verein für Steiermark in Graz:
Mittheilungen. Jahrgang 1896, Heft 33. 1897. 8⁰.

Gesellschaft für Pommersche Geschichte in Greifswald:
Nachträge zur Geschichte der Greifswalder Kirchen. Heft 1 (herausgegeben v. Th. Pyl). 1898. 8⁰.

Verein für Greizer Geschichte in Greiz:
2.—5. Jahresbericht. 1897. 8⁰.

*K. Instituut voor de Taal-, Land- en Volkenkunde van Nederlandsch-Indië
im Haag:*
Bijdragen. VI. Reeks. Deel III, aflev. 3. 4, 1897 u. Deel IV. 1898. 8⁰.

Teyler's Genootschap in Haarlem:
Archives du Musée Teyler. Serie II. Vol. V, 3. 1897. 4⁰.

Société Hollandaise des Sciences in Haarlem:
Archives Néerlandaises. Serie II. Tome I, livr. 1—3. 1897. 8⁰.
Oeuvres de Christian Huygens. Vol. VII. 1897. 4⁰.

K. K. Obergymnasium zu Hall in Tirol:
Programm für das Jahr 1896/97. Innsbruck 1897. 8⁰.

Historischer Verein für Württembergisch Franken in Schwäbisch-Hall:
Württembergisch Franken. Neue Folge VI. 1897. 8⁰.

*Kaiserl. Leopoldinisch-Carolinische Deutsche Akademie der Naturforscher
in Halle:*
Leopoldina. Heft 33, No. 5—21. 1897. 4⁰.

Deutsche morgenländische Gesellschaft kir-Güd
Zeitschrift. Band 51, Heft 2 u. 3. Leipzig 1897. 8⁰.
Abhandlungen für die Kunde des Morgenlandes. Bd. X, No
1897. 8⁰.

Universität in Halle:
Verzeichniss der Vorlesungen. Winter-Halbjahr 1897/98.
Schriften aus dem Jahre 1896/97 in 4⁰ u. 8⁰.

Naturwissenschaftlicher Verein für Sachsen und Thüring
Zeitschrift für Naturwissenschaften. Bd. 70, Heft 1, 2.

Thüring.-Sächs. Geschichts- und Alterthums-Verein
Jahresbericht für 1896/97. 1897. 8⁰.

Stadtbibliothek in Hamburg:
Schriften der Hamburgischen wissenschaftlichen Anstalte:
in 4⁰ u. 8⁰.

Historischer Verein für Niedersachsen in Hann:
Zeitschrift. Jahrgang 1897. 8⁰.

Universität Heidelberg:
Ueber die Entstehung und Ausbildung des allgemeinen
Akademische Rede von Georg Meyer. 1897. 4⁰.
Schriften der Universität aus dem Jahre 1896/97 in 4⁰ u.

Historisch-philosophischer Verein in Heidelberg
Neue Heidelberger Jahrbücher. Jahrg. VII, Heft 2. 1897

Naturhistorisch-medicinischer Verein su Heidelb
Verhandlungen. N. F. Band V, Heft 5. 1897. 8⁰.

Finländische Gesellschaft der Wissenschaften in Hel
Acta societatis scientiarum Fennicae. Tom. 21. 1896. 4
Öfversigt. 1895/96. 1896. 8⁰.

Universität Helsingfors:
Schriften aus dem Jahre 1896/97 in 4⁰ u. 8⁰.

Verein für siebenbürgische Landeskunde in Herman
Archiv. N. F. Band XXVII, Heft 3. 1897. 8⁰.
Jahresbericht für das Jahr 1896/97. 1897. 8⁰.

Siebenbürgischer Verein für Naturwissenschaften in He:
Verhandlungen und Mittheilungen. Bd. 46. 1896. 1897.

Verein für Meiningische Geschichte und Landeskunde in H:
Beiträge. Heft 14. Meiningen 1893. 8⁰.
Schriften. 26. u. 27. Heft. 1897. 8⁰.

Ungarischer Karpathen-Verein in Iglós:
Jahrbuch. 24. Jahrg. 1897. 8⁰.

Ferdinandeum in Innsbruck:
Zeitschrift. 3. Folge, Heft 41 u. Register bis incl. Heft 40
1897. 8o.

*Ostsibirische Abtheilung der Kaiserlich russischen Geograpl.
schaft in Irkutsk:*
Iswestija. Bd. 28, No. 1 u. 3. 1897. 8⁰.

Journal of Physical Chemistry in Ithaca, N.Y
The Journal. Vol. I, No. 9—11. 1897. 8⁰.

Medicinisch-naturwissenschaftliche Gesellschaft in Jena:
Denkschriften. Band V, Lieferung 4. 5; Band VIII, Lieferung 3 mit je
1 Heft Atlas. 1896. fol.
Jenaische Zeitschrift für Naturwissenschaft. Band XXXI, 1. 2. 1897, 8⁰.

Naturforschende Gesellschaft bei der Universität Jurjew (Dorpat):
Sitzungsberichte. Bd. XI, 2. Jurjew 1896. 8⁰.
Archiv für Naturkunde. II. Serie. Bd. XI, 2. Jurjew 1897. 8⁰.

Universität Jurjew (Dorpat):
Schriften der Universität aus dem Jahre 1896/97 in 8⁰.

Grossherzoglich technische Hochschule in Karlsruhe:
Schriften aus dem Jahre 1896/97.

Société physico-mathématique in Kasan:
Bulletin. II. Série. Tome VII, No. 2. 3. 1897. 8⁰.

Universität Kasan:
Utschenia Sapiski. Band 64, No. 7—11. 1897. 8⁰.
5 medicinische Dissertationen in russ. Sprache. 1897. 8⁰.

Gesellschaft für Schleswig-Holstein-Lauenburgische Geschichte in Kiel:
Zeitschrift. Band 26. 1897. 8⁰.

Kommission zur wissenschaftl. Untersuchung der deutschen Meere in Kiel:
Wissenschaftliche Meeresuntersuchungen. N. F. Bd. II, Heft 1, Abth. 2.
1897. 4⁰.

K. Universität in Kiel:
Schriften aus dem Jahre 1896/97 in 4⁰ u. 8⁰.

Naturwissenschaftlicher Verein für Schleswig-Holstein in Kiel:
Schriften. Band XI, 1. 1897. 8⁰.

Universität in Kiew:
Iswestija. Vol. 37, No. 5—9. 10 mit Beilage. 1897. 8⁰.

Geschichtsverein für Kärnten in Klagenfurt:
Jahresbericht für 1896. 1897. 8⁰.
Carinthia I. 87. Jahrg. No. 1—6. 1897. 8⁰.
Archiv für vaterländische Geschichte. 18. Jahrg. 1897. 8⁰.

Naturhistorisches Landesmuseum in Klagenfurt:
Jahrbuch. 24. Heft. 1897. 8⁰.
Diagramme der magnetischen und meteorologischen Beobachtungen im
Jahre 1896. fol.

Aerztlich-naturwissenschaftlicher Verein in Klausenburg:
Értesitö. 2 Hefte. 1897. 8⁰.

Stadtarchiv in Köln:
Mittheilungen. 28. Heft. 1897. 8⁰.

Universität in Königsberg:
Schriften aus dem Jahre 1896/97 in 4⁰ u. 8⁰.

K. Akademie der Wissenschaften in Kopenhagen:
Petri Philomeni de Dacia in Algorismum vulgarem Johannis de Sacro-
bosco commentarius ed. Max Curtze. 1897. 8⁰.
Oversigt. 1897, No. 2—5. 1897. 8⁰.
Skrifter. Naturvidensk. Afd. VIII, 5. 1897. 4⁰.
Mémoires. Section des Sciences, 6ᵉ Sér., tome 8, No. 4.

35*

Gesellschaft für nordische Alterthumskunde in Kopenhagen:
E. Vedel, Efterskrift til Bornholms Öldtidsminder og oldsager. 1
Nordiske Fortidsminder. 3 Hefte. 1896. 4⁰.
Aarböger 1897. II. Raekke, 11. Band, 3. u. 4. Heft, 1896; 1
    1—3. Heft. 1897. 8⁰.
Mémoires. Nouv. Sér. 1896. 8⁰.
Genealogisk Institut in Kopenhagen:
Sofus Elvius, To hundrede biografier af studenterne fra 1872. 1
Akademie der Wissenschaften in Krakau:
Sprawozdania komisyi fizyograf. Tom. 31. 1896. 8⁰.
Sprawozdania komisyi Historyi sztuki. Tom. VI, 1. 1897. fol
Anzeiger. Mai—Juli, October, November. 1897. 8⁰.
Rozprawy. a) filolog. Ser. II, tom. 10,
    b) histor.-filoz. Ser. II, tom. 8. 9,
    c) matemat. Ser. II, tom. 10—12. 1896—97. 8⁰.
Biblioteka pisarzow polskich. Tom. 33. 1897. 8⁰.
Atlas geologiczny Galicyi. Zeszyt VI mit Text. 1896. 8⁰ u. f
Archiwum literatury. Tom. IX. 1897. 8⁰.
Misura universale di Tito Livio Burattini. 1897. 4⁰.
Städtisches Museum in Landau (Pfalz):
Erste Ergänzung zum Katalog. 1897. 8⁰.
Historischer Verein in Landshut:
Verhandlungen. 33. Band. 1897. 8⁰.
Société Vaudoise des sciences naturelles in Lausanne:
Bulletin. IV. Sér. Vol. 33, No. 124. 125. 1897. 8⁰.
Kansas University in Lawrence, Kansas:
The Kansas University Quarterly. Vol. I—IV; V, 1. 2; VI, 1—
    bis 1897. 8⁰.
Maatschappij van Nederlandsche Letterkunde in Leiden:
Tijdschrift. N. Serie. Deel XVI, afl. 2—4. 1897. 8⁰.
Handelingen 1896—97. 1897. 8⁰.
Levensberichten 1896—97. 1897. 8⁰.
Archiv der Mathematik und Physik in Leipzig:
Archiv. II. Reihe, Bd. 15, Heft 3, 4 u. Bd. 16, Heft 1, 1897.
K. Gesellschaft der Wissenschaften in Leipzig:
Abhandlungen der philol.-hist. Classe. Bd. XVII, No. 6. 1897.
Abhandlungen der math.-phys. Classe. Bd. XXIV, No. 1. 1897.
Berichte der philol.-hist. Classe. 1897. I. 8⁰.
Berichte der math.-phys. Classe. 1897, III, IV. 8⁰.
Sachregister der Abhandlungen und Berichte der math.-phys.
    1897. 4⁰.
Journal für praktische Chemie in Leipzig:
Journal. N. F. Bd. 55, Heft 6—12; Bd. 56, Heft 1—5. 1897.
University of Nebraska in Lincoln:
Bulletin. No. 47—49. 1897. 8⁰.
Verein für Geschichte des Bodensees in Lindau:
Bodensee-Forschungen. IX. Abschnitt. Die Vegetation des Bod
    1895. 8⁰.
Sociedade de geographia in Lissabon:
Boletin. 15ᵃ Serie, No. 10—12. 1896. 16ᵃ Serie, No. 1—3. 189

Literary and philosophical Society in Liverpool:
Proceedings. No. 51. 1897. 8⁰.

Zeitschrift „La Cellule" in Loewen:
La Cellule. Tome XIII, 1. 1897. 4⁰.

Institution of civil Engineers in London:
List of Members 1897. 8⁰.

The English Historical Review in London:
Historical Review. Vol. XII, No. 47. 48 (Sept., Oct.). 1897. 8⁰.

Royal Society in London:
Proceedings. Vol. 60, No. 368; Vol. 61, No. 375—381. 1897. 8⁰.
Philosophical Transactions. Vol. 186—188. 1895—96. 4⁰.
List of Members. November 1896. 4⁰.

R. Astronomical Society in London:
Monthly Notices. Vol. 57, No. 8. 9. Vol. 58, No. 1. 1897. 8⁰.

Chemical Society in London:
Journal. No. 416—421 (July—December) und Supplement Number 1896.
8⁰. 1897. 8⁰.
List of the Fellows 1897 May. 8⁰.
Proceedings. No. 182—186. 1897. 8⁰.

Geological Society in London:
The quarterly Journal. Vol. 52, No. 205—208. 1896. 8⁰.

Linnean Society in London:
Proceedings. From November 1895 to June 1896. 1896. 8⁰.
The Journal. a) Botany, Vol. 31, No. 218. 219; Vol. 32; Vol. 33, No. 228.
b) Zoology, Vol. 25, No. 163—165; Vol. 26, No. 166. 167.
The Transactions. II^d Series, Botany, Vol. V, part 5. 6. II^d Series,
Zoology, Vol. VI, part 6—8; VII, part 1—3. 1896. 4⁰.
List 1896—97. 1896. 8⁰.

Medical and chirurgical Society in London:
Medico-chirurgical Transactions. Vol. 80. 1897. 8⁰.

Royal Microscopical Society in London:
Journal. 1897, part 4—6. 1897. 8⁰.

Zoological Society in London:
Proceedings. 1897, part II. III. 8⁰.
Transactions. Vol. XIV, part 4. 1897. 4⁰.
List of the Fellows. May 1897. 8⁰.

Zeitschrift „Nature" in London:
Nature. Vol. 56, No. 1440—1471. 4⁰.

Academy of Science in St. Louis:
Transactions. Vol. VII, No. 4—16. 1895—97. 8⁰.

Institut Grand Ducal in Luxembourg
Publications. Tome 25. 1897. 8°.
Historischer Verein der fünf Orte in der
Der Geschichtsfreund. Bd. 52. Stans 1897. 8°.
Université in Lyon:
Annales: a) Recherches stratigraphiques et paléontolo
Languedoc par Frédéric Roman. Paris
b) La République des Provinces-Unies, la F
Bas Espagnols de 1630 à 1650 par A
Paris 1897. 8°.
c) Recherches expérimentales sur quelques ac
chimiques, par H. Rigollot. Paris 1897.
d) Sur le résidu électrique des condensateur
vigue. Paris 1897. 8°.
R. Academia de la historia in Madri
Boletin. Tomo 30, cuad. 6; Tomo 31, cuad. 1—6. 1
R. Istituto Lombardo di scienze in Mai
Rendiconti. Serie II. Vol. 29. 1896. 8°.
Memorie. a) Classe di lettere. Vol. XX, fasc. 4, 5. b
Vol. XVIII, fasc. 2. 3. 1896. 4°.
Atti della fondazione scientifica Cagnola. Vol. 14.
R. Osservatorio astronomico in Maila
Osservazioni meteorologiche nell' anno 1896. 1897.
Società Italiana di scienze naturali in M
Memorie. Tomo 6, fasc. 1. 1897. 4°.
Atti. Vol. 37, fasc. 1. 1897. 8°.
Società Storica Lombarda in Mailan
Archivio Storico Lombardo. Ser. III. Anno 24, fasc.
Literary and philosophical Society in Man
Memoirs and Proceedings. Vol. 41, part 4. 1897.
Universität in Marburg:
Schriften aus dem Jahre 1896/97 in 4° u. 8°.
Verein für Meiningische Geschichte und Landeskun
Schriften. Heft 1—13. 15—25. 1888—97. 8°.
Fürsten- und Landesschule St. Afra in 1
Jahresbericht für das Jahr 1896/97. 1897. 4°.
Verein für Geschichte der Stadt Meissen in
Mittheilungen. Band IV, 3. 1897. 8°.
Rivista di Storia Antica in Messina
Rivista. Anno II, fasc. 3. 4. 1897. 8°.
Académie in Metz:
Mémoires. Année 1895/96. 1897. 8°.
Gesellschaft für lothringische Geschichte is
Jahrbuch. 8. Jahrgang 1896, 2. Hälfte. 4°.
Observatorio meteorológico-magnético central i
Boletin mensual. Abril—Septiembre 1897. 4°.

Regia Accademia di scienze lettere ed arti in Modena:
Memorie. Serie II. Vol. 12, parte 1. 1896. 4⁰.

Società dei naturalisti in Modena:
Atti. Serie III. Vol. 14, fasc. 2. 1897. 8⁰.

Montreal Numismatic and Antiquarian Society in Montreal:
The Canadian Antiquarian and Numismatic Journal. IIIᵈ Serie. Vol. I,
No. 1. 1897. 8⁰.

Oeffentliches Rumianzoffsches Museum in Moskau:
Feierliche Sitzung zum Andenken des Grafen N. Rumianzoff, den 8. April
1897. 1897. 4⁰.

Société Impériale des Naturalistes in Moskau:
Bulletin. Année 1896, No. 4; 1897, No. 1. 1897. 4⁰.

Deutsche Gesellschaft für Anthropologie in Berlin und München:
Correspondenzblatt. 28. Jahrg., No. 5—10. 1897. 4⁰.

Direktion der k. b. Posten und Telegraphen in München:
Verzeichniss der in und ausserhalb Bayern erscheinenden Zeitungen mit
Nachträgen. fol.

K. bayer. technische Hochschule in München:
Personalstand. Winter-Semester 1897—98. 1897. 8⁰.
Bericht für das Jahr 1896—97. 1897. 4⁰.
Programm für das Jahr 1897—98. 1897. 4⁰.

K. bayer. meteorologische Zentralstation in München:
Uebersicht über die Witterungsverhältnisse. Mai—Oktober. 1897. 8⁰.
Beobachtungen. Jahrgang 18, Heft 4. 1897. 4⁰.

Metropolitan-Kapitel München-Freising in München:
Amtsblatt der Erzdiözese München und Freising. Jahrg. 1897. 8⁰.

*K. Staatsministerium des Innern für Kirchen- und Schulangelegenheiten
in München:*
Blatt No. XVIII (Speyer) der geognost. Karte Bayerns von C. W. v. Gümbel
nebst 1 Heft Erläuterungen. Cassel 1897. gr. 8⁰.

K. Staatsministerium des Innern in München:
Die Massnahmen auf dem Gebiete der landwirthschaftlichen Verwaltung
in Bayern 1890—97. 1897. 4⁰.

Universität in München:
Schriften aus dem Jahre 1896/97 in 4⁰ u. 8⁰.
Amtliches Verzeichniss des Personals. Winter-Semester 1897/98. 1897. 8⁰.
Verzeichniss der Vorlesungen. Winter-Semester 1897/98. 1897. 4⁰.

Aerztlicher Verein in München:
Sitzungsberichte. Vol. VI, 1896. 1897. 8⁰.

Historischer Verein in München:
Monatsschrift. 1897, No. 7—12. 8⁰.
58. u. 59. Jahresbericht für 1895 u. 1896. 1897. 8⁰.
Oberbayerisches Archiv. Bd. 50. 1897. 8⁰.

Verlag der Hochschul-Nachrichten in München:
Hochschul-Nachrichten. 1897, No. 83—87. August—December. 4⁰.

Académie de Stanislas in Nancy:
Mémoires. 5ᵉ Série, tome 13. 1896. 8⁰.

Société des sciences in Nancy:
Bulletin. Sér. II, tome 14, fasc. 30. 1896. 8⁰.
Accademia delle scienze fisiche e matematiche in Na
Rendiconto. Serie 8. Vol. 8, fasc. 6—11. 1897. 8⁰.
Zoologische Station in Neapel:
Mittheilungen. Band 12, Heft 4. Berlin 1897. 8⁰.
Gesellschaft Philomathie in Neisse:
26.—28. Bericht 1890—96. 1892—97. 8⁰.
Historischer Verein in Neuburg a/D.:
Neuburger Kollektaneen-Blatt. 60. Jahrg. 1896. 8⁰.
North of England Institute of Engineers in New-Castle (
Transactions. Vol. 46, part 4. 5. Vol. 47, part 1. 1897.
Annual Report for the year 1896—97. 1897. 8⁰.
The American Journal of Science in New-Haven
Journal. IV. Series. Vol. 4, No. 19—24. 1897. 8⁰.
Observatory of the Yale University in New-Have
Report for the year 1896—97. 1897. 8⁰.
American Oriental Society in New-Haven:
Journal. Vol. XVIII, 2. 1897. 8⁰.
New-York Academy of Sciences in New-York:
Transactions. Vol. XV. 1895—96. 1896. 8⁰.
Annals. Vol. IX, No. 4—12. 1897. 8⁰.
American Museum of Natural History in New-Yo
Annual Report for the year 1896. 1897. 8⁰.
American Geographical Society in New-York:
Bulletin. Vol. 29, No. 2. 3. 1897. 8⁰.
American Jewish Historical Society in New-Yorl
Publications. No. 5. 1897. 8⁰.
Nederlandsche botanische Vereeniging in Nijmege
Nederlandsch kruidkundig Archief. III. Serie. Deel I, stuk
Naturhistorische Gesellschaft in Nürnberg:
Abhandlungen. Band X, Heft 5. 1897. 8⁰.
Germanisches Nationalmuseum in Nürnberg:
Anzeiger. 1896. 8⁰.
Mittheilungen. Jahrg. 1896. 8⁰.
Neurussische naturforschende Gesellschaft in Odes
Sapiski. Vol. XX, 2; XXI, 1. 1896—97. 8⁰.
Geological Survey of Canada in Ottawa:
J, F. Whiteaves, Palaeozoic Fossils. Vol. III, part 3. 189
Annual Report. New Series. Vol. VIII, with Maps. 1897.
Reale Accademia di scienze, lettere e belle arti in Pa
Per il IV. Centenario della scoverta di America sollenn
1893. 4⁰.
Statuto dell'Accademia. 1888. 8⁰.
Atti. Nuova Serie. Vol. 1. 2 5. 6. 8—10. IIIᵃ Serie.
1845—97. 4⁰.
Bulletino. 14 Hefte. 1884—93. 4⁰.

Circolo matematico in Palermo:
Rendiconti. Tomo XI, fasc. 4—6. 1897. 4⁰.

Società di scienze naturali ed economiche in Palermo:
Giornale. Vol. 21. 1896. 1897. 4⁰.

Académie de médecine in Paris:
Bulletin. 1897, No. 25—51. 8⁰.

Académie des sciences in Paris:
Comptes rendus. Tome 124, No. 26; Tome 125, No. 1—26. 1897. 4⁰.
Oeuvres complètes de Laplace. Tome VIII—X. 1891—94. 4⁰.

Bibliothèque nationale in Paris:
Catalogue des monnaies musulmanes. Égypte et Syrie. Paris 1896. 8⁰.

Comité international des poids et mesures in Paris:
Comptes rendus des séances en 1895. 1896. 4⁰.
Procès-verbaux des séances de 1895. 1896. 8⁰.

Moniteur Scientifique in Paris:
Moniteur. Livr. 667—670 (Juillet-Octobre 1897), 672 (Decembre 1897),
673 (Janvier 1898). 4⁰.

Musée Guimet in Paris:
Annales. Bibliothèque d'études. Tome 8. 1896. 8⁰.
Revue de l'histoire des réligions. Tome 33, No. 1. 2. 1896. 8⁰.

Muséum d'histoire naturelle in Paris:
Bulletin. Année 1896, No. 6. 1896. 8⁰.

Société d'anthropologie in Paris:
Bulletins. IV. Série. Tome 6, fasc. 5; Tome 7, fasc. 2—4. 1895—96. 8⁰.

Société des Études historiques in Paris:
Revue. Année 63 (1897), No. 3. 8⁰.

Société de géographie in Paris:
Comptes rendus. 1897, No. 13—17. 8⁰.
Bulletin. VII. Série. Tome 18, trim. 1. 2. 1897. 8⁰.

Société mathématique de France in Paris:
Bulletin. Tome 25, No. 4—7. 1897. 8⁰.

Société zoologique de France in Paris:
Mémoires. Tome VIII, partie 1—4. 1895. 8⁰.

Académie Impériale des sciences in St. Petersburg:
Byzantina Chronika. Tom. III, Heft 3. 4. 1896. gr. 8⁰. Tom. IV, Heft 1. 2.
1897. gr. 8⁰.
Mémoires. VII⁰ Série. Tome 42, No. 14. 1897. 4⁰.
Mémoires. VIII⁰ Série. a) Classe hist.-philol. Vol. l, No. 3—6. b) Classe
phys.-mathém. Vol. I, No. 1—8; Vol. V, No. 2—5. 1894—97. 4⁰.
Bulletin. Tome V, No. 3—5; Tome VI, No. 4—5; Tome VII, No. 1.
1896—97. 4⁰.
Annuaire du Musée zoologique 1897, No. 3. 8⁰.

Comité géologique in St. Petersburg:
Bulletins. Vol. XV, No. 6—9; Vol. XVI, No. 1. 2. 1897. 8⁰.
Mémoires. Vol. XIV, 5. 1896. 4⁰.
Carte géologique de la Russie d'Europe. Feuille 114, Astrakhan.

Kaiserlich russische archäologische Gesellschaft in St. Petersbu
Sapiski. Tom. VIII, Heft 1—4. 1896. 4⁰.

B. Dorn, Atlas zu Bemerkungen auf Anlass einer wissenschaftliche
   in dem Kaukasus 1860—1861. 1895. fol.

Medaillen zu Ehren von russischen Staatsmännern und Privatpe
   herausgegeben von J. B. Iversen. Tom. 8. 1896. fol. (I
   Sprache.)

Paul Savvaitov, Beschreibung von alten russischen Geräthen, Kl
   Waffen etc. 1896. 4⁰. (In russ. Sprache.)

V. V. Latyschew, Sammlung griechischer christlicher Inschriften as
   russland. 1896. 4⁰. (In russ. Sprache.)

J. Veselovskij, Vortrag, gehalten in der Festsitzung vom 15. De
   1896. 1896. 4⁰.

Staraja Ladoga (Alt-Ladoga), Zeichnungen und technische Beschr
   von V. V. Suspov. 1896. fol.

Materialy po archeologii rossii. No. 13—20. 1894—96. fol.

Ottschet 1891. 1892. 1893 u. 1894. 1894—95. fol.

Russische astronomische Gesellschaft in St. Petersburg:
Iswestija. 1896, No. 9; 1897, No. 1. 3. 4. 8⁰.

Kaiserl. mineralogische Gesellschaft in St. Petersburg:
Verhandlungen. II. Serie. Bd. 34, Lfg. 2. 1896. 8⁰.
Materialien zur Geologie Russlands. Bd. XVIII. 1897. 8⁰.

Physikalisch-chemische Gesellschaft an der kaiserl. Universität
   in St. Petersburg:
Schurnal. Tom. 29, No. 5—8. 1897. 8⁰.

Musée zoologique de l'Académie Impériale in St. Petersburg:
Annuaire 1897. No. 2. 8⁰.

Section géologique du cabinet de Sa Majesté in St. Petersburg
Travaux. Vol. 2, livr. 2. 1897. 8⁰.

Société des naturalistes in St. Petersburg:
Travaux. a) Section de Zoologie, Vol. 26.   b) Section de Bota
   Vol. 26. 1896. 8⁰.

Kaiserliche Universität in St. Petersburg:
Obosrenije (Vorlesungsverzeichniss) 1897—98. 1897. 8⁰.
Sapiski (Arbeiten der historisch-philologischen Fakultät). Bd. 4
   1896/97. 8⁰.

Academy of natural Sciences in Philadelphia:
Journal. II. Series. Vol. XI, part 1. 1897. 4⁰.
Proceedings. 1896, part III; 1897, part I. 8⁰.

Grats College in Philadelphia:
Publications. Vol. I. 1897. 8⁰.

Historical Society of Pennsylvania in Philadelphia:
The Pennsylvania Magazine of History. Vol. XX, No. 4; Vol.
   No. 1 u. 2. 1897. 8⁰.

Alumni Association of the College of Pharmacy in Philadelphi
Alumni Report. Vol. 38, No. 11. 12. 1897. 8⁰.

American Philosophical Society in Philadelphia:
Proceedings. Vol. 35, No. 153; Vol. 36, No. 154. 155. 1897. 8⁰.

Società Toscana di scienze naturali in Pisa:
Atti. Processi verbali. Vol. X, pag. 201—242. 1897. 4⁰.
Atti. Memorie. Vol. XV. 1897. 4⁰.
Hydrographisches Amt der k. u. k. Kriegsmarine in Pola:
Veröffentlichungen, Gruppe III. Relative Schwerebestimmungen durch
Pendelbeobachtungen. I. Heft. 1897. 4⁰.
Portland Society of natural History in Portland:
Proceedings. Vol. 2, part 4. 1897. 8⁰.
K. geodätisches Institut in Potsdam:
Die Neumessung der Grundlinien bei Strehlen, Berlin und Bonn. Berlin
1897. 4⁰.
Jahresbericht des Direktors für das Jahr 1896/97. 1897. 8⁰.
Böhmische Kaiser Franz-Joseph-Akademie in Prag:
Rozprawy. Třída I, Ročník 5; Třída II, Ročník 5; Třída III, Ročník 5,
číslo 1. 1896. 8⁰.
Historický Archiv. Číslo 8. 9. 1896. 8⁰.
Věstník. Ročník V, číslo 1—9. 1896. 8⁰.
Bulletin international. III. Sciences mathématiques et Médecine. 1896. 8⁰.
Zikmund Winter, Život církevní etc. (Das kirchliche Leben in Böhmen.)
Svazek 2. 1896. 8⁰.
Sbírka pramenův etc. (Sammlung der Quellen zur Kenntniss des literar.
Lebens in Böhmen.) Skupina II, číslo 8. Prag 1897. 4⁰.
Archiv pro Lexikografii. Číslo I, 1. 2. 1896. 8⁰.
J. Hanuš, Život a spisy Václava Bolemíra Nebeského. 1896. 8⁰.
V. Láska, Vyšší geodesie. 1896. 8⁰.
Jaroslav Perner, Foraminifery. 1897. 4⁰.
Václav Vondrák, Frisinské památky. 1896. 4⁰.
Mathematisch-physikalische Gesellschaft in Prag:
Časopis. Band 26, No. 5; Bd. 27, No. 1. 2. 1897. 8⁰.
Deutsche Carl-Ferdinands-Universität in Prag:
Personalstand 1897/98. 1897. 8⁰.
Ordnung der Vorlesungen. Winter-Semester 1897/98. 1897. 8⁰.
Verein für Geschichte der Deutschen in Böhmen in Prag:
Mittheilungen. 35. Jahrg., No. 1—4. 1896. 8⁰.
Zeitschrift „Krok" in Prag:
„Krok". Band 11, Heft 8—10. 1897. 8⁰.
Historischer Verein in Regensburg:
Verhandlungen. Band 49. 1897. 8⁰.
Observatorio in Rio de Janeiro:
Annuario para o Anno de 1897. 1896. 8⁰.
Geological Society of America in Rochester:
Bulletin. Vol. VIII. 1897. 8⁰.
R. Accademia dei Lincei in Rom:
Atti. Serie V. Classe di scienze morali. Vol. II, parte 1; Vol. III,
parte 1, Memorie 1896. Vol. V, parte 2, Notizie degli scavi 1897
Aprile-Ottobre. 1896—97. 4⁰.
Atti. Serie V. Classe di scienze fisiche. Rendiconti. Vol. 6, semestre 1,
fasc. 12; semestre 2, fasc. 1—11. 1897. 4⁰.
Rendiconti. Classe di scienze morali. Serie V, Vol. 6, fasc. 5—10. 1897. 8⁰.
Rendiconti dell' adunanza solenne del 5 Giugno 1897. 1897. 4⁰.

554   *Verzeichniss der eingelaufenen Druckschriften.*

Biblioteca Apostolica Vaticana in Rom:
Studi e Documenti di storia e diritto. Anno XV—XVII.
    Accademia Pontificia de' Nuovi Lincei in Rom:
Atti. Anno 50, sessione 6. 7. 1897. 4°.
    R. Comitato geologico d'Italia in Rom:
Bollettino. Anno 1897, No. 1. 2. 8°.
    Kais. deutsches archäologisches Institut (röm. Abth.) in Ro
Mittheilungen. Band XII, No. 2. 1897. 8°.
    Ufficio centrale meteorologico italiano in Rom:
Annali. Vol. XIV, parte 2, 1892; Vol. XVI, parte 1, 1894.
    R. Società Romana di storia patria in Rom:
Archivio. Vol. XX, fasc. 1. 2. 1897. 8°.
    Universität Rostock:
Schriften aus dem Jahre 1896/97 in 4° u. 8°.
    Bataafsch Genootschap der Proefondervindelijke Wijsbegeu
    in Rotterdam:
Nieuwe Verhandelingen. II. Reeks, Deel IV, Stuk 2. 1897. 4°
    Académie des sciences in Rouen:
Précis analytique 1894—95. 1896. 8°.
    R. Accademia di scienze degli Agiati in Rovereto:
Atti. Serie III, Vol. 3, fasc. 1—8. 1897. 8°.
    The American Association for the avancement of science in
Proceedings for the 45ᵗʰ Meeting held at Buffalo. August 1896.
    K. K. Staatsgymnasium in Salzburg:
Programm für das Jahr 1896/97. 1897. 8°.
    Historischer Verein in St. Gallen:
St. Gallische Gemeindearchive. Der Hof Bernang. Bearbeitet
    Göldi. 1897. 8°.
E. Götzinger, Das Leben des hl. Gallus. 1896. 8°.
Max Gmür, Uebersicht der Rechtsquellen des Kantons St. Ga
    zum Jahre 1798. 1897. 8°.
Aug. Hardeger, St. Johann im Turtal. 1896. 4°.
Joh. Dierauer, Ernst Götzinger, ein Lebensbild. 1897. 4°.
    Instituto y Observatorio de marina de San Fernando (Cadi
Anales. Seccion II. Año 1895. 1896. fol.
    California Academy of Sciences in San Francisco:
Occasional Papers. V. 1897. 8°.
Proceedings. II. Series, Vol. 6, 1896; III. Series, Zoologie, Vol. 1, 1
    Botany, Vol. 1, No. 1, Geology, Vol. 1, No. 1. 2. 1897. 8°.
    Observatorio astronómico y meteorológico in San Salvador
Observaciones meteorológicas. Enero—Marzo. 1897. 8°.
    Bosnisch-Herzegovinisches Landesmuseum in Sarajevo:
Wissenschaftl. Mittheilungen. Band V. Wien 1897. 4°.
    Verein für mecklenburgische Geschichte in Schwerin:
Jahrbücher und Jahresberichte. 62. Jahrg. 1897. 8°.

Editing Committee of the University College of Sheffield:
Papers printed to commemorate the Incorporation of the University
College of Sheffield. 1897. 8⁰.

Station centrale météorologique de Bulgarie in Sofia:
Bulletin mensuel. 1897. Avril—Mai. 4⁰.

K. K. archäologisches Museum in Spalato:
Bullettino di Archeologia. Anno 20, No. 5—11. 1897. 8⁰.

Historischer Verein der Pfalz in Speyer:
Mittheilungen. XXI. 1897. 8⁰.

K. Akademie der Wissenschaften in Stockholm:
Meteorologiska Jakttagelser 1892. II⁰ Ser. Bd. 20. 1897. 4⁰.
Öfversigt. Årgång 53. 1896. 1897. 8⁰.
Handlingar. N. F. Bd. 28. 1895—96. 4⁰.
Bihang til Handlingar. Vol. 22. 1897. 8⁰.
Astronomiska Jakttagelser. Bd. 5, Heft 4. 1896. 4⁰.

K. Vitterhets Historie och Antiquitets Akademie in Stockholm:
Månadsblad. 22. Jahrg. 1893. 1896—97. 8⁰.

Geologiska Förening in Stockholm:
Förhandlingar. Band XIX, Heft 5. 6. 1897. 8⁰.

Gesellschaft zur Förderung der Wissenschaften in Strassburg:
Monatsbericht. Bd. 31, Heft 3—7. 1897. 8⁰.

Kais. Universität in Strassburg:
Schriften aus dem Jahre 1896/97 in 4⁰ u. 8⁰.

Pharmaceutisches Institut der Universität Strassburg:
3 pharmakologische Abhandlungen. (Separatabdrücke.) 1897. 8⁰.

Württembergische Kommission für Landesgeschichte in Stuttgart:
Vierteljahreshefte für Landesgeschichte. N. F. VI. Jahrg. 1897. 8⁰.

Royal Society of New-South-Wales in Sydney:
Abstract of Proceedings. 1897. May—October. 8⁰.
Journal and Proceedings. Vol. 30. 1897. 8⁰.

Department of Mines and Agriculture of New-South-Wales in Sydney:
Annual Report for the year 1896. 1897. fol.
Records of the geological Survey. Vol. 5, part 3. 1897. 4⁰.

Observatorio astronómico nacional in Tacubaya:
Boletín. Tomo 2, No. 1. 2. Mexico 1897. 4⁰.

Deutsche Gesellschaft für Natur- und Völkerkunde Ostasiens in Tokyo:
Sprichwörter der japanischen Sprache von P. Ehmann. Theil I u. II.
1897. 8⁰.
Mittheilungen. Heft 60 u. Suppl.-Heft zu Bd. VI (Nihongi, Theil III)
1897. 4⁰.

Kaiserliche Universität Tokyo (Japan):
The Journal of the College of Science. Vol. X, part 2. 1897. 4⁰.
The Imperial University Calendar. 1896—97. 8⁰.

Royal Society of Canada in Toronto:
Proceedings and Transactions. II^d Series. Vol. II. 1896. 8⁰.

University of Canada in Toronto:
Studies. History. II^d Series, Vol. I, p. 1—74. 1897. 4⁰.

Alterthumsverein in Torgau:
Veröffentlichungen. XI. 1897. 8⁰.

Faculté des sciences in Toulouse:
Annales. Tome XI. Paris 1897. 4⁰.

Biblioteca e Museo comunale in Trient:
Archivio Trentino. Anno XIII, fasc. 2. 1897. 8⁰.

Museo civico di storia naturale in Triest:
Carlo Marchesetti, Flora di Trieste. 1896—97. 8⁰.

Kaiser Franz Joseph-Museum für Kunst und Gewerbe in T
Jahresbericht 1896. 1897. 8⁰.

Universität Tübingen:
Schriften aus dem Jahre 1896—97 in 4⁰ u. 8⁰.

R. Accademia delle scienze in Turin:
Atti. Vol. 32, disp. 13—15. 1897. 8⁰.
Memorie. Ser. II. Tom. 47. 1897. 4⁰.

Gesellschaft „Eranos" in Upsala:
Eranos. Acta philologica Luecana. Vol. I, fasc. 2—4; Vol. II
1896—97. 8⁰.

K. Universität in Upsala:
Festskrift med anledning af Konung Oscar IIs tjugo femårs R
jubileum. 1897. 4⁰.
Schriften der Universität aus dem Jahre 1896/97 in 4⁰ u. 8⁰.

Historisch Genootschap in Utrecht:
Bijdragen en Mededeelingen. Deel XVIII. 1897. 8⁰.
Verslag van de algemeene vergadering. 1897. 's Gravenhage 1
Werken. IIIᵈ Serie, No. 7. Bontemantel, Regeering van Am
Deel I. 's Gravenhage. 1897. 8⁰.

Institut Royal Météorologique des Pays-Bas in Utrecht:
Nederlandsch Meteorologisch Jaarboek voor 1895. 1897. 4⁰.

Physiologisch Laboratorium der Hoogeschool in Utrecht:
Onderzoekingen. IV. Reeks, Band 5, afdel. 1. 1897. 8⁰.

Société Provinciale des Arts et Sciences in Utrecht:
Verslag der algemeene vergadering 1896. 8⁰.
Aanteekeningen van de sectie-vergaderingen 1896. 1897. 8⁰.

Ateneo Veneto in Venedig:
L'Ateneo Veneto. Serie 1895. 1896. 1897, fasc. 1. 8⁰.

R. Istituto Veneto di scienze in Venedig:
Atti. Tomo 53, disp. 4—10 e Appendice; Tomo 54, disp. 1—10;
disp. 1. 2. 1894—97. 8⁰.
Memorie. Vol. 25, No. 4—8. 1895—96. 4⁰.
Programmi dei concorsi scientifici per.gli anni 1897—1900. 1

American Historical Association in Washington:
Annual Report for the year 1895. 1896. 8⁰.

Volta Bureau in Washington:
The Science of Speech by A. Melville Bell. 1897. 8⁰.

Bureau of American Ethnology in Washington:
14ᵗʰ and 15ᵗʰ annual Report for 1892—93 and 1893—94. 1896

Bureau of Education in Washington:

Annual Report of the Commissioner of Education for the year 1895—96. Vol. I. 1897. 8⁰.

U. S. Department of Agriculture in Washington:

Yearbook 1896. 1897. 8⁰.

North American Fauna. No. 13. 1897. 8⁰.

U. S. Coast and Geodetic Survey in Washington:

Report 1895. Parts 1 and 2. 1896. 4⁰.

Bulletin. No. 36. Table of Depths for Channels and Harbors. 1897. 4⁰.

Smithsonian Institution in Washington:

Report of the U. S. National Museum for the year ending June 30, 1893 and June 30, 1894. 1895/96. 4⁰.

Annual Report for the year 1894—95. 1896. 8⁰.

Smithsonian Miscellaneous Collections. No. 1035. 1038. 1039. 1071—1073. 1075. 1077. 1896—97. 8⁰.

Smithsonian Contributions to knowledge. No. 1034. 1896. 4⁰.

U. S. Naval Observatory in Washington:

Report for the year 1893—94 and 1896—97. 1895/97. 8⁰.

K. Akademie für Landwirthschaft und Brauerei in Weihenstephan:

Bericht über das Studienjahr 1896/97. Freising 1897. 8⁰.

Harzverein für Geschichte in Wernigerode:

Zeitschrift. Jahrg. 30. 1897. 8⁰.

Kaiserliche Akademie der Wissenschaften in Wien:

Sitzungsberichte. Philos.-hist. Classe. Band 134. 135. 1896—97. 8⁰.

Mathem.-naturwissensch. Classe. Bd. 105 je Heft 1—10. 1896. 8⁰.

Denkschriften. Philos.-hist. Classe. Band 44. Mathem.-naturwissensch. Classe. Band 63. 1896. 4⁰.

Archiv für österreichische Geschichte. Bd. 83, II. Hälfte. 1897. 8⁰.

Pontes rerum Austriacarum. II. Abth., Bd. 49, 1. Hälfte. 1896. 8⁰.

Geschichte der Gründung und der Wirksamkeit der kais. Akademie der Wissenschaften etc. 1897. 8⁰.

Tabulae codicum. Vol. IX. 1897. 8⁰.

Sitzungsberichte (Anzeiger) der mathematisch-naturwissenschaftl. Classe 1897. No. 1—17. 8⁰.

Prähistorische Kommission der kais. Akademie der Wissenschaften in Wien:

Mittheilungen. Bd. I, No. 4. 1897. 4⁰.

K. K. geologische Reichsanstalt in Wien:

Jahrbuch. Jahrg. 1896, Band 46, Heft 3. 4; 1897, Band 47, Heft 1. 1897. 4⁰.

Verhandlungen. 1897, No. 9—13. 1897. 4⁰.

K. K. Centralanstalt für Meteorologie in Wien:

Jahrbücher. Jahrg. 1894—96. 1896/97. 4⁰.

K. K. Gradmessungs-Commission in Wien:

Verhandlungen. Protokoll über die Sitzung vom 21. April 1897. 1897. 8⁰.

K. K. Gesellschaft der Aerzte in Wien:

Wiener klinische Wochenschrift. 1897, No. 26—52. 1897. 4⁰.

Anthropologische Gesellschaft in Wien:

Mittheilungen. Band XXVII, 3—5. 1897. 4⁰.

Zoologisch-botanische Gesellschaft in Wien:
Verhandlungen. Band 47, Heft 5—9. 1897. 8⁰.

K. K. naturhistorisches Hofmuseum in Wien:
Annalen. Band XII, 1. 1897. 4⁰.

K. K. Universität in Wien:
Oeffentliche Vorlesungen im Sommersemester 1897 u. im Winter-Semester
1897/98. 1897. 8⁰.
Uebersicht der akademischen Behörden für das Studienjahr 1897/98.
1897. 8⁰.
Inaugurationsbericht für 1897/98. 1897. 8⁰.
Bericht über die volksthümlichen Universitätsvorträge 1896/97. 1897. 8⁰.

K. K. Universitäts-Sternwarte in Wien:
Annalen. Bd. X. XII. 1896. 4⁰.

Verein zur Verbreitung naturwissenschaftlicher Kenntnisse in Wien:
Schriften. 37. Band, Jahrg. 1896/97. 1897. 8⁰.

Verein für Nassauische Alterthumskunde etc. in Wiesbaden:
Annalen. Bd. 29, Heft 1. 1897. 4⁰.
Mittheilungen. 1897, No. 12. 4⁰.

Verein für Naturkunde in Wiesbaden:
Jahrbücher. Jahrg. 50. 1897. 8⁰.

Oriental Nobility Institute in Woking:
Vidyodaya. Band 26, No. 6—11. 1897. 8⁰.

Physikalisch-medicinische Gesellschaft in Würzburg:
Verhandlungen. N. F. Band 31. No. 1—7. 1897. 8⁰.
Sitzungsberichte. Jahrg. 1897, No. 1. 2. 1897. 8⁰.

Schweizerische geodätische Kommission in Zürich:
Das Schweizerische Dreiecknetz. Bd. VII. 1897. 4⁰.

Naturforschende Gesellschaft in Zürich:
Astronomische Mittheilungen. No. 88, herausgegeben von A. Wolfer.
1897. 8⁰.
Vierteljahrsschrift. 42. Jahrg., 1897, Heft 2. 8⁰.

Eidgenössisches Polytechnikum in Zürich:
Katalog der Bibliothek. 6. Aufl. 1896. 8⁰.

Von folgenden Privatpersonen:

Anton Antus in Berlin:
Des Feldmarschalls Graf Daun geweihter Degen? 1897. 8⁰.

Robert S. Ball in Cambridge:
Further Development of the relations between impulsive Screws and instantaneous Screws. Dublin 1897. 4⁰.

N. P. Bénaky in Smyrne:
Du sens chromatique dans l'antiquité, 2 Exemplaires. Paris 1897. 8⁰.

W. Borchers in Aachen:
Jahrbuch der Elektrochemie, Jahrg. II u. III. Halle 1896—97. 8⁰.
Zeitschrift für Elektrochemie. Jahrg. II n. III. Halle 1896—97. 8⁰.

A. de Ceuleneer in Gent:
La Crète, conférence. Anvers 1897. 8⁰.

Margaritos G. Dimitsas in Athen:
'Η Μαχεδονία. 2 Bände. 1896. gr. 8⁰.

Jesus Ceballos Dosamantes in México:
Théorie sur les rayons invisibles (cathodiques et x). 1897. 8⁰.

V. Fausböll in Kopenhagen:
Fire forstudier til en fremstilling af den Indiske Mythologi efter Mahābhūrata. 1897. 4⁰.

H. Fritsche in St. Petersburg:
Ueber die Bestimmung der Coefficienten der Gaussischen allgemeinen Theorie des Erdmagnetismus f. d. J. 1885. 1897. 8⁰.
Observations magnétiques sur 609 lieux. 1897. 8⁰.

Anton Ganser in Graz:
Das Weltprincip und die transcendentale Logik. Leipzig 1897. 8⁰.

Albert Gaudry in Paris:
La dentition des ancêtres des Tapirs (Extrait). 1897. 8⁰.
Le Congrès géologique international de St. Pétersbourg (Extrait). 1897. 4⁰.

Ernst Haeckel in Jena:
Natürliche Schöpfungsgeschichte. 9. Aufl. Berlin 1898. 2 Bde. 8⁰.

C. J. T. Hanssen in Kopenhagen:
Reform chemischer und physikalischer Berechnungen. 1897. 4⁰.

Imhoof-Blumer in Winterthur:
Lydische Stadtmünzen. Genf 1897. 8⁰.

Graf Károly von Nagy-Károly:
Codex diplomaticus comitum Karolyi. Tom. 5. Budapest 1897. 8⁰.

Vito La Mantia in Palermo:
I privilegi di Messina (1229—1816). 1897. 8⁰.

Henry Charles Lea in Philadelphia:
Spanish Experiments in Coinage. New-York 1897. 8⁰.

E. Lemoine in Paris:
3 mathematische Abhandlungen. (Separatabdrücke.) 1897. 8⁰.

J. J. Lengsfield in Vicksburg, Miss.:
Origin of the Planets. 1897. 8⁰.

Carl August Lilje in Helsingfors:
Die Gesetze der Rotationselemente der Himmelskörper. Stockholm 1897. 8⁰.

Christian Meyer in München:
Quellen zur alten Geschichte des Fürstenthums Bayreuth. Bd. II. 1896. 8⁰.

Gabriel Monod in Versailles:
Revue historique. Tom. 64, No. 2; Tom. 65, 1. 2. Paris 1897. 8⁰.

Annoncenexpedition von Rudolf Mosse in München:
Zeitungskatalog. 31. Aufl. 1898. fol.

Camillo Graf Razumovsky in Troppau:
Bibliographisches Verzeichniss der wissenschaftlichen Werke und Abhandlungen des Grafen Gregor Razoumowsky. Halle 1897. 8⁰.

Oswald J. Reichel in Lympstone, Exeter:
The „Domesday" Hundreds. II. The Devonshire „Domesday". III. 1896. 8⁰.

Dietrich Reiner's Verlagsbuchhandlung in Berlin:
Zeitschrift für afrikanische und oceanische Sprachen. Jahrg. III, 2 Hefte 1897. 4⁰.

Franz Sales Romstöck in Eichstätt:
Die Jesuitennullen Prantl's an der Universität Ingolstadt. 1898. 8⁰.

Carlos P. Salas in La Plata (Argentinien):
L'agriculture, l'élevage, l'industrie et le commerce en 1895. 1897. 4⁰.

Giovanni Schiaparelli in Mailand:
Rubra Canicula. Nuove considerazione circa la mutazioni di colore in Sirio. Rovereto 1897. 8⁰.
Osservazioni astronomiche e fisiche sull' asse di rotazione del pianeta Marte. Roma 1897. 4⁰.

G. Scognamiglio in Neapel.
4 kleinere pharmakologische Abhandlungen. 1897. 8⁰.

Wilhelm Stern in Berlin:
Kritische Grundlegung der Ethik als positiver Wissenschaft. 1897. 8⁰.

Pierre Vaucher in Genf:
Esquisses d'histoire Suisse. Lausanne 1898. 8⁰.

W. Waldeyer in Berlin:
Das Trigonum vesicae. 1897. 4⁰.

E. W. West in Maidenhead, England:
Pahlavi Texts. Part V. Oxford 1897. 8⁰.

Johannes Zvetaieff in Moskau:
Inscriptiones Italiae Inferioris dialecticae. 1896. 4⁰.

Namen - Register.

562

Sach-Register.